P9-ASG-199

MIDDLE ENGLISH LITERATURE

(Mittelenglische Sprach— und Literaturproben)

BY

A. BRANDL

AND

O. ZIPPEL

SECOND EDITION

CHELSEA PUBLISHING COMPANY
231 West 29th Street, New York 1, N. Y.

1949

Printed in U. S. A.

Contents

Contents

Contents

I. Chronicles.

1. Laȝamon, Brut (beg. 13th cent.).

G: *Geoffrey of Monmouth, Historia regum Britanniae (ab. 1135). — MSS.: very numerous, esp. in the Cottonian, Arundel, Harleian and Royal collections of the Brit. Mus. — Edd.: Ascensius and Cavellatus, Paris 1508 (repr. 1517); Commelin, Heidelberg 1587; Giles, 1844; San-Marte, Halle 1854 (bases his text on Giles' edition; on the latter cf. San-Marte p. LXIV).*

W: *Wace, Roman de Brut (ab. 1155). — Chief MS.: Paris Bibl. Nat. fonds franç. 1450, formerly Cangé 27 (13th cent.). — Ed.: Le Roux de Lincy, Rouen 1836—38.*

L: *Laȝamon. — MSS.: Caligula A. IX (= L$_A$; 1st quarter 13th cent.; cf. Luhmann, Die Überlieferung von Laȝamons Brut, Halle 1906, p. 8); Otho C. XIII (= L$_B$; ab. 1270; the first leaves of this MS. having perished by fire in 1731, the "Prologus" is reprinted from Wanley's copy of it in Hickes' Thesaurus, Ox. 1703—5, II 237). — Ed.: Madden, 1847; Mätzner, Sprachpr. I 19 = Madden II 152—178 (ll. 13785—14396).*

Introduction.

L$_A$:

Incipit hystoria Brutonum.

An preost wes on leoden,	Laȝamon wes i-hoten;	[f. 1
He wes Leovenaðes sone:	liðe him beo Drihten!	
He wonede at Ernleȝe	at æðelen are chirechen	
Uppen Sevarne staþe—	sel þar him þuhte—	
Onfest Radestone, þer he bock radde.		5
Hit com him on mode	and on his mern þonke	
Þet he wolde of Engle	þa æðelæn tellen	
Wat heo i-hoten weoren,	and wonene heo comen	
Þa Englene londe	ærest ahten	
Æfter þan flode	þe from Drihtene com,	10
Þe al her a-quelde	quic þat he funde,	
Buten Noe and Sem,	Japhet and Cham	
And heore four wives	þe mid heom weren on archen.	
Laȝamon gon liðen	wide ȝond þas leode,	
And biwon þa æðela boc	þa he to bisne nom.	15
He nom þa Englisca boc	þa makede seint Beda	
An oþer he nom on Latin	þe makede seinte Albin	

L$_B$:

Incipit prologus libri Brutonum.

A prest was in londe,	Laweman was hote;	
He was Leucais sone:	lef him beo Drihte!	
He wonede at Ernleie	wid þan gode cnihte	
Uppen Sevarne—	merie þer him þohte—	
Faste bi Radistone,	þer heo bokes radde.	5
Hit com him on mode	and on his þonke	
Þat he wolde of Engelond	þe rihtnesse telle	
Wat þe men hi-hote weren,	and wanene hi comen	
Þe Englene lond	ærest afden	
After þan flode	þat fram God com,	10
Þat al ere a-cwelde	cwic þat hit funde,	
Bote Noe and Sem,	Japhet and Cam	
And hire four wifes	þat mid ham þere weren.	
Loweman gan wende	so wide so was þat londe,	14
And nom þe Englisse boc	þat makede seint Bede;	16
Anoþer he nom of Latin	þat makede seint Albin.	

Wanley   driste   3 cniþte   7 ristnesse   8 wancne

LA: And þe feire Austin þe fulluht broute hider in.
    Boc he nom þe þridde, leide þer a-midden,
    Þa makede a frenchis clerc Wace wes i-hoten,   20
    Þe wel couþe writen, and he hoe ȝef þare ædelen
    Ælienor þe wes Henries quene, þes heȝes kinges.
    Laȝamon leide þeos boc, and þa leaf wende;
    He heom leofliche biheold: liþe him beo Drihten!
    Feþeren he nom mid fingren, and fiede on bocfelle, 25
    And þa soþe word sette togadere,
    And þa þre boc þrumde to are.
    Nu bidded Laȝamon *[No gap in MS]*
    Alcne æðele mon for þene almiten Godd
    Þet þeos boc rede and leornia þeos runan,   20
    Þat he þeos soðfeste word segge tosumne
    For his fader saule þa hine ford brouhte,
    And for his moder saule þa hinne to monne i-ber,
    And for his awene saule, þat hire þe selre beo.
           Amen.

LB: Boc he nom þan þridde an leide þar a-midde,
    Þat makede Austin þat folloht brohte hider in.
    Laweman þes bokes bieolde, an þe leves tornde; 23
    He ham loveliche bihelde: fulste God þe mihtie!
    Feþere he nom mid fingres, and wrot mid his honde, 25
    And þe soþe word sette togedere,
    And þane hilke boc tock us to bisne.
    Nu biddeþ Laweman echne godne mon
    For þe mihtie Godes love þat þes boc redeþ, 20
    Þat he þis soþfast word segge togadere, 31
    And bidde for þe saule þat hinne to manne strende,
    And for his owene soule, þat hire þe bet bifalle. 34
           Amen.

    ——————
    22 folloht brofte 24 miþtie 29 mistie

Arthur's Death.
a) The Tidings of Modred's Treason.

LA: Þa Arður wende to soðe to aȝe[i]n al Rome, [Madden 27989/90]
    And wunede inne Burguine, richest alre kinge.
    Þa com þer in are tiden an oht mon riden, [f. 167 b²] new numbering
    And brohte tidinge Arðure þan kinge
    From Moddrede his suster sune; Arðure he wes wilcume, 5
    For he wende þat he brohte boden swiðe gode.
    Arður lai alle longe niht and spac wið þene ȝeonge cniht;

LB: Þo A . . . to w . . . . [f. 131 b
    . . . . . .nede . . . . alre . . . ge
    Þo . . . . ridinge and brohte Ar . . . . tydinge
    Fram Modred his . . . 5 [f. 131 b²
    Arth . . . . . d spac wiþ . . . . cniht, 7

G, X 1: Adveniente vero aestate, cum Romam petere affectaret, et montes transcendere incoe-
  pisset, nunciatur ei Modredum nepotem suum, cuius tutelae commiserat Britanniam,

W: Artus qui remest en Borgogne
    Tot l'iver iloc sojorna Et la tere raseüra.
    En esté valt Mont Giu passer Et a Rome quida aler; 13419/20
    Mais Mordret l'en a retorné, Oiés quel honte et quel viltá.

LA:

    Swa naver nulde he him sugge   soð hu hit ferde.

    Þa hit wes dæi a marʒen   and duʒeðe gon sturien,

    Arður þa up a-ras   and strehte his ærmes;   10

    He a-ras up and a-dun sat   swulc he weore swiðe seoc.

    Þa axede hine an væir cniht: "Laverd, hu havest þu i-varen to-niht?"

    Arður þa andswarede,   a mode him wes uneðe:

    "To-niht a mine slepe,   ðer ich læi on bure,

    Me i-mætte a sweven;   ðervore ich ful sari æm.   15

    Me i-mette ðat mon me hof   uppen are halle;

    Þa halle ich gon bistriden   swulc ich wolde riden;

    Alle þa lond þa ich ah,   alle ich þer oversah,

    And Walwain sat bivoren me,   mi sweord he bar an honde.

    Þa com Moddred faren þere   mid unimete volke;   20 [f. 168

    He bar an his honde   ane wi-ax stronge;

    He bigon to hewene   hardliche swiðe,

    And ða postes forheou alle   þa heolden up þa halle.

    Þer ich i-seh Wenhever eke,   wimmonnen leofvest me.

    Al þere muche halle rof   mid hire honden heo todroh.   25

    Þa halle gon to hælden,   and ich hæld to grunden,

    Þat mi riht ærm tobrac;   þa seide Modred: "Have þat!"

    A-dun veol ða halle,   and Walwain gon to valle,

    And feol a þere eorðe;   his ærmes breken beine.

    And ich i-grap mi sweord leofe   mid mire leoft honde,   30

———————

    25 hondeden   29 brekeen

LB:

    Ac no weis he n . . . . e   here ou hit ferde.

    Þo . . . was dai . . orwe   and . e doʒeþe gan to storie,

    Arthur þo up a-ros   and strahte mid harmes;   10

    He a-ros up and a-dun sat   ase he were swiþe seak.

    Þo axede him þe cniht: "Loverd, ou havest þou fare to-niht?"

    Arthur him answerede   mid . . . . . che . wordes:

    "To-niht in mine bedde,   þar ich lay in boure,

    Me i-mette a sweven;   þarfore ich sori ham.   15

    Me mette þat men me sette   uppen one halle;

    . e halle ich gan bist . . .   . h wolde ride;

    A . . . . . . des þat ich had . .   . . he ʒam i-seh þare,

    And Wawein sat bivore me,   min sweord he bar an honde.

    Þo com Modred wende þare   mid onimete folke;   20

    He bar on his . . .   . ne hax swiþe str . . .

    . . bigan to hewe   . . . . he swiþ.

    . . . . s forhew . . . . .   þat . . . . ppe þan halle.

    Þar . . . . . . eake   Gwenayfer þe cwene.

    Al . . re mochele alle rof   mid hire hond ʒeo todroh.   25 [f. 132

    Þe halle gon to holle,   . . d ich ful to grunde,

    . . . . . riht arm tobr . . .   . o saide Modred: "H . ve þat!"

    A-dun ful þe halle,   . . . Waweyn was offalle,

    . . . . þare eorþe;   his ar . . . . . . ke beyne.

    And ich i-g . . . my gode sweord   mid mine luft honde,   30

G: eiusdem diademate per tyrannidem et proditionem insignitum esse; reginamque Ganu-
maram, violato jure priorum nuptiarum, eidem nefanda venere copulatam esse.

W:

    Ses niés, fils sa soror estoit   Et en garde Bretaigne avoit;

    Tot son rene li ot livré,   A garder li ot commandé,

    Et Mordret li valt tot tolir,   Assés le deüst mius servir,

    De tos les homes prist homages,   Et de tos les castiax ostages.   13429/30

    Aprés ceste grant felonie   Fist encor forçor vilenie,

    Que contre crestiane loi   Prist a soi la fame le roi;

    Feme son oncle, son signor   Prist a fame, s'in fist s'oissor.

Lᴀ:

And smæt of Modred is hafd,   þat hit wond a þene veld.
And þa quene ich al tosnaðde   mid deore mine sweorede;
And seodðen ich heo a-dun sette   in ane swarte putte;
And al mi volc riche   sette to fleme,
Þat nuste ich under Criste   whar heo bicumen weoren.   35
Buten mi seolf ich gond atstonden   uppen ane wolden,
And ich þer wondrien a-gon   wide ȝeond þan moren;
Þer ich i-sah gripes   and grisliche fuȝeles.   [f. 168aˡ]
Þa com an guldene leo   liðen over dune,
Deoren swiðe hende,   þa ure Drihten make[de].   40
Þa leo me orn foren to   and i-veng me bi þan midle,
And forð gun hire ȝeongen   and to þere sæ wende.
And ich i-sæh þæ uðen   i þere sæ driven,
And þe leo i þan vlode   i-wende wið me seolve.
Þa wit i sæ comen,   þa uðen me hire binomen;   45
Com þer an fisc liðe   and fereden me to londe.
Þa wes ich al wet   and weri of sorȝen and seoc.
Þa gon ich i-wakien,   swiðe ich gon to quakien;
Þa gon ich to bivien   swulc ich al fur burne,
And swa ich habbe a[l] niht   of mine swevene swiðe i-þoht.   50
For ich what to i-wisse: A-gan is a[l] mi blisse.
For a to mine live   sorȝen ich mot driȝe.
Wale, þat ich nabbe here   Wenhaver, mine quene!"
Þa andswarede þe cniht: "Laverd, þu havest unriht;
Ne sculde me navere sweven   mid sorȝen a-recchen.   55
Þu ært þe riccheste mon   þa rixleoð on londen,
And þe alrewiseste   þe wuneð under weolcne.   [f. 168ᵇ]
ȝif hit weore i-limpe,   swa nulle hit ure Drihte,
Þat Modred, þire suster sune,   hafde þine quene i-nume,
And al þi kineliche lond   i-sæt an his aȝere hond   60

33 adum   44 wið me] wide mid *first hand*   47 weri] were *first hand*   50 swevenene   58 wulle
first hand

Lʙ:

And smot of Modred his hefd,   þat hit wefde a . . . felde.
And þe cwean . . . . . . un . . . . .
                              in one s . . . .
. . . al mi . . . . fleonde
. . . criste   war þat . . . . . re .   35
Bote mi seol . . . . a-stonde   uppe on   36
Þar ich i-seh gri . . . . wonderliche fo   38
Þo com a guldene . . .   liþe over doune.   39
Þis leo . . . an swiþe to   and nam bi þan midd . .   41
And forþ he me gan leode   and to þare see wende.   42
A . . . e leo in þan flode   . . . . . mid mi seolve.   44
Þo . . . . . see come,   þe beares me hire binome;
Com þar a fisc swemme   and brohte me to londe.
Þo was ich al wet,   wery and swiþe seak.
Þ . gan ich to wakie,   þo ga . ich to cwakie,   48
And þus ich ha . . . al nih   of mine swev . . . moche i-þoht.   50
For ich wot al mid i-wisse: A-gon his al min blisse.   [f. 132a]
For avere to mine lifve   sorewe ich mot drihe.
Wele, þat ich nadde her   mine cweane Gwenayfer!"
Þo answerede þe cniht: "Loverd, þou havest onriht;
Ne solde me nevere sweven   to ha[r]me teorne.
Þou hart þe richest man   þat rixleþ in londe.   56
Þeh hit w . re bifalle,   ase nele hit oure Drihte,   58
Þat Modred, þin soster sone,   hadde þin cweane i-nome,
And al þine lond   . . et o . . . . owe hond

LA:

Þe þu him bitahtest   þa þu to Rome þohtest,
And he hafde al þus i-do   mid his swikedome,
Þe ȝet þu mihtest þe a-wreken   wurðliche mid wepnen,
And æft þi lond halden   and walden þine leoden,
And þine feond fallen   þe þe ufel unnen,   65
And slæn heom alle clane,   þet þer no bilaven nane."
Arður þa andswarede,   aðelest alre kinge:
"Longe bið ævere,   þat no wene ich navere,
Þat ævere Moddred mi mæi   *[No gap in MS]*
Wolde me biswiken   for alle mine richen,   70
No Wenhaver, mi quene,   wakien on þonke;
Nulleþ hit biginne   for nane weorldmonne."
Æfne þan worde forðriht   þa andswarede þe cniht:
"Ich sugge þe soð, leofe king,   for ich æm þin underling:
Þus hafeð Modred i-don;   þine quene he hafeð i-fon,   75
And þi wunliche lond   i-sæt an his aȝere hond.
He is king and heo is que[ne];   of þine kume nis na wene;   *[f.168b²]*
For no weneð heo navere to soðe   þat þu cumen a-ȝain from Rome.
Ich æm þin aȝen mon,   and i-seh þisne swikedom,
And ich æm i-cumen to þe seolven,   soð þe to suggen.   80
Min hafved beo to wedde   þat i-sæid ich þe habbe
Soð buten lese   of leofen þire quene
And of Modrede, þire suster sune,   hu he hafveð Brutlond þe binume."
Þa sæt hit al stille   in Arðures halle;
Þa wes þer særinæsse   mid sele þan kinge.   85
Þa weoren Bruttisce men   swiðe unbalde vor-þæn.
Þa umbe stunde   stefne þer sturede·
Wide me mihte i-heren   Brutten i-beren,
And gunne to tellen   a feole cunne spellen,

LB:

Þat þou hi . . . . tahtest   þo þou to Rom . . . htest.   61
Ȝeot þou mihtest þe a-wreke   . . rþliche swiþe,   63
And eft . in lond holde   and alle . . ne leode,
And þine fon fal . .   . leane to grunde,
Þat þar ne . . . . fde none   of þine wiþer . . . . . s."
Aarthur þo answ . . . . e,   wisest alre kinge:
"L . . . . . . beoþ evere,   þat ne wen ich nevere,
Þat ev . re Modred my meay,   þat man his me leovest,
Wolde me biswike   for al mine riche,   70
Ne Gwenayfer, min cwéan,   . . al þat ich wene;
Nolleþ hii hit bigynne   for none worleþinge."
Eafne þan worde forþriht   þo answerede þe cniht:
"Ich wolle soþ segge, king,   for ich ham þin onderling:
Þos haveþ Modred i-don;   þine cweane he haveþ i-nome,   *[f.132b]*
And al Brutlond   i-set to his owene hond.   76
He his king and ȝeo cweane;   of þine keome nis no wene.
For hii weneþ al to soþe   þat þou ne comest nevere fra Rome.
Ich ham þin owe man,   ich seh þane swikedom.   79
Min heved ich legge to wed . .   soþ þat ich þe segge."   81
Þo sat hit al stille   in Arthur his halle;   83
Þo was þar moche sorinisse   mid . . . . . r þ . n kinge.
Þo were . . . . uttusse men   swiþe onb . . d for-þan.
Þo bi an stunde   stemne þar storede;
Wide me mihte . . . re   Bruttune beare.
Hii g . . ne to telle   of fale cunn . . . . le,

---

77 his *repeated*

LA:

Hu heo wolden fordeme   Modred and þa quene,   90
And al þat moncun fordon   þe mid Modred heolden.
Arður þa cleopede,   hendest alre Brutte:
"Sitteð a-dun stille,   cnihtes inne halle,
And ich eou telle wulle   spelles uncuðe.
Nu to-mærȝe þenne hit dæi bið,   and Drihten hine sende,   95
Forð ich wulle buȝe   in toward Bruttaine,
And Moddred ich wulle slean   and þa quen forberne,   [f. 169
And alle ich wulle fordon   þa biluveden þen swikedom.
And her ich bileofven wulle   me leofvest monne,
Howel, minne leofve mæi,   hexst of mine cunne,   100
And half mine verde   ich bilæfven a þissen ærde,
To halden al þis kinelond   þa ich habbe a mire hond.
And þenne þas þing beoð alle i-done,   a-ȝan ich wulle to Rome,
And mi wunliche lond bitæche   Walwaine, mine mæie,
And i-vorþe mi beot seoðe   bi mine bare life,   105
Scullen alle mine feond   wæisið makeȝe."
Þa stod him up Walwain,   þat wes Arðures mæi,
And þas word saide,   þe eorl wes a-bolȝe:
"Ældrihten Godd,   domes waldend,
Al middelærdes mund,   whi is hit i-wurðen   110
Þat mi broðer Modred   þis morð hafveð i-timbred?
Ah to-dæi ich atsake hine here   bivoren þissere duȝeðe,
And ich hine fordemen wulle   mid Drihtenes wille.
Mi seolf ich wulle hine anhon,   haxst alre warien.
Þa quene ich wulle mid Goddes laȝe   al mid horsen todraȝe.   115
For ne beo ich navere bliðe   þa wile a beoð a-live,   [f.169 a²
And þat ich habbe minne æm   a-wræke mid þan bezste.
Bruttes þa andswarede   mid baldere stefne:
"Al ure wepnen sunden ȝarewe,   nu to-marȝen we scullen **varen**."

----

97 slean] scaln   104 bitatæche   105 i-vorþe mi] voreni *first hand*

LB:

Hou hii wolde ford . me   Mordred an . . . cweane,   90
And al þat . . . . . . fordon   þat mid M . . . . . . eolden.
Arthur þo sa . . .,   hendest alre Brutte:
"Sitteþ a-dun stille,   cnihtes in halle,
And ich ȝou telle wolle   spelles oncouþe.
Nou to-morwe wane hit dai beoþ,   and Drihte hine sendeþ,   95
Fo . . . . . wolle wende   into Brutayne,
And Modred ich wolle slean   and forbearne þe cweane.   97
And her ich wolle bileave   Howel þan eande,   99
Hehest of mine cunne,   manne me leovest,
And half mine . . . de   ich bileave in þis ea . . .,   [f.132 b²
To holde al þis kinelon.   . . . . . . habbe in mine hond.
A . . . ane þeos þinges beoþ i-don,   a-ȝen ich wolle toward R . . .,
And mi lond bitak   . . . . . n, mine meaye.   104
Solle a . . . . fon   þis swikedom . . . . ge."   106
Þo stod up Waweyn,   þat was Arthures cun,
And þeos word . . . .,   þe cniht was . . ol . .,
. . drihtene . . . . overe.   109
. . . . red   þis . . . . i-timbred   111
. . . . h hine sake   bi . . . ., . is doȝeþe
And ich . . . . wolle   mid Drihte . . . .
. . seolf ich wolle . . . . n
And þe cwea   115
For ne worþe . . . . liþe   ear come . . time,
Þat ich habbe min eam   a-wreke mid þan . . ste .
Bruttus þo answe . . . .   . . d cwikere stem . .:
"Al o . . wepne his ȝare,   nou to-morewe we sollen vare."

b) The Last Battle.

Lᴀ:

A marȝen þat hit dæi wes,　　and Drihten hine senden,
Arðu[r] vorð him wende　　mid aðelen his folke;
Half he hit bilæfde,　　and half hit forð ladde.
Forð he wende þurh þat lond　　þat he com to Whitsond.
Scipen he hæfde sone　　monie and wel i-done.
Ah feowertene niht fulle　　þere læi þa verde　　　　125
Þeos wederes a-biden,　　windes bidelde.
Nu was sum forcuð kempe　　in Arðures ferde:
Anæn swa he demen i-herde　　of Modredes deðe,
He nom his swein a-neouste　　and sende to þissen londe,
And sende word Wenhaveren,　　heou hit was i-wurðen,　　130
And hu Arður wes on vore　　mid muclere ferde,
And hu he wolde taken on,　　and al hu he wolde don.
Þa quene com to Modred,　　þat was hire leofvest monnes,　　[f. 169 b]
And talde him tidende　　of Arðure þan kinge,
Hu he wolde taken an,　　and al hu he wolde don.　　135
Modræd nom his sonde　　and sende to Sexlond
After Childriche,　　þe king wes swiðe riche,

---

129 nom] mon *first hand*

Lᴮ:

A morwe þo hit dai was,　　and Drihte hine sende,　　120
Arthur him forþ wende　　.d gode his cnihtes;
Halve .. þare lefde,　　and halve he forþ ladde.
Forþ he wende þorh þat l .nde　　þ . . . e com to Witsond.
S . . . . s he hadde sone　　manie and . . . . . .　　[f. 133]
Ac fourtene niht . . . . .　　. . . . . . . ferde　　125
Weder a- . . . .　　wyndes bidealed.
. . . . . s som forcouþ cniht　　. . . . . ures ferde,
Þat þo . . . . eme　　of Modred . . . . . .
He nam his sw . yn one　　. . . sende to londe,
. nd sende word Gwenayfer . . . . . . was i-worþe þar,
A . . . . . Arthur was on vore　　m . . . . lere ferde.　　131
Þe cwea . . . . . . o Mod . . .　　. . . was . . . .　　133
. . . . tydinge　　of . . . . nge,
Ou wold . . . .　　and al ou he . . . .
. . . dred nam his . . . . .　　. . . . . . de to Saxlond,
. . . . driche,　　þane . . . . þan riche,

G, XI 1: De hoc quidem, consul Auguste, Gaufridus Monumetensis tacebit. Sed ut in Bri-
tannico praefato sermone invenit, et a Gualtero Oxinefordensi in multis historiis peritissimo
viro audivit, vili licet stylo, breviter tamen propalabit, qua praelia inclytus ille rex post
victoriam istam, in Britanniam reversus, cum nepote suo commiserit. Ut igitur infamia
praenunciati sceleris aures ipsius attigit, continuo dilata inquietatione, quam Leoni regi
Romanorum ingerere affectaverat: dimisso Hoelo duce Armoricanorum cum exercitu
Galliarum, ut partes illas pacificaret: confestim cum insulanis tantummodo regibus,
eorumque exercitibus in Britanniam remeavit.

W:

Artus oï, et bien savoit　　Que Mordret foi ne li portoit:
Son raine trait, sa fame a prise,　　Ne li fait mie bel servise.　　13439/40
Sa gent a Hoel mi parti,　　France et Borgogne li guerpi;
Si li rova que tot gardast　　Et que il par tost païs fermast.
En Bretaigne retorneroit,　　Cels des illes a soi menroit,
Et de Mordret se vengeroit　　Qui sa fame et s'onor tenoit,
Tot son congiest po priseroit　　Se Bretaigne son fié perdroit.　　49/50
Mius velt laier Rome a conquerre　　Que perdre sa demaine terre;
A brief terme s'en retolroit　　Et a Rome, ce dist, iroit.
Ensi vint Artus a Guingant,　　Del parjure Mordret plaignant
Qui le tornoit de son conquest;　　Son navie ot a Guingant prest.

LA:

And bæd hine cume to Brutaine,   þerof he bruke sculde.
Modræd bad Childriche,   þene stronge and þene riche,
Wide senden sonde   a feouwer half Sexlonde,   140
And beoden þa cnihtes alle   þat heo biȝeten mihte,
Þat heo comen sone   to þissen kinedome;
And he wolde Childriche   ȝeoven of his riche
Al biȝeonde þere Humbre,   for he him scolde helpe
To fihten wið his æme,   Arðuren kinge.   145
Childrich beh sone   into Brutlonde.
Þa Modred hafde his ferde   i-somned of monnen,
Þa weoren þere i-talde   sixti þusende,
Herekempen harde   of heðene volke;
Þa heo weoren i-cumen hidere   for Ardures hærme,   150
Modred to helpen,   forcuðest monnen.
Þa þe verde wes i-some   of ælche moncunne,
Þa heo weoren þer on hepe   an hunddred þusende,   [f.169 bᵃ]
Heðene and cristene,   mid Modrede kinge.
Arður lai at Whitsond;   feouwertene niht him þuhte to long.   155
And al Modred wuste   wat Arður þær wolde.
Ælche dai him comen sonde   from þas kinges hirede.
Þa i-lomp hit an one time,   muchel rein him gon rine,
And þa wind him gon wende   and stod of þan æstende.

---

140 Welde   142 kinedone   144 þerere   146 Bruttlonde *first hand*

LB:

And b........me to Brutlonde   ... be solde.   138
Al ... hond   aȝendals .... berlond   144
Cheldrich .... to Brutlonde.   146
Þ... ... his cnihtes
.. weren þar .... ousend,   148
Þat were h.......me   for Arthur his arme,   150
....ed to helpe   forcouþest ......
Þo þe ferde ..s i-gadered   of alle m....nne,
Þo were þar to heape   an hundred þousend,
Heaþen...d........e   mid Modred ....
Arthur lay at ......nd;   fourte niht h.. him þohte to long.   155
And al Modred wiste   þat Arthur þare wolde.   [f.133 aᵃ]
For eche dai him com sonde   fram þan kinges ferde.
Þo bifallet in on tyme,   moche .... hit gan ryne,
An..........gan wende   and .... eastᵉande.

G: Praedictus autem sceleratissimus proditor ille Modredus, Cheldricum Saxonem ducem in Germaniam direxerat, ut in illa quoscumque posset associaret sibi, et associatis quibuscunque, iterum citissimis velis rediret. Spoponderat etiam se ipsi hoc pacto daturum partem illam insulae, quae a flumine Humbro usᵕᵉ ad Scotiam porrigebatur, et quicquid in Cantia tempore Vortegirni Horsus et Hengistus possederant. At ille peracto ipsius praecepto, octingentis navibus armatis Paganis plenis applicuerat: et foedere dato, huic proditori quasi suo regi parebat. Associaverat quoque sibi Scotos, Pictos, Hybernienses, et quoscunque callebat habuisse suum avunculum odio. Erant autem omnes numero

W:

Mordrés sot d'Artu le repaire,   Ne valt ne ne daigna pais faire: 13450/60
Chedric de Saissone ot mandé,   Et Chedric li ot amené
Set cent nés bien apparilliés   De chevalier tote cargiés.
Et Mordret lor ot creanté   Et en eritage doné,
Por lor aĺe et por lor force,   Dés le Hombre dusqu'en Escoce,
Et quanque ot en Kent Hengist,   Quant Vortiger sa fille prist.   60/70
Quant Mordret ot sa gent jostee,   Assés fu bele l'asamblee
Entre la gent qui fu paiene   Et celi qui fu crestiene,
Ot od haubers et od destriers   Soisante mil chevaliers.

LA:
And Arður to scipe fusde   mid alle his verde,   160
And hehte þat his scipmen   brohten hine to Romerel;
Þer he þohte up wende   into þissen londe.
Þæ he to þere havene com,   Moddred him wes a-vorn on.
Ase þe dæi gon lihte,   heo bigunnen to fihten,
Alle þene longe dæi: moni mon þer ded læi.   165
Summe hi fuhten a londe,   summe bi þan stronde;
Summe heo letten ut of scipen   scerpe garen scriþen.
Walwain biforen wende   and þene wæi rumde,
And sloh þer a-neuste   þeines elleovene.
He sloh Childriches sune,   þe was þer mid his fader i-cume.   170
To reste eode þa sunne,   wæ wes þa monnen.   [f. 170
Þer wes Walwain a-slæȝe   and i-don of lifedaȝe
Þurh an eorl Sexisne: særi wurðe his saule!
Þa wes Arður særi   and sorhful an heorte for-þi,
And þas word bodede,   ricchest alre Brutte: 175
"Nu ich i-leosed habbe   mine sweines leofe.
Ich wuste bi mine swevene   whæt sorȝen me weoren ȝeveðe.
I-slaȝen is Angel, þe king,   þe wes min aȝen deorling,

LB:
And Arthur to sipe wende   mid alle his cnihtes,   160
And hehte þat his sipmen   brohte hine at Romelan;
Þar he þohte upwende   into þisse londe.
Þo he to þar havene com,   M .. red was a-forn . ȝeon.
Also þe day gan lihte,   hii bigonne to fihte,
Al þane lang . day: mani man þar dead lay.
Somme hi fohte a londe,   somme bi seestr .. de.   166
Waweyn wende bi . . . e   and þane way rumde,   168
And he sloh Cheldrich his so ..,   þat was mid þan fa . . . come.   170
To raste ȝeode . . . . . e,   wo was þo þ . . . .
Þar was Waweyn ofslawe   and i-don of lifdaȝe
Þorh one eorl Šexisne: sori w .. þe his saule!
Þo was .. thur sori   and sorþfolle . . . eorte,
And þeos wo . . . . de,   richest alre Brut . . .:   175
"Nou ich i-lore habbe   Waweyn þat ich lovede.
Ich wiste wel bi min sweven   þat sorþwe me was ȝeven.
I-slawe his Angel þe king,   þat was min owe deorling,   [f.133 b

---

160 wende *repeated*

G: quasi octingenta milia, tam Paganorum quam Christianorum, quorum auxilio fretus, et quorum multitudine comitatus, Arturo in Rutupi portum applicanti obviam venit: et commisso praelio maximam stragem dedit applicantibus. Auguselus etenim rex Albaniae et Walgainus nepos regis, cum innumerabilibus aliis in die illa corruerunt. Successit autem

W:
Aseür quide Artur atandre   Et li vaura les pors desfandre;
Ne li velt pas son droit guerpir   Si s'an devroit bien repentir,   13479/80
Et il se sent a tant copable   Que de pais faire seroit fable.
Artus fist sa gent aprester,   Tant en mena ne sai nombrer.
A Romenel valt ariver   Et la quida ses nés mener;
Mais ains qu'il fust a tere issus   Fu Mordrés contre lui venus
Od ses homes et od sa gent   Qui od lui sont par sairement.   80/90
Cil des nés d'ariver s'esforcent   Et cil des rives les desforcent.
Mult s'i asaient d'ambes pars,   Traient sajetes, lancent dars;
Ventres, corailles, et pis percent   Et crievent els, si li adrecent.
Cels des nés convint tant entandre   A faire as nes la terre prandre;
Ferir, ne issir ne lor list   Et s'empres moert cil qi en ist: 13499/500
Souvent crient, souvent cancelent,   Traitors ceux defors apelent.
As nés descargier, al rivage   Ot Artus mervillos damage;
Maint en i ot colpé les ciés,   Ocis i fu Gavains ses niés;

LA:

And Walwaine, mi suster sune— Wa is me þat ich was mon i-boren!
Up nu of scipen bilive,   mine beornes ohte!"   180
Æfne þan worde   wenden to fihte
Sixti þusend anon,   selere kempen,
And breken Modredes trume,   and wel neh him seolve wes i-nome.
Modred bigon to fleon,   and his folc after teon.
Fluʒen veondliche,   feldes beoveden eke,   185
Ʒurren þa stanes   mid þan blodstremes.
Þer weore al þat fiht i-don,   ah þat niht to raðe com:
Ʒif þa niht neore,   i-slaʒen hi weoren alle.
Þe niht heom todelde   ʒeond slades and ʒeon dunen;
And Modred swa vorð com   þat he wes at Lundene.   190 [f.170 aˢ]
I-herden þa burhweren   hu hit was al i-faren,
And warnden him inʒeong   and alle his folke.
Modred þeone wende   toward Winchastre;
And heo hine undervengen   mid alle his monnen.

179 mi *inserted by second hand*   190 worð *first hand*

LƆ:

And Wawein, mi sost[r]e sone— Wo is me for þare leore!
Up nou of sipe blive,   mine cnih . . s ohte!"   180
Eafne þan worde   . . . de to . . hte
Sixti þou . . . . ,   baldere Bruttus,
And breke Modred his trome,   and wel neh him seolf was i-nome.
Modred gan to fleonde,   and his folk after.   184
Þar was al þat fiht i-don,   ac þe niht to raþe com: 187
Ʒef þat niht neore,   a-slaʒen alle hii were.   188
And Mod . . d so forþ com,   þa . he was at Londen.   190
Hi-horde þe borhmen   al ou hit was i-faren,
And wornde him . ingonde   and alle his folke.
Modred þanne wende   into Wync . estre;
And hii him onder . . . . .   mid alle his manne.

G: Auguselo in regnum Eventus filius Uriani fratris sui, qui postea in decertationibus istis, multis probitatibus claruit. Postquam tandem, etsi magno labore, littora adepti fuerunt, mutuam reddendo cladem, Modredum et exercitum eius pepulerunt in fugam. Assiduis namque debellationibus usi, sapienter turmas suas disposuerant: quae partim pede, partim equo distributae, tali modo decertabant: quod cum pedestre agmen ad invadendum vel resistendum intenderet, equestre ilico ab obliquo irruens, omni nisu penetrare hostes conaretur, unde eos ad diffugiendum coegerunt.
Periurus ergo ille revocatis undique suis, insequenti nocte Guintoniam ingressus est. Quod ut Ganhumarae reginae annunciatum est, confestim desperans, ab Eboraco ad

W:

Artus ot de lui dolor grant   Car il n'amoit nul home tant.
Aguisel fu od lui ocis   Qui mult avoit d'armes grans pris.   13509/10
Des autres i ot ocis maint   Que li bons princes Artus plaint;
Tant com il furent u sablon   N'i fist Artus se perdre non,
Mais puis qui furent al terain   Et furent ensamble al plain,
N'i pot avoir li gent duree   Que Mordret avoit amenee.
Mordrés ot hommes conqueltis   Em pais et em repos norris;   19/20
Ne s'i sorent pas si covrir   Ne si ester, ne si ferir
Comme la gent Artus savoit   Qui en guerre norie estoit.
Artus et li sien i feroient   Qui a glaive les ocioient.
A vinz et a cent les ocistrent;   Mult en tuerent, mult en pristrent.
Grans fu l'ocise, graindor fust   Se li presse ne lor n'eüst.   29/30
Li jor failli et la nuiz vint,   Artus s'estut, sa gent retint.
Li gent Mordret torna en fuie,   Nus n'atent que on le conduie,
Nus n'i prandoit d'altrui conroi,   Cascuns pensoit de garir soi.
Mordrés s'enfui tote nuit,   Mais n'a recet ou il s'apuit:
A Londres quida remanoir,   Mais cil ne li valrent recevoir.   39,40
Tamise et l'eve trespassa,   Dusqu'a Wincestre ne fina;

LA:
> And Arður after wende   mid alle his mahte,   195
> Þat he com to Winchestre   mid muchelere verde,
> And þa burh al biræd,   and Modred þerinne a-beod.
> Þa Modred i-sæh   þat Arður him wes swa neh,
> Ofte he hine biþohte   wæt he don mahte.
> Þa a þere ilke niht   he hehte his cnihtes alle   200
> Mid alle heore i-wepnen   ut of burhȝe wenden,
> And sæide þat he weolde   mid fihte þer atstonden.
> He bihehte þere burȝewere   aver mare freo laȝe,
> Wið þan þa heo him heolpen   at heȝere neoden.
> Þa hit wes dæiliht,   ȝaru þa wes heore fiht.   205
> Arður þat bihedde,   þe king wes a-bolȝe.
> He lette bemen blawen   and beonnen men to fihten.
> He hehte alle his þeines   and aðele his cnihte   [f. 170 b
> Fon somed to fihten,   and his veo[n]d a-vallen,
> And þe burh alle fordon,   and þat burhfolc a-hon.   210

---

198 him] hit *first hand*   210 burhfolc] h *added by second hand*

LB:
> An . . . thur after forþriht   mid alle his mihte,   195
> Þat he . . m to Wynchestre   mid alle his . . . de,
> . . . þe borh al bir . . .   . . . Modred þar ine a-b . . . .   [f.133 b²
> . . . . dred i-seh   þat Arthur was so neh,
> Ofte he hine biþohte   wat he don mihte.
> . . d he in þan ilke niht   he h . . . . alle his cnihtes   200
> Mid alle . . . . . . pne   ut of borewe wen . . ,
> . . d saide þat he wolde   mid . . . te þar atstonde.   202
> Þo hit was dayliht,   þo was ȝaru hire fiht.   205
> Arthur þat bihedde,   king was a-bo . . .
> . . . . blowe bumes . . . . fihte.
> He hehte al . . . . . . eynes   and alle his . . . .
> Healpe him at þan . . . . his feondes fa . . .
> . . . . . borh al fordon   a . . . . al anhond.   210

G: urbem Legionum diffugit, atque in templo Julii martyris, inter monachas eiusdem caste vivere proposuit, et vitam monachalem suscepit. 2. At Arturus acriori ira accensus, quoniam tot centena commilitonum suorum amiserat, in tertia die datis prius sepulturae peremptis, civitatem adivit: atque intra eam receptum nebulonem obsedit. Qui tamen coeptis suis desistere nolens, sed ipsos qui ei adhaerebant pluribus modis inanimans, cum agminibus suis egreditur, atque cum avunculo suo praeliari disponit.

W:
> Iloc estut et demora,   Et iloc ses amis manda.
> Des citȝains prist feütés   Et ostages et seürtés,
> Que pais et foi li porteront,   A lor pooir le maintenront.
> Artus n'a cure de sojor   Qui a Mordret a grant haor;   12549/50
> D'Aguisel a grant dol eü   Et de Gavain qu'il a perdu.
> Grans fu li dels de son neveu,   Le cors fist metre ne sai u;
> Ainc hom ne sot u il fu mis,   Ne qui l'ocist, ce m'est avis.
> Son mal talant torna et s'ire   A Mordret sel pooit destruire;
> A Guincestre le vint suiant,   De totes pars gent somonant.   59/60
> La cité volt faire asegier   Et ses homes entor logier;
> Mais quant Mordrés esgarda l'ost   Qui la cité environ clost,
> Semblant fist que se combatroit,   Et que combatre se voloit;
> Car se longement ert assis   N'en partiroit qu'il ne fust pris;
> Il sot bien s'Artus le tenoit   Que ja vis n'en escaperoit.   69/70
> Tos ses homes fist asambler   Et tot isnelement armer,
> Par conrois les fist establir   Et a combatre fors issir.
> Mais lués qu'il furent fors issu   Cil de l'ost i sunt acoru,
> Semprés i ot maint colp doné   Et maint feru et maint versé;
> A Mordret prist a mescaoir,   N'i pot sa gent fuison avoir.   79/80

LA:

Heo togadere stopen   and sturnliche fuhten.
Modred þa þohte   what he don mihte,
And he dude þere   alse he dude elleswhare:
Swikedom mid þan mæste;   for avere he dude unwraste.
He biswac his i-veren   bivoren Winchestren   215
And lette him to cleopien   his leofeste cnihtes anan,
And his leoveste freond alle   of allen his folke,
And bistal from þan fihte—   þe feond hine aʒe!—
And þat folc gode lette   al þer forwurðe.
Fuhten alle dæi,   wenden þat heore laverd þer læi,   220
And weore heom a-neouste   at muchelere neode.
Þa heold he þene wai   þat touward Hamtone lai,
And heolde touward havene,   forcuðest hæleðe,
And nom alle þa scipen   þa þer oht weore,
And þa steormen alle   to þan scipen neodde,   225
And ferden into Cornwalen,   forcuðest kingen a þan daʒen!
And Arður Winchestre   þa burh bilai wel faste,
And al þat moncun ofsloh: þer wes sorʒen i-noh.   [f. 170 b²]
Þa ʒeonge and þa alde,   alle he a-qualde.
Þa þat folc wes al ded,   þa burh al forswelde,   230

LB:

H . . . . gadere stopen   and hardeliche foht . n.
Modred þo þohte   . . . . e don mihte,
And he d . de þare   ase he dude w . . . . . re:
S . . . . mid þan meste,   for . . . . onwreste.
. . . . feres   bivore . . . .
. nd cleopede . . . .   . . s leveste cnih . . .   216
. . . . . . al fram þan . . . . d hine teahte   218
An . . . . gode folk   alle . . . .
. . . . . en alle lange . . .   . at hire loverd . . . . . .
. . . were ʒeom . . . .   at mochelere neo . . .
. . . . heold þane way . . .   . rd Hamtone l . .
And . . . . . o þan have . .   for . . . . re cnihte,
A . . . . es   þat þar . oht were,
And þe steorme . alle   to þan sipes neo . .,   225
And wen . . . . Cornwal . .,   onwrest . . . . . in þane daʒe!
And Arthur Wynchestre   . . . . rh bilay faste,
And . . . . . mancun ofsl . .   . . s sorewe i-noh.
. . . . þan holde   alle he a . . alde.
Þo þat folk was al dead,   þe toun he forswealde,   230 [f. 134]

G: Inito ergo certamine, facta est maxima caedes in utraque parte, quae tandem magis in
partem illius illata, coegit eum campum turpiter relinquere. Qui deinde non multum
curans, quac sepultura peremptis suis fieret: cito remige fugae evectus, Cornubiam
versus iter arripuit. Arturus autem interna anxietate cruciatus, quoniam totiens

W:

Mais il pansa de garir soi,   Mult ot mesfait, si crient le roi.
Tos ses privés et ses noris   Et cels qu'Artus a plus haïs
Assambla tot privement,   Combatre laissa l'altre gent;
Vers Hantone prist un sentier,   Ainc ne fina dusqu'al gravier.
Estirmans prist et mariniers,   Par pramesses et par loiers.
En mer les fist al vent empaindre   Que Artus nel peüt ataindre;   89/90
En Cornuaille l'ont conduit,   Grant paor a, volentiers fuit.
Li rois Artus Guincestre assist;   La gent conquist, le chastel prist.
A Ivaien le fil Urien,   Qui de la cort estoit mult bien,
Dona Escoce en heritage,   Et Ivain l'en a fait homage;   13599/600
Niés Aguisel avoit esté,   Si clamoit droit en la cité,
Et cil n'avoit ne fil ne fene   Qui sor Ivain preïst le regne.
Ivains fu de mult grant valor,   De grant pris et de grant honor,

LA:

Þa lette he mid alle   tobreken þa walles alle.
Þa wes hit i-timed þere   þat Merlin seide while:
"Ærm wurðest þu, Winchæstre,   þæ eorðe þe scal forswalȝe!"
Swa Merlin sæide,   þe witeȝe wes mære.
Þa quene læi inne Eouwerwic,   næs heo nævere swa sarlic;   235
Þat wes Wenhaver þa quene,   særȝest wimmone!
Heo i-herde suggen   soððere worden,
Hu ofte Modred flah   and hu Arður hine bibah.
Wa wes hire þere while   þat heo wes on life.
Ut of Eoverwike   bi nihte heo i-wende,   240
And touward Karliun tuhte   swa swiðe swa heo mahte.
Þider heo brohten bi nihte   of hire cnihten tweiȝe,
And me hire hafd biwefde   mid ane hali rifte,
And heo was þer munechene,   karefullest wife.
Þa nusten men of þere quene   war heo bicumen weore,   245
No feole ȝere seoððe   nuste hit mon to soðe,
Whaðer heo weore on deðe,   [*No gap in MS*]   [f. 171
Þa heo here seolf weore   i-sunken in þe watere.
Modred wes i Cornwale   and somnede cnithes feole.
To Irlonde he sende   a-neoste his sonde;   250
To Sexlonde he sende   a-neouste his sonde;

LB:

Þo lette he mid alle   tobreke þe walles alle.
Þo was i-funde þare   þat Merlyn saide wile:
"Wynchestre, wo þe comeþ to,   þe eorþe þe sal forswolȝe!"
So Merlyn sayde,   þat wisest was of manne.
Þe cweane lay at Everwich,   na . ȝeo nevere so sorlich.   235
ȝeo i-horde segge   soþere wordes,   237
Ou lome Modred fl .. . nd ou Arthur h ....
Wo was hire .... ȝeo was on ....
.... wike   bi niht ....
And toward .... droh   so swiþe so ... mihte.   241
For ȝeo nolde Ar .. ur more i-se   for al þan .. orleriche.   241a
To Cayrl ...... com bi nihte ·   mid twey .. ire cnihtes,
And þare me hire hodede   an ...nechene makede.   243
And .. no man nuste   war ȝeo bicome were,   245
Ne of hire eande   ne can no boc telle,
In woche wise ȝeo was dead,   and ou ȝeo hinne . ende.   247
Modred was in Co .. wale   ... gadere cnihtes fale.   249
To Irlonde he sende his sonde   and to Scotlonde;
To Saxlonde he sende   after cnihtes hende   251

G: evasisset, confestim prosecutus est eum in praedictam patriam usque ad flumen
Cambula, ubi ille adventum eius expectabat. Porro Modredus, ut erat omnium

W:

Et mult fu prisiés. De la guerre   Que Mordret fist en Engleterre
La roïne sot, et oï   Que Mordret tante fois fui;   13609/10
Ne se pooit d'Artus desfandre,   Ne ne l'osoit en camp atandre:
A Euroïc ert a sojor,   En pensé fu et en tristor.
Membra lui de la vilenie   Que por Mordret se fu honie;
Le roi avoit deshonoré,   Et son neveu Mordret amé.
Contre loi l'avoit esposee,   S'in estoit honie et dampnee;   19/20
Mius vausist morte estre que vive,   Mult en estoit morne et pensive.
A Karlion s'en est fuie,   S'in entra en une abaïe,
Iloc devint none velee;   Tote sa vie i fu celee.
Ne fu oïe, ne veüe,   Ne fu trovee, ne seüe,
Por la vergogne del mesfait   Et del pecié qu'ele avoit fait.   29/30
Cornuaille a Mordrés tenue,   L'autre tere a tote perdue;
Par mer et par terre envoia,   Sarrasins et paiens manda.

LA:

To Scotlonde he sende   a-neouste his sonde;
He hehten heom to cume alle anan   þat wolde lond habben.
Oðer seolver oðer gold,   oder ahte oðer lond.
On ælchere wisen   he warnede hine seolven: 255
Swa deð ælc witer mon   þa neode cumeð uvenan.
Arður þat i-herde,   wraðest kinge,
Þat Modred wæs i Cornwale   mid muchele monweorede
And þer wolde a-biden   þat Arður come riden.
Arður sende sonde   ȝeond al his kinelonde,   260
And to cumen alle hehte   þat quic wes on londe,
Þa to vihte oht weoren   wepnen to beren.
And wahswa hit forsete   þat þe king hete,
þe king hine wolde a folden   quic al forbernen.
Hit læc toward hirede   folc unimete,   265
Ridinde and ganninde,   swa þe rim falled a-dune.
Arður for to Cornwale   mid uni[me]te ferde.
Modred þat i-herde,   and him toȝeines heolde   [f.171 a³
Mid unimete folke,—   þer weore monie væie!
Uppen þere Tanbre   heo tuhten togadere.   270

_____
264 quic] quid

LB:

Þat wolde a-winne to hire hond   feo, seolver, oþer lond.   254 [f.134a²
Arthur þis i-horde,   wroþest alre kinge,   257
Þat Modred was in Cornwale   mid mochele manferde
And þar wolde a-bide   þat Arthur come ride.
Arthur sende sonde   into al his kinelonde,   260
And bad alle þe cnihtes   þat lond wolden holde,
Þat hi alle sone   to him seolve come,   262
Bote he were swike   and mid Modred heolde;   262a
Þaie he habbe nolde,   þeh hii comen wolde.   202b
Wose forseate   þis þat [þe] king hæte,   263
Þe king hine wolde slean   oþer cwik al forbearne.
Hit wende to þan kinge   folk onimete,
Ridende and . ohinge,   ase þe ren falleþ.
...... to Cornwale wende   .....mete ...de.
Modred ....e,   and him toȝea.es ... lde
Mid onimete .. lke,—   þar were manie fæye!
Uppe þar T .. mbre   i come togaderes.   270

G: audacissimus, et semper ad invadendum celerrimus, confestim milites suos per catervas distribuit, affectans vincere vel mori potius, quam praedicto modo diutius fugere. Remanserant adhuc ei ex praedicto numero sociorum suorum sexaginta milia, ex quibus fecit turmas tres: et in unaquaque posuit sex milia armatorum et sexcentos sexaginta sex. Praeterea vero fecit unam turmam ex caeteris qui superfuerant, et unicuique aliarum ductoribus datis, eam tutelae suae permisit. His itaque distributis quemlibet eorum inani-

W:

Manda Irois, manda Norois,   Et les Saisnes et les Danois,
Et tous cels qui Artur haoient   Et qui son service cremoient.
Assés lor pramist et dona,   Si com li hom qui besoing a.   13639/40
Artus fu dolans et iriés   Qui de Mordret ne fu vengiés,
Mult li paisa del traïtor   Qui en sa tere est a sojor.
En Cornuaille est gent atret   Et plus se paine qu'il en et;
Car encor il lui tend entoise,   Artus le sot, forment li poise.
Sa gent somont de si a l'Hombre,   Tant en i ot nus n'en sot nombre; 49/50
Grans fu li os que li rois ot,   La quist Mordret ou il le sot.
Ocire voloit et destruire   Son traïtor et son parjuire.
Et Mordrés n'ot de fuir qure,   Mius se velt mettre en aventure,
Et en abandon de morir   Que tante fois de camp fuir.
Joste Camblan fu li bataille,   A l'entree de Cornuaille.   59/60

Lᴀ:

Þe stude hatte Camelford—   evermare i-last þat ilke weorde!
And at Camelforde wes i-somned   sixti þusend,
And ma þusend þerto;   Modred wes heore ælder.
Þa þiderward gon ride   Arður, þe riche,
Mid unimete folke,   væie þah hit weore.   273
Uppe þere Tambre   heo tuhte tosomne,
Heven heremarken,   halden togadere;
Luken sweord longe,   leiden o þe helmen;
Fur ut sprengen,   speren brastlien,
Sceldes gonnen scanen,   scaftes tobreken.   277
Þer faht al tosomne   folc unimete.
Tambre wes on flode   mid unimete blode.
Mon i þan fihte non þer ne mihte   i-kennen nenne kempe,
No wha dude wurse no wha bet: swa þat wið[r]e wes i-menged.
For ælc sloh a-dun riht,   weore he swein, weore he cniht.   285
Þer wes Modred ofslaʒe   and i-don of lifdaʒe
[No gap in MS]   in þan fihte.
Þer weoren ofslaʒe   alle þa snelle,
Ardures heredmen,   heʒe *[No gap in MS]*
And þa Bruttes alle   of Arðures borde,   290

---

277 togedere *first hand*   279 Fur ut] For up *first hand*   283 i-kennen] *end* n *cancelled by second hand*

Lʙ:

Þe stude hatte Camelford—   evere more i-last þat word!
And [at] Camelford were mid Arthur   sixti þousend manne,
And mo þousendes ʒite   in Modred his syde.
Þo þiderward gan ride   Arthur, þe riche,
Mid onimete folke   of cnihtes wel bolde.
Uppen þar Tambre   hii smite togadere,   276
Drowen sweorde longe   and smiten on þe healmes,   278 [f. 134 b]
Þat þe fur ut sprong: þe swippes were bitere!   279
Tambre was on flode   mid onimete blode.   282
Ne mihte man in þan fihte   i-cnowe nanne kempe,
Wo dude wors, ne wo dude bet: so þat weder was i-menged.
For ech sloh a-dun riht,   were he sweyn, were he cniht.   285
Þar was Modred ofslaʒe   and i-don of lifdaʒe,
And alle his cnihtes   i-slaʒe in þan fihte.
Þar weren ofslaʒe   alle þe snelle,
Arthures hiredmen,   hehʒe and lowe,
And þe Bruttes alle   of Arthur his borde,   290

G: mabat, promittens caeterorum possessiones eis, si ad triumphandum perstarent. Arturus quoque suum exercitum in adversa parte statuit, quem per novem divisit agmina pedestria cum dextro ac sinistro cornu quadrata: et unicuique praesidibus commissis, hortatur ut periuros et latrones interimant, qui monitu proditoris sui de externis regionibus in insulam advecti, suos eis honores demere affectabant. Dicit etiam diversos diversorum regnorum Barbaros imbelles atque belli usus ignaros esse, et nullatenus ipsis virtuosis viris et pluribus debellationibus usis resistere posse, si audacter invadere et viriliter decertare affectarent. Ipsis itaque commilitones suos hinc et inde cohortantibus, subito impetu concurrunt acies, et commisso praelio crebros ictus innectere elaborant. Fiunt ilico in utrisque partibus tantae strages, tanti morientium gemitus, tanti invadentium furores, quantos et dolorosum et laboriosum est describere. Undique etenim vulnerabant et vulnerabantur: perimebant et perimebantur. Postquam autem multum diei in hunc modum duxerunt, irruit tandem Arturus cum agmine uno, quo sex milia sexcentos et sexaginta sex posuerat, in turmam illam ubi Modredum sciebat esse, et viam gladiis aperiendo, eam penetravit, atque tristissimam caedem ingessit. Concidit namque proditor ille nefandus,

W: Par grant ire fu assamblee,   Et par grant maltalant jostee,
          Et par grant ire fu emprise,   Et mult i ot fait grant ocise.

LA:

And alle his fosterlinges   of feole kineriches,   [f. 171 b
And Arður forwunded   mid walspere brade;
Fiftene he hafde   feondliche wunden;
Mon mihte i þare laste   twa gloven i-þraste.
Þa nas þer na mare   i þan fehte to lave   295
Of twa hundred þusend monnen   þa þer leien tohauwe,
Buten Arður þe king ane,   and of his cnihtes tweien.
Arður wes forwunded   wunder ane swiðe.
Þer to him com a cnave,   þe wes of his cunne;
He wes Cadores sune,   þe eorles of Cor[n]waile;   300
Constantin hehte þe cnave,   he wes þan kinge deore.
Arður him lokede on,   þer he lai on folden,
And þas word seide   mid sorhfulle heorte:
"Costætin, þu art wilcume!   þu weore Cadores sone.
Ich þe bitache here   mine kineriche,   305
And wite mine Bruttes   a to þines lifes.
And hald heom alle þa laȝen   þa habbeoð i-stonden a mine daȝen.
And alle þa laȝen gode   þa bi Uðeres daȝen stode!
And ich wulle varen to Avalun   to vairest alre maidene,

----

299 þer] þeo *first hand*

LB:

And alle hi . fosterlin . . s   of . . . . ne riche,
And . . . . . . him seolf forw . . . . .   mid one spere brode;
. . . tene he hadde   feond . . che wond . .;
Man mihte in þan leaste   two gloves þreaste.
Þo nas þar na more   i-leved in þan fihte   295
Of two hundred þousend manne   þat þar lay tohewe,
Bote Arthur þe king,   and twei of his cnihtes.
Arthur was forwonded   wonderliche swiþe.
Þar com a ȝong cnave,   þat was of his cunne;
He was Cador his sone,   eorl of Cornwale;   300 [f. 134 b
Constantin he hehte,   þe king hine lovede.
Þe king to him biheold   and þeos word saide: 302
"Constantin, þou hart wilcume!   þou were Cador . . s s . ne.   304
Ich þe bitake here   mine kineriche,   305
And wite mine Bruttus   wel bi þine live!
And ich wolle wende to Avelun   to Argant þare cweane;   309

G: et multa milia cum eo. Nec tamen ob casum eius diffugiunt caeteri: sed ex omni campo confluentes, quantum audaciae dabatur, resistere conantur. Committitur ergo dirissima pugna inter eos, qua omnes fere duces qui in ambabus partibus affuerant, cum suis catervis corruerunt. Corruerunt etenim in parte Modredi: Cheldricus, Elafius, Egbrictus, Bunignus, Saxones: Gillapatriae, Gillamor, Gislafel, Gillarium, Hybernenses. Scoti etiam et Picti cum omnibus fere quibus dominabantur. In parte autem Arturi Olbrictus rex Norwegiae, Aschillius rex Daciae, Cador Limenio, Cassibellanus, cum multis milibus suorum tam Britonum quam caeterarum gentium quas secum adduxerat. Sed et inclytus ille Arturus rex letaliter vulneratus est, qui illinc ad sananda vulnera sua in insulam

W: Ne sai dire qui mius le fist,   Ne qui perdi, ne qui conquist,
Ne qui caï, ne qui estut,   Ne qui venqui, ne qui morut.
Mais grans fu d'ambes pars li perte,   Des mors fu li tere coverte   13669/70
Et del sanc des ocis sanglante.   La peri la bele jovante
Que rois Artus avoit norie   Et de pluisors teres coillie;
Et cil de la Table Roonde   Dont tex los fu par tot le monde.
Ocis fu Mordrés en l'estor   Et de ses homes li pluisor,
Et de la gent Artur la flor   Et li plus fort et li millor.   70/80
Artus, se l'estore ne ment,   Fu navrés el cors mortelement;
En Avalon se fit porter   Por ses plaies mediciner.

LA:
To Argante, þere quene,   alven swiðe sceone;   310
And heo scal mine wunden   makien alle i-sunde,
Al hal me makien   mid haleweiȝe drenchen.   [f.171b]
And seoðe ich cumen wulle   to mine kineriche,
And wunien mid Brutten   mid muchelere wunne."
Æfne þan worden   þer com of se wenden   315
Þat wes an sceort bat liðen,   sceoven mid uðen;
And twa wimmen þerinne,   wunderliche i-dihte;
And heo nomen Arður anan   and a-neouste hi[ne] vereden,
And softe hi(ne) a-dun leiden   and forð gunnen hine liðen.
Þa wes hit i-wurðen   þat Merlin seide whilen,   320
þat weore unimete care   of Arðures forðfare.
Bruttes i-leveð ȝete   þat he bon on live
And wunnien in Avalun   mid fairest alre alven,
And lokieð evere Bruttes ȝete   whan Arður cumen liðe.
Nis naver þe mon i-boren,   of naver nane burde i-coren,   325
Þe cunne of þan soðe   of Arðure sugen mare.
Bute while wes an witeȝe,   Mærlin i-hate;
He bodede mid worde—   his quiðes weoren soðe—
Þat an Arður sculde ȝete cum   Anglen to fulste.

---
311 scal] slal

LB:
And ȝeo sal mine wondes   m . . . . . al i-sunde,   311
Al . . . . ie   mid halewei . . . .
. nd suþþe ich . . . . ȝen   to mine   313
Eafne þan . . . . ,   . . r com of see wende   315
A lu . . sort bot,   wandri mid þ . . beres;
And two wimm . . . . . ine,   wonderliche i-gynned;
. . . . men Arthur anon   an . . . þan bote bere,
And hine soht . . dun leyde   and forþ . . . gan wende.
Þo was . . . . . onde   þat Merlyn saide wile,   320
Þat solde beon mochel care   after Arthures forþfare.
Brutt . . i-leveþ ȝete   þat he be . on live
And w . nie in Availun   mid . . . . este alre cwene.   323
Nas nevere þe man i-bore,   ne of womman i-core,   325
Þat conne of þan soþe   of Arthur segge more.
Bote wile was a witti,   Merlin i-hote;
He saide mid wordes—   his saȝes were soþe—
Þat Arthur solde ȝite   come Bruttes . . . for to healpe.

G: Avallonis advectus, cognato suo Constantino, filio Cadoris, ducis Cornubiae, diadema Britanniae concessit, anno ab incarnatione dominica quingentesimo quadragesimo secundo.

W:
Encor i est, Breton l'atandent,   Si com il dient et entandent;
De la vandra, encor puet vivre.   Maistre Gasse qui fist cest livre,
N'en valt plus dire de sa fin   Qu'en dist li profetes Merlin.   13689/90
Merlins dist d'Artus, si ot droit,   Que sa fin dotose seroit.
Li profete dit verité: Tostans en a l'on puis doté
Et dotera, ce crois, tos dis,   Ou il soit mors, ou il soit vis.
Porter se fist en Avalon,   Por voir, puis l'incarnation,
Sis cens et quarante deus ans;   Damage fu qu'il not enfans.   99/700
Al fil Cador de Costentin   De Cornuaille, un sien cosin,
Livra son raine, si li dist   Qu'il fust rois tant qu'il revenist.
Chil prist la terre, si la tint,   Mais ainc puis Artus ne revint.

2. Robert of Gloucester, The Chronicle (ab. 1300).

Chief MSS.: Caligula A. XI (= A; ab. 1320—30); Harley 201 (= B; ab. 1390—1400;
ends at l. 9529); Addit. 19677 (= C; ab. 1390—1400; wants beginning to l. 4683). —
Edd.: Hearne, Oxf. 1724, follows B suppl. by A; W. A. Wright, 1887, follows A;
Mätzner, Sprachpr. I 154—169 = Hearne pp. 29—39, 354—364.

Autobiographical: Robert on the Battle of Evesham, 1265.

A: Þo was sir Simond is fader   at Hereforde i-wis   [f. 164
    Mid mani god man of Engelond   and also of Walis.
    He wende him out of Hereford   mid vair ost i-nou,   11670
    And toward Keningwurþe   a-ȝen is sone he drou:
    And was hor beire porpos   to biclosi hor fon,
    As wo seiþ, in eiþer half   and to ssende hom echon.
    So þat sir Simon þe olde com   þe monendai i-wis
    To a toun biside Wircetre   þat Kemeseie i-hote is.   75
    Þe tiwesday to Evesham   he wende þe morweninge,
    And þere he let him and is folc   prestes massen singe
    And þoȝte to wende norþward   is sone vor to mete.
    Ac þe king nolde a vot   bote he dinede oþer ete.
    And sir Simon þe ȝonge and is ost   at Alcestre were   80
    And nolde þanne wende a vot   ar hii dinede þere:
    Þulke to diners   delvol were, alas!
    Vor mani was þe gode bodi   þat þer-þoru i-slawe was.
    Sir Edward and is poer   sone come þo ride
    To þe norþhalf of þe toun,   bataile vor to a-bide.   85
    Þo sir Simon it i-wuste   and hii þat wiþ him were,
    Sone hii lete hom armi   and hor baners a-rere.
    Þe bissop Water of Wurcetre   asoiled hom alle þere,
    And prechede hom þat hii adde   of deþ þe lasse fere.
    Þen wei evene to hor fon   a Godes half hii nome,   90
    And wende þat sir Simo[nd]   þe ȝonge a-ȝen hom c[ome]!
    Þo hii come into þe feld   and sir Simond i-sei
    Sir Edwardes ost   and oþere al so nei,
    He avisede þe ost suiþe wel,   and þoru Godes grace
    He hopede winne a day   þe maistrie of þe place.   95
    Þo sei he þer biside,   as he bihuld a-boute,
    Þe erles baner of Gloucetre   and him mid al is route,
    As him vor to close   in þe oþer half y-wis.
    "Ouȝ," he sede, "redi folk,   and wel i-war is þis,
    And more conne of bataile   þan hii couþe bivore.   11700
    Ur soules," he sede, "abbe God,   vor ur bodies beþ hore."
    "Sir Henri," he sede to is sone,   "þis haþ i-mad þi prute.
    Were þi broþer i-come,   hope we miȝte ȝute."
    Hii bitoke lif and soule   to Godes grace echon,
    And into bataile smite   vaste a-mong hor fon,   05
    And as gode kniȝtes   to grounde slowe anon
    Þat hor fon flowe sone   þicke mani on.
    Sir Warin of Bassingbourne,   þo he þis i-sei,   [f. 164 b
    Bivore he gan prikie   and to grede an hei:
    "A-ȝen, traitors, a-ȝen!   and habbeþ in ower þoȝt   10
    Hou villiche at Lewes   ȝe were to grounde i-broȝt!
    Turneþ a-ȝen and þencheþ   þat þut power al oure is,

C: 11669 goude Engelonde   70 Hereforde   74 monedai   75 Wircestre   77 þer
      78 forward   80 Alcestre] Leicestre   83 a-slawe   86 hit wiste   87 hore   88 Wirecestre   asoillede
      89 hom] to hom   90 þane to hor...half] a Godes half to hore fon   95 a dai wynne   96 hei
      97 Gloucestre   99 Ou   11702 þi] þe   05 into] to   smete   06 slou   10 ower] ȝoure   12 a-ȝen
      and] a-ȝe an   þat þut] þᵗ þᵗ

A: And we ssolle as vor noȝt overcome ur fon i-wis!"
 Þo was þe bataile strong in eiþer side, alas!
 Ac atten ende was bineþe þulke þat feblore was, 11715
 And sir Simond was a-slawe and is folk al togrounde.
 More murþre ȝare nas in so lute stounde!
 Vor þere was werst Simond de Mountfort a-slawe, alas,
 And sir Henri, is sone, þat so gentil kniȝt was,
 And sir Hue þe Despencer, þe noble justise, 20
 And sir Peris de Mountfort, þat stronge were and wise,
 Sir Willam de Verous, and sir Rauf Basset also,
 Sir [John] de sein Jon, sir Jon Dive þerto,
 Sir [William] Trossel, sir Gileberd of Eisnesfelde,
 And mani god bodi were a-slawe þere in þulke felde. 25
 And a-mong alle oþere mest reuþe it was i-do
 Þat sir Simon, þe olde man, demembred was so.
 Vor sir Willam Mautravers— þonk nabbe he non!—
 Carf him of fet and honde and is limes mani on,
 And þat mest pite was: hii ne bilevede nouȝt þis 30
 Þat is prive membres hii·ne corve of i-wis,
 And is heved hii smiten of and to Wigemor it sende
 To dam Maud þe Mortimer, þat wel foule it ssende.
 And of al þat me him bilimede, hii ne bledde noȝt, me sede,
 And þe harde here was is lich þe nexte wede. 35
 Suich was þe morþre of Eineshem, vor bataile non it nas,
 And þerwiþ Jesu Crist well uvele i-paied was,
 As he ssewede bi tokninge grisliche and gode,
 As it vel of him sulve þo he deide on þe rode,
 Þat þoru al þe middelerd derkhede þer was i-nou: 40
 Al so þe wule þe godemen at Evesham me slou,
 As in þe norþwest a derk weder þer a-ros,
 So demliche suart i-nou þat mani man a-gros,
 And overcaste it þoȝte al þut lond þat me miȝte unneþe i-se;
 Grisloker weder þan it was ne miȝte an erþe be. 45
 An vewe dropes of reine þer velle grete i-nou. [f. 165
 Þis tokninge vel in þis lond, þo me þis men slou.
 Vor þretti mile þanne þis i-sei Roberd,
 Þat verst þis boc made, and was wel sore a-ferd.

11713 ssolle] schulleþ ur] oure 14 batail 15 at þane ende feblor 17 morþre lite
18 werst] verst sire 20 Huwe de Spenser 21 stronge] riche 22—25 om. 26 And] ac 28 þonke
32 smyte 33 þe] de foul 34 bilemed hii] he 35 is] his

Arthur's Death.

A: Þo adde king Arþure y-wonne fram þe westmoste se [f. 69 a
 Anon to þe mouns al þat lond, and ar he come a-ȝe, 2nd half
 He þoȝte winne al clene Rome and al þat lond þer a-boute;
 And for to passy vorþ þe mouns, he ȝarkede vaste is route.
 And as he was prest to do þulke noble dede,
 A messager com fram þis lond, and nywe tydinge sede 4500
 Þat Modred, is neveu, wam he bitok þis lond,
 Hadde y-nome þis kinedom clanliche in is hond
 And y-crouned him sulve king þoru þe quene rede,
 And huld hire in spousbruche, in vyl flesses dede.
 Alas þe luþer trycherye, hou miȝte be more! 05
 Þo was þe king Arþure vol of sorwe and sore.
 In woch half turne he nuste þo, weþer est þe west; [f. 69 b

B: 4495 þe kyng 96 and om. 97 þat] þe 4500 sede] hym seyde 01 wan 02 þis] is

2*

Ac to a-wreke him of is luþer neveu   his herte bar alre best.
Þe veage toward Rome   he bilevede vor þis cheance,
And þe king Howel of Brutayne   mid þe poer of France   4510
He bilevede þer to wardy   is londes biȝonde þe se,
And hopede to wyinne Rome   wanne he com eft a-ȝe.
Mid þe poer of þe lond   hiderward he drou,
And mid þe kinges her bisyde   hom þoȝte er longe y-nou.
Ac Modred, þe luþer suike*,   þer bivore bisoȝte   *suiker MS
Chelrik, king of Saxons,   þat he help þuder broȝte;   16
And he bihet him and his   al Kent ver and ner,
Al þat Hengist adde wule   bi þe kinges day Vortiger;
He bihet him and is also   al Norhomberlond,
And al þat lond fram Homber   anon into Scotland,   20
So þat eiȝte hundred ssipes   into þis londe he broȝte,
Vol of Saracens y-armed,   as he him bisoȝte.
Gret poer of Yrlonde   Modred him wan also,
Of Picars and of Scottes,   and of ech maner men þerto
Þat he wuste þat no love   to þe king Arþure ne bere,   25
So þat eiȝte score þousend   of hors y-wrye þer were.
In is ost þo hii were   y-gadered in þis cas,
Wat of cristine wat of payens,   and al to moche þat was.
Þo Arþure mid is poer   arivede in þis londe,
Modred bigan mid is ost   a-ȝen him vaste atstonde.   30
Atte havene an batayle   hii smite wiþ gret mayn:
þer was a-slawe þe hende kniȝt,   þe noble sire Wawein,
And Auncel, þe king of Scotland,   and mony þousend also.
And þe luþer Modred atte laste,   þo al þis was y-do,
Fleu mid al is poer   to Winchestere vaste,   35
So þat þe king Arþure   þe veld adde atte laste.
Þo Gwenwar, þe luþer quene,   hurde of þis cas,
Fram Everwik to Karleon   ȝo fleu mid quic pas
And bicom nonne þere,   to libbe in chaste live.
Somwat ȝo was er a-drad,   ar he hiede so blive.   40
Heo ne hiede noȝt a-ȝen hire loverd   to welcome him to londe;
Ȝut hire was betere nonne to be   þen come under is honde.
Þo king Arþure adde y-bured   is folc þat ded was,
He sywede after þe traytour   mid wel quic pas.
Þe ssrewe ȝarkede is ost   and a-ȝen him com,   45 [f.70
And wiþoute Winchestre   anoþer batayle nom.
Þere hii dude sorwe y-nou   and slowe to grounde vaste.
Ac þe traytour was bineþe   and fley atte laste
To Cornwaile mid gret eyr,   he ne dorste no ner a-byde.
Þere he gaderede him nywe host   a-boute in eche side,   50
So þat he adde under al   wiþ þat him bilevede er
Sixti þousend hors y-wrye,   al to moche was þer.
His ost he diȝte suiþe wel,   al hou it ssolde be,
And suor he wolde raþer deye   þan evere eft fle.
King Arþure was anguisous   in is compaynye   [3
Þat þe luþer traytour   adde ofscaped so tuye.
He sywede mid is folc   to Cornwayle vaste.
Bisyde þe water of Tamer   hii mette hom atte laste.
Þere hii smite an batayle   deolvol y-nou,

4508 wreke   ber evere   09 vor þys   11 þe *om.*   13 þys lond   14 hym   15 suyke
16 help þuder] hem help   18 bi þe] wyþe   19 Norþomberlond   20 And *om.*   21 So] þo
24 and of Scottes *om.*   25 ne *om.*   27 gadered   28 payns   30 him *om.* stonde   31 wiþ]
myd   32 þen hende   34 And þe] Ac   37 Gwanwaur   38 heo   40 heo   41 wolcome
42 to *om.*   46 he nom   48 fleu   49 gret] god   51 wiþ] myd   54 fle] to fle   56 ofscaped
80] ofscaped hym so   57 sywed hym   58 Tamer] Camble

Þat deol it was so muche volc   in eyþer syde me slou;   4560
Vor þer ne bilevede in noþer syde   non heymon unneþe,
King ne duc ne oþer,   þat nas y-broʒt to deþe.
Ac Modred, þe traytour, adde   more folc of y-nou.
Þo þe king Arþur y-sey   þat me is folc so slou,
And þe king of Denemarch was a-slawe,   and þe king also   65
Of Norweye, and of is oþer men   mony a þousend þerto,
And he sey þat is fon   stode evere a-ʒen vaste,
To þe lutel folc þat he adde   he spac atte laste:
"Sulle we," he sede, "ure lif   dere ar we be ded!
And icholle sulle min dere y-no,   wanne þer nis oþer red.   70
Habbe ich a-slawe þe false suike,   þe luþer traytour,
Hit worþ me þanne vor to deye   gret joye and honour."
He drou Calibourne, is suerd,   and in eyþer side slou,
And vorte he to þe traytour com,   made him wey god y-nou.
He hente verst of is helm,   and suþþe mid wille god   75
Anne stroc he ʒef him   mid wel sturdy mod,
And þoru hauberc and þoru is coler,   þat nere noþing souple;
He smot of is heved as liʒtliche   as it were a stouple*.   *scouple MS
Þat was is laste chivalerye: þat vaire endede y-nou,
Vor þat folc so þikke com,   þe wule he hor loverd slou,   80
A-boute him in eche half,   þat a-mong so mony fon
He a-veng deþes wounde,   and wonder nas it non.
Ac overcome nas he noʒt,   þei is wounden dedlich were.   [f. 70 b
Þo he adde is laste chivalerye   þus nobliche y-do þere,
He ʒef þe croune of þis lond   þe noble Constantin,   85
Þe erl Cadoures sone of Cornwayle,   þat was is cosin;
And he let him lede into an yle   vor to hele is wounde,
And deide as þe beste kniʒt   þat me wuste evere y-founde.
And naþeles þe Brutons   and þe Cornwalisse of is kunde
Weneþ he be a-live ʒut   and abbeþ him in munde,   90
Þat he be to comene* ʒut,   to winne a-ʒen þis lond: *comence MS
And naþeles at Glastinbury   his bones suþþe me fond;
And þere atvore þe heye weved   a-mydde þe quer y-wis
As is bones liggeþ,   is toumbe wel vair is.
In þe vif hundred ʒer of grace   and vourty and tuo   95
In þis manere in Cornwaile   to deþe he was y-do.

4566 Norþwey   mony a] mony   68 spec   69 Sulle, he   70 ychelle   71 slawe
74 gode   75 of verst ys   77 þoru is] ys   78 a lute stouple   79 þa vayre ended
80 Vor þe   81 ech   83 nas] vas   87 he om.   89 And] Ac   90 hym ʒut in mynde
91 comene   92 Noʒt vor þan at G. wond   93 tovore   95 þe om.

3. Robert Mannyng, The Story of England (compl. 1338).

PL: *Pierre de Langtoft, La Chronique (after 1307).* — Chief MS.: *Julius A. V.* (The emendations are taken from other MSS.). — Ed.: *Th. Wright, 1866—68.*

RM: *Robert Mannyng of Brunne.* — MSS.: *Lambeth 131* (= RML; middle 14th cent.; wants first leaf); *Inner Temple, Petyt 511 vol. 7* (= RMP; before 1400). — Edd.: Hearne, Oxf. 1725 (second part only); Furnivall, 1887 (first part only); Mätzner, Sprachpr. I 296—303 = Hearne pp. 212—222; Zetsche, Anglia 9 (1886) = Furnivall ll. 1—5378.

Introduction.

RMP: Incipit Prologus de Historia Britannie transumpta per Robertum in materna lingua.

Lordynges that be now here,   If ʒe wille, listene and lere
All the story of Inglande,   Als Robert Mannyng wryten it fand
And on inglysch has it schewed,   Not for þe lerid bot for þe lewed,
For þo þat in þis land[e] wone   þat þe latyn no frankys cone,

RMp: For to haf solace and gamen　　In felawschip when þai sitt samen.　　9/10
And it is wisdom for to wytten　　þe state of þe land, and haf it wryten,
What manere of folk first it wan,　　And of what kynde it first began;
And gude it is for many thynges　　For to here þe dedis of kynges,
Whilk were foles, and whilk were wyse,　　And whilk of þam couthe most quantyse,
And whilk did wrong, and whilk ryght,　　And whilk maynten[e]d pes and fyght. 19,20
Of þaire dedes sall be my sawe;　　And what tyme and of what lawe
I sall yow schewe fro gre to gre　　Sen þe tyme of sir Noe,
Fro Noe unto Eneas,　　And what betwix þam was;
And fro Eneas till Brutus tyme,　　þat kynde he telles in þis ryme;
Fro Brutus till Cadwaladres,　　þe last Bryton þat þis lande lees.　　29,30
All þat kynde and all þe frute　　þat come of Brutus, þat is þe Brute;
And þe ryght Brute is told nomore　　þan þe Brytons tyme wore.
After þe Bretons þe Inglis camen,　　þe lordschip of þis lande þai namen,
Southe and northe, west and est:　　þat calle men now þe inglis gest.
When þai first [came] a-mang þe Bretons,　　þat now ere Inglis, þan were Saxons; 39/40
Saxons Inglis hight alle o-liche;　　þai aryved up at Sandwyche　　[f. 1 aª]
In þe kynges tyme Vortogerne,　　þat þe lande walde þam not werne.
þat were maysters of alle þe toþire:　　Hengist he hight, and Hors, his broþire;
þes were hede, als we fynde,　　Where-of is comen oure inglis kynde.
A hundrethe and fifty ȝere þai com,　　Or þai receyved cristendom;　　49/50
So lang woned þai þis lande in,　　Or þai herde out of saynt Austyn,
A-mang þe Bretons with mykelle wo,　　In sclaundire and threte, and in thro.
þes inglis dedes ȝe may here,　　As Pers telles, alle þe manere.
One mayster Wace þe Frankes telles　　þe Brute, all þat þe latyn spelles,
Fro Eneas till Cadwaladre:　　þis mayster Wace þer leves he.　　59/60
And ryght as mayster Wace says,　　I telle myn inglis, þe same ways;
For mayster Wace þe latyn alle rymes,　　þat Pers overhippis many tymes.
Mayster Wace þe Brute alle redes,　　And Pers tellis alle þe inglis dedes;
þer mayster Wace of þe Brute left,　　Ryght begynnes Pers [þer] eft,
And tellis forth þe inglis story,　　And as he says, þan say I.　　69/70
Als þai haf wryten and sayd,　　Haf I alle in myn inglis layd,
In symple speche, as I couthe,　　þat is lightest in mannes mouthe.
I mad noght for no discours,　　Ne for no seggers, no harpours,
Bot for þe luf of symple men　　þat strange inglis can not ken;
For many it ere þat strange inglis　　In ryme wate never what it is;　　79/80
And bot þai wist what it mente,　　Ellis me thoght it were alle schente.
I made it not for to be praysed,　　Bot at þe lewed men were aysed.　　[f. 1 b]
If it were made in ryme couwee　　Or in strangere or enterlace,
þat rede inglis it ere i-nowe　　þat couthe not haf coppled a kowe,
þat outhere in couwee or in baston　　Som suld haf ben fordon,　　89/90
So þat fele men þat it herde　　Suld not witte howe þat it ferde.
I see in song, in sedgeyng tale　　Of Erceldoun and of Kendale:
Non þam says as þai þam wroght,　　And in þer sayng it semes noght.
þat may þou here in sir Tristrem:　　Over gestes it has þe steem,
Over alle that is or was,　　If men it sayd as made Thomas;　　99/100
But I here it no man so say,　　þat of som copple som is a-way;
So þare fayre sayng here beforn,　　Is þare travayle nere forlorn!
þai sayd it for pride and nobleye,　　þat non were suylk as þei;
And all þat þai wild overwhere,　　All þat ilk will now forfare.
þai sayd in so quante inglis　　þat many one wate not what it is.　　109/110
Þerfore [I] hevyed* wele þe more　　In strange ryme to travayle sore;　　*henþed *MS?*
And my witte was oure-thynne　　So strange speche to travayle in;
And forsoth I couth[e] noght　　So strange inglis as þai wroght;
And men besoght me many a tyme　　To turne it bot in light[e] ryme:
þai sayd, if I in strange it turne,　　To here it many on suld skurne;　　119/120
For it ere names full selcouthe　　þat ere not used now in mouthe;

RMp: And þerfore, for þe comonalte   Þat blythely wild listen to me,
   On light[e] lange I it began,   For luf of þe lewed man,   [f. 2 bᵇ]
   To telle þam þe chaunces bolde   Þat here before was don and tolde.
   For þis makyng I will no mede   Bot gude prayere when ȝe it rede;   129/130
   Þerfore, [alle] ȝe lordes lewed,   For wham I haf þis inglis schewed,
   Prayes to God: he gyf me grace,   — I travayled for ȝour solace.
   Of Brunne I am, if any me blame,   Robert Mannyng is my name;
   Blissed he be of God of hevene   Þat me, Robert, with gude wille nevene;
   In þe third Edwardes tyme was I   When I wrote alle þis story;   139/140
   In þe hous of Sixille I was a throwe;   Danz Robert of Malton, þat ȝe know!
   Did it wryte for felawes sake,   When þai wild solace make.

Arthur's Death.

RML: He [Arthur] was passed þe mountes pleyn,   But Moddred dide hym turne a-geyn.   [f. 59 b middle]
   A day as he to þe mete went,   Out of þis lond lettres were sent,
   And right as his trumpes blewe,   A messager þat he wel knewe   14029/30
   Þe lettres in his hand he leyde,   And til his owen mouþ he seyde:
   Þat Moddred, his sister sone,   Had y-don hym gret tresone;
   He had taken of þe lond homage,   And leyd in casteles gret hostage;
   "Ȝit wil he nouȝt be þer-by,   But waiteþ þe more vileny:
   Þy wif til hys hore haþ drawe,   A-geynes cristen mannes lawe;   39/40
   And Cheldryk, kyng of Germ[an]ye,   Ys comen, and brought gret partie;
   Byȝonde Humber, until Scotland,   Cheldrik haþ þat in his hand;
   And al þat langes until Kent,   Until Cheldrik gyve þey rent;
   To holde wyþ Moddred wyþ his might   Trouþe togydere have þey plight.
   Seven hundred schipe lyn by þe stronde,   Four score þousand þer come to londe   49/50
   Of men of armes, wyþoute pytaille,   A-geyn þou comest, to gyve þe bataille."
   When he had þus til Arthur teld,   How Moddred no feyþ ne trouþe hym held,
   And synfullyke had reysed stryf,   His lond hym refte, forleyn his wyf,
   He made his plainte to sire Oel,   And preide hym to kepe ilkadel
   Burgoyne and Fraunce boþe wel;   Til hym he tryste as to þe stel: 59/60 [f. 60]
   "Toward Bretaigne y wil me spede,   Þe outlandeys wiþ me lede,
   On Moddred wil y bataille bede   And take vengaunce of his misdede.
   Lytel y preyse al my conquest   Þat y have wonne in þis est,
   Ȝyf y now leve Bretayigne, my fe,   [Bretayne] myn heritage þat fel to be.
   I schal me hye a-geyn to come;   On alle manere y wil to Rome."   69/70

RMP: ──────
   14032 his owen] him with   36 leyd] don   gret] gode   38 Bot waite him with more
   39 haþ] gon   41 Gernimie   46 gyve þey] ȝeldes   47 wyþ] at   49 schippes ligge   50 er
   comen   52 ȝow comes to gyf   64 of] on   66 in þis est] est or weste

PL: Arthur en Burgoyne les cytés edifye;   En le yver i demort jekes la Paske-florye;   [f. 44]
   Aprés les mounz passayt devers Lumbardye   Pur conquere Rome e tut Ytallye.   [Wright I p 216]
   Lettres [ly sunt] venuz hors de Brettanye,   Cum [ses] trompes [sonaynt] a manger en Pavye,
   Ke Modred son nefuz, ke avayt la ballye   De la garde de Brettayne, e de sa amye,
   Gaynore la raÿne, ke Dèu la maudye!   Esposez l'ad Modred, e de la seygnurye   9/10
   De Brettayne la Grande corouné se crye.   Chelryke est venuz hors de Germenye
   En Brettayne a Modrede of grant chuvalerye,   A ky [le] faus Modrede par fyaunce s'afye,
   Ke tote la terre de Humber jekes en Albanye,   Et Kent of les appendaunz, averayt
         en sa vye,   [f. 44 b]
   Et ses heyrs aprés, par sa garauntye.   Un tel covenant est fet, Chelryke sur ceo s'afye;
   vii c. nefs ly venent, chescun replenye   Des bone genz as armes de la paenerye,   19/20
   Quatre [vint] myl par noumbre, est dit en l'estorye.   Repayrés est Arthur par la
         novele oye,   ll. 23—25 follow
          l. 35 in the MS
   E a Hoel, son cosyn, ray de Armorye,   Dona des terres dela la garde e la mestrie.
   Se haste devers Brettayne, la demort-il mye;   Encountrayt of Modred e sa companyne.
   La guere se comence, Arthur li defye.   Cum Arthur aryvayt, les paens par envye
   Li rays Augusel of la cher hardye,   Et li curtays Wawayn, ount morz par coup d'espeye.   29/30

RML:
He jorneyed þen fro land to land   Til he come to Whitsand.
He pleyned him sore of Moddred,   Þat fro his conquest had don hym fled.
Arthur* had purveid hym a flet,   At Whitsand were þey in water set;   *Arthul *MS*
Moddred herde wel þat tydyng: "By Whitsand cam Arthur þe kyng."
Modred gadered his hostes togydere,   Of hyse and oþer þat come þydere;   14079/80
Arthur he hoped he durste a-bide,   Wyþsette þe havenes on ilka syde.
Þe lond wolde nought Moddred lese,   Ne repente, ne to þe pes chese.
He wyste hymself so coupable,   To aske þe pes hit was but fable.
Arthur dide his flete eft dight,   To Romeneye þey redde þem right;
But er þey were of schipes nomen,   Er was Moddred a-geyn hym comen,   89/90
And letted hym to have entre,   þey mighte nought come up fro þe se.
But Arthures men mighte wyþ travaille;   False Moddred þey gonne assaille;
And he a-geyn was ful bold.   For he hadde so siker hold,
Arthures folk were more schent;   For to þer schipes þey gaf þer tent
To stere þem boþe fer and hende,   Þey tenden nought hem self to fende.   099/100
Þey mighte hem nought fro arewes covere   While þey stode on bankes over;
Þerfore were manie at meschef,   And þer lost was more gref.
As þey to londe fro botes stirte,   Many were slayn, and fele were hyrte,
And meschevously þen fel such cas   Þat sire Wawayn slayn þer was,
And sire Agusel of Scotland   By hym lay ded on his hand—   09/10
Þe soþe ne saw y write, ne how,   Wheþer þat bowe or swerd hem slow.
And manye oþere were slayn þore,   Þat Arthur pleyned hem ful sore,
But non by þe tenþe del   As Wawayn and Agusel: [f. 60 a²
He had so mikel sorewe for þo   Þat he þoughte in non oþer wo;   19/20
Þeir sorewe myghte he nevere furgete;   Siþen eet he nevere gladly mete;
But whan his folk land had taken,   A party gan his sorewe overschaken;
Þen myghte Moddred have no duree,   Ne no fot helden his meynee;
Þaw þey were fele, þey were nought prest,   Þey had be norisched in pes and rest.
Þey couþe nought fighte, ne togydere wone,   Ne at tyme stande ne schone,
Als Arthures folk in werre couþe,   ·Þat had hit used fro tyme of ȝouþe.   29/30
Þat ilke day at Romeneye   Arþur dide mani on deye
Of Moddredes folk here and þere,   And mo schulde, ȝyf þe nyght ne were.
Arthur sey þe day gan faille,   He bod and stynte his folk to taille;
He gaf al tente til his owen conrey.   Þat while fledde Moddred a-wey;
Al þat night Moddred fledde,   To seke recet, but yvele he spedde;   39/40
He wende Londone wolde hym receyve—   Þey wold hym nought, but let hym weyve.

Temese and Londone he passed al,   At Wynchestre þer tok he stal,

---

14074 conquest him had   75 Arthur   81 he durste] wele to   90 a-geyn hym] þidere
92 mot nouht com out of   94 þey gonne] gon þam   100 And tent it nouht þem self defend
02 To whils   04 lost was] tinsell   07 At snilk a chance and suilk a caas   08 sir Wawayn
þore ded was   09 Anguiscle   10 on þe sand   14 him sare   15 tendele   17—18 *om.*
20 gladly] bliþely   24 Ne nouht stand his   25—26 *om.*   27 þei couþe not togydere   28 at]
ın   30 þat it used in þer ȝouþe   38 To whils   40 reste, bot ill

---

PL:
[Iwayn nevuez] fiz Auguselle cum Arthur applye,   Et veent a la terre, devotement ly prye
Ke chuvaler li face; le rays Arthur l'ottrie,   Et prent son homage de regne e baronye.
Desore est ray de Escoce Iwayn, ke ben la guye.   Iwayn sa banere desplyayt le jour
Ke de chuvalerye resceu avayt le honur.   Vigrous estayt e vistes, e sage guerrayour.
Li rays Arthur ly ayme pur son grant valour.   De tote pars assayllent Modrede, ly fals gillour; 39/40
S'en alt a Wyncestre, fuyant cum traytour.   Gaynor la raÿne, quant savait del retour
Arthur en Brettayne, ke fu son seygnur,   De Everwik se part, e wayfe son sojour,
A Karlyoun s'en vait e [se fet] sorour   En habite de nonayne, sa joye change en plur.
Quant Arthur entendist ke Wawayn fu sevelye,   Et Augusele a Wybre en la Walescerye [f. 45
Kay prés de Kame en la terre de Normendye,   Et Bedewere a Bayoun en Aquytanye, 49/50
Doldouns quens de Flaundres en sa demeyne abbye,   Le remysayle del hoste durement relye,

RML: Þere he herbergwed al a-nyght*,   A-geyn þer wille, al þorow myght;   *myght MS
Of þe burgeys he tok feaute   And homage, al þeir maugre.
Arthur wolde no sojour make,   But Moddred wold he sle or take.   14149/50
But sorewe ful þough did hym gret pyn   Of sire Gawayn, his dere cosyn,
And Agusel, þe Scottische kyng: Arthur made here byrying
At Wybyry, þat ys in Walys;   Þer lye þey boþe, seyþ Peres tales.
Now comeþ al Arthures sorewe and drede.   To venge hym on þe false Moddrede,
Day ne night ne wolde he blynne.   To sege Wynchestre, Moddred wyþynne,   59 60
He dide þe contre somoune al out,   And umbyleide þe toun a-bout.
Þen sey Moddred he was in clos,   And byseged wiþ his fos;
He þoughte þat, ȝyf he so longe lay,   Wel schulde he nought wynne a-way,
Þat nedly taken schuld he be,   And maugre hym ȝelde þe cite.
A-mong his men he made a cry,   And bad hem alle arme hem redy;   69/70
Wyþ hym to fighte levere he wylde   Þan, his unþankes, to þem ȝelde.
His men in bataille gan þem renge,   And wente right out hym* for to venge;   *hyn MS
Þe parties sone togydere ran,   And lorn was þere þen many a man.
Moddredes partie ȝede al doun,   For his folk had no fuisoun;   [f. 60 b
Hit was no wonder he hadde no grace,   For traitour scholde nought spede in place.   79/80
He sey his side no tyme ne spedde;   For his misdede þe kyng he dredde;
Hym self he þoughte algate to save,   Siþen he ne mighte no grace have.
His prives alle til hym he tok,   Þo þat Arthur alle fursok,
Þo þat Moddred hadde forþ brought,   Þat nevere lovede Arthur nought;
Prively wyþ hem he fledde a-wey,   And lefte þer al his oþer conrey.   89/90
To Souþhaumptone he tok þe sty,   And huyred hym schipes al redy,
And swyþe anon þey gonne forþ saille;   For drede he fledde til Cornewaille.
Þo þat Moddred byhinde hym left,   Alle were þey slayn, þer lyves reft,
And wan þe toun of þem ilkon;   But wo was hym Moddred was gon.
Sire Urienes sone, Iwene he hight,   Gentil of blod, and ful god knyght;   199/200
Agusel cosyn was sire Iweyn,   Þe reme of Scotland he gan to cleym,
He left hit til Iweyn in herytage,   And Iweyn made Arthur homage.
Iweyn had laught gret honour,   A-geyn Moddred he stod in stour,
And dide and seyde Moddred gret schonde,   Þe while Arthur was out of londe.
At Ȝork to sojourne was þe quen: Scheo herde what wo hem was bytwen,   09/10
Þat Moddred ne myghte in bataille dure,   But evere was at desconfiture.
Scheo þoughte scheo was þen mykel to blame   For þe vylenye and þe schame
Þat Moddred hadde brought hure inne,   And wyþ hym hadde y-leyn in synne,
And wedded hure a-geyn þe lawe,—   He ne lefte for kyng ne Godes awe.
Scheo hopede þat hit scholde yvele ende,   Hure noble lord so foule to schende,   19/20
And hure self for evere y-schent.   So mykel sorewe in herte scheo hent,
Scheo fledde a-way out of þe toun   To Walys, until Carlioun;
Sch[eo] ȝald hure til þat nonnerye,   And tok the veil for hure folye;
Þerinne was scheo hyd and sperd,   Þat no man of hure more herd.

14148 al] at   52 Wawayn   54 was at þer birieng   57 turnes Arthur   64 bised
68 his   72 to þem] þam him   73 His batails set how þai suld renge   79—80 om.   82 He
had misdone   83 þouh for to   84 Sen   ne om.   87—88 om.   90 Left in bataille þat o. c.
93 And son onward were to s.   96 and lyve   97 doun   202 In Scotland he mad a cleyme.
Then P. adds: For he was next of his kyn | þerfor mad he cleym þerin   03 He gaf I.   07—08 om
18 kynd   19 hoped ill it suld bind e.   21—22 om.   25 Scho did hir in

---

PL: Et li faus Modred de réchef defye.   Arthur est issuz, of le fere visage;
Modrede li encountre of tut son barnage;   Fort fu la batayle, molt dure la dayllage.
Genz de ambe parz sount tuez par outrage.   Modrede vers Cornewaylle s'en fuyst
                                    cum sage,
Of lx. mil as armes de [son] menage,   S'aprochent en fuyaunt jekes a un ryvage.   59/60
Modrede s'enbusche de prés en un privé boskage,   Ordayne en Vj. escheles les genz
                                    de soun hostage:
Morir melz volait, ke [sovent] hors de estage   Estre chacez cum chens, mult est
                                    grant hountage.

RML: Moddred had sesed þen Cornewaille,   For al Ingeland gan hym faille,   14229/30
And sente a-boute to landes sers   After knyghte and souders;
Payen and cristen knyght of scheld,   Alle þat wilde, at soud he held.
He sente for Irysche and Noreys;   Þe Saxons come wyþ þe Daneys;
"Þat hadde nought on to lyve,   Lond," he seyde, "he wolde hem gyve".
He highte and gaf to forthe his sped,   As man byhoves þat haþ gret ned.   39/40 [f.60b
But Arthur sore* overþoughte   Ʒyf he wiste what hym doughte;   *sone MS
He dredde mykel his grete comynge,   Payens a-mong þe cristene to brynge.
Arthur wolde no lenger byde,   But gadered folk on ilka syde
Of alle þe contres heþen to Humber;   Ful manye þer were, as seys þe noumber.
Ʒyf Arthur hadde lenger a-biden,   Þe sykerere myghte Moddred have ryden.   49/50
When þe kyng had folk y-now,   Toward Cornewaille he hym drow,
And com in þer by þat cost   Þer þat Moddred logged his host.
Þen seide Moddred, he wolde nought fle,   But a-byde what chaunce so be;
He schulde er putte hymself to deye,   Er he wolde eft fle his weye.
Moddred hadde fourty þousand   In a wode busched to stand   59/60
Bysyde a water, Tambre, y wene,   Þat þe parties ran bytwene.
Stronge were þe hostes, gret was þe hate,   And wrathe togydere dide þem abate.
Þorow hate and ire togydere þey ran,   And payens loves no cristen man;
Þerfore þe bataille was merveillous,   And þe slaughter more hydous.
On boþe partis were slayn fele,   For þer non wolde oþer [forbere ne] spele.   69/70
When Arthur sey Moddred feloun,   He rod til hym wiþ gret raundoun;
Byfore hym dide bere his dragoun,   Moddred to smyte as a lyoun.
Moddred he smot, and he smot hym,   On boþe partis were woundes grym.
But Moddredes side gan misfalle,   For he was slayn, and his men alle;
And als was slayn þer y þat stour   Of þe rounde table þe faire flour, —   79/80

14229 non   30 Ingeland] þe toþer   31 lond   35—40 *om.*   41 sone   43 þe
grete comyng   46 upon his side   47 cuntres untill H.   48 many he had, it sais no n.
54 þer Modred lay with h. h.   56 He wild stand what chance mot be   57 suld ore   58 Or
he suld eft fle a-weie   62 þe parties ran] was þe p.   63 were] was   64 wrathe] hatered
65—68 *om.*   70 For non wild oþer forbere no spele

PL: Guere fet prendre, e pense wayner le wage.   L'eschele ke fu plus fort de son vasselage
Gwya li fals Modrede encontre son lynage.   Arthur en IX. escheles ad fet sa garnyson;
Regarde le host Modred, e dist a li baroun: "Tuz jours ws ai trové de bon affeccioun;   69/70
Ore est le tens venuz de prover par resoun.   Les vayllaunz chuvalers enbrochant
    l'esporoun,
Ne faylle nul a l'autre pur nul passioun!"   Pur veir, quant Arthur vist Modrede
    le feloun,
Se mette tost vers ly of merveyllus raundoun,   Devaunt ly fet porter de fyn or
    soun dragoun,
Et fert ly fals Modred al mont del mentoun,   Ke saunk de ambe pars enruby le
    sabloun;
En l'un e l'autre de saunk fu grant effusioun.   Arthur fu nafré, parmy sa
    wambeysoun   79/80 [f.45
Passa le coup de sa espeye. Arthur pur garysoun   Se fist de ilokes porter en le
    ylle de Avaliroun.
Pur veyr ne say counter si mort sayt u noun,   Més unkore est vifs, ceo dyent ly
    Brettoun.
A Constantyn son cosyn dona la regioun,   Fiz le duk Cador, chuvaler de grant
    renoun.
En memes cel estour ke Arthur fu nafrez,   Fu Modrede e Chelryke amedeus tuez;
Elphad, Egbryhtte, Bronnylle, freres entrejurez,   Gylpatryk e Gylmark, de Saxonye
    nomez,   89/90
Gyllascope e Gyllegrym, Irays forbanez,   [De la partie Modred sunt a mort liverez];
Et de l'eschele Arthur ilokes unt pris congez   Edbrytte ray de Norway, Cador, ses
    parentez,
Askyllus ray de Danemark, li sire de cytez;   Cassibelan le joven fu la demaglez.
Maynte bele dame fu la demariez.   L'an de la bataylle fu, pur veritez,
Cynk cens xlij. aunz aprés ke Deu fu nez.

RML: Þe faire ȝonglynges so mykel y-preised   Þat Arthur had norisched and upreysed,
Þat he had gadered of alle landes,   Þe doughtiest þat were of handes;
And Arthur hym selven þore,   Men seyþ, he was wounded sore;
And, for his woundes were to drede,   Þerfore he dide hym self lede
Into þe ilde of Avaloun.   And þus seys ilka Bretoun: 14289, 90
Þat on lyve þere he ys,   Lyvende man wyþ blod and flesche,
And after hym ȝut þey lok.   Maister Wace þat made þys bok,
He seyþ na more of his fyn   Þan doþ þe prophete Merlyn.
Merlyn seide ful merveillouse   Þat Arthures deþ was dotouse;   [f. 61
Þerfore ȝyt þe Bretons drede,   And seyn þat he lyves in lede;   99; 300
But y seye þey trowe wrong;   For ȝyf he now lyve, his lyf ys long;
And ȝyf he lyve þys ilke day,   He schal lyve for evere and ay.
Nought þan y trowe þe Bretons lye;   He was so wounded, he moste dye.
Þyse were þe lordes of renoun   Þat on Moddredes side ȝed doun:
Brumyng, Egbright, Elays, Cheldryk,   Gyllarion, Syllatel, Gylomar, Gylopayk.   09; 10
Þo þat deyde on Arthures syde,   Þat were lorn þat ilke tyde:
Egbright of Norweye, Askyl of Denmark,   Cador, and Cassibolon, doughti
              men and stark;
And many oþer lordes les þer lyf,   Many lady wydewe, þat was wyf.
Arthur was born til Avaloun   I þe ȝer of þe incarnacion
Fyve hundred and two and fourty,   Syn Jesu lyghte in virgyne Mary.   19; 20
But al þe roialme was in speyr,   For of his body was non heyr,
But Cadores sone highte Constantyn   Of Cornewaille, Arthures cosyn,
He tok hym þe roiame in kepyng,   Until he cam, bad hym be kyng.

14281—82 om.   83 he had] Arthur   88 þei did him lede   92 Man in blode and in
95 sais   96 þan dos   97 sais   98 dede   doutous   300 sais   03—04 om.   05 Bot
þe Bretons londe lye   10 Gillasell, Gillomar. Gilopatrik   15 oþer lese   16 Many widow þat
ore was w.   20 Sen Jhesus lighted in M.   21 For þe reyne men were in sp.   25 He bitauht him

II. Romances.

1. King Horn (1st half 13th cent.).

RH: *Roman de Horn (middle 12th cent.). — MSS.: Oxf. Bodl. Douce 132; Lond. Brit. Mus.
Harl. 527; Cambr. Univ. Libr. Ff. 6. 17. — Edd.: Michel, Paris 1845; Brede und
Stengel, Ausgaben und Abhandlungen 8, Marburg 1883.*

KH: *King Horn. — MSS.: Cambr. Univ. Libr. Gg. 4, 27,2 (= KHC: 2nd half 13th cent.);
Oxf. Bodl. Libr. Laud Misc. 108 (= KHO; ab. 1310 or later); Lond. Brit. Mus. Harley
2253 (= KHL; beg. 14th cent.) — Edd.: Ritson, Anc. Engl. Metr. Romances, 1802, II 91
(text C); Michel, Horn et Rimenhild, Paris 1845 (text C with the variants of the two other
MSS.); Lumby, EETS. 14, 1866 (text C); re-ed. McKnight, 1901 (prints the three MSS.
in full); Horstmann, Herrig's Archiv 50 (1872) p. 39 (text O); Wissmann, Krit. Ausgabe,
Straßburg 1881; Hall, Oxf. 1901 (prints the three MSS. in full); Mätzner, Sprachpr. I
207—231: text C, after Lumby.*

HC: *Horn Childe (early 14th cent.). — MS.: Auchinleck, Edinb. ('prob. not younger than 1327'
Kölbing). — Edd.: Ritson, Anc. Engl. Metr. Romances, 1802, III 282; Michel, Horn et Rimen-
hild, Paris 1845, p. 341; Caro, Engl. Stud. 12 (1889), p. 323; Hall, King Horn, Oxf.
1901, p. 179.*

Introduction.

KHC: KHO: KHL:

Alle beon he bliþe   [f. 6   Alle ben he bliþe   [f. 219 b   Alle heo ben blyþe   [f. 83
Þat to my song lyþe!   Þat to me wilen liþe!   Þat to my song y-lyþe!
A sang ihc schal ȝou singe   A song ich wille you singe   A song ychulle ou singe
Of Murry, þe kinge.   Of Morye, þe kinge.   Of Allof, þe gode kynge.

KHc: **KHo:**   **KHl:**

KHc	KHo	KHl
King he was bi weste 5	King he was bi westen 5	Kyng he wes by weste 5
So longe so hit laste.	Wel þat hise dayes lesten,	Þe whiles hit y-leste,
Godhild het his quen;	And Godild hise gode quene;	Ant Godylt his gode quene;
Faire ne miȝte non ben.	Feyrer non micte bene.	No feyrore myhte bene.
He hadde a sone þat het Horn;	Here sone havede to name Horn	Ant huere sone hihte Horn;
Fairer ne ne mihte non beo born, 10	Feyrer child ne micte ben born, 10	Feyrore child ne myhte be born. 10
Ne no rein upon birine,	Ne no reyn ne micte upon reyne,	For reyn ne myhte byryne
Ne sunne upon bischine.	Ne no sonne byschyne.	Ne sonne myhte shyne
Fairer nis non þane he was;	Fayrer child þanne he was,	Feyrore child þen he was,
He was briȝt so þe glas.	Brict so evere any glas,	Bryht so ever eny glas,
He was whit so þe flur, 15	Whit so any liliflour, 15	So whit so eny lylyeflour, 15
Rosered was his colur.	So rosered was hys colur.	So rosered wes his colour.
	He was fayr and eke bold [f.219 b²]	He wes feyr ant eke bold
	And of fiftene winter hold.	Ant of fyftene wynter old.
In none kinge riche	Was noman him y-liche	Nis non his y-liche [f. 83 b]
Nas non his i-liche.	Bi none kinges riche. 20	In none kinges ryche. 20

MS 10 miste

The Return of Horn.

KHc: **KHo:**   **KHl:**

KHc	KHo	KHl
Rymenild was in Westernesse	Reymyld was in Westnesse	Rymenyld wes in Westnesse
Wiþ wel muchel sorinesse.	Myd michel sorwenesse. 965	Wiþ muchel sorewenesse. 930
A king þer gan arive	A kyng þer was aryvede	A kyng þer wes aryve,
Þat wolde hire have to wyve.	Þat wolde hyre habbe to wyve.	Ant wolde hyre han to wyve.
At on he was wiþ þe king 925	At sone ware þe kynges	At one were þe kynges
Of þat ilke wedding.	Of hyre weddinges.	Of þat weddynge.
Þe daies were schorte,	Þe dawes weren schorte, 970	Þe dayes were so sherte, 935
Þat Rimenhild ne dorste	And Reymyld ne dorste	Ant Rymenild ne derste
Leten in none wise.	Lette in none wise.	Latten on none wyse.
A writ he dude devise; 930	A writ he dede devise;	A wryt hue dude devyse;
Aþulf hit dude write,	Ayol hyt dide write,	Aþulf hit dude wryte,
Þat Horn ne luvede noȝt lite.	Þat Horn ne lovede nawt lite. 975	Þat Horn ne lovede nout lyte. 940
Heo sende hire sonde	And to everyche londe,	Hue sende hire sonde
To evereche londe,	For Horn hym was so longe,	Into everuche londe,
To seche Horn þe kniȝt 935	After Horn þe knycte,	To sechen Horn knyhte
Þer me him finde miȝte.	For þat he ne myȝte.	Whersoer me myhte.
Horn noȝt þerof ne herde,	Horn þerof ne þoute, 980	Horn þerof nout herde, 945
Til o dai þat he ferde	Tyl on a day þat he ferde	Til o day þat he ferde
To wude for to schete, [f.11	To wode for to seche,	To wode forte shete,
A knave he gan i-mete. 940	A page he gan mete.	A page he gan mete.
Horn seden: "Leve fere,	He seyde: "Leve fere,	Horn seide: "Leve fere,
Wat sechestu here?"	Wat sekest þou here?" 985	Whet dest þou nou here?" 950

KHc: **KHo:**   **KHl:**

KHc:	KHo:	KHl:
"Kniȝt, if beo þi wille,	"Knyt, feyr of felle,"	"Sire, in lutel spelle [f. 89
I mai þe sone telle.	Qwat þe page, "y wole þe telle.	Y may þe sone telle.
I seche fram bi weste 945	Ich seke fram Westnesse	Ich seche from Westnesse
Horn of Westernesse,	Horn, knyt, of Estnesse,	Horn, knyht, of Estnesse,
For a maiden Rymenhild	For þe mayde Reymyld, 990	For Rymenild, þat feyre may, 955
Þat for him gan wexe wild.	Þat for hym ney waxeþ wild.	Soreweþ for him nyht ant day.
A king hire wile wedde,	A kyng hire schal wedde	A kyng hire shal wedde
And bringe to his bedde, 950	A soneday to bedde,	A sonneday to bedde,
King Modi of Reynes,	Kyng Mody of Reny,	Kyng Mody of Reynis,
On of Hornes enemis.	Þat was Hornes enemy. 995	Þat is Hornes enimis. 960
Ihc habbe walke[d] wide	Ich have walked wide	Ich habbe walked wyde
Bi þe seside,	By þe sesyde,	By þe seeside.
	Ich nevere myȝt ofreche	
	Whit no londisse speche.	Ne mihte ich him never cleche, Wiþ nones kunnes speche,
Nis he no-war i-funde, 955	Nis he nower founde, 1000	Ne may ich of him here 965
Walawai þe stunde!	A weylawey þe stounde!	In londe fer no nere.
Wailaway þe while!	Reymyld worþ bygile,	Weylawey þe while!
Nu wurþ Rymenild bigiled."	Weylawey þe wile!"	Him may hente gyle."
Horn i-herde wiþ his ires,	Horn hyt herde with eren,	Horn hit herde wiþ earen,
And spak wiþ bidere tires: 960	And wep with blody teren: 1005	Ant spec wiþ wete tearen: 970
"Knave, wel þe bitide,	"So wel þe, grom, bytide, [f. 225aª	"So wel, grom, þe bitide,
Horn stondeþ þe biside.	Horn stant by þy syde.	Horn stond by þi syde,
A-ȝen to hure þu turne,	A-ȝen to Reymyld turne,	A-ȝeyn to Rymenild turne,
And seie þat heo ne murne,	And sey þat he ne morne.	Ant sey þat hue ne murne.
For i schal beo þer bitime, 965	Ich schal ben þer by tyime, 1010	Y shal be þer bi time, 975
A soneday bi pryme."	A soneday by prime."	A sonneday er prime."
Þe knave was wel bliþe,	Þe page was blyþe,	Þe page wes wel blyþe,
And hiȝede a-ȝen blive.	And schepede wel swyþe.	Ant shipede wel suyþe.
Þe se bigan to þroȝe Under hire woȝe. 970		
Þe knave þer gan a-drinke;	Þese hym gan to drenche;	Þe see him gon a-drynke;
Rymenhild hit miȝte ofþinke.	Reymyld hyt myȝt ofþinche. 1015	Þat Rymenil may ofþinke. 980

HC: 71 Over al Horn þe priis him wan: Of anoþer was al his þouȝt:
      He seyd it was for o wiman,   [f. 322 aª   Maiden Rimnild forȝat he nouȝt,
      þat was him leve and dere.   Sche lay his hert ful nere.
      Acula* wende forþan,   *Atula Caro   Þe ring to schewen haþ he tan,
      þat Horn hir loved and most gode an   Þe hewe was chaunged of þe stan,
      Of ani woman þat were.   834   For gon is seven ȝere.   840

KHc:	KHo:	KHl:
Rymenhild undude þe durepin	Þe se hym gan op-þrowe,	Þe [see] him con ded þrowe
Of þe hus þer heo was in,	Honder hire boures wowe.	Under hire chambre-wowe.
	Reymyld gan dore un-þynne,	Rymenild lokede wide
	Of boure þat he was ynne,	By þe seesyde,
To loke wiþ hire iȝe, 975	And lokede forþ riȝcte 1020	Ȝef heo seȝe Horn come, 985
If heo oȝt of Horn i-siȝe.	After Horn þe knyte.	Oþer tidynge of eny gome.
Þo fond heo þe knave a-drent	Þo fond hye hire sonde	Þo fond hue hire sonde
Þat he hadde for Horn i-sent,	Drenched by þe stronde,	A-dronque by þe stronde,
And þat scholde Horn bringe;	Þat scholde Horn bringe,	Þat shulde Horn brynge;
Hire fingres he gan wringe. 980	Hyre fingres hye gan wringe. 1025	Hire hondes gon hue wrynge. 990
Horn cam to Þurston, þe kyng,	Horn cam to Þurston, þe kinge,	Horn com to Þurston, þe kynge,
And tolde him þis tiþ-ing.	And telde hym hys tyd-inge.	And tolde him þes tid-ynge.
Þo he was i-knowe	So he was bycnowe	Ant þo he was bi-knowe,
Þat Rimenh[ild] was his oȝe,	Þat Reymyld was his owe.	Þat Rymenild wes ys owe,
Of his gode kenne, 985		Ant of his gode kenne, 905
Þe king of Suddenne,		Þe kyng of Sudenne,
And hu he sloȝ in felde		Ant hou he sloh a-felde
Þat his fader quelde,		Him þat is fader a-quelde,
And seide: "King þe wise,	He seyde: "Kyng so wise, 1030	Ant seide: "Kyng so wyse,
Ȝeld me mi servise. 990	Ȝeld me my servyse.	Ȝeld me my service. 1000
Rymenhild help me winne;	Reymyld me help to winne;	Rymenild help me to wynne,
Þat þut noȝt ne linne,	Þat þou ith nowt ne lynne,	Swyþe þat þou ne blynne,
And ischal do to spuse	And hy schal to house	Ant y shal do to house
Þi doȝter wel to huse.	Þy douter do wel spuse. 1035	Þy dohter wel to spouse,
Heo schal to spuse have 995	He schal to spouse have	For hue shal to spouse have 1005
Aþulf, mi gode felaȝe,	Ayol, my trewe felawe,	Aþulf, my gode felawe.
God kniȝt mid þe beste	He hys knyt wyt þe beste	He is knyht mid þe beste
And þe treweste."	And on of þe treweste."	Ant on of þe treweste."
Þe king sede so stille:	Þo seyde þe kyng so stille: 1040	Þe kyng seide so stille:
"Horn, have nu þi wille." 1000	"Horn, do þine wille."	"Horn, do al þi wille." 1010
He dude writes sende [f.11 a]	Horn sente hys sonde	He sende þo by sonde,
Into Yrlonde	Into everyche londe	Ȝend al is londe
After kniȝtes liȝte,	After men to fyȝte,	After knyhtes to fyhte,
Irisse men to fiȝte.	Hyrische men so wyȝte, 1045	Þat were men so lyhte.

HC: 72 Horn wald no lenger a-bide;   An hundred kniȝtes, bi his side
He busked him for to ride   Wiþ stedes fele and michel pride,
And gedred folk everaware,   Her schipes were ful ȝare.   846

KHc: **KHo:**   **KHL:**

KHc	KHo	KHL
To Horn come i-noȝe, 1005	To hym were come hy-nowe,	To him come y-nowe, 1015
Þat to schupe droȝe.	Þat into schipe drowe.	Þat into shipe drowe.
Horn dude him in þe weie	Horn tok hys preye,	Horn dude him in þe weye
On a god galeie.	And dude him in hys weye.	In a gret galeye.
Þe [wind] him gan to blowe		Þe wynd bigon to blowe
In a litel þroȝe. 1010	Here scyp gan forþ seyle, 1050	In a lutel þrowe. 1020
Þe se bigan to posse	Þe wynd hym nolde fayle. [f. 225 b]	Þe see bigan wiþ ship to gon,
Riȝt into Westernesse.		To Westnesse hem brohte anon.
Hi strike seil and maste,	He striken seyl of maste,	Hue striken seyl of maste,
And ankere gunne caste.	And anker he gonne kaste.	Ant ancre gonnen caste.
Or eny day was sprunge 1015	Þe soneday was hy-sp[ronge],	Matynes were y-ronge 1025
Oþer belle i-runge,	And þe messe hy-songe, 1055	Ant þe masse y-songe,
Þe word bigan to springe	Of Reymylde þe ȝonge,	Of Rymenild þe ȝynge
Of Rymenhilde wed-dinge.	And of Mody þe kinge;	Ant of Mody þe kynge;
Horn was in þe watere,	And Horn was in watere,	Ant Horn wes in watere,
Ne miȝte he come no latere. 1020	Myȝt he come no latere.	Ne mihte he come no latere. 1030
He let his schup stonde,	He let scyp stonde, 1060	He let is ship stonde,
And ȝede to londe.	And ȝede hym op to londe.	Ant com him up to londe.
His folk he dude a-bide	Hys folc he dide a-byde	His folk he made a-byde
Under wudeside.	Honder þe wodesyde.	Vnder a wodesyde.
Hor[n] him ȝede al one, 1025	He wende forþ al one,	Horn eode forh al one, [f. 89 b]
Also he sprunge of stone.	So he were spronge of stone. 1065	So he sprong of þe stone. 1036
A palmere he þar mette,	A palmere he mette,	On palmere he y-mette,
And faire hine grette:	Wyt worde he hym grette:	Ant wiþ wordes hyne grette:
"Palmere, þu schalt me telle	"Palmere, þou schalt me telle."	"Palmere, þou shalt me telle."
Al of þine spelle." 1030	He seyde, "on þine spelle,	He seyde, "of þine spelle, 1040
	So brouke þou þi croune, 1070	So brouke þou þi croure,
	Wi comest þou fram toune?"	Why comest þou from toune?"

1038 On] en

HC: Þai sayled over þe flode so gray,
In Inglond arived were þay,
þer hem levest ware;
Under a wode þer þai gan lende,
Horn seiȝe a begger wende,

And after he is fare.   852
73 Horn fast after him gan ride,
And bad þe begger schuld a-bide
For to here his speche.

RH: 188 Horn prent cungié de tuz, si s'en vet a itaunt;
Munté iert el destrier ki mut fu tost corant,
Ne porte arme od sei fors sulement un brant.
E quant fud esloigné el païs la avant,
En sa veie encuntra un paumer penant.
Primes le salua, e pus fud enquerant   3050
De la curt e del rei u il fud lors manant:
De sa fille Rigmel demanda le semblant,
Si ele perneit mari cum gent erent disant.

KΠc: **KHo:**   **KHl:**

KΠc	KHo	KHl
He sede upon his tale:	Þe palmere seyde on hys tale:	Ant he seide on is tale:
"I come fram o brudale,	"Hy com fram on bridale.	"Y come from a brudale.
Ihc was at o wedding	Ich com fram brode hylde	From brudale wylde 1045
Of a maide Rymenhild.	Of mayden Reymylde. 1075	Of maide Remenylde.
	Fram honder chyrche-wowe,	
	Þe gan Loverd owe.	
Ne miȝte heo a-driȝe 1035	Ne miȝte hye hyt dreye	Ne mihte hue nout dreȝe
Þat heo ne weop wiþ iȝe.	Þat hye wep wyt eye.	Þat hue ne weþ wiþ eȝe.
Heo sede þat heo nolde	He seyde þat hye nolde 1080	Hue seide, þat hue nolde
Ben i-spused wiþ golde;	Be spoused myd golde;	Be spoused wiþ golde; 1050
Heo hadde on husebonde,	Hye hadde hosebonde,	Hue hade hosebonde,
Þeȝ he were ut of londe. 1040	Þey he nere nawt in londe.	Þah he were out of londe.
And in strong halle,	Mody myd strencþe hyre hadde,	Ich wes in þe halle,
Biþinne castelwalle,	And into toure ladde, 1085	Wiþinne þe castelwalle.
Þer i was atte ȝate;	Into a stronge halle,	
Nolde hi me in late.	Whitinne kastelwalle.	
Modi i-hote hadde 1045	Þer ich was atte gate;	
To bure þat me hire ladde.	Moste ich nawt in rake.	
A-wai i gan glide;	A-wey ich gan glyde; 1090	A-wey y gon glide; 1055
Þat deol i nolde a-bide.	Þe deþ ich nolde a-byde.	Þe dole y nolde a-byde.
Þe bride wepeþ sore,	Þer worþ a rewlich dole,	Þer worþ a dole reuly;
And þat is muche deole!" 1050	Þer þe bryd wepeþ sore."	Þe brude wepeþ bitterly."
Quaþ Horn: "So Crist me rede,	"Palmere," qwad Horn, "so God me rede,	Quoþ Horn: "So Crist me rede,
We schulle chaungi wede.	Ich and þou willen chaungen wede. 1095	We wolleþ chaunge wede. 1060

HC:

Þe begger answerd in þat tide:	Of alle þis seven ȝere.
"Vilaine, canestow nouȝt ride?	Y go to seke after him ay,
Fairer þou miȝt me grete; 858	And þus have don mani a day,
Haddestow cleped me gode man,	Til þat we mete y-fere. 870
Y wold have teld þe wennes y cam	To-day is Moging, þe king,
And whom y go to seche:	Wiþ Rimnild at spouseing, [f. 322 b
Horn to seke have y gon	Þe kinges douhter dere;
þurchout londes mani on,	Mani sides schuld be bibled,
And ay schal while we mete. 864	Er he bring hir to his bed,
74 And now be min robes riven,	Ȝif Horn in lond were! 876
And me no was no noþer ȝeven	

RH:

E cil li respundi: "De la vinc dreit errant,
Or endreit m'en turnai dreit a prime sonant.   3955
Li reis est a Lions, ki est cité vaillant,
E la tendra sa cort, si ad barnage grant.
Lai vendra [ui] Modin, ki est rei mut preisant:
De [Fenice] est seignur, jovencel avenant;
E ui deit espuser Rigmel al vis riaunt.   3960
Trestuit cil del païs en sunt lez e joant,
Cuntre lui sunt alé la u est arivant.
Ne pus mes demorer, kar joe me sui hastant
De raler el païs la u joe fui manant."

KHc: **KHo:** **KHl:**

KHc	KHo	KHl
Have her cloþes myne,	Tac þou me þi sclavyne, [f. 225b]	Tac þou robe myne,
And tak me þi sclavyne.	And have þou cloþes myne.	Ant ȝe sclaveyn þyne.
To-day i schal þer drinke, 1055	To-day ich schal þere drynke,	To-day y shal þer drynke,
Þat some hit schulle ofþinke."	Som man hyt schal ofþinke."	Þat summe hit shal ofþynke."
His sclavyn he dude dun legge,	Þe sclavyn he gan doun legge, 1100	Sclaveyn he gon doun legge, 1065
And tok hit on his rigge.	And Horn hyt dide on rigge.	Ant Horn hit dude on rugge.
He tok Horn his cloþes,	Þe palmere tok hys cloþes,	Ant toc Hornes cloþes,
Þat nere him noȝt loþe. 1060	Þat ne weren hym nowt loþe.	Þat nout him were loþe.
Horn tok burdon and scrippe,	Horn toc burdoun and scrippe,	Horn toc bordoun ant scrippe,
And wrong his lippe. [chere,	And gan wringe hys lippe. 1105	Ant gan to wrynge is lippe. 1070
He makede him a ful	He makede a foul chere,	He made foule chere,
And al bicolmede his swere.	And ke[l]wede hys swere.	Ant bicollede is swere.
He makede him unbicomelich; 1065		
Hes he nas nevremore ilich.		

HC:
75 Wi-ard, o-ȝain schaltow ride	76 Wi-ard schaltow calle me;
Gentil man, ȝif þou be fre,	To mi folk and þere a-bide.
Tel mi þi name!	Have here mi robe to mede;
Þi knave wald y fain be,	And y wil to court gon,
Þat fair fest for to se,	For to loke what þai don,
Me þenke þatow hast nane." 882	In þi pouer wede; 894
Horn answerd him o-ȝain:	Bring hem under ȝon wodeside,
"Ich hat Horn, is nouȝt to lain,	Al so ȝern astow may ride,
And elles were me schame;	Þe way þou canst hem lede;
Bot ȝif ich held þat þou hast seyd,	And y schal heiȝe me wel sone,
Er þat þai ben in bed layd,	Y com o-ȝain, er it be none,
Five þousende schal be slain. 888	Ȝif Crist me wil spede." 900

RH:

189 Horn ad tut entendu, si respondi eissin: 3965
"Bien m'en avez ore dit, beaus amis pelerin;
Mes kant joe vus esgard, si m'aït seint Martin,
Bien me semle al vis ke seeȝ de bon lin;
Par mi çoe qu'estes si degasté e frarin,
Ne semble ke seiez ne tafur ne tapin.   3970
Pur la cote qu' avez, averez bliaud purprin;
L'esclavine averai [joe], e vus cest mantel hermin.
E pur ces trebuz ces chauces d'osterin,
Pur cest vostre burdun cest mien amoravin,
Pur la paulme del col cest bon brant acerin,   3975
Pus si tendrez a Deu, palmer, vostre chemin,
E joe irrai a la curt pur veeir lur covin."
"Sire," dist li paumer, "ki del ewe fist vin,
Des biens ke m'avez fet vus en rende mercin!"
A taunt s'en est turné tut dreit vers le marin;   3980
E Horn si ad turné, cum dit le parchemin,
Tut dreit envers la cort od sun chapel feutrin,
Sun trotun si forment ne si tenist roncin.
Pres del burc s'arestut suz la selve d'un pin:
Iloc voldra veeir de lur venir la fin.   3985

KHC: **KHO:**   **KHL:**

He com to þe gateward,	He cam to þe gateward,	He com to þe ȝateward,
Þat him answerede hard.	Þat hym answered hard.	Þat him onsuerede fro-ward.
Horn bad undo softe,	He bed ondo wel softe, 1110	Horn bed undo wel softe, 1075
Mani tyme and ofte. 1070	Fele syþe and ofte.	Moni tyme ant ofte.

HC: 77 When Horn fro fer herd glewe,   And ȝif it haþ y-taken nouȝt,
Wiþ tabournes bete and trumppes blewe,   Y schal it love in hertþouȝt,
O-ȝaines hem he ȝede,   And be me leve and dere."
Muging king ful wele he knewe,   Þus þai went alle y-same
He tok him bi þe lorein newe,   Unto þe castel wiþ gle and game;
O-ȝain he held his stede.   906   A fole, þai wende, he were.   936
Wikard com and smot him so   80   "Of beggers mo þan sexti,"
And seyd: "Traitour, lat þe bridel go!"   Horn seyd, "maister am y,
Þe blod out after ȝede.   And aske þe þe mete,
Horn ful trewely haþ him hiȝt,   Þat y mote and oþer þre
He schal him ȝeld þat ich niȝt,   To-day in þine halle be,
A box schal ben his mede.   912   When folk is gon to sete;   942
78 Moioun king was ful wo,   Þan y wil folwe þe ham,
Þat he hadde smiten þe pouer man so,   And þat y mot wiþ þe gan
And seyd: "Lat mi bridel be!   In atte castelȝete."
Wiþþi þou lat mi bridel be,   Þe king him hiȝt sikerly:
Whatso þou wilt aski me,   [f. 322 b²]   "Þou schalt in þe halle by
Bleþelich ȝive y þe."   918   To have þere þi mete."   948
"Peter!" quaþ Horn, "[if] þatow wilt,   81   Þere was mani riche gest
Ȝive me maiden Rimnild,   Diȝt unto þat frely fest
Þat is so fair and fre!"   Of douhti folk in lond;
Þe king was wroþ and rewe his ȝift: Atte ȝate was strong þrast.
"Þou askest wrong and noþing riȝt,   Horn wald nouȝt be þe last
Sche may nouȝt þine be."   924   In for to gange.   954
79 Horn seyd: "Y sett a nett o time: Þe porter cald him herlot swain,
Ȝif ani fische is taken þerinne   And he put him o-ȝain
Of al þis seven ȝere,   Þer out for to stand.
No schal it never more be mine.   Horn brust opon him so,
Y wold, it were sonken in helle pine   His scholderbone he brak a-to,
Wiþ fendes fele on fere;   930   And in anon he þrange.   960

        948 þi] his

RH: *Horn sees the men of king Modun going to the city and lets them pass by. The last are king Modun himself and Wikele. Both are speaking of Rigmel. Horn addresses them and is offended by Wikele, who, however, remarks that the pilgrim's skin is so white that even the emperor's daughter would not refuse him. Upon the question whence he is coming and where he is dwelling, Horn answers:*

     "Joel te dirai," dist Horn, " si es escoteor:
     Jadis servi ici un home de valur;
     Dirai vus mun mester: joe fui sun pescheor.
     Une rey ke joe oi (bone iert a tiel labor),
     En une ewe la mis peissun prendre a un jor.
     Pres sunt set anz passé ke ne fis ci retur.
     Or sui ça revenuz, sin iero regardeor: 4050
     Si ele peissuns ad pris, jamais n'avera m'amur;
     E si encore est sanz oec, dunc en iero porteor.
     Tiele vie demein cum vus sui cunteor.
     S'en volez plus oïr, querez autre ditor."

Modun thinks that the pilgrim is mad and rides away with his companions to St. Martin's cathedral, where the marriage is to take place. Horn walks to the city.

     194 Tant ad erré dan Horn qu' a la porte est venu;
     Mes nel lessent entrer, kar n'i fud coneü.
     Çoe si est une rien dunt il fud cummeüz
     E dunt li portiers ot tres tut el ke saluz,   4085
     Kar dan Horn s'aprosma cum hom k'ert irascuz;
     Sus le prist bien en haut par les cheveus menuz,

KHc:

Ne miȝte he a-wynne
Þat he come þerinne.
Horn gan to þe ȝate turne, [t.11b]
And þat wiket unspurne.
Þe boye hit scholde a-
    bugge; 1075
Horn þreu him over þe
    brigge,
Þat his ribbes him to-
    brake;
And suþþe com in atte
    gate.
He sette him wel loȝe

In beggeres rowe.
He lokede him a-bute,
Wiþ his colmie snute.
He seȝ Rymenhild sitte

Ase heo were of witte,

Sore wepinge and ȝerne; 1085
Ne miȝte hure no man
    wurne.
He lokede in eche halke;
Ne seȝ he nowhar walke
Aþulf, his felawe,
Þat he cuþe knowe. 1090

Aþulf was in þe ture,
A-bute for to pure
After his comynge,
Ȝef schup him wolde
    bringe.
He seȝ þe se flowe, 1095
And Horn nowar rowe.

KHo:

Myȝte he nowt wynne
For to come þerinne.
Horn gan to þe yate turne,
And þe wyket opspurne. 1115
Þe porter hyt scholde
    a-bygge;
He pugde hym ofer þe
    brigge,
Þat hys ribbes gonnen
    krake;
And Horn gan into halle
    rake.
He sette hym wel lowe 1120

In beggeres rowe. 1080
He loked al a-boute,
Mid hys kelwe snowte.
He sey Reymyld sytte

Also hy were of witte, 1125

Wyt droupnynde chere,
Þat was hys lemman
    dere.
He lokede in eche halke;
Sey he nowere stalke
Ayol, hys trewe felawe, 1130
Þat trewe was and ful
    of lawe.
Ayol was op in toure,
A-boute for to poure
After Hornes cominge,
Ȝyf water hym wolde
    bringe. 1135
Þe se he sey flowe,
And Horn nower rowe,

KHl:

Ne myhte he y-wynne
Forto come þerynne.
Horn þe wyket puste,
Þat hit open fluste. 1080
Þe porter shulde a-
    bugge;
He þrew him a-doun þe
    brugge,
Þat þre ribbes crakede.

Horn to halle rakede,

Ant sette him doun wel
    lowe 1085
In þe beggeres rowe.
He lokede a-boute,
Myd is collede snoute.
Þer seh he Rymenild
    sitte
Ase hue were out of
    wytte, 1090
Wepinde sore;
Ah he seh nower þore

Aþulf, is gode felawe,
Þat trewe wes in uch
    plawe.
Aþulf wes o tour ful heh, 1095
To loke fer ant eke neh
After Hornes comynge,
Ȝef water him wolde
    brynge.
Þe see he seh flowe,
Ah Horn nower rowe. 1100

HC: 82 Kokes hadde þe mete grayd,
    Þe bord was sett, þe cloþ was layd,
    To benche ȝede þe bold; [t.323]
    Þe trompes blewe, þe glewemen pleyd,
    Þe bischopes had þe grace y-seyd,
    As miri men of molde. 966

Þere was mani a riche man,
Mete and drinke wel gode wan
To alle þat ete wolde.
Horn sat and litel ete,
Michel he þouȝt and more he speke:
For fole men schuld him hold. 972

964 blewe] ȝede

RH:

E a sei le sacha cum cil ki ert de vertuz;
Il l'enpeinst e retraist, ke treis cops out feruz;
S'il referist le quart, a tuz dis fust perduz.
Suz le punt le jetad enz es parfunz paluz.   4090
Pus entra a bandun, si s'est [si] absconduz
Enz en la grant presse qu'il n'est aparceüz.

When the service in the cathedral is over, the barons go to the court to celebrate the wedding-feast. Horn also enters the hall and takes his seat at the head of a table from where he can see how everybody is enjoying himself —

Fors la bele Rigmel ki mut par pout penser,
Que nuls par nul dedut ne la pot cunforter.

3*

KHc: **KHo:**   **KHl:**

KHc	KHo	KHl
He sede upon his songe:	He seyde in hys songe:	He seyde on is songe:
"Horn, nu þu ert wel longe.	"Horn, þou art to longe.	"Horn, þou art to longe.
Rymenhild þu me toke,	Reymyld þou me by-toke, 1140	Rymenild þou me bitoke,
Þat i scholde loke, 1100	Þat ich hyre scholde loke. [f.226	Þat ich hire shulde loke.
Ihc habbe i-kept hure evre;	Ich have hire y-loked evere,	Ich have y-loked evere, 1105
Com nu oþer nevre.	And þou ne comest nevere."	Ant þou ne comest nevere."
I ne may no leng hure kepe;		
For soreȝe nu y wepe."		
Rymenhild ros of benche, 1105	Reymyld ros of benche,	Rymenild ros of benche,
Wyn for to schenche,	Þe knyȝtes for to schenche. 1145	Þe beer al forte shenche,
After mete in sale,		After mete in sale,
Boþe wyn and ale.		Boþe wyn ant ale. 1110
On horn he bar an honde,	An horn hye ber on honde,	An horn hue ber an honde,
So laȝe was in londe. 1110	As hyt was lawe of londe.	For þat wes lawe of londe.
Kniȝtes and squier,	Hye drank of þe bere	Hue dronc of þe beere
Alle dronken of þe ber;	To knyt and to squiere.	To knyht ant skyere.
Bute Horn al one		
Nadde þerof no mone.		
Horn sat upon þe grunde; 1115	And Horn set on þe grunde; 1150	Horn set at grounde; 1115
Him þuȝte he was i-bunde.	Hym þoute he was bounde.	Him þohte he wes y-bounde.
He sede: "Quen so hende,	He seyde: "Quen so hende,	He seide: "Quene so hende,
To meward þu wende.	To meward gyn þou wende.	To me hydeward þou wende.
Þu ȝef us wiþ þe furste;	Schenk hus myd þe furste;	Þou shenh us wiþ þe vurste; [f. 90
Þe beggeres beoþ of-þurste." 1120	Þe beggeres beþ of-þerste." 1155	Þe beggeres buep a-furste." 1120

HC: 83 Þan was þe lawe, soþe to say,   Þou ne ouȝtest he[m] nouȝt forȝete;
        Þe bride schuld þe first day   And seþþen þe kniȝtes schul turnay,
        Serven atte mete;   For to loke whoso may
        Hendelich þan served scho,   þe maistri of hem ȝete."   984
        As a maiden schuld do,   Forþ sche went, þat maiden fre,
        Horn began to speke: 978   And feched drink, þat men miȝt se,
        "Maiden, ȝif þi wille be,   To þat beggere:
        To Godes men schultow se,

RH: Asez li feseit l'en harper e vieler;
       Mes n'i poeit sis quoers en nul s'en deliter: 4125
       Tant li pesout de Horn, qu'el li deveit trichier!
       Mes ele n'en poeit mes e meins fist a blasmer.

When dinner is over, the king tells Rigmel to serve the beverage round, as is the custom. She dresses splendidly for that purpose and goes into the 'butelrie' followed by thirty maidens. She chooses a magnificent horn, fills it with 'piment' and presents it first to her 'dru' and then to the guests. Four times has she been round the table when Horn seizes her by her goldfringed sleeve and says to her:
       198 "Bele, mar vus fist Deus de fines beautez,

KHc:

Hure horn heo leide
a-dun,
And fulde him of a brun
His bolle of a galun;
For heo wende he were
a glotoun.
He seide: "Have þis
cuppe, 1125
And þis þing þer uppe.
Ne saȝ ihc nevre, so ihc
wene,
Beggere þat were so
kene."
Horn tok hit his i-fere, [f. 11 b]
And sede: "Quen so
dere, 1130
Wyn nelle ihc, muche ne
lite,
Bute of cuppe white.
Þu wenest i beo a
beggere,
And ihc am a fissere,
Wel feor i-come bi este, 1135
For fissen at þi feste.
Mi net liþ her bi honde,
Bi a wel fair stronde.

KHo:

Þe horn hye leyde a-
doune,
And fulde hem of þe
broune
A bolle of one galun;
Hye wende hye were a
glotoun.
"Nym þou þe coppe, 1160
And drink yt al oppe.
Sey ich nevere, ich
wene,
Beggere so bold and
kene."
Horn tok þe coppe hys
fere,
And seyde: "Quen so
dere, 1165
No drynk nel ich bite,
Bote of one coppe wite.
Þou wenst ich be a
beggere,
For gode ich am a fyȝ-
ssere,
Hy-come fram by weste, 1170
To fyȝen an þi feste.
My net hys ney honde,
In a wel fayr ponde.

KHl:

Hyre horn hue leyde a-
doune,
Ant fulde him of þe
broune
A bolle of a galoun;
Hue wende he were a
glotoun.
Hue seide: "Tac þe
coppe, 1125
Ant drync þis ber al uppe.
Ne seh y never, y wene,
Beggare so kene."
Horn toc hit hise y-fere,
Ant seide: "Quene so
dere, 1130
No beer nullich i-bite,
Bote of coppe white.
Þou wenest ich be a
beggere;
Y-wis ich am a fysshere,
Wel fer come by weste, 1135
To seche mine beste.
Min net lyht her wel
hende,
Wiþinne a wel feyr
pende.

RH:

Quant lui ne nul des soens un point ne honurez. 4165
Tute jor devant nus a ces riches alez,
E a nus sulement nule chose n' offrez.
Si m'aït ki vus fist, mut grant tort en avez;
Les biens k'en vus ad fait, mal les ad enpleiez,
Quant pur li as soens si le guerredonez. 4170
Vostre los encreistreit, si vus nus servisez,
Treis itaunt qu'il ne fra des bien aparaillez,
Kar cil ki vus furma aime les povertez;
Pur poveres vint al mund e povere i fu asez:
Pur çoe lessez or mais [servir] ces hauz barnez," etc. 4175
— "Amis," çoe dit Rigmel, "gentement sermonez; 4182
Ne direit mieuz sermun evesque ne abbez.
Or le frai dunc issi cum vus me somonez."
Dunc returna, si prist un vessel k'iert dorez,
Del oevere Salomun, ki iert d'antiquitez;
Hanap aveit esté grant tens 'a ses avoez.
Quant l'ot empli de vin, si li fud aportez;
E il le mist avant ne fud par lui gustez.
Si el s'esmerveilla, ne vus esmerveille[z]. 4190
199 Ele prist le hanap, sil ralad raporter;
Mes il onc n'en gusta ne nel deigna bailler;
Forment s'en merveille si ne sout ke penser,
Mut ententivement le cummence aviser.
El[e] vit la char blanche e le visage cler: 4195
Bien parut qu'il nen ot lung tens esté paumer,

KHc: **KHo:**   **KHl:**

KHc	KHo	KHl
Hit haþ i-leie þere	Hyt hat hy-be here	Ich have leye þere,
Fulle seve ȝere.	1140 Al þis seve ȝere.	1175 Nou is þis þe seveþe ȝere. 1140
Ihc am i-come to loke	Hyc am hy-come to loke	Ich am i-come to loke
Ef eni fiss hit toke.	Ȝif any he toke.	Ȝef eny fyssh hit toke.
	Ȝyf any fyȝs hys þerynne,	Ȝef eny fyssh is þerinne,
	Þerof þou winne.	Þerof þou shalt wynne,
Ihc am i-come to fisse;	Ich am hy-come to	For ich am come to
	fyȝsse, 1180	fysshe, 1145
Drink to me of disse;	Drink to me of þy disse;	Drynke nully of dysshe;
Drink to Horn of horne, 1145	Drynk to Horn of horn,	Drynke to Horn of horne,
Feor ihc am i-orne."	For ich habbe hy-	Wel fer ich have y-
	ȝouren."	orne."
Rymenhild him gan bi-	Reymyld hym gan by-	Rymenild him gan bi-
helde;	holde,	helde;
Hire heorte bigan to	And hyre herte to kolde. 1185	Hire herte fel to kelde. 1150
chelde.		
Ne kneu heo noȝt his	Neyȝ he nowt hys	Ne kneu hue noht is
fissing,	fyssyng, [f. 226 aˡ	fysshyng,
Ne Horn hym selve no-	Ne hym selve noþyng.	Ne him selve noþyng.
þing; 1150		
Ac wunder hire gan	Wonder hyre gan þynke,	Ah wonder hyre gan
þinke,		þynke,
Whi he bad to Horn	Wy he hyre bed drynke.	Why for Horn he bed
drinke.		drynke.
Heo fulde hire horn wiþ	He fulde horn þe wyn, 1190	Hue fulde þe horn of
wyn,		wyne, 1155
And dronk to þe pile-	And dronk to þe pyle-	Ant dronk to þat pel-
grym.	grim.	ryne.
Heo sede: "Drink þi	"Palmere, þou drinke	Hue seide: 'Drync þi
fulle, 1155	þy fulle,	felle,
And supþe þu me telle	And syþe þou schalt	Ant seþþen þou me telle
	telle	

RH:

Ne qu'il hom ne semblot ki menast tiel mester;
Mes ne l'osad del tut cum ele asma noter.
Nepurquant si li dit: "Or me dites, bea[us] chier,
Quant beivere ne volez, ke deit le demander?   4200
Dous feiz l'ai aporté, n'en vousistes guster.
Al semblant que joe vei, le corage avez fier."
Dunc respundi si Horn, ne se pout plus celer:
"Bele, sacez de fi, joe fu ja costumier
Ke plus riches vesseaus me seut hom aporter;   4205
Mes corn apelent 'horn' li Engleis latimier.
Si vus, pur sue amur ki si se fait nomer,
Icel corn plein de vin me vosissez bailler
Ke vus vi desorainz a vostre ami doner;
D'icel beivere od vus si serai meiteier;   4210
Mes bien sai ke celi poëz or poi amer
Pur ki jol vus demand, pur çoel larrez ester."
E quant Rigmel l'oït, mal se tint de pasmer,
Taunt li tocha el quoer k'out dit le repruvier.
Tiel doel out en sun quoer, por poi ke ne pasma;   4215
Quant revint, s'arestut e si se purpensa:
Ke il fust messager de part Horn, çoe quida;
Ke il meismes le fust, entercier ne l'osa.   4218
Ne qu'il fust taunt povere en sun quoer n'espera.   4218a
Nepurquant al semblant grant piece l'avisa,
E quant l'ot esgardé, pur s'amur suspira;   4220

KH_C:

If þu evre i-siӡe
Horn under wude liӡe."
Horn dronk of horn a
    stunde,
And þreu þe ring to
    grunde. 1160

Þe quen ӡede to bure
Wiþ hire maidenes foure.

Þo fond heo what heo
    wolde,
A ring i-graven of golde,

Þat Horn of hure hadde. 1165
Sore hure dradde
Þat Horn i-storve were,

For þe ring was þere.
Þo sente heo a damesele
After þe palmere.
"Palmere," quaþ heo,
    "trewe,
Þe ring þat þu þrewe,

KH_O:

Ӡyf þou Horn awt seye
Honder wode leye."   1195
Horn drank of horn a
    stounde,
And þrew hys ryng to
    þe grounde. 1160
He seyde: "Quen, nou
    seche
Qwat hys in þy drenche!

Reymild ӡede to boure 1200
Wyt hyre maydenes
    foure.

He fond þat he wolde,

A ryng hy-graven of
    golde,

Þat Horn of hyre hadde.
Wel sore hyre ofdradde 1205
Þat Horn Child ded
    were,

For þe ryng was þere.
Þo sende hye a damysele
A-doun after þe palmere. 1170
"Palmere," hye seyde,
    "so trewe, 1210
Þe ryng þou here þrewe,

KH_L:

Ӡef þou Horn ever seӡe
Under wode leӡe."   1160
Horn dronc of horn a
    stounde,
Ant þreu is ryng to
    grounde,
Ant seide: "Quene, þou
    þench
What y þreu in þe
    drench!"

Þe quene eode to boure 1165
Mid hire maidnes foure.

Hue fond þat hue wolde,

Þe ryng y-graved of
    golde,

Þat Horn of hyre hedde.
Fol sore hyre a-dredde 1170
Þat Horn ded were,

For his ryng was þere.
Þo sende hue a damoisele
After þilke palmere.
"Palmere," quoþ hue,
    "so trewe, 1175
Þe ryng þat þou yn
    þrewe,

MS 1167 isteue

HC:

"For Hornnes love y pray þe,
Go nouӡt, ar þis drunken be,
Ӡif ever he was þe dere!"   990
Þe maiden bi him stille stode,
To here of Horn, hir þouӡt it gode,
He lay hir hert ful nere;
Of þe coppe he drank þe wine,
þe ring of gold he keste þerinne:
"Bitokening, lo, it here!"   996

85 "A, sely man, þe þrestes sare,
þou schalt have a drink mare,
Gode wine schal it be."
Anoþer drank sche him bare,
Sche asked ӡif Horn þerin ware;
"Ӡa, certes," þan seyd he.   1002
Nas sche bot a litel fram him gon
þat sche ne fel a-doun anon:
Now swoneþ þat fre.   [f. 323 a¹

RH:

Mes n'osad demustrer çoe k'en pensé en ad,
Ainz alad pur le corn, plein de vin l'aportad.
Quant el vint devant lui, en la main li bailla;
E il prist sun anel, suëf enz le jeta,
Memes cel ke Rigmel al partir li bailla.   4225
Pus si but la meitié e vers lui se turna,
Rova li k'el beüst cum el li covenança,
Pur amur iceli ke desoreinz noma:
Or verreit si fust veirs qu'ele jadis l'ama.
El le prist, si en but, e le corn enclina,   4230
E l'anel od le vin a sa buche hurta,
E quant el le senti, si s'en espoënta.
El l'ad pris, sil conut taunt tost cum l'esgarda;
Bien conut ke ce iert cil que dan Horn enporta,
Quant il prist le cungié e de lui s'en ala.   4235
200 El li dit: "Beaus amis, un anel ai trové
En cest corn; mes ne sai ki çaenz l'ad posé.
Si vostre est, sil pernez, si l'aiez de bon gré,
Kar joe del retenir n'ai nule volenté:
Mestier vus poet aveir, si cumme m'ad semblé.   4240

KHc:	KHo:	KHl:
Þu seie whar þu hit nome,	Sey war þou ith nome,	Þou sey wer þou hit nome,
And whi þu hider come."	And hyder wi þou come."	Ant hyder hou þou come."
He sede: "Bi seint Gile,	1175 He seyde: "Bi seynt Gyle,	He seyde: "By seint Gyle,
Ihc habbe go mani mile,	Ich ave hy-go mani a myle, 1215	Ich eode mony a myle, 1180
Wel feor biȝonde weste,	Wel fer her by weste,	Wel fer ȝent by weste,
To seche my beste.	To seche my beste,	To seche myne beste,
	My mete for to bidde,	Mi mete forte bydde,
	So hyt me bytidde.	For so me þo bitidde.
I fond Horn Child stonde	Þat fond ich Horn Child stonde 1220	Ich fond Horn Knyht stonde 1185
To schupeward in londe. 1180	To scyppeward on stronde.	To shipeward at stronde.
He sede he wolde a-gesse	He seyde he wolde a-gesce	He seide he wolde gesse
To arive in Westernesse.	To ryven in Westnesse.	To aryve at Westnesse.
Þe schip nam to þe flode	Þat scyp hym ȝede to flode	Þe ship nom into flode
Wiþ me and Horn þe gode.	Myd me and Horn þe gode. 1225	Wiþ me ant Horn þe gode. 1190
Horn was sik and deide, [f. 12 1185	Horn was sech and ded,	Horn bygan be sek ant deȝe,
And faire he me preide:	And for his love me bed:	Ant for his love me preȝe
'Go wiþ þe ringe,	To schipe with me þe ring	To gon wiþ þe rynge
To Rymenhild þe ȝonge.'	To Reymyld quene þe ȝeng.	To Rymenild þe ȝynge.
Ofte he hit custe,	Ofte he me kuste, 1230	Wel ofte he hyne keste, 1195
God ȝeve his saule reste!" 1190	God ȝyve hys soule reste!" [f. 226 b	Crist ȝeve is soule reste!"
Rymenhild sede at þe furste:	Reymyld seyde ate ferste:	Rymenild seide at þe firste:
"Herte, nu þu berste,	"Herte, nou toberste;	"Herte, nou toberste;
For Horn nastu na more,	Horn ne worþ me na more,	Horn worþ þe no more,
Þat þe haþ pined þe so sore."	For wam hy pyne sore." 1235	Þat haveþ þe pyned sore." 1200
Heo feol on hire bedde 1195	Hye fel a-doun on þe bed	Hue fel a-doun a bedde,
Þer heo knif hudde,	Þer hye havede knyves leyd,	Ant after knyves gredde, [f. 90 b

RH:

Beneit seit oi icil a [ki] jo l'oi doné!
Si rien savez de lui, ne me seit or celé;
Si il vit u est mort, nomez me le regné:
Jol querai u murrai, ja n'en iert trestorné,
Ja pur lui nel larrai ki m'ad ui espusé;   4245
E si vus estes Horn, si me seit demustré;
E si mais vus celez, si ferez grant pechié."
"Bele," çoe li dist Horn, "ne sai u cil fud ned
Dunt vus parlez vers mei e m'avez demandé:
Rien n'oï mes de lui ne de sun parenté;   4250
Mes cel anel fud mien, ne poet estre celé.
Taunt l'amai cum oi chier ki mei l'out cummandé;
Or est tut tresalé entre nus l'amisté.
Pur çoe ke l'aiez, iert bien guerredoné
Li servirs qu'avez fait del bon vin escoré.   4255
D'autres aneaus averai, quant Deu voldra, plenté.

KHc:	KHo:	KHL:
To sle wiþ king loþe,	To slen hire loverd loþe,	To slein mide hire kyng loþe,
And hure selve boþe,	And hyre selve boþe,	Ant hire selve boþe,
In þat ulke niȝte,	In þat hulke [nyȝte], 1240	Wiþinne þilke nyhte, 1205
If Horn come ne miȝte. 1200	Bote Horn come myȝte.	Come ȝef Horn nemyhte.
To herte knif heo sette;	Knyf to hyre herte hye sette,	To herte knyf hue sette,
Ac Horn anon hire kepte	And Horn hire gan lette.	Horn in is armes hire kepte.
	Hys schirtlappe he gan take,	His shurtelappe he gan take,
	And wiped a-wey þat blake 1245	Ant wypede a-wey þe foule blake 1210
He wipede þat blake of his swere,	Þat was on hys swere,	Þat wes opon his suere,
And sede: "Quen so swete and dere,	And seyde: "Quene so dere,	Ant seide: "Luef so dere,
Ihc am Horn þin oȝe; 1205	Canst þou me nawt knowe?	Ne const þou me y-knowe?
Ne canstu me noȝt knowe?	Ne am ich al þyn owe?	Ne am ich Horn þyn owe?
Ihc am Horn of Wester-nesse;	Ich am Horn of Est-nesse; 1250	Ich, Horn of Westnesse; 1215
In armes þu me cusse!"	In þyn armes þou me kusse!"	In armes þou me kesse!"
Hi custe hem mid y-wisse,	Hye clepten and hye kuste	Y-clupten and kyste
And makeden muche blisse. 1210	Þe wile þar hem luste.	So longe so hem lyste.
"Rymenhild," he sede, "y wende	"Reymyld," qwad Horn, "ich moste wende	"Rymenild," quoþ he, "ich wende
A-dun to þe wudes ende.	To þe wodes hende 1255	Doun to þe wodes ende, 1220
Þer beþ myne kniȝtes,	After mine knyȝtes,	For þer bueþ myne knyhte,
Redi to fiȝte,	Hyrische men so wyȝte,	Worþi men ant lyhte,
I-armed under cloþe; 1215	Armed honder cloþe;	Armed under cloþe;
Hi schulle make wroþe	He scholen maken wroþe	Hue shule make wroþe

RH:

    202 Joe fui ja valleton nurri en cest pais,
         Par mun servise grant un ostur i cunquis;
         Ainz ke l'oi afaitié, enz en mue le mis,
         Prés ad ja de set ans, bien poet estre sursis: 4260
         Or le vienc reveeir, quels il seit, de quel pris,
         S'il veut estre maniers u veut estre jolifs.
         E s'il est si entier cum il fud a ces dis
         Quant joe turnai de ci, dunc iert mien, çoe plevis;
         Od mei l'enporterai de ci qu' a mes amis.   4265
         E s'il est depecié u en çoe malmis
         Ke penne ait brusee, dunt rien li seit de pis,
         Ja mes pus n'en iert miens, si m'aït saint Denis."

Rigmel now recognises Horn and tells him that his falcon has been well guarded. The same night she will go away with him or die. But Horn first wants to put her to another severe test. "Yes," he says, "I am Horn; but I am a beggar, whereas your husband is a king, whom you had better keep, for you are not accustomed to poverty." "I should not leave you for the richest king of the East," is her answer. Now Horn sees that she loves him truly. He fetches his knights, takes king Modun prisoner in a battle-like tournament, and forces Rigmel's father, king Hunlaf, whom he besieges in his city, to give him his daughter in marriage.

KHC: **KHO:**   **KHL:**

KHC	KHO	KHL
Þe king and his geste	Þe kyng and hyse gestes 1260	Þe kyng ant hise gestes 1225
Þat come to þe feste.	Þat sytten atte feste.	Þat bueþ at þise festes.
To-day i schal hem teche,	To-day we schole hem keche,	To-day ychulle huem cacche,
And sore hem a-reche." 1220	Ryʒt nou ich wolle hem teche."	Nou ichulle huem va-cche."
Horn sprong ut of halle,	Horn sprong out of halle;	Horn sprong out of halle;
And let his sclavin falle.	Þe sclavyn he let falle. 1265	Ys brunie he let falle. 1230
Þe quen ʒede to bure,	And Reymyld wente to toure,	Rymenild eode of boure;
And fond Aþulf in ture.	And fond Ayol lure.	Aþulf hue fond loure.
"Aþulf," heo sede, "be bliþe, 1225	"Ayol, be wel blyþe,	"Aþulf, be wel blyþe,
And to Horn þu go wel swiþe.	And go to Horn swyþe.	Ant to Horn go swyþe.
He is under wudeboʒe,	He hys honder wode-bowe, 1270	He is under wodebowe, 1235
And wiþ him kniʒtes i-noʒe."	And myd hym felawe y-nowe."	Wiþ felawes y-nowe."
Aþulf bigan to springe	Ayol forþ gan springe,	Aþulf gon forth springe
For þe tiþinge. 1230	Wel glad for þat tyd-yngge.	For þat ilke tydynge.
After Horn he arnde anon,	Faste after Horn he rende;	Efter Horn he ernde;
Also þat hors miʒte gon.	Hym þoute hys herte brende. 1275	Him þohte is herte bernde. 1240

HC:

Kniʒtes her to chaumber ledde;	Forþ þai ʒede, þo kniʒtes bold;
When sche lay opon hir bedde,	Haþerof þe maidens erand told,
Sche seyd: "Clepe Haþerof to me! 1008	Of trewe love Horn was wiis:
86 Kniʒtes, goþ into halle swiþe,	"Y schal com into þe feld wiþ pride,
And bid þe kinges make hem bliþe;	An hundred kniʒtes bi mi side;
þat y wold wel fain;	Milkewhite is mi queintise. 1044
Haþerof, go into þe erber swiþe	89 Bot, Haþerof, þou most me schawe
And geder paruink and ive,	Wharbi y schal Wikard knawe,
Greses þat ben of main. 1014	His buffeyt schal be bouʒt!"
Certeynli, as y ʒou say,	"He haþ queintise white so snawe
Horn is in þis halle to-day,	Wiþ foules blac as ani crawe, [f. 323 b
Y wende he hadde ben slain:	Wiþ silkewerk it is wrouʒt. 1050
Moioun king schal never spede,	Moioun queintise is ʒalu and wan,
For to have mi maidenhede,	Sett wiþ pekok and wiþ swan,
Now Horn is comen o-ʒain. 1020	þat he wiþ him has brouʒt;
87 Haþerof, go into halle and se:	Wikeles queyntise is ʒalu and grene,
In seli pouer wede is he,	Floure de liis sett bitvene,
Y pray þe, knowe him riʒt:	Him forʒete þou noght!" 1056
Say him, treuþe pliʒt er we,	90 Now is Haþerof comen o-ʒain,
Bid him," sche seyd, "as he is fre,	And seyd he haþ Horn sain,
Hold þat he bihiʒt; 1026	And what folk he haþ brouʒt;
Bidd him go and me a-bide	And after wisarmes he gan frain;
Riʒt under ʒon wodeside,	Was never Rimnild ere so fain
As he is trewe kniʒt;	In hert no in þouʒt: 1062
When al þis folk is gon to play,	"Haþerof, go into halle swiþe
He and y schal stele o-way	And bid mi fader make him bliþe,
Bitvene þe day and þe niʒt!" 1032	And say icham sike nouʒt!
88 Haþerof into halle ʒode,	Wikard, þat is leve to smite,
For to bihald þat frely fode:	Horn schal him his dettes quite,
Fule wele he knewe his viis.	To-niʒt it schal be bouʒt." 1068
Opon his fot hard he stode;	
Horn þouʒt þe tokening gode,	
Up he gan to a-rise. 1038	_MS_ 1051 is] was

KHc: **KHo:**   **KHl:**

KHc	KHo	KHl
He him overtok y-wis;	Oftok he Horn hy-wys, [f. 226 bª]	He oftok him y-wisse,
Hi makede suiþe muchel blis.	And kuste hym wit blys.	Ant custe him wiþ blysse.
Horn tok his preie, 1235		Horn tok is preye,
And dude him in þe weie.		Ant dude him in þe weye.
He com in wel sone—	He com a-ʒen wel sone,	Hue comen in wel sone— 1245
Þe ʒates were undone—	Þe gates weren ondone.	Þe ʒates weren undone—
I-armed ful þikke		Y-armed suiþe þicke
Fram fote to þe nekke. 1240		From fote to þe nycke.
Alle þat were þerin, [f. 12 aª]	Hye þat ate feste heten, 1280	Alle þat þer evere weren,
Biþute his twelf ferin	Here lyve he gonnen þer leten.	Wiþoute is trewe feren 1250
And þe king Aylmare,	And þe kyng Mody,	Ant þe kyng Aylmare,
He dude hem alle to kare	Hym he made blody.	Y-wis he hade muche care.
Þat at þe feste were. 1245	And þe king Aylmere 1285	Monie þat þer sete,
Here lif hi lete þere.	Þo havede myche fere.	Hure lyf hy gonne lete.
Horn ne dude no wunder	Horn no wonder ne makede	Horn understondyng ne hede 1255
Of Fikenhildes false tunge.	Of Fykenildes falsede.	Of Fykeles falssede.
Hi sworen oþes holde	He sworen alle and seyde	Hue suoren alle ant seyde
Þat nevre ne scholde 1250	Þat here non hym by-wreyde,	Þat hure non him wreyede,
Horn nevre bitraie	And ofte he sworen hoþes holde 1290	Ant suore oþes holde
Þeʒ he at diþe laie.	Þat þere non ne scholde	Þat huere non ne sholde 1260
	Noware Horn bywreyen,	Horn never bytreye,
	Þou he to deþe leyen.	Þah he on deþe leye.
Hi runge þe belle,	He rongen þe bellen,	Þer hy ronge þe belle,
Þe wedlak for to felle.	Þe wedding for to fullen 1295	Þat wedlake to fulfulle.
	Of Horn þat was so hende,	
	And of Reymyld þe ʒonge.	
Horn him ʒede with his 1255	Horn ledde hyre hom wit heyse	Hue wenden hom wiþ eyse 1265
To þe kinges palais.	To hyre fader paleyse.	To þe kynges paleyse.

HC: 91 When þai hadde eten, þan were þai boun;
Wiþ spere o-loft and gonfainoun,
Al armed were þo bold;
Wiþ trump and tabourun out of toun
þus þai redde þe riʒt roun,
Ich man as he wold.   1074
An erl out of Cornwayle   93
O-ʒain Moioun, saun faile,
þe turnament schal hold;
And Horn com into þe felde wiþ pride,
An hundred kniʒtes bi his side,
In rime as it is told.   1080
92 Horn of [her] coming was wel wise
And knewe hem bi her queyntise,
Anon þai counterd þo.
Moioun king haþ tint þe priis,
Under his hors fete he liis,
Horn wald him nouʒt slo.   1086

To sir Wigard his swerd he weved,
Even a-tuo he cleve his heved,
His box he ʒalt him þo;
Out he smot Wiʒles eiʒe:
Traitours þat er leve to liʒe,
Men schal hem ken so.   1092
þat day Horn þe turnament wan   [f.323 bª]
Fro Moioun and mani a man,
Wiþ kniʒtes stiþe on stede;
He toke þe gre þat was a swan,
And sent to Rimnild his leman,
To hir riche mede.   1098
To Houlac king Horn gan wende
And þonked him as his frende
Of his gode dede:
"þou feddest me and forsterd to man!"
He maked Wikel telle out þan
His lessinges and his falshed.   1104

KHc: **KHo:**   **KHl:**

KHc:	KHo:	KHl:
Þer was brid and ale suete,	Þer was brydale swete; 1300	Þer wes þe brudale suete,
For riche men þer ete.	Riche men þer hete.	For richemen þer ete.
Telle ne miȝte tunge	Tellen ne myȝte no tonge	Telle ne mihte no tonge
Þat gle þat þer was sunge. 1260	Þe joye þat þer was songe.	Þe gle þat þer was songe. 1270

HC: 94

Moioun king is ivel diȝt,	Now is Rimnild tviis wedde,
Tint he haþ þat swete wiȝt	Horn brouȝt hir to his bedde;
And wold ben o-way.	Houlac king gan say:
Horn þat hadde hir treuþe pliȝt,	"Half mi lond ichil þe ȝive
Wedded hir þat ich niȝt	Wiþ mi douȝter, while ȝ live,
And al opon a day. 1110	And al after mi day." 1116

Hind Horn Ballads.

Ed.: Child. The Engl. and Scott. Pop. Ballads, Boston and New York, 1882, I 201.

A: *Motherwell's (1797—1835) MS., p. 106. From Mrs. King, Kilbarchan.*

B: *Motherwell's MS., p. 418. From the singing of a servant-girl at Halkhead.*

C: *a. Motherwell's Note-Book, p. 42. From Agnes Lyle. b. Motherwell's MS., p. 413. From the singing of Agnes Lyle, Kilbarchan, Aug. 24, 1825.*

G: *Kinloch's Ancient Scottish Ballads, 1827, p.135. From the recitation of his niece, M.Kinnear, 23 Aug. 1826; the north of Scotland.*

H: *Buchan's Ballads of the North of Scotland, Edinb. 1828, II 268.*
A, B and C go closely together, so do G and H; D, E and F are mere fragments.

A: 1 In Scotland there was a babie born,
Lill lal, etc.
And his name it was called young HindHorn.
With a fal lal, etc.
2 He sent a letter to our king
That he was in love with his daughter Jean.
3 He's gien to her a silver wand,
With seven living lavrocks sitting thereon.
4 She's gien to him a diamond ring,
With seven bright diamonds set therein.
5 "When this ring grows pale and wan,
You may know by it my love is gane."
6 One day as he looked his ring upon,
He saw the diamonds pale and wan.

7 He left the sea and came to land,
And the first that he met was an old beggar man.
8 "What news, what news?" said young Hind Horn;
"No news, no news," said the old beggar man.
9 "No news," said the beggar, "no news at a',
But there is a wedding in the king's ha.

B: I never saw my love before,
With a hey lillelu and a ho lo lan,
Till I saw her thro an oger bore.
With a hey down and a hey diddle downie.
2 She gave to me a gay gold ring,
With three shining diamonds set therein.
3 And I gave to her a silver wand,
With three singing lavrocks set thereon.
4 "What if these diamonds lose their hue,
Just when your love begins for to rew?"
5 He's left the land, and he's gone to sea,
And he's stayd there seven years and a day.
6 But when he looked this ring upon,
The shining diamonds were both pale and wan.

7 He's left the seas and he's come to the land,
And there he met with an auld beggar man.
8 "What news, what news, thou auld beggar man
For it is seven years sin I've seen lan'."
9 "No news," said the old beggar man," at all,
But there is a wedding in the king's hall."

C: 1 Young Hyn Horn's to the king's court gone,   Hoch hey and an ney O.
He's fallen in love with his little daughter Jean.   Let my love alone, I pray you.
2 He's bocht to her a little gown,   With seven broad flowers spread it along.
3 She's given to him a gay gold ring.   The posie upon it was richt plain.
4 "When you see it losing its comely hue,   So will I my love to you."
5 Then within a little wee,   Hyn Horn left land and went to sea.
6 When he lookt his ring upon,   He saw it growing pale and wan.
7 Then within a little [wee] again,   Hyn Horn left sea and came to the land.
8 As he was riding along the way,   There he met with a jovial beggar.
9 "What news, what news, old man?" he did say.   "This is the kings' young dochter's wedding day."

A: 10 But there is a wedding in the king's ha,
That has halden these forty days and twa."

11 "Will ye lend me your begging coat?
And I'll lend you my scarlet cloak.

12 Will you lend me your beggar's rung?
And I'll gie you my steed to ride upon.

13 Will you lend me your wig o hair,
To cover mine, because it is fair?"

14 The auld beggar man was bound for the mill,
But young Hind Horn for the king's hall.

15 The auld beggar man was bound for to ride,

But young Hind Horn was bound for the
bride.

16 When he came to the king's gate,
He sought a drink for Hind Horn's sake.

17 The bride came down with a glass of wine,
When he drank out the glass, and dropt
in the ring.

18 "O got ye this by sea or land?
Or got ye it off a dead man's hand?"

19 "I got not it by sea, I got it by land,
And I got it, madam, out of your own hand."

20 "O I'll cast off my gowns of brown,
And beg wi you frae town to town.

21 O I'll cast off my gowns of red,
And I'll beg wi you to win my bread."

22 "Ye needna cast off your gowns of brown,
For I'll make you lady o many a town."

23 Ye needna cast off your gowns of red,
It's only a sham, the begging o my bread."

24 The bridegroom he had wedded the bride,

But young Hind Horn he took her to bed.

B: "Wilt thou give to me thy begging coat?
And I'll give to thee my scarlet cloak.

11 Wilt thou give to me thy begging staff?
And I'll give to thee my good gray steed."

12 The old beggar man was bound for to ride,
But Young Hynd Horn was bound for the
bride.

13 When he came to the king's gate,
He asked a drink for Young Hynd Horn's
sake.

14 The news unto the bonnie bride came
That at the yett there stands an auld man,

15 "There stands an auld man at the king's
gate;
He asketh a drink for young Hyn Horn's
sake."

16 "I'll go thro nine fires so hot,
But I'll give him a drink for Young Hyn
Horn's sake."

17 She gave him a drink out of her own hand;
He drank out the drink and he dropt in
the ring.

18 "Got thou't by sea, or got thou't by land?
Or got thou't out of any dead man's hand?"

19 "I got it not by sea, but I got it by land,
For I got it out of thine own hand."

20 "I'll cast off my gowns of brown,
And I'll follow thee from town to town.

21 I'll cast off my gowns of red,
And along with thee I'll beg my bread."

22 "Thou need not cast off thy gowns of brown,
For I can make thee lady of many a town.

23 Thou need not cast off thy gowns of red,
For I can maintain thee with both wine
and bread."

24 The bridegroom thought he had the bonnie
bride wed,
But Young Hyn Horn took the bride to bed.

C: 10 "If this be true you tell to me,   You must niffer clothes with me.
11 You'll gie me your cloutit coat,   I'll gie you my fine velvet coat.
12 You'll gie me your cloutit pock,   I'll gie you my purse; it'll be no joke.!"
13 "Perhaps there['s] nothing in it, not on bawbee."   "Yes, there's gold and silver both,"
said he.
14 "You'll gie me your bags of bread,   And I'll gie you my milk-white steed."
15 When they had niffered all, he said: "You maun learn me how I'll beg."
16 "When you come before the gate,   You'll ask for a drink for the highman's sake."
17 When that he came before the gate,   He calld for a drink for the highman's sake.
18 The bride cam tripping down the stair,   To see whaten a bold beggar was there.
19 She gave him a drink with her own hand;   He loot the ring drop in the can.
20 "Got ye this by sea or land?   Or took ye't aff a dead man's hand"?
21 "I got na it by sea nor land,   But I got it aff your own hand."
22 The bridegroom cam tripping down the stair,   But there was neither bride nor beggar there.
23 Her ain bridegroom had her first wed,   But young Hyn Horn had her first to bed.

G: 1 "Hynde Horn's bound love, and Hynde
Horn's free;
Whare was ye born, or in what countrie?"

2 "In gude greenwud whare I was born,
And all my friends left me forlorn.

H: "Hynd Horn fair, and Hynd Horn free,
O where were you born, in what countrie?"

2 "In gude greenwood, there I was born,
And all my forbears me beforn.

3 O seven years I served the king,
And as for wages, I never gat nane;

4 But ae sight o his ae daughter,
And that was thro an augre bore.

G:

3 I gave my love a silver wand;
That was to rule oure all Scotland.

4 My love gave me a gay gowd ring;
That was to rule abune a' thing."

5 "As lang as that ring keeps new in hue,
Ye may ken that your love loves you.

6 "But whan that ring turns pale and wan,
Ye may ken that your love loves anither
man."

7 He hoisted up his sails, and away sailed he,
Till that he cam to a foreign countrie.

8 He looked at his ring; it was turnd pale
and wan:
He said: "I wish I war at hame again."

9 He hoisted up his sails, and hame sailed he,
Until that he came to his ain countrie.

10 The first ane that he met wi
Was wi a puir auld beggar man.

11 "What news, what news, my silly auld man?
What news hae ye got to tell to me?"

12 "Na news, na news," the puir man did say,
"But this is our queen's wedding day."

13 "Ye'll lend me your begging weed,
And I'll gie you my riding steed."

14 "My begging weed is na for thee,
Your riding steed is na for me."

15 But he has changed wi the beggar man.
. . . .

16 "Which is the gate that ye used to gae?
And what are the words ye beg wi?"

17 "Whan ye come to yon high hill,
Ye'll draw your bent bow nigh until.

18 Whan ye come to yonder town,
Ye'll let your bent bow low fall down.

19 Ye'll seek meat for St. Peter, ask for St. Paul,
And seek for the sake of Hynde Horn all.

20 But tak ye frae nane of them a',
Till ye get frae the bonnie bride hersel O."

21 Whan he cam to yon high hill,
He drew his bent bow nigh until.

22 And whan he cam to yonder town,
He lute his bent bow low fall down.

23 He saught meat for St. Peter, he askd for
St. Paul,
And he saught for the sake of Hynde
Horn all.

24 But he would tak frae nane o them a',
Till he got frae the bonnie bride hersel O.

25 The bride cam tripping doun the stair,
Wi the scales o red gowd on her hair.

26 Wi a glass of red wine in her hand,
To gie to the puir auld beggar man.

27 It's out he drank the glass o wine,
And into the glass he dropt the ring.

28 "Got ye't by sea, or got ye't by land,
Or got ye't aff a drownd man's hand?"

29 "I got na't by sea, I got na't by land,
Nor got I it aff a drownd man's hand.

30 But I got it at my wooing,
And I'll gie it at your wedding."

31 "I'll tak the scales o gowd frae my head,
I'll follow you, and beg my bread.

32 I'll tak the scales of gowd frae my hair,
I'll follow you for evermair."

H:

My love gae me a siller wand,
'T was to rule ower a' Scotland.

6 And she gae me a gay gowd ring,
The virtue o't was above a' thing."

7 "As lang's this ring it keeps the hue,
Ye'll know I am a lover true:

8 But when the ring turns pale and wan,
Ye'll know I love another man."

9 He hoist up sails, and awa saild he,
And saild into a far countrie.

10 And when he lookd upon his ring,
He knew she loved another man.

11 He hoist up sails and home came he,
Home unto his ain countrie.

12 The first he met on his own land,
It chanced to be a beggar man.

13 "What news, what news, my gude auld man?
What news, what news, hae ye to me?"

14 "Nae news, nae news," said the auld man,
"The morn's our queen's wedding day."

15 "Will ye lend me your begging weed?
And I'll lend you my riding steed."

16 "My begging weed will ill suit thee,
And your riding steed will ill suit me."

17 But part be right, and part be wrang,
Frae the beggar man the cloak he wan.

18 "Auld man, come tell to me your leed;
What news ye gie when ye beg your bread."

19 "As ye walk up unto the hill,
Your pike staff ye lend ye till.

20 But whan ye come near by the yett,
Straight to them ye will upstep.

21 Take nane frae Peter, nor frae Paul,
Nane frae high or low o them all.

22 And frae them all ye will take nane,
Until it comes frae the bride's ain hand."

23 He took nane frae Peter nor frae Paul,

Nane frae the high nor low o them all.

24 And frae them all he would take nane,
Until it came frae the bride's ain hand.

25 The bride came tripping down the stair,
The combs o red gowd in her hair.

26 A cup o red wine in her hand,
And that she gae to the beggar man.

27 Out o the cup he drank the wine,
And into the cup he dropt the ring.

28 "O got ye't by sea, or got ye't by land,
Or got ye' t on a drownd man's hand?"

29 I got it not by sea, nor got it by land,
Nor got I it on a drownd man's hand.

30 But I got it at my wooing gay,
And I'll gie't you on your wedding day."

31 "I'll take the red gowd frae my head,
And follow you, and beg my bread.

32 I'll take the red gowd frae my hair,
And follow you for evermair."

G: 33 She has tane the scales o gowd frae her **H:**
               head,
    She has followed him to beg her bread.
34 She has tane the scales o gowd frae her hair,
    And she has followed him for evermair.
35 But atween the kitchen and the ha,   33 Atween the kitchen and the ha,
    There, he lute his cloutie cloak fa.   He loot his cloutie cloak down fa.
36 And the red gowd shined oure him a',   34 And wi red gowd shone ower them a',
    And the bride frae the bridegroom was   And frae the bridegroom the bride he sta.
                   stown awa.

2. Havelok (ab. 1301).

G: *Gaimar, Lestorie des Engles (betw. 1147 and 1151). — MSS.: B r i t. M u s. Royal 13. A. XXI;*
    Durham, Cathedral Libr. C. IV. 27; Lincoln Cathedral Libr. A. $\frac{4}{12}$ (form. H. 18. 3);
    Herald's College, Arundel 14. — Edd.: Madden, 1828; Petrie, Monum. Hist. Brit. 1848;
    Wright, 1850; H a r d y a n d M a r t i n, 1888.

L: *Lai d'Haveloc le Danois (12th cent.). — MS.: Herald's College, Arundel 14. — Edd.: Madden,*
    1828: Michel, Paris 1833; Wright, 1850; H a r d y a n d M a r t i n, 1888.

H: *Havelok. — MS.: Oxf. Bodl. Libr. Laud Misc. 108 (ab. 1310, or later). — Edd.: Madden,*
    1828; Skeat, 1868, EETS. ES. 4; Holthausen, Heidelberg 1901; S k e a t, Oxford 1902.

Introduction.
INCIPIT VITA HAUELOK
quondam rex Anglie et Denemarchie.

Herknet to me, gode men,   [f. 204   Fil me a cuppe of ful god ale;
Wives, maydnes, and alle men,   And [y] wile drinken, her y spelle,   15
Of a tale þat ich you wile telle,   Þat Crist us shilde alle fro helle!
Woso it wile here and þerto duelle.   Krist late us hevere so for to do
Þe tale is of Havelok i-maked;   5   Þat we moten comen him to;
Wil he was litel, he yede ful naked.   And, wit þat it mote ben so,
Havelok was a ful god gome,   Benedicamus domino!   20
He was ful god in everi trome,   Here y schal biginnen a rym,
He was þe wicteste man at nede   Krist us yeve wel god fyn!
Þat þurte riden on ani stede.   10   The rym is maked of Havelok,
Þat ye mowen nou y-here,   A stalworþi man in a flok;
And þe tale ye mowen y-lere.   He was þe stalworþeste man at nede   25
At þe biginni[n]g of ure tale   Þat may riden on ani stede.

The Marriage of Havelok.

H: In þat time al Hengelond   Þider komen lesse and more,
Þerl Godrich havede in his hond,   1000   Þat in þe borw þanne weren þore;
And he gart komen into þe tun   Chaunpiouns, and starke laddes,   1015
Mani erl, and mani barun;   Bondemen with here gaddes,
And alle þat lives were   Als he comen fro þe plow;
In Englond, þanne wer þere,   Þere was sembling i-now!
Þat þey haveden after sent   1005   For it ne was non horseknave,
To ben þer at þe parlement.   Þo þei sholden in honde have,   1020
With hem com mani chambioun,   Þat he ne kam þider, þe leyk to se:
Mani with ladde, blac and brown;   Biforn here fet þanne lay a tre,
An fel it so, þat yunge men,   And putten with a mikel ston
Wel a-bouten nine or ten,   1010   Þe starke laddes, ful god won.
Bigunnen þe[re] for to layke: Þe ston was mikel, and ek greth,   1025
Þider komen boþe stronge and wayke;   And also hevi so a neth;

G and **L** *omit beginning.*

H: Grundstalwrþe man he sholde be
Þat mouthe liften it to his kne;
Was þer neyþer clerc ne prest
Þat mithe liften it to his brest: 1030
Þerwit putten the chaunpiouns
Þat þider comen with þe barouns.
Hwoso mithe putten þore
Biforn anoþer an inch or more,
Wore he yung, wore he hold, 1035
He was for a kempe told.
Also þe[y] stoden, an ofte stareden,
Þe chaunpiouns, and ek the ladden, [f.209b²]
And he maden mikel strout
A-bouten þe alþerbeste but, 1040
Havelok stod, and lokede þertil;
And of puttingge he was ful wil,
For nevere yete ne saw he or
Putten the stone, or þanne þor.
Hise mayster bad him gon þerto, 1045
Als he couþe þerwith do.
Þo hise mayster it him bad,
He was of him sore a-drad;
Þerto he stirte sone anon,
And kipte up þat hevi ston, 1050
Þat he sholde puten wiþe;
He putte, at þe firste siþe,
Over alle þat þer wore,
Twel fote, and sumdel more.
Þe chaunpiouns þat [þat] put sowen, 1055
Shuldreden he ilc oþer, and lowen;
Wolden he no more to putting gange,
But seyde: "We dwellen her to longe!"
Þis selkouth mithe nouth ben hyd,
Ful sone it was ful loude kid 1060
Of Havelok, hw he warp þe ston
Over þe laddes everilkon;
Hw he was fayr, hw he was long,
Hw he was wiht, hw he was strong;
Þoruth England yede þe speche, 1065
Hw he was strong, and ek meke;
In the castel, up in þe halle,
Þe knithes speken þerof alle,
So that Godrich it herde wel
Þe[r] speken of Havelok everi del, 1070

Hw he was strong man and hey,
Hw he was strong, and ek fri,
And þouthte Godrich: "þoru þis knave
Shal ich Engelond al have, 1073
And mi sone after me; 1075
For so i wile þat it be.
The king Aþelwald me dide swere
Upon al þe messegere,
Þat y shu[l]de his douthe[r] yeve
Þe hexte þat mithe live, 1080
Þe beste, þe fairest, þe strangest ok;
Þat gart he me sweren on þe bok.
Hwere mithe i finden ani so hey
So Havelok is, or so sley? [f. 210]
Þou y southe heþen into Ynde, 1085
So fayr, so strong, ne mithe y finde.
Havelok is þat ilke knave
Þat shal Goldeborw have."
Þis þouhte [he] with trechery,
With traysoun, and wit felony; 1090
For he wende þat Havelok wore
Sum cherles sone, and no more;
Ne shulde he haven of Engellond
Onlepi forw in his hond
With hire þat was þerof eyr, 1095
Þat boþe was god and swiþe fair.
He wende þat Havelok wer a þral,
Þerþoru he wende haven al
In Engelond þat hire rith was;
He was werse was þan Sathanas 1100
Þat Jesu Crist in erþe shop:
Hanged worþe he on an hok!
After Goldebo[r]w sone he sende,
Þat was boþe fayr and hende,
And dide hire to Lincolne bringe, 1105
Belles dede he a-geyn hire ringen,
And joie he made hire swiþe mikel,
But neþeles he was ful swikel.
He seyde, þat he sholde hire yeve
Þe fayreste man that mithe live. 1110
She answerede, and seyde anon,
Bi Crist, and bi seint Johan,
Þat hire sholde no man wedde,
Ne no man bringen to hire bedde,

L: *With H 1072 ff. cp.:*
King Alsi says to his barons:
" Quant Ekenbright le roi fini,
En ma garde sa fille mist,
Un serement jurer me fist 355
Qu'au plus fort home la dorroie
Qe el reaume trover porroie.
Assez ai quis et demandé,
Tant qu'en ai un fort trové. 360
Un valet ai en ma quisine

A qui jeo dorrai la meschine.
Cuaran ad cil a non.
Li dis plus fort de ma maison
Ne se poent a lui tenir, 365
Son giu ne sa liuté suffrir.
Veritez est, desqua Rome
De corsage nad si grant home.
Li garder voil mon serement,
Ne la pus doner autrement," 370

At first the barons do not agree with King Alsi, but he compels them by armed men, whom he had previously hidden in the room.

H: But he were king, or kinges eyr,   1115
Were he nevere man so fayr.
Godrich þe erl was swiþe wroth
Þat she swor swilk an oth,
And seyde: "Hwor þou wilt be
Quen and levedi over me?   1120
Þou shalt haven a gadeling,
Ne shalt þou haven non oþer king;
Þe shal spusen mi cokes knave,
Ne shalt þou non oþer loverd have.
Daþeit þat þe oþer yeve   1125
Everemore hwil i live!
To-mo[r]we sholen ye ben weddeth,
And, maugre þin, togidere beddeth."
Goldeborw gret, and was hire ille,   [f.210 aª
She wolde ben ded bi hire wille.   1130
On the morwen, hwan day was
                                    sprungen,
And daybelle at kirke rungen,
After Havelok sente þat Judas,
Þat werse was þanne Sathanas,
And seyde: "Mayster, wilte wif?"   1135
"Nay," quoth Havelok, "bi my lif!
Hwat sholde ich with wife do?
I ne may hire fede, ne cloþe, ne sho.
Wider sholde ich wimman bringe?
In ne have none kines þinge.   1140
I ne have hws, y ne have cote,
Ne i ne have stikke, y ne have sprote,
In ne have neyþer bred ne sowel,
Ne cloth, but of an hold with couel.
Þis cloþes, þat ich onne have,   1145
Aren þe kokes, and ich his knave."
Godrich stirt up, and on him dong
[With dintes swiþe hard and strong],
And seyde: "But þou hire take
Þat y wole yeven þe to make,   1150
I shal hangen þe ful heye,
Or y shal þristen uth þin heie."
Havelok was one, and was o-drat,
And grauntede him al þat he bad.
Þo sende he after hire sone,   1155
Þe fayrest wymman under mone;
And seyde til hire, [fals] and slike,
Þat wicke þral, þat foule swike:
"But þu þis man understonde,
I shal flemen þe of londe;   1160
Or þou shal to þe galwes renne,
And þer þou shalt in a fir brenne."
Sho was a-drad, for he so þrette,
And durste nouth þe spusing lette;
But þey hire likede swiþe ille,   1165
Þouthe, it was Godes wille:
God, þat makes to growen þe korn,
Formede hire wimman to be born.
Hwan he havede don him, for drede,

Þat he sholde hire spusen and fede,   1170
And þat she sholde til him holde,
Þer weren penies þicke tolde,
Mikel plente upon þe bok:
He ys hire yaf, and she as tok.
He weren spused fayre and wel,   [f.210 b
Þe messe he deden, everidel   1176
Þat fel to spusing; a god cle[r]k,
Þe erchebishop uth of Yerk,
Þer kam to þe parlement,
Als God him havede þider sent.   1180
Hwan he weren togydere in Godes lawe,
Þat þe folc ful wel it sawe,
He ne wisten what he mouthen,
Ne he ne wisten wat hem douthe,
Þer to dwellen, or þenne to gonge.   1185
Þer ne wolden he dwellen longe;
For he wisten, and ful wel sawe,
Þat Godrich hem hatede, þe devel
                                    him hawe!
And yf he dwelleden þer outh—
Þat fel Havelok ful wel on þouth—   1190
Men sholde don his leman shame,
Or elles bringen in wicke blame;
Þat were him levere to ben ded.
Forþi he token anoþer red,
Þat þei sholden þenne fle   1195
Til Grim, and til hise sones þre;
Þer wenden he alþerbest to spede,
Hem for to cloþe, and for to fede.
Þe lond he token under fote,
Ne wisten he non oþer bote,   1200
And helden ay þe riþe [sti]
Til he komen to Grimesby.
Þanne he komen þere, þanne was
                                    Grim ded,
Of him ne haveden he no red;
But hise children alle fyve,   1205
Alle weren yet on live;
Þat ful fayre a-yen hem neme,
Hwan he wisten þat he keme,
And maden joie swiþe mikel,
Ne weren he nevere a-yen hem fikel.   1210
On knes ful fayre he hem setten,
And Havelok swiþe fayre gretten,
And seyden: "Welkome, loverd dere!
And welkome be þi fayre fere!
Blessed be þat ilke þrawe   1215
Þat þou hire toke in Godes lawe!
Wel is hus we sen þe on lyve,
Þou mithe us boþe selle and yeve;
Þou mayt us boþe yeve and selle,
With þat þou wilt here dwelle.   [f.210 bª
We haven, loverd, alle gode,   1221
Hors, and neth, and ship on flode,
Gold, and silver, and michel auchte,

H: Þat Grim, ure fader, us bitawchte.
   Gold, and silver, and oþer fe   1225
   Bad he us bitaken þe.
   We haven shep, we haven swin,
   Bileve her, loverd, and al be þin!
   Þo[u] shalt ben loverd, þou shalt ben
                syre,
   And we sholen serven þe and hire;   1230
   And hure sistres sholen do
   Al that evere biddes sho;   [wringen,
   He sholen hire cloþen washen and
   And to hondes water bringen;

He sholen bedden hire and þe,   1235
For levedi wile we þat she be."
Hwan he þis joie haveden maked,
Sithen stikes broken and kraked,
And þe fir brouth on brenne,
Ne was þer spared gos ne henne,   1240
Ne þe hende, ne þe drake,
Mete he deden plente make;
Ne wantede þere no god mete,
Wyn and ale deden he fete,
And maden hem glade and bliþe,   1245
Wesseyl ledden he fele siþe.

The Dream.

On þe nith, als Goldeborw lay,
Sory and sorwful was she ay,
For she wende she were biswike,
Þat sh[e w]ere yeven unkyndelike.   1250

O nith saw she þerinne a lith,
A swiþe fayr, a swiþe bryth,
Al so brith, al so shir
So it were a blase of fir.

G: La fille al rei, en son dormant,   195
   Songat k'ele ert, od Cuherant,
   Entre la mer e un boscage,
   U conversout un urs salvage.
   Devers la mer veait venir
   Pors e senglers, prist assaillir   200
   Icel grant urs, ke si ert fier,
   Ki voleit Cuheran manger.
   Od l'urs aveit asez gopillz,
   Ki puis le jur ourent perilz:
   Car les senglers les entrepristrent;   205
   Mult en destruistrent, e ocistrent.
   Quant li gopil furent destruit,
   Cel urs, ke demenout tel bruit,
   Un sul sengler, fier e hardi,
   L'ad par son cors sul asailli.   210
   Tel lui dona del une dent,
   En dous meitez le quer li fent.
   Quant l'urs se sent a mort feru,
   Un cri geta, puis est chaü:
   E li gopil vindrent corant,   215
   De tutes parz, vers Cuherant,

Entre lur quisses lur cuetes,
Les chefs enclins, a genuletes;
E funt semblant de merci querre
A Cuheran, ki* firent guere.   *a ki MS
Quant il les out feit tuz lever,   221
Envers la mer volt repairer.
Li grant arbre, ki el bois erent,
De totes parz [li] enclinerent.
La mer montout e li floz vint,   225
De si k'al bois ne se tint.
Li bois chaeit*, la mer veneit,   *si chaeit MS
Cuheran ert en grant destreit.
Aprés veneient dous leons:
Si chaeient a genullons.   230
Mes des bestes mult oscieient
El bois, ki en lur veie estaient.
Cuheran, pur poür k'il out,
Sur un des granz arbres montout:
E les leons vindrent avant,   235
Envers cel arbre, agenullant.
Par tut le bois out si grant cri,
Ke la dame s'en eveilli:

L: Et la meschine s'endormi,   395
   Son braz getta sus son ami.
   Iceo lui avint en avision
   Q'ele ert alee a son baron
   Outre la mier en un boscage.
   La troeve[re]nt un urs sauvage.   400
   Goupilz avoit en sa compaigne,
   Tut fut coverte la champaigne;
   Cuaran voleient assaillir,
   Quant d'autre part virent venir
   Chiens et senglers qui le defendoient,   405
   Et des goupilz mult occioient.
   Quant li goupil furent venu,
   Un des senglers par grant vertu
   Ala vers l'ours, si l'envaƚt,
   Iloeqes l'occit et abatit.   410
   Li goupil qi od li se tindrent,
   Vers Coaran ensemble vindrent,
   Devant li se mistrent a terre,

Semblant firent de merci querre.
Et Coaran les fist lier,   415
Puis vout a la mier repairer.
Mes li arbre qi el bois erent
De totes parz li enclinerent;
La mier crut et flot monta
De si q'a lui: grant pöour a.   420
Deus leons vist de grant fierté;
Vers lui vindrent tut effreé,
Les bestes del bois devoroient
Celes q'en lur voies trovoient.
Coaran fut en grant effrei,   425
Plus pur s'amie qe pur sei;
Sur une halte arbre monterent
Pur les leons q'il doterent;
Mes li leon avant aloient,
Desouz l'arbre s'agenuilloient,   430
Semblant li [feseient] d'amour,
Et qu'il le tenoient a seignur.

H: She lokede no[r]þ, and ek south, 1255
   And saw it comen ut of his mouth
   Þat lay bi hire in þe bed:
   No ferlike þou she were a-dred!
   Þouthe she: "Wat may this bimene!
   He beth heyman yet, als y wene, 1260
   He beth heyman er he be ded."
   On hise shuldre, of gold red
   She saw a swiþe noble croiz;
   Of an angel she herde a voyz:
   "Goldeborw, lat þi sorwe be;   [t. 211
   For Havelok, þat haveþ spuset þe, 1266
   [Is] kinges sone and kinges eyr;
   Þat bikenneth þat croiz so fayr.
   It bikenneth more, þat he shal
   Denemark haven, and Englond al; 1270
   He shal ben king, strong and stark,
   Of Engelond and Denemark;
   Þat shal þu wit þin eyne sen,
   And þo shalt quen and levedi ben!"
   Þanne she havede herd the stevene 1275
   Of þe angel uth of hevene,
   She was so fele siþes blithe
   Þat she ne mithe hire joie mythe;
   But Havelok sone anon she kiste,
   And he slep, and nouth ne wiste 1280
   Hwat þat aungel havede seyd.
   Of his slep anon he brayd,
   And seide: "Lemman, slepes þou?

A selkuth drem dremede me nou.
Herkne nou hwat me haveth met: 1285
Me þouthe y was in Denemark set,
But on on þe moste hil
Þat evere yete kam i til.
It was so hey, þat y wel mouthe
Al þe werd se, als me þouthe. 1290
Als i sat upon þat lowe,
I bigan Denemark for to awe,
Þe borwes and þe castles stronge;
And mine armes weren so longe,
That i fadmede, al at ones, 1295
Denemark with mine longe bones;
And þanne y wolde mine armes drawe
Til me, and hom for to have,
Al that evere in Denemark liveden
On mine armes faste clyveden; 1300
And þe stronge castles alle
On knes bigunnen for to falle,
Þe keyes fellen at mine fet.
Anoþer drem dremede me ek,
Þat ich fley over þe salte se 1305
Til Engeland, and al with me
Þat evere was in Denemark lyves,
But bondemen and here wives;
And þat ich kom til Engelond,
Al closede it intil min hond, [f.211a²
And, Goldeborw, y gaf þe:— 1311
Deus! lemman, hwat may þis be?"

G: E cum ele out iço sungé,
   Son seignur ad fort enbracé. 240
   Ele le trova gisant envers:
   Entre ses bras si l'ad aers:
   Pur la poür ses oilz overit,
   Une flambe vit, ki issit
   Fors de la buche son marri, 245
   Ki uncore ert tut endormi.
   Merveillat sei del avision,
   E de la buche son baron,
   E de la flambe k'ele vit:
   Ore entendez k'ele [ad] dit. 250
   "Sire," fet ele, "vus ardez:
   Esveillez vus si vus volez.

De vostre buche une flambe ist;
Jo ne sai unkes ki [l'] i mist."
Tant l'embrasca e trest vers sei, 255
K'il s'esveilla, e dist: "Pur quei
M'avez* eveillé, bele amie: *Pur quei m'avez M
Pur quei estes espontie?"
Tant la preia, tant la blandist,
K'ele li conta tut, et gehit*   *regehit M
De la flambe, e del avision 261
K'ele out veü de son baron.
Cuheran [len] respondi:
Del avision k'il oï,
Solum son sens, espeust le songe: 265
Kank'il dist, tut ert mençonge.

L: Par tut le bois out si grant cri
   Qe Argentille s'en esperi.
   Mult out del sunge grant pöour; 435
   Puis out greindre de son seignur
   Pur la flambe q'ele choisit
   Qe de la bouche li issit.
   En sus se trest, et si cria
   Si durement qe le esveilla. 440
   "Sire," fet ele, "vus ardez.
   Lasse! tut estes allumez."
   Cil le braça et [trait] vers soi;
   "Bele amie," fet il, "pur quoi
   Estes vus issi effrëee? 445
   Qui vus ad issi espoentee?"
   Sire," fet ele, "jeo sungai;

L'avision vus conterai."
Conté li ad et coneü,
Del feu li dist q'ele ad veü 450
Qui de sa bouche venoit fors.
Ele quidoit qe tut son cors
Fust allumé, pur ceo cria.
Cuaran la reconforta.
"Bele," fet il, "ne dotez rien; 455
C'est bon au vostre us et au mien.
La vision qe avez veüe
Demain poet estre conue,
Li rois doit sa feste tenir,
Touz ses barons i fet venir. 460
Veneison i avera assez;
Jeo dorrai hastez et lardez

H: Sho answerede, and seyde sone:
"Jesu Crist, þat made mone,
Þine dremes turne to joye, ...   1315
Þat wite þw that sittes in trone!
Ne non [so] strong king, ne caÿsere
So þou shal be, fo[r] þou shalt bere
In Engelond corune yet;
Denemark shal knele to þi fet;   1320
Alle þe castles þat aren þerinne
Shaltow, lemman, ful wel winne.
I woth, so wel so ich it sowe,
To þe shole comen heye and lowe,
And alle þat in Denemark wone,   1325
Em and broþer, fader and sone,
Erl and baroun, dreng an þayn,
Knithes, and burgeys, and sweyn,
And mad king heyelike and wel;
Denemark shal be þin evere-ilc del.   1330
Have þou nouth þeroffe douthe
Nouth þe worth of one nouthe;

Þeroffe withinne þe firste yer
Shalt þou ben king [withouten were].
But do nou als y wile, rathe;   1335
Nimin with to Denema[r]k baþe,
And do þou nouth on frest þis fare;
Lith and selthe felawes are.
For shal ich nevere bliþe be
Til i with eyen Denemark se;   1340
For ich woth, þat al þe lond
Shalt þou haven in þin hon[d].
Prey Grimes sones, alle þre,
That he wenden forþ with þe;
I wot, he wilen þe nouth werne,   1345
With þe wende shulen he yerne,
For he loven þe hertelike,
Þou maght til he aren quike,
Hworeso he o worde aren;
Þere ship þou do hem swithe yaren,   1350
And loke þat þou dwellen nouth:
Dwelling haveth ofte scaþe wrouth."

1318 shal] shalt   1327 kayn   1334 withouten were] of evere-il del   1336 with] with þe

---

G: "Dame," dist il, "ço serra bien,
Anbure a vostre oes, e al mien.
Ore m'est avis ke ço pot estre:
Li reis tendra demain sa feste;   270
Mult i avera de ses barons.
Cerfs, e cheverels, e veneisons,
E altres chars tant i avera,
En* la quisine tant remaindra,   *E en *MS*
Tant en prendrom a espandant,   275
Les esquiers ferai manant
Des bons lardez e de braüns,
E des esqueles as baruns.
Li esquier me sunt aclin,
Ambure al vespre e al matin: 280
Cil signifient li gopil
Dunt vus songastes; ço sunt il.
E l'urs est mort, hier fu oscis;

En un bois fu salvage pris,
Dous tors i ad pur les leons;   285
E pur la mer pernum les pluins,
U l'ewe monte come mer,
De si que freit la feit cesser;
La char des tors i serra quite:
Dame, la vision est dite."   290
Argentille, quant ot ço dire;
"Uncore avant me dites, sire,
Quei icel fu put espeleir,
K'en vostre buche vi ardeir?"
"Dame," dist il, "ne sai ke dait: 295
Mes en dormant si me deceit.
Treske jo dorm, ma buche esprent,
De la flambe nient ne me sent.
Veires jo en ai hunte grant*,   *mult grant
Ke ço m'avient en dormant."   300

L: As esquiers a grant plenté,
Et as valez qui m'ont amé.
Li esquier sont li goupil,   465
Et li garçon qi sont plus vil;
Et li ours fut des hier occis,
Et en nostre quisine mis.
Deus tors fist hui le roi beiter,
Pur les leons les pus conter;   470
Les ploms poom mettre pur mier
Dont le feu fet l'ewe monter.
Dite vus ai l'avision;

Ne soiez mes en suspeciòn.
Le feu qi ma bouche getta,   475
Bien vus dirrai qui ceo serra;
Nostre quisine ardera, ceo crei;
Si en ert en peine et en effrei
De porter fors nos chaudrons
Et nos pieles et nos ploms;   480
Et nepuroec ne quier mentir,
De ma bouche soelt feu issir
Quant jeo me dorm, ne sai purquei;
Issi m'avient, ceo peise mei."

Feast with Minstrels.

H: Hwan he was king, þer mouthe men se   2320
Þe moste joie þat mouthe be:
Buttinge with [þe] sharpe speres,
Skirming with talevas þat men beres,
Wrastling with laddes, putting of ston,
Harping and piping, ful god won,   2325
Leyk of mine, of hasard ok,
Romanz-reding on þe bok;

Þer mouthe men here þe gestes singe,
Þe gleumen on þe tabour dinge;
Þer mouthe men se þe boles beyte,   2330
And þe bores, with hundes teyte;
Þo mouthe men se everilk gleu,
Þer mouthe men se hu Grim greu;
Was nevere yete joie more
In al þis werd, þan þo was þore.   2335

3. Sir Tristrem (ab. 1300).

TT: *Le Tristan de Thomas (betw. 1155—70). — MSS.: Several fragments only, no complete copy. — Edd.: Michel, 1835—39; Bédier, Paris 1902—05, Société des anc. textes français.*
ST: *Sir Tristrem. — MS.: Edinb. Advocates' Libr. Auchinleck MS. ('prob. not younger than 1327'. Kölbing). — Edd.: Scott, Edinb. 1804; von der Hagen, Minnesinger IV, Leipzig 1838; Kölbing, Heilbronn 1882; McNeill, Edinb. and L. 1886, Scott. Text Soc.; Mätzner, Sprachpr. 1 231—242 = [Scott's ed. 1833 I] st. 70—102.*

Introduction.

ST: 1 I was a[t Erceldoun,]
Wiþ Tomas spak y þare:
Þer herd y rede in roune
Who Tristrem gat and bare;
Who was king wiþ croun,
And who him forsterd ȝare,
And who was bold baroun,
As þair elders ware
Bi ȝere.
Tomas telles in toun
Þis aventours as þai ware.   11

2 Þis semly somers day,
In winter it is nouȝt sen;
Þis greves wexen al gray,
Þat in her time were grene;
So dos þis world, y say,
Y-wis and nouȝt at wene: 17
Þe gode ben al o-way
Þat our elders have bene,
To abide.
Of a kniȝt is þat y mene;
His name, it sprong wel wide.   22

3 Wald Rouland þole no wrong,
Þei Morgan lord wes;
He brak his castels strong,
His bold borwes he ches;
His men he slouȝ a-mong
And reped him mani a res.   28
Þe wer lasted so long
Til Morgan asked pes
Þurch pine;
For soþe wiþouten les,
His liif he wende to tine.   33

4 Þus þe batayl, it bigan
—Witeþ wele, it was so!—
Bitvene þe douk Morgan
And Rouland, þat was þro,
Þat never þai no lan
Þe pouer to wirche wo;   39
Þai spilden mani a man
Bitven hem selven to
In prise:
Þat on was douk Morgan,
Þat oþer Rouland rise.   44

Cf. also Robert Mannyng of Brunne, The Story of Englande, 93 ff. (above, p. 22).

The End of the Poem.

274 Tristrem and Ganhardin,   [f. 298a]
Treuþe pliȝten þay,
In wining and in tin
Trewe to ben ay,
In joie and in pin,
In al þing, to say,   3009
Til he wiþ Brengwain have lin,
Ȝif þat Tristrem may,
In lede.
To Inglond þai toke þe way,
Do kniȝtes stiþe on stede.   3014

275 Sir Canados was þan
Constable, þe quen ful neiȝe;
For Tristrem Ysonde wan,
So weneþ he be ful sleiȝe,
To make hir his leman
Wiþ broche and riche beiȝe.   3020
For nouȝt þat he do can,
Hir hert was ever heiȝe
To hold,
Þat man hye never seiȝe
Þat bifor Tristrem wold.   3025

276 Tristrem made a song,
Þat song Ysonde, þe sleiȝe,
And harped ever a-mong;
Sir Canados was neiȝe;
He seyd: "Dame, þou hast wrong,
For soþe, who it seiȝe!   3031
As oule and stormes strong,
So criestow on heye
In herd.
Þou lovest Tristrem dreiȝe,
To wrong þou art y-lerd!   3036

277 Tristrem, for þi sake   [f. 298a²]
For soþe wived haþ he.
Þis wil þe torn to wrake:
Of Breteyne douke schal he be.
Oþer semblaunt þou make,
Þi selven ȝif þou hir se: 3042
Þi love hir dede him take,
For hye hiȝt as do ȝe,
In land:
Ysonde men calleþ þat fre,
Wiþ þe white hand!"   3047

<hr>

23 Rouland] Morgan   24 Morgan] Rouland

ST: 278 "Sir Canados, þe waite!
Ever þou art mi fo.
Febli þou canst hayte,
Þere man schuld menske do.
Who wil lesinges layt,
Þarf him no ferþer go.   3053
Falsly canestow fayt,
Þat ever worþ þe wo!
Forþi
Malisoun have þou also
Of God and our levedy!   3058

279 A ȝift ich give þe:
Þi þrift mot þou tine!
Þat þou asked me,
No schal it never be þine!
Y-hated also þou be
Of alle þat drink wine!   3064
Hennes ȝern þou fle
Out of siȝt mine
In lede!
Y pray to seyn Katerine
Þat ivel mot þou spede!"   3069

280 Þe quen was wratþed sore,
Wroþ to chaumber sche ȝede:
"Who may trowe man more,
Þan he haþ don þis dede?"
A palfray asked sche þere,
Þat wele was loved in lede;   3075
Diȝt sche was ful ȝare,
Hir pavilouns wiþ hir þai lede
Ful fine.
Bifore was stef on stede
Tristrem and Ganhardine.   3080

281 Ful ner þe gat þai a-bade   [f. 298 b
Under a figer-tre;
Þai seiȝe where Ysonde rade
And Bringwain, boþe seiȝe he
Wiþ tvo houndes mirie made;
Fairer miȝt non be.   3086
Her blis was ful brade,
A tale told Ysonde fre.
Þai duelle.
Tristrem þat herd he,
And seyd þus in his spelle: 3091

282 "Ganhardin, ride þou ay,
Mi ring of finger þou drawe!
Þou wende forþ in þi way,
And grete hem al on rawe;
Her houndes praise þou ay,
Þi finger forþ þou schawe!   3097
Þe quen, for soþe to say,
Þe ring wil sone knawe,
Þat fre:
Aski sche wil in plawe,
And say, þou comest fro me!"   3102

283 Þo rode Ganhardin kene
And overtakeþ hem now;
First he greteþ þe quen
And after Brengwain, y trowe.
Þe kniȝt him self bidene
Stroked Þe hounde Peticru;   3108
Þe quen þe ring haþ sene
And knewe it wele y-nouȝ,
Þat fre.
Hye seyd: "Say me, hou
Com þis ring to þe?"   3113

284 "He þat auȝt þis ring,
To token sent it to þe!"
Þo seyd þat swete þing:
"Tristrem, þat is he!"
"Dame, wiþouten lesing,
He sent it ȝou bi me!"   3119
Sche sayd: "Bi heven king,
In longing have we be,
Nauȝt lain:
Al niȝt duelle we!"
Seyd Ysonde to Bringwain.   3124

285 Þai wende þe quen wald dye,
So sike sche was bi siȝt.   298 b¹
Þai sett pavilouns an heye
And duelled, clerk and kniȝt.
Ysonde biheld þat lye
Under leves liȝt;   3130
Tristrem hye þer seyȝe,
So dede Brengwain þat niȝt
In feld.
Ganhardine treuþe pliȝt
Brengwain to wive weld.   3135

286 Tvo niȝt þer þai lye
In þat fair forest;
Canados hadde a spie:
Her pavilouns he tokest;
Þer come to Canados crie
Þe cuntre est and west.   3141
Governayl was forþi
Þer out, as it was best,
To a-bide.
He seyd Tristrem prest,
Now it were time to ride.   3146

287 Governayl, his man was he,
And Ganhardine his kniȝt.
Armed kniȝtes þai se
To felle hem doun in fiȝt.
Governaile gan to fle,
He ran o-way ful riȝt;   3151
Þo folwed bond and fre,
And lete þe loge unliȝt
Þat tide.
O-way rode Tristrem þat niȝt
And Ganhardine biside.   3157

ST: 288 Sir Canados, þe heiȝe,
He ladde þe quen o-way;
Tristrem of love so sleiȝe
No a-bade him nouȝt þat day.
Brengwain briȝt so beiȝe,
Wo was hir þo ay;   3163
On Canados sche gan crie
And made gret deray,
And sede:
"Þis lond nis worþ an ay,
When þou darst do swiche a dede!" 3168

289 Ganhardine gan fare
Into Bretaine o-way,   [f. 299a
And Tristrem duelled þare,
To wite what men wald say;
Coppe and claper he bare
Til þe fiftenday,   3174
As he a mesel ware:
Under walles he lay,
To liþe;
So wo was Ysonde, þat may,
Þat alle sche wald towriþe.

290 Tristrem in sorwe lay,   3179
Forþi wald Ysonde a-wede,
And Brengwain þretned ay
To take hem in her dede.
Brengwain went o-way,
To Marke, þe king, sche ȝede,   3185

And redily gan to say
Hou þay faren in lede:
"Nouȝt lain,
Swiche kniȝt hastow to fede,
Þi schame he wald ful fain!   3190

291 Sir king, take hede þerto:
Sir Canados wil have þi quen!
Bot þou depart hem to,
A schame þer worþ y-sene.
Hye dredeþ of him so,
Þat wonder is to wene;   3196
His wille for to do
Hye werneþ him bitvene,
Ful sone.
Ȝete þai ben al clene;
Have þai no dede y-done!"   3201

292 Marke, in al þing
Brengwain þanked he.
After him he sent an heiȝeing,
Fram court he dede him be:
"Þou deservest for to hing,
Mi selven wele ich it se!"   3207
So couþe Brengwain bring
Canados for to fle,
Þat heiȝe.
Glad was Ysonde, þe fre,
Þat Brengwain couþe so liȝe.   3212

TT: *The last and chief fragment of the poem of Thomas begins with Brengwain's lament about
the cowardice of Kaherdins who has fled before Kariado. She speaks to Ysolt about it
and quarrels with her about Tristran. Then she goes to king Mark and tells him that
Ysolt is deceiving him, but, says she:—*

Nus avum esté deceü
De l'errur ke avum eü,
Qu'el vers Tristran eüst amur.
Ele ad plus riche doneür:
Ço est Cariado le cunte,
Entur li est pur vostre hunte.

D'amur a tant requis Ysolt
Qu'or m'est avis granter li volt;
Tant a lousengé e servi
Qu'ele en volt faire sun ami;
Mais de ço vus afi ma fei
Que unc ne li fist plus qu'a mei.
(1693—1704. *Cp. ST* 3192 ff.)

The king asks her to take care of Ysolt. Tristran returns to the court:

Mult fud Tristran suspris d'amur;
Or s'aturne de povre atur,
De povres dras, de vil abit,
Que nuls ne que nule ne quit
N'aparceive que Tristran seit.
Par une herbe tut les deceit,
Sun vis em fait tuz eslever:
Cum se malade fust emfler.

Pur sei seürement covrir,
Ses pez et ses mains fait vertir;
Tut s'apareille cum fust lazre,
Et puis prent un hanap de mazre
Ke la reïne li duna
Le primer an que il l'ama;
Met i de buis un gros nuel,
Si s'en apareille un flavel.
(1773—88. *Cp. ST* 3173 ff.)

*As a beggar he accompanies Ysolt into the church; he is recognised by her, but Brengvain
keeps him away. He now almost despairs of getting near the queen, lies down under
an old staircase, and only wishes to die:*

Suz le degré languist Tristrans,
Sa mort desire e het sa vie,
Ja ne leverad senz aïe.
Ysolt en est forment pensive,
Dolente se claime et cative
K'issi faitement veit aller

La ren qu'ele plus solt amer;
Ne set qu'en face nequident,
Plure e suspire mult sovent,
Maldit le jur e maldit l'ure
Que el' el secle tant demure.
(1876—86. *Cp. ST* 3176 f.)

ST: 293 Þan to hir seyd þe quen:
 "Leve Brengwain, þe briȝt,
 Þat art fair to sene!
 Þou wost our wille bi siȝt:
 Whare haþ Tristrem bene?
 Nis he no douhti kniȝt?
 Þai leiȝen al bidene
 Þat sain he dar nouȝt fiȝt
 Wiþ his fo!"
 Brengwain biheld þat riȝt,
 Tristrem to bour lete go.

294 Tristrem in bour is bliþe,
 Wiþ Ysonde playd he þare;
 Brengwain badde he liþe:
 "Who þer armes bare,
 Ganhardin and þou þat siþe
 Wiȝtly a-way gun fare!"
 Quaþ Tristrem: "Crieþ swiþe
 A turnament ful ȝare
 Wiþ miȝt:
 Noiþer of ous nil spare
 Erl, baroun no kniȝt!"

295 A turnament þai lete crie,
 Þe parti Canados tok, he,
 And Meriadok, sikerly,
 In his help gan he be.
 Tristrem ful hastilye
 Ofsent Ganhardin, þe fre;
 Ganhardin com titly
 Þat turnament to se
 Wiþ siȝt.
 Fro þe turnament nold þai fle,
 Til her fon were feld doun riȝt.

[f. 299 aˀ]

3218

3223

3229

3234

3240

3245

296 Þai com into þe feld
 And founde þer kniȝtes kene,
 Her old dedes þai ȝeld
 Wiþ batayle al bidene.
 Tristrem gan biheld
 To Meriadok bitvene;
 For þe tales he teld,
 On him he wrake his tene
 Þat tide;
 He ȝaf him a wounde kene
 Þurchout boþe side.

297 Bitvene Canados and Ganhardin
 Þe fiȝt was ferly strong;
 Tristrem þouȝt it pin
 Þat it last so long;
 His stirops he made him tine,
 To grounde he him wrong.
 Sir Canados þer gan lyn,
 Þe blod þurch brini þrong
 Wiþ care.
 On him he wrake his wrong,
 Þat he no ros na mare.

298 Her fon fast þai feld
 And mani of hem þai slouȝ;
 Þe cuntre wiþ hem meld,
 Þai wrouȝt hem wo y-nouȝ.
 Tristrem haþ hem teld
 Þat him to schame drouȝ.
 Þai token þe heiȝe held
 And passed wele a-nouȝ
 And bade.
 Under wodebouȝ
 After her fomen þai rade.

3251

3256

[f. 299 b

3262

3267

3273

3278

TT: *He is at last discovered and rescued by the wife of the door-keeper. — Brengvain allows Tristran to see Ysolt. — The following day Tristran goes back to Ysolt with the white hand, who is waiting for him. — Sorrow of the other Ysolt; she sends a minstrel who tells Tristran of it. — Tristran and Kaherdin go to England disguised as penitents. They come to the court where a tournament is being held; they take part in it:*

A une curt que li reis tint,
Grant fu li poples qui i vint;
Aprés mangier deduire vunt
E plusurs jus comencer funt
D'eskermies e de palestres.
De trestuz i fud Tristran mestres.
E puis firent uns sauz waleis
E uns qu'apelent waveleis,
E puis si porterent cembeals
E si lancerent od roseals,
Od gavelos e od espiez:
Sur tuz i fud Tristran preisez,
E en apruef li Kaherdin,
Venqui les altres par engin.
Tristran i fud reconeüz,

D'un sun ami aparceüz:
Dous chevals lur duna de pris,
Nen aveit melliurs el païs,
Car il aveit mult grant poür
Que il ne fusent pris al jur.
En grant aventure se mistrent.
Deus baruns en la place occistrent:
L'un fud Kariado li beals,
Kaherdin l'occist as cembeals
Pur tant qu'il dit qu'il s'en fui
A l'altre feiz qu'il s'en parti;
Aquité ad le serement
Ki fud fait a l'acordement;
E puis se metent al fuir
Ambedui pur lur cors guarir.
    (2067—2096. *Cp. ST* 3246 ff.)

ST: 299 Þer Tristrem turned o-ʒain
And Ganhardin, stiþe and stille.
Mani þai han y-slain
And mani overcomen wiþ wille.
Þe folk fleiʒe unfain
And socour criden schille;   3284
In lede nouʒt to layn,
Þai hadde woundes ille
At þe nende.
Þe wraiers, þat weren in halle,
Schamly were þai schende.   3289

300 Þan þat turnament was don,
Mani on slein þer lay.
Ganhardin went sone
Into Bretaine o-way.
Brengwain haþ her bone;
Ful wele wrekcn er þay.   3295
A kniʒt þat werd no schon,
Hete Tristrem, soþe to say,
Ful wide
Tristrem souʒt he ay,
And he fond him þat tide.   3300

301 He fel to Tristremes fet,   [f. 299 b
And merci crid he:
"Mi leman fair and swete
A kniʒt haþ reved me,
Of love þat can wel let,
So Crist hir sende þe!   3306
Mi bale þou fond to bet
For love of Ysonde fre!
Nouʒt lain:
Seven breþern haþ he,
Þat fiʒteþ me o-gain!   3311

302 Þis ich day þai fare
And passeþ fast biside.
Y gete hir never mare,
ʒif y tine hir þis tide.
Fiftene kniʒtes þai are,
And we bot to, to a-bide!"   3317
"Daþet, who hem spare!"
Seyd Tristrem þat tide,
Þis niʒt
Þai han y-tint her pride
Þurch grace of God almiʒt!"   3322

TT: *Then they flee to Cornwall and to Brittany:*

En Bretaigne sunt repeiré
Tristran e Kaherdin haité,
E deduient sei leement

Od lur amis e od lur gent,
E vunt sovent en bois chacier
E par les marches turneier.
               (2157—62.   Cp. ST 3292 f.)

One day they meet a knight, who calls himself Tristran le Naim and whose "amie" has been carried off. He asks our Tristran to help him against the robber:

Jo ai a nun Tristran le Naim;
De la marche sui de Bretaine
E main dreit sur la mer d'Espaine.
Castel i oi e bele amie,
Altretant l'aim cum faz ma vie;
Mais par grant peiché l'ai perdue:

Avant er nuit me fud tollue.
Estult l'Orgillius Castel Fer
L'en a fait a force mener.
Il la retent en sun castel,
Si en fait quanque li est bel.
               (2208—2218.   Cp. ST 3303 ff.)

Tristran readily promises his assistance and —

Mande ses armes, si s'aturne,
Ove Tristran le Naim s'en turne.
Estult l'Orgillus Castel Fer
Vunt dunc pur occire aguaiter.
Tant unt espleité e erré
Que sun fort castel unt trové.
En l'uraille d'un bruil descendent,
Aventures iloc atendent.
Estut l'Orgillius ert mult fers,
Sis freres ot a chevalers
Hardiz e vassals e mult pruz,
Mais de valur les venquit tuz.
Li dui d'un turnei repairerent,
Par le bruillet cil s'embuscherent,
Escrierent les ignelement,
Sur eus ferirent durement;
Li deuz frere i furent ocis.
Leve li criz par le païs.

.   .   .   .
Li sires ot tut sun apel,
E muntent icil del castel
E les dous Tristrans assailirent
E agrement les emvaïrent.
Cil fuie t mult bon chevalier,
De porter lur armes manier;
Defendent sei encuntre tuz
Cum chevaler hardi e pruz,
E ne finerent de combatre
Tant qu'il orent ocis les quatre.
Tristran li Naim fud mort ruez,
E li altre Tristran navrez,
Par mi la luingne, d'un espé
Ki de venim fu entusché.
En cele ire ben se venja,
Car celi ocist quil navra.
               (2289—2322.   Cp. ST 3323—44.)

ST: 303 Þai gun hem boþe armi
In iren and stiel þat tide;
Þai metten hem in a sty
Bi o forestes side.
Þer wex a kene crie,
Togider þo þai gun ride.
Þe ʒong Tristrem, forþi
Sone was feld his pride,
Riʒt þore.
He hadde woundes wide,
Þat he no ros no more.   3333

304 Þus þe ʒong kniʒt
For soþe y-slawe was þare.
Tristrem, þat trewe hiʒt,
A-wrake him al wiþ care.
Þer he slouʒ in fiʒt
3328   Fiftene kniʒtes and mare;   3339
Wel louwe he dede hem liʒt
Wiþ diolful dintes sare,
Unsounde;
Ac an aruwe o-way he bare
In his eld wounde.   3344

Last leaf of the MS. lost.

4. Sir Gawayne and the Green Knight (ab. 1360).

*MS.: Brit. Mus. Cott. Nero A. X (end 14th cent.). — Edd.: Madden, 1839, Bannatyne Club;
Morris, 1864, EETS. 4. (revised 1897 ff.); Tolkien and Gordon 1925; Mätzner,
Sprachpr. I 311—320 (ll. 232—466).*

Description of the Year.

Fytte 1 This hanselle hatʒ Arthur of aventurus on fyrst,
2ud In ʒonge ʒer, for he ʒerned ʒelpyng to here,
Thaʒ hym wordeʒ were wane, when þay to sete wenten;
Now ar þay stoken of sturne werk, stafful her hond.
Gawan watʒ glad to begynne þose gomneʒ in halle;   495
Bot þaʒ þe ende be hevy, haf ʒe no wonder;
For þaʒ men ben mery in mynde, quen þay han mayn drynk,
A ʒere ʒernes ful ʒerne, and ʒeldeʒ never lyke:
Þe forme to þe fynisment foldeʒ ful selden.
Forþi þis ʒol overʒede, and þe ʒere after,   500
And uche sesoun serlepes sued after oþer;
After crystenmasse com þe crabbed lentoun,
Þat fraysteʒ flesch wyth þe fysche and fode more symple;
Bot þenne þe weder of þe worlde, wyth wynter hit þrepeʒ,
Colde clengeʒ a-doun, cloudeʒ uplyften,   505
Schyre schedeʒ þe rayn in schowreʒ ful warme,
Falleʒ upon fayre flat, floureʒ þere schewen,
Boþe groundeʒ and þe greveʒ grene ar her wedeʒ,
Bryddeʒ busken to bylde, and bremlych syngen,
For solace of þe softe somer þat sues þerafter,   510
          Bi bonk;
      And blossumeʒ bolne to blowe,
      Bi raweʒ rych and ronk;
      Þen noteʒ noble innoʒe
      Ar herde in wod so wlonk.   515

2 After þe sesoun of somer wyth þe soft wyndeʒ,
Quen ʒeferus syfleʒ hym self on sedeʒ and erbeʒ,
Welawynne is þe wort þat woxes þeroute,
When þe donkande dewe dropeʒ of þe leveʒ,
To bide a blysful blusch of þe bryʒt sunne.   520
Bot þen hyʒes hervest, and hardenes hym sone,
Warneʒ hym for þe wynter to wax ful rype;
He dryves wyth droʒt þe dust for to ryse,
Fro þe face of þe folde to flyʒe ful hyʒe;
Wroþe wynde of þe welkyn wrasteleʒ with þe sunne,   525
Þe leveʒ lancen fro þe lynde, and lyʒten on þe grounde.

And al grayes þe gres, þat grene watȝ ere;
Þenne al rypeȝ and roteȝ þat ros upon fyrst,
And þus ȝirneȝ þe ȝere in ȝisterdayeȝ mony,
And wynter wyndeȝ a-ȝayn, as þe worlde askeȝ   530
   No sage.
  Til meȝelmas mone
  Watȝ cumen wyth wynterwage,
  Þen þenkkeȝ Gawan ful sone
  Of his anious vyage.   535

Description of the Castle.

Fytte 11
2nd

Bi a mounte on þe morne meryly he rydes,   [f. 105 new numbering 741]
Into a forest ful dep, þat ferly watȝ wylde,
Hiȝe hilleȝ on uche a halve, and holtwodeȝ under,
Of hore okeȝ ful hoge a hundreth togeder;
Þe hasel and þe haȝþorne were harled al samen,
With roȝe raged mosse rayled aywhere,   745
With mony bryddeȝ unblyþe upon bare twyges,
Þat pitosly þer piped for pyne of þe colde.
Þe gome upon Gryngolet glydeȝ hem under,
Þurȝ mony misy and myre, mon al hym one,
Carande for his costes, lest he ne kever schulde   750
To se þe servy[se] of þat syre, þat on þat self nyȝt
Of a burde watȝ borne, oure baret to quelle;
And þerfore sykyng he sayde: "I beseche þe, Lorde,
And Mary, þat is myldest moder so dere,
Of sum herber, þer heȝly I myȝt here masse,   755
Ande þy matyneȝ to-morne, mekely I ask,
And þerto prestly I pray my pater and ave,
   And crede."
  He rode in his prayere,
  And cryed for his mysdede,   760
  He sayned hym in syþes sere,
  And sayde: "Cros Kryst me spede!"

12

Nade he sayned hym self, segge, bot þrye,
Er he waȝ war in þe wod of a won in a mote,
A-bof a launde, on a lawe, loken under boȝeȝ,   765
Of mony borelych bole, a-boute bi þe diches:
A castel þe comlokest þat ever knyȝt aȝte,
Pyched on a prayere, a park al a-boute,
With a pyked palays, pyned ful þik,
Þat umbeteȝe mony tre mo þen two myle.   770
Þat holde on þat on syde þe haþel avysed,
As hit schemered and schon þurȝ þe schyre okeȝ;
Þenne hatȝ he hendly of his helme, and heȝly he þonkeȝ
Jesus and say[nt] Gilyan, þat gentyle ar boþe,
Þat cortaysly hade hym kydde, and his cry herkened.   [f. 105 b]
"Now bone hostel," coþe þe burne, "I beseche yow ȝettel"   775
Þenne gedereȝ he to Gryngolet with þe gilt heleȝ,
And he ful chauncely hatȝ chosen to þe chef gate,
Þat broȝt bremly þe burne to þe bryge ende,
   In haste;   780
  Þe bryge watȝ breme upbrayde,
  Þe ȝateȝ wer stoken faste,
  Þe walleȝ were wel arayed,
  Hit dut no wyndeȝ blaste.

13 Þe burne bode on bonk, þat on blonk hoved,   785
Of þe depe double dich þat drof to þe place,
Þe walle wod in þe water wonderly depe,
Ande eft a ful huge heȝt hit haled upon lofte,
Of harde hewen ston up to þe tableȝ,
Enbaned under þe abataylment, in þe best lawe;   790
And syþen garyteȝ ful gaye gered bitwene,
Wyth mony luflych loupe, þat louked ful clene;
A better barbican þat burne blusched upon never;
And innermore he behelde þat halle ful hyȝe,
Towre[s] telded bytwene trochet ful þik,   795
Fayre fylyoleȝ þat fyȝed, and ferlyly long,
With corvon coprounes, craftyly sleȝe;
Chalkwhyt chymnees þer ches he innoȝe,
Upon bastelroveȝ, þat blenked ful quyte;
So mony pynakle payntet watȝ poudred ayquere,   800
A-mong þe castelcarneleȝ, clambred so þik,
Þat pared out of papure purely hit semed.
Þe fre freke on þe fole hit fayr inn[o]ghe þoȝt,
If he myȝt kever to com þe cloyster wythinne,
To herber in þat hostel, whyl halyday lested,   805
          Avinant;
     He calde, and sone þer com
     A porter pure plesaunt,
     On þe wal his ernd he nome,
     And haylsed þe knyȝt erraunt.   810

14 "Gode sir," quod Gawan, "woldeȝ þou go myn ernde,
To þe heȝ lorde of þis hous, herber to crave?"   [f. 106
"Ȝe, Peter," quod þe porter, "and purely I trowe,
Þat ȝe be, wyȝe, welcum to won quyle yow lykeȝ."
Þen ȝede þat wyȝe a-ȝayn swyþe,   815
And folke frely hym wyth, to fonge þe knyȝt;
Þay let doun þe grete draȝt, and derely out ȝeden,
And kneled doun on her knes upon þe colde erþe,
To welcum þis ilk wyȝ, as worþy hom þoȝt;
Þay ȝolden hym þe brode ȝate, ȝarked up wyde,   820
And he hem raysed rekenly, and rod over þe brygge;
Sere seggeȝ hym sesed by sadel, quil he lyȝt,
And syþen stabeled his stede stif men innoȝe.
Knyȝteȝ and swyereȝ comen doun þenne,
For to bryng þis burne wyth blys into halle;   825
Quen he hef up his helme, þer hiȝed innoghe
For to hent hit at his honde, þe hende to serven,
His bronde and his blasoun boþe þay token.
Þen haylsed he ful hendly þo haþeleȝ uchone,
And mony proud mon þer presed, þat prynce to honour;   830
Alle hasped in his heȝ wede to halle þay hym wonnen,
Þer fayre fyre upon flet fersly brenned.
Þenne þe lorde of þe lede louteȝ fro his chambre,
For to mete wyth menske þe mon on þe flor;
He sayde: "Ȝe ar welcum to welde as yow lykeȝ;   835
Þat here is, al is yowre awen, to have at yowre wylle
          And welde."
     "Graunt mercy," quod Gawayn,
     "Þer Kryst hit yow forȝelde."

MS 813 trowe] trowoe   822 quil] quel   825 buurne

As frekeȝ þat semed fayn, 840
Ayþer oþer in armeȝ con felde.

15 Gawayn glyȝt on þe gome þat godly hym gret,
And þuȝt hit a bolde burne þat þe burȝ aȝte,
A hoge haþel for þe noneȝ, and of hyghe elde; 845
Brode bryȝt watȝ his berde, and al beverhwed,
Sturne stif on þe stryþþe on stalworth schonkeȝ,
Felle face as þe fyre, and fre of hys speche;
And wel hym semed for soþe, as þe segge þuȝt,
To lede a lortschyp in lee of leudeȝ ful gode.
Þe lorde hym charred to a chambre, and chefly cumaundeȝ [f. 106 b
To delyver hym a leude, hym loȝly to serve; 851
And þere were boun at his bode burneȝ innoȝe,
Þat broȝt hym to a bryȝt boure, þer beddyng watȝ noble,
Of cortynes of clene sylk, wyth cler golde hemmeȝ,
And covertoreȝ ful curious, with comlych paneȝ, 855
Of bryȝt blaunnier a-bove enbrawded bisydeȝ,
Rudeleȝ rennande on ropeȝ, red golde ryngeȝ,
Tapyteȝ tyȝt to þe woȝe, of tuly and tars,
And under fete, on þe flet, of folȝande sute.
Þer he watȝ dispoyled, wyth specheȝ of myerþe, 860
Þe burn of his bruny, and of his bryȝt wedeȝ;
Ryche robes ful rad renkkeȝ hem broȝten,
For to charge, and to chaunge, and chose of þe best.
Sone as he on hent, and happed þerinne,
Þat sete on hym semly, wyth saylande skyrteȝ, 865
Þe ver by his visage verayly hit semed
Wel neȝ to uche haþel alle on hwes,
Lowande and lufly, alle his lymmeȝ under,
Þat a comloker knyȝt never Kryst made,
          Hem þoȝt;
Wheþen in worlde he were, 870
Hit semed as he myȝt
Be prynce withouten pere,
In felde þer felle men fyȝt.

16 A cheyer byfore þe chemne, þer charcole brenned, 875
Watȝ grayþed for sir Gawan, grayþely with cloþeȝ,
Whyssynes upon queldepoyntes, þa[t] koynt wer boþe;
And þenne a mere mantyle watȝ on þat mon cast,
Of a broun bleeaunt, enbrauded ful ryche,
And fayre furred wythinne with felleȝ of þe best, 880
Alle of ermyn in erde, his hode of þe same;
And he sete in þat settel semlych ryche,
And achaufed hym chefly, and þenne his cher mended.
Sone watȝ telded up a tabil, on tresteȝ ful fayre,
Clad wyth a clene cloþe, þat cler quyt schewed, 885
Sanap, and salvre, and sylverin sponeȝ;
Þe wyȝe wesche at his wylle, and went to his mete. [f. 107
Seggeȝ hym served semly innoȝe,
Wyth sere sewes and sete, sesounde of þe best,
Double felde, as hit falleȝ, and fele kyn fischeȝ; 890
Summe baken in bred, summe brad on þe gledeȝ,
Summe soþen, summe in sewe, savered with spyces,

844 eldee   850 chefly] clesly   862 hem] hym (?) Morris   865 hym] hyn   883 cefly
884 tabil] tapit

And ay sawes so sleȝeȝ, þat þe segge ʌyked.
Þe freke calde hit a fest ful frely and ofte,
Ful hendely, quen alle þe haþeles rehayted hym at oneȝ   895
    As hende:
    "Þis penaunce now ȝe take,
    And eft hit schal amende!"
Þat mon much merþe con make,
For wyn in his hed þat wende.   900

17 Þenne watȝ spyed and spured, upon spare wyse,
   Bi preve poynteȝ of þat prynce, put to hym selven,
   Þat he beknew cortaysly of þe court þat he were,
   Þat aþel Arthure, þe hende, haldeȝ hym one,
   Þat is þe ryche ryal kyng of þe rounde table;   905
   And hit watȝ Wawen hym self þat in þat won sytteȝ,
   Comen to þat krystmasse, as case hym þen lymped.
   When þe lorde hade lerned þat he þe leude hade,
   Loude laȝed he þerat, so lef hit hym þoȝt,
   And alle þe men in þat mote maden much joye,   910
   To apere in his presense prestly þat tyme,
   Þat alle prys, and prowes, and pured þewes
   Apendes to hys persoun, and praysed is ever
   Byfore alle men upon molde, his mensk is þe most.
   Uch segge ful softly sayde to his fere: 915
   "Now schal we semlych se sleȝteȝ of þeweȝ,
   And þe teccheles termes of talkyng noble;
   Wich spede is in speche, unspurd may we lerne,
   Syn we haf fonged þat fyne fader of nurture;
   God hatȝ geven uus his grace godly for soþe,   920
   Þat such a gest as Gawan graunteȝ uus to have,
   When burneȝ blyþe of his burþe schal sitte
        And synge.
    In menyng of manereȝ mere
    Þis burne now schal uus bryng!
    I hope þat may hym here,   926
    Schal lerne of luftalkyng."   [f. 107 b]

18 Bi þat þe diner watȝ done, and þe dere up,
   Hit watȝ neȝ at þe niyȝt neȝed þe tyme;
   Chaplayneȝ to þe chapeles chosen þe gate,   930
   Rungen ful rychely, ryȝt as þay schulden,
   To þe hersum evensong of þe hyȝe tyde.
   Þe lorde loutes þerto, and þe lady als,
   Into a comly closet coyntly ho entreȝ;
   Gawan glydeȝ ful gay, and gos þeder sone;   935
   Þe lorde laches hym by þe lappe, and ledeȝ hym to sytte,
   And couþly hym knoweȝ and calleȝ hym his nome,
   And sayde he watȝ þe welcomest wyȝe of þe worlde;
   And he hym þonkkeḋ þroly, and ayþer halched oþer,
   And seten soberly samen þe servisequyle;   940
   Þenne lyst þe lady to loke on þe knyȝt.
   Þenne com ho of hir closet, with mony cler burdeȝ,
   Ho watȝ þe fayrest in felle, of flesche and of lyre,
   And of compas, and colour, and costes of alle oþer,
   And wener þen Wenore, as þe wyȝe þoȝt.   945
   He ches þurȝ þe chaunsel, to cheryche þat hende;

930 claplayneȝ

An oþer lady hir lad bi þe lyft honde,
Þat watȝ alder þen ho, an aunician hit semed,
And heȝly honowred with haþeleȝ a-boute.
Bot unlyke on to loke þo ladyes were,   950
For if þe ȝonge watȝ ȝep, ȝolȝe watȝ þat oþer;
Riche red on þat on rayled ayquere,
Rugh ronkled chekeȝ þat oþer on rolled;
Kerchofes of þat on wyth mony cler perleȝ
Hir brest and hir bryȝt þrote bare displayed   955
Schon schyrer þen snawe, þat schedes on hilleȝ;
Þat oþer wyth a gorger watȝ gered over þe swyre,
Chymbled over hir blake chyn with mylkquyte vayles,
Hir frount folden in sylk, enfoubled ayquere,
Toret and treited with tryfleȝ a-boute,   960
Þat noȝt watȝ bare of þat burde bot þe blake broȝes,   [f. 108
Þe tweyne yȝen, and þe nase, þe naked lyppeȝ,
And þose were soure to se, and sellyly blered;
A mensk lady on molde mon may hir calle,
        For gode;   965
     Hir body watȝ schort and þik,
     Hir buttokeȝ bay and brode,
     More lykkerwys on to lyk
     Watȝ þat scho hade on lode.

19 When Gawayn glyȝt on þat gay, þat graciously loked,   970
Wyth leve laȝt of þe lorde he went hem a-ȝaynes;
Þe alder he haylses, heldande ful lowe,
Þe loveloker he lappeȝ a lyttel in armeȝ,
He kysses hir comlyly, and knyȝtly he meleȝ;
Þay kallen hym of aquoyntaunce, and he hit quyk askeȝ   975
To be her servaunt sothly, if hem self lyked.
Þay tan hym bytwene hem, wyth talkyng hym leden
To chambre, to chemne, and chefly þay asken
Spyceȝ, þat unsparely men speded hom to bryng.
And þe wynnelych wyne þerwith uche tyme.   980
Þe lorde luflych a-loft lepeȝ ful ofte,
Mynned merthe to be made upon mony syþeȝ.
Hent heȝly of his hode, and on a spere henged,
And wayned hom to wynne þe worchip þerof,
Þat most myrþe myȝt meve þat crystenmaswhyle: 985
"And I schal fonde, bi my fayth, to fylter wyth þe best,
Er me wont þe wedeȝ, with help of my frendeȝ."
Þus wyth laȝande loteȝ þe lorde hit tayt makeȝ,
For to glade sir Gawayn with gomneȝ in halle
        Þat nyȝt;   990
     Til þat hit watȝ tyme,
     Þe kniȝt comaundet lyȝt,
     Sir Gawen his leve con nyme,
     And to his bed hym diȝt.

20 On þe morne, as uch mon myneȝ þat tyme,   995
[Þ]at Dryȝtyn for oure destyne to deȝe watȝ borne,
Wele waxeȝ in uche a won in worlde, for his sake;
So did hit þere on þat day, þurȝ dayntes mony;
Boþe at mes and at mele, messes ful quaynt   [f. 108 b
Derf men upon dece drest of þe best.   1000

---

956 schedes] scheder   992 kniȝt] kyng

Þe olde auncian wyf heȝest ho sytteȝ;
Þe lorde lufly her by lent, as I trowe;
Gawan and þe gay burde togeder þay seten,
Even inmyddeȝ, as þe messe metely come;
And syþen þurȝ al þe sale, as hem best semed,   1005
Bi uche grome at his degre grayþely watȝ served.
Þer watȝ mete, þer watȝ myrþe, þer watȝ much joye,
Þat for to telle þerof hit me tene were,
And to poynte hit ȝet I pyned me paraventure;
Bot ȝet I wot þat Wawen and þe wale burde   1010
Such comfort of her compaynye caȝten togeder,
Þurȝ her dere dalyaunce of her derne wordeȝ,
Wyth clene cortays carp, closed fro fylþe;
And hor play watȝ passande uche prynce gomen,
            In vayres;   1015
        Trumpeȝ and nakerys,
        Much pypyng þer repayres,
        Uche mon tented hys,
        And þay two tented þayres.

21 Much dut watȝ þer dryven þat day and þat oþer,   1020
And þe þryd as þro þronge in þerafter;
Þe joye of sayn Joneȝ day watȝ gentyle to here,
And watȝ þe last of þe layk, leudeȝ þer þoȝten.
Þer wer gestes to go upon þe gray morne,
Forþy wonderly þay woke, and þe wyn dronken,   1025
Daunsed ful dreȝly wyth dere caroleȝ;
At þe last, when hit watȝ late, þay lachen her leve,
Uchon to wende on his way, þat watȝ wyȝe stronge.
Gawan gef hym god-day, þe god mon hym lachcheȝ,
Ledes hym to his awen chambre, þ[e] chymne bysyde,   1030
And þere he draȝeȝ hym on-dryȝe, and derely hym þonkkeȝ
Of þe wynne worschip þat he hym wayned hade,
As to honour his hous on þat hyȝe tyde,
And enbelyse his burȝ with his bele chere.
"I-wysse, sir, quyl I leve, me worþeȝ þe better,   1035
Þat Gawayn hatȝ ben my gest, at Goddeȝ awen fest."   [f. 109
"Grant merci, sir," quod Gawayn, "in god fayth hit is yowreȝ,
Al þe honour is your awen, þe heȝe kyng yow ȝelde;
And I am wyȝe at your wylle, to worch youre hest,
As I am halden þerto, in hyȝe and in loȝe,   1040
            Bi riȝt."
        Þe lorde fast can hym payne,
        To holde lenger þe knyȝt.
        To hym answreȝ Gawayn,
        Bi non way þat he myȝt.   1045

22 Then frayned þe freke ful fayre at him selven,
Quat derve dede had hym dryven, at þat dere tyme,
So kenly fro þe kyngeȝ kourt to kayre al his one,
Er þe halidayeȝ holly were halet out of toun?
"For soþe, sir," quod þe segge, "ȝe sayn bot þe trawþe,   1050
A heȝe ernde and a hasty me hade fro þo woneȝ,
For I am sumned my selfe to sech to a place,
I[ne] wot in worlde whederwarde to wende hit to fynde;
I nolde, bot if I hit negh myȝt on nwȝeres morne,

1032 þat] &   1037 nerci

For alle þe londe inwyth Logres, so me oure Lorde help! 1055
Forþy, sir, þis enquest I require yow here,
Þat ȝe me telle with trawþe, if ever ȝe tale herde
Of þe grene chapel, quere hit on grounde stondeȝ,
And of þe knyȝt þat hit kepes, of colour of grene?
Þer watȝ stabled bi statut a steven uus bytwene, 1060
To mete þat mon at þat mere, ȝif I myȝt last;
And of þat ilk nwȝere bot neked now wonteȝ,
And I wolde loke on þat lede, if God me let wolde,
Gladloker, bi Goddeȝ sun, þen any god welde!
Forþi, i-wysse, bi ȝowre wylle, wende me bihoves, 1065
Naf I now to busy bot bare þre dayeȝ,
And me als fayn to falle feye as fayly of myyn ernde."
Þenne laȝande quod þe lorde: "Now leng þe byhoves,
For I schal teche yow to þa[t] terme bi þe tymeȝ ende,
Þe grene chapayle upon grounde greve yow no more; 1070
Bot ȝe schal be in yowre bed, burne, at þyn ese,
Quyle forth dayeȝ, and ferk on þe fyrst of þe ȝere,
And cum to þat merk at mydmorn, to make quat yow likeȝ [f. 109 b
        In spenne;
    Dowelleȝ whyle newȝeres daye, 1075
    And rys, and raykeȝ þenne,
    Mon schal yow sette in waye,
    Hit is not two myle henne."

23 Þenne watȝ Gawan ful glad, and gomenly he laȝed:
"Now I þonk yow þryvandely þurȝ alle oþer þynge, 1080
Now acheved is my chaunce, I schal at your wylle
Dowelle, and elleȝ do quat ȝe demen."
Þenne sesed hym þe syre, and set hym bysyde,
Let þe ladieȝ be fette, to lyke hem þe better;
Þer watȝ seme solace by hem self stille; 1085
Þe lorde let for luf loteȝ so myry,
As wyȝ þat wolde of his wyte, ne wyst quat he myȝt.
Þenne he carped to þe knyȝt, criande loude:
"Ȝe han demed to do þe dede þat I bidde;
Wyl ȝe halde þis hes here at þys oneȝ?" 1090
"Ȝe, sir, for soþe," sayd þe segge trwe,
"Whyl I byde in yowre borȝe, be bayn to ȝow[r]e hest."
"For ȝe haf travayled," quod þe tulk, "towen fro ferre,
And syþen waked me wyth, ȝe arn not wel waryst,
Nauþer of sostnaunce ne of slepe, soþly I knowe; 1095
Ȝe schal lenge in your lofte, and lyȝe in your ese,
To-morn quyle þe messequyle, and to mete wende
When ȝe wyl, wyth my wyf, þat wyth yow schal sitte,
And comfort yow with compayny, til I to cort torne,
        Ȝe lende; 1100
    And I schal erly ryse,
    On huntyng wyl I wende."
    Gauayn granteȝ alle þyse,
    Hym heldande, as þe hende.

24 "Ȝet firre," quod þe freke, "a forwarde we make; 1105
Quatsoever I wynne in þe wod, hit worþeȝ to youreȝ,
And quat chek so ȝe acheve, chaunge me þerforne;
Swete, swap we so, sware with trawþe,
Queþer, leude, so lymp lere oþer better."

"Bi God," quod Gawayn þe gode, "I grant þertylle,   1110
And þat yow lyst for to layke, lef hit me þynkes."   [f. 110
"Who bryngeȝ uus þis beverage? þis bargayn ıs maked";
So sayde þe lorde of þat lede; þay laȝed uchone,
Þay dronken, and daylyeden, and dalten untyȝtel,
Þise lordeȝ and ladyeȝ, quyle þat hem lyked;   1115
And syþen with frenkysch fare and fele fayre loteȝ
Þay stoden, and stemed, and stylly speken,
Kysten ful comlyly, and kaȝten her leve.
With mony leude ful lyȝt, and lemande torches,
Uche burne to his bed watȝ broȝt at þe laste,   1120
          Ful softe;
To bed ȝet er þay ȝede,
Recorded covenaunteȝ ofte;
Þe olde lorde of þat leude
Cowþe wel halde layk a-lofte.   1125

III. Romaunts.

1. King Alisaunder (before 1330).

T: *Thomas de Kent, Roman de toute chevalerie. — MS.: Paris, Bibl. Nat. 24364. — Ed.: Not yet printed. Fragments, among which the present, have been published by Meyer, Alexandre le Grand dans la littérature française du moyen âge, Paris 1886.*

A: *King Alisaunder. — MSS.: Oxf. Bodl. Laud 622, formerly I 74 (= A₀; 14th cent.); Lond. Lincoln's Inn Libr. 150 (= AL; a little younger than A₀); Edinb. Advocates Libr. MS. Auchinleck (AE; 'prob. not younger than 1327' Kölbing; contains only the end of the poem). -- Ed.: Weber, Metrical Romances I, Edinb. 1810 (follows A₀); Mätzner, Sprachpr. I 242—252 = Weber ll. 2049—2546. — The present text of AL and A₀ is based on Brandl's collation in his copy of Weber. For the variants of AE we are indebted to a transcript made by Frl. Icke, of Berlin.*

Alisaunder's Death.

A₀: In þis werlde falleþ many cas;   [f. 63a¹ bottom]
Gydy blisse, short solas!
Ypomodon, and Pallidamas,
And Absolon, þat so fair was,
Hy lyveden here a litel raas;
Ac sone forȝeten uchon was!
Þe levedyes shene als þe glas;
And þise maidens, wiþ rody faas,
Passen sone als floure in gras!
So strong, so fair, nevre non nas,
Þat he ne shal passe wiþ allas!
Aventure haþ turned his paas,
A-ȝeins þe kyng and rered maas.
Þat understondeþ Olympias,
And sendeþ to Alisaunder warnyng,
As to her owen swete derlyng,
Þat he hym warie, on al wise,
From Antipater, his justise.
And Antipater understondeþ wel:
Þe kyng is fel and cruel.

AL: In this world fallith mony cas;   [f. 61 b]
Bothe lite blisse, and schort solas!
Ipomydoun, and Pallidanas,
And Absolon, that so fair was,
7830 They lyved here bote lite ras;
And sone uchon forȝete was!
Theo ladies schynen so the glas;
And this maidenes, with rody face,
Passen sone so flour on gras!
7835 So st[r]ong, so fair, never non nas,
[f. 63 a²] That he no passith with allas!
Aventure so hath turned his pas,
A-ȝeynes the kyng his mas.
That undurstod dame Olimpias,
7840 And sente to Alisaunder þe cas,
That he him werye, in alle wise,
Fro Antipater, his justise.
Antipater undurstod wel
7845 That the kyng is ful crewell.

AE: *Variants to A₀:* — 7826 warld   27 Sidi blis and schort   29 Absalon   30 Hy] þal   ras   31 ich
so was   32 levedis schene al so   33 þes   rudi fas   34 passeþ   so flour   35 no fairner
non nas   36 no schal   37 Aventour so haþ   pas   38 O-ȝaines   mas   40 Alisaunder bihas
41 *omitted*   42 hi war ín   43 Fram   45 feloun and cruwel

Ao: A-drad he is, he is wood neiʒ;
And ʒit he is of herte sleiʒ,
Houso it evre be,
Þe kyng shal a-bygge ar he.
Venym he tempreþ wiþ wyne,
Þe wyne hiʒth Eleboryne;
In þis werlde a-boven erþe
Nys wyne of so mychel werþe:
To þe kyng he haþ it y-sent.   *by another
Þe kyng askeþ drynk of þe* present. hand
Men brouʒtten it hym in coppe of
                        golde, 7856
Þe kyng drank er þan he sholde!

A-way he sette þat golde red:
"Allas!" he seide, "ich am neiʒ ded!
Drynk ne shal nevre efte more
Do to þis werlde so mychel sore,
As þis drynk shal do!
Allas, allas! what me is wo*,   *mo MS
For my moder Olympias,
And for my suster þat so fair was!
And for myne barouns, al þing a-bove,
Þat ich miʒth in herte love!
Hy ben lordeles, ich am ded
Þorouʒ a traitour fals and qued.
What helpeþ it lenger y-teld,
His poyson present me haþ a-queld:
No man, þat wil þis day passe,
Ne drynk þerof more ne lasse."
Wiþ þat word he gan to swowe:
A-bouten hym comen barouns y-nowe,

And token hym quyk in her arme,
And bywaileden sore his harme.
Þere men miʒtten reuþe y-sen,
Many baroun his her to teen,

Many fyst towrunge and hand,
Many riche robe torent.
Michel spray, mychel gradyng,
Michel weep, mychel waylyng,
Often bymened his prowesse,
His ʒingþe, and his hardynesse;
His gentrise, and his curteisie.
Alle hy gonnen a-loude crye,
Upe Alisaunderis name was.
Y-cried many loude: "Allas!"

Al: A-drad he was, and wod nyʒh;
Ac ʒet he was of heorte slyʒh,
Howso hit ever beo,
The kyng scholde dyʒe or he. [wyn,
Venym he tok and tempred hit with
The wyn hette Elboryn;
In this world a-bove the eorthe
Nis wyn of so muchel worthe:
And to the kyng he hit sent.
The kyng askid drynk of that present.
Me brouʒte hit him in a coppe of gold,

The kyng therof drank, that he
                no schold!

A-way he threow the gold rede:
"Alas!" he saide, "Y am dede!
Drynke no schal no mor vernel
As to this world muchel del,
As this drynk now haþ y-do!
Alas, alas! that me is wo,
For my modir, dame Olimpias,
And for my suster that so fair was!
And for my barouns, al a-bowe,
That Y myʒte in heorte wel love!
They beon lordis, now Y am ded
Thorouʒ a traitour ful of quede.

No mon, that wol this day passe,
No drynke therof mor no lasse."
With that word he gan to swowe:
And a-boute him come barounes
                    y-nowe, [f. 62a

And toke him up in heore arme,
And weopten sore for his harm.
There men myʒte reouth y-seo,
Bytweone theo barouns of gret
                    pouste.

Mony on wrong heore honde,
And mony a robe ther toronde.
There was mad muche gredyng,
Muche weopyng, muche waylyng,
Ofte they bymeneth his prowesse,
His ʒouthe, and his hardynesse;
His gentrise, and cortesye.
Alle they gan a-loud crye,
Apon Alisaundris name that was.
Mony crieden: "Alas! alas!"

Line numbers: 7850, 7860, 7865, 7870, 7875, 7880, 7885.

Ae: 7846 A-dred   wode neiʒe   47 Ac ʒif (!) he is of art sleiʒe   48 ever   49 þe king it
schal a-bigge or he   50 win   51 hete Eleborin   52 warld   53 Nis win   miche   54 he it haþ
55 þat present   56 brouʒt   coupe of gold   57 drank oþer þan he schold   58 O-way he þrewe
   gold   59 Allas! allas! ich am dede *(omitted in text by scribe, but added by him at bottom of column)*
60 no schal never eft   61 Don   warld so michel   62 So þis drink haþ y-do   65 soster   66 mi
73 no   no   74 swouʒ   75 A-bout   com   a-nouʒ   76 him up   arm   77 biwepen   harm
78 miʒt   y-sen   79 her here   ten   80 fest y-wrong   hant   81 And mani riche robe rant
82 Muchel defray, muchel gredeing   83 wope   84 Oft bimene   pruesse   86 gentilirs, his curteisie
87 Al þai gunnen   88 Opon Alisaunder (þat *inserted above the line*) nam þat was   89 Crid mani:
"Allas! allas!"

Ao: Riche and pouer, lesse and more,
Wrongen hondes and wepen sore.

Al: Riche and pore, lasse and more,
Wrongyn heore hondyn and wepten
sore.

[f. 63 b
7891

Two mylen a-bouten men miȝtten here
Of gentyl men þat reuli bere.
Þe kyng a-com in þis gradyng,
To hem alle grete confortyng,
And seide: "Bringeþ me on bed
myne!
And ar ich in þis werlde fyne,
Ich wil queþe myne quede
To hem þat han ben me myde."
He was y-brouȝth in bed onon,
Þe barouns stoden a-boute uchon.
"Lordynges," he seide, "of þis
cuntreye,
Of Tire, of Mede, of Sydoneye,
That habbeþ wide y-served me,
And for me in woo y-be:

Rentes, londes, als I founde,
A-ȝein ich hem ȝou ȝelde, hool and
sounde,
And uche a þousande pounde, and
more,
Ȝoure harmes for to a-store.
O bele amye, sir Perdicas,
For my love, wel many cas
Þou hast y-þoled, and many striif,
And trewe ben in al þi lijf.
I þee biqueþe Grece, myne heritage,
Corinþe, Macedoyne, and Cartage,
Tebes, and alle þe oþer londes:
Kepe my moder, and wreke myne
shondes!
Tholomeu, my maresshale,
Þou shalt have Portyngale,
And Egipte, to flum Jordon:
For better baroun ne lyveþ non!
Antioche, ostage by dome,
Þou shalt have riche Rome,
And al Romeyn, and Lumbardye,
For thou þem canst als baroun gye!

Two myle a-boute men myȝte here
Of gentil men a reouthful chere.
The kyng rovertid of his gredyng,
And ȝaf heom alle comfortyng.
He saide: "Bryngith forth my
maigne!
Er Y in this world fyne,
Y wol byqwethe my gode freo
To heom that haven served me."
He was y-brouȝt to bedde anon,
A-boute him barouns mony on.
"Lordyngis," he saide," of this
contray,
Of Tyre, and Mede, and of Sydonay,
That wide haven served me,
And in muche travaile for me
haveth beo:

Londis, and rentis, as Y heom fond,
A-ȝeyn ȝou Y ȝeve, hol and sound,

And everiche knyȝt a thousand
pound, or more,
Ȝoure harmes to restore.
O bel amy, sire Perdicas,
For my love, in mony a cas,
Thou hast y-tholed mony a stryf,
And treowe beon in al thy lif.
Y the byqwethe Grece, myn heritage,
Cortoynce, Macedoyne, and Cartage,
Tebie, and tho othir londis:
Kep my modir, and wrek my
schondis!
Tholomew, my marchal,
Thou schalt have al Portyngale,
And Egipte, to flun Jordan:
For better baroun no wot Y non!
Antiochus, ostage by dome,
Thou schalt have the lond of Rome,
And al Romayn, and Lumbardye,
For thou kanst ful wel heom gye!

7891
7895

7900

7905

7910

7915

7920

7925

AE: 7891 Wrong honden   wepe   92 To mile   93 rewely   94-95 reverted in þis gredeinge,
And ȝaf hem al comfortinge   96 seyd   on] to   97 er   warld   98 Ichil biqueþe mi quide
99 hem] alle þo   7900 y-brouȝt to   anon   01 a-bout him ichon   02 seyd   cuntray
03 Mede and S.   04 han   05 in miche wo be   06 londes, so ich founde   07 O-ȝain hem
om   hole   08 ich a þousand   09 Ȝour   for to   10 ami   11 wel] in   14 þe   min
hiritage   15 Masidoine   16 al þo   17 and a-wreke mi schond   18 marchal   19 schalt Portigal
20 Flunordon   21 no lives   22 Antioge   23 schalt   24 Romaine   Lombardie   25 hem   al

Coment les poeples sortirent pur le corps Alisandre.   [Meyer I

T: Veanz tuz ses barons fet li reis son devis
E done ses tresors, reaumes e païs
A ses bons compaignons e a ses chers
amis.
Chescun [en] out sa part solum çoe ke
ont pris.

Morut donc Alix., li granz, li poestifs.   5
Puis ke fut chevaler ne fut ke dozze
ans vifs,
E vint en out devant [ke] il out adubs pris;
Entre tut trente deus, sunt dozze et deus
feis dis.

Ao: Aymes of Archaḍe, so God me assoile,
Þou shalt have Calabre and Poyle,
And þe riche londe of Labur,
And ben Antioches neiȝbur!
Thiberie, wiþ flessh hardye,
Þou shalt have þe londe of Sullye,
Acres, Japhes, and Jerusalem,
And Nazareth, and Bedlem;
And al þe londe of Galilee,
Quytelich byquethe I þee!
Mark of Rome, bele amy,
Esclaveyne, þat is so fry,
Þou shalt have; and Constantyn noble,
And Lymochyus, þat londe so noble,
And Gryfaijne, þat riche pece,
Þat lijþ to þe cee of Grece.
Philoth, þou shalt have Caucasus,
And al þe londe from Caspyas,
And al þe londe to Malleus,
To þe riche cite of Bandas,
And alle þe ydles of Taproban,
Þat ich of Porus, þe kyng, wan.
Sampson of Enuise for myne amour
Þou hast y-þoled many dolour:
Þou shalt have al Albyenne;
And Armenye, into þe fenne;
And Occanie, and Newe-Alisaunder,
My newe cite, of riche sclaunder.
Salome, siþen Darrie was ded,
Þou hast me served in many red,
In uche servyse, wel redy,
Trewe in bataylle, and hardy.
Þou shalt have Perce, and Mede,
And Babiloyne, þis riche þede.
Darries blood for þou art next,
Wiȝth and gentyl, and ek hext,
Darries heir I make þee,
And seise þee wiþ al his fee.
Þis venym crepeþ under my ribbe,
Ne may ich nouȝth longe lybbe."
In al þis ilche grete doloure,
He dude fecche al his tresoure,
And ȝaf it kniȝth, sweyn, and knave,
As myche as hy welden crave
Of hors, of cloþes, of silver wone.
He made hem riche everychone.
And riȝth als he had y-do,
Þe lijf he lete of body goo.
Ac no man, in sooþ treuþe,
Ne seiȝ nevere so mychel reuþc,

Al: Ayme of Cartage, so God me soile,
Thou schalt have Calabre and Poyle,
And theo riche lond of Laboure,
And beo Antiochus neiȝeboure!
7930 Tibrie, with flesch hardye,   [f. 62 b
Thou schalt have Sullye,
Acres, Jafes, and Jerusalem,
And Nazareth, and Bedlehem;
Al theo lond of Galylee,
7935 Ryȝt now Y bycuþthe the!
Mark of Rome, bel amy,
Esclaveyn, that is so freo,
And eke Constantyn, theo noble,
And Limochius, that is noble,
7940 And Griffayne, the riche pece,
That lith to the seo of Grece.
Philo, thou schalt have Caucas,
And al theo lond of Caspias,
And al the lond of Melonas,
7945 To theo riche cite of Bandas,
And al the ylis of Tabran,
That Y of Pors, the kyng, wan.
Sampson, theo vetuse, for myn amour
Thou hast y-tholid mony hard schour:
7950 Thou schalt have al Albyempne;
Al Emmory, into theo fenne;
And Orkenye, and Neowe-Alisaunder,
My neow cite, theo riche sclaunder.
Salome, sith Darie was dede,
7955 Thou hast served me in mony stude,
In noble servise, wel redy,
And treowe in bataile, and hardy.
Thou schalt have Perce, and Mede,
And Babiloyne, theo riche thede.
7960 Daries blod thou art next,
Wyȝt and gentil, y-bore hext.
Daries eire Y make the,
And seise the with al his fee.
This venym creopis* undur my ribbe,   *creopir MS
7965 That Y no may no lengor libbe."
In al this grete doloure,
He made to fette his tresoure,
And ȝaf to knyȝt, swayn, and knave,
As muche as they wolde have
7970 Of hors, and clothis, and seolver won,
And made heom riche everichon.
And riȝt as he hadde y-do,
Theo lif of body he lette go.
Ac never man, in soth treowethe,
7975 No say never so muche reouthe,

Ae: 7926 asoile   27 schalt   28 lond Labour   29 be Antioge neiȝebour   30 flesche hardi
31 schalt lond Sulie   33 Nazaret Bedelem   34 lond Galile   35 Quicliche   36 Marke
bel ami   37 Esclavoie   38 schalt. Costentine noble   39 Limochius lond   40 Griffaine
41 cee] lond   42 Philot schalt   43 after 44   43 lond of   44 and om.   Alle þe lond to Mallenus
47 Porrus   48 Eniuse min   51 Armeine   52 Orcanie   53 Mi riche cite and newe of sclaunder
54 seþþen Darri   56 ich   57 bataile   59 this] þat   61 heiȝet   62 air   63 sese þe
65 No   no lenger   66 ich   67 dede feche   68 ȝave to kniȝt, swain   69 So michel so þai
wolden have   72 riȝt also hadde   73 liif   go   74 No seiȝe never

Ao: Of weep, of cry, of honde wryngyng.

So was for Alisaunder, þe kyng!
  Now is the kyng out of lijf.
Quyk a-riseth wel grete strijf
For þe bodyes beriȝing:
After þe sorouȝ and þe crieying
Salome seide, wiþ al þe fare,
He wolde his body beriȝe þare:
Ac have hym wolde þe duk Sampsoun
To Alisaunder his newe toun.
Philoth also, I fynde,
Hym chalanged into Ynde.
Perdicas, wiþoute assoigne,
Hym chalenged to Macedoyne.
Aymes, wiþ grete vigoure,
Askeþ hym to þe londe of Laboure.
Antioche, by heiȝe dome,
Wolde hym lede to riche Rome,
Uche baroun sett on honde,
And wolde hym lede to his londe.
In al þis strijf þat was hem myd
Overe hem sat a gentyl bryd,
And seide: "Barouns! leteþ ȝoure strijf,
And dooþ Goddes hest blyf.
Of his beriȝing noþing ne dredeþ;
Ac into Egipte þe corps ledeþ,
Into Alisaunder, þe cite apert,
Þat he made in desert,
Þoo he destroyed þe vermyne.
Quyk, I sigge, dooþ hest myne."
Quyk þe foule went out of siȝth,
Þe barouns duden als it hiȝth:
Þat body richely hij kepte,
And ledden it into Egipte;

Al: Of weopyng, cryeng, and hondis
                   wryngyng,
As was y-made for Alisaunder, the kyng!
  Now is the kyng out of lyf.
Swithe a-riseth gret stryf
For the body beoryng:
And, after gret crying,
Salome saide, with al that fare,
He wolde his body burye thare:
And him wolde duk Sampson   [f. 63 b]
To Alisaunder, theo neowe toun.
Philot also, Y fynde,
Him chalangith into Ynde.
Perdicas, withoute assoyne,
Him chalangith to Macedoyne.
Aymes, with gret honour,
Him askith to theo lond of Labour.
Antioche, by hyȝ dome,
Wolde him lede to riche Rome,
Everiche baroun sette on him hond,
And wolde him lede to his lond.
In al this stryf that was heom myde
Over heom com fleo a gentil brid,
And said: "Barouns! leteth ȝour stryf,
And doth Godis heste blyve.
Of his beoryng nothyng no dredith;
Into Egipte his body ledith,
Into Alisaunder, that cite apert,
That he made in desert,
Tho he hadde destruyed theo vermyn.
Swithe, Y ȝóu hote, doth heste myn."
As sone as theo foul was out of syȝt,
Theo barouns dude as he heom hyȝt:
Theo body richeliche they kepte,
And ladde hit into Egipte;

(line markers in center column: 7980, 7985, 7990, 7995, 8000, [f. 64], 8005)

Ae: 7976 wope   hond   78 Now þe king is out of his live   79 Quic   gret strive   80 bodis
beringe   81 sorwe and criinge   82 seiþ   the *om.*   93 wil   biri   84 wold   douke Samsom
85 newe] riche   86 Philote   89 chalanges   88-98 *cut out in MS.*   . 99 doþ bilive   8000 biriing
no þink no redeþ   01 Egypt hím ledeþ   02 þe].þat   04 þo   destroid   05 Quic, doþ hest
mine.   06 So þe foule went of siȝt   07 dede so   hiȝt   08 richeliche þai kept   09 Egypt

T: Au rei ensevelir eurent tençons e estrifs,
Car cil de Macedoine ont pur le cors tramis; 10
Cil de Perse volent k'en lur terre seit mis,
Babilonien diënt ainz erent mil oscis,
Cent chasteaus abatuz e mil paleis maumis.
Mult i out grant estrif pur le cors enfuïr,
Car li Babilonien le volent ensevelir,   15

Cil de Macedoine ne volent çoe soffrir
E Persien s'aforcent cum le pussent tolir.
Quant de l'* ensevelir ne lur pout covenir, *del cors
Si se mistrent en çoe k'il en deussent sortir
E le voler as deus volent entr'eus oïr.   20
En oreisuns se mettent* par lur commun *Si se su
                                plaisir. oreisus m

        Si estriva le poeples pur le cors Alix.

     Coment li* deus ordinerent la sepulture Alisandre.   *le *MS*

Une voiz donc lur dit ke [il] pas n'estrivas-
                    sent,
Mes le voleir as deus fere tost lessassent
[E] le cors Alix. en Egypte portassent.
A la cité ke il fist honurablement l'enter-
                  rassent. 25
Quant seurent le respons onc* puis
             n'estriverent, *onkes *MS*

Mes [tut] dreit en Egypte a feste l'em-
                  porterent,
En la grant Alisandre a honur l'entererent
En sarku de fin or, mes primes l'enbas-
                 merent.
Dolent furent li soen, plorent et wai-
               menterent. 30

Ao: And leiden hym in gold fyne,
In a temple of Apolyne,
Nusten men nevere heþen kyng
Have so riche a beriȝing.
Tholomeu hath the seisine:
God us leve wel to fyne!
Þoo þe kyng was y-delve,
Uche duk went to hym selve,
And maden woo and cuntek y-nouȝ.
Uche of hem neiȝ oþer slouȝ.
For to have þe kynges quyde,
Michel bataille was hem myde.
Þus it fareþ in þe myddelerde
A-monge þe lew and þe lerde!
Whan þe heved is y-falle,
Acumbred ben þe membres alle!
Þus endied Alisaunder þe kyng,
God us graunte his blissyng! Amen.

Al: And layden him in golde fyn,
8011 In a temple of Appolyn,
Nuste mon never hethen kyng
Have so riche a buryeng.
Now Tholomew hath theo sesyng:
8015 God ȝeve alle good fynyng!
Whan theo kyng was bydeolve,
Everiche duyk wente to him seolve,
And maden wo and contek y-nouȝ.
Everiche of heom nyȝ othir slouȝ.
8020 For to have theo kyngis qwede,
Muche bataile was heom myde.
Thus hit farith in myddelerd
A-mong lewed and lerid!
Whan theo heved is doun y-falle,
8025 Acombred buth theo membres alle!
Thus eyndith kyng Alisaunder,
Of whom was so muche sclaunder.
Now ȝe haveth al y-herd.
God, that made the myddelerd,
8030 Ȝeve ows alle his blessyng,
And graunte ows alle god endyng!
Amen, Amen, Amen etc.

Alisaunder! me reowith thyn endyng,
That thou nadest dyȝed in cristenyng!
Explicit Alisaunder.

Ae: 8010 laiden   fín   12 Nist   never   13 riche biriing   14 saisin   15 ous   wel *om.*
16 þo   bidelve   17 Ich douke   18 wo   contek a-nouȝ   19 Ich'   neiȝe   21 batail   midde
22 farþ   midlerd   23 A-mong þe lewed and lerd   24 When þat   25 Acombred beþ   26 endeþ
27 ous graunt   blisseing.

T: Pur* la tumbe Alix. grant doel li soen   *Sur MS
          menerent,
[E] batirent lur paumes lur cheveuz
          detirerent,
Lur riche garnemenz d'anguisse decirerent.
Aproef l'ensevelir li ducs se desevererent;
En lur propres terres e en lur citez alerent, 35
E les [lur] chivalers par les regnes
          manderent.
Icil qui poent et puis s'en assemblerent,
Efforcerent lur murs e lur citez fermerent,
E garnirent lur turs, de guerre s'aturnerent;
Comunement par tut le mond[e] se
          medlerent. 40
Li povere e li cheitif cest estrif compa-
          rere[nt],
E la mort Alisandre mult cher achaterent.
E icil des regnés ke plus la desirerent
Premer se repentirent pur le mal ke tro-
          verent,
En* servage cheïrent, en peür ke nen   *E en
          erent.   MS
Grant mervelle est de gent qui encontre
          reison tirent, 46

Changent en curages e en lur quoer desirent
Noveltez et changez dont sei meimes
          empirent.
Tant com li reis* vesqui li baron l'en *Alisandre MS
          haïrent.
Detraistrent par paroles e plusurs mals
          bastirent, 50
E felonessement par poison le traïrent.
Ou sist a son manger granz mals e regnes
          firent;
Cil ki au conseil furent onkes [mes] n'en
          joïrent:
En tel aventure e en tel peïne cheïrent
Dont il e tut lur eir puis en repentirent; 55
Plus de quinze reaumes tiel dolur en
          suffrirent
[Que] eisillee èn furent, la soe mort mar
          virent.
La gent en fut destruite e des terres
          fuïrent,
Povere e cheitif lur herité guerpirent
Li reis e li princes lur vies em perdirent, 60
Pur la mort Alisandre k'il a [grant] tort
          murdirent.

Ici finist la romanz de tute chevalerie.

2. Barber, Bruce (completed 1375).

MSS.: Cambr. St. John's College (= *C*; 1487); *Edinb. Advocates' Libr.* (= *E*; 1489). — *Old Print: Hart*, 1616 (= *H*). — *Edd.: Pinkerton*, 1790; *Jamieson, Edinb.* 1825; *Innes*, 1868; *S k e a t*, 1870—89, *EETS.*, *ES.* 11, 21, 29, 55; *id., Edinb. and Lond.* 1894, *Scott. Text Soc.; Mätzner, Sprachpr.* I 371—387 = *Jam.* IX 1—899 = *Skeat XII* 407—*XIII* 712.

Barber[1]) on the Making of his Book.

C: And quhen thai cummyn hame war fre,
The kyngis[2]) douchter, that wes fair,
And wes als his apperand air,
With Walter Steward can he wed;
And thai weill soyne gat of thar bed
Ane knaiffchild, throu our Lordis grace,
That eftir his gude eldfadir was
Callit Robert, and syne wes king,   695
And had the land in governyng
Eftir his worthy eyme Davy,
That regnyt twa ʒer and fourty;
And in tyme of the compyling
Of this buk this Robert wes kyng,   700

[Skeat Bk.XIII] And of his kynrik passit was
V ʒeir; and wes the ʒer of grace
Ane thousand thre hundreth and   690
                                    sevinty
And V, and of his elde sexty.
[f. 105] And that wes eftir that the gud king   705
Robert wes brocht till his ending,
Sex and fourty vyntir, but mar.
God grant that thai that cummyne ar
Of his ofspring, maynteyne the land,
And hald the folk weill to warrand,   710
And maynteme richt and ek laute,
As weill as in his tyme did he!

[1]) *Wyntoun VIII*, 177 *f.*: Mayster Jhon Barbere, That mekyll tretyd off that matere.
[2]) *Robert Bruce*

---

688 hame war] war hame all *EH*   689 kyngis] king hys *E* Kings *H*   690 his *om. E*   691 can]gan *E*   693 Ane] A *EH*   knaiff] knaw *E* man *H*   694 auld father *H*   697 eyme] sone *H* Dawy *E*   698 twa] nyne *H*   700 this (2)] this last *H*   703 I thowsand iiic sevynty *E*   707 Sex] V *E*   711 ek *om. E*

Barber on Ballads.

C: Schir James of Dowglaß on this viß,
Throu his vorschip and gret empriß,
Defendit worthely the land.
This poynt of weir, I tak on hand,
Wes undirtane so apertly,
And eschevit richt hardely;
For he stonayit, withouten weir,   495
The folk that weill ten thousand weir
With fifty armyt men, but ma.
I can als tell ʒow othir twa
Poyntis, that weill eschevit weir
With fifty men; and, but all weir,   500
Thai war done swa richt hardely,   501*
That thai war prisit soveranly   502*
Atour all othir poyntis of wer [f. 125]   503*
That in thar tym eschevit wer.   504*
This wes the first, that so stoutly   501
Wes broucht till end weill with fifty.
In Galloway the tothir fell;
Quhen, as ʒe forrouth herd me tell,
Schir Eduard the Bryß with fifty   505
Vencust of saint Johne schir Amery

[Skeat Bk.XVI] And XV hundreth men be tale.
The thrid fell into Eskedale,   490
Quhen that schir Johne de Sowlis waß
[The] governour of all that plaß,   510
That to schir Androu the Herdclay
With fifty men withset the vay,
That had thar in his cumpany
Thre hundreth horsit jolely.
This schir Johne, into plane melle,   515
Throu hardyment and soveran[e boun]te
Vencust thame sturdely ilkane,
And schir Androu in hand haß tane.
I will nocht reherß all the maner;
For quhasa likis, thai may heir   520
ʒoung women, quhen thai will play,
Syng it e-mang thame ilke day.
Thir war the worthy poyntis thre,
That, I trow, evirmar sall be
Prisit, quhill men may on thaim meyn.   525
It is weill worth, forouten weyn,
That thar namys for evirmar,
That in thar tyme so worthy war

---

490 worship *EH* gret] his *EH*   493 so] full *E* right *H*   494 eschewyt *E* encheeved, *H: so also* 499   495 astoneyed *H* na stonayit (!) *E*   forowtyn wer *E* weere *H*   496 The] that *E*   500 all *om. H*   501*—504* *from CH, not in E*   501* done ... richt] all done sa *H*   502* praised *H*   504* encheeved *H*   501—02 .. that with fiftie Was brought to end, and sa stoutly *H*   502 till] to *E*   503 In] Into *E* tothir] other *H*   504 forrouth .. me] heard me before *H*   505 Schir] How sir *H*   Bruyss *E* Bruce *H*   506 Wencussyt *E* Vanquisht *and so* 517   Aymery *H*   507 XV] fyfty *E*   fifteene *H*   508 intill *E* Esdaill *E* Eskdalie *H*   509 de] the *E* of *H* Sowlis] Soullis *E* Sowles *H*   510 The] *EH, om. C*   511 the] *om. EH* Hardclay *E* Hardeclay *H*   512 beset *E*   515 intill *E'*   516 Throu sowerane hardiment that felle *E* Through soveraigne hardement and bountie *H*   519 all] now *H*, *om. E*   521 woman (!) *C* wemen *E* women *H*   522 a-mang] ilk *E* everilk *H*   525 Praised *H* mene *EH*

C: That men till heir ʒeit haß dantee
Of thair worship and gret bounte, 530
Be lestand ay furth in lovyng:

Quhare he, that is of hevyn the king,
Bring thame hye up till hevynnis bliß,
Quhar alway lestand loving iß!

529 daynte E daintie H   530 Of] For E That H   gret] thair EH   531 lestand . . in]
alway lesting into H   lowing E, so also 534   532 hevyn the] hewynnys E almightie H   533 hye
up] he wp E

Bruce's Death.

C: Qwhen all this thing thus tretit wes,
And affermyt with sekirneß,
The king till Cardroß went in hy; 151
And thar hym tuk sa felonly
His seknes, and him travalyt swa,
That [he] wist, [him] behufit ma
Of all this liff the commoune end, 155
That is the ded, quhen God vill send.
Tharfor his lettres soyne send he
For the lordis of his cuntre;
And thai com as he biddyn had.
His testament than haß he maid 160
Befor bath lordis and prelatis;
And till religioune of seir statis,
For heill of his saull, gaf he
Silvir into gret quantite.
He ordanit for his saull richt weill; 165
And quhen at this wes done ilk deill,
"Lordingis," he seid, "swa is it gane
With me, that thar is nocht bot ane,
That is the ded, withouten dreid,
That ilk man mon thole on neid. 170
And I thank God that haß me sent
Spaß in this liff me till repent.
For throu me and my warraying
Of blud thar haß beyne gret spilling,
Quhar mony sakleß man wes slayne; 175
Tharfor this seknes and this payne
I tak in thank for my trespaß.
And my hert fyschit fermly waß,
Quhen I wes in prosperite,
Of my synnys till savit be, 180
To travell apon Goddis fayis.
And sen he now me till hym tais,
That the body may on na viß
Fulfill that the hert can deviß,
I wald the hert war thiddir sent, 185
Quharin consavit wes that entent.

[f. 157 [Skeat Bk.XX]

Tharfor I pray ʒow evirilkane,
That ʒhe e-mong ʒow cheiß me ane
That be honest, wiß, and wicht,
And of his hand ane nobill knycht, 190
On Goddis fayis myne hert to bere,
Quhen saull and corß disseverit [er].
For I wald it war worthely
Broucht thar, sen God will nocht that i
Have power thiddirward till ga." 195
Than war thair hertis all so wa,
That nane mycht hald hym fra greting.
He bad thame leiff thair sorowyng;
For it, he seid, mycht nocht releif,
And mycht [thaim self] gretly engreif. 200
He prayit thame in hy till do
The thyng that thai war chargit to.
Than went thai furth with drery mwde,
And e-mang thame thai thoucht it gude,
That the vorthy lord Dowglaß, 205
Quham in bath wit and vorschip waß, 206·
Suld tak this travaill apon hand; 207·
Heirtill thai war all accordand. 208·
Syne till the kyng thai went in hy, 209·
And tald hym at thai thoucht trewly, 210·
That the douchty lord Dowglaß 211·
Best schapen for that travell was. 206
And quhen the king herd at thai swa
Had ordanit hym, his hert till ta,
That he mast ʒarnit suld it haf,
He said: "Sa God him self me saff, 210
I hald me richt weill payit, that ʒhe
Haß chosyn hym; for his bounte
And his worschip set me ʒarnyng,
Ay sen I thoucht till do this thyng,
That he it with hym thar suld ber. 215
And sen ʒhe all assentit er,
It is the mar likand till me.
[f. 157b] Let se now quhat thartill sayis he."

151 till] to EH   152 felonly] fellely E suddenly H   153 His] The E   154 [he] EH
him C   [him] EH he C ma] to ma E   155 this] his E   156 the] to E ded] death H   159 he
biddyn] thai bidding E   162 till] to EH   religions estates H   165 richt om. E   166 at om.
EH ilkadele E   167 He said lordingis E   170 mon] sall H   on] off E   172 till] to EH
(so also ll. 180, 195, 208, 214, 217, 234, 241, 251)   174 thar . . beyne] has bene rycht E   175 wes]
war   178 fyschit fermly] fichyt sekyrly E firmly set H   181 trawaill E   183 That] Swa that E
on om. E   184 Fulfill] Performe H   can] gan E   185 the] mine H   188 a-mang E   cheiß me]
all chuse H   190 ane] a EH   191 my E   192 corß] body H [er] E are H were C
194 Broucht] Had H   198 leve E   199 releve E   200 [thaim self] Skeat them selves H   thar
self C thaim rycht E engreve E grieue H   201 He] And E   203 mode E   204 And om. E
A-mang E   205 worthi lord of D. E   206·—11· found in CH, om. E   208· Hereto H   209· Sync
till] And to H   210· at] that H   206 schapen] ordainde H   trawaill E   207 at] that EH
210 saiff E   213 And . . set] For certes it hes bene H   215 it . . ber] mine heart sould with
him beare H

C: And quhen the gud lord of Dowglaß [f.158
Wist at the kyng thus spokyn haß,   220
He com and knelit to the kyng,
And on this viß maid him thanking.
"I thank ʒow gretly, lorde," said he,
"Of mony large and gret bounte
That ʒhe haf done till me feill siß,   225
Sen first I come to ʒour serviß.
Bot our all thing I mak thanking,
That ʒhe so digne and worthy thing
As ʒour hert, that illwmynyt wes
Of all bounte and worthynes,   230
Will that I in my ʒeemsell tak.
For ʒow, schir, will I blithly mak
This travell, gif God will me gif
Laser and space so lange till liff."
The kyng hym thankit tendirly;   235
Thar wes nane in that cumpany
That thai ne wepit for pite;
Thair cher anoyus wes to se.

     Obitus Roberti Pruss regis Scocie.

Qwhen the lord Dowglaß on this viß
Had undirtane so hye enpriß,   240
As the gud kyngis hert till ber
On Goddis fayis apon wer,
Prisit for his enpriß wes he.
And the kyngis infermite
Woxe mair and mair, quhill at the last   245
The dulfull dede approchit fast.
And quhen he had gert till hym do,
All that gud cristin man fell to,
With werray repentans he gaf
The gast, that God till hevin couth haf   250
E-mang his chosyn folk till be,
In joy, solace, and angell gle.
And fra his folk wist he wes ded,
The sorow raiß fra sted to sted.   254
Thair mycht men se men rif thar hare [f.158b
And cumly knychtis gret full sar,
And thair nevis oft sammyn driff,
And as wode men thair clathes rif,

Regratand his worthy bounte,
His vit, strynth, and his honeste;   260
And, our all, the gret cumpany
That he oft maid thame curtesly.
"All our defens," thai said, "allaß!
And he that all our confort was,
Our wit, and all our governyng,   265
Is brocht, allas! heir till ending;
His worschip and his mekill mycht
Maid all that war with him so wicht,
That thai mycht nevir abaysit be,
Quhill forouth thame thai mycht
               him se.   270
Allaß! quhat sall [we] do or say?
For in liff quhill he lestit ay,
With all our fais dred war we,
And intill mony fer cuntre
Of our worschip ran the renoune;   275
And that wes all for his persoune!"
With sic vordis thai maid thair mayne;
And sekirly wonder wes nane.
For bettir governour than he
Micht in na cuntre fundyn be.   280
I hop that nane that is on lif
The lamentacioune suld discrif
That thai folk for thair lord maid.
And quhen thai lang thus sorowit had,
And he debowalit wes clenly,   285
And bawlmyt syne full richly,
And the worthy lord Dowglaß
His hert, as it forspokyn was,
Haß resavit in gret dantee,
With gret fair and solempnite   290
Thai have him had till Dunfermlyne,
And hym solempnly erdit syne,
And in a fair towme in the queyr. [f.159
Bischoppes and prelatis that thar weir
Assolʒeit hym, quhen the serviß   295
Wes done as thai couth best deviß;
[And] syne, apon the toder day,
Sary and wa ar went thar way.

219 gud om. E   226 at] that EH   kyng] thing E   haß] was E   222 wiss E   him
thanking] his talking H   224 large] largess EH   225 till] to H, om. E   228 sa dyng E
229 enlumynyt E illuminate H   230 Of] With H   worthynes] all prowes E   231 ʒemsall E keeping H
232 will I] I will E   233 trawaill E   234 Layser E Laiser H   236 Thar] Than E   237 ne]
na E   thai .. for] weeped not for great H   238 That was great sorrow for to see H   240 hey] hey E
242 apon wer] for to weere H   243 Praised H   245 Woux E   Was H   246 death H
247 till .. do] doe him to H   248 man .. to] men sould do H   250 that] whilk H   couth haf] haiff E
mot have H   251 A-mang EH   folk] for H   252 angells H   256 comely H   comounly E
257 nevis] newffys E hands H   oft sammyn] togidder H   259 Regratand] Regarding H   260 wyt E
strynth, and] his strenth EH   his (2)] om. H   262 oft .. thame] thaim maid oft E   264 all] haill H
265 and all] our weale H   266 Is .. allas] Allace is brought E   270 forouth] before H
271 [we] EH   I C   273 faes H nychtbowris E   274 fer] ser E other H   275 ran] sprang E
277 wordis E   281 lyve E   282 discryve E   The lament and sorrow can descrive H   283 thai]
tha E   that H   284 thai .. thus] that they lang H   285 debowaillyt E bowelled H   286 bawmyt E
balmed H full om. E   287 lord] lord of E   And .. lord] The worthy lord, the good H   291—98 wrongly
placed after 284 in E   291 him had] had him E   Dunferlyne E Dumfermelyne H   293 And H   Ande
C, om. E   tumb E   tombe H   in] intill E   quer E   queire H   297 tothyr E   other H   298 wa]
way C   ar .. way] they went a-way H

3. Mort Arthur alliterative (2nd half 14th cent.).

Andrew of Wyntoun, Original Chronicle of Scotland: On Huchown.
(ab. 1420.)

R: And quhen þis Leo wes empryowre,
Kyng off Brettane wes Arthowre.
þat wan all Frawns, and Lumbardy,
Gyane, Gaskoyn, and Normandy,
Burgoyne, Flawndrys, and Braband, 4275
Henaw[n]d, Holand, and Gotland.
Swes, Swe[t]rik, and Norway,
Denmark, Irland, and Orknay;
And all þe ilys in þe se
Subject ware till hys powste: 4280
And all þir landis everilkane
To þe crowne off Gret Brettane
He ekyd hale, and mad þame fre
Bot subdyt till hys ryawte,
Wythowte serwys, or homage, 4285
Or ony payment off trewage
Mad to Rome, as befor þai
Lang tyme oysyd for to pay.
    Quharefor þe state off þe empyre
Hely movyt into gret ire 4290
þe hawtane message till hym send,
þat wryttyn in þe Brwte is kend:
And Huchown of the Awle Ryale
Intill hys gest hystorialle
Has tretyd þis mar cwnnandly, 4295
þan suffycyand to pronowns am I.
    As in oure matere we procede,
Sum man may fall þis buk to rede,
Sall call þe autour till rekles,
Or argwe perchans hys cunnandnes; 4300
Syne Huchowne off þe Awle Ryale
Intill hys gest hystoryalle
Cauld Lucius Hiberius empryoure,
Quhen kyng off Brettane wes Arthoure.
Huchowne bath and þe autore 4305
Gyltles ar off gret errore.
For þe autor [is] fyrst to say
þe storyis quha þat will assay.
Off Iber, [frere] Martyne, and Vincens
Storyis to cwn dyd diligens, 4310

[f. 113 a] And Orosius, all foure,
Laing þat mony storys had sene oure,
Bk. V Cald noucht þis Lucyus empryoure,
Quhen kyng off Brettane wes Arthoure.
Bot off þe Brwte þe story sayis, 4315
þat Lucyus Hiberius on hys dayis
Wes off þe hey state procurature,
Nowþir cald kyng, na empryowre.
Fra blame þan is þe autore qwyte,
As befor hym [he] fand, to wryte; 4320
And men of gud dyscretyowne
Suld excuse, and love, Huchowne,
þat cunnand wes in literature.
He made þe gret Gest off Arthure
And þe Awntyre off Gawane, 4325
þe Pystyll als off Swete Swsane.
[f. 113 b] He wes curyws in hys style,
Fayre off facund, and subtille,
And ay to plesans and delyte
Made in metyre mete his dyte, 4330
Lytill or nowcht nevyrþeles
Waverand fra þe suthfastnes.
    Had he cald Lucyus procurature,
Quhare þat he cald hym empryowre,
þat had mare grevyd þe cadens, 4335
þan had relevyd þe sentens.
Ane empryoure in propyrte
A comawndoure suld callyd be:
Lucyus swylk mycht have bene kend
Be þe message þat he send. [f. 114
Here suffycyand excusatyownys 4341
For wylful defamatyownys.
He mon be war in mony thyng
þat will hym kepe fra mysdemyng.
    Off Arthowris gret douchtynes, 4345
Hys wyrschype and hys prys proues,
[His] conqwest, and hys ryalle state,
As in þis buk befor I wrate,
How þe held intill hys yheres
Hys tabyll round wyth hys dowchsperys; 4350

Chief MSS. of Wyntoun: Brit. Mus. Reg. 17 D.XX (= R; 3rd quarter 15th cent.); Brit. Mus. Cott. Nero D. XI (= C; 3rd quarter 15th cent.); Wemyss MS. in the poss. of Randolph G. Erskine Wemyss, Esq. of Wemyss Castle, Fife (= W; after 1500. Late copy of a version anterior to that of the other MSS.) — Edd.: Macpherson, 1795 (follows R); Laing, Edinb. 1872—79 (foll. R); Amours, 1903 ff. (Scott. Text Soc.; gives C and W in parallel columns together with the variants of the other MSS.) Above text follows R. Various readings of C and W:

4272 was C   Brettane þan wes W   74 Normanday C   Gascone, Gyane and Normundy W
75 Bu[r]gon, Flanderis C   Flandris, Burgone W   76 Henaude C   Celland, Holland and Fresland W
77 Swessioun W   80 Subjet C   were W   81 þir cuntreis ilkane W   82 Gret] Mare W
om. C   84 subdayt] tribut W   realte C   ryalte W   85 Withoutin W   86 trewagis C   87 befor]
forouth W   88 Wsit lang tyme W   89 Qwhar impyre C   90 That muffit were into W   messagis C
92 þe Brwte] Arthuris Gestis W   93 Houchon C   Huchoun W   Aule Reale C   Auld Ryall W   94 Maid
his gestis historiall W   95 þis mar] þat mater C   fere mare W   96 Than sufficient to tell am I W
Mar sufficiande þan to pronowns can I C   97 As] Bot   we] to W   98 man] may (!) C   man .. fall] þat
hapnis W   99 Sall] Wil W   till] to C W   4300 Or] And C   connandnes C   Or may   fall   argw
his W   01 Sen W   Hucheon C   Huchone W   Aule Realle C   Auld Ryall W   02 gestis W   03 Callit
C W   05 Hucheon C   Bot Huchoune W   06 gret] þat W   07 is om. R   For þe first autouris to
say W   08 þe] Thare W   09 Off Oroß, Martyne and Innocent W   10 Wrait þare storyis diligent W
Wrat storis to cun diligens C   11 And O.] And ʒit Josaphus W   13 Callit C W   emperour C   -oure W,
so often   15 sais W   16 Hyber   dais W   on] in W C   17 Was C   hey state] empyre W   18 And
nouthere W   callit hym king C W   19 is] was C   20 he om. R   he befor him W   22 Hucheon C
Huchoun C   23 was C   24 þe] a C   25 Anteris W   26 Epistill W   27 was C   28 off]
and W   29 and] hade C   30 meit metyre W   31 Litill or ellis nocht be geß W   34 þat om. W
35 þat] It W   He C   mare] ma C   37 For ane emp. W   38 suld] may W   39 swyʒc] sic W
40 messagis C   þat] at W   43 thingis W   44 mysdoynge C   mysdemyngis W   46 prys] wiþ W
47 His C W   As R   48 As Huchon in his gestis wrait W   49 How þat he W   intill] into C   50 round table W

R: How þat he tuk syne hys wayage,   Quhare he and hys rownd tabyll qwyte
Fra Lucyus had send hym þe message,   Wes wndone, and discumfyte;
Till Ytaly wyth hey mychtys   Huchown has tretyd curyowsly   4365
Off kyngys, lordys, and off knychtys,   In gest off Broyttys auld story.
And discumfyte þe empryowre,   4355 Bot of hys dede and hys last end
And wan gret wyrschype and honoure   I fand na wryt couth mak þat kend:
Off Frawns nere þe bordwrys sete,   Syne I fand nane þat thareoff wrate,
In were as þai togyddyr mete;   I wyll say na mare þan I wate.   4370
And off tresowne till hyme done   Bot, quhen þat he hade fowychtyn fast,
Be Modred, hys systyrsone,   4360 Efftyre intill an ile he past
Quharfor in hast he come a-gayne,   Sare woundyt, to be lechyd þare,
And wyth hym fawcht intyll Brettayne, And efftyre he wes se[yn] na mare.

4351 How þat] And how *W* wayagis *C*   52 þe *om.W* messagis *C*   53 hey] hie *C* a!l his *W*
55 And þare disc. *W*   58 In] It(!) *W*   59 of the tressoune *W*   61 Tharfor *W*   62 into *C*
64 Was *C*   65 Hucheon *C* Huchoune *W* has tretyd] as tretiß *W*   66 Broyttys] Brucis *W*   68 þat]
me *C* it *W*   69 Syne] Sen *CW* þat] at *W*   70 þan] na *W*   71 þat] at *W*   72 intill] þat in
74 was *C* sene *W* se *R*

*MS.: Lincoln Cathedral Libr. Thornton MS. (The writer, Robert Thornton, was archdeacon
of Bedford in 1439). — Edd.: Halliwell, 1847; EETS. 8 (ed. Perry, 1861; re-ed. B r o c k,
1865); Banks, 1900 ; Björkman 1915.*

Arthur's Death.[1]

a) The Tidings of Modred's Treason.

"Fro qwyn come þoue, kene man," quod þe kynge thane,   [f. 90
That knawes kynge Arthure, and his knyghttes also?
Was þoue ever in his courte, qwylls he in kyth lengede?   3505
Thow karpes so kyndly, it comforthes myn herte!
Well wele has þou wente, and wysely þou sechis,
For þoue arte bretowne bierne, as by thy brode speche."
"Me awghte to knowe þe kynge, he es my kydde lorde,
And I calde in his courte a knyghte of his chambire;   3510
Sir Craddoke was I callide, in his courte riche,
Kepare of Karlyone, undir the kynge selfen;
Nowe am I cachede owtt of kyth, with kare at my herte,
And that castell es cawghte with uncowthe ledys."
Than the comliche kynge kaughte hym in armes,   3515
Keste of his ketill-hatte, and kyssede hyme fulle sone,
Saide: "Welcom, sir Craddoke, so Criste mott me helpe!
Dere cosyne of kynde, thowe coldis myne herte!
How faris it in Bretaynne, with alle my bolde berynns?
Are they brettenede, or brynte, or broughte owte of lyve?   3520
Kene thou me kyndely whatte caase es befallene;
I kepe no credens to crafe, I knawe the for trewe."
"Sir, thi wardane es wikkede, and wilde of his dedys;
For he wandreth has wroghte, sen þou a-waye passede;   [f. 90 b
He has castelles encrochede, and corownde hym selvene,   3525
Kaughte in alle þe rentis of þe rownde tabille;
He devisede þe rewme, and delte as hym likes;
Dubbede of þe Danmarkes dukes and erlles,
Disseveride þem sondirwise, and cites dystroyede,
To Sarazenes and Sessoynes, appone sere halves,   3530
He has semblede a sorte of selcouthe berynes,
Soveraynes of Surgenale, and sowdeours many,
Of Peyghtes, and paynymms, and provede knyghttes
Of Irelande and Orgaile, owtlawede berynes;
Alle thaa laddes are knyghttes þat lange to þe mowntes,   3535
And ledynge and lordechippe has all al(l)s theme selfe likes;

---

[1] *As to sources, cp. Geoffrey of Monmouth and Laȝamon, above p. 2 ff.*

And there es sir Childrike a cheftayne holdyne,
That ilke chevalrous mane, he chargges thy pople;
They robbe thy religeous, and ravische thi nonnes,
And redy ryddis with his rowtte to rawnsone þe pouere;   3540
Fro Humbyre to Hawyke he haldys his awene,
And alle þe cowntre of Kentt be covenawnte entayllide;
The comliche castelles that to the corowne langede,
The holttes, and the harewode, and the harde bankkes,
Alle þat Henguste and Hors hent in þeire tyme;   3545
Att Southamptone on the see es sevene skore chippes,
Frawghte fulle of ferse folke, owt of ferre landes,
For to fyghte with thy frappe, whene þow theme assailes.
Bot ȝitt a worde witterly, thowe watte noghte þe werste!
He has weddede Waynore, and hir his wieffe holdis,   3550
And wonnys in the wilde bowndis of þe weste marches,
And has wroghte hire with childe, as wittnesse tellis!
Off alle the wyes of þis worlde, woo motte hym worthe,
Alls wardayne unworthye womene to ȝeme!
Thus has sir Modrede merrede us alle!   555
Forthy I merkede over thees mowntes, to mene þe the sothe."
Than the burliche kynge, for brethe at his herte,
And for this botelesse bale, alle his ble chaungede.
"By þe rode," sais þe roye, "I salle it revenge!
Hym salle repente fulle rathe alle his rewthe werkes!"   3560
Alle wepande for woo he went to his tentis;
Unwynly this wyesse kynge, he wakkenysse his berynes,
Clepid in a clarioune kynges and othire,
Callys theme to concelle, and of þis cas tellys:
"I am with tresone betrayede, for alle my trewe dedis!   3565
And alle my travayle es tynt, me tydis no bettire!
Hym salle torfere betyde þis tresone has wroghte,
And I may traistely hym take, as I am trew lorde!
This es Modrede, þe mane that I moste traystede,
Has my castelles encrochede, and corownde hyme selvene,   3570
With renttes and reches of the rownde table;
Has made alle hys retenewys of renayede wrechis,
And devysed my rewme to dyverse lordes,
To sowdeours and to Sarazenes owtte of sere londes!
He has weddyde Waynore, and hyr to wyefe holdes,   [f. 91
And a childe es eschapede, the chaunce es no bettire!   3576
They hafe semblede on the see sevene schore chippis,
Fulle of ferrome folke, to feghte with myne one!
Forthy to Bretayne the brode buske us byhovys,
For to brettyne þe berynne that has this bale raysede!   3580
Thare salle no freke men fare, bott alle one fresche horses,
That are fraistede in fyghte, and floure of my knyghttez:
Sir Howelle and sir Hardolfe here salle beleve,
To be lordes of the ledis that here to me lenges;
Lokes into Lumbardye, þat thare no lede chaunge,   3585
And tendirly to Tuskayne take tente alls I byde;
Resaywe the rentis of Rome qwene þay are rekkenede;
Take sesyne the same daye that laste was assygnede,
Or elles alle the ostage, withowttyne þe wallys,
Be hynggyde hye appone hyghte alle holly at ones"!   3590

MS 3539 ravichse

b) The Last Battle.

And sir Mordrede was myghty, and [in] his moste strenghis;   [f. 97

Come none within þe compas, knyghte ne none oþer,

Within the swyng of swerde, þat ne he þe swete levyd.

Þat persayfes oure prynce, and presses to faste,

Strykes into þe stowre by strenghe of hys handis;   4225

Metis with sir Modrede, he melis unfaire:

"Turne, traytoure untrewe, þe tydys no bettyre;

Be gret Gode, thow salle dy with dynt of my handys!

The schalle rescowe no renke ne reches in erthe!"

The kyng with Calaburne knyghtly hym strykes,   4230

Þe cantelle of þe clere schelde he kerfes in sondyre,

Into þe schuldyre of þe schalke a schaftmonde large,

Þat þe schire rede blode sch[e]wede one þe maylys!

He schodirde and schrenkys, and schontes bott lyttille,

Bott schokkes in scharpely in his schene wedys;   [f. 97 b

The felone with þe fyne swerde freschely he strykes,   4236

The felettes of þe ferrere syde he flassches in sondyre,

Thorowe jopowne and jesserawnte of gentille mailes!

The freke fichede in þe flesche an halfe fotte large;

That derfe dynt was his dede, and dole was þe more   4240

That ever þat doughtty sulde dy, bot at Dryghttyns wylle!

Ȝitt with Calyburne, his swerde, fulle knyghttly he strykes,

Kastes ine his clere schelde, and coveres hym fulle faire;

Swappes of þe swerdehande, als he by glentes,

Ane inche fro þe elbowe, he ochede it in sondyre,   4245

Þat he swounnes one þe swarthe, and one swym fallis;

Thorowe bracer of browne stele, and þe bryghte mayles,

That the hilte and þe hande appone þe hethe ligges!

Thane frescheliche þe freke the fente upe rererys

To þe bryghte hiltys, and he brawles one þe bronde,   4250

Brochis hym in with the bronde and bownes to dye.

"In faye", says þe feye kynge, "sore me forthynkkes

That ever siche a false theefe so faire an ende haves".

Qwene they had fenyste þis feghte, thane was þe felde wonnene,

And the false folke in þe felde feye are bylevede.   4255

Tille a foreste they fledde, and felle in the grevys,

And fers feghtande folke folowes theme aftyre;

Howntes and hewes downe the heythene tykes,

Mourtherys in the mowntaygnes sir Mordrede knyghtes;

Thare chapyde never no childe, cheftayne ne oþer,   4260

Bot choppes theme downe in the chace, it chargys bot littylle!

    Bot whene sir Arthure anone sir Ewayne he fyndys,

And Errake, þe avenaunt, and oþer grett lordes,

He kawghte up sir Cador with care at his herte,

Sir Clegis, sir Cleremonde, þes clere mene of armes,   4265

Sir Lothe, and sir Lyonelle, sir Lawncelott, and Lowes,

Marrake and Meneduke, þat myghty ware ever;

With langoure in the launde thare he layes theme togedire,

Lokede one theyre lighames, and with a lowde stevene,

Alls lede þat liste noghte lyfe and loste had his myrthis;   4270

Than he stotays for made, and alle his strenghe faylez,

Lokes upe to þe lyfte, and alle his lyre chaunges,

Downne he sweys fulle swythe, and in a swoune fallys,

Upe he coveris one kneys, and kryes fulle oftene:

"Kyng comly with crowne, in care am I levyde!   4275

Alle my lordchipe lawe in lande es layde undyre!

_____
4246 swrathe   4247 brater

That me has gyfene gwerdones, be grace of hym selvene,
Mayntenyde my manhede be myghte of theire handes,
Made me manly one molde, and mayster in erthe;
In a tenefulle tyme this torfere was rereryde,   4280
That for a traytoure has tynte alle my trewe lordys!
Here rystys the riche blude of the rownde table,
Rebukkede with a rebawde, and rewthe es the more!   [f. 98
I may helples one hethe house be myne one,
Alls a wafulle wedowe þat wanttes hir beryne!   4285
I may werye and wepe, and wrynge myne handys,
For my wytt and my wyrchipe a-waye es for ever!
Off alle lordchips I take leve to myne ende!
Here es þe Bretones blode broughte owt of lyfe,
And nowe in þis journee alle my joy endys!"   4290
Thane relyes þe renkes of alle the rownde table,
To þe ryalle roy thay ride þam alle;
Than assembles fulle sone sevene score knyghtes,
In sighte to þaire soverayne, þat was unsownde levede;
Than knelis the crownede kynge, and kryes one lowde: 4295
"I thanke þe, Gode, of thy grace, with a gud wylle;
That gafe us vertue and witt to vencows þis beryns;
And us has grauntede þe gree of theis gret lordes!
He sent us never no schame, ne schenchipe in erthe,
Bot ever ȝit þe overhande of alle oþer kynges;   4300
We hafe no laysere now þese lordys to seke,
For ȝone laythely ladde me lamede so sore!
Graythe us to Glaschenbery, us gaynes none oþer;
Thare we may ryste us with roo, and raunsake oure wondys.
Of þis dere daywerke, þe Dryghttene be lovede,   4305
That us has destaynede and demyd to dye in oure awene."
Thane they holde at his heste hally at ones,
And graythes to Glasschenberye þe gate at þe gayneste
Entres þe ile of Aveloyne, and Arthure he lyghttes,
Merkes to a manere there, for myghte he no forthire: 4310
A surgyne of Salerne enserches his wondes,
The kyng sees be asaye þat sownde bese he never,
And sone to his sekire mene he said theis wordes:
"Doo calle me a confessour, with Criste in his armes;
I wille be howselde in haste, whate happe so betyddys;   4315
Constantyne, my cosyne, he salle the corowne bere,
Alls becommys hym of kynde, ȝife Criste wille hym thole!
Beryne, fore my benysone, thowe berye ȝone lordys,
That in baytaille with brondez are broghte owte of lyfe;
And sythene merke manly to Mordrede childrene,   4320
That they bee sleyghely slayne, and slongene in watyrs;
Latt no wykkyde wede waxe, ne wrythe one this erthe;
I warne fore thy wirchipe, wirke alls I bydde!
I foregyffe alle greffe, for Cristez lufe of hevene!
ȝife Waynor hafe wele wroghte, wele hir betydde!"   4325
He saide "In manus" with mayne one molde whare he ligges,
And thus passes his speryt, and spekes he no more!
The baronage of Bretayne thane, bechopes and othire,   [f. 98 b
Graythes theme to Glaschenbery with gloppynande hertes,
To bery thare the bolde kynge, and brynge to þe erthe,   4330
With alle wirchipe and welthe þat any wy scholde.
Throly belles thay rynge, and Requiem syngys,

4310 susgyne

Dosse messes and matyns with mournande notes:
Relygeous reveste in theire riche copes,
Pontyficalles and prelates in precyouse wedys,   4335
Dukes and dusszeperis in theire dulecotes,
Cowntasses knelande and claspande theire handes,
Ladys languessande and lowrande to schewe;
Alle was buskede in blake, birdes and othire,
That schewede at the sepulture, with sylande teris;   4340
Whas never so sorowfulle a syghte seene in theire tyme!
Thus endis kyng Arthure, as auctors alegges,
That was of Ectores blude, the kynge sone of Troye,
And of sir Pryamous, the prynce, praysede in erthe;
Fro thethene broghte the Bretons alle his bolde eldyrs   4345
Into Bretayne the brode, as the Bruyte tellys.   etc. explicit.

Hic jacet Arthurus, rex qondam rex que futurus.
Here endes Morte Arthure, writene by Robert of Thorntone.
R. Thornton dictus qui scripsit sit benedictus. Amen!

4. Mort Arthur in Stanzas (ab 1400).

MS.: Brit. Mus. Harl. 2252 (late 15th cent.). — Edd.: Furnivall, 1864; Bruce, 1903,
EETS. ES. 88.

Arthur's Death.

a) The Tidings of Modred's Treason.

369 After was it monthes two,
    As frely folke it undyrstode,
Or ever Gawayne myght ryde or go,
    Or had fote upon erthe to stonde; 2941
The thirde tyme he was full thro
    To do batayle with herte and hande,
But than was word comen hem to
    That they muste home to Yngland. 2945
370 Suche mesage was hem brought,
    There was no man that thought it
                                    goode;
The kynge hym selfe full sone it
                                    thought
— Full moche mornyd he in hys mode 2949
That suche treson [in Ynglond]
                    shuld be wroght—
    That he moste nedys over the flode.
They brake sege and homward sought,
    And after they had moche angry
                                    mode. 2953
371 That fals traytour, sir Mordreid—
    The kynges sostersone he was,
And eke hys owne sonne, as I rede—
    Therefore men hym fo[r] steward
                                    chase— 2957
So falsely hathe he Yngland ledde,
    Wete yow wele, withouten lese,
Hys eme is wyffe wolde he wedde,
    That many a man rewyd that rease. 2961
372 Festys made he, many and fele,
    And grete yiftys he yafe also;
They sayd with hym was joye and
                                    wele,   [f.123 b]

[f. 122 And in Arthurs tyme but sorow
                                    and woo; 2965
And thus gan ryght to wronge goo;
    All the concelle, is noght to hele,
Thus it was, withouten moo,
    To hold Mordred in londe with wele. 2969
373 False lettres he made be wroght,
    And causyd messangers hem to
                                    brynge,
That Arthur was to grownde broght,
    And chese they muste another
                                    kynge. 2973
All thay sayd as hem thought:
    "Arthur lovyd noght but warynge
And suche thynge as hym selfe soght.
    Ryght so he toke hys endynge." 2977
374 Mordred let crye a parlement;
    The peple gan thedyr to come,
And holly throwe there assente
    They made Mordred kynge with
                                    crowne; 2981
At Canturbery, ferre in Kente,
    A fourtenyght held the feste in
                                    towne,
And after that to Wynchester he
                                    wente;
    A ryche brydale he lette make
                                    bowne; 2985
375 In somyr, whan it was fayr and
                                    bryght,
    Hys faders wyfe than wold he wedde
And hyr hold with mayne and myght,
    And so hyr brynge as byrd to bedde. 2989

Sche prayd hym of leve a fourtenyght—
  The lady was full hard bestad—;
So to London sche hyr dyght,
  That she and hyr maydens myght
                    be cledd. 2993

376 The quene, whyte as lylyfloure,
  With knyghtis fele of her kynne
She went to London to the towre

And speryd the gates and dwellyd
                      therin. 2997
Mordred changed than hys coloure,
  Thedyr he went and wold not
                    blynne;
Thereto he made many a shoure,
  But the wallys myght he never
                    wynne. 3001

b) The Last Battle.

421 Arthur stert upon hys stede; [f. 127
  He saw nothyng hym withstand
                    myght.
Mordred owte of wytte nere yede,
  And wrothely into hys sadyll he
                    lyght. 3355
Off acorde was nothyng to bede,
  But fewtred sperys and togeder
                    sprente;
Full many a doughty man of dede
  Sone there was leyde upon the bente. 3359

422 Mordred i-maryd many a man,
  And boldely he gan hys batayle
                    a-byde;
So sternely oute hys stede ranne,
  Many a rowte he gan throw ryde. 3363
Arthur of batayle nevyr blanne
  To dele woundys wykke and wyde;
Fro the morow that it byganne
  Tylle it was nere the nyghtis tyde. 3367

423 There was many a spere spente,
  And many a thro word they spake;
Many a bronde was bowyd and bente,
  And many a knyghtis helme they
                    brake; 3371
Ryche helmes they roffe and rente;
  The ryche rowtes gan togedyr
                    rayke,
An C thousand upon the bente;
  The boldest or evyn was made
                    ryght meke. 3375

424 Sythe Bretayne owte of Troy was
                    sought
  And made in Bretayne hys owne
                    wonne;
Suche wondrys nevyr ere was wroght,
  Nevyr yit under the sonne. 3379
By evyn levyd was there noght
  That evyr steryd with blode or
                    bone,
But Arthur and ij that he thedyr
                    broghte,
  And Mordred was levyd there al one. 3383

425 The tone was Lucan de Botelere,
  That bled at many a balefull
                    wound,
And hys brodyr, syr Bedwere,
  Was sely seke and sore unsounde. 3387
Than spake Arthur these wordys
                    there:
  "Shall we not brynge thys theffe
                    to ground?"
A spere he gryped with fell chere,
  And felly they gan togedyr found. 3391

426 He hytte Mordred a-mydde the breste
  And oute at the bakkebone hym
                    bare;
There hathe Mordred hys lyffe loste,
  That speche spake he nevyr mare; [f. 127 b
But kenely up hys arme he caste   3396
  And yaff Arthur a wound sare
Into the hede throw the helme and
                    creste,
  That iij tymes he swownyd thare. 3309

427 Syr Lucan and syr Bedwere
  Bytwene theym two the kynge
                    upheld;
So forthe went tho iij in fere,
  And all were slayne that lay in feld. 3403
The doughty kynge, that was hem dere,
  For sore myght not hym self weld;
To a chapelle they went in fere,
  Off bote they saw no better beld. 3407

428 All nyght thay in the chapelle laye,
  Be the seesyde, as I yow newyn,
To Mary mercy cryand aye
  With drery herte and sorowfull
                    stevyn; 3411
And to hyr leve sonne gan they pray:
  "Jhesu, for thy namys sevyn,
Wis hys sowle the ryght way,
  That he lese not the blysse of
                    hevyn." 3415

429 As syr Lucan de Boteler stode,
  He sey folk upon playnes hye;
Bold barons of bone and blode,
  They refte theym besaunt, broche
                    and bee; 3419

3374 An] And   3419 refte] reste

And to the kynge a-gayne thay yode,
  Hym to warne with wordys slee; 3421
. . . . [*No gap in MS*] 3421 b
. . . . 3421 c

430 To the kynge spake he full styll,
  Rewfully as he myght than rowne:
"Sir, I have bene at yone hylle,
  There fele folke drawen to the downe; 3426
  I note whedyr they wyll us good or ylle,
I rede we buske and make us bowne,
  Yiff it be your worthy wylle,
That we wende to som towne." 3429

431 "Now, syr Lucan, as thow radde,
  Lyfte me up, whyle that I may laste."
Bothe hys armes on hym he sprad
  With all hys strengh to hold hym
        faste. 3433
The kynge was wondyd and forbled,
  And swownyng on hym hys eyne
        he caste;
Syr Lucan was hard bystadde;
  He held the kynge to hys owne
        herte braste. 3437

432 Whan the kynge had swounyd there,
  By an anter up he stode;
Syr Lucan, that was hym dere,
  Lay dede and fomyd in the blode. [f. 128
Hys bold brothyr, sir Bedwere,   3442
  Full mykell mornyd in hys mode;
For sorow he myȝte not nyghe him nere,
  But evyr wepyd as he were wode. 3445

433 The kynge tornyd hym, there he stode,
  To syr Bedwere with wordys kene:
"Have Excalaber, my swerd[e] good;
  A better brond was nevyr sene; 3449
Go, caste it in the salt flode,
  And thou shalt se wonder, as I wene.
Hye the faste, for crosse on rode,
  And telle me what thou haste ther
        sene." 3453

434 The knyght was bothe hende and free,
  To save that swerd he was full glad
And thought: "Whethyr I better bee,
  Yif nevyr man it after had; 3457
And I it caste into the see,
  Off mold was nevyr man so mad."
The swerd he hyd undyr a tree,
  And sayd: "Syr, I ded as ye me
        bad." 3461

435 "What saw thow there?" than sayd
        the kynge,
  "Telle me now, yif thow can."
"Sertes, syr," he sayd, "nothynge
  But watres depe and wawes wanne." 3465

3474 it] the scauberke *Hs*

"A! now thou haste broke my byd-
        dynge!
  Why haste thou do so, thow false
        man?
Another bode thou muste me brynge."
  Thanne careffully the knyght forthe
        ranne 3469

436 And thought the swerd yit he wold
        hyde,
  And keste the scauberke in the flode:
"Yif any aventurs shall betyde,
  Thereby shall I se tokenys goode." 3473
Into the see he lette it glyde;
  A whyle on the land hee there stode,
Than to the kynge he wente that tyde
  And sayd: "Syr, it is done, by the
        rode." 3477

437 "Saw thou any wondres more?"
  "Sertys, syr, I saw nought."
"A! false traytor," he sayd thore,
  "Twyse thou haste me treson
        wroght; 3481
That shall thou rew sely sore;
  And, be thou bold, it shal be
        bought."
The knyght than cryed: "Lord,
        thyn ore!"
And to the swerd sone he sought. 3485

438 Syr Bedwere saw that bote was beste,
  And to the good swerd he wente;
Into the see he hyt keste;
  Than myght he se what that it [f. 128 b
        mente:
There cam an hand withouten reste 3490
  Oute of the water and feyre it hente
And brandysshyd as it shuld braste,
  And sythe, as gleme, a-way it
        glente. 3493

439 To the kynge a-gayne wente he thare
  And sayd: "Leve syr, I saw an hand;
Oute of the water it cam all bare
  And thryse brandysshyd that ryche
        brande." 3497
"Helpe me sone that I ware there!"
  He lede hys lord unto that stronde;
A ryche shyppe with maste and ore,
  Full of ladyes, there they fonde. 3501

440 The ladyes, that were feyre and free,
  Curteysly the kynge gan they fonge,
And one that bryghtest was of blee
  Wepyd sore and handys wrange. 3505
"Broder," she sayd, "wo ys me!
  Fro lechyng hastow be to longe.
I wote that gretely grevyth me,
  For thy paynes ar full stronge." 3509

441 The knyght kest a rewfull rowne,
   There he stode, sore and unsownde,
And say[de]: "Lord, whedyr ar ye
                           bowne?
   Allas, whedyr wyll ye fro me
                        fownde?" 3513
The kynge spake with a sory sowne:
   "I wylle wende a lytell stownde
Into the vale of Aveloune,
   A whyle to hele me of my wounde." 3517

442 Whan the shyppe from the land was
                           broght,
   Syr Bedwere saw of hem no more;
Throw the forest forthe he soughte
   On hyllys and holtys hore.   3521
Of hys lyffe rought he ryght noght,
   All nyght he went wepynge sore;
A-gaynste the day he fownde ther
                           wrought
   A chapelle bytwene ij holtes hore. 3525

443 To the chapell he toke the way;
   There myght he se a woundyr syght;
Than saw he where an ermyte laye
   Byfore a tombe that new was
                        dyghte; 3529
And coveryd it was with marbell
                           graye
   And with ryche lettres rayled
                        a-ryght;
There-on an herse, sothely to saye,
   With an C tappers lyghte.   3533

444 Unto the ermyte wente he thare
   And askyd who was beryed there.
The ermyte answeryd swythe yare:
   "There-of can I tell no more.   [f. 129

A-bowte mydnyght were ladyes here, 3538
   In world ne wyste I what they
                           were;
Thys body they broght uppon a bere
   And beryed it with woundys sore. 3541
445 Besauntis offred they here bryght,
   I hope an C pound and more,
And bad me pray bothe day and nyght
   For hym that is buryed in [these]
                        moldys hore 3545
Unto ower lady bothe day and nyght,
   That she hys sowle helpe sholde."
The knyght redde the lettres a-ryght;
   For sorow he fell unto the folde. 3549
446 "Ermyte," he sayd, "withoute lesynge,
   Here lyeth my lord that I have lorne,
Bold Arthur, the beste kynge
   That evyr was in Bretayne borne. 3553
Yif me som of thy clothynge,
   For hym that bare the crowne of
                        thorne,
And leve that I may with the lenge,
   Whyle I may leve, and pray him
                        forne." 3557
447 The holy ermyte wold not wounde—
   Some tyme archebishop he was,
That Mordred flemyd oute of londe,
   And in the wode hys wonnyng
                        chase— 3561
He thankyd Jhesu all of his sound
   That syr Bedwere was comyn in
                        pease;
He resayved hym with herte and
                        honde,
Togedyr to dwelle withouten lese. 3565

IV. Sacred Poetry.

1. Orrm, The Orrmulum (ab. 1200).

V: *Vulgate, Luc. II.*

O: *Orrm. The Orrmulum. — MS: Oxf. Bodl. Junius 1 (ab. 1200: in the author's own hand-
writing). — Edd : White. Oxf. 1854; Mätzner, Sprachpr. I 3—19 (ll. 1—334 = 1—167 of
present book; 11319—12050); Holt, Oxf. 1878. Cf. Kölbing's collation, ESt. 1 (1878) 1.*

Introduction: Orrm on Himself and on his Book.

Nu, broþerr Wallterr, broþerr min   Affterr þe flæshess kinde;   [f. 3
Annd broþerr min i crisstenndom   Þurrh fulluhht annd þurrh trowwþe;
Annd broþerr min i Godess hus   Ʒēt o þe þride wise,
Þurrh þatt witt hafenn tăkenn ba   An reʒhellboc to follʒhenn
Unnderr kanunnkess had annd lif,   Swasumm sannt Awwstin sette— 5
Icc hafe don swasumm þu badd   Annd forþedd te þin wille:
Icc hafe wennd inntill ennglissh   Goddspelless hallʒhe lāre
Affterr þatt little witt þatt me   Min Drihhtin hafeþþ lenedd.
Þu þohhtesst tatt itt mihhte wel   Till mikell frame turrnenn,

6*

Ʒiff ennglissh follc forr lufe off Crist   Itt wollde ʒerne lernenn   10
Annd follʒhenn itt annd fillenn itt   Wiþþ þohht, wiþþ word, wiþþ dede.
Annd forrþi ʒerrndesst tu þatt icc   Þiss werrc þe shollde wirrkenn;
Annd icc itt hafe forþedd te,   Acc all þurrh Cristess hellpe,
Annd unnc birrþ baþe þannkenn Crist   Þatt itt iss brohht till ende.
Icc hafe sammnedd o þiss boc   Þa goddspelless neh alle,   15
Þatt sinndenn o þe messeboc   Inn all þe ʒer att messe.
Annd aʒʒ affterr þe goddspell stannt   Þatt tatt te goddspell meneþþ,
Þatt mann birrþ spellenn to þe follc   Off þeʒʒre sawle nede;
Annd ʒēt tær tekenn mare i-noh   Þu shallt tæronne findenn,
Off þatt tatt Cristess hallʒhe þed   Birrþ trowwenn wel annd follʒhenn. 20
Icc hafe sett her o þiss boc   A-mang goddspelless wordess
All þurrh me sellfenn maniʒ word   Þe rīme swa to fillenn.
Acc þu shallt findenn þatt min word,   Eʒʒwhær þær itt iss ekedd,
Maʒʒ hellpenn þa þatt redenn itt   To sen annd tunnderrstanndenn
All þess te bettre hu þeʒʒm birrþ   Þe goddspell unnderrstanndenn; 25
Annd forrþi trowwe icc þatt te birrþ   Wel þolenn mine wordess,
Eʒʒwhær þær þu shallt findenn hemm   A-mang goddspelles wordess.
Forr whase mōt to læwedd follc   Larspell off goddspell tellenn,
He mōt wel ekenn maniʒ word   A-mang goddspelless wordess.
Annd icc ne mihhte nohht min ferrs   Aʒʒ wiþþ goddspelles wordess 30
Wel fillenn all, annd all forrþi   Sholdle icc well offte nede
A-mang goddspelless wordess don   Min word, min ferrs to fillenn.
Annd te bitæche icc off þiss boc,   Heh wikenn alls itt semeþþ,
All to þurrhsekenn illcan ferrs   Annd to þurrhlokenn offte,
Þatt upponn all þiss boc ne be   Nan word ʒæn Cristess lare, 35
Nan word tatt swiþe wel ne be   To trowwenn annd to follʒhenn.
Witt shulenn tredenn unnderrfōt   Annd all þwerrtūt forrwerrpenn
Þe dom off all þatt laþe flocc   Þatt iss þurrh niþ forrblendedd,
Þatt tæleþþ þatt to lofenn iss   Þurrh niþfull modiʒnesse.
Þeʒʒ shulenn lætenn hæþeliʒ   Off unnkerr swinnc, lef broþerr; 40
Annd all þeʒʒ shulenn takenn itt   Onn unnitt annd onn idell;
Acc nohht þurrh skill, acc all þurrh niþ   Annd all þurrh þeʒʒre sinne.
Annd unnc birrþ biddenn Godd tatt he   Forrʒife hemm here sinne;
Annd unnc birrþ baþe lofenn Godd   Off þatt itt wass bigunnenn,
Annd þannkenn Godd tatt itt iss brohht   Till ende þurrh hiss hellpe; 45
Forr itt maʒʒ hellpenn alle þa   Þatt bliþelike itt herenn
Annd lufenn itt annd follʒhenn itt   Wiþþ þohht, wiþþ word, wiþþ dede.
Annd whase wilenn shall þiss boc   Efft oþerrsiþe writenn,   [f. 3b]
Himm bidde icc þatt hēt wrīte rihht,   Swasumm þiss boc himm tæcheþþ,
All þwerrtūt affterr þatt itt iss   Uppo þiss firrste bisne,   50
Wiþþ all swillc rīme alls her iss sett,   Wiþþ allse fele wordess;
Annd tatt he loke wel þatt he   An bocstaff wrīte twiʒʒess
Eʒʒwhær þær itt uppo þiss boc   Iss wrītenn o þatt wise.
Loke he wel þatt hēt write swa;   Forr he ne maʒʒ nohht elless
Onn ennglissh wrītenn rihht te word,   Þatt wite he wel to soþe. 55
Annd ʒiff mann wile wītenn whi   Icc hafe don þiss dede,
Whi icc till ennglissh hafe wennd   Goddspelless hallʒhe lare;
Icc hafe itt don forrþi þatt all   Crisstene follkess berrhless
Iss lang uppo þatt an þatt teʒʒ   Goddspelless hallʒhe lare
Wiþþ fulle mahhte follʒhe rihht   Þurrh þohht, þurrh word, þurrh dede. 60
Forr all þat æfre onn erþe iss ned   Crisstene follc to follʒhenn
I trowwþe, i dede, all tæcheþþ hemm   Goddspelless hallʒhe lare.
Annd forrþi whase lerneþþ itt   Annd follʒheþþ itt wiþþ dede,
He shall onn ende wurrþi ben   Þurrh Godd to wurrþenn borrʒhenn.
Annd tærfore hafe icc turrnedd itt   Inntill ennglisshe spæche, 65
Forr þatt i wollde bliþeliʒ   Þatt all ennglisshe lede

Wiþþ ære shollde lisstenn itt,   Wiþþ herrte shollde itt trowwenn,
Wiþþ tunge shollde spellenn itt,   Wiþþ dede shollde itt follȝhenn,
To winnenn unnderr crisstenndom   Att Godd soþ sawle berrhless.
Annd ȝiff þeȝȝ wilenn herenn itt   Annd follȝhenn itt wiþþ dede,   70
Icc hafe hemm hollpenn unnderr Crist   To winnenn þeȝȝre berrhless.
Annd i shall hafenn forr min swinnc   God læn att Godd onn ende,
Ȝiff þatt i forr þe lufe off Godd   Annd forr þe mede off heffne
Hemm hafe itt inntill ennglissh wennd   Forr þeȝȝre sawle nede.
Annd ȝiff þeȝȝ all forrwerrpenn itt,   Itt turrneþþ hemm till sinne,   75
Annd i shall hafenn addledd me   Þe laferrd Cristess are,
Þurrh þatt icc hafe hemm wrohht tiss boc   To þeȝȝre sawle nede,
Þohh þatt teȝȝ all forrwerrpenn itt   Þurrh þeȝȝre modiȝnesse.
Goddspell onn ennglissh nemmnedd iss   God word annd god tiþennde,
God errnde forrþi þatt itt wass   Þurrh hallȝhe goddspellwrihhtess   80
All wrohht annd wrītenn uppo boc   Off Cristess fi[rr]sste come,
Off hu soþ Godd wass wurrþenn mann   Forr all mannkinne nede,
Annd off þatt mannkinn þurrh hiss dæþ   Wass lesedd ūt off helle,
Annd off þatt he wisslike ras   Þe þridde daȝȝ off dæþe,
Annd off þatt he wisslike stah   Þa siþþenn upp till heffne,   85
Annd off þatt he shall cumenn efft   To demenn alle þede
Annd forr to ȝeldenn i-whillc mann   Affterr hiss aȝhenn dede.
Off all þiss god uss brinngeþþ word   Annd errnde annd god tiþennde
Goddspell, annd forrþi maȝȝ itt wel   God errnde ben ȝe-hatenn.
Forr mann maȝȝ uppo goddspellboc   Godnessess findenn seffne,   90
Þatt ure Laferrd Jesu Crist   Uss hafeþþ don onn erþe,
Þurrh þatt he comm to manne annd þurrh   Þatt he warrþ mann onn erþe.
Forr an godnesse uss hafeþþ don   Þe Laferrd Crist onn erþe,
Þurrh þatt he comm to wurrþenn mann   Forr all mannkinne nede.
Oþerr godnesse uss hafeþþ don   Þe Laferrd Crist onn erþe,   [f. 4
Þurrh þatt he was i flumm Jorrdan   Fullhtnedd forr ure nede;   96
Forr þatt he wollde uss waterrkinn   Till ure fulluhht hallȝhenn,
Þurrh þatt he wollde ben himm sellf   Onn erþe i waterr fullhtnedd.
Þe þridde god uss hafeþþ don   Þe Laferrd Crist onn erþe,
þurrh þatt he ȝaff hiss aȝhenn lif   Wiþþ all hiss fulle wille,   100
To þolenn dæþþ o rodetre   Sacclæs wiþþutenn wrihhte,
To lesenn mannkinn þurrh his dæþ   ūt off þe defless walde.
Þe ferþe god uss hafeþþ don   Þe Laferrd Crist onn erþe,
Þurrh þatt hiss hallȝhe sawle stah   Fra rode dun till helle,
To tăkenn ūt off hellewa   Þa gode sawless alle,   105
Þatt haffdenn cwemmd himm i þiss lif   Þurrh soþ unnshaþiȝnesse.
Þe fifte god uss hafeþþ don   Þe Laferrd Crist onn erþe,
Þurrh þatt he ras forr ure god   Þe þridde daȝȝ off dæþe
Annd lēt te posstless sen himm wel   Inn hiss mennisske kinde;
For þatt he wollde fesstnenn swa   Soþ trowwþe i þeȝȝre brestess   110
Off þatt he, wiss to fulle soþ,   Wass risenn upp off dæþe
Annd i þatt illke flæsh þatt wass   Forr uss o rode naȝȝledd;
Forr þatt he wollde fesstnenn wel   Þiss trowwþe i þeȝȝre brestess,
He lēt te posstless sen himm wel   Well offte siþe onn erþe
Wiþþinnenn daȝȝess fowwerrtiȝ   Fra þatt he ras off dæþe.   115
Þe sexte god uss hafeþþ don   Þe Laferrd Crist onn erþe,
Þurrh þatt he stah forr ure god   Upp inntill heffness blisse
Annd sennde siþþenn haliȝ gast   Till hise lerninngcnihhtess,
To frofren annd to beldenn hemm   To stanndenn ȝæn þe defell,
To gifenn hemm god witt i-noh   Off all hiss hallȝhe lare,   120
To gifenn hemm god lusst, god mahht   To þolenn alle wawenn,
All for þe lufe off Godd, annd nohht   Forr erþliȝ loff to winnenn.
Þe seffnde god uss shall ȝēt don   Þe Laferrd Crist onn ende,

Þurrh þatt he shall o domessdaʒʒ   Uss gifenn heffness blisse,   [t 4 aˡ
ʒiff þatt we shulenn wurrþi ben   To findenn Godess are.   125
Þuss hafeþþ ure Laferrd Crist   Uss don godnessess seffne,
Þurrh þatt tatt he to manne comm   To wurrþenn mann onn erþe.
Annd o þatt hallʒhe boc þatt iss   Apokalypsis nemmnedd
Uss wrāt te posstell sannt Johan   Þurrh haliʒ gastess lare
Þatt he sahh upp inn heffne an boc   Bisett wiþþ seffne innseʒʒless,   130
Annd sperrd swa swiþe wel, þatt itt   Ne mihhte nan wihht opnenn
Wiþþutenn Godess hallʒhe lamb   Þatt he sahh ec inn heffne.
Annd þurrh þa seffne innseʒʒless wass   Rihht swiþe wel bitacnedd
Þatt sefennfald godleʒʒc þatt Crist   Uss dide þurrh hiss come;
Annd tatt nan wihht ne mihhte nohht   Oppnenn þa seffne innseʒʒless 135
Wiþþutenn Godess lamb, þatt comm   Forr þatt itt shollde tacnenn
Þat nan wihht, nan enngell, nan mann   Ne naness kinness shaffte   [t. 4 b
Ne mihhte þurrh himm sellfenn þa   Seffne godnessess shæwenn
O mannkinn, swa þatt itt mannkinn   Off helle mihhte lesenn,
Ne gifenn mannkinn lusst ne mahht   To winnenn heffness blisse.   140
Annd all allswase Godess lamb   All þurrh hiss aʒhenn mahhte
Lihhtlike mihhte annd wel i-noh   Þa seffne innseʒʒless oppnenn,
Allswa þe Laferrd Jesu Crist,   All þurrh hiss aʒhenn mahhte,
Wiþþ faderr annd wiþþ haliʒ gast   An Godd annd all an kinde,
Allswa rihht he lihhtlike i-noh   Annd wel wiþþ alle mihhte   145
O mannkinn þurrh himm sellfenn þa   Seffne godnessess shæwenn,
Swa þatt he mannkinn wel i-noh   Off helle mihhte lesenn
Annd gifenn mannkinn lufe annd lusst   Annd mahht annd witt annd wille,
To stanndenn inn to cwemenn Godd,   To winenn heffness blisse.
Annd forr þatt haliʒ goddspellboc   All þiss godnesse uss shæweþþ,   150
Þiss sefennfald godleʒʒc þatt Crist   Uss dide þurrh hiss are;
Forrþi birrþ all crisstene follc   Goddspelless lare follʒhenn.
Annd tærfore hafe icc turrnedd itt   inntill ennglisshe spæche,
Forr þatt i wollde bliþeliʒ   Þatt all ennglisshe lede
Wiþþ ære shollde lisstenn itt,   Wiþþ herrte shollde itt trowwenn,   [f. 4 bˡ
Wiþþ tunge shollde spellenn itt,   Wiþþ dede shollde itt follʒhenn,   156
To winnenn unnderr crisstenndom   Att Crist soþ sawle berrhless.
Annd Godd allmahhtiʒ ʒife uss mahht   Annd lusst annd witt annd wille,
To follʒhenn þiss ennglisshe boc,   Þat all iss haliʒ lare,
Swa þatt we motenn wurrþi ben   To brukenn heffness blisse.
                                        Am[æn]. Am[æn]. Am[æn]. 160

Icc þatt tiss ennglissh hafe sett   Ennglisshe menn to lare,
Icc was þær þær i crisstnedd wass   Orrmin bi name nemmnedd.
Annd icc, Orrmin, full innwarrdliʒ   Wiþþ muþ annd ec wiþþ herrte
Her bidde þa crisstene menn   Þatt herenn oþerr rēdenn
Þiss boc, hemm bidde icc her þatt teʒʒ   Forr me þiss bede biddenn: 165
"Þatt broþerr þatt tiss ennglissh writt   Allræresst wrāt annd wrohhte,
Þatt broþerr forr hiss swinnc to læn   Soþ blisse mōte findenn. Am[æn]."

Þiss boc iss nemmnedd Orrmulum,   Forrþi þatt Orrm itt wrohhte,   [t. 9
Annd itt iss wrohht off quaþþrigan,   Off goddspellbokess fowwre,
Off quaþþrigan Amminadab,   Off Cristess goddspellbokess;
Forr Crist maʒʒ þurrh Amminadap   Rihht full wel ben bitacnedd;
Forr Crist toc dæþ o rodetre   All wiþþ hiss fulle wille.   5
Annd forrþi þatt Amminadab   O latin spæche iss nemmnedd,
O latin boc spontaneus   Annd onn ennglisshe spæche
Þatt weppmann, þatt summ dede doþ   Wiþþ all hiss fulle wille,
Forrþi maʒʒ Crist full wel ben þurrh   Amminadab bitacnedd;
Forr Crist toc dæþ o rodetre   All wiþþ hiss fulle wille.   10

_MS_ 161, 166 tis _corrected to_ þis _by later hand._

Þatt waȝȝn iss nemmnedd quaþþrigan　Þatt hafeþþ fowwre wheless,
Annd goddspell iss þatt waȝȝn forrþi　Þatt itt iss fowwre bokess,
Annd goddspell iss Jesusess waȝȝn,　Þatt gaþ o fowwre wheless,
Forrþi þatt itt iss sett o boc　Þurrh fowwre goddspellwrihhtess.
Annd Jesuss iss Amminadab,　Swasumm icc hafe shæwedd, 15
Forr þatt he swallt o rodetre　All wiþþ hiss fulle wille.
Annd goddspell forr þatt illke þing　Iss currus Salomoniss,
Forr þatt itt i þis middellærd　Þurrh goddspellwrihhtess fowwre
Waȝȝneþþ soþ Crist fra land to land,　Þurrh Cristess lerninngcnihhtes,
Þurrh þatt teȝȝ i þiss middellærd　Flittenn annd farenn wide 20
Fra land to land, fra burrh to burrh,　To spellenn to þe lede
Off soþ Crist annd off crisstenndom　Annd off þe rihhte læfe
Annd off þatt lif þatt ledeþþ menn　Upp inntill heffness blisse.
Þurrh swillc þeȝȝ berenn hælennd Crist,　Alls iff þeȝȝ karrte wærenn
Off wheless fowwre, forrþatt all　Goddspelless hallȝhe lare 25
Iss, alls icc hafe shæwedd ȝuw,　O fowwre goddspellbokess;
Annd forrþi maȝȝ goddspell full wel　Ben Sälemanness karrte,
Þiss iss to seggenn opennliȝ　Þe laferrd Cristess karrte,
Forr Jesu Crist, allmahhtiȝ Godd,　Þatt alle shaffte wrohhte,
Iss wiss þatt soþe Salemann　Þatt sette griþþ onn erþe 30
Bitwe[o]nenn Godd annd menn, þurrh þatt　He ȝaff hiss lif o rode
To lesenn mannkinn þurrh hiss dæþ　Ut off þe defless walde;
Annd forrþi maȝȝ soþ Crist ben wel　Þurrh Salemann bitacnedd,
Forr Salomon iss onn ennglissh　Þatt mann þatt soþ sahhtnesse
Annd trigg annd trowwe, griþþ annd friþþ　Reȝȝseþþ bitwenenn lede, 35
Annd follȝheþþ itt wiþþ all hiss mahht　þurrh þohht, þurrh word, þurrh dede.
All þus iss þatt hallȝhe goddspell,　Þatt iss o fowwre bokess,
Nemmnedd Amminadabess waȝȝn　Annd Salemanness karrte,
Forr þatt itt waȝȝneþþ Crist till menn　Þurrh fowwre goddspellwrihhtess, [f. 9 b
Rihht alls iff itt wære þatt waȝȝn　Þatt gaþ o fowwre wheless. 40
Annd tuss iss Crist Amminadab　Þurrh gastliȝ witt ȝe-hatenn,
Forrþatt he toc o rode dæþ　Wiþþ all hiss fulle wille;
Annd Salomon he nemmnedd iss,　Swasumm icc hafe shæwedd,
Forr þatt he sette griþþ annd friþþ　Bitwenenn heffne annd erþe,
Bitwenenn Godd annd menn, þurrh þatt　Þatt he toc dæþ o rode, 45
To lesenn mannkinn þurrh hiss dæþ　Ut off þe defless walde.
Annd all þuss þiss ennglisshe boc　Iss Orrmulum ȝe-hatenn
Inn quaþþrigan Amminadab,　Inn currum Salomonis.
Annd off goddspell icc wile ȝuw　Ȝet summ del mare shæwenn:
Ȝet wile icc shæwenn ȝuw forrwhi　Goddspell iss goddspell nemmnedd, 50
Andd ec icc wile shæwenn ȝuw　Hu mikell sawle sellþe
Annd sawle berrhless unnderrfoþ　Att goddspell all þatt lede
Þatt follȝheþþ goddspell þwerrtut wel　Þurrh þohht, þurrh word, þurrh dede.

Birth of Jesus.

O: An romanisshe kaserrking　Wass Augusstuss ȝe-hatenn, [col. 83 bott. Holt I p.112, l. 3270]
Annd he wass wurrþenn kaserrking　Off all mannkinn onn eorþe,
Annd he gann þennkenn off himm sellf　Annd off hiss miccle riche.
Annd he bigann to þennkenn þa,　Swasum þe goddspell kiþeþþ,
Off þatt he wollde witenn wel　Hu mikell fehh himm come, 5
Ȝiff himm off all hiss kinedom　Illc mann an peninng ȝæfe. [col. 84
Annd he badd settenn upp o writt　All mannkinn, forr to lokenn
Hu mikell fehh he mihhte swa　Off all þe weorelld sammenn,
Þurhh þatt himm shollde off illcan mann　An peninng wurþenn reccnedd.

V: 1 Factum est autem in diebus illis, exiit edictum a Caesare Augusto, ut describeretur universus orbis. 2 Haec descriptio prima facta est a praeside Syriae Cyrino; 3 et ibant

O:

Annd ta wass sett tat i-whillc mann, | Whærsumm he wære o lande, | 10
Ham shollde wendenn to þatt tun | Þatt he wass borenn inne, |
Annd tatt he shollde þær forr himm | Hiss hæfeddpeninng reccnenn, |
Swa þatt he ȝæn þe kaserrking | Ne felle nohht i wite. |
Annd i þatt illke time wass | Josæp wiþþ sannte Marȝe |
I Galilew annd i þatt tun | Þatt Nazaræþ wass nemmnedd. | 15
Annd ta þeȝȝ baþe forenn ham | Till þeȝȝre baþre kinde, |
Inntill þe land off Ȝerrsalæm | Þeȝȝ forenn samenn baþe |
Annd comenn inntill Beþþleæm | Till þeȝȝre baþre birde, |
Þær wass hemm baþe birde to, | For þatt teȝȝ baþe wærenn |
Off Daviþþ kinȝess kinness menn, | Swasumm þe goddspell kiþeþþ. | 20
Annd Daviþþ kinȝess birde wass | I Beþleæmess chesstre; |
Annd hemm wass baþe birde þær | Þurrh Daviþþ kinȝess birde; |
For þatt teȝȝ baþe wærenn off | Daviþess kin and sibbe. |
Annd sannte Marȝess time wass | Þatt ȝho þa shollde childenn, |
Annd tær ȝho barr allmahhtiȝ Godd, | Þatt all þis weorelld wrohhte, | 25
Annd wand himm sone i winndeclut | Annd leȝȝde himm inn an cribbe; |
Forrþi þatt ȝho ne wisste whær | Ȝho mihhte himm don i bure. |
Annd tohh þatt Godd wass borenn þær | Swa dærnelike onn eorþe |
Annd wundenn þær swa wreccheliȝ | Wiþþ clutess inn an cribbe, |
Ne wollde he nohht forrholenn ben | Þohhweþþre i þeȝȝre clutess, | 30
Acc wollde shæwenn whatt he wass | Þurrh heofennlike takenn. |
Forr sone anan affterr þatt he | Wass borenn þær to manne, |
Þær onnfasst i þatt illke land | Wass seȝhenn mikell takenn: | [col. 85
An enngell comm off heoffness ærd | Inn aness weress hewe |
Till hirdess þær þær þeȝȝ þatt nihht | Biwokenn þeȝȝre faldess; | 35
Þatt enngell comm annd stod hemm bi | Wiþþ he[o]ffness lihht annd le[o]me. |
Annd forrþrihhtsumm þeȝȝ sæȝhenn himm | Þeȝȝ wurdenn swiþe offdredde; |
Annd Godess enngell hemm bigann | To frofrenn annd to beldenn, |
Annd seȝȝde hemm þuss o Godess hallf | Wiþþ swiþe milde spæche: |
"Ne be[o] ȝe nohht forrdredde off me, | Acc be[o] ȝe swiþe bliþe, | 40
Forr icc amm sennd off he[o]ffness ærd | To kiþenn Godess wille, |
To kiþenn ȝuw þatt all follc iss | Nu cumenn mikell blisse. |
For ȝuw iss borenn nu to-daȝȝ | Hælennde off ȝure sinness, |
An wenchel, þatt iss Jesu Crist. | Þatt wite ȝe to soþe! |
Annd her onnfasst he borenn iss | I Daviþþ kingess chesstre, | 45
Þatt iss ȝe-hatenn Beþþleæm, | I þiss judisskenn birde. |
Annd her icc wile shæwenn ȝuw | Summþing to witerr takenn: |
Ȝe shulenn findenn ænne child | I winndeclutess wundenn, |
Annd itt iss inn a cribbe leȝȝd, | Annd tær ȝet muȝhenn findenn." |
Annd sone anan se þiss wass seȝȝd | Þurrh an off Godess enngless, | 50
A mikell here off engleþe[o]d | Wass cumenn ūt off he[o]ffne, |
Annd all þatt hirdeflocc hemm sahh | Annd herrde whatt teȝȝ sungenn. |
Þeȝȝ alle sungenn ænne sang | Drihhtin to lofe and wurrþe, |
Annd tuss þeȝȝ sungenn alle i-mæn, | Swasumm þe 'goddspell kiþeþþ: |

36, 40, 41, 51, 55, 56, 57, 62, 72, 77 [o] *erased*

V: omnes, ut profiterentur singuli, in suam civitatem. 4 Ascendit autem et Ioseph a Galilaea de civitate Nazareth in Iudaeam in civitatem David, quae vocatur Bethlehem, eo quod esset de domo et familiaDavid, 5 ut profiteretur cum Maria desponsata sibi uxore praegnante. 6 Factum est autem, cum essent ibi, impleti sunt dies, ut pareret. 7 Et peperit filium suum primogenitum, et pannis eum involvit, et reclinavit eum in praesepio, quia non erat eis locus in diverȿorio. 8 Et pastores erant in regione eadem vigilantes, et custodientes vigilias noctis super gregem suum. 9 Et ecce, angelus Domini stetit iuxta illos, et claritas Dei circumfulsit illos, et timuerunt timore magno. 10 Et dixit illis angelus: "Nolite timere: ecce enim evangelizo vobis gaudium magnum, quod erit omni populo, 11 quia natus est vobis hodie salvator, qui est Christus Dominus, in civitate David. 12 Et hoc vobis signum: Invenietis infantem pannis involutum. et positum in praesepio." 13 Et subito facta est

O: "Si Drihhtin upp inn he[o]ffness ærd   Wurrþminnt annd loff and wullderr, 55
Annd upponn e[o]rþe griþþ and friþþ   Þurrh Godess mildhe[o]rrtnesse
Till i-whillc mann þatt habbenn shall   God he[o]rrte annd aȝȝ god wille."
Annd sone anan se þiss wass þær   Þurrh Godess enngless awwnedd,
Þeȝȝ wenndenn fra þa wäkemenn   All ūt off þeȝȝre sihhþe.
Þa hirdess tokenn sone þuss   To spekenn hemm bitwenenn: 60
"Ga we nu till þatt illke tun   Þatt Beþþleæm iss nemmnedd,
Annd loke we þatt illke word   Þatt iss nu wrohht onn e[o]rþe,
Þatt Drihhtin Godd uss hafeþþ wrohht   Annd awwnedd þurrh hiss are.
Annd sone anan þeȝȝ ȝedenn forþ   Till Beþþleæmess chesstre   [col. 86
Annd fundenn sannte Marȝe þær   Annd Josæp, hire macche,   65
Annd ec þeȝȝ fundenn þær þe child,   Þær itt wass leȝȝd i cribbe.
Annd ta þeȝȝ unnderrstodenn wel   Þatt word tatt Godess enngless
Hemm haffdenn awwnedd off þatt child   Þatt teȝȝ þær haffdenn fundenn;
Annd ta þeȝȝ wenndenn hemm onn-ȝæn   Wiþþ rihhte læfe o Criste,
Annd tokenn innwarrdlike Godd   To lofenn annd to þannkenn   70
All þatt teȝȝ haffdenn herrd off himm   Annd seȝhenn þurrh hiss are.
Annd sone anan þeȝȝ kiddenn forþ   A-mang judisskenn þe[o]de
All þatt teȝȝ haffdenn herrd off Crist   Annd seȝhenn wel wiþþ eȝhne;
Annd i-whillc mann þatt herrde it ohht   Forrwunndredd wass þæroffe.
Annd ure laffdiȝ Marȝe toc   All þatt ȝho sahh and herrde,   75
Annd all ȝhot held inn hire þohht,   Swasumm þe goddspell kiþeþþ,
Annd leȝȝde itt all tosamenn aȝȝ   I swiþe þohhtfull he[o]rrte
All þatt ȝho sahh annd herrde off Crist,   Whas moderr ȝho wass wurrþenn.

V: cum angelo multitudo militiae coelestis, laudantium Deum et dicentium: 14 "Gloria in altissimis Deo, et in terra pax hominibus bonae voluntatis." 15 Et factum est, ut discesserunt ab eis angeli in coelum, pastores loquebantur ad invicem: "Transeamus usque Bethlehem, et videamus hoc verbum, quod factum est, quod Dominus ostendit nobis." 16 Et venerunt festinantes, et invenerunt Mariam et Ioseph, et infantem positum in praesepio. 17 Videntes autem cognoverunt de verbo, quod dictum erat illis de puero hoc. 18 Et omnes, qui audierunt, mirati sunt, et de his, quae dicta erant a pastoribus ad ipsos. 19 Maria autem conservabat omnia verba haec, conferens in corde suo.

2. Genesis and Exodus (ab. 1250).

P: *Petrus Comestor (died ub. 1178), Historia Scholastica, Genesis. — Ed.: Migne's Patrologia Latina 198, Paris 1855, col. 1053. — Vulgate is source only in a general way.*
GE: *Genesis and Exodus. — MS.: Cambr. Corpus Christi Coll. 444 (a little earlier than 1300). — Ed.: Morris, 1865 and 1874, EETS. 7; Mätzner, Sprachpr. I 75—90 (ll. 1907—2536).*

Creation.

GE: Man og to luven ðat rimes ren,   [f. 1   ðan man hem telled soðe tale
ðe wisseð wel ðe logede men,   Wid londes speche and wordes smale
Hu man may him wel loken   Of blisses dune, of sorwes dale;
ðog he ne be lered on no boken,   Quhu Lucifer, ðat devel dwale,   20
Luven God and serven him ay,   5   [Brogte mankinde in sinne and bale]
For he it hem wel gelden may,   And held hem sperd in helles male
And to alle christenei men   Til God srid him in manliched,
Beren pais and luve bitwen;   Dede mankinde bote and red
ðan sal him Almightin luven   And unspered al ðe fendes sped   25
Her bineðen and gund a-buven   10   And halp ðor he sag mikel ned.
And given him blisse and soules reste[n],   Biddi hic singen non oðer led,
ðat him sal earvermor lesten.   ðog [mai] hic folgen idelhed.
   Ut of latin ðis song is dragen   Fader God of alle ðhinge,   [f. 1 b
On engleis speche, on soðe sagen;   Almigtin loverd, hegest kinge,   30
Cristene men ogen ben so fagen   15   ðu give me seli timinge
So fueles arn quan he it sen dagen,   To thaunen ðis werdes beginninge.

   MS 10 gund] ðund   —

GE: ðe, Leverd God, to wurðinge,
Queðer so hic rede or singe!
  Wit and wisdam and luve [is] Godd, 35
And fer ear biðohte al in his modd;
In his wisdom was al biðogt
Ear ðanne it was on werlde broght.
In firme bigini[n]g of nogt
Was hevene and erðe samen wrogt; 40
ðo bad God wurðen stund and stede,
ðis middeswerld ðorinne he dede.
Al was ðat firme ðrosing in nigt,
Til he wit hise word made ligt;
Of hise word ðu wislike mune, 45
Hise word, ðat is hise wise sune,
ðe was of hin fer ear biforen
Or ani werldes time boren;
And of hem two ðat leve luven,
ðe welden al her and a-buven, 50
ðat heli luve, ða[t] wise wil,
ðat weldet alle ðinge wit rigt and [s]kil;
Migt bat wit word wurðen ligt:
Hali frovre welt oc ðat migt;
For ðhre persones and on reed, [f. 2
On migt and on godfulhed. 56
ðo so wurð ligt so God it bad,
Fro ðisternesse o-sunde[r] sad;
ðat was ðe firme morgentid
ðat evere sprong in werld[e] wid. 60
Wid ðat ligt worn angles wrogt
And into newe hevene brogt,
ðat is over dis walkenes turn:
God hem quuad ðor seli surjurn;
Summe for pride fellen ðeðen 65
Into ðis ðhisternesse her bineðen;
Pride made angel devel dwale,
ðat made ilc sorge and everilc bale
And everilc wunder and everilc wo,
ðat is or sal ben everemo. 70
He was mad on ðe sunedai,
He fel out on ðe munendai;
— ðis ik wort [is] in ebrisse wen,
He witen ðe soðe, ðat is sen.—
Forð glod ðat firme [dais] ligt, 75
And after glod ðat firme nigt;
ðe daigening cam eft a-gon,
His firme kinde dei was a-gon

On walkenes turn wid dai and nigt
Of foure and twenti time rigt; 80
ðes frenkis men o france moal [f. 2 b
It nemnen "un jur natural";
And evere gede ðe dai biforn,
Siðen ðat newe werld was boren,
Til Jhesus Crist fro helle nam 85
His quemed wid Eve and Adam;
Fro ðat time we tellen ay
Or ðe nigt and after ðe day,
For God ledde hem fro hellenigt
To paradises leve ligt; 90
ðo gan hem dagen wel i-wisse,
Quan God hem ledde into blisse.
  On an oðer dai ðis middelerd
Was al luken and a-buten sperd;
ðo God bad ben ðe firmament 95
Al a-buten ðis walkne sent,
Of watres froren, of yses wal
ðis middelerd it luket al; —
May no fir get melten ðat ys;
He ðe it made is migtful and wis,— 100
It mai ben hoten hevene rof;
It hiled al ðis werldes drof,
And fier and walkne and water, and
Al is biluken in Godes hond, [lond
Til domesdai ne sal it troken. 105
Al middelerd ðerinne is loken,
Watres ben her ðerunder suven, [f. 3
And watres ðor a-buven;
And over ðat so ful i-wis,
An oðer hevene ful o blis 110
And ful o lif ðe lested oo.
Wo may him ben ðe fel ðorfro!
  Forð glod ðis oðer dais nigt,
ðo cam ðe ðridde dais ligt:
ðe ðridde dai, so God it bad, 115
Was water and erðe o-sunder sad;
God biquuad watres here stede
And erðe brimen and beren dede;
Ilk gres, ilc wurt, ilc birðhel-tre,
His owen sed beren bad he; 120
Of everilc ougt, of everilc sed,
Was erðe mad moder of sped.
ðe ðridde dai was al ðis wrogt
And erðes fodme on werlde brogt,

---

77 eft] est   124 werlde

P: *For GE* 61 ff. *cp. cap. IV:* Secunda die disposuit Deus superiora mundi sensibilis. Empyreum enim coelum, quam cito factum est, statim dispositum est et ornatum, id est sanctis angelis repletum.   *For* 65—74: Et cum huius diei opus bonum fuerit, ut caeterorum, tamen non legitur de eo: Vidit Deus quod esset bonum.   Tradunt enim Hebraei, quia hac die angelus factus est diabolus Satanael, id est Lucifer (*ib.*). 93 ff.   Fecit ergo ea die Deus firmamentum in medio aquarum, id est quamdam exteriorem mundi superficiem ex aquis congelatis, ad instar crystalli consolidatam, et perlucidam, intra se caetera sensibilia continentem ad imaginem testae, quae in ovo est (*ib.*). 99 . . . et [aquae] sunt sicut et ipsum (sc. firmamentum) congelatae, ut crystallus, ne igni solvi possint (*ib.*).   102 Dicitur etiam coelum, quia celat, id est tegit omnia invisibilia.

GE: An everilc fodme his kinde quuemeðen: 125
 ðo was it her fair bineðen.
God sag his safte fair and good
And bliscede it wid milde mood.
  Forð glod ðis ðridde dais nigt,
ðo cam ðe ferðe dais ligt.   130
ðe ferðe dai made Migt
Sunne and mone and ilc sterre brigt,
Walkness wurðinge and erdes frame, [f. 3 b
He knowned one ilc sterre name,
He sett es in ðe firmament   135
Al a-buten ðis walkne went;
ðe sevene he bad on fligte faren
And toknes ben and times garen.
Sunne and mone ðe moste ben
Of alle ðe toknes ðat men her sen; 140
ðe mone is more bi mannes tale
ðan al ðis erðe in werldes dale;
And egte siðe ðe sunne brigt
Is more ðanne ðe mones ligt.
ðe mones ligt is moneð met,   145
ðorafter is ðe sunne set;
In gevelengðhe worn it mad,
In rekefille on-sunder shad;
Twe gevelengðhes timen her
And two solstices in ðe ger.   150
On four doles delen he
ðe ger, ilc dole of moneð ðhre;
Evere schinen ðo toknes brigt,
And often given is on erðe ligt;
Wel wurðe his migt lefful ay,   155
ðe wrout is on ðe ferðe day!
  Forð glod ðis ferðe dais nigt,
ðo cam ðe fifte dais ligt;
ðe fifte day God made y-wis
Of water ilc fuel and erverilc fis   [f. 4
And tagte fuel on walkene his fligt, 161
Ilc fis on water his flotes migt,
And blisced hem and bad hem ðen

And tuderande on werld[e] ben.
 ðis fifte dai held forð his fligt,   165
And forð endede ðat fifte nigt;
And [cam] ðe sexte dais ligt,
So made God wid witter migt
Al erve and wrim and wilde der,
Qwel man mai sen on werlde her.   170
God sag bifore quat after cam,
ðat singen sulde firme Adam;
And him to fremen and do[n] frame,
He made on werlde al erve tame,
ðe sulde him her in swinkes strif   175
To fode and srud to helpen ðe lif;
And him to pine and loar her
God made wirme and wilde der.
He pine man wid sorwe and dred
And don hem monen his sinfulhed, 180
ðat is him loar quan he seð,
ðan he for sinne in sorwe beð.
Ilk kinnes erf and wrim and der
Was mad of erðe on werlde her,
And everilcon in kinde good   [f. 4 b
ðorquiles Adam fro sinne stod;   186
Oc der and wrim it deren man
Fro ðan ðat he singen bigan;
In ðe moste and in ðe leste he forles
His loverdhed quuanne he misches; 190
Leunes and beres him wile todragen
And fleges sen on him non agen;
Hadde he wel loked him wið skil,
Ilc beste sulde don his wil;
Erf helpeð him ðurg Godes með,   195
His lordehed ðoronne he seð.
And for hise sinne oc he to munen,
ðat moste and leiste him ben binumen.
 ðis sexte dai God made Adam,
And his licham of erðe he nam   200
And blew ðorin a lives blast,
A liknesse of his hali gast,

143 egest swilce ðe sunnes. *Emendation in text by Kölbing, ESt. 17, 244.*

P: 141—44 Sol et luna dicuntur magna luminaria in duobus, et ex duobus, id est non solum pro quantitate luminis, sed et corporis, et non tantum comparatione stellarum, sed et secundum se, quia sol dicitur octies maior terra, et luna etiam maior terra dicitur (*cap. VI*). 147—50 Quod autem sequitur, in tempora, non est putandum quod tunc per ea inciperent esse tempora, quae coeperunt esse cum mundo, sed quia per ea quatuor sunt temporum distinctiones. Sol quoque descendens ad Capricornum, solstitium hiemale facit, ascendens ad Cancrum aestivale. Inter utrumque, pari ab utroque distantia, aequinoctia facit(*ib.*). 171 ff. Sciens enim Deus hominem per peccatum casurum in poenam laboris, ad remedium laboris dedit ei iumenta, quasi adiuvamenta, ad opus, vel ad esum. Reptilia vero et bestiae sunt ei in exercitium. ... Dicitur quod ante peccatum hominis fuerunt mitia (*sc.* animantia), sed post peccatum facta sunt nociva homini tribus de causis: propter hominis punitionem, correptionem, instructionem; punitur enim homo cum laeditur his, vel cum timet laedi, quia timor maxima poena est. Corrigitur his, cum scit ista sibi accidisse pro peccato suo; instruitur admirando opera Dei, magis admirans opera formicarum, quam onera camelorum: vel cum videt haec minima sibi posse nocere, recordatur fragilitatis suae, et humiliatur(*cap. VIII*). Et nota quia in maximis, ut in leonibus, perdidit homo dominium, ut sciat se amisisse, et in minimis, ut in muscis etiam perdidit, ut sciat vilitatem suam; in mediis habet dominium, ad solatium, et ut sciat se etiam in aliis habuisse (*cap. IX*).

GE: A spirit ful of wit and sckil;
ðorquiles it folgede heli wil,
God self ðorquile liket is,   205
An unlik quuanne it wile mis.
[I]n feld damaske Adam was mad,
And ðeðen fer on londe sad;
God bar him into paradis,
An erd al ful of swete blis;   210
For wel he wid him ðor dede,   [f. 5
Bitagte him al ðat mirie stede;
Oc an bodeword ðer he him forbed:
If he wulde him silden fro ðe ded,
ðat he sulde him ðer loken fro   215
A fruit ðe kenned wel and wo,
And hiegt him ded he sulde ben
If he ðat bodeword ne gunne flen.

God brogt Adam ðor biforn
Ilc kinnes beste of erðe boren   220
And fugel an fis, wilde and tame:
ðor gaf Adam ilc here is name;
Ne was ðor non lik Adam.
God dede dat he on swevene cam,
And in ðat swevene he let him sen 225
Mikel ðat after sulde ben.
Ut of his side he toc a rib
And made a wimman him ful sib
And heled him ðat side wel,
ðat it ne wrocte him nevere a del. 230
Adam a-braid and sag ðat wif,
Name he gaf hire dat is ful rif:
Issa was hire firste name,
ðorof ðurte hire ðinken no same;

P: 207 Remansit homo in loco ubi factus est, in agro scilicet Damasceno? (*cap. XIII*).

3. South English

E: *Evangelium de Nativitate Mariae, Cap. VIIƒ., ed. Tischendorf, Evangelia Apocrypha, Lipsiae 1876, p. 117.*
M: *Pseudo-Matthaei Evangelium, Cap. VIII, ed. Tischendorf as above, p. 69.*
W: *Wace, Vie de la Vierge Marie (1st half 12th cent.). — Ed.: Luzarche, Tours 1859.*

Marriage

Lo: Þo heo was fourtene ȝer old,   þe biscop of þe lawe   [f. 211
Het ech maide of þulke elde   to hore contreie drawe,
To take hosebondes, as þe lawe was;   þe maidens were vawe   205
Of þulke heste, bote Marie   ne likede noȝt þe sawe;
Þo heo wiþ oþer was i-hote go   hosebonde to take,
Heo sede: "Þat þe lawe wole   nele ic noȝt vorsake;
Mi fader and my moder made biheste,   ar ic were biȝute,
Þat ic scholde in Godes servise   my maidenhod wute;   210

E: Itaque ad quartum decimum annum usque pervenit, ut non solum nihil de ea mali re-prehensione dignum confingere possent, sed et boni omnes qui eam noverant vitam et conversationem eius admiratione dignam iudicarent. Tunc pontifex publice denuntiabat ut virgines, quae in templo publice constituebantur et hoc aetatis tempus explessent, domum reverterentur et nuptiis secundum morem gentis et aetatis maturitatem operam darent. Cui mandato cum ceterae pronae paruissent, sola virgo Domini Maria hoc se facere non posse respondit, dicens se quidem et parentes suos Domini servitio mancipasse, et insuper se ipsam Domino virginitatem vovisse, quam numquam viro aliquo commixtionis more cognito violare vellet. Pontifex vero in angustia constitutus animi, cum neque contra scripturam quae dicit: "Vovete et reddite", votum infringendum putaret, neque morem genti insuetum introducere auderet, praecepit ut ad festivitatem quae imminebat omnes ex Hierosolymis et vicinis locis primores adessent, quorum consilio scire posset quid

W: La virge au temple con-   [Lu- Seient a lor parenz de-   Quant hom a parole la mist: 15
        versa, zarche   livrees,   "Ne puet estre," Marie dist,
        p. 32
De Deu servir pas n'en-   Des ore en avant mariees. 10   "Que a home seie mariee,
        sessa: Totes les plusors qui l'oïrent   Je sui a Damne-Dé donee,
Tote s'entente et sun pencé   Mult volentiers son comant   Je ai de lui fait mun ami,
Aveit a Deu servir torné.   firent;   Ne puis aver autre mari. 20
Tant fu norrie et tant créue 5   Mais Marie de ce n'aveit   Je li ai promis et voé
Qu'a XIII anz ja fu venue.   cure,   A garder ma virginité:
Dunc a li prestres comandé   Toz tenz vost estre virge   Voé li ai, si li tiendrai,
Que les virges de cest aé   et pure;   Ja mun vo ne trespacerai!

GE: Mayden, for sche was mad of man, 235 Dai of blisse and off reste ben,
Hire first name ðor bigan; For ðat time ear fear biforn,
Siðen ghe brocte us to woa, [t 5b Til Jhesus was on werlde boren,
Adam gaf hire name Eva. And til he was on ðe rode wold, 255
Adden he folged Godes red, And biried in ðe roche cold.
Al mankin adde seli sped; 240 And restede him after ðe ded;
For sinne he ðat blisse forloren: ðat ilke dai God aligen bed.
ðat derede al ðat of hem was boren; Siðen forles ðat dai is pris,
It is herafter in ðe song, For Jhesus, God and man so wis, 260
Hu Adam fel in pine strong. Ros fro ded on ðe sunenday,
 Forð glod ðis sexte dais lig[t], 245 ðat is forð siðen worðed ay; [t. 6
After glod ðe sexte nigt; And it sal ben ðe laste tid,
ðe sevendai morgen spro[n]g, Quan al mankinde, on werlde wid,
ðat dai tokenede reste long; Sal ben fro dede to live brogt, 265
ðis dai was forð in reste wrogt, And seli sad fro ðe forwrogt,
Ilc kinde newes ear was brog[t]; 250 An ben don in blisse and in lif,
God sette ðis dai folk betwen, Fro swinc, and sorwe, and deades strif.

P: 235 Haec vocabitur virago, id est a viro acta (*cap. XVIII*).

Legendary (before 1300).

L: *South English Legendary. MSS.: Oxf. Bodl. Ashmol. 43 (= Lo; 1st half 14th cent.); Brit. Mus. Egerton 1993 (= LL; a little earlier than the preceding MS.). — Ed.: Horstmann, Altengl. Legenden, Paderborn 1875, p.64. — On other MSS. and versions cp. Horstmann, l. c. introduction, and Altengl. Legenden, N. F., Heilbronn 1881, p. XLff.*

of the Virgin.

LL: Þo heo was of fortene ʒer old, þe bisschop of þe lawe [f. 29a, 2nd half
Het uche maide of þulke elde to hire contreie drawe,
To take hosbonde, as lawe was; þe maidnes were alle fawe
Of þe heste, bote Marie, hire likede noʒt þe sawe;
Þo heo was i-hote vorþ hosbonde wiþ oþere to take, 205
"Sire," heo seide, "þat [þe] lawe wole, i nul nowt forsake;
Ac mi fader and mi moder bihete for me, ar ic were biʒete,
Þat i scholde in Godes servise mi maidenhod wite;

E: de tam dubia re faciendum esset. Quod cum fieret, omnibus in commune placuit Dominum super hac re esse consulendum. Et cunctis quidem orationi incumbentibus pontifex ad consulendum Deum ex more accessit: nec mora, cunctis audientibus de oraculo et de propitiatorii loco vox facta est, secundum Esaiae vaticinium requirendum esse cui virgo illa commendari et desponsari deberet. Liquet enim Esaiam dicere: "Egredietur virga de radice Iesse, et flos de radice eius ascendet, et requiescet super eum spiritus Domini, spiritus sapientiae et intellectus, spiritus consilii et fortitudinis, spiritus scientiae et pietatis, et replebit eum spiritus timoris Domini." Secundum hanc ergo prophetiam cunctos de domo et familia David nuptui habiles non coniugatos virgas suas allaturos ad altare praedixit, et cuiuscumque post allationem virgula florem germinasset et in eius cacumine spiritus Domini in specie columbae consedisset, ipsum esse cui virgo commendari et desponsari deberet.

W: Et anceis que je fusse nee, 25 De l'autre part auques Por conseil prendre de cel
Fui je a mon Seignor donee: dotot, plait,
Tenir me voil a son servise; Costume metre n'i osot A li evesques mander fait
Por ce fui je au temple Dunt li parent se coros- Les sages homes, les senez
 mise." sacent, 35 Et des chastiaus et des
Li evesques ne sot que faire, Que lor fille ne mariassent, citez: 45
Ne l'oseit de son vo re- Si, cum il ert acoustumé Au temple furent asemblé
 traire; 30 Et establi et comandé, Le jor d'une solemnité.
Quar comandé aveit esté: Por le peuple multiplier, Dunc lor a l'om dit et mostré
"Voez et si rendez a Dé." Feire creistre et essaucier. 40 De la chose la verité,

Lo:
Ic my sulf, þo ic was child,   bihet our Lord al one
To lede my lif in chastete   wiþþoute mannes mone;
Þerfore ic ȝou segge to soþe   al myne wille:
Nei man ne schal ic never come   my maidenhod to spille."
Þe biscop and þe oþer maistres,   þat in þe temple were,   215
Great conseil nome of þis word   and were in gret fere,
Vor þe lawe wolde þat no man   a-ȝen suche biheste scholde beo,
And þe lawe wolde þat no womman   unspoused me scholde i-seo.
Gret conseil þerof hi nome   fram daie to dai in þe ȝere
In orisoun to bidde our Lord,   som toknynge to sende hem þere.   220
Þo com a vois to hem and sede: "þencheþ in Isaie!
Þat maide ches hire spouse   þoru his prophecie.
Nou sede Isaye   þat þer scholde springe
A ȝerde of Jessees more,   of David, þe kynge,
And a flour scholde springe   of þulke more also,   225
And þeruppe a-liȝte þe holi gost   and come so þerto.
Herþoru þis men wuste   hou hi scholde on take.
Of Davies kunde he het eche man   þat was wiþþoute make
And of elde to habbe wif,   þat ech of hem bere
A ȝerde to þe auter,   þat non vorbore nere;   230
And wuche ȝerde bigonne so blowe   and a colvere þeruppe i-broȝt,   [f. 211 b
Þat he tok Marie to spouse,   þat it nere bileved noȝt.
Þe biscop was þo glad i-nouȝ,   he let crie þere
Al þat were of Davies kunde   a ȝerde to þe auter bere.
Þo hi were to þe auter i-come,   ech hadde a ȝerde an honde.   235
Þer was Josep, an old mon,   þat bihynde alle gan stonde,
A-ȝenes wille he þuder com,   he ne dorste elles vor fere;
His ȝerde he hudde, þo oþer men   hore to þe auter bere.
Þer nas non þat gan to blowe,   ac Josep hi underȝete
Þat he hadde is ȝerde i-hud;   hi gonne anon to þrete;   240
Hi made him bere vorþ is ȝerd,   hit ne moste non oþer beo;
Þo he to þe auter com,   me miȝte miracle i-seo:
His ȝerde bigan to blowe anon,   þat raþer was old and bar,
Anoveward sat a colvere;   fair miracle was þar:
Upe þe ȝerde longe heo sat,   and seþþe þat folc i-sei: 245
Heo flei into al þe temple   and seþþe into hevene an hei.

E: VIII. Erat autem inter ceteros Ioseph homo de domo et familia David grandaevus: cunctis
vero virgas suas iuxta ordinem deferentibus solus ipse suam subtraxit. Unde cum nihi
divinae voci consonum apparuisset, pontifex iterato Deum consulendum putavit: qui

W: De la virge qui s'est voee
S'ele peut estre mariee ?   50
S'ele son vo n'en enfraigneit
Qu'ele enfraindre ne de-
    vreit ?
De ce lor estut conceil
    prendre,
Et mult parfundement en-
    tendre.
Coment la peut hom marier,   55
Si que son vo puisse garder;
Quar puis que hom a sun
    vo fait
Ne fait pas bien qui s'en
    retrait:
A nul senz guerpir ne deit-
    hom
Ce que home voe par
    raisom.   60

N'i ot home qui tant seüst
Qui conceilier les en peüst,
Fors Deu preier et reclamer
Qui crea ciel et terre et mer,
Que il lor face demostrance   65
O aucune cenefiance,
Que de ceste virge fereient,
Se de son vo la retraireient.
Puis se mistrent a oreisons
Et firent granz afflictions;   70
Et quant il lor preiere
    firent,
Une vois desur els oïrent
Qui dist: "Gardes la profetie
Que pieça vos dist Ysaïe.
Ysaïe pieça vos dist,   75
Et sa profetie vos pramist:
'De la raïz Jessé istra
Une verge qui florira:

La verge flor et fruit aura;
Sains-Esperis s'i reposera."'   80
Por la vois que lor anuncia
Que une verge florira,
Qui ert de la raïz Jessé,
Unt li prodome porpenssé
Que toz cels ferunt asem-
    bler.   85
Et en lor mains verges
    porter,
Qui du lignage sunt venu,
Quar Jessé pere Davit fu,
Et cil a feme aura Marie
En qui main la verge ert
    florie.   90
Li evesques a fait mander,
Et a un jor fait asembler
Toz cels qui esposes n'a-
    veient.

Ll:

And mi selven ek, þo ich was child,   bihet oure Lord al one
To libbe mi lif in chastite   wiþoute mannes mone;   210
Þerfore i sigge ow to soþe   þat þis is mi wille:
Neiȝ mon nulle ic never come   mi maidenhod to spille!"
    Þe bischop and alle þe oþer maistres,   þat of þe temple were,
Gret conseil nomen of þis word   and weren in grete fere,
Vor þe bok wolde þat no mon   a-ȝen such biheste scholde be,   215
And þat þe lawe wolde þat no wommon   from spoushod scholde vle.
Gret conseil þerof heo nomen,   from daiȝe to daiȝe were
In bedes to bidde Jhesum Crist   som tokninge hem sende þere.
Þo com þer a vois and bad hem   þenchen on Isaye,
And þat maide spouse chese   þorw his prophecie.   220
Now seide Isaye   þat þer scholde springe   [f. 29 b
A ȝerde of Jessees more   and of David, þe kinge,
And a flour scholde upteo   of þilke more also,
And þerupe þe holi gost   come a-liȝte þerto.
Herþorw þis men wuste   how heo scholden on take.   225
Of Daviþes kunne he het uche man   þat were wiþoute make
And [of] elde to habbe wif,   þat uch of hem bere
A bar ȝerde to þe auter,   þat non vorbore nere;
And whos ȝerde bigonne to blowe   and a colvere þeron i-brouȝt,
Þat he toke Marie to spouse,   þat hit nere bileved nouȝt.   230
    Þe bischop was þo glad i-now,   he let crie þere
Þat alle þat were of Daviþes kunne   a ȝerde to þauter bere.
Þo heo weren alle togadere   and uch hedde a ȝerde an honde:
Þer was Josep, an old mon,   þat bihinde alle gan stonde.
A-ȝen his wille þider he com,   he ne dorste elles for fere;   235
His ȝerde he hudde, þo his felaws   here ȝerden to þe auter bere.
    Þo þer nas non þat gan to blowe,   and Josep heo underȝite
Þat hedde is ȝerde so i-hudde,   heo gonnen him to þrete;
Heo maden him bere is ȝerde forþ,   he ne moste vorbore beo;
Þo he to þe auter com,   me miȝte miracle i-seo: 240
    His ȝerde bigan to blowe faire,   þat bar was and old er,
And anoward sat a whit colvere;   gret miracle was þer:
Upe [þe] ȝerde longe heo sat,   and seþþe þat volk i-saiȝ
Þat heo vleiȝ into þe temple a-boute   and seþþe to hevene an heiȝ.

E: respondit, solum illum ex his qui designati erant virgam suam non attulisse cui virginem desponsare deberet. Proditus itaque est Ioseph. Cum enim virgam suam attulisset et in cacumine eius columba de caelo veniens consedisset, liquido omnibus patuit ei virginem desponsandam fore.

W:

Qui de lignage Davit esteient;
Comandé fu que tuit venissent   95
Et en lor mains verge tenissent:
En qui la verge florireit,
A espose la virge aureit.
Quant vint le jor de l'asemblee,
Ne remest hom en la contree   100
Qui a cest afaire ne fust,
Se tels ne fu que feme eüst.
Josep vint en Jerusalem,
Uns hom qui fu de Bethleëm;
Vëaus hom fu, sa feme morte,   105

O cels autres sa verge porte.
Auques veils ert, ja ne quesist,
Que tels feme li avenist;
Graignors fils et ainz nez aveit
Que la sainte virge n'esteit.   110
Se il trestorner l'en peüst,
Ja ne queist que il l'eüst;
Mais ne le peut mie trestorner.
O ses vesins l'estuet aler.
Et quant il en la presse entra,   115
La verge que il tint muça.
Li evesques partot garda,
Nule de verges n'i trova

Qui flor portast ne qui florist;
Deu depreia et Deus li dist: 120
"Cil a sa verge trestornee
A qui la virge ert mariee."
Aperceüz fu e repris
Josep, si l'a hom avant mis.
Sa verge leva, si flori   125
Et borjona et reverdi.
Une columbe de ciel vint
Sor la verge que Josep tint.
Dunques li fu Marie donee
Et segun la lei esposee.   130
O il vosist o ne deignast,
O bel li fust, o li pesast,
Li estuet la dame esposer.
Ne la osa mie refuser.

Lo:

Þer nas non þat þis i-sei, þat sore a-drad nas.
Ac Joseph, þe olde man, swiþe sori was.
Þo me lokede him þe maide, a-schamed he was sore.
"Lokeþ," he sede, "my feblesse, and habbeþ of me milce and ore! 250
Nam ic old and eke feble? My miȝte is me bynome;
Heo is ȝong, and sunne it is make ous togadere come."
"Nym ȝeme," quaþ þe biscop, "þat þu þi sulf ne a-spille,
As dude Datan and Abiron, vor hi were a-ȝen Godes wille."
Þo was Joseph sore a-drad, he ne dorste wiþsegge na more 255
Vor drede of oure Lordes heste; he gan to sike sore:
"I nele noȝt God misdo, wenne it mot be so nede,
Ichulle hire wedde, ac heo ne schal for me hire maidenhod scede;
Ichulle hire wite as hire wardeyn, oþer ne mai ic noȝt,
Þat my sone hire wedde after me, þat hire ku[n]de be vorþ i-broȝt." 260
Vor þe lawe was, wen man ne miȝte biȝute child bi is wyve,
Þat is nexte kun scholde hire wedde after is lyve,
And ech after oþer, vorte sum child of þe blode come;
Hoso non wonne, unwerþi was, as it verde i-lome.

---

263 sum] sun

M: Cum autem sacerdotes dicerent ei: "Accipe eam, quia ex omni tribu Iuda tu solus electus
es a Deo," coepit adorare et rogare eos atque cum verecundia dicere: "Senex sum et filios
habeo, ut quid mihi infantulam istam traditis?" Tunc Abiathar summus pontifex dixit:
"Memor esto, Ioseph, quemadmodum Dathan et Abiron et Core perierunt, quia voluntatem

Birth of Jesus.[1]

Ll:

Out of Cesar August þer com such a ban, [f. 32 b, 1st half
Þat was vrom þe emperour þat het Ottavean, 496
Þat al þe middulert i-somned were.
Þo was þe somnes furst i-mad þere
Of Sirin, þat maister was in þe lond of Sirie.
And alle men to here oune cite bigonne to drawe and hiȝe. 500
Josep eode vrom Galilee, out of þe cite
Þat is i-cleped Nazareth, into þe lond of Jude,
To þe cite of Bedleem, as king David was i-bore,
Vor he was of Daviþes hous and of is meine i-core.
He wende mid is wif i-spoused, þat wiþ childe was. 505
So þat þe time was folfulled, as God ȝaf þe cas,
Þat heo scholde hire child bere; and hire furste sone heo ber
And biwond him in cloþes and a-doun leide him þer
I[n] a schupene, vor þer nas non oþer stude þere,
Bote þulke þat men to drowe whan hei inles were. 510
And in þilke selve kinges lond schepeherdes þer woke
Over heore bestes al þe niȝt þat heo hedden to loke.
And lo! oure Lordes angel bi hem stod bi niȝte,
And þe clernesse of oure Lord a-bouten he[m] al a-liȝte.
Þo douteden þe schepherdes and in gret drede weren i-brouȝt. 515
Þo seide þe angel to hem: "Ne dredeþ ow riȝt nouȝt!
Vor lo! ic bringe ou tidinge of grete joie and blis,
Þat schal beo to uch volk, vor i-bore he is i-wis
To ow to-day, þe saveour, þat Crist Lord is,
In þe cite of David; and þe tok[en] to ow worþ þis: 520
Ȝe schulen finde þat ȝonge child in cloþes i-wounde
And in a cracche i-leid." þo was þer in a stounde

---

498 somnes *repeated* 503 cite] lond 522 chacche

[1] *As to source, cp. Orrm, above p. 87 ff.*

Lʟ:

Þer nas non þat þis seiȝ,   þat sore a-drad nas.   245
Ac Josep, þe olde mon, in his half   þerfore sori was;
Þat me lokede him to wedde þat maide,   ofschamed he was sore.
"Lokeþ," he seide, "mi feblesse,   and habbeþ of me milse and ore!
Nam ich old wiþ manie children?   Mi miȝten beþ me binome,
And heo is ȝong, and sunne hit is   to maken us togedere come."   250
"Nim ȝeme, Josep!" quaþ þe bischop,   "þat þow þi self ne a-spille,
As Datan dude and Abiron   þat weren a-ȝe Godes wille."
Þo was Josep sore a-drad,   he ne dorste wiþsigge na more
Vor drede of oure Lordes wrethe;   he gan to sike sore.
"I nul noȝt," he seide, " God misdo,   ac, whan hit mot so nede, 255
Ichul hire wedde, ac heo ne schal   hire maidenhod for me schede;
Ichul hire witen and hire warden—   oþer ne mai it be nouȝt,—
Þat mi sone mai hire wedde after me,   þat oure kuinde be forþ i-brouȝt."
Vor þe lawe was þo, whan a mon ne miȝte   biȝete child bi is wive,
Þat is nexte kun hire wedde scholde   anon after is live,   260
And uch after oþer, vorte som child   of þe blode come;
Whose no child no wonne, unwurþe was,   as hit fel ofte i-lome.

---

254 wrethe] wreche

M: Domini contempserunt. Ita tibi eveniet si hoc quod a Deo iubetur tibi contempseris."
Et dixit ei Ioseph: "Ego quidem non contemno voluntatem Dei, sed custos eius ero,
quousque hoc de voluntate Dei cognosci possit, quis eam possit habere ex filiis meis
coniugem."

Lʟ:

Sodeineliche wiþ þe angel   a gret verrede
Of þe companie of hevene,   þat heriede God an sede:
"Mid God in hevene an heiȝ   heiȝenesse and joie beo do,   525
A-mong men of gode wille   pais on erþe also!"
Þis is þe vurst gospel   a midwinterniȝt.
Ac what þis sompninge was,   we moten siggen in siȝt.
Þe emperour þat was þo   seide e wolde i-wite   [f. 33
A certein nombre of þe world,   as it is i-write,   530
How monie schiren weren in uche lond   and tounes in uche schire,
And how monie men in uche toun;   he was a gret sire.
To þe prince of uch lond   his messagers he sende:
Þat ech mon þer he was bore   þorw heste of him wende,
And þa[t] e paiȝede a peni to truage,   and panes þat me him bere, 535
Þat e wuste þerþorw how moni men   in al þe world were.
And naþeles ic may it leve   þat he ne dude as wel for þanne
Vor þe love of þe panes,   as to wite þe nombre of uche manne.
And uch peni þat me him sende   was worþ oþer tene
Of comune moneie þat was þo,   hauȝt e habbe i-now to spene.   540
Þe middel kinedom of al þe world   is þe lond of Sirie,
And al þe lond of Jude þeramidde,   Þer he is bane let furst crie,
And a-midde Jude is Jerusalem,   Þer e furst bigan
Þus in þe middel of al þe world   to nombri uch mon.
Here was þe lond of Jude furst   under Rome i-brouȝt,   545
To ȝive uche ȝer þider truage,   þat dere was seþþe a-bouȝt;
Vor heo þat weren under þe emperour   paynimes were echon,
And heo of Jude alle Giwes,   here kuinde nas not on.
Þe time was neiȝ þat oure ledi   child scholde bere þo:
Þerfore Josep hire nam wiþ him   and vrom hire nolde go.   550
An asse and oxe wiþ him he ladde,   and þulke boþe he nam:
Þe oxe þat e miȝte sulle,   ȝif neode to him cam,
To spense and to truage;   þe asse he tok also,
Þat is wif miȝte ride,   ȝif febelnesse com hire to.

---

539 hin   543 a-midde

LL:

In gret feblesse he wende forþ,   Josep, þis hosbonde,   555
Vor charge of is wif and for elde,   toward is owne londe.
In a saterday at eve   heo comen to Bedlemes on ende.
So weri heo weren, and late hit was,   heo ne miȝten in wende,
And eke for pres of þe volk   þat to truage was i-kome,
And al þe innes of þe toun   i-fuld were and i-nome.   560
    An old hows þer stod al forlete   ate tounes ende,
Þat men duden yn here bestes,   whan heo wolden to toune wende;
A mersorie hit was i-cleped;   a-midde þe weie it was,
Side walles hit hedde to,   ac non hole wou þer nas:
Hit was opene at eiþer ende,   to gon yn al þat wolde.   565
Vor þre þing hit furst a-rered was,   þat hous of such folde:
Þat men miȝte þe hali day   þerinne pleiȝe and wende
And sitte vor idelnesse   and drive þe day to ende,
And þat men miȝte þerinne go   whanne it luþer weder were,
And þat pore men þerinne leiȝe   þat wiþouten yn were.   570
    Þis was to a kinges burþtime   a wonder yn i-nome.
Glad was ȝet oure ledi   heo miȝte þerinne come.
Oure ledi seide þat time it was   þat þe child were i-bore.   [f. 33 b
"A[l]las," quaþ Josep, "wommonles   what schule we do þerfore?"
Into toune he wende,   ȝif he miȝte bi cas   575
Wommon finde hire to helpe,   vor þat niȝte hit was.
He hedde þer is asse an is oxe   i-teiȝed þer biside
In a cracche, and eode vorþ   and wommon souȝte wide.
Al one bilafte oure ledi   in þe wilde hous þer.
Ate midniȝt of þe sonneniȝt   þe swete child heo ber,   580
Godes sone, þorw wham is   þe devel i-brouȝt to grounde;
A midwinterniȝt he was i-bore,   i-heried beo þilke stounde!
    Angeles come anon a-boute   wiþ gret companie,
To solacen here ȝonge Lord   and is moder Marie.
Heo nedde wharinne oure Lord winde,   þo he was i-bore,   585
Bote in feble cloutes and olde   and somme totore,
Þerinne oure ledi him wond   and bond him wiþ a liste,
And leide him on a wisp of hei;   þer was a pore giste.
Non help of wommon ned[d]e heo   þo þis dede was i-do,
Heo was hire selve maide and moder   and hosewif also.   590
Whar was al þe nobleye   þat fel to a quene
At a kinges burþtime,   whar was hit i-sene?
Ledies and chamberleins,   scarlet to drawe and grene,
To winden ynne þe ȝonge king?   Al was lute, ich wene.
    Non help of wommon   þe riche quene ne fond;   595
Bote þo þe child was i-bore,   hire selve heo it wond
And bar hit to þe cracche   and leide it in a wisp of heiȝe.
Hire wombe ne ok nouȝt sore,   heo ne dradde noȝt to deiȝe;
Heo bar a betere burþone   þan wymmen now do,
Heo hedde elles i-groned sore   and nouȝt ascaped so;   600
Vor, verde wimmen now so,   me wolde holden hem wise;
And naþeles heom smart somdel   and luste not so a-rise.
    Þat hei þat God was on i-leid,   as þe bok us tolde,
Sein Elene bar seþþe to Rome,   vor relik to holde.
Boþe þe asse and þe oxe,   þo me oure Lord to hem brouȝte,   605
A-ȝein him kneleden boþe   and honoureden him þat hem wrouȝte.
Now was þis a wonder dede   and a-ȝe kunde i-now;
Vor wel ichot þat oxen kunne   bet now drawe ate plow,
And asses bere sackes   and corn a-boute to bringe,
Þan to make meri gleo   and knele bifore a kinge.   610

564 hele   576 vor þat] vorþ   587 ledi] lord   591 was] was as

Lʟ:

Vor, ȝe seþ wel, fewe bestes   more bostos beþ
Þan asse oþer oxe,   as ȝe ofte i-seoþ.
How couþen heo here legges bowen   and here knen so to wende,
To knele bifore a king?   Who made hem so hende?
Now weren hit wonder gleomen to,   who brouȝte hem such mod? 615
Ac whan we habbeþ al i-do,   þat child i-bore was god.
Þo þis was al i-do,   to wymmen Josep brouȝte,   [f. 34
Tebel and Salome,   þat he in toune souȝte.
Oure ledi þolede þe o wommon,   þat hatte Tebel,
To loke of hire privetes,   as to hire craft bifel,   620
Þo heo fond þat heo was maide   and child hadde i-bore,
Þo wondrede heo and criede vaste,   hire felawe heo [tolde] fore.
"Þat ne may not beo," quaþ þis oþer.   Anon mid þe word
Hire honden bicome stive   and dede as a bord.
Vor deol an for serwe   merci heo gan crie,   625
Ȝif hoe þouȝte or seide a-mis,   on oure ledi Marie.
As oure Lord hire grace ȝaf,   to þe child heo gan gon
And touchede him wiþ hire dede honden   and was hol anon.
    Þis wommon wende hom a-ȝen,   and ever hedde in muinde
And þe childbering wide tolde,   þat so muche was a-ȝe kuinde.   630
Þe lesinge of mani foles   telleþ of seint Anastase,
Þat heo scholde wiþ oure ledi beo;   hit nis bote þe mase:
Vor heo ne seiȝ never oure ledi her,   vor tohundred ȝer bifore
And more, ar heo come an erþe,   oure Lord was i-bore.
Som wrecche bifond þis lesinge   wiþ onriȝte,   635
Vor as muche as me makeþ of hire munde   a midewinterniȝte.
Schepherdes þat a felde weren,   here orf vor te loke,
Comunliche everuch ȝer   twey niȝte heo woke,
As hit fel þilke niȝt,   a missomerniȝt also,
Vor honour of þe sonne,   þat hire cours hedde i-do: 640
Vor þe schorteste niȝt þat was þo   was missomerniȝt,
And midwinter þe lengeste,   whose tolde a-riȝt;
And þenne bigan eiþer niȝt   þe sonne to a-stonde
And torne a-ȝe toward us,   þat woneþ in þis londe:

---

611 bostor   613 couken   623 miid   626 or] ar   639 midewinterniȝt

M: *For Lʟ 618 ff. cf. Pseudo-Matthaei Evangelium, cap. XIII (ed. Tischendorf, p. 77 f.):* Iam
enim dudum Ioseph perrexerat ad quaerendas obstetrices. Qui cum reversus esset ad
speluncam, Maria iam infantem genuerat. Et dixit Ioseph ad Mariam: "Ego tibi Zelomi
et Salomen obstetrices adduxi, quae foris ante speluncam stant et prae splendore nimio
huc introire non audent." Audiens autem haec Maria subrisit. Cui Ioseph dixit: "Noli
subridere, sed cauta esto, ne forte indigeas medicina." Tunc iussit unam ex eis intrare ad
se. Cumque ingressa esset, Zelomi, ad Mariam dixit: "Dimitte me ut tangam te." Cumque
permisisset se Maria tangi, exclamavit voce magna obstetrix et dixit: "Domine, Domine
magne, miserere. Numquam hoc auditum est nec in suspicione habitum, ut mamillae
plenae sint lacte et natus masculus matrem suam virginem ostendat. Nulla pollutio
sanguinis facta est in nascente, nullus dolor in parturiente. Virgo concepit, virgo peperit,
virgo permansit." Audiens hanc vocem alia obstetrix nomine Salome dixit: "Quod ego
audio non credam nisi forte ipsa probavero." Et ingressa Salome ad Mariam dixit: "Permitte
me ut palpem te et probem utrum verum dixerit Zelomi." Cumque permisisset Maria ut eam
palparet, misit manum suam Salome. Et cum misisset et tangeret, statim aruit manus
eius, et prae dolore coepit flere vehementissime et angustari et clamando dicere: "Domine,
tu nosti quia semper te timui, et omnes pauperes sine retributione acceptionis curavi,
de vidua et orphano nihil accepi, et inopem vacuum a me ire numquam dimisi. Et ecce
misera facta sum propter incredulitatem meam, quia ausa fui temptare virginem tuam."
Cumque haec diceret, apparuit iuxta illam iuvenis quidam valde splendidus dicens ei:
"Accede ad infantem et adora eum et continge de manu tua, et ipse salvabit te, quia ipse
est salvator seculi et omnium sperantium in se." Quae confestim ad infantem accessit,
et adorans eum tetigit fimbrias pannorum, in quibus infans erat involutus, et statim sanata
est manus eius.

7*

Lʟ:

A some[r] vrommard þe norþ,   a winter vrom þe souþ.   645
Þis a-ȝentorninge was of þe sonne   bi olde dawe wel couþ.
þerfore þe schepeherdes þo   in þe felde woke,
Vor onour of þe sonne   as wel as here orf to loke.
    Þe schepeherdes to hem selve speke: "Passe we i-wis
To Bedleem and i-seo we   þis word þat i-mad is,   650
Þat oure Lord made him self   and schewede to us!"
And heo comen þider an haste   and Marie vounden þus
And Josep and þat child   in a cracche i-leid.
Þo heo seiȝe þis, heo knewe wel   þe word þat was i-seid
Of þe child to hem;   and alle þat herden þis   655
Wondreden of þat þing   þat hem was seid i-wis
Of þe schepherdes.   And Marie wel wusten þer
Al þes wordes and lokede   and in hire herte ber.
And þis schepherdes turnden a-ȝen   and God of alle dede
Herieden, of þat heo hedden i-seie,   as þe angel hem sede.   660
Of þat oure ledi in hire þouȝt   nom so grete gome,   [f. 34 b
Of þe wordes þat þe schepherdes   seiden þo hi come,
Al hit was loken,   whar heó acordeden in dede
To þat þe prophetus whilen   of oure Lord sede.

4. Cursor Mundi (about 1300).

MSS.. Brit. Mus. Cott. Vesp. A. III (= C; 1st half 14th cent); Göttingen, Univ. Bibl. Theol. 107r (= G; 1st half 14th cent.); Oxf. Bodl. Laud 416 (= L); Cambr. Trin. Coll. R. 3. 8 (= T; 1st quarter 15th cent.). — Ed.: Morris, 1874—91 (EETS. 57, 59, 62, 66, 68, 99, 101). C and G go together, so do L and T. — The oldest MS., Edinb. Coll. of Physicians (= E; ab. 1300) is a fragment (ll. 18989—23644).

Marriage of the Virgin.[1]

c: Sua lang þar has þis maiden ben [f.59 a², **L:** So long had she there bene,   [f. 123 a
Þat sco was cummen to yeir fourten; 2nd half   That she come to yeris xiiijⁿᵉ   first ha
Þen did þe biscop command þar,   Then commaundid the busshop there,
Þat all þe maidens þat þar war   10650   That alle þo maydins that there were,
Cummen til eild fourten yeir   That come to xiiij yere were tho
Be send all to þair frendes dere,   Shuld go to her frendes so,
For to mari and for to spus,   For to mary and for to spowse,
Ilkan to þair aun hus.   Uchon to her owne howse.
Mani o þam þat þar was stade   55   Many of hem that þer were stad
Did gladli þat biscop badd;   Did gladly as þe busshop bad;
Bot Maria wald na mariing,   But Mary wold no marying,
Bot maiden live til hir ending.   But maydyn lyf to hir endyng.
Quen men til hir of husband spak,   When men to hir of spowsyng spak,
Sco said þat nan ne wald sco take: 60   She seid man none wold she take:
"To Godd þan have i given me,   "To God have I yevyn me,
Mai i to na man marid be!   May I to no man maried be!
O þair husband mai i haf nan   Othir husbond wolle I none
Of him haf i made mi leman;   But God, that is my lemmone;
Mi maidenhed til him i hight   [f.59 b   My maydynhed to hym I hight,
I sal him hald it, if i might,   66   I shalle yt hold at my might

G: 10647 has þis mayden þar ben   48 scho (so   **T:**   10648 coom   ȝeres fourtene   49 bisshop
always) comen ȝeris   49 þan   51 Comen   51 comen   fourtene ȝeer   56 bud   bisshop
to elde of fourtene ȝere   52 Suld be sent to þair   58 lyve   60 noon   61 ȝyven   66 hit
freindes   53 spouse   54 house   55 of þaim
56 gladly as þe b.   57 Mari wilde   58 til] to
59 til] to husband] spousing   60 wild   63 Oþer
hosband have   64 have lemman   65 i] hi
66 at my miht

    [1] *As to sources, cp. above p. 92 ff.*

C: Wit wil þat i have hight him to
Nu sal i nevermare undo.
To Godd þan was i given ar
Mi moder me of bodi bare,
In his servis me most ai lend
Bituixand to mi lives end."
Þe biscop wist noght quat to speke,
Durst noght hir do hir vou to breke,
For it was forwit mani dai
Commandid in þair ald lai:
" Þe vou þou to Godd has made
Hald and yeild wituten bade."
On oþer side he was dredand
To bring a custom neu on hand,
Þe maiden frendes for to lett
In mariage þam for to sett;
For it was boden in þair ledd,
Wit mariage þe folk to sprede.
Þarfor did þe biscop to fett
Þe wisest men þat he moght gett
Of alle þe men o þat cuntre
At þe temple mak a semblee.
Quen alle war gedir[d], wis and ald,
Þe biscop þam þe chauns tald,
Qui he did þam sembled be,
O þis vouing of chastite,
For to ask o þaim sum rede,
Þat sco wald hald ai til hir ded,
Þat noþer þam bird ne durst sek.
Hereof in consail suld þai spek,
And depeli þat þai suld lok hu
Sco moght hir mari and hald hir vou.
For vou þat es ens mad rightwis
To brek aght na man þat es wis;
Þar hight es made, it cums o will,
And nedwais man most it [ful]fill.
Bot þar was nan at þat gedring,
Þat cuthe give consail o þat thing;
Consail oþer cuth þan nan,
Bot criand call on Godd all an,
Þat he þam suld sli sceving scau,
Þat þai moght wit sum takyng knau
Quat þai suld do þan o þat mai,
To do hir brek hir vou or nai.
Þan lai þai all in kneling dun
And made to Godd þair orisun;

L: The wille that I have hym ij°
Shalle I nevermore undo.
To God was I yevyn ere
10670 My modir me of body bere,
In his servyce must I lend
Evyr to my lyvis end."
The busshop nust* what to speke,   'must MS
He durst not hir vow to breke;
75 Hyt was byfore many a day
Commaundid in the old lay:
"The avow that God was made
Shuld be holdyn withoutyn a-bade."
On othir side he was dredand
80 To bryng a custom new in hond,   [f. 123 a²
The maydins frendes for to let
In mariage hem for to set;
For yt was in her lede,
In mariage the folke to brede.
85 The busshop sent after grete,
The wysest folke he might gete
Of alle the men in that contre
Alle the temple to make semble.
When they were comyn, yong and old,
90 The busshop hem this tale told,
Why he did hem sembled to be,
For this avow of chastite,
[. . . No gap in MS]
Yf she shuld hold yt to hir dede,
95 Or if they durst make her up to breke.
Hereof in councele did they speke.
The busshop bad hem loke how
She might be maried to hold þat vow.
For vow that is made by right
700 Ow no man to breke by might;
There vow is made, yt comyþ of wille,
Nedely must men yt fullfille.
But there was none at this gaderyng,
That coude councele of this tydyng;
05 Councele othir yaf they noght,
But cried and callid on God a-loft,
That he wold send hem grace tille
To do hem wyt of his wille,
What they shuld do of th[at may],
10 To make hir breke þat vow or nay.
[f. 59 b³ Then felle they alle on kneis doun
And made to God her oreson;

G: 10667 wid   68 Ne   71 servis most i
72 Bituix and   73 quat] for   74 do hir wou
75 bifore many a day   76 þair] þe   77 vow þat
þou had   78 зelde widuten   79 oþer] anoþer
80 custum   81 maydens   83 bodyn   lede
84 Wid   86 miht   87 o] in contre   88'a-
semble   89 gedrid   90 þe chauns] þat resun
91 gart þaim semblid   92 Of þat   93 of sum]
þair   95 þat neyder þaim bode ne durst it breke.
97 deplie   how   99 anis es   700 aght] awe
wijs   01 hight] vow   of   02 Bot mad, nede-
wayis it bos fulfill.   03 þis gadring   04 coude
05—06 Consayl oþer gaf þai noght | Bot crie and
call on Godd a-loft,   07 suilk scheving scheu
08 miht   takning kneu   10 do] þer   11 lai] fell
on kneis

T: 10667 het him to   69 зyven   71 servyse most
72 Ever   lyves   73 nuste   75 mony   78 holden
79 dredonde   80 honde   83 hit   85 sende
aftir   87 cuntre   88 Alle] At   91 dud
93 For   to aske at hem her rede   94 hit
95 If þei durst make hir hit to breke   96 counsel
dud   700 mon   03 noon   04 tiþing
05 зave   nouзt   06 on-loft   09 of that may
10 þat] hir   11 knees   12 hir orisoun

C: To-quils þai in þair praier lai,
Þai herd a voice spek þus, and sai:
"Lok yee," he said, "þe propheci
Was said for lang of Ysai;
Thoru þis prophet sal yee se
To quam þe mai sal spused be.
Sir Ysay, þat ald prophet,
Wel lang siþen þat he yow hett,
Of rote of Jesse þar suld spring
A wand þat suld a flur forth bring,
Bath flur and frut suld þarof brest,

Þe hali gast þeron suld rest."
Thoru þat voice þai þar cun here
Þai said: "þis wand suld fluring bere
Þat suld o rote o Jesse spring."
Þan war þai don in grett witiring
And umbithoght þam to do call
Þe kin o David samen all,
Quas fader was þat ilk Jesse,
Þar þai war spred in þat contre;
Ilkan of þaim suld in þer hand
Þan boden be to bere a wand,
Þat quilk o þaim þat bar burjon
Suld spus þat mai in his bandon.
Wit þis þai sent sun up and don
And bad þam at a dai be bon
All þat had na spus to bedd
Þat o David kin war bredd,
And þaa men war þider cald
In hand was biden a wand to hald,
And quilk man þat his wand suld blome
Suld Maria haf wit rightwis dome.
Þe dai þan com o þis semblee,
Bileft þar nan o þat contre,
Þat þai ne alle at þe temple were,
Bot ani spused men it wer.
　　Joseph him com to Jerusalem,
A man þat wond in Bedleem.
His wijf was ded, he self was ald.
A-mang þir men es forthwit tald
He come al for to ber his wand,
Als comandid was over al þe land.
Childer had he neforþie
Elder and mare þan mai Marie;

L: While they in her praiers were,
They herd a voyce sey right there:
"Lokyth," he seid, "the prophesy, 10715
What seid you youre Isai.
Thorogh that prophete may you se
To whome the maide shalle spousid be.
Isaie, the old prophete,
Full long sithen he you byhete 20
Of the rote of Jesse shuld spryng
A yerd that shuld a floure forþe bryng,
Bothe floure and frute shuld þerof
　　　　　　　　　　breste,
The holy gost shuld þeron rest."
Thorogh the voyse they there herd 25
They had knowyng of that yerd,
Of the rote of Jesse yt shuld spryng.
There went they into knowlechyng;
They bythought hem then to calle [f. 123 b
The kynd of David kyn alle, 30
Whos fadir was Jesse,
There they were spred in that contre;
Echon of hem shuld in her hond
Bene bedyn to bere a wond;
Which of hem that blossom bere 35
Shuld spowse that maidyn there.
Anone they sendyn up and doun
And bad hem at a day be boun
Alle that had no spouse to bed
And of kyng David were bred, 40
And tho that theder come wold
A yerd were made in hond to hold,
And what mannys yerd þat did blome
Shuld Mary wedde by dome.
The day come of this assemble, 45
Left there none in that contre,
But they alle at þe tempill were,
But if he spowsid were of ere.
　　Joseph come to Jerusalem,
A man that wonyd in Bedlem. 50
His wyf was dede, and he full old.
A-mong tho men byfore told
He come that day to bere his wond,
As covenaunt was alle that lond.
Childryn had he sekyrly 55
Eldir and more than Mary;

G:　　10713 þe quilis þat þai　prayers　14 voysce,
þus gan it say,　15 he] it　16 for lang] bifore
18 Til quham　19 Ysai, þe alde prophete
(Sir om.)　20 Ful lang　hete　21 Of þe
rote of Jesse þarof suld spring　23 briste
25 þat] þe cun] gan　26 þai] þat florisching
27 And suld of þe rote of Jesse spring　28 witir-
ing] knawing　29 And umthoght þaim þas to
call　30 samen] kindred　31 ilke om.
33 þer] þair　34 Biddin be to bere　35 þe
quilk　burjoun　36 bandun　37 sun om.
doun　38 a] þat　boun　40 kin om.
41 diþer　42 bidden　44 Mari have　45 þe
day cam of þis asemble　46 Beleft　47 ware
48 man　ware　49 cam　50 wonid Bethleem
51 him selve　52 men i bifore talde　53 He
cam þat day to bere　54 As　55 Childir

T:　　10713 preyeres　16 ȝore　17 þourȝe　ȝe
21 the om.　24 goost　þeronne　25 þourȝe
þere þei　27 the om.　29 þenne　32 cuntre
33 Uchone　35 blossum　37 Anoon　39 hadde
41 þider　43 monnes　dud　44 Marie
45 coom　46 laft　noon　cuntre　47 temple
49 and 53 coom　50 mon　Bethleem　51 deed
55 Childre　sikurly　56 þen

C: He was sumdel forthgan in lijf,   [t. 60 **L:** He was ferforþe gone in lyf,
He yernd noght haf suilk a wijf;   He thoght not to have a wyf;
Hir to haf had he noght mint,   Hir to have had he not mynt,
If he moght ani gat it stint!   10760 Yf he yt eny wey might stynt!
Bot stint he ne moght nan kin wai,   Leve he myght that no wey,
Þat he ne most nede com to þat dai.   But he must nede come þat day.
Son ilkan wit þair wand forth stepe,   Echon with yerd forþe gan step,
Þan o-bak him drogh Joseph,   A-bak then drew hym Joseph;
To-quils al up þair wandes yald,   65 Alle hir yerdis did uphold
Bihind stod Joseph als unbald;   Byhynd hem drow Joseph unbold;
Þan bad þe prist þam forth to call,   Then bad þe prest hym to calle,
Til offer up þair wandes all.   To offir up hir yerdes alle.
Þe prist þam tald, and son he fand   The preste hem told and sone fond
Þar was halden behind a wand.   70 Behynd holdyn was a wond.
Quen Joseph sagh na hide ne dught,   When Joseph sie it was nawȝt,
Nedings forth his wand he broght;   But nede his must forþe by broght;
Þan alsonsum it was sene   Also sone as it was sene,
Wit lef and flur þai fand it grene.   With lefe and floure they fond it grene.
A duv þat was fra heven send   75 A dove was fro hevyn sent
Þare lighted dun and þaron lend.   Light doun and thereon lent.
Þan was þe mai Joseph bitaght,   Then was Mary Joseph bytawght,   [t.123bª
And he has hir in spusail laght;   And he hir in spowsaile lawght;
Queþer he wald wit will or nai,   Whethir he wold othir nay,
He most hir spuse and ledd a-wai.   80 He must hir spowse and lede a-way.
Thoru þe spusail þat was mad þar   [.   .   .   .
Was mani broght to joi fra care.   .   .   .   . No gap in MS]

G: 10758 ȝerned   have   59 have   60 mlht
61 stint mlht he na kin way   62 cum   63 Son]
For   stepe] gan step   64 on   drow Josep
65 To-quilis al þair wandis up ȝald   66 as
68 To offre   71 Quen Joseph (l) þat he ne mlht
noght   72 Nedewais   73 alsonsum] alsulth as
75 dowe   sent   76 þare om.   lent   79 wald]
wlld   80 lede

T: 10757 goon   58 thoght] ȝerned   60 hlt
any   62 most   com to þat   63 Uchone   gon
64 þenne   drowȝe   65 dud   66 him drowȝe
67 hem   68 her   69 soone   71 say hlt
nowȝt   72 most   be brouȝt   73 hlt   74 leof
75 doufe   76 þeronne   77 bltauȝt   78 lauȝt
79 ouþer   80 most

Birth of Jesus.

C: Þe tide þat* bringes* al to fine [t. 62 aª **L:** The tyme that broght alle to fyne [t.125 bª
Ran wit þis to monet nine;   *repeated Was by this a monthus ix;
Joseph dight him for to ga   in MS Joseph dight hym for to go
To Bethleem and dide alsua;   11180 To Bethleem with Mary þo;
Þar he wald noght lat hir duell   No lengger there wold he duelle.
For wordes o þaa Jues fell.   For wondir on the Jewis felle.
For to fle þair fals fame,   And for to fle her fals fame,
To Bethleem he ledd hir hame.   To Bedlem went they in same.
In þat siquar þai did þan þus   85 In that tyme that they went þus
Was emparour sir Augustus,   Was emperoure sir Agustus,
A man men had of mikel dute,   A man men had of muche dowte,
And dred over al þis werld a-boute.   And drad was alle þe world a-bowte.
Over al þe werld he mad statut   Alle the world ordeynyd he
Til al þat war his underlutte,   90 That they shuld under hym be,
Þat ilk kynd suld mak þam boun   And eche kyng shuld make hym bowne
To cum into þair kyndli tun,   To come to her kyndly toune,
To mak knaulage wit sumthing   To make knowleche with somthyng

G: 11177 all   78 wid   moneth   80 Bed-
thelem   did alsuua   81 wolde he   duelle
82 wordis of þe Jaus felle   85 siquar þat þai did
þus   86 emperour   87 mekil   88 dredd
over   alle   world   89 over alle   worlde he
made   90 Till all   underlute   91 king
ma   boune   92 toune   93 make

T: 11177 brouȝte al   78 at moneþes nyne
80 Bethleem   81 lenger þere nolde he dwelle
82 For wordis of þo   83 And om.   84 Beth-
leem   in om.   86 Augustus   87 mon muchel
doute   88 al   a-boute   89 Al   ordeyned
90 undir   91 uche   boun   92 com   kyndely
toun   93 sumþing

c: Til sir August, þair overking.
A baili tok þis werc on hand
Þai cald Cirinus in þat land,
Þat did mens names for to writte
Þat aght þis eild al for to quitte.
  Sir Joseph come in þat siquar
To Bethleem, als i tald ar,
Until his aghen hame and hus,
Broght Mariam wit him, his spus.
Þan was sco gan sua forth, þat mild,
Þat sco was at hir time o child.
Quat schal i tell yow less or mare,
Bot Jhesu Crist, hir barn, sco bar,
Hir child, and maiden never less
Wituten wemming of hir fless.
Qua Godds might kneu witerli,
Þarof thurt him haf na ferli.
Maria barn ber in chastite,
Sin Godd wald þat it sua suld be,
He þat þe walud wand moght ger
In a night leif and fruit ber,
Wituten weke or erth a-bute,
And in a night sua did it sprute
To flur and fruit, als ic haf said,
Moght he not þan, þat al purvaid,
Be born ute of a maiden eth
At þe time of nine moneth?
Þat al wroght and al mai reke
And did þe dumb asse to speke
And did þe see to cleve in tua
His wiþerwines for to sla,
Wel moght he ger wituten stemme
Maiden ber barn wituten wemme.
Þe liknes o þis barnteme,
Right als þou seis þe sunbeme
Gais throu þe glas and cums a-gain
Wituten brest, right sua al plain,
Bot flescheliker, he com and yede,
Saufand his moder hir maidenhede.
Þus sco bar hir barnteme,
Þat blisful birth in Bethleem.
Sli clathes als sco had to hand,
Wit suilk sco suedeld him and band,

L: To Augustus, her aller kyng.
11195 A bayly toke this werk in hond
Was callid Cyrynus in that lond;
He did alle mennys namys wryte,
That of this yeld shuld none hem quyte.
  Joseph come that tyme there
200 To Bedlem, as I told you ere,
To his owne home and hous,
And broght with hym Mary, his spouse.
So ferre was þo gon that myld,
That she was at þe tyme of child.
05 What shuld I telle you more,
Jhesu, hir child, bare she thore,
Hir child bare she nevertheles
Maydyn withoutyn wem of flesh.
Whoso knew his myght wytterly,
10 Thereof he wold have no ferly.
Mary bere child in chastite,
Syn God wold yt must so be,
He that the dry yerd made ere
In oon nyght frute to bere,
15 Withoutyn erthe a-bowte to fode
Lef and blossoms also good,
He that did, as I have seid,
Might he not, that alle purveid,
Be borne of a maydyn eth
20 At the end of ix moneth?
He wroght alle in lytill stound,
To speke also he made the dombe, [t. 126
He did the se to cleve in ijo
His enemies for to slo,
25 He might make a maydyn þene
Child to bere withoutyn wem.
But as the sonne goth thorog[h] glas
And levith yt hole as it was,
So come the sonne of rightwysnes
30 Into oure ladijs clene flesh.
Kyndly he come and yode,
And savyd his modir maidynhode.
Thus bare she þat barnitem*, 'barmtein MS
That blisfull birþe in Bedlem.
35 Suche clothis as she had to hond,
With suche she swathid hym and bond,

G: 11194 To sir Augustus   95 baylle   96 was
callid Cyrinus   97 men   write   98 aght]
suld ȝeilde all   quite   99 Sir om. sequare
11200 Betheleem   tald ȝou are   01 untill auen
ham   hous   02 And broght wid him his spouse
03 milde   04 of   05 sal   ȝu   lesse more
06 Jesus   barn] child   bare   07 neverþelesse
08 widduten   flesse   09 Goddis   10 thinc
no farli   11 Mari bere barn   12 Siþen God
wald it suld sua be   13 þe dri wand might
gere   14 leif om. bere   15 of erd a-boute
16 it] he   17 floure   i have   18 Might
noght   alle purveyd   19 ute om. maydin
20 terme of   21 alle . . alle   22 þid (!)
23 tua] to   24 wyderwines alle for to slo
25 well might   26 Maiden to be child withouten
27 licnes of   28 þu   sune   29 Gas thru comis
a-gaine   30 so alle plaine   31 sliliker he
come   32 Sauvand   34 bl[i]ssidful Betheleem
35 Suilk   to] tille   36 swetheled

T: 11194 alþer   95 werke on   96 calde
Cirinus   97 dud   mennes names   98 shulde
hem not quyte   99 coom   11200 Bethleem
01 house   02 brouȝte Marye   03 fer goon
06 Jesu   bar   07 bar -lees   08 Mayden
wiþouten flesshe   09 knewe myȝt witturly
10 þerof wolde he   11 beere   12 Siþ
God hit most   13 drye   14 o   15 wi-
þouten a-boute   16 Leef blossomes gode
17 dud   18 al   19 born mayden   20 nyne
21 wrouȝt al litil   22 doumbe   23 dud
þe see two   24 enemyes alle to slo
25 maiden þenne   26 wiþouten wemme
27 so] as gooth þourȝe   28 leveþ hit hool
29 coom   30 lady flesshe   31 kyndely coom
ȝede   32 saved maydenhede   33 barme
teem   34 blisful burþe in Bethleem   35 cloþes
had   36 swaþed

c: Betuix tua cribbes sco him laid;
Was þar na riche geres graithed,
Was þar na pride o coverled,
Chambercurtin ne tapit.
    Þe hirdes þat was wonte to be
On feld was þat time wit þair fee;
Þar lighted angels bright of heven,
Þam broght bodword singand with
                              steven:
"I bring yow word wit joi and blis,
Born to-night your sauveour es!
Wit þis talkyng þat i yow sai,
Yee ga to-morn wen it es dai
To Bethleem, and find yee sal
Þe saveour be born of all.
Þar es þe king over al kinges
Born to-night wit þir takeninges:
In a crib he sal be funden,
Ligand þar an asse es bunden.
Honurs him, forqui he sal
Be sett in David king stall."
Quils þis angel sli tiþand tald,
Þas oþer lighted dun thicfald,
Lovand Godd wit suilkin sagh:
"On hei be joi, and pes on lagh."
Quen þai had sai[d] þat þai wald sai,
Þir angels wited þam e-wai.
Feird war þaa hirdes for þat light
Þai had sene o þaa angels bright;
For þai sagh never suilk a sight,
Sli visiting befor þat night.
Þai said: "To Bethleem go wee,
O þis tiþand þe soth to see."
Quen þai com þar, Mari þai fand [f.62b²]
And wit hir Joseph, hir husband,
And þe child, þat suedeld was,
Lai in crib tuix ox and ass.
Quat þai had herd and sene þai tald,
All wondir on, bath yong and ald;
Bot Maria held in hert ai still
And thanked Drightin of his will.

L: Bytwene ijᵒ cracchis she hym leid;
There was none oþer gere greide,
Was there no pride of coverlite,
11240 Curtens, redels ne tapyte.
    Tho herdis that were wont to be
On feld was tho with her fe;
There lighten angils bright of hevyn,
And broght word with synggyng
                              stevyn:
45 "I bryng you word of joy and blis,
Born this nyght oure savyoure is!
By this tokyn that I you say,
Goth to-morow when yt is day
To Bedlem, and fynd ye shalle
50 The savyoure borne of alle.
There is the kyng of alle kyngges
Borne this nyght by alle tokonnyngges:
In a cracche he shal be foundyn,
Lyggyng there an asse is boundyn.
55 Honouryth hym, forwhy he shalle
Be set in David kyngges stalle."
While this angill tydyng told,
Othir lyghtynd doune manyfold,
Seying thus men to know:
60 "On hie be joy and pees on low."
When they had seid þat they wold say,
The angils went sone her wey.
The heredis dreddyn of that lyȝht
That come of tho angils bright;
65 Suche a light sie they nevir ere
As they sie that nyght there.
They seid: "To Bedlem go we,
Of thise tydyngges for to se."
When they come, Mary they fond [f.126a]
70 And with her Joseph, hir husbond,
And the child, that swathid was,
In cracche bytwene ox and asse.
What they had herd and sene thei told,
Alle marvailid on, yong and old;
75 Mary held in hart stille
And thanckyd God alle his wille.

G: 11237 cribbis   38 no   geris graid   39 was
þar no pride coverlite   40 -curtain   tapite
41 herdis war   42 felde fe   43 þat   angelis
brith hevene   44 Broght þam   stevene   45 ȝu
blive   46 ȝur   ese   47 takening   ȝu
48 ȝe   quen   49 Betheleem   ȝe salle   50 alle
51 þare   of all   53 cribbe   54 Liggand   ane
55 Honoris   sall   56 kinges   57 Quilis angele
slik tydand   58 oþir   dun om.   59 God   sau
60 law   62 angelis   witid   63 Rad war þe
herdes   64 of þa angelis   65 sau   slik
66 bifor   67 we   68 tydand   se   69 come
þare   70 hosband   71 swethild   72 cribbe
asse   74 Alle wondrid alde   75 Mari helde
76 of] al

T: 11237 two cracches   38 noon oþere   39 ne
40 Curteyn, ridelles ny   41 herdes   43 aungels
briȝte   haven   44 brouȝt   syngynge steven
45 bringe joye   46 to-nyȝt   ȝoure saveour
47 token   48 to-morwe whenne   49 Beth-
leem   50 saveour born   51 kyngis   52 to-
nyȝt by þese tokenyngis   53 shal be founden
54 bounden   55 honoureþ   shal   56 kynges
stal   57 Wl (sic!) þis aungel tiþing   58 Oþere
liȝten   monyfolde   59 Sayinge   knowe
60 heȝe   joye   lowe   61 whenne   62 aungels
soone   63 herdes dredden   64 coom   aungels
65 sei   never   66 sey   67 Bethleem
68 þis tiþing soþ to se   69 whenne   coom,
Marie   70 hir   71 swaþed   72 as
74 mervelled þeron, ȝonge   75 Marye   herte
76 þonked   al.

5. Metrical Homilies (beg. 14th cent.).

ASS: *MS.: Paris, Bibl. Nat. Βίος καὶ πολιτεία τοῦ ἁγίου Μακαρίου τοῦ Αἰγυπτίου. — Ed.₁ in Lat. transl. in Acta Sanctorum, Parisiis apud Victor Palmé, XV Jan., II 288.*

MH: *Metrical Homilies. — MSS.: Edinb. Libr. of the Royal College of Physicians (= E); Cambr. Univ. Libr. Gg. V. 31 (= C). Both of 14th cent., E of the early part. — Ed.: Small. English Metrical Homilies from manuscripts of the fourteenth century, Edinb. 1862, p. 60; Mätzner, Sprachpr. I 278—285 (= Small pp. 119—133).*

Sermon on the Nativity of Christ.

MHE: Ad missam in nocte natalis Domini secundum Lucam.
          Exiit edictum a Cesare Augusto ut discriberetur universus orbis.   Hec descriptio prima facta est a preside Syrie Cyrino. et cetera.
       Ad missam in mane secundum Lucam.
          Pastores loquebantur ad invicem. Transeamus usque Bethleem, et videamus hoc verbum quod factum est, quod fecit Dominus et ostendit nobis.   Et venerunt festinantes, et invenerunt Mariam et Iosep. et cetera.

Va and wanderet walkes wide,   [p. 60
That com of covaitis and prid;
Thoru covaitis and prid bigan
Man to haf maystri of man.
That wasse first sen in him that hiht 5
Nembrot, that was sa bald and wiht,
That in his tim maistri he wan
Of al the men that lifd than.
The bibel telles us openlye
Of Nembrot and his maistri,   10
Hou the folc that was wit him
Bigan to mak a tour that tim
That suld reche to the lifte,   [p. 61
Bot Godd, that skilfulli kan skift,
Mad them alle serely spekand,   15
That nan moht other understand,
And gert them lef thair wilgern werk,
Bot of thair not yet standes merk:
In Babilony the tour yet standes,
That that folc mad wit thair handes. 20
Of that tour nou spek I
For laverdhed and for maistri
That Nembrot havid first of man,
Bifor quaim werdes king was nan.
For he thoru prid and covaitise   25
Gert folc first bowe til his servise,
Of him men gan ensampel tak,
King and thain in land to mak;
For efter him com kinges fele,
That gan this werld i-mang thaim dele, 30
And he that havid mast miht
Feld the waiker king in fiht;
Bot at the last wan Rom the prisse
And toc of al this werld servisse.
For alle kinges yald trouage   35
Till Rom, and servis and homage.
   In Rom was, als fel auntour,
A wonder myghti emperour,

That hiht Cesar and Augustus,   [p. 62
Als our bibel telles us,   40
And in his tim ger he telle,
Als sais sayn Louc in our godspelle,
Of all this werd the cuntres
And of cuntres the cites
And al the men that war wonand 45
Bathe in borwis and apon land,
Sua that ilk man of eld
Suld cum til his boru and gif yeld
For him self and for his menye
And graunt that he suld buxum be, 50
Efter his miht in al thing,
Til Cesar, that of Rom was king;
And over al this werd thoru and thoru
Com men and wymmen til thair boru,
To do the king comandement,   55
For quasa did noht, he war schent.
And than was Josep Mari spouse,
For he havid broht hir than til house,
And forthi led he hir him with
Til Bedhelem i-mang his kith,   60
To yeld thar that to thaim felle,
Als said to-day our first godspelle.
And for Mari wit child wasse,
He ledd hir wit him on an asse;
And an ox, as we find in spelle,   [p. 63
Broht Josep wit him for to selle.   66
Bot ar thai war to toun comen,
War innes al bifor thaim nomen,
Sua that thar was na herberie
To Josep and his spouse Marie,   70
Bot a pendize was wawles,
Als oft in borwis tounes es.
And thar Josep a crithe wroht
Til bestes, that he wit him broht,
And als he mad a pouer bedd   75
Til Mary, that he wit him ledd,

----

1 Wa and wandreth *C*   17 wilgern] wild *C*   35 trouage] trewage *C*   69 harbargerie *C*
71 waghles *C*   73 crybe *C*

MHE: For than com tim Mari mild
Suld be deliverd of hir child.
And son quen scho deliverd wasse,
Scho laid hir son bifor [hyr] asse 80
MHC: And byfore that ox bathe,
So thay knew hym fore Gode full rathe;
For in propheci was it sayd,
That he sulde before thaim be layde.
Fore Abakuk and Ysay 85
Spak tharof apeyrtly;
And hyrdes, that woke that ilke nyght
A-bout thair bestes, saght a lyght
Of heven come light and thaim a-boute,
And of this lyght thai had [a] grete doute, 90
And an aungell bysyde thaime stode [p. 64
And gladded sone thair sory mode
And bad thai sulde have na radnes.
"Forethi," he sayd, "I comen es
To bryng you bodword of that blys, 95
That sall glad all this werld, i-wys,
For Jesu Crist, God sonne, ryght nowe
Ys borne in Bethleem unto ʒowe,
That ʒe be syker of this hehtynge,
I gyf you this to takenynge, 100
That ʒe sall fynd a chylde thar bonnden
In a creke wit cloutes wonnden.
When this [was] sayd, aungelles fele
Lovid God wit this aungele
And [saide]: "Blys and joi in heven be 105
To worthy Gode in trinite,
And als in erthe to man be pees,
That in ryght trewthe and gude lyf es."
Aftyr this brygnes and this leme
Thare herdes come to Bethleem 110
And fand in chyldebede our lavedy
And alsso Joseph standand hyr by,
And the chylde in strethe layde,
Ryght als the aungele thaim had sayd,
And by that takyn knew thai ryght 115
That that was Criste that lang was
                                    hyght
Before that tyme in [many] prophecy, [p. 65
And thai loved God full gerne forthi
For blys that tharin was layd.
And Mari toke yeme what thai sayd 120
And held in hert thair wordes all
And thoght well what of Criste suld fall.
   Now have ʒe herd whare Criste was
                                    borne,
That boght us all when we war lorne.
Full wele burd us of hys byrth 125
Be glade and make bath yoi and
                                    myrth
And love God, that hym us sende
And wit penaunce oure lyve to amend.
─────────────
81 to end supplied from C

For in his burght now may we lere
Meknes, that mas man tyll him dere. 130
For Criste wit swylke mekenes ferde,
That mare meknes was never harde;
Forethi bird us ensampell take
Of hys meknes and pryd forsake,
When we thynk inwerdly how he 135
That es sa hegh[t] in trinite
Was sa meke that he wald take
Flesche and blode for mannes sake
And sythen be borne thus purely
O the pouer mayden Mary, 140
Noght in castyll ne in tour
Ne in hall ne in boure
Bot in a pouer pentiʒ i-wys, [p. 66
That lytill was of worldes blys.
That Lord that syttes heght in tronne 145
And schope bath sterne, sone and
                                    mone
And heven and hell and erth and see,
And makes frute and flour of tre,
And all this worlde made of noght,
And man aftyr hys lyknes wroght, 150
Wham all that lyves loves and loutes,
For mannes sake was layde in cloutes.
Whar hard man ever of swylk meknes,
Me thynk that he unsely es,
That lyves in pryde and envy here, 155
And wyll of Criste na meknes lere.
A pryde and envy, wa ye be,
Fore garn burd us that at-he fle,
When we thynk how thai sall far,
That wyll noght lete at Cristes lare, 160
Ne folow hys trasce in meknes,
That es grunde of all gudnes.
Fore thurght meknes es Mary
Of heven and erth qwene and lady,
And Satanas, thurght pride he fell 165
Oute of heven doune into hell.
In heven was he aungell fayreste,
And sythen in hell fend laytheste.
O pryde comes all his unsell, [p. 67
That never may slake ne kell. 170
Fore all wa that in this werlde es
Come of pryde and of unbuxumnes;
For gyf Adams pryd ne war,
He had bene qwyt of sorow and kar,
Bot for he ʒernede for to be 175
Als wys als Gode, forthi was he
Thurght pryde maked ful unwys
And flemed oute of paradyse.
God flemed noght hym all ane,
Bot thurght hys pryde us everilkane. 180
Fore had he bene in ryght meknes,
He had haldyn buxumnes
And done als his Lorde hym bade,

MHc: And endles in joy bene stede,
Noght he all ane, bot hys ofsprynge 185
Suld ay have lyved wyhtouten ende,
If he had bene buxume hym to,
That taght hym all how he suld do.
Bot fore he troued mar hys wyfe
Then God, that gaf hyme lym and lyfe, 190
And brak Goddes commaundment,
Forthi was all hys ofsprynge schent
And oute of paradyse flemede
And to pyne of hell demede.
Forthi com Goddes sone to menne, [p. 68
The way of mekenes thaim to kenne, 196
And in hys burght mekens he us kende
And in hys lyfe and in hys ende;
And forthi es gude that we be meke
And our Lorde Criste in mekness seke. 200
Fore it es nathyng that swa schendes
Na dose sa mekyll schame to fendes,
Als dose mekness, wharwit Criste boght
Mankynde fra hell, when he thus
    wroght.
That may we by that takenyng se, 205
That gars fendes fra us flee,
That es the takenynge of the rode,
Wharon Criste schede hys blode.
He schewed the maste mekness thar,
That ever he schewed sythen or ar, 210
And for the fende was ay and es
Proude, may he tholl bot na mekness;
And forthi when men the takyne mas
Of the cros, then flees Satanas.
For nathyng es, als I sayd are, 215
That woundes Satanas sa sare,
Als dos the takenying of mekness,
Fore a-gayne the fende mast it es.
    That may ʒe be saint Martyn see,
For in his lyve thus writen find we, 220
That als he was in orisoune, [p. 69
Then come the fende als kyng wit
    croune,

Cled in pall and in rych wede
And sayd: "Martyne, I will the lede
To heven, that bese thi beste bewyste, 225
For wyt ʒou well that I am Criste;
That may thou by my fayrnes se,
Forthi will I that thou loute me."
And sant Martyn thurght grace it
    wyste,
That he was noght Jhesu Crist, 230
And sayd to hym wyt mylde chere:
"Wyll I noght se my Lord here,
Bot in that blys, thare he ay es."
And for this worde of mekness
The fend went a-way als reke 235
And fled hym for hys answar meke.
    And of saint Anton fynd we,
That swa meke and mylde was he,
That thurght mekness many tyme
Flayed he fendes fell fra hyme. 240
And als he was hys ane in stede,
He saw how all the erth was sprede
Wyt pantrebandes and gylders blake,
That Satanas had layd to take
Man[ne]s saull, als a fouler 245
Tas foules wyt gylder and panter.
Than sayd Antone, this gude ermyte: [p. 70
"Lorde, what thyng sall passe qwyte
And be noght in this snarres tane?"
And God answerde: "Mekness all ane." 250
    Anothyr ermyte hyght Makary,
To wham the fende had grete envy;
And on a day the fend hym mete,
Fore fayne he wald his sawes lette,
And sayd: "Thou dos me grete
    dyspyte, 255
For wyt na syne [may] I the smyte,
And the pennance noght forthi
I see the do, all that do I.
Thou fastes mekyll, and I faste ay,
For I ete nouthyr nyght na day. 260
Thow wakys mekyll, and swa I do,

ASS: *For 253—68 cp. Acta SS. II 291, cap. III, sect. 12*: Revertens aliquando abbas Macarius
a palude ad cellam suam, palmarum ramos portabat. Et ecce occurrit illi diabolus in via
cum falce; et cum vellet eum percutere, non potuit; dixitque ei: "Magnam a te vim
patior, Macari, quia adversum te nihil valeo. Ecce enim quidquid tu facis, et ego facio.
Ieiunas, et ego; vigilas, et ego omnino non dormio. Unum est tantummodo, in quo
me superas." Et dicit ei abbas Macarius: "Quod est istud?" Respondit diabolus:
"Humilitas tua; et ideo adversus te nihil possum."

For 269—336 cp. ib. p. 289, cap. I, sect. 1: Beatus Macarius de semetipso referebat dicens:
"Dum essem iunior, atque in cella residerem in Aegypto, tenuerunt me, et clericum ordina-
verunt in vico. Ego vero nolens acquiescere, in alium locum profugi; et venit ad me secu-
laris quidam vir pius, qui quod manibus eram operatus tollebat, mihique ministrabat.
Accidit autem ut virgo quaedam in eodem pago diabolica tentatione in fornicationem
laberetur; cumque jam uterum gestaret, interrogata est, a quo esset impraegnata; ipsa
vero: 'Ab isto,' inquit, 'anachoreta'. Exeuntes vero pertraxerunt me in vicum, et suspen-
derunt ad collum meum fictiles ollas, et ansas vasorum, et circumduxerunt in pago per
vias caedentes, ac dicentes: 'Hic monachus filiam nostram corrupit: tollite, tollite eum!'

MHc: For I hafe never ryste ne ro,
Bot wyt a thyng pas thou me,
Sa that I may noght do at the."
"And what es that?" sayd Makary. 265
"Of thi meknes," he sayd, "speke I,
For wit meknes thou passes me,
That schendes me, when I it se."
For swa meke was Makary,
That of hys meknes was ferly. 270
In ermytage lange wonnd he,
On felles bysyde a gret cyte.
Out of the cyte was he flede, [p. 71
And als a ermytte swylke lyve he lede,
That hys meknes and hys gude lyve 275
Was sone in the cyte full ryve.
Anothyr ermyte come hym tyll
And served hym at all hys wyll.
Fell auntour, that this Makary
Come unto the cyte full rywely, 280
To sell thar hys handwerke,
And sa fell auntour, that a clerke
Spak wit a burgas doghter swa,
That synfull play laykyd thai twa.
When scho wit chylde persay[ve]d was,285
Fadir askyd and modyr this case,
Wha had done wit hyr foly.
And scho answerede: "A ermyte
            Makary."
Full wrath wer all hyr frendes than
Wyt Makary, that hali man. [schame, 290
Thai gart take hym and do hym
Als he had spylte this wommane fame.
A-boute the merket thai hym lede
And dange hym that hys body blede,
And gart hym fynd borghes than, 295
To fede and clethe this wyk wommane.
The tother ermyte that served hym
Was bysyde that ilke tyme,
And thoght gret schame of this
            chaunce [p. 72
And grete for hys maister penaunce. 300

Makary prayd hym that he
Suld in that cas his borow be,
And he become hys borow thar,
Full wa was hym for hys mysfar.
To hym selfe sayd Makary: 305
"A wyfe has thou, and forthi
Behoves the werk faster and mar,
Baith nyght and day, than thou
            dyd ar,
Els may thou noght wit thi dede
Thi selfe and thi lemman fede."   310
Bathe nyght wroght Makary and day
And sent this woman a pert ay,
That he myght wit hys werke gete,
And tharwytall scho boght hyr mete.
This womane yode wit chylde full
            lange 315
And tholed paynes sely strang,
For myght scho have na delyveraunce,
Ar scho had talde thurght what kyne
            chaunce
Scho consaywed and thurgh whame,
And qwyt sante Makary of hys blame. 320
When hyr frendys herd of this,
Thame thoght that thai had done of
            mys,
When thai bette sainte Makary,
Forthi thai wald cry hym mercy.
And sainte Makary hard say   [p. 73
At thai wald come and flede a-way. 326
For he was rad to tyne mekenes
Wit lovely worde and dereworthynes.
For loufe word and worldes blys
Gers men tyne meknes, i-wys,   330
Forthi flede Criste man lovynge,
When the Jewes wald make hym
            kynge;
Fore worldes wandretht and poverte
Haldes meknes in many mans herte,
And worldes welth mas man full made; 335
Forthi Makary a-way it flede.

ASS: et paene ad mortem me ceciderunt. Superveniens vero quidam seniorum dixit: 'Quamdiu peregrinum hunc monachum caedetis?' At, qui mihi solitus erat ministrare, sequebatur retro, pudore suffusus; nam et ipsum multis contumeliis affecerant, dicentes: 'Ecce solitarius ille, cui tu testimonium tribuebas, quid perpetrarit.' Et dixerunt puellae parentes: 'Non dimittimus eum, nisi de alimentis ei praebendis fideiussorem dederit.' Cumque ei, qui mihi ministrabat, innuissem, fideiussit. Atque ad cellam reversus, dedi ei quotquot habebam sportulas: 'Vende,' inquiens, 'has, et coniugi illi meae cibum praebe!' Dicebam vero cum animo meo: 'Ecce, Macari, uxorem tibi reperisti, oportet te nunc amplius laborare, ut eam alas'; et dies noctesque operabar, eique mittebam. Cum vero miserae illi tempus pariendi advenit, dies complures in acerbo cruciatu exegit, neque parere omnino valuit. Mirantibus qui aderant, et quid hoc esset quaerentibus: 'Scio,' inquit, 'quia videlicet monacho illi falsum crimen imposui, cum ille flagitii sit expers, quod juvenis iste admisit.' Advolat minister meus, et gaudio gestiens ait: 'Non potuit puella illa parere, donec confessa est, insontem esse te criminis, quo te falso accusaret. Ecce vero universi vici illius habitatores huc convenire cupiunt, ut cum gloria irrogatae tibi iniuriae veniam flagitent.' Ego vero his auditis, ne me homines affligerent, surrexi, atque inde in Sceten profugi. Hoc principium est caussae, ob quam hunc veni."

MHo: Thir thre tales have I you talde,
To ger you in your hertes halde,
That ay the halyar that a man es,
The mar lufes he meknes;   340
For Crist us kend, als I sayd ar,
Meknes in all hys pouer far,

For in his burght meknes he kende,
And in hys live and at hys last ende.
Forthi I rede that we faste pray,   345
That Criste lede us here be the way
Off meknes unto that blys,
That to meke men graythede es.
Amen.

6. William of Shoreham (wrote ab. 1320).

MS.: Brit. Mus. Add. 17, 376 (not later than 1350). — Edd.: Wright, 1849, Percy Society 28; Konrath, 1902, EETS. ES. 86. The Five Joys are also printed in Mätzner's Sprachpr. I 259—266.

Biographical. *At the end of William's treatise on The Seven Deadly Sins* [f. 198a] *occurs the following passage:*
Oretis pro anima domini Willelmi de Schorham, quondam vicarii de Chart iuxta Ledes, qui composuit istam compilacionem de septem mortalibus peccatis. Et omnibus dicentibus oracionem dominicam cum salutacione angelica, XLᵃ dies venie, a domino Symone, archiepiscopo Cantuarie conceduntur.

The Five Joys of the Virgin Mary.[1])

Meche hys þat me syngeþ and redeþ, [f. 198b
Of hyre þat al ma[n]kende gladeþ, Konrath
I-bore was here on erthe;   3
And þey alle speke, þat spekeþ wyd
tonge,
Of hyre worschype, and murye sounge,
Ʒet more he were worthe.   6

Þyse aungeles heryeþ here wyþ
stevene,
Ase he hys hare quene of heve[ne]
And eke hare blysse;   9
Over al erþe levedy hys here,
And þorʒout helle geþ here power,
Ase he hys emperysse.   12

Cause of alle þyse dignyte,
Þorʒ clennesse and humylyte,
Was Godes owene grace;   15
Werþorʒ he ber þan hevenekyng:
Worschype hys worþy ine alle þyng,
In evereche place.   18

Al þat hys bove and under molde,
Hou myʒt hyt bote hyt bowe scholde
To hyre owene mede?   21
Wanne he þat al þys wordle schel welde
To hyre worschipe hys y-helde
For here moderhede.   24

Al þyse maydenes, wyþout bost,
Hy bereþ God in here goste,
In hare holy þouʒt[e];   [f. 199
Ac hy wyþoute mannes y-mone   28
In body, and nauʒt in gost al one,
To manne hyne broute.   30

Of hyre þat hys þos dygne of take, p. 115
Hou myʒte ich of hyre songes make,
Þat am so foul of lyve?   33
And þou me bede, soster, synge
And alle into one songe brynge
Here swete joyen fyve.   36

To segge þat ich hyt maky can,
Þat am so oneconnende a man,
Dar ich me nauʒt avanty;   39
Ac tryste ich wolle to oure levedy
And maky hyt ase hyt wyle by
And ase hy hy[t] wole me granty.   42

As man ine hys byleave y-seþ,
Joyen of hyre so fele þer beþ,
Ne may hys no man telle,   45
Ase hy haþ of hyre leve sone:
Hyt passeþ al mankendes wone
And out of mannes spelle.   48

Four manere joyen hy hedde here
Of hyre sone so lef an dere,
Wytnes opan þe godspelle;   51
And al[le] comeþ of þe blysse
Þat hye heþ nou, wyþoute mysse,
So stremes of þe welle.   54

Þe wylle þat hys in paradys
Fol wel bytokneþ þys avys
Wyþ here stremes foure,   [f. 199b
Þet orneþ out over al þat londe;   58
Nys never erþlyche man þat fond
Hou fele come of þe stoure.   60

MS 4 þey] þey I   29 al one] a-boue   52 of] ofte

[1]) *Source: general theological knowledge, as any priest could have it.*

Þys wulle hys God self man bycome,
Of hym þys joyen beþ alle y-nome
　　And alle ine vour manere;　　63
Þe furste was wyþ concepcioun,
Þo þe angel Gabryel come a-doun
　　Ine stede of messager[e],　　66

To brynge þe tyþynge byfore
Þat Cryst of hyre wolde by bore,
　　Mannes trespas to ȝelde,　　69
For to brynge ous out of helle:
Wo mytte þenche oþer telle
　　Wat joye þer y velde!　　72

In Nazareth, þe ryche toun,
Ave Maria was þat soun
　　Of Gabrieles stevene;　　75
Þo was þat mayde wel y-gret
And wyþ a present wel ageet
　　Fram vader oure of hevene.　　78

So he was ine hyre y-come,
For fleasch and blod of hyre to nome,
　　Ase þe angel hyre seyde;　　81
Ne hy of mannes mone neste,
Ne hy ne brek nauȝt hyre byheste,
　　Ac evere clene a mayde.　　84

Seynt Johan, þe baptyst, onbore,
Þo hy spek hys moder byfore,
　　Ine joye he gan to a-sprynge.　　[f. 200
Elyzabet wel þat aspyde,　　88
Hou a spylede onder hyre syde
　　And made hys rejoyynge.　　90

More encheyson hadde oure levedy
Joyous and blyþe for to be
　　Wyþoute prede and boste;　　93
For in hyre selve hy hyne fredde,
Fol wel hy wyste hou [hy] hyne hadde
　　Þorȝ self þe holy goste.　　96

Joseph kedde þat he was mylde,
Þo þat he wyste hy was wyþ chylde,
　　A-wey he wolde al one;　　99
Ha nolde nauȝt he were a-slawe
Ne forþe y-juged by þe lawe
　　To by stend wyþ stone.　　102

Ac Joseph was wel blyþe a-plyȝt,
Þo to hym cam þe angel bryȝt,
　　To segge hym wat he scholde;　　105
Wel blyþþere myȝte be þat may,
Þat was y-conforted al day
　　Wyþ aungeles wanne hy wolde.　　108

In þyssere joye we scholde bylouken
Al hyre joyen of vourti woken
　　Þe wylest he ȝede wyþ chylde.　　111

Of hyre [barme] hyt was god game,
Þerinne þet unicorn weks tame
　　Þat er þan was so wylde.　　114

Þet oþer joye of hyre y-core
Was of Jhesus, of hyre y-bore
　　A crystemassenyȝte,　　[f. 200 b
Wyþoute sorȝe, wyþoute sore;　　118
And so ne schal þer nevere more
　　Wymman wyþ childe dyȝte.　　120

For so hy hyne scholde ferst a-vonge,
Þer nys no senne þer a-monge
　　Ne noe flesches lykynge;　　123
Þerfore of hyre y-bore he was,
Ase þe sonne passeȝt þorȝ þe glas
　　Wyþouten on openynge.　　126

In suaþebendes hy hyne dyȝte,
Ase hyt hys þe chyldes ryȝte,
　　And ȝef hym melk to souke;　　129
Þaȝ hyt were þustre of nyȝt,
Þer nas wane of no lyȝt,
　　Þe hevene gan onlouke.　　132

Out com an aungel wyþ great leem
Into þe feld of Bedleem
　　A-monges þe schepherden,　　135
Te telle þat Cryst was y-bore;
Þer come singinde þerfore
　　Of angeles manye verden.　　138

Þanne sede he swyþe wel:
"*Gracia plena*," Gabryel,
　　And þat hys "fol of grace";　　141
Wanne glorye of hyre hys fol a-bove
And pays i-grad for hyre love
　　Of angeles in place.　　144

Þe oxe and asse in hare manyour,
Þo þat hy seȝen hare creatour
　　Lyggynde in hare forage,　　[f. 201
Al oneknowynge þaȝ hy were,　　148
Hy makede joye in hare manere
　　And eke in hare langage.　　150

Ope þe heȝe eȝtynde day
He onderȝede þe Gywen lay
　　And was y-circumcysed.　　153
Jesus me clepede hyne þervore,
Ase aungeles, er he were y-bore,
　　Hys eldren hedde y-wysed.　　156

Mochele joye hy aspyde,
þe kynges þre þat come ryde
　　Fram be easte wel i-verre;　　159
Gold, myrre, stor, were here offrynges.
Þat he was lord and kyng of kynges
　　Wel bytoknede þe sterre.　　162

---

89 hyre] hys　　104 þo] So　　114 þan] þang　　146 creature　　159 i-verre] werre

Þo þat he scholde y-offred be
In þe *templo Domini,*
   Ase laȝe ȝef þe termes,   165
Symeon, þe olde man, gan crye
And spek of hym fur prophecye
   And tok hym ine hys earmes.   168

Þo he was bote twelf wynter ald,
And heȝ ine þe temple he seat wel
   And þaȝ he speke smale,   [bald, 171
Many man wondrede on hym þere
For to alle clerkes þat þer were
   He ȝaf answere and tale.   174

A-lyve vertu was hys childehoþe,
And so he com to hys manhode;
   Ine flom Jordanes syche   [f.201 b
He was y-crystned, þe hevene onleake, 178
Þe fader of hevene doun to hym spake,
   Þe gost com colvere y-lyche.   180

To þyssere joye longye scholle
Alle þe joyen þat hyre folle
   Of hyre chylde god,   183
Fram þan tyme he was y-bore
For al mankende þat was forlore,
   For[t] he deyde one þe roude.   186

Þe þrydde joye þat com of Cryste
Hadde oure levedy of hys opryste
   Fram deaþes harde bende,   189
Out of þe sepulcre þer he laye,
Ase hyt fel þane þrydde daye
   After hys lyves ende.   192

Wet joye of hym myȝte be more
After suiche sorȝynge and swyche sore
   Ase hye y-seye hine feye,   195
Þanne i-siȝe hyne come to lyve a-ȝen
And evereft more a-lyve to ben
   And nevere eft to deyȝe?   198

Þat he was lyf and strengþe and myȝte,
And þat he kedde on estre-nyȝtte
   Al ine þe dawyynge: 201
Al þa[t] was an erthe schok,
And hevene a-bove undertoke
   Hys holy uppe-rysynge.   204

Þar doun come aungeles whyte ine
               wede,
And þat he was a-ryse hy sede,
   And hare sawe was trewe;   [f.202
Þat he ne laye nauȝt under molde, 208
For to asaye, hoso wolde,
   Þane stone hye overþrewe.   210

Þaȝ þat he ine hys manhoþ deyde,
"*Dominus tecum*" þat a seyde,
   Þo þe aungel here byredde,   213
-Þat hys to seggene "God es myȝtte"-,
Ine ryȝte soþe hyt moste sitte,
   Þet godhoþ wel hyt kedde.   216

Nedde oure levedy þyse blysse al one,
Ac al hyre frendes in hyre mone,
   So meche was here þe more;   219
For more hijs blysse god and clene
A-mong frendes to habbe y-mene
   After sorȝynge and sore.   222

O þat hy were blyþe, þo hye here siȝen
So glorious a-lyve wyþ here eȝen,
   Þet hy y-seye er ine paygne!   225
Furste a schewed hym wyþ a fayre
               chaunce
To here þet hys ensample of repent-
   Marye Magdaleyne.   [aunce, 228

And so hy-seye hyne Peter and
             seþenes hy alle,
And þer Thomas of Ynde, a k[n]owes
             y-falle,
   Groped hys holy wounde;   231
Þare he fond flesch and blod myd þe
             bones,
An nou he gan to crye loude for þe
             nones:
   "My Lord ich abbe y-founde."   234

Houre Lord hym answerde in þet cas:
"Þou levedest, for þou seȝe me,
             Thomas,
   Þat þou me haddest y-founde;   [f.202 b
Ac, Thomas, ich þe telle, y-blessed
             hy beþ, 238
Þo þat on me byleveþ and nauȝt me
   Ne gropyeþ none wounde."   [seþ 240

To þyssere joyen scholle by y-leyd
Alle þe joyen þat moȝe be y-seyd
   Ine wyttes oþer in mende,   243
Fram Crystes resurreccioun,
Wat comeþ hys ascensioun
   At fourty daȝen ende.   246

Þe ferþe joye telle ich may,
Þat fel opon þe holy þoresday,
   Opone a mounteyne heȝe;   249
Hi seȝ Jhesus and oþre some
Of flesch and blod of hyre y-nome
   Op into hevene steȝe.   252

---

169 he] ȝe   175 A-lyve] Al yne (?)   186 Fort   229 hy-seye] hyȝeye   231 Croped
246 daȝen] saȝen   249 mounte yne

Al ine joye was hyre mende,
Þo hy seʒe here and oure kende,
  Jhesus, hyre leve sone,   255
Into þe blysse of hevene sty,
To a-gredy worþy scholde hy be
  At hyre assumpcioun[e].   258

And ʒet ne were hyt noʒt y-noʒ
One to a-gredy hyre looʒ
  And heʒ ine hevene blysse;   261
Ac oure also, hyt nis non oþer,
For he hys oure kende broþer,
  Þat leve we to-wysse.   264

Ine hym ne schal hyt nauʒt lang be
Þat we to hym ne scholle te,
  Wanne we scholle wende hennes; [f. 203
Ac schel on ous, þat beþ onkende, 268
Ne draʒeþ nauʒt hys love to mende,
  And wreþeþ hyne wyþ sennes.   270

And ʒet he hys milde and sparyeþ some,
And ase he wente op, he wole come
  A domesday wel bryʒte,   273
For te trye manne dede,
And after dede ʒive mede
  And jugement to ryʒtte.   276

Betere red nys þer non here
For to be Crystes y-vere
  And hyʒ ine hevene blysse,   279
Bote felþe of senne to byvly,
And bydde God and oure levedy
  Þat hy ous helpe and wysse.   282

For hyre poer nys nouʒt y-lessed,
Ac toup alle oþren hys y-blessed,
  Soþe wyf and mayde;   285
Ase þat godspel telleþ ous,
"Benedicta tu in mulieribus,"
  Elizabeth hyt sayde.   288

Al here joyen a loksounday
And alle þe þat me aspye may,
  Þat hyre an erþe felle,   291
Al fram Crystes ascencioun,
Al wat comþe hyre assumpcioun,
  To þyssere loungy schelle.   294

Þe fyfte joye of oure levedy
Not er[þ]lych man hou hyt may by,
  Ne þerof [may] more aspye,   [f.203 b
Bote þat þe gloriouse beerde   298
Out of þyse world gloriouse ferde
  Wyþ greate melodye.   300

Onecouþ to þe, man, hys þes figure,
For þe offyce of hyre sepulture
  Was al an hevene gyse;   303
And toller hys man to hevene-speche

Þanne be a best, þaʒ man hym teche
  Reyson and mannes wyse.   306

Þerfore nys þerof naut y-wryte,
For man ne mot nouʒt her y-wyte
  Wat hys so heʒ a stevene;   309
Ac holy cherche der wel byknowe
Þat hy ne þolede none deaþes þroʒe,
  Þat loweþ þat lyf of hevene.   312

Hyt hys y-wryte þat angeles brytte
To holy manne deaþe a-lyʒte
  [Þet] her an erþe leye;   315
In holy bok hys hyt i-nome
Þat God hym self a wolde come,
  Wanne hy scholde deye.   318

Þerbye we mowe wel y-wyte,
Þaʒ þer be nauʒt of y-wryte,
  Þat Cryst hym self was þere;   321
Myd hym of hevene þe ferede,
Þe eadi levedy for to lede,
  Most here no fend offere.   324

Hy wente uppe, my leve broþer,
In body and soule, hyt nys non oþer,
  For Cryst hys god and kende.   [f. 204
Þat body þat he tok of hys oʒen,   328
Hou mytte hyt ligge a-mang þe loʒen
  Wyþoute honour and mende?   330

Þanne ich dar segge mid gode ryʒte
Þat alle þe court of hevene a-lyʒtte
  Attare departynge;   333
And Cryst hym self a-ʒeins hyre com,
And body and saule op wyþ hym nom
  Into hys wonyynge.   336

Þar hy hys quen, ase ich er mende,
Here grace hy may doun to ous sende,
  Hire joye to folvelle.   339
Ich hopye hy nele nauʒt let ous spylle,
For he hys al to hyre wylle
  Of joye þat hijs þe welle.   342

For of hyre wombe he hys þat frut,
Wereof þes angeles habbeþ hare dut
  And men hare holy fode;   345
Elizabeth, hy sede þys:
*"Et benedictus fructus ventris
  Tui,* Jesus þe gode."   348

O songe hys to þen ende y-brout,
Ase þou hest, soster, me bysoʒt,
  Ase ich hene myʒtte frede.   351
Nou syng and byde þe hevenequene
Þet hy ous brynge al out of tene
  At oure mest[e] nede. Amen.   354
Oretis pro anima Willelmi de Schorham,
quondam vicarii de Chart iuxta Ledes.

---

254 þo] So   265 schalt   274 trye] crye   291 and   299 gloriouse] þe gloriouse
312 lower   320 be] he   337 þat   342 þat hijs *repeated*   349 Of

7. A Christmas Carol.

MS.: Edinb. Advocates' Libr. 19. 3. 1 "Meirical Romances and Moralizations" (end 15th cent.). — Ed.: Laing in Wright's Reliquiae Antiquae, 1843, II 76. — Other versions: a) MS. Oxf. Bodl. Eng. Poet. e. 1 (latter half 15th cent.), ed. Wright, Percy Soc. 23 (1847) 12; Chambers and Sidgwick, Early Engl. Lyrics, 1907, p. 121.   b) MS. Oxf. Balliol Coll. 354 (beg. 16th cent.), ed. Flügel, Anglia 26 (1903) 250; Dyboski, EETS. ES. 101 (1907) 25.   c) MS. Brit. Mus. Royal App. 58 (beg. 16th cent.), ed. Flügel, Anglia 12 (1889) 270. d) MS.? (15th cent.), ed. Rickert, Anc. Engl. Christmas Carols, New York 1910, p. 59.

This endurs nyȝt I see a syght,
  A sterre schone bryght as day,
And everymong a meden-song
  Was: By, by, lulley!
      This [endurs nyght]. 5

1 This lovely lady sete and song
  And tyll hur chyld con say:
"My son, my lord, my fadur deyr,
  Why lyus thou thus in hey?
Myn one swete bryd, what art thu kyd 10
  And knowus thi lord of ey?
Never the lesse I will not sesse
  To syng: By, by, lulley!"
      This [endurs nyght].

2 This chyld ontyll is modur spake, 15
  And thus me thowght he seyd:
"I am kend for hevenkyng,
  In cryb thowght I be leyd;
Angelis bryght schalle to me lyght,
  Ȝe wot ryght welle in fey 20
Off this behest; gyffe me ȝowr brest,
  And syng: By, by, lulley!"
      This [endurs nyght].

3 "My aune der son, to the I say,
  Thou art me lefe and dere; 25
How shuld I serve the to pey
  And plese on all manere?
All thi wyll I wyll fulfylle,
  Thou wottes ryȝt well in fay;
Never the leyse I wyll not sesse 30
  To syng: By, by, lulley!"
      This [endurs nyght].

4 "My dere moder, when tyme it be,
  Ȝe tak [me] up on-loft

[t.210 b] And sett me ryȝt apon ȝour kne   35
  And hondul me full soft;
In ȝour arme ȝe kepe me warme,
  Both be nyght and day,
Gyff I wepe and will not slepe,
  To syng: By, by, lulley!"   40
      This [endurs nyght].

5 "My aune dere son, sen it is thus,
  That thou art lord of alle, [bydyng
Thou shuld have ordent the sum
  In sum kynge[s] halle.   [knyght 45
Me thenkus a-ryght a kyng or a
  Shuld be in rych arev,
And ȝett for this I woll not seysse
  To syng: By and lulley!"
      This [endurs nyght]. 5u

6 "My aune der son, to the I say,
  Me thynkus it is no lve,
That kyngus shuld com su fer to the,
  And thu not to them deny.
Yow sarwn see the kyngus iii   55
  Apon the twelfe day,
And for that syȝt ȝe may be lyght
  To syng: By, by, lolle[y]!"
      This [endurs nyght].

7 "May aune der son, sen it is thus, 60
  At all thyng is at wyll,
I pray the, grant me a bone,
  Gyf it be ryght of skylle.
Chyld or man that will or can,
  Be mery on this gud day,   c5
To hevunblysse grawnt hit us
  And syng: By, by, lulley!"
      This [endurs nyght].

MS 3 everymeng   25 lofe   52 laye

V. Fabliaux.

1. The Vox and the Wolf (2nd half 13th cent.).

RR: *Roman du Renart (12th and 13th cent.). — Ed.: Méon, Paris 1826, I pp. 240—260; Martin, Straßb. 1882—87, I pp. 146—159. — Méon's text stands nearer to our English version than Martin's does.*

VW: *The Vox and the Wolf. — MS.: Oxf. Bodl. Digby 86 (reign of Edward I.). — Edd. Wright, Reliquiae Antiquae, 1843, II 272; idem. 1843, Percy Society 8, XVI; Mätzner, Sprachpr. I 130—136; cf. Stengel's collation, Cod. manu script. Digby 86, Halis 1871, p. 64.*

Of þe vox and of þe wolf.

VW: A vox gon out of þe wode go,
Afingret so þat him wes wo;
He nes nevere in none wise

[t.138 a] Afingret erour half so swiþe,
He ne hoeld nouþer wey ne strete, 5
For him wes loþ men to mete

VW: Him were levere meten one hen
Þen half an oundred wimmen.
He strok swiþe overall,
So þat he ofsei ane wal;   10
Wiþinne þe walle wes on hous,
Þe wox wes þider swiþe wous;
For he þohute his hounger a-quenche
Oþer mid mete oþer mid drunche.
A-bouten he biheld wel ȝerne;   15
Þo eroust bigon þe vox to erne,
Al fort he come to one walle.
And som þerof was a-falle,
And wes þe wal overal tobreke,
And on ȝat þer wes i-loke;   20
At þe furmeste bruche þat he fond,
He lep in, and over he wond.
Þo he wes inne, smere he lou,
And þerof he hadde gome i-nou;
For he com in wiþouten leve   25
Boþen of haiward and of reve.'
On hous þer wes, þe dore wes ope,
Hennen were þerinne i-crope
Five, þat makeþ anne flok,
And mid hem sat on kok.   30
[. . . . . No gap in MS]
Þe kok him wes flowen on hey,
And two hennen him seten ney.   [f.138b
"Wox," quad the kok, "wat dest þou
Go hom, Crist þe ȝeve kare! [þare?
Houre hennen þou dest ofte shome; 35
Be stille, ich hote, a Godes nome!"
Quaþ þe wox: "Sire Chauntecler,
Þou fle a-doun and com me ner.
I nabbe don her nout bote goed,
I have leten þine hennen blod;   40
Hy weren seke ounder þe ribe,
Þat hy ne miȝtte non lengour libe,
Bote here heddre were i-take;
Þat I do for almes sake.
Ich have hem leten eddre blod, [goed; 45
And þe, Chauntecler, hit wolde don
Þou havest þat ilke ounder þe splen;
Þou nestes nevere daies ten;
For þine lifdayes beþ al a-go,
Bote þou bi mine rede do;   50
I do þe lete blod ounder þe brest,
Oþer sone axe after þe prest."

"Go wei," quod the kok, "wo þe bigo!
Þou havest don oure kunne wo.
Go mid þan þat þou havest nouþe; 55
A-coursed be þou of Godes mouthe!
For were I a-doun, bi Godes nome,
Ich miȝte ben siker of oþre shome.
Ac weste hit houre celerer,
Þat þou were i-comen her,
He wolde sone after þe ȝonge
Mid pikes and stones and staves
                                               stronge;
Alle þine bones he wolde tobreke,
Þene we weren wel a-wreke."
     He wes stille ne spak na more,   [f.138 b²
Ac he werþ a-þurst wel sore;   66
Þe þurst him dede more wo,
Þen hevede raþer his hounger do.
Overal he ede and sohute;
On aventure his wiit him brohute 70
To one putte wes water inne,
Þat wes i-maked mid grete ginne.
Tuo boketes þer he founde,
Þat oþer wende to þe grounde,
Þat wen me shulde þat on opwinde, 75
Þat oþer wolde a-doun winde.
He ne hounderstod nout of þe ginne,
Ac nom þat boket and lop þerinne;
For he hopede i-nou to drinke:
Þis boket beginneþ to sinke.   80
To late þe vox wes biþout,
Þo he wes in þe ginne i-brout:
I-nou he gon him biþenche,
Ac hit ne halp mid none wrenche;
A-doun he moste, he wes þerinne.   85
I-kaut he wes mid swikele ginne.
Hit miȝte han i-ben wel his wille
To lete þat boket hongi stille:
Wat mid serewe and mid drede
Al his þurst him overhede.   90
A' þus he com to þe grounde,
And water i-nou þer he founde.
Þo he fond water, ȝerne he dronk,
Him þoute þat water þere stonk,
For hit wes toȝeines his wille: [wille, 05
"Wo worþe," quaþ þe vox, "lust and
Þat ne con meþ to his mete!
Ȝef ich nevede to muchel i-ete,   [f. 139

RR: *Renart finds a well:*
En cel puis si avoit deus seilles;   [Cp. Martin
Quant l'une vient et l'autre vet,   l. 151 ff.
Et Renart qui tant a mal fet,
Desus le puis s'est acoutez   6615
Grains et marriz et trespensez.

R. thinks he sees his wife at the bottom.
His voice is echoed back from within.
Renart l'ot et moult se merveille,

Ses piés a mis en une seille,
Onc n'en sot mot, si vint a mal.
Or li est encontré moult mal,
Qant il fu en l'eve chaüz   6635
Lors sot bien qu'il est deceüz
Qant sa fame n'i a tenue
Que il cuidoit avoir veüe.

R. complains of his misfortune but does
not know how to deliver himself.

VW: Þis ilke shome neddi nouþe,
Nedde lust i-ben of mine mouthe. 100
Him is wo in euche londe,
Þat is þef mid his honde.
Ich am i-kaut mid swikele ginne,
Oþer soum devel me broute herinne;
I was woned to ben wiis, 105
Ac nou of me i-don hit hiis."
     Þe vox wep and reuliche bigan;
Þer com a wolf gon after þan
Out of þe depe wode blive,
For he wes afingret swiþe. 110
Noþing he ne found in al þe niȝte
Wermid e his honger a-quenche miȝtte.
He com to þe putte, þene vox i-herde;
He him kneu wel bi his rerde,
For hit wes his neiȝebore 115
And his gossip of children bore.
A-doun bi þe putte he sat.
Quod þe wolf: "Wat may ben þat,
Þat ich in þe putte i-here?
Hertou Cristine oþer mi fere? 120
Say me soþe, ne gabbe þou me nout,
Wo haveþ þe in þe putte i-brout?"
Þe vox hine i-kneu wel for his kun,
And þo eroust kom wiit to him;
For he þoute mid soumme ginne 125
Him self houp bringe, þene wolf
           þerinne.
Quod þe vox: "Wo is nou þere?
Ich wene hit is Sigrim þat ich here."
"Þat is soþ," þe wolf sede,
"Ac wat art þou, so God þe rede?" 130
"A," quod þe vox, "ich wille þe telle, [f.139 aˊ]

On alpi word ich lie nelle:
Ich am Reneuard, þi frend,
And ȝif ich þine come hevede i-wend,
Ich hedde so i-bede for þe, 135
Þat þou sholdest comen to me."
"Mid þe?" quod þe wolf, "warto?
Wat shulde ich ine þe putte do?"
Quod þe vox: "þou art ounwiis,
Her is þe blisse of paradiis; 140
Her ich mai evere wel fare
Wiþouten pine, wiþouten kare:
Her is mete, her is drinke,
Her is blisse wiþouten swinke;
Her nis hounger never mo 145
Ne non oþer kunnes wo;
Of alle gode her is i-nou."
Mid þilke wordes þe vox lou.
     "Art þou ded, so God þe rede,
Oþer of þe worlde?" þe wolf sede. 150
Quod þe wolf: "Wenne storve þou,
And wat dest þou þere nou?
Ne beþ nout ȝet þre daies a-go,
Þat þou and þi wif also
And þine children, smale and grete, 15
Alle togedere mid me hete."
"Þat is soþ," quod þe vox,
"Gode þonk, nou hit is þus,
Þat ihc am to Criste vend,
Not hit non of mine frend. 160
I nolde for al þe worldes goed
Ben ine þe worlde, þer ich hem fond.
Wat schuld ich ine þe worlde go,
Þer nis bote kare and wo, [f.139 b]
And livie in fulþe and in sunne? 165

     MS 148 vox] volf

RR: Seignor, il avint en cel tens,
En cele nuit et en cele eure
Qu' Ysengrin sanz nule demeure
S'en est issuz d'une grant lande,
Que querre li covint viande, 6660
Que la fain le grieve forment.

He discovers the well, and looks into it.
De son ombre qu'il vit dedenz
Quida ce fust dame Hersent
Qui herbergie fust laiens
Et que Renart fust avec li. 6685

*He grows very enraged and threatens to
revenge himself on Renart.*
     Que qu' Isengrin se dementoit 6705
Et Renart trestoz coiz estoit,
Qant assez l'ot lessié uller,
Puis si l'a pris a apeler:
"Qui est ce, Diex! qui la parole?
Ja tien ge ça dedenz escole." 6710
"Qui es tu? va!" dist Ysengrin,
" Ja sui je vostre bon voisin
Qui fu jadis vostre compere,
Plus m'amiez que vostre frere;

Mes l'en m'apele feu Renart 6715
Qui tant savoit d'engin et d'art,
Mes or sui mort, la Dieu merci,
Ma penitance faz ici."
Dist Ysengrin: "C'est mes conforz:
Des quant ies tu, Renart, dont morz?" 6720
Et il li respont: "Des l'autrier:
Nus hons ne s'en doit merveillier
Se je sui morz, aussi morront
Trestuit cil qui en vie sont."

The wolf says he is sorry that Renart is dead:
Dist Renart: "Et j'en sui joianz."
"Joianz, amis!" "Voire, par foi."
"Biau compere, di moi porquoi." 6740
"Que li miens cors gist en la biere
Chiés Hermeline en sa tesniere,
Et m'ame est en paradis mise,
Devant les piez Jhesu assise.
Compere, ne vos merveilliez 6745
Se de ce sui joianz et liez,
Bien sachiez que ce est savoir,
Et si vos di sanz decevoir
Que j'ai trestot quanque je voil.
. . . .

VW: Ac her beþ joies fele cunne:
Her beþ boþe shep and get."
Þe wolf haveþ hounger swiþe gret,
For he nedde ȝare i-ete
And þo he herde speken of mete, 170
He wolde bleþeliche ben þare:
"A," quod þe wolf, "gode i-fere,
Moni goed mel þou havest me binome;
Let me a-doun to þe kome,
And al ich wole þe forȝeve."　175
"Ȝe," quod þe vox, "were þou i-srive
And sunnen hevedest al forsake
And to klene lif i-take,
Ich wolde so bidde for þe,
Þat þou sholdest comen to me."　180
　"To wom shuld ich," þe wolf seide,
"Ben i-knowe of mine misdede?
Her nis noþing a-live
Þat me kouþe her nou srive.
Þou havest ben ofte min i-fere, 185
Woltou nou mi srift i-here,
And al mi liif I shal þe telle?"
"Nay," quod þe vox, "I nelle."
"Neltou?" quod þe wolf, "þin ore,
Ich am afingret swiþe sore; 190
Ich wot to-niȝt ich worþe ded,
Bote þou do me soume reed.
For Cristes love, be mi prest."
Þe wolf bey a-doun his brest
And gon to siken harde and stronge. 195
"Woltou," quod þe vox, "srift ounder-
Tel þine sunnen on and on, [fonge, [f.139 b²
Þat þer bileve never on."
　"Sone," quod þe wolf, "wel i-faie.
Ich habbe ben qued al mi lifdaie; 200
Ich habbe widewene kors,
Þerfore ich fare þe wors.
A þousent shep ich habbe a-biten
And mo, ȝef hy weren i-writen.
Ac hit me ofþinkeþ sore. 205
Maister, shall I tellen more?"

------

192 *Stengel dreas* somne　199 i-fare

"Ȝe," quod þe vox, "al þou most sugge,
Oþer elleswer þou most a-bugge":
"Gossip," quod þe wolf, "forȝef hit me,
Ich habbe ofte sehid qued bi þe. 210
Men seide þat þou on þine live
Misferdest mid mine wive;
Ich þe aperseivede one stounde
And in bedde togedere ou founde.
Ich wes ofte ou ful ney 215
And in bedde togedere ou sey;
Ich wende, al so oþre doþ,
Þat ich i-seie were soþ,
And þerfore þou were me loþ;
Gode gossip, ne be þou nohut wroþ." 220
"Vuolf," quad þe vox him þo,
"Al þat þou havest herbifore i-do,
In þohut, in speche and in dede,
In euche oþeres kunnes quede,
Ich þe forȝeve at þisse nede." 225
"Crist þe forȝelde!" þe wolf seide.
"Nou ich am in clene live,
Ne recche ich of childe ne of wive.
Ac sei me wat I shal do,
And ou ich may comen þe to." [f. 140
"Do?" quod þe vox, "ich wille þe lere. 231
I-siist þou a boket hongi þere?
Þer is a bruche of hevene blisse,
Lep þerinne, mid i-wisse,
And þou shalt comen to me sone." 235
Quod þe wolf: "Þat is liȝt to done."
He lep in and way sumdel;
Þat weste þe vox ful wel.
Þe wolf gon sinke, þe vox a-rise;
Þo gon þe wolf sore a-grise. 240
Þo he com a-midde þe putte,
Þe wolf þene vox opward mette.
"Gossip," quod þe wolf, "wat nou?
Wat havest þou i-munt, weder wolt
　　　　　　þou?"
"Weder ich wille?" þe vox sede, 245
"Ich wille oup, so God me rede!

BR: Se tu es el regne terrestre,
Je sui el paradis celestre;　6760
Ceanz sont les gaaingneries,
Les bois, les plains, les praieries;
Ceanz a riche pecunaille,
Ceanz puez veoir mainte aumaille
Et mainte oeille et mainte chievre, 6765
Ceanz puez tu veoir vint lievre
Et bués et vaches et moutons,
Espreviers, ostors et faucons."
Ysengrin jure saint Sevestre
Que il voudroit la dedenz estre.　6770
. . . .
"Mes hons, s'il n'a confesse prise,

Ne porroit ja en nule guise
Ci avaler, je le te di."　　813
*The wolf says that he has been shriven
　already by Dant Hubert, the flying kite,
　but the fox replies that it is unseemly to
　lie in such an important matter. "Ask
　God earnestly to forgive you your sins."*

*Ysengrin turns his face towards the east
　and confesses his sins, while R. steps
　into the lower bucket.*

Dist Ysengrin: "J'ai Dieu proié."
"Et je, dist Renart, gracié.　　6870
Vos vendrez aval sanz demore."

VW: And nou go doun, wiþ þi meel,
Þi biȝete worþ wel smal.
Ac ich am þerof glad and bliþe,
Þat þou art nomen in clene live.   250
Þi soulecnul ich wile do ringe
And masse for þine soule singe."
Þe wrecche bineþe noþing ne vind
Bote cold water, and hounger him bind;
To colde gistninge he wes i-bede,   255
Wroggen haveþ his dou i-knede.
    Þe wolf in þe putte stod,
Afingret so þat he ves wod;
I-nou he cursede þat þider him broute;
Þe vcx þerof luitel route.   260
Þe put him wes þe house ney,
Þer freren woneden swiþe sley.
So þat hit com to þe time,   [f.140 a²]
Þat hoe shulden a-risen ime,
For to suggen here houssong.   265
O frere þer wes a-mong
Of here slep hem shulde a-wecche,
Wen hoe shulden þidere recche.
He seide: "A-riseþ on and on,
And komeþ to houssong hevereuchon."   270
Þis ilke frere heyte Ailmer,

He wes hoere maister curtiler.
He wes hofþurst swiþe stronge;
Riȝt a-midward here houssonge
Alhone to þe putte he hede;   275
For he wende bete his nede.
He com to þe putte and drou,
And þe wolf wes hevi i-nou;
Þe frere mid al his maine tey
So longe þat he þene wolf i-sey;   280
For he sei þene wolf þer sitte,
He gradde: "Þe devel is in þe putte!"
To þe putte hy gounnen gon
Alle, mid pikes and staves and ston,
Euch mon mid þat he hedde,   285
Wo wes him þat wepne nedde.
Hy comen to þe putte, þene wolf
        opdrowe;
Þo hede þe wrecche fomen i-nowe,
Þat weren egre him to slete
Mid grete houndes and to bete.   290
Wel and wroþe he wes i-swonge,
Mid staves and speres he wes i-stounge.
Þe wox bicharde him, mid i-wisse,
For he n· fond nones kunnes blisse
Ne hof duntes forȝevenesse.   295

RR: *Then Ysengrin jumps into his bucket and
    descends. When both meet—*
Ysengrin l'a araisoné:
"Compere, porqoi t'en vas tu?"   6895
Et Renart li a respondu:
"N'en fetes ja chiere ne frume,
Bien vos en diré la costume;
Quant li uns va, li autres vient,
C'est la costume qui avient;   6900
Je vois en paradis lasus,
Et tu vas en enfer la jus.

Moult es a grant honte livrez,
Et j'en sui hors bien le sachiez,
Par Dieu le pere esperitable: 6905
La jus conversent li deable.
Des que Renart vint a la terre,
Moult s'esbaudist de cele gerre.
Ysengrin est en male trape,
Se il fust pris devant Halape,   6910
Ne fust il pas si adolez
Que quant el puis fu avalez.

*In the morning the cook of the neighbouring monastery goes to the well with his donkey and
winds up the bucket. When he discovers the wolf, he calls the monks to his assistance, who
thrash the wolf soundly.*

2. Dame Siriz (13th cent.).

PA: *Petrus Alphonsi, Disciplina Clericalis (ab. 1100). — Chief MS.: Cambr. Peterhouse College
(beg. 13th cent.). — Edd.: Schmidt, Berl. 1827; Hilka u. Söderhjelm, Heidelberg 1911.*

DS: *Dame Siriz. — MS.: Oxf. Bodl. Digby 86 (reign of Edward I.). — Edd.: Wright,
Anecdota Literaria, 1841; Mätzner, Sprachpr. I 103—113 (based on Wright's text). Cf.
the collations of Stengel, Codex manu script. Digby 86, Halis 1871, p. 68, and of Kölbing
in ESt. 5 (1882) 378. — According to Elsner, Zschr. f. vgl. Literaturgesch. I (1887) 258.
the direct source of Dame Siriz probably was a Latin version of the Greek Syntipas which
has not come down to us. Of the preserved earlier versions the one which stands nearest to
DS is the Disciplina Clericalis of Petrus Alphonsi.*

DS: As I com bi an waie,
Hof on ich herde saie,
    Ful modi mon and proud;
Wis he was of lore,
And gouþlich under gore,   5
    And cloþed in fair sroud.

[f. 165 a To lovien he bigon
On wedded wimmon,
    Þerof he hevede wrong;
His herte hire wes al on,   10
Þat reste nevede he non,
    Þe love wes so strong.

DS: Wel ȝerne he him biþoute
Hou he hire gete moute
  In ani cunnes wise.   15
Þat he sei on an day,
Þe loverd wend a-way
  Hon his marchaundise.

He wente him to þen inne
Þer hoe wonede inne,   20
  Þat wes riche won;
And com into þen halle
Þer hoe wes srud wiþ palle,
  And þus he bigon:

"God almiȝtten be herinne!"   25
"Welcome, so ich ever bide wenne,"
  Quad þis wif;
"His hit þi wille, com and site,
And wat is þi wille let me wite,
  Mi leve lif.   30

Bi houre Loverd, heveneking,
If I mai don ani þing
  Þat þe is lef,
Þou miȝtt finden me ful fre,   [f.165a²]
Fol bleþeli willi don for þe,   35
  Wiþhouten gref."

"Dame, God þe forȝelde,
Bote on þat þou me nout bimelde,
  Ne make þe wroþ;
Min hernde willi to þe bede,   40
Bote wraþþen þe for ani dede
  Were me loþ."

"Nai, i-wis, Wilekin,
For noþing þat ever is min,
  Þau þou hit ȝirne,   45
Houncurteis ne willi be,
Ne con I nout on vilte,
  Ne nout I nelle lerne.

Þou mait saien al þine wille,
And I shal herknen and sitten stille, 50
  Þat þou have told.
And if þat þou me tellest skil,
I shal don after þi wil,
  Þat be þou bold;

And þau þou saie me ani same,   55
Ne shal I þe nouiȝt blame
  For þi sawe."
"Nou ich have wonne leve;
Ȝif þat I me shulde greve,
  Hit were hounlawe.

Certes, dame, þou seist as hende;
And I shal setten spel on ende
  And tellen þe al,
Wat ich wolde and wi ich com,
Ne con ich saien non falsdom,   65
  Ne non I ne shal.

Ich habbe i-loved þe moni ȝer,   [f.165]
Þau ich nabbe nout ben her
  Mi love to schowe.
Wile þi loverd is in toune,   70
Ne mai no mon wiþ þe holden roune
  Wiþ no þewe.

Ȝurstendai Ich herde saie,
As ich wende bi þe waie,
  Of oure sire;   75
Me tolde me þat he was gon
To þe feire of Botolfston
  In Lincolneschire.

And for ich weste þat he ves houte,
Þarfore ich am i-gon a-boute   80
  To speken wiþ þe.
Him burþ to liken wel his lif,
Þat miȝtte welde selc a vif
  In privite.

Dame, if hit is þi wille,   85
Boþ dernelike and stille
  . Ich wille þe love."
"Þat woldi don for non þing,
Bi houre Loverd, heveneking,
  Þat ous is bove!   90

Ich habe mi loverd þat is mi spouse,
Þat maiden broute me to house
  Mid menske i-nou;
He loveþ me and ich him wel,
Oure love is also trewe as stel,   95
  Wiþhouten wou.

---

83 sece

PA: Ex. XIII. Dictum est quod quidam nobilis progenie haberet uxorem castam nimium et formosam. Contigit forte quod orationis studio Romam vellet adire, sed alium custodem uxori suae nisi semet ipsam noluit deputare, illius castis moribus satis confisus et probitatis honore. Hic autem parato comitatu abiit. Uxor vero caste vivendo et in omnibus prudenter agens remansit. Accidit tandem quod necessitate compulsa a domo sua propria suam conventura vicinam egrederetur. Quae peracto negotio ad propria remeavit. Quam iuvenis aspectam ardenti amore diligere coepit, et plurimos ad eam direxit nuntios, cupiens ab illa qua tantum ardebat amari. Quibus contemptis eum penitus sprevit. Iuvenis cum se sic contemptum sentiret, dolens

DS: Þan he be from hom on his hernde,
Ich were ounseli, if ich lernede
   To bɛn on hore.
Þat ne shal nevere be,
Þat I shal don selk falsete   101
   On bedde ne on flore.

Never more his lifwile,
Þau he were on hondred mile
   Biȝende Rome,   105
For noþing ne shuld I take
Mon on erþe to ben mi make
   Ar his homcome."

"Dame, dame, torn þi mod:
Þi curteisi wes ever god   110
   And ȝet shal be;
For þe Loverd þat ous haveþ wrout,
Amend þi mod and torn þi þout
   And rew on me."

"We, we! oldest þou me a fol?   115
So ich ever mote biden ȝol,
   Þou art ounwis.
Mi þout ne shalt þou newer wende;
Mi loverd is curteis mon and hende
   And mon of pris;   120

And ich am wif boþe god and trewe;
Trewer womon ne mai no mon cnowe,
   Þen ich am.
Þilke time ne shal never bitide,
Þat mon for wouing ne þoru prude 125
   Shal do me scham."

"Swete leumon, merci!
Same ne vilani
   Ne bede I þe non;
Bote derne love I þe bede,   130
As mon þat wolde of love spede
   And fi[n]de won."

"So bide ich evere mete oþer drinke, [f.166 a
Her þou lesest al þi swinke;
Þou miȝt gon hom, leve broþer,   135
For wille ich þe love ne non oþer
Bote mi wedde houssebonde.
To tellen hit þe ne wille ich wonde."
"Certes, dame, þat me forþinkeþ;
An[d] wo is þe mon þa muchel
               swinkeþ 140

And at þe laste leseþ his sped!
To maken menis his him ned.
Bi me I saie ful i-wis
Þat love þe love þat i shal mis.   [f.165 b²
An[d] dame, have nou godne dai!   145
And þilke Loverd, þat al welde mai,
Leve þat þi þout so tourne,
Þat ihc for þe no leng ne mourne."

Drerimod he wente a-wai
An[d] þoute boþe niȝt an[d] dai   150
   Hire al for to wende.
A frend him radde for to fare
And leven al his muchele kare
   To dame Siriz þe hende.

Þider he wente him anon   155
So suiþe so he miȝtte gon,
   No mon he ni mette.
Ful he wes of tene and treie;
Mid wordes milde and eke sleie
   Faire he hire grette.   160

"God þe i-blessi, dame Siriz!
Ich am i-com to speken þe wiz
   For ful muchele nede.
And ich mai have help of þe,
Þou shalt have, þat þou shalt se,   165
   Ful riche mede."   [f.166 a

"Welcomen art þou, leve sone;
And if ich mai oþer cone
In eni wise for þe do,
I shal strengþen me þerto;   170
Forþi, leve sone, tel þou me
Wat þou woldest I dude for þe."
"Bot, leve Nelde, ful evele I fare;
I lede mi lif wiþ tene and care;

Wiþ muchel hounsele ich lede mi lif, 175
And þat is for on suete wif
   Þat heiȝtte Margeri.
Ich have i-loved hire moni dai;
And of hire love hoe seiȝ me nai:
   Hider ich com forþi.   180

Bote if hoe wende hire mod,
For serewe mon ich wakese wod
   Oþer mi selve quelle.
Ich hevede i-þout mi self to slo;
Forþen radde a frend me go   185
   To þe mi sereve telle.

---

142 menig (?)

PA: adeo efficitur ut nimio infirmitatis honere gravaretur. Saepius tamen illuc ibat quo dominam egressam viderat, desiderans eam convenire; sed nequaquam praevaluit efficere. Cui prae dolore lacrimanti fit obvia anus religionis habitu decorata, quaerens quaenam esset causa, quae eum sic dolore compelleret. Sed iuvenis quae in sua versabantur conscientia minime detegere volebat. Ad quem anus: "Quanto quis infirmitatem suam medico revelare distulerit, tanto graviori morbo attritus fuerit." Quo audito narravit ei

DS: He saide me, wiþhouten faille,
  Þat þou me couþest helpe and vaile
    And bringen me of wo,
  Þoru þine crafftes and þine dedes; 190
  And ich wile ȝeve þe riche mede,
    Wiþ þat hit be so."

"Benedicite be herinne!
  Her havest þou, sone, mikel senne.
  Loverd, for his suete nome, 195
  Lete þe þerfore haven no shome!
  Þou servest affter Godes grome
  Wen þou seist on me silk blame.
  For ich am old and sek and lame; [f.166 b
  Seknesse haveþ maked me ful tame. 200
  Blesse þe, blesse þe, leve knave!
  Leste þou mesaventer have,
  For þis lesing þat is founden
  Oppon me þat am harde i-bonden.
  Ich am on holi wimon, 205
  On witchecrafft nout I ne con,
  Bote wiþ gode men almesdede
  Ilke dai mi lif I fede,   [crede,
  And bidde mi pater-noster and [mi]
  Þat Goed hem helpe at hore nede, 210
  Þat helpen me mi lif to lede,
  And leve þat hem mote wel spede.
  His lif and his soule worþe i-shend,
  Þat þe to me þis hernde haveþ send,
  And leve me to ben i-wreken 215
  On him þis shome me haveþ speken."
"Leve Nelde, bilef al þis;
  Me þinkeþ þat þou art onwis.
  Þe mon þa[t] me to þe taute,
  He weste þat þou hous couþest saute. 220
  Help, dame Siriþ, if þou maut,
  To make wiþ þe sueting saut,
  And ich wille geve þe gift ful stark,
  Moni a pound and moni a mark,
  Warme pilche and warme shon, 225
  Wiþ þat min hernde be wel don.
  Of muchel godlec miȝt þou ȝelpe,
  If hit be so þat þou me helpe."
"Liȝ me nout, Wilekin, bi þi leute.
  Is hit þin hernest þou tellest me? 230
  Lovest þou wel dame Margeri?"
"Ȝe, Nelde, witerli,   [f.166 b¹
  Ich hire love; hit mot me spille,
  Bote ich gete hire to mi wille."
"Wat god, Wilekin, me reweþ þi scaþe, 235
  Houre Loverd sende þe help raþe!

Weste hic hit miȝtte ben forholen,
  Me wolde þunche wel solen
    Þi wille for to fullen.
  Make me siker wiþ word on[d] honde, 240
  Þat þou wolt helen, and I wile fonde,
    If ich mai hire tellen.

For al þe world ne woldi nout
  Þat ich were to chapitre i-brout
    For none selke werkes. 245
  Mi jugement were sone i-given,
  To ben wiþ shome somer-driven,
    Wiþ prestes and wiþ clarkes."
"I-wis, Nelde, ne woldi
  Þat þou hevedest vilani 250
    Ne shame for mi goed.
  Her I þe mi trouþe pliȝtte,
  Ich shal helen bi mi miȝtte,
    Bi þe holi roed!"

"Welcome, Wilekin, hiderward; 255
  Her havest i-maked a foreward
    Þat þe mai ful wel like.
  Þou maiȝt blesse þilke siþ,
  For þou maiȝt make þe ful bliþ;
    Dar þou na more sike. 260

To goder hele ever come þou hider,
  For sone willi gange þider
    And maken hire hounderstonde.
  I shal kenne hire sulke a lore,
  Þat hoe shal lovien þe [mikel] more [f. 167 a
    Þen ani mon in londe." 266

"Al so havi Godes griþ,
  Wel havest þou said, dame Siriþ,
    And goder hele shal ben þin.
  Have her twenti shiling, 270
  Þis ich ȝeve þe to meding,
    To buggen þe seþ and swin."

"So ich evere brouke hous oþer flet,
  Neren never penes beter biset,
    Þen þes shulen ben. 275
  For I shal don a juperti
  And a ferli maistri,
    Þat þou shalt ful wel sen.—

Pepir nou shalt þou eten,
  Þis mustart shal ben þi mete 280
    And gar þin eien to rene:
  I shal make a lesing

---

238 solen] folen (?)   242 Is   **274 pones**

PA: ex ordine quae sibi acciderant, et suum propalavit secretum. Cui anus: "De his quae iam dixisti Dei auxilio remedium inveniam." Et eo relicto ad propria remeavit. Et caniculam quam apud se habebat duobus diebus ieiunare coëgit et die tertio panem sinapi confectum

DS: Of þin heie renning,
    Ich wot wel wer and wenne."

"Wat! nou const þou no god,   285
Me þinkeþ þat þou art wod:
Ʒevest þou þe welpe mustard?"
"Be stille, boinard!
I shal mit þis ilke gin
Gar hire love to ben al þin.   290
Ne shal ich never have reste ne ro,
Til ich have told hou þou shalt do.
A-bid me her til min homcome."
"Ʒus, bi þe somerblome,
Heþen nulli ben binomen,   295
Til þou be a-ʒein comen."

Dame Siriþ bigon to go
As a wrecche þat is wo,   [f.167 a²]
Þat hoe com hire to þen inne
Þer þis gode wif wes inne.   300
Þo hoe to þe dore com,
Swiþe reuliche hoe bigon:
"Loverd," hoe seiþ, "wo is holde wives
Þat in poverte ledeþ ay lives;
Not no mon so muchel of pine   305
As povre wif þat falleþ in ansine.
Þat mai ilke mon bi me wite,
For mai I nouþer gange ne site.
Ded woldi ben ful fain,
Hounger and þurst me haveþ nei slain; 310
Ich ne mai mine limes onwold
For mikel hounger and þurst and cold.
Warto liveþ selke a wrecche!
Wi nul Goed mi soule fecche?"

"Seli wif, God þe hounbinde!   315
To-dai wille I þe mete finde!
    For love of Goed,
Ich have reuþe of þi wo,
For evele i-cloþed I se þe go,
    And evele i-shoed.   320

Com herin, ich wile þe fede."
"Goed almiʒtten do þe mede,
And þe Loverd þat wes on rode i-don,
And faste fourti daus to non,

And hevene and erþe haveþ to welde. 325
As þilke Loverd þe forʒelde."
"Have her fles and eke bred,
And make þe glad, hit is mi red;
And have her þe coppe wiþ þe drinke;
Goed do þe mede for þi swinke."   330
Þenne spac þat holde wif—   [f. 167 b]
Crist a-warie hire lif—:
"Alas! alas! þat ever I live!
Al þe sunne ich wolde forgive
Þe mon þat smite off min heved: 335
Ich wolde mi lif me were bireved!"
"Seli wif, wat eilleþ þe?"
"Bote eþe mai I sori be:
Ich hevede a douter feir and fre,
Feirer ne miʒtte no mon se;   340
Hoe hevede a curteis hossebonde,
Freour mon miʒtte no mon fonde.
Mi douter lovede him al to wel;
Forþi mak I sori del.
Oppon a dai he was out wend,   345
And þarþoru wes mi douter shend.
He hede on ernde out of toune:
And com a modi clarc wiþ croune,
To mi douter his love beed,
And hoe nolde nout folewe his red. 350
He ne miʒtte his wille have
For noþing he miʒtte crave.
Þenne bigon þe clerc to wiche
And shop mi douter til a biche.
Þis is mi douter þat ich of speke: 355
For del of hire min herte breke.
Loke hou hire heien greten,
On hire cheken þe teres meten.
Forþi, dame, were hit no wonder,
Þau min herte burste assunder,   360
A[nd] wose-ever is ʒong houssewif,
Hoe loveþ ful luitel hire lif,
And eni clerc of love hire bede,
Bote hoe grante and lete him spede." [f.167 b]
"A! Loverd Crist, wat mai [I] þenne do! 365
Þis enderdai com a clarc me to
And bed me love on his manere,
And ich him nolde nout i-here.

362 Hoe] Ha

PA: ieiunanti largita est. Quae dum gustaret, prae amaritudine oculi eius lacrimari coeperunt. Post haec vero anus illa ad domum pudicae feminae perrexit quam iuvenis praedictus adeo adamavit. Quae honorifice pro magna religionis specie ab eo suscepta est. Hanc autem sua sequebatur canicula. Cumque vidisset mulier illa caniculam lacrimantem, quaesivit quid haberet et quare lacrimaretur. Anus ad haec: "Cara amica, ne quaeras quid sit, quia adeo magnus dolor est quod nequeo dicere." Mulier vero magis instigabat ut diceret. Cui anus: "Haec quam conspicis canicula mea erat filia, casta nimis et decora. Quam iuvenis adamavit quidam; sed adeo casta erat ut eum omnino sperneret, et eius amorem respueret. Unde dolens adeo efficitur, ut magna aegritudine stringeretur: pro qua culpa miserabiliter haec supradicta nata mea in caniculam mutata est." His dictis prae nimio dolore erupit in lacrimas anus illa. Ad haec femina: "Quid ego, cara domina, similis peccati conscia, quid, inquam, factura sum? Me etenim dilexit iuvenis quidam, sed castitatis amore eum con-

DS: Ich trouue he wolle me forsape.
Hou troustu, Nelde, ich moue ascape?" 370
"God almiʒtten be þin help,
Þat þou ne be nouþer bicche ne welp!
Leve dame, if eni clerc
Bedeþ þe þat lovewerc,
Ich rede þat þou grante his bone   375
And bicom his lefmon sone.
And if þat þou so ne dost,
A worse red þou ounderfost."

"Loverd Crist, þat me is wo,
Þat þe clarc me hede fro,   380
    Ar he me hevede biwonne!
Me were levere þen ani fe
Þat he hevede enes leien bi me
    And efftsones bigunne.

Evermore, Nelde, ich wille be þin, 385
Wiþ þat þou feche me Willekin,
    Þe clarc of wam I telle.
Giftes willi geve þe,
Þat þou maiʒt ever þe betere be,
    Bi Godes houne belle!"   390

"Soþliche, mi swete dame,
And if I mai wiþhoute blame,
    Fain ich wille fonde;
And if ich mai wiþ him mete
Bi eni wei oþer bi strete,   395
    Nout ne willi wende.

Have god dai, dame! forþ willi go." [f.168a
"Alle gate loke þat þou do so,
    As ich þe bad;
Bote þat þou me Wilekin bringe,   400
Ne mai [I] never lawe ne singe
    Ne be glad."

"I-wis, dame, if I mai,
Ich wille bringen him ʒet to-dai
    Bi mine miʒtte."   405
Hoe wente hire to hire inne,
Þer hoe founde Wilekinne,
    Bi houre Driʒtte!

"Swete Wilekin, be þou nout dred,
For of þin her[n]de ich have wel sped, 410
Swiþe com for[þ] þider wiþ me;
For hoe haveþ send affter þe.
I-wis nou maiʒt þou ben a-bove,
For þou havest grantise of hire love."
"God þe forʒelde, leve Nelde,   415
Þat hevene and erþe haveþ to welde!"

Þis modi mon bigon to gon
Wiþ Siriz to his levemon
    In þilke stounde.
Dame Siriz bigon to telle   420
And swor bi Godes ouene belle
    Hoe hevede him founde.

"Dame, so have ich Wilekin sout,
For nou have ich him i-brout."
"Welcome, Wilekin, swete þing,   425
Þou art welcomore þen þe king.

Wilekin þe swete,
Mi love I þe bihete,
    To don al þine wille.
Turnd ich have mi þout,   [f.168a¹
For I ne wolde nout   431
    Þat þou þe shuldest spille."

"Dame, so ich evere bide noen,
And ich am redi and i-boen
    To don al þat þou saie.   435
Nelde, þar ma fai,
Þou most gange a-wai,
    Wile ich and hoe shulen plaie."

"Goddot so I wille:
And loke þat þou hire tille   440
    And strek out hire þes.
God ʒeve þe muchel kare,
ʒeif þat þou hire spare,
    Þe wile þou mid here bes.

And wose is onwis   445
And for non pris
    Ne con geten his levemon,
I shal, for mi mede,
Garen him to spede,
    For ful wel I con."   450

---

396 wonde

PA: tempsi, et simili modo ei contigit." — Cui anus: "Laudo tibi, cara amica, ut quam citius poteris huius miserearis, et quod quaerit facias, ne et tu simili modo in canem muteris. Si enim scirem inter iuvenem praedictum et filiam meam amorem, nunquam mea mutaretur filia." Cui ait mulier casta: "Obsecro ut consilium huius rei utile dicas, ne propria forma privata efficiar canicula." Anus: "Libenter pro Dei amore et animae remedio meae et quia miseret me tui hunc supradictum iuvenem quaeram, et si quo inveniri poterit, ad te reducam." Cui gratias egit mulier. Et sic anus artificiosa dictis fidem praebuit, et quem promisit reduxit iuvenem, et sic eos associavit.

VI. Love Poetry.

1. Owl and Nightingale
(beg. 13th cent., prob. before the accession of Henry III).

MSS.: Brit. Mus. Cott. Cal. A. IX (= C; beg. 13th cent.; 1207?); Oxf. Jesus Coll. Arch. I 29 (= A; a little later than C). — Edd.: Stevenson, 1838; Wright, 1843, Percy Soc. 11; Mätzner, Sprachpr. I 40—49 (from Wright; = Gadow ll. 701—1042); Stratmann, Krefeld 1878; Gadow, Berlin 1909; Wells, Boston 1910, Belles Lettres Series.

Biographical. *On Maister Nichole of Guldeforde (= Guildford), who is mentioned several times in the poem, cf. the foll. note occurring in an inventory drawn up near Godalming in the neighbourhood of Guildford in the year 1220:*

Item est ibi capella de Hertmer., de Omnibus Sanctis; lignea adhuc, quam tenet Nicholaus submonitor capituli de Gudeford, pro dimidia marca, et tenuit eam iam transactis duobus annis. *(Vetus Registrum Sarisberiense ed. W. Jones, Lond. 1883, I 297; found by Liebermann, ed. Gadow p. 12; cp. Björkman, Archiv 126, 1911, 236).*

C:
Þe hule was wroþ, to cheste rad, [f.240 b]
Mid þisse worde hire eʒen a-brad:
"Þu seist þu witest manne bures,
Þar leves boþ and faire flores,
Þar two i-love in one bedde
Liggeþ biclupt and wel bihedde.
Enes þu sunge, ic wod wel ware,
Bi one bure, and woldest lere   1050
Þe lefdi to an uvel luve
An sunge boþe loʒe and buve
An lerdest hi to don[e] shome
An unriʒt of hire licome.
Þe loverd þat sone underʒat,   1055
Lim and grine, wel eiwat,
Sette and ledde þe for to lacche;
Þu come sone to þan hacche,
Þu were i-nume in one grine,
Al hit a-boʒte þine shine.   1060
Þu naddest non oþer dom ne laʒe,
Bute mid wilde horse were todraʒe.[1])
Vonde ʒif þu miʒt eft misrede,
Waþer þu wult wif be maide;
Þi song mai bo so longe genge,   1065
Þat þu shalt wippen on a sprenge."
    Þe niʒtingale at þisse worde
Mid sworde an mid speres orde,
Ʒif ho mon were, wolde fiʒte;
Ac þo ho bet do ne miʒte,   1070

Ho vaʒt mid hire wise tunge.
"Wel fiʒt þat wel specþ," seiþ in þe
Of hire tunge ho nom red.   [songe.   1045
"Wel fiʒt þat wel specþ," seide Alvred.
    "Wat! seistu þis for mine shome?   1075
Þe loverd hadde herof grame.
He was so gelus of his wive,
Þat he ne miʒte for his live
I-so þat man wiþ hire speke,
Þat his horte nolde breke.   1080
He hire bileck in one bure,
Þat hire was boþe stronge and sure;
Ich hadde of hire milse an ore
An sori was for hire sore
An skente hi mid mine songe   1085
Al þat ich miʒte raþe an longe.
Vorþan þe kniʒt was wiþ me wroþ,
Vor riʒte niþe ich was him loþ;
He dude me his oʒene shome,
Ac al him turnde it to grome.   1090
Þat underwat þe king Henri—
Jesus his soule do merci!—   [f. 241
He let forbonne þene kniʒt,
Þat hadde i-don so muchel unriʒt
Ine so gode kinges londe,   1095
Vor riʒte niþe and for fule onde
Let þane lutle fuʒel nime
An him fordeme lif an lime.

---

[1]) *Cf. Alex. Neckam, De Naturis Rerum (end 12th cent.; chief MS. Oxf. Magd Coll., ed. Wright, 1863, Rolls Series) I cap. 51 (De Philomena): Sed o dedecus! quid meruit nobilis volucrum praecentrix, instar Hippolyti Thesidae equis diripi? Miles enim quidam nimis zelotes philomenam quatuor equis distrahi praecepit, eo quod secundum ipsius assertionem animum uxoris suae nimis demulcens, eam ad illiciti amoris compulisset illecebras.*

1043 ule wes *A*   1044 eyen a-braid *A*   1045 monne *A*   1046 beoþ *A*   flures *A*
1047 y-leove *A*   1048 biclop *C*   i-clupt *A*   1049 wot *A*   hware *A*   1051 levedi *A*   lyve *A*
1052 singe *A*   lowe *A*   1053 leredest *A*   schome *A*   1054 lichome *A*   1055 underyat *A*
1056 liim *C*   lym *A*   grineþ (grinew?) *C*   grune *A*   i-hwat *A*   1057 leyde *A*   1059 grune *A*
1060 a-bouhte *A*   schine *A*   1061 neddest *A*   lawe *A*   1062 hors to-drawe *A*   1064 hweþer *A*
wilt *A*   meyde *A*   1065 beo *A*   1066 schalt hwippen *A*   1067 nihtegale *A*   1068 swerde *A*
1069 heo *A*   vyhte *A*   1070 heo *A*   miʒte ʒ corrected from t by later hand. *C*   1071 heo vauht *A*
1072 viht *A*   spekþ *A*   1073 heo *A*   1074 viht *A*   spekþ *A*   1075 Hwat *A*   schome *A*
1076 grome *A*   1077 wes *A*   1078 vor *A*   1079 i-seo *A*   mon *A*   1080 heorte wolde *A*
1081 bilek *A*   1082 boþe *om. A*   1083 ic *A*   milce *A*   1086 ic *A*   1087 wes *A*   1088 ic
wes *A*   1089 owe schome *A*   1090 al hit t. him eft to *A*   1091 underyat *A*   1092 Ih'c *A*
1094 i-do suich unriht *A*   1095 in *A*   1096 for *A*   and ful o. *A*   1097 lytel fowel *A*

C: Hit was wurþsipe al mine kunne;
   Forþon þe kniзt forles his wunne   1100
   An зaf for me an hundred punde;
   An mine briddes seten i-sunde
   An hadde soþþe blisse and hiзte
   An were bliþe and wel miзte.
   Vorþon ich was so wel a-wreke,   1105
   Ever eft ich darr þe bet speke;
   For hit bitidde ene swo,
   Ich am þe bliþur evermo.
   Nu ich mai singe war ich wulle,
   Ne dar me never eft mon a-grulle;   1110
   Ac þu ereming, þu wrecche gost,
   Þu ne canst finde, ne þu nost,
   An holз stok þar þu þe miзt hude,
   Þat me ne twengeþ þine hude.
   Vor children, gromes, heme and hine. 1115
   Hi þencheþ alle of þine pine;
   Зif hi muзe i-so þe sitte,
   Stones hi doþ in hore slitte
   An þe totorveþ and toheneþ
   An þine fule bon tosheneþ.   1120
   Зif þu art i-worpe oþer i-shote,
   Þanne þu miзt erest to note;
   Vor me þe hoþ in one rodde,
   An þu mid þine fule codde
   An mid þine ateliche spore   1125
   Biwerest manne corn vrom dore.   [f.241a²]
   Nis noþer noзt þi lif ne þi blod,
   Ac þu art shueles suþe god;
   Þar nowe sedes boþ i-sowe,
   Pinnuc, golfinc, rok ne crowe   1130
   Ne dar þar never cumen i-hende,
   Зif þi buc hongeþ at þan ende.
   Þar tron shulle a зere blowe
   An зunge sedes springe and growe,
   Ne dar no fuзel þarto vonge,   1135
   Зif þu art þarover i-honge.
   Þi lif is evre luþer and qued,
   Þu nard noзt bute ded.
   Nu þu miзt wite sikerliche
   Þat þine leches boþ grisliche   1140
   Þe wile þu art on lifdaзe;
   Vor wane þu hongest i-slaзe,

   Зut hi boþ of þe ofdradde,
   Þe fuзeles þat þe er bigradde.
   Mid riзte men boþ wiþ þe wroþe,   1145
   For þu singist ever of hore loþe;
   Al þat þu singst raþe oþer late,
   Hit is ever of manne unwate;
   Wane þu havest a niзt i-grad,
   Men boþ of þe wel sore ofdrad.   1150
   Þu singst þar sum man shal be ded;
   Ever þu bodest sumne qued.
   Þu singst a-зen eiзte lure
   Oþer of summe frondes rure;
   Oþer þu bodest huses brune   1155
   Oþer ferde of manne oþer þoves rune;
   Oþer þu bodest cvalm of oreve,
   Oþer þat londfolc wurþ i-dorve,
   Oþer þat wif lost hire make;
   Oþer þu bodest cheste an sake.   [f.211 b]
   Ever þu singist of manne hareme,   1161
   Þurз þe hi boþ sori and areme;
   Þu ne singst never one siþe,
   Þat hit nis for sum unsiþe.
   Hervore hit is þat me þe shuneþ   1165
   An þe totorveþ and tobuneþ   [clute,
   Mid stave and stoone and turf and
   Þat þu ne miзt nowar atrute.
   Dahet ever suich budel in tune,
   Þat ever bodeþ unwreste rune   1170
   An ever bringeþ uvele tiþinge,
   An þat ever specþ of uvele þinge.
   God almiзti wurþe him wroþ,
   An al þat werieþ linnene cloþ."

   Þe hule ne a-bot noзt swiþe longe,   1175
   Ah зef ondsware starke and stronge:
   "Wat!" quaþ ho, "artu i-hoded,
   Oþer þu kursest al unihoded?
   For prestes wike, ich wat, þu dest;
   Ich not зef þu were зavre prest,   1180
   Ich not зef þu canst masse singe,
   I-noh þu canst of mansinge.
   Ah hit is for þine alde niþe,
   Þat þu me a-kursedest oðer siðe;
   Ah þarto is lihtlich ondsware;   1185

1099 wes A   wrþsipe CA   1100 furles A   wnne A   1101 yaf A   1103 hedde seþþe A
1105 vorþan ich wes A   1106 dart C   dar A   1107 so A   1108 bliþure A   1109 ic A
hwar ic wile A   1111 eremig C   ermyng A   1113 holeh stoc hwar A   mist A   1114 twenge A
1116 þine A   1117 mowe i-seo A   1118 heore A   1120 tosheneþ A   1121 i-scote A
1122 þenne A   1125 sweore A   1126 monne A   from deore A   1127 nouþer nouht A   þi om.
A   1128 sheules swiþe A   1129 newe A   beoþ A   1130 golfynch A   1131 þar om. A
1132 buk A   1133 treon schulleþ a yer A   1134 yonge A   1135 fuoel A   fonge A   1137 ever A
1138 nart nouht A   1140 beoþ A   1141 hwile A   lyfdaye A   1142 hwenne A   i-slawe A
1143 yet A   beoþ A   atdradde A   1144 foweles A   1145 beoþ A   1146 singest of heore A
1147 singest A   1148 mannes unhwate A   1149 Hwanne A   1150 beoþ A   a-ferd A   1151 sal
beo A   1153 a-yeyn ayhte A   1154 vrendes A   1155 bodes C   1156 þeves rune e lost
through cutting off. A   1157 qualm A   orve A   1158 wrþ A   1159 leost A   1161 singest A
harme A   1162 þurh A   beoþ sorie and arme A   1163 singest A   1164 summe A   1165 suneþ A
1167 stone A   1168 noware A   1169 suich om. A   1170 þat bedeþ A   1171 tydinge A
1172 þat spekeþ A   1173 wrþe CA   1174 wereþ A   1175 ule nabod A   swiþ C   1176 ac
yet answere stark A   1177 Hwat queþ heo A   hartu C   ertu A   1178 cursest unihoded A   1179 ic
wot A   1180 were preost A   1182 i-nouh A   1183 Ac A   olde A   1184 a-cursedest oþer siþe A
1185 Ac A   answere A

C: 'Drah to þe!' cwad þe cartare.
Wi attwitestu me mine insihte
An min i-wit and mine miȝte?
For ich am witi ful i-wis
An wod al þat to kumen is;   1190
Ich wot of hunger, of hergonge,
Ich wot ȝef men schule libbe longe,
Ich wat ȝef wif lust hire make,
Ich wat war schal beo niþ and wrake, [f.241 b²
Ich wot hwo schal beon anhonge   1195
Oþer elles fulne deþ a-fonge;
Ȝef men habbeþ bataille i-nume,
Ich wat hwaþer schal beon overkume;
Ich wat ȝif cwalm scal comen on orfe,
An ȝif dor schule ligge a-storve,   1200
Ich wot ȝef treon schule blowe,
Ich wat ȝef cornes schule growe,
Ich wot ȝef huses schule berne,
Ich wot ȝef men schule eorne oþer erne,
Ich wot ȝef sea schal schipes drenche, 1205
Ich wot ȝef snuwes schule uvele
                    clenche.
An ȝet ich con muchel more;
Ich con i-noh in bokes lore,
An eke ich can of þe goddspelle
More þan ich nule þe telle;   1210
For ich at chirche come i-lome
An muche leorni of wisdome.
Ich wat al of þe tacninge
An of oþer feole þinge.
Ȝef eni mon schal rem a-bide,   1215
Al ich hit wot, ear hit i-tide.
Ofte for mine muchele i-witte
Wel sorimod and worþ ich sitte;
Wan ich i-seo þat sum wrechede
Is manne neh, innoh ich grede.   1220
Ich bidde þat men beon i-warre
An habbe gode reades ȝarre;
For Alfred seide a wis word,
Euch mon hit schulde legge on hord:
Ȝef þu i-sihst, [er] he beo i-cume, 1225
His strencþe is him wel neh binume;

An grete duntes beoþ þe lasse,
Ȝif me i-kepþ mid i-warnesse;   [f. 242
And fleo schal toward misgenge,
Ȝef þu i-sihst, hu fleo of strenge,   1230
For þu miȝt blenche wel and fleo,
Ȝif þu i-sihst heo to þe teo.
Þat eni man beo falle in odwite,
Wi schal he me ·his sor atwite?
Þah ich i-seo his harm bivore,   1235
Ne comeþ hit noȝt of me þarvore.
Þah þu i-seo þat sum blind mon,
Þat nanne rihtne wei ne con,
To þare diche his dweole fulied
An falleþ and þarone sulied,   1240
Wenest þu, þah ich al i-seo,
Þat hit for me þe raþere beo?
Alswo hit fareþ bi mine witte;
Hwanne ich on mine bowe sitte,
Ich wot and i-seo swiþe brihte,   1245
An summe men kumed harm þar rihte.
Schal he þat þerof noþing not
Hit wite me, for ich hit wot?
Schal he his mishap wite me,
For ich am wisure þane he?   1250
Hwanne ich i-seo þat sum wrechede
Is manne neh, i-noh ich grede
An bidde i-noh þat hi heom schilde,
For toward heom is harm unmilde;
Ah þah ich grede lude an stille, 1255
Al hit i-tid þurh Godes wille.
Hwi wulleþ men of me hi mene,
Þah ich mid soþe heo a-wene?
Þah ich hi warni al þat ȝer,
Nis heom þerfore harem no þe ner. 1260
Ah ich heom singe, for ich wolde [f.242 a²
Þat hi wel understonde schulde
Þat sum unselþe heom is i-hende,
Hwan ich min huing to heom sende.
Naveþ no man none sikerhede,   1265
Þat he ne mai wene and a-drede,
Þat sum unhwate neh him beo,
Þah he ne conne hit i-seo.

1186 queþ A   kartare A   1187 Hwi A atwitestu A   1189 witi] þin A   1190 comen A
1191 heregonge A   1192 sulle A   1193 Ic wot A luste C   1194 Ic wot hwar sal A   1195 Ic A
sal beo A   b. and honge C   1196 a-vonge A   1198 Ic wt A sal beo overcume A   1199 Ic wot
if qualm sal cumen on orve A   1200 deor A schul C schulle A l. and storve C   1201 Ic A tren
schulle A   1202 Ic wot if corn schulle A   1203 Ic A schulle A   1204 Ic A (and so usually)
sulle A   1205 sal A   1206 snuwes schule] smiþes schal C smithes s'ale A   1207 ȝet om. in A muchele A
1208 y-nouh A   1209 ek A   godspelle A   1210 wile A   1211 vor A   chireche cume A
1212 muchel A   1213 wot A   toknynge A   1214 vale A   1216 ar A   1217 vor A witte A
1218 wroþ í A   1219 hwanne A þer A wrecchede A   1220 is cumynde neyh·i-noh A   1221 þer A
i-warie or i-warte C warre A   1222 redes A ȝarie or ȝarte C yare A   1223 Vor Alvred A
strengþe A neyh A   1224 Uych A scholde A   1225 i-syst her heo A gap between i-sihst and he C   1226 strncþe C
strengþe A neyh A   1228 i-kepeþ A   1229 misyenge A   1230 hw A   1231 wel not in A
1233 þauh A mon A edwite A   1234 hwi A he not in A   1235 þauh A   1236 cumeþ A
nouht A   þarvare C þarfore A   1239 dwele voleweþ A   1240 þaronne sulieþ A
1241 wenestu A   1242 raþer A   1243 Also A   1244 þanne A   1246 an] þat A cumeþ A
1247 sal he þar he nowiht not A   1248 vor A   1249 Sal A wyten A   1250 vor A þan A
1252 neyh i-nouh A   1253 i-nouh A   1254 vor A harm unmilde A, gap in C   1255 ac A   1256 al i-wurþ
Godes w. A þurþ C   1257 hi not in A   1259 yer A   1260 þarvore a tem þe A   1261 Ac A
heom not in A vor A   1262 þer A scholde A   1263 unsel A   1264 Hwen A later hand alters
huing to song C 1265 no not in A mon no s. A   1267 unhap A neþ C neyh A   1268 cunne A

C: Forþi seide Alfred swiþe wel,
An his word was goddspel,   1270
Þat evereuch man, þe bet him beo,
Eaver þe bet he hine beseo;
Ne truste no mon to his weole
To swiþe, þah he habbe veole.
Nis nout so hot þat hit nacoleþ,   1275
Ne noʒt so hwit þat hit ne soleþ,
Ne noʒt so leof þat hit ne a-loþeþ,
Ne noʒt so glad þat hit ne a-wroþeþ;
Ah eavereuch þing þat eche nis

A-gon schal and al þis worldes blis.   1280
Nu þu miʒt wite readliche
Þat eavere þu spekest gideliche;
For al þat þu me seist for schame,
Ever þe seolve hit turneþ to grome.
Go so hit go, at eche fenge   1285
Þu fallest mid þine ahene swenge.
Al þat þu seist for me to schende,
Hit is mi wurschipe at þan ende.
Bute þu wille bet a-ginne,
Ne schaltu bute schame i-winne."   1290

1269 Alvred *A*   1270 worde *C*   wes godspel *A*   1271 everich mon *A*   him *not in A*
1272 Ever *A*   him biseo *A*   1273 triste *A*   wele *A*   1274 þat *A*   vele *A*   1275 nout] non t *added*
by later hand C   noht *A*   1277 naloþeþ *C*   1278 nawreþeþ *A*   1279 Ac *A*   eavere euh *C*
everich *A*   1281 witen *A*   redeliche *A*   1282 ever *A*   gidiliche *A*   1283 þat *not in A*   vor *A*
1284 soule *A*   1286 vallest *A*   þin owe *A*   1287 sayst *A*   1288 wrþsipe *A*

2. Blow, Northerne Wynd! (ab. 1300.)

*MS.: Brit. Mus. Harl. 2253 (early 14th cent.). — Edd.: Wright, 1841, Percy Soc. 4,
p. 51; Ritson-Hazlitt, Anc. Songs and Ball.³, 1877, p. 50; Böddeker, Ae. Dichtungen
des MS. Harl. 2253, Berl. 1878, p. 168.*

Blow, northerne wynd,
Sent þou me my suetyng!
Blow, norþerne wynd,
   Blou, blou, blou!

1 Ichot a burde in boure bryght,   5
Þat fully semly is on syht,
Menskful maiden of myht,
   Feir ant fre to fonde;
In al þis wurhliche won,
A burde of blod ant of bon,   10
Never ʒete y nuste non
   Lussomore in londe.
   Blow etc.

2 Wiþ lokkes lefliche ant longe,
Wiþ frount ant face feir to fonde,   15
Wiþ murþes monie mote heo monge,
   Þat brid so breme in boure,
Wiþ lossom eye, grete ant gode,
Wiþ browen blysfol under hode;
He þat reste him on þe rode,   20
   Þat leflich lyf honoure!
   Blou etc.

3 Hire lure lumes liht,
Ase a launterne a nyht.
Hire bleo blykyeþ so bryht;   25
   So feyr heo is ant fyn.
A suetly suyre heo haþ to holde,
Wiþ armes, shuldre, ase mon wolde,
Ant fyngres, feyre forte folde,
   God wolde hue were myn!   30

4 Middel heo haþ menskful smal,
Hire loveliche chere as cristal,

[f. 72 b] Þeʒes, legges, fet ant al
   Y-wraht wes of þe beste.
A lussum ledy lasteles   35
Þat sweting is ant ever wes;
A betere burde never nes
   Y-heryed wiþ þe heste.

5 Heo is dereworþe in day,
Graciouse, stout, ant gay,   40
Gentil, jolyf, so þe jay,
Worhliche when heo wakeþ;
Mayden murgest of mouþ;
Bi est, bi west, by north ant souþ
Þer nis fiele ne crouþ   45
   Þat such murþes makeþ.

6 Heo is coral of godnesse,
Heo is rubie of ryhtfulnesse,
Heo is cristal of clannesse
   Ant baner of bealte;   50
Heo is lilie of largesse,
Heo is paruenke of prouesse,
Heo is solsecle of suetnesse
   Ant ledy of lealte.

7 To love, þat leflich is in londe,   55
Y tolde him, as ych understonde,
Hou þis hende haþ hent in honde
   On huerte þat myn wes;
Ant hire knyhtes me han so soht,
Sykyng, sorewyng ant þoht,   60
Þo þre me han in bale broht,
   A-ʒeyn þe poer of pees.

8 To love y putte pleyntes mo,   [f. 73]
   Hou sykyng me haþ siwed so

MS 53 selsecle (?)

Ant eke þoht me þrat to slo
  Wiþ maistry, ȝef he myhte;
And serewe sore in balful bende,
Þat he wolde for þis hende
Me lede to my lyves ende
  Unlahfulliche in lyhte.   70

9 Love me lustnede uch word,
Ant beh him to me over bord,
Ant bed me hente þat hord
Of myne huerte hele,
'Ant biseche þat swete ant swote, 75

65 Er þen þou falle ase fen of fote,
    That heo wiþ þe wolle of bote
    Dereworþliche dele."

10 For hire love y carke ant care,
    For hire love y droupne ant dare, 80
    For hire love my blisse is bare,
    Ant al ich waxe won;
    For hire love in slep y slake,
    For hire love al nyht ich wake,
    For hire love mournyng y make, 85
    More þen eny mon.

71 Love] Hire love   75 bisecheþ

3. Love Song: "As I stod" (beg. 14th cent.).

MS.: Lond. College of Arms E.D.N. 27 (time Edward II.). — Ed.: Madden in Wright's Reliquiae Antiquae, 1843, II 19.

As I stod on a day me self under a tre:

1 I met in a morueninge a may in a medwe,
  A semlier to min sithe saw I ner non:
  Of a blak bornet al wos hir wede,
  Purfiled with pellour doun to the teon;   5
  A red hod on hir heved, shragid al of shredis,
  With a riche riban gold-begon.
  That birde bad on hir boke evere as he yede.
  Was non with hir but hir selve al on;
  With a cri gan sche me sey,   10
  Sche wold a-wrenchin a-wey, but for I was so neye.

2 I sayd to that semly that Crist should hir save,
  For the fairest may that I ever met.
  "Sir, God yef the grace god happis to have
  And the lyginges of love," thus she me gret.   15
  That I mit becum hir man, I began to crave,
  For nothing in hirde fondin wolde I let.
  Sche bar me fast on hond, that I began to rave,
  And bad me fond ferther, a fol for to feche:
  "Quaer gospellis al thi speche?   20
  Thu findis hir nout hire the sot that thu seche."

3 For me thothe so fair, hir wil wold I tast,
  And I freyned hir of love—therat she lowe:
  "A! sire," she sayd, "hirt thow for non hast;
  If it be your wille, ye an sayd innowe.   25
  It is no mister your word for to wast.
  Ther most a balder byrd billin on the bow;
  I wend be your semlant a-chese you for chast;
  It is non ned to mak hit so tow.
  W . . . ri wet ye wat I rede?   30
  Wend fort ther ye wenin better for to spede."   *[End of MS]*

MS 6 shridis   12 Crist] Xpx

VII. Political Poetry.

1. Song on the Battle of Lewes, 1264.

MS.: Brit. Mus. Harl. 2253 (early 14th cent.). — Edd.: Percy, Reliques of Anc. Engl. Poetry, Vol. II Bk. 1, Nr. 1; Wright, Pol. Songs, 1839, Camden Soc., p. 69; Mätzner, Sprachpr. 1, p. 152—154; Böddeker, Altengl. Dichtungen des MS. Harl. 2253, Berl. 1878, p. 95.

1 Sitteþ alle stille ant herkneþ to me: [f. 58b
  Þe kyn[g] of Alemaigne, bi mi leaute,
  Þritti þousent pound askede he
  For te make the pees in þe countre,
      Ant so he dude more.   5
    Richard,
  Þah þou be ever trichard,
      Tricchen shalt þou never more.

2 Richard of Alemaigne, whil þat he
                          wes kyng,
  He spende al is tresour opon swyvyng;   10
  Haveþ he nout of Walingford o
                          ferlyng:—
  Let him habbe, ase he brew, bale to
      Maugre Wyndesore!   [dryng,
    Richard, etc.

3 The kyng of Alemaigne wende do
                          ful wel,   15
  He saisede þe mulne for a castel;
  Wiþ hare sharpe swerdes he grounde
                          þe stel,
  He wende þat þe sayles were mangonel
      To helpe Wyndesore.
    Richard, etc.   20

4 Þe kyng of Alemaigne gederede ys
                          host,
  Makede him a castel of a mulnepost,
  Wende wiþ is prude ant is muchele
                          bost,
  Brohte from Alemayne mony sori gost
      To store Wyndesore.   25
    Richard, etc.

By God, þat is a-boven ous, he dude
                          muche synne
  Þat lette passen over see þe erl of
                          Warynne:
  He haþ robbed Engelond, þe mores
                          ant þe fenne,
  Þe gold ant þe selver, ant y-boren 30
      For love of Wyndesore.   [henne
    Richard, etc.

6 Sire Simond de Mountfort haþ suore
                          bi ys chyn:
  Hevede he nou here þe erl of Waryn,
  Shulde he never more come to is yn, 35
  Ne wiþ sheld, ne wiþ spere, ne wiþ oþer
      To help of Wyndesore.   [gyn,
    Richard, etc.

7 Sire Simond de Montfort haþ suore
                          bi ys cop:
  Hevede he nou here sire Hue de Bigot, 40
  Al he shulde quite here tuelfmoneþ scot,
  Shulde he never more wiþ his fot pot
      To helpe Wyndesore.
    Richard, etc.

8 Be þe luef, be þe loht, sire Edward, [f. 59
  Þou shalt ride sporeles o þy lyard   46
  Al þe ryhte way to Dovere-ward;
  Shalt þou never more breke foreward,
      Ant þat reweþ sore:
  Edward, þou dudest ase a shreward, 50
      Forsake þyn emes lore!
    Richard, etc.

2. Song on the Execution of Sir Simon Fraser, 1306.

MS.: Brit. Mus. Harl. 2253 (early 14th cent.). — Edd.: Wright, Pol. Songs, 1839, Camden Soc., p. 212; Ritson-Hazlitt, Anc. Songs and Ballads³, 1877, p. 25; Böddeker, Altengl. Dichtungen des MS. Harl. 2253, Berl. 1878, p. 121.

1 Lystneþ, lordynges, a newe song ichulle bigynne   [f. 59b
  Of þe traytours of Scotlond þat take beþ wyþ gynne;
  Mon þat loveþ falsnesse ant nule never blynne,
  Sore may him drede þe lyf þat he is ynne,   4
      Ich understonde:
    Selde wes he glad   þat never nes a-sad
      Of nyþe ant of onde.   8

2 Þat y sugge by þis Scottes þat bueþ nou todrawe,
  Þe hevedes o Londone-brugge whose con y-knawe:
  He wenden han buen kynges, ant seiden so in sawe;

Betere hem were han y-be barouns ant libbe in Godes lawe   12
    Wiþ love.
  Whose hateþ soth ant ryht,   Lutel he douteþ Godes myht,
  Þe heye kyng a-bove.   16

3 To warny alle þe gentilmen þat bueþ in Scotlonde,
  Þe Waleis wes todrawe, seþþe he was anhonge,
  Al quic biheveded, ys boweles y-brend,
  Þe heved to Londone-brugge wes send   20
    To a-byde.
  After Simond Frysel,   Þat wes traytour ant fykel
  And y-cud ful wyde.   24

4 Sire Edward, oure kyng, þat ful ys of piete,
  Þe Waleis quarters sende to is oune contre,
  On four half to honge, huere myrour to be,
  Þeropon to þenche, þat monie myhten se   28
    Ant drede.
  Why nolden he be war   Of þe bataile of Donbar,
  Hou evele hem con spede?   32

5 Bysshopes and barouns come to þe kynges pes,   [f. 60
  Ase men þat weren fals, fykel ant les,
  Oþes hue him sworen in stude þer he wes,   35
  To buen him hold ant trewe for alles cunnes res,
    Þrye,
  Þat hue ne shulden a-ȝeyn him go,   So hue were temed þo;
  Whet halt hit to lye?   40

6 To þe kyng Edward hii fasten huere fay;
  Fals wes here foreward, so forst is in may
  Þat sonne from the southward wypeþ a-way:
  Moni proud Scot þerof mene may
    To-ȝere.   45
  Nes never Scotland   Wiþ dunt of monnes hond
  Allinge a-boht so duere!

7 The bisshop of Glascou, ychot he was y-laht;
  The bisshop of seint Andre, boþe he beþ y-caht;   50
  The abbot of Scon wiþ þe kyng nis nout saht;
  Al here purpos y-come hit ys to naht
    Þurh ryhte.
  Hii were unwis,   When hii þohte pris   55
  A-ȝeyn huere kyng to fyhte.

8 Þourh consail of þes bisshopes y-nemned byfore
  Sire Robert þe Bruytz furst kyng wes y-core:
  He mai everuche day ys fon him se byfore;
  Ȝef hee mowen him hente, ichot he biþ forlore,   60
    Sauntz fayle.
  Soht for te sugge: Duere he shal a-bugge
  Þat he bigon batayle.

9 Hii þat him crounede proude were ant bolde,   65
  Hii maden kyng of somere, so hii ner ne sholde;
  Hii setten on ys heved a croune of rede golde,
  Ant token him a kyneȝerde, so me kyng sholde,
    To deme.   68
  Þo he wes set in see,   Lutel god couþe he
  Kyneriche to ȝeme.

MS 40 Weht

10 Now kyng Hobbe in þe mures ȝongeþ,
   For te come to toune nout him ne longeþ;
   Þe barouns of Engelond, myhte hue him gripe,   75
   He him wolde techen on Englysshe to pype,
      Þourh streynþe:
     Ne be he ner so stout,   ȝet he biþ y-soht out
     O brede ant o leynþe.   80

11 Sire Edward of Carnarvan, Jesu him save ant see!
   Sire Emer de Valence, gentil knyht ant free,
   Habbeþ y-suore huere oht þat—*par la grace Dee*—
   Hee wolleþ ous delyvren of þat false contree,
      ȝef hii conne.   85
     Muche haþ Scotland forlore,   Whet a-last, whet bifore,
     And lutel pris wonne.

12 Nou ichulle fonge þer ich er let,
   Ant tellen ou of Frisel, ase ich ou byhet: 90
   In þe batayle of Kyrkenclyf Frysel wes y-take;
   Ys continaunce abatede eny bost to make
      Biside Strivelyn:
     Knyhtes ant sweynes,   Fremen ant þeynes,   95
     Monye wiþ hym.

13 So hii weren byset on everuche halve,   [f. 60 b
   Somme slaye were, ant somme dreynte hem selve;
   Sire Johan of Lyndeseye nolde nout a-byde,
   He wod into þe water, his feren him bysyde,   100
      To a-drenche.
     Whi nolden hii be war?   Þer nis non a-ȝeyn starl
     Why nolden hy hem byþenche?

14 Þis wes byfore seint Bartholomeus masse,   105
   Þat Frysel wes y-take, were hit more oþer lasse:
   To sire Thomas of Multone, gentil baroun ant fre,
   Ant to sire Johan Jose, bytake þo wes he
      To honde: 109
     He wes y-fetered weel   Boþe wiþ yrn ant wyþ steel,
     To bringen of Scotlonde.

15 Sone þerafter þe tydynge to þe kyng com;
   He him sende to Londone wiþ mony armed grom;
   He com yn at Newegate, y telle yt ou a-plyht,   115
   A gerland of leves on ys hed y-dyht
      Of grene;
     For he shulde ben y-knowe   Boþe of heȝe ant of lowe
     For treytour, y wene.   120

16 Y-fetered were ys legges under his horse wombe;
   Boþe wiþ yrn ant wiþ stel mankled were ys honde;
   A gerland of peruenke set on ys heved;
   Muche wes the poer þat him wes byreved
      In londe:
     So God me amende!   Lutel he wende
     So be broht in honde.   128

17 Sire Herbert of Norham, feyr knyht ant bold,
   For þe love of Frysel ys lyf wes y-sold;
   A wajour he made, so hit wes y-told,
   Ys heved of to smyte ȝef me him brohte in hold,   132

---

132 smyhte

  Watso bytyde.
 Sory wes he þenne, Þo he myhte him kenne
  Þourh þe toun ryde.   136

18 Þenne seide ys scwyer a word anon ryht:
 "Sire, we beþ dede, ne helpeþ hit no wyht"—
 Thomas de Boys þe scwyer wes to nome—;
 "Nou ychot oure wajour turneþ ous to grome,   140
  So y bate."
  Y do ou to wyte: Here heved wes ofsmyte
  Byfore þe Tour-gate.   144

19 Þis wes on oure levedy even, for sothe ych understonde,
 Þe justices seten for þe knyhtes of Scotlonde,
 Sire Thomas of Multone, an hendy knyht and wys,
 Ant sire Rauf of Sondwyche, þat muchel is told in pris, 148
  Ant sire Johan Abel;
  Mo y mihte telle by tale, Boþe of grete ant of smale,
  ʒe knowen suyþe wel.   152

20 Þenne saide the justice, þat gentil is ant fre:
 "Sire Simond Frysel, þe kynges traytour hast þou be
 In water ant in londe, þat monie myhten se:
 What sayst þou þareto? hou wolt þou quite þe?   156
  Do say."
  So foul he him wiste, Nede waron truste
  For to segge "Nay".   160

21 Þer he wes y-demed, so hit wes londes lawe,   *ll.* 61
 For þat he wes lordswyke: furst he wes todrawe,
 Upon a reþeres hude forþ he wes y-tuht—
 Sum while in ys time he wes a modi knyht   164
  In huerte
  Wikednesse ant sunne— Hit is lutel wunne
  Þat makeþ the body smerte.   168

22 For al is grete poer, ʒet he wes y-laht;
 Falsnesse ant swykedom, al hit geþ to naht;
 Þo he wes in Scotlond, lutel wes ys þoht
 Of þe harde jugement þat him wes bysoht   172
  In stounde.
  He wes four siþe forswore To þe kyng þerbifore,
  Ant þat him brohte to grounde.   176

23 Wiþ feteres ant wiþ gyves, ichot, he wes todrowe,
 From þe Tour of Londone—þat monie myghte knowe—
 In a curtel of burel a selkeþe wyse,
 Ant a gerland on ys heved of þe newe guyse,   180
  Þurh Cheepe;
  Moni mon of Engelond, For to se Symond
  Þideward con lepe.   184

24 Þo he com to galewes, furst he wes anhonge,
 Al quic byheveded, þah him þohte longe;
 Seþþe he wes y-opened, is boweles y-brend,
 Þe heved to Londone-brugge wes send   188
  To shonde:
  So ich ever mote the! Sum while wende he
  Þer lutel to stonde.   192

25 He rideþ þourh þe site, as y telle may,
 Wiþ gomen ant wyþ solas, þat wes here play;

To Londone-brugge hee nome þe way.
Moni wes þe wyves chil þat þeron lokeþ a day,   196
    Ant seide: "Alas!
  þat he wes i-bore,   Ant so villiche forlore,
  So feir mon ase he was."   200

26 Nou stont þe heved a-bove þe tubrugge,
Faste bi Waleis, soþ for te sugge;
After socour of Scotlond longe he mowe prye,
Ant after help of Fraunce, wet halt hit to lye?   204
    Ich wene,
  Betere him were in Scotlond   Wiþ is ax in ys hond
  To pleyen o þe grene.   208

27 Ant þe body hongeþ at þe galewes faste
Wiþ yrnene claspes longe to laste;
For te wyte wel þe body, ant Scottsyhe to gaste,
Foure ant twenti þer beoþ to soþe ate laste   212
    By nyhte.
  ȝef eny were so hardi   þe body to remuy
  Also to dyhte.   216

28 Were sire Robert þe Bruytz y-come to þis londe,
Ant þe erl of Asseles, þat harde is an honde,
Alle þe oþer pouraille—for soþe ich understonde—
Mihten be ful blyþe ant þonke Godes sonde,   220
    Wiþ ryhte:
  þenne myhte uch mon   Boþe riden ant gon
  In pes wiþoute vyhte.   224

29 þe traytours of Scotlond token hem to rede   [f. 61 b
þe barouns of Engelond to brynge to dede;
Charles of Fraunce, so moni mon tolde,
Wiþ myht ant wiþ streynþe hem helpe wolde,   228
    His þonkes!
  Tprot, Scot, for þi strif!   Hang up þyn hachet ant þi knyf,
  Whil him lasteþ þe lyf
  Wiþ þe longe shonkes.   232

---

211 garste

3. Prophecies on the Battle of Bannockburn, 1314.

1.

MS.: Brit. Mus. Harl. 2253 (early 14th cent.). — Printed: Murray, Thomas of Erceldoune, 1875, EETS. 61, p. XVIII.

La countesse de Donbar demanda a Thomas de Essedoune quant la guere d'Escoce prendreit fyn, e yl la respoundy e dyt:
"When man as mad a kyng of a capped man;   [f. 127 a²
When mon is levere oþer mones þyng þen is owen;
When Londyon ys forest ant forest ys felde;
When hares kendles o þe herston;
When wyt ant wille werres togedere;
When mon makes stables of kyrkes, and steles castles wyþ styes;   5
When Rokesbourh nys no burgh, ant market is at Forwyleye;
When þe alde is gan, ant þe newe is come þat dou noþt;
When Bambourne is donged wyþ dede men;
When men ledes men in ropes to buyen ant to sellen;
When a quarter of whaty whete is chaunged for a colt of ten markes;   10
When prude prikes, ant pees is leyd in prisoun;

When a Scot ne may hym hude ase hare in forwe þat þe Englysshe ne sal
When ryþt ant wrong ascenteþ togedere;   [hym fynde; [f. 127 b
When laddes weddeþ lovedies;   15
When Scottes flen so faste þat for faute of ship hy drowneþ hem selve."
"Whenne shal þis be?"   "Nouþer in þine tyme ne in myne;
Ah comen ant gon wiþinne twenty wynter ant on."

MS 13 forme

    As to source, in a general way, cf. Geoffr. of Monm., Hist. reg. Britt., Lib. VII cap. 3
(Vaticinium Merlini), ed. San-Marte, esp. p. 94—5. For *ll.* 3—7: Pacem habebunt ferae,
et humanitas supplicium dolebit. . . . Evigilabunt rugientes catuli, et postpositis nemo-
ribus intra moenia civitatum venabuntur. .. Sextus Hyberniae moenia subvertet, et
nemora in planitiem mutabit.   8: avita tempora renovabunt.   10—11: Findetur forma
commercii.   13, 16: Indignabitur Albania, et convocatis collateralibus sanguinem effun-
dere vacabit. . . . Tunc erit strages alienigenarum, tunc flumina sanguine manabunt.
15: Nitentur posteri transvolare superna.

2.

*MS.: Brit. Mus. Arundel No. 57 (written ab. 1340). — Ed.: Wright and Halliwell, Reliquiae
Antiquae I, 1841, p. 30.*

    Thomas de Erseldoune, Escot et dysur, dit au rey Alisandre le paroles [f. 8 b
desuth dites, du rey Edward ke ore est, kaunt yl fust a nestre:

    "To-nyȝt is boren a barn in Kaernervam,
þat ssal wold þe out ydles ylcan."
þe kyng Alesandre acsede:
"Hwan sall þat be?"   þe menstral zede:
"Hwan Banockesbourne is y-det myd mannis bonis;   5
Hwan hares kendleþ in hertþstanes;
Hwan laddes weuddeþ levedes;
Hwan me ledeþ men to selle wytþ rapis;
Hwan Rokysburþ is no burþ;
Hwan men gyven an folu of twenti pound for an seme of hwete."   10

4. Song of the Husbandman (reign of Edw. II.).

*MS.: Brit. Mus. Harl. 2253 (early 14 th cent.). — Edd.: Wright, Pol. Songs, 1839, Camd. Soc.,
p. 149; Böddeker, Altengl. Dichtungen des MS. Harl. 2253, Berl. 1878, p. 100.*

1 Ich herde men upo mold make muche mon,   Hou he beþ i-tened of here tilyynge: [f. 64 a
"Gode ȝeres and corn boþe beþ a-gon,   Ne kepeþ here no sawe ne no song
                                                                            synge. 4

Nou we mote worche, nis þer nón oþer won,   Mai ich no lengore lyve wiþ mi
                                                                            lesinge.

ȝet þer is a bitterore bit to þe bon,   For ever þe furþe peni mot to þe kynge. 8
þus we carpeþ for þe kyng, and carieþ ful colde,   And weneþ for te kevere, and
                                                                    ever buþ a-cast.

Whose haþ eny god, hopeþ he nout to holde,   Bote ever þe levest we leoseþ a-last. 12

2 Luþer is to leosen þer ase lutel ys,   And haveþ monie hynen þat hopieþ þerto.
þe hayward heteþ us harm to habben of his,   þe bailif bockneþ us bale and
                                                                    weneþ wel do, 16

þe wodeward waiteþ us, wo, þat lokeþ under rys: Ne mai us ryse no rest,
                                                                    rycheis ne ro.

þus me pileþ þe pore, þat is of lute pris: Nede in swot and in swynk swynde
                                                                    mot swo." 20

Nede he mot swynde, þah he hade swore,   þat naþ nout an hod his hed for
                                                                    te hude.

þus wil walkeþ in lond, and lawe is forlore,   And al haþ piked of þe pore þe
                                                                    prikyares prude. 24

----

        7 bit] blü   17 who] wo   22 an] en   24 haþ] is

3 Þus me pileþ þe pore and pykeþ ful clene;   Þe ryche me[n] raymeþ wiþouten eny ryht,

Ar londes and ar leodes liggeþ fol lene,   Þorh b[i]ddyng of baylyfs such harm hem haþ hiht. 28

Men of religioun, me halt hem ful hene,   Baroun and bonde, þe clerc and þe knyht.

Þus wil walkeþ in lond, and wondred ys wene,   Falsshipe fatteþ and marreþ wyþ myht. 32

Stont stille y þe stude and halt hem ful sturne,   Þat makeþ beggares go wiþ bordon and bagges.

Þus we beþ honted from hal[l]e to burne: Þat er werede robes, nou wereþ ragges. 36

4 Ȝet comeþ budeles wiþ ful muche bost: "Greyþe me selver to þe grene wax:
Þou art writen y my writ, þat þou well wost."   Mo þen ten siþen told y my tax: 40

Þenne mot ich habbe hennen a-rost,   Feyr on fyshday launprey and lax.
Forþ to þe chepyn, geyneþ no chost,   Þah y sulle mi bil and my borstax. 44
Ich mot legge my wed wel ȝef y wolle,   Oþer sulle mi corn on gras þat is grene,
Ȝet i shal be foul cherl, þah he han þe fulle,   Þat ich alle ȝer spare, þenne y mot spene. 48

5 Nede y mot spene þat y spared ȝore,   A-ȝeyn þis cachereles comeþ þus y mot care; 50

Comeþ þe maister budel, brust ase a bore,   Seiþ he wole mi bugging bringe ful bare. 52

Mede y mot munten, a mark oþer more,   Þah ich at þe set dey sulle mi mare.
Þus þe grene wax us greveþ under gore,   Þat me us honteþ ase hound deþ þe hare. 56
He us honteþ ase hound hare doh[t] on hulle,   Seþþe y tok to þe lond such tene me wes taht.

Nabbeþ ner budeles boded ar fulle,   For he may scape, and we aren ever caht. 60

6 Þus y kippe and cacche cares ful colde,   Seþþe y counte and cot hade to kepe.
To seche selver to þe kyng y mi seed solde: Forþi mi lond leye liþ, and leorneþ to slepe. 64

Seþþe he mi feire feh fatte y my folde,   When y þenk o mi weole, wel neh y wepe;

Þus bredeþ monie beggares bolde,   And ure ruȝe ys roted and ruls er we repe. 68
Ruls ys oure ruȝe, and roted in þe stre,   For wickede wederes by brok and by brynke.

Þus wakeneþ in þe world wondred and wee.   Ase god is swynden anon, as so for te swynke. 72

29 Men] Mem   33 hem] him   42 fyhsh   43 ne   58 tok] tek

5. Laurence Minot, The Battle of Crécy, 1346.

*MS.: Brit. Mus. Cott. Galba, E. IX (beg. 15th cent.). — Edd.: Ritson, 1795 (repr. 1825);
Wright, 1859; Mätzner, Sprachpr. I 320—27; Scholle, Straßburg 1884, Quellen und
Forschungen 52; Hall. Oxf. 1882, 1897.*[2]

How Edward at Hogges unto land wan
And rade thurgh France or ever he blan.

Men may rede in romance right   [f.54 b² Hall p. 21] Out of þe north into þe sowth
Of a grete clerk þat Merlin hight;   Suld cum a bare over þe se
Ful many bokes er of him wreten,   Þat suld mak many man to fle;   10
Als þir clerkes wele may witten;   And in þe se, he said ful right,
And ȝit in many prive nokes   5   Suld he schew ful mekill might;
May men find of Merlin bokes.   And in France he suld bigin
Merlin said þus with his mowth: To mak þam wrath þat er þare-in;

Untill þe se his taile reche sale,   15
All folk of France to mekill bale.¹)
Þus have I mater for to make,
For a nobill prince sake:
Help me, God, my wit es thin,
Now Laurence Minot will bigin.   20

A bore es broght on bankes bare
  With ful batail bifor his brest;
For John of France will he noght spare
  In Normondy to tak his rest,   24
  With princes þat er proper and prest:
Alweldand God of mightes maste,
  He be his beld, for he mai best,
Fader and sun and haly gaste.   28

Haly gaste, þou gif him grace,
Þat he in gude time may bigin,
And send to him both might and space
  His heritage wele for to win;   32
  And sone assoyl him of his sin,
Hende God, þat heried hell.
  For France now es he entred in,
And þare he dightes him for to dwell. 36

He dwelled þare, þe suth to tell,
  Opon þe coste of Normondy;
At Hogges fand he famen fell
  Þat war all ful of felony: 40
  To him þai makked grete maistri,
And proved to ger þe bare a-byde;
  Thurgh might of God and mild Mari
Þe bare abated all þaire pride.   44

Mekill pride was þare in prese,
  Both on pencell and on plate,
When þe bare rade, withouten rese,
  Unto Cane þe graythest gate.   48
  Þare fand he folk bifor þe ȝate   [f. 55
Thretty thowsand stif on stede,
Sir John of France come al to late,
Þe bare has gert þaire sides blede.   52

He gert [þam] blede if þai war bolde,
  For þare was slayne and wounded
                                   sore
Thretty thowsand, trewly tolde,
  Of pitaile was þare mekill more;   56
  Knightes war þare wele two score
Þat war new dubbed to þat dance.
  Helm and hevyd þai have forlore:
Þan misliked John of France.   60

More misliking was þare þen,
  For fals treson alway þai wroght;
Bot, fro þai met with inglis men,

All þaire bargan dere þai boght. 64
Inglis men with site þam soght
And hastily quit þam þaire hire;
  And at þe last forgat þai noght,
Þe toun of Cane þai sett on fire.   68

Þat fire ful many folk gan fere,
  When þai se brandes o-ferrum flye.
Þis have þai wonen of þe were,
  þe fals folk of Normundy.   72
  I sai ȝow lely how þai lye
Dongen doun all in a daunce;
  Þaire frendes may ful faire forþi
Pleyn þam untill John of France.   76

Franche men put þam to pine
  At Cressy, when þai brak þe brig;
Þat saw Edward with both his ine,
  Þan likid him no langer to lig.   80
  Ilk inglis man on oþers rig
Over þat water er þai went;
  To batail er þai baldly big,
With brade ax and with bowes bent. 84

With bent bowes þai war ful bolde
  For to fell of þe frankisch men;
Þai gert þam lig with cares colde;
  Ful sari was sir Philip þen.   88
  He saw þe toun o-ferrum bren.
And folk for ferd war fast fleand;
  Þe teres he lete ful rathly ren
Out of his eghen, I understand.   92

Þan come Philip ful redy dight
  Toward þe toun with all his rowt,
With him come mani a kumly knight,
  And all umset þe bare o-bout.   96
  Þe bare made þam ful law to lout, [f. 55a*
And delt þam knokkes to þaire mede;
  He gert þam stumbill þat war stout,
Þare helpid nowþer staf ne stede. 100

Stedes strong bilevid still
  Biside Cressy opon þe grene;
Sir Philip wanted all his will,
  Þat was wele on his sembland sene. 104
  With spere and schelde and helmis
                                     schene
Þe bare þan durst þai noght ha-bide;
  Þe king of Beme was cant and kene,
Bot þare he left both play and pride. 108

Pride in prese ne prais I noght
  O-mang þir princes prowd in pall;
Princes suld be wele bithoght,
  When kinges þam till counsail call. 112

MS 112 kynges] kinges suld   till] toll

¹) Cf. Geoffr. of Monm., Hist. reg. Britt., Lib. VII cap. 3, ed. San-Marte, p. 93: Aper etenim
Cornubiae succursum praestabit, et eorum (the exterior enemies) colla sub pedibus suis
conculcabit. Insulae Oceani ipsius potestati subdentur, et Gallicanos possidebit saltus.

If he be rightwis king, þai sall
Maintene him both night and day,
 Or els to lat his frendschip fall
On faire manere, and fare o-way. 116

O-way es all þi wele, i-wis,
 Franche man, with all þi fare;
Of murni[n]g may þou never mys,
 For þou ert cumberd all in care: 120
With speche ne moght þou never
               spare
To speke of ingliss men despite;
 Now have þai made þi biging bare,
Of all þi catell ertou quite. 124

Quite ertou, þat wele we knaw,
 Of catell and of drewris dere;
Þarfore lies þi hert ful law,
 Þat are was blith als brid on brere. 128
Inglis men sall ʒit to-ʒere
Knok þi palet or þou pas,
 And mak þe polled like a frere:
And ʒit es Ingland als it was. 132

Was þou noght, Franceis, with þi wapin
 Bitwixen Cressy and Abvyle?
Whare þi felaws lien and gapin,
 For all þaire treget and þaire gile. 136
Bisschoppes war þare in þat while
Þat songen all withouten stole:
 Philip þe Vales was a file,
He fled and durst noght tak his dole. 140

Men delid þare ful mani a dint
 O-mang þe gentill Geneuayse;

Ful many man þaire lives tint
 For luf of Philip þe Valays. 144
 Unkind he was and uncurtayse [f. 55 b
I prais nothing his purviance;
 Þe best of France and of Artayse
War al todongyn in þat daunce. 148

Þat daunce with treson was bygun
 To trais þe bare with sum fals gyn:
Þe franche men said: "All es wun,
 Now es it tyme þat we bigin, 152
 For here es welth i-nogh to win,
To make us riche for evermore."
 Bot, thurgh þaire armure thik and
               thin
Slaine þai war, and wounded sore. 156

Sore þan sighed sir Philip; [best,
 Now wist he never what him was
For he es cast doun with a trip:
 In John of France es all his trest, 160
 For he was his frend faithfulest,
In him was full his affiance:
 Bot sir Edward wald never rest,
Or þai war feld, þe best of France. 164

Of France was mekill wo, i-wis,
 And in Paris þa high palays:
Now had þe bare with mekill blis
 Bigged him bifor Calais. 168
Heres now how þe romance sais
How sir Edward, oure king with
               croune,
 Held his sege bi nightes and dais
With his men bifor Calays toune. 172

6. Ballad on the Scottish Wars.

*MS.: Brit. Mus. Cott. Julius A. V. (late 14th cent.). — Edd.: Wright, Pierre de Langtoft, 1868,
Rolls Series, II 452; Ritson-Hazlitt, Anc. Ballads and Songs³, 1877, p. 35.*

I

1 As y yod on ay mounday [f. 180
 Bytwene Wyltinden and Walle
Me ane after brade waye,
 Ay litel man y met withalle, 4
The leste þat ever y sathe, [soth] to
 Oiþer in bour, oiþer in halle: [say,
His robe was noiþer grene na gray,
 Bot alle yt was of riche palle. 8

2 On me he cald, and bad me bide;
 Wel stille y stode ay litel space.
Fra Lanchestre, þe parke-syde,
 —Y cen—he come, wel fair his pase. 12
He hailsed me with mikel pride.
Ic haved wel mykel ferly wat he was.
I saide: "Wel mote þe bityde,
 Þat litel man with large face!" 16

3 I biheld þat litel man,
 By þe stretes als we gon gae:
His berd was syde ay large span,
 And glided als þe fether of pae; 20
His heved was wyte als any swan,
 His hegehen war gret and grai,
Als so brues lange, wel i þe can,
 Merk it: to five inches and mae. 24

4 Armes scort, for soþe i saye,
 Ay span semed þaem to bee;
Handes brade, vytouten nay,
 And fingeres lange he scheued me. 28
Ay stan he tok op þar it lay,
 And castid forth, þat i mothe see,
Ay merk-scot of large way;
 Bifor me strides he castid three. 32

MS 31 scot] soot

5 Wel stille i stod, als did þe stane,
  To loke him on þouth me nouthe
                                lange:
His robe was alle golde-bigane,
  Wel crustlik maked, i understande; 36
Botones asurd ever[i]lke ane,
  Fra his elbouthe ontil his hande;
Elidelik man was he nane—
  Þat in myn hert ich onderstande. 40

6 Til him i sayde ful sone onane,
  For forthirmare i wald him fraine:
"Glalli wild i wit þi name,
  And i wist wat me mouthe gaine. 44
Þou ert so litel of flesse and bane,
  And so mikel of mithe and mayne:
War vones þou, litel man, at hame?
  Wite of þe i walde ful faine." 48

7 "Þoth i be litel and lith,
  Am y noth wytouten wane;
Ferli frained þou wat hi hith—
  Þat þou salt noth with my name. 52
My woni[n]ge-stede ful wel es dygh[t],
  Nou sone thou salt se at hame."
Til him i sayde: "For Godes mith, [f.180b
  Lat me forth myn erand gane." 56

8 "Þe thar noth of þin errand lette,
  Þouth þou come ay stonde wit me;
Forþer salt þou noth bisette
  Bi miles twa, noyther bi three." 60
Na linger durst I for him lette,
  Bot forth ii fundid wyt þat free;
Stintid us brok no beck:
  Ferlick me thouth hu so mouth bee. 64

9 He vent forth, als ii you say,
  In at ay yate, ii understande,
Intil ay yate, wudouten nay:
  It to se thouth me nouth lange. 68
Þe bankers on þe binkes lay,
  And fair lordes sett ii fonde;
In ilke ay hirn ii herd ay lay,
  And levedys, south, me loude sange. 72

II

10 Lithe, bothe yonge and alde,
  Of ay worde ii wil you saye
Ay litel tale þat me was tald
  Erli on ay wedenesdaye: 76
A mody barn, þat was ful bald,
  My frend, þat ii frained aye,
Al my yering he me tald,
  And yatid me, als we went bi waye. 80

"Miri man, þat es so wythe,
  Of ay thinge gif me answere,
For him þat mensked man wyt mith:
  Wat sal worth of þis were? 84

11 And eke our folke, hou sal þai fare,
  Þat at ere bi northen nou?
Sal þai have any contre þare?
  Other wether hande sal have þe prou?" 88
"Ay Toupe," he sayde, "es redy þare,
  A-gayn him yitt es nane þat dou;
On yonde-alf Humbre es ay Bare,[1]
  —Be he sped—sal side ssou; 92
Bi he have sped, als sal þai spede,
  And redi gates ou to fare,
And man be mensked for his mede,
  And stable stat for evermare. 96

12 And sethen þou fraines, ii wille þe
                                say:
And sette þe state in stabilite!
  Rym itt es recth als þou may,
For ay skill ii tell it þee; 100
And warn em wel, wytouten nay:
  A tyme bifore þe trinite,
Þare sal deye on ay day
  A folke on feld, ful fa sal flee. 104
Wa-so flees sal duelle in care,
  For þare may na man time tyde.
A Toupe sal stande a-gayn ay Bare,
  He es ful bald, him dar ha-bide." 108

13 "Miri man, ii pray þee, yif þou maye,
  Yif þat þi wille ware,
Bathe þair names þou me saye:
  Wat hate þe Toupe, and wat þe
                                Bare?" 112
Ant he sayde: "Outen nay,
  Hate þe tane, trou þou my lare;
Ar þou may þat other say,
  Þat sal be falden wyt þat fare." 116
"Þe wiser es ii noth of þat:
  Miri man, wat may þis bee?"
"Nou have ii sayde þe, wat þay hat;
  Forther wites þou noth for me. 120

14 So lange þe Lebard loves þe layke—
  —Wit his onsped ʒour sped ye
                                spille—,
And lates þe Lion have his raike,
  Wit werke in werdl, als he wille. 124
Þe Bare es bonden hard in baite,
  Wit foles þat wil folies fille;
The Toupe in toune your werkes wayte,
  To bald his folke he bides stille. 128

---

[1]) For the prophecy concerning the Boar and the Mole cf. Henry Ward, Catalogue of Romances I, 1883, 299f.

MS 36 Wright reads craftlik   68 thouth] south

Bide wa bide, he sal ha-bide,   [f. 181
  Þar foles for þair false fare;
Fa fra feld, I cen, sal ride,
  Þe land sal leve wit þe Bare."   132

15 "Forthermar ii wille the frein,
  My frend, yif þat þi wille ware:
Sal ii telle it forthe or layn,
  Or þou sal telle me any mare?"   136
"Rym ith recth, als ii þe sayn,
  Als sal þou redi find it þare,
And fel be of þi tithinges fain,
  Wen lives liggen on holtes hare.   140
Bot oute sal ride a chivauche,
  Wyt febel fare on ay nith;
So false sal þaire waytes be,
  Þat deye sal many a dougty knyth.   144

16 Knyth and scoyer bathe sal deye
  Þat other moren, biyond ma,
Þouche þay be never so sleeche,
  Wyt schrogen suet fra lives ga.   148
Þe Bare es bone to tyne þe tour,
  Bot bald sal be of bataille swa:
Wa bides him on, hard and heech,
  Þat day sal deye, and duelle in wa. 152
Wyt foles sal þe feld be leest,
  A poeple liest fol neghe biside
Sal come out of þe southerwest
  Wyt reken routes ful on ride.   156

17 Þar sal the foles dreeg is paine,
  And folie for his false fare
Lie opon þe feld slayne,
  And lose his live for evermare.   160
And wyt sal winne þe lande a-gayn
  A day fra Clide onto Clare,
And fa be of þair frendes fain,
  And toures stande, als þat did are. 164
And simple men, þat wil have dede,
  Þar sal þai ful redi finde;
Þat mester affe to wynne þeem mede
  For faute sal noth stande bihinde. 168

18 Þe Bare es brouth out of his denne;
  The Lepard haldes hym so lange,
Þat we wate never swa ne swenne,
  Na wilk of þem sal weld the lan[d]. 172
A-mange ay hondre no fynd ii tenne,
  Þat þai ne fald als a wande;
By reson may þou knaw and kenne:
  Þat be ful fele has wroth alle wrang. 176
Wrangwis werkes sul men se
  Be flemed for þair fals willes,
And after þem sal wiþ ay be,
  And out em out of alle þair wyles." 180

19 "Miri man, ii beseke the,
  Of a tything telle me mar:
Hou hendes alle þis folke to-yere?
  Suilke qualme no saith ii never ar. 184
So comeli so men deyen here,
  Pover na riche es nane to spare?"
"Lithe," he sayd, "ii sal þe ler[e],
  Have þou no ferly of þat fare.   188
For twenti souzand mot þou say,
  Þat deyed tother day on this half
                                    [Twede],
Sal falle by þon on ay day:
  So lives lithe sal alle þat lede. 192

20 In my sa, the south ii say,
  Herkens alle, of a tyme
Þat sal be after neueyers-day,
  Lat clerkes se þe neexte prime: 196
The terme es werde, soeth to say,
  And twelve es comen after   gne,
To led him forth a lange waye—
  His wonyng-stede es on yondalf 200
On southalf Tyne sal he wone. [Tyne.
  Wyt þou wel, it sal be swa;
Fra suth sal blessed brether comen, [f. 181 b
  And dele þe lande even in twa.   204

21 When domes es doand on his dede,
  Sal na mercy be biside,
Na na man have mercy for na mede,
  Na in hope þair hevedes hide.   208
Bot soffid sal be mani of stede,
  For res þat þai sal after ride;
And seen sal leaute falsed lede
  In rapes sone after þat tyde.   212
Fra twa to three þe lande es liest,
  Bot nameli sal ic fur þe twa;
Þe Lion þare sal fare to fexit,
  Þe lande til þe Bare sal ga.   216

22 Wel g[l]alli wald ii understande,
  To telle þeem hou so moxist be,
Welke of þeem sald weld þe lande,
  For wel þou spake of þe three.   220
A T biside an L ii fonde,
  —Chese þi selven, sege and see—
An Ed þe thred, wyt hope and hande,
  The baillifs bee.   224
Bot nou of þeem hat loves the lede,
  Þat es so bald þat dar ha-bide,
Þat þeem ne sal reu, yif ii can rede,
  On ay friday on est-half Clide;   228

23 For wel þai wen hour lande to winne,
  To fele þat may finde biforin;
Þai sal be blenked ar þai blinne,
  Þair folis þat haves ben forthorin. 232

_____

    142 nith] inch   151 herch   169 þe] þer   181 After þe: yif þat þi wille ware (cf. l. 134)
231 be] ble

Many be dampned to daye þarinne,
    Þat riden hech, wyt hond and horin,
Wen yonge sal falle for ald synne
    And lose þe lyf and be forthorin. 236
Wrange werkes wil a-way,
    It sal be als God haves sette;
Of þair biginnynge can ii say,
    Sal na frend of other rette.   240

24 Dougty sal daye on the feld,
    To wyt þeem be never so wa,

And falsed under halles held:
    In frith sul men þe foles ta.   244
Leaute men haves ben ful seld,
    It sal be sette wyt mirthes ma,
And marchant have þe werld to weld,
    And capman wyt þair packes ga. 248
And þan sal reson raike and ride,
    And wisdome be ware es best,
And leaute sal gar leal ha-bide,
    And sithen sal hosbondmen af rest. 252

---

240 rette] reve

VIII. Elegiac.

1. Pearl (ab. 1370).

MS.: Brit. Mus. Cott. Nero A.X 4, fol. 41 (prob. end 14th cent.). — Edd.: Morris, 1864, (revised 1869), EETS. 1; Gollancz, 1891; Osgood, Boston 1906, Belles Lettres Series.

I

1 Perle plesaunte to prynces paye,   [f. 43
To clanly clos in golde so clere!
Oute of Oryent, I hardyly saye,
Ne proved I never her precios pere,
So rounde, so reken in uche araye, 5
So smal, so smoþe her sydeȝ were—
Queresoever I jugged gemmeȝ gaye.
I sette hyr sengeley in synglure.[1]
Allas! I leste hyr in on erbere;
Þurȝ gresse to grounde hit fro me yot. 10
I dewyne, fordolked of lufdaungere,
Of þat pryvy perle wythouten spot.

2 Syþen in þat spote hit fro me sprange,
Ofte haf I wayted, wyschande þat wele
Þat wont watȝ whyle devoyde my
                            wrange, 15
And heven my happe and al my hele:
Þat dotȝ bot þrych my hert þrange,
My breste in bale bot bolne and bele.
Ȝet þoȝt me never so swete a sange
As stylle stounde let to me stele; 20
For soþe þer fleten to me fele,
To þenke hir color so clad in clot.

O moul, þou marreȝ a myry juele,
My privy perle wythouten spotte!

3 Þat spot of spyseȝ [mo]t nedeȝ sprede, 25
Þer such rycheȝ to rot is runnen;
Blomeȝ blayke and blwe and rede
Þer schyneȝ ful schyr a-gayn þe sunne;
Flor and fryte may not be fede
Þer hit doun drof in moldeȝ dunne; 30
For uch gresse mot grow of grayneȝ
                            dede,
No whete were elleȝ to woneȝ wonne;
Of goud uche goude is ay bygonne;
So semly a sede moȝt fayly not,
Þat spry[n] gande spyceȝ up ne sponne 35
Of þat precios perle wythouten spotte.

4 To þat spot þat I in speche expoun [f. 43 b
I entred, in þat erber grene,
In auguste in a hyȝ seysoun, [kene.
Quen corne is corven wyth crokeȝ 40
On huyle þer perle hit trendeled doun,
Schadowed þis worteȝ ful schyre and
                            schene—
Gilofre, gyngure, and gromylyoun,
And pyonys powdered ay bytwene.

---

[1] *Cf. Premier Lapidaire de Marbode, (MS. Paris, Bibl. Nat. lat. 14470, end 12th cent., ed. Pannier, Les Lapidaires Français, Paris 1882, p. 65) L. De Margaritis:*

En Inde naist en un peisun
Une piere ke perle a num.
Unio a num pur ce k'est sule . . . 855
Blanches e cleres sunt les perles . . . 861
En Inde naist e en Britanie   871

K'om apele la primeraine . . .
Mielz valt la clere ke l'oscure.   876
Li bon perrier ancienur
Tindrent la ruunde a meillur.

(First quoted by Schofield, Publ. Mod. Lang. Ass. Am. 24, 1909, 602.)

ȝif hit watȝ semly on to sene,   45
A fayr reflayr ȝet fro hit flot,
Þer wonys þat worþyly, I wot and wene,
My precious perle wythouten spot.

5   Bifore þat spot my honde I
                              spenn[e]d
For care ful colde þat to me caȝt; 50
A de[r]vely dele in my hert denned,
Þaȝ resoun sette my selven saȝt.
I playned my perle þat þer watȝ
                              spenned
Wyth fyrte skylleȝ þat faste faȝt;
Þaȝ kynde of Kryst me comfort
                              kenned, 55
My wreched wylle in wo ay wraȝte.
I felle upon þat floury flaȝt,
Suche odour to my herneȝ schot;
I slode upon a slepyngslaȝte—
On þat prec[i]os perle wythouten
                              spot. 60

II

6   Fro spot my spyryt þer sprang in
                              space,
My body on balke þer bod in sweven;
My goste is gon in Godeȝ grace,
In aventure þer mervayleȝ meven.
I ne wyste in þis worlde quere þat
                              hit wace, 65
Bot I knew me keste þer klyfeȝ cleven;
Towarde a foreste I bere þe face,
Where rych rokkeȝ wer to dyscreven.
Þe lyȝt of hem myȝt no mon leven,
Þe glemande glory þat of hem glent; 70
For wern never webbeȝ þat wyȝeȝ
                              weven
Of half so dere adub[be]mente.

7   Dubbed wern alle þo downeȝ sydeȝ [f. 44
Wyth crystal klyffeȝ so cler of kynde.
Holtewodeȝ bryȝt a-boute hem bydeȝ 75
Of bolleȝ as blwe as ble of ynde;
As bornyst sylver þe lef onslydeȝ,
Þat þike con trylle on uch a tynde
Quen glem of glodeȝ a-gaynȝ hem
                              glydeȝ:
Wyth schymeryng schene ful schrylle
                              þay schynde. 80
Þe gravayl þat on grounde con grynde
Wern precious perleȝ of Oryente;
Þe sunnebemeȝ bot blo and blynde
In respecte of þat adubbement.

8   The adubbemente of þo downeȝ dere 85
Garten my goste al greffe forȝete;
So frech flavoreȝ of fryteȝ were:
As fode hit con me fayre refete.
Fowleȝ þer flowen in fryth in fere,

Of flaumbande hweȝ, boþe smale and
                              grete; 90
Bot sytolestryng and gyternere
Her reken myrþe moȝt not retrete;
For, quen þose bryddeȝ her wyngeȝ
                              bete,
Þay songen wyth a swete asent;
So grac[i]os gle couþe no mon gete   95
As here and se her adubbement.

9   So al watȝ dubbet on dere asyse
Þat fryth þer fortwne forth me fereȝ.
Þe derþe þerof for to devyse
Nis no wyȝ worþe þat tonge bereȝ. 100
I welke ay forth in wely wyse;
No bonk so byg þat did me dereȝ.
Þe fyrre in þe fryth, þe fei[r]er con
                              ryse
Þe playn, þe plontteȝ, þe spyse, þe
                              pereȝ,
And raweȝ and randeȝ and rych
                              revereȝ— 105
As fyldor fyn her b[o]nkes brent.
I wan to a water by schore þat
                              schereȝ;
Lorde, dere watȝ hit adubbement!

10   The dubbemente of þo derworth
                              depe [f. 44b
Wern bonkeȝ bene of beryl bryȝt; 110
Swangeande swete þe water con
                              swepe,
Wyth a rownande rourde raykande
                              a-ryȝt;
In þe founce þer stonden stoneȝ stepe,
As glente þurȝ glas þat glowed and
                              glyȝt
A[s] stremande sterneȝ, quen stroþe
                              men slepe, 115
Staren in welkyn in wynternyȝt;
For uche a pobbel in pole þer þyȝt
Watȝ emerad, saffer, oþer gemme
                              gente,
Þat alle þe loȝe lemed of lyȝt:
So dere watȝ hit adubbement.   120

III

11   The dubbement dere of doun and
                              daleȝ,
Of wod and water and wlonk playneȝ,
Bylde in me blys, abated my baleȝ,
Fordidden my stresse, dystryed my
                              payneȝ.
Doun after a strem þat dryȝly haleȝ 125
I bowed in blys. Bredful my brayneȝ;
Þe fyrre I folȝed þose flcty valeȝ,
Þe more strenghþe of joye myn herte
                              strayneȝ.

As fortune fares þer as ho fraynez,
Wheþer solace ho sende oþer ellez sore, 130
Þe wyȝ to wham her wylle ho waynez
Hyttez to have ay more and more.

12 More of wele watz in þat wyse
Þen I cowþe telle þaȝ I tom hade; 16
For urþely herte myȝt not suffyse 135
To þe tenþe dole of þo gladnez glade.
Forþy I þoȝt þat paradyse
Watz þer oþer-gayn þo bonkez brade;
I hoped þe water were a devyse
Bytwene myrþez by merez made; 140
Byȝonde þe broke, by slente oþer slade,
I hoped þat mote merked wore.
Bot þe water watz depe, I dorst not
                                  wade,
And ever me longed a more and more.

13 More and more, and ȝet wel mare, [f.45
Me lyste to se þe broke byȝonde; 146
For if hit watz fayr þer I con fare,
Wel loveloker watz þe fyrre londe.
A-bowte me con I stote and stare,
To fynde a forþe faste con I fonde; 150
Bot woþez mo i-wysse þer ware,
Þe fyrre I stalked by þe stronde;
And ever me þoȝt I schulde not wonde
For wo þer welez so wynne wore.
Þenne nwe note me com on honde, 155
Þat meved my mynde ay more and
                                  more.

14 More mervayle con my dom adaunt,
I seȝ byȝonde þat myry mere
A crystal clyffe ful relusaunt;
Mony ryal ray con fro hit rere. 160
At þe fote þerof þer sete a faunt,
A mayden of menske ful debonere;
Blysnande whyt watz hyr bleaunt—
I knew hyr wel, I hade sen hyr ere—
As glysnande golde þat man con
                                  schere, 165
So schon þat schene anunder schore.
On lenghe I loked to hyr þere,
Þe lenger I knew hyr more and more.

15 The more I frayste hyr fayre face,
Her fygure fyn, quen I had fonte, 170
Suche gladande glory con to me glace
As lyttel byfore þerto watz wonte.
To calle hyr lyste con me enchace,
Bot baysment gef myn hert a brunt;
I seȝ hyr in so strange a place, 17c
Such a burre myȝt make myn herte
                                  blunt.
Þenne verez ho up her fayre frount,

Hyr vysayge whyt as playn yvore,
Þat stonge myn hert ful stray atount,
And ever þe lenger, þe nore and more. 180

IV

16 More þen me lyste my drede a-ros; [f. 45 b
I stod ful stylle and dorste not calle,
Wyth yȝen onen and mouth ful clos;
I stod as hende as hawk in halle.
I hope þat gostly watz þat porpose; 185
I dred onende quat schulde byfalle —
Lest ho me eschaped þat I þer chos,
Er I at steven hir moȝt stalle.
Þat gracios gay wythouten galle,
So smoþe, so smal, so seme slyȝt, 190
Ryseȝ up in hir araye ryalle,
A prec[i]os pyece in perlez pyȝt.

17 Perlez pyȝte of ryal prys
Þere moȝt mon by grace haf sene,
Quen þat frech as flor-de-lys 195
Doun þe bonke con boȝe bydene.
Al blysnande whyt watz hir beau viys,
Upon at sydez, and bounden bene
Wyth þe myryeste margarys, at my
                                  devyse,
Þat ever I seȝ ȝet with myn yȝen; 200
Wyth lappez large, I wot and I wene,
Dubbed with double perle and dyȝte,
Her cortel of self sute schene,
Wyth precios perlez al umbepyȝte.

18 A pyȝt coroune ȝet wer þat gyrle, 205
Of marjorys and non oþer ston,
Hiȝe pynakled of cler quyt perle,
Wyth flurted flowreȝ perfet upon.
To hed hade ho non oþer werle;
Her lereleke al hyr umbegon. 210
Her semblaunt sade for doc oþer erle,
Her ble more blaȝt þen whalleȝ bon;
As schorne golde schyr her fax þenne
                                  schon,
On schyldereȝ þat leghe unlapped lyȝte.
Her depe colour ȝet wonted non 215
Of precios perle in porfyl pyȝte.

19 Pyȝt and poyned watz uche a
                                  hemme, [f. 46
At honde, at sydeȝ, at overture,
Wyth whyte perle and non oþer
                                  gemme,
And bornyste quyte watz hyr vesture. 220
Bot a wonder perle wythouten
                                  wemme
In myddeȝ hyr breste watz sette so
                                  sure.

MS 217 Pyȝt watȝ poyned and

A mannez dom moзt dryзly demme
Er mynde moзt malte in hit mesure;
I hope no tonge moзt endure   225
No saverly saghe say of þat syзt,
So watz hit clene and cler and pure,
Þat precios perle þer hit watz pyзt.

20   Pyзt in perle, þat precios pyse
On wyþerhalf water com doun þe
          schore; 230
No gladder gome heþen into Grece
Þen I quen ho on brymme wore;
Ho watz me nerre þen aunte or nece;
My joy forþy watz much þe more.
Ho p[ro]fered me speche, þat special
          spyce, 235
Enclynande lowe in wommon lore,
Caзte of her coroun of grete tresore,
And haylsed me wyth a lote lyзte,
Wel watz me þat ever I watz bore,
To sware þat swete in perlez pyзte! 240

V

21   "O perle," quod I, "in perlez pyзt,
Art þou my perle þat I haf playned,
Regretted by myn one, on nyзte?
Much longeyng haf I for þe layned,
Syþen into gresse þou me a-glyзte; 245
Pensyf, payred, I am forpayned,
And þou in a lyf of lykyng lyзte,
In paradys erde, of stryf unstrayned.
What wyrde hatz hyder my juel
          vayned,
And don me in þys del and gret
          daunger? 250
Fro we in twynne wern towen and
          twayned,
I haf ben a joylez juelere."

22   That juel þenne in gemmez gente [f.46b
Vered up her vyse wyth yзen graye,
Set on hyr coroun of perle orient, 255
And soberly after þenne con ho say:
"Sir, зe haf your tale mysetente,
To say your perle is al a-waye,
Þat is in cofer so comly clente,
As in þis gardyn gracios gaye, 260
Hereinne to lenge for ever and play,
Þer mys nee mornyng com never here;
Her were a forser for þe, in faye,
If þou were a gentyl jueler.

23   Bot, jueler gente, if þou schal lose 265
Þy joy for a gemme þat þe watz lef,
Me þynk þe put in a mad porpose,
And busyez þe a-boute a raysoun
          bref;

For þat þou lestez watz bot a rose
Þat flowred and fayled as kynde hyt
          gef; 270
Now þurз kynde of þe kyste þat hyt
          con close
To a perle of prys hit is put in pref.
And þou hatz called þy wyrde a þef,
Þat oзt of noзt hatz mad þe cler,
Þou blamez þe bote of þy meschef, 275
Þou art no kynde jueler."

24   A juel to me þen watz þys geste,
And juelez wern hyr gentyl saweз.
"I-wyse," quod I, "my blysfol beste,
My grete dystresse þou al todraweз. 280
To be excused I make requeste;
I trawed my perle don out of daweз;
Now haf I fonde hyt, I schal ma feste,
And wony wyth hyt in schyr wod-
          schaweз,
And love my Lorde and al his laweз, 285
Þat hatz me broз[t] þys blys ner;
Now were I at yow byзonde þise
          waweз,
I were a joyfol jueler."

25   "Jueler," sayde þat gemme clene, [f. 47
"Wy borde зe men so madde зe be? 290
Þre wordez hatz þou spoken at ene;
Unavysed, for soþe, wern alle þre;
Þou ne woste in worlde quat on dotz
          mene,
Þy worde byfore þy wytte con fle.
Þou says þou trawez me in þis dene, 295
Bycawse þou may wyth yзen me se;
Anoþer þou says, in þys countre
Þy self schal won wyth me ryзt here;
Þe þrydde, to passe þys water fre,
Þat may no joyfol jueler. 300

VI

26   I halde þat jueler lyttel to prayse
Þat lovez wel þat he seз wyth yзe,
And much to blame and uncortoyse,
Þat levez oure Lorde wolde make a
          lyзe,
Þat lelly hyзte your lyf to rayse, 305
Þaз fortune dyd your flesch to dyзe.
Зe setten hys wordez ful westernays
Þat l[e]vez noþynk bot зe hit syзe;
And þat is a poynt o sorquydryзe,
Þat uche god mon may evel byseme, 310
To leve no tale be true to tryзe
Bot þat hys one skyl may dem.

27   Deme now þy self if þou con dayly
As man to God wordez schulde heve.

308 loveз   309 inª

Þou saytȝ þou schal won in þis bayly; 315
Me þynk þe burde fyrst aske leve,
And ȝet of graunt þou myȝteȝ fayle.
Þou wylneȝ over þys water to weve;
Er moste þou cever to oþer counsayl;
Þy corse in clot mot calder keve; 320
For hit watȝ forgarte at paradys greve,
Oure ȝorefader hit con misseȝeme;
Þurȝ drwry deth boȝ uch man dreve,
Er over þys dam hym Dryȝtyn deme.''

28 ''Demeȝ þou me,'' quod I, ''my swete, [f. 47 b
To dol a-gayn, þenne I dowyne. 326 30
Now haf I fonte þat I forlete,
Schal I efte forgo hit er ever I fyne?
Why schal I hit boþe mysse and mete?
My precios perle dotȝ me gret pyne! 330
What serveȝ tresor bot gareȝ men grete
When he hit schal efte wyth teneȝ tyne?
Now rech I never for to declyne,
Ne how fer of folde þat man me fleme,
When I am per[t]leȝ of perle myne. 335
Bot durande doel what may men deme?''

29 ''Thow demeȝ noȝt bot doel-dystresse,''
Þenne sayde þat wyȝt; ''why dotȝ þou so?

For dyne of doel of lureȝ lesse
Ofte mony mon forgos þe mo; 340
Þe oȝte better þy selven blesse,
And love ay God, and wele, and wo.
For anger gayneȝ þe not a cresse;
Who nedeȝ schal þole, be not so þro.
For þoȝ þou daunce as any do, 345
Braundysch and bray þy braþeȝ breme,
When þou no fyrre may, to ne fro,
Þou moste a-byde þat he schal deme.

Deme Dryȝtyn, ever hym a-dyte,
Of þe way a fote ne wyl he wryþe; 350
Þy mendeȝ mounteȝ not a myte,
Þaȝ þou for sorȝe be never blyþe;
Stynt of þy strot and fyne to flyte,
And sech hys blyþe ful swefte and swyþe.
Þy prayer may hys pyte byte, 3 55
Þat mercy schal hyr crafteȝ kyþe;
Hys comforte may þy langour lyþe,
And þy lureȝ of lyȝtly leme;
For, marre[d] oþer madde, morne and myþe,
Al lys in hym to dyȝt and deme.'' 360

[MS continues]

2. The Minstrel's Farewell.

MSS.: *Oxf. Bodl. Vernon* (= O; reign of *Edw. III. or Rich. II.*); *Brit. Mus. Add. 22283, f. 129a²* (= L). — *Edd.:* Ritson-Hazlitt, *Anc. Ballads and Songs*, 1877³, p. 65; *Varnhagen, Anglia 7* (1884) p. 289.

O: 1 Now, bernes, buirdus, bolde and blyþe, [f. 407 b¹ middle
To blessen ow her nou am i bounde;
I þonke ȝou alle a þousend siþe,
And prei: God save you hol and sounde; 4
Wherever ȝe go, on gras or grounde,
He ow governe, wiþouten greve,
For frendschipe þat i here have founde.
A-ȝeyn mi wille i take mi leve. 8

2 For frendschipe and for ȝiftes goode,
For mete and drinke so gret plente:
Þat Lord þat rauȝt was on þe roode,
He kepe þi comeli cumpayne; 12
On see or lond, wher þat ȝe be;
He governe ow wiþouten greve;
So good disport ȝe han mad me--
A-ȝeyn my wille i take my leve. 16

A-ȝein mi wille alþauȝ i wende,
I may not alwey dwellen here;
For everi þing schal have an ende,
And frendes are not ay i-fere. 20
Be we never so lef and dere,
Out of þis world al schul we meve,
And, whon we buske unto ur bere,
A-ȝeyn ur wille we take ur leve. 24

4 And wende we schulle, i wot never whenne,
Ne whoderward þat we schul fare;
But endeles blisse, or ay to brenne,
To everi mon is ȝarked ȝare. 28
Forþi, i rede, uch mon be ware,
And lete ur werk ur wordes preve,
So þat no sunne ur soule forfare.
Whon þat ur lyf haþ taken his leve. 32

---

3 ȝou] ou *L*   7/9 frendschupe *L*   12 þis *L*   20 in fere *L*   23 buske unto] buske to *L*
25 schul *L*   29 be] we *Ritson*

0: 5 Whon þat ur lyf his leve haþ lauht,
 Ur bodi lith bounden bi þe wowe,
Ur richesses alle from us ben raft,
 In clottes colde ur cors is þrowe. 36
 Wher are þi frendes? ho wol þe
       knowe?
Let seo ho wol þi soule releve;
 I rede þe, mon, ar þou ly lowe,
Beo redi ay to take þi leve. 40

6 Be redi ay, whatever bifalle, [l.407b²
 Al sodeynli lest þou be kiht; [calle,
þou wost never whonne þi Lord wol
 Loke þat þi laumpe beo brennynge
       briht: 44
For, leve me wel, but þou have liht,
Riht foule þi Lord wol þe repreve,
 And fleme þe fer out of his siht,
For al to late þou toke þi leve. 48

7 Nou God þat was in Bethleem bore,
 He ȝive us grace to serve him so,
þat we may come his face tofore,
 Out of þis world whon we schul go: 52
And for to amende þat we misdo,
 In clei or þat we clynge and cleve;
And mak us evene wiþ frend and fo,
 And in good tyme to take ur leve. 56

8 Nou haveþ good dai, gode men alle,
 Haveþ good dai, ȝonge and olde,
Haveþ good dai, boþe grete and
       smale,
 And graunt merci a þousend folde. 60
Yif evere i miȝte, ful fayn i wolde
 Don ouȝt þat weore unto ȝow leve:
Crist kepe ow out of cares colde!
 For nou is tyme to take my leve. 64

---

34 liht L   41 Beo L   43 whon L   44 be L   58 heveþ L   59 smale L   62 were L

IX. Didactic Poetry.

1. The Proverbs of Alfred (ab. 1200).

MSS.: Oxf. Jes. Coll. MS. 29 (= A; 2nd half 13th cent.); Cambr. Trin. Coll. B. 14. 39 (= B; beg. 13th cent.); Brit. Mus. Cott. Galba A. XIX (= C). MS. C perished in 1731 in the great fire of the Brit. Mus. There exist three fragmentary copies of it: 1. by Spelman, Ælfredi Magni Vita, Oxonii 1678, p. 94 (contains ll. 1—98); 2. by Wanley in Hickes' Thesaurus, Oxonii 1705, p. 231 (contains ll. 1—30); 3. by James in MS. James 6, Oxf. Bodl. beg. 17th cent. (contains about 119 lines selected from all parts of the poem). — Edd.: Wright, Reliquiae Antiquae I, 1841, 170; Kemble, Dialogue of Salomon and Saturnus, 1848, Ælfric Soc. p. 226; Morris, 1872, EETS. 49, p. 102; Skeat, Oxf. 1907; Borgström, Lund 1908. The present text mostly follows Borgström. — Owing to the system of parallelism adopted here, the order of the Proverbs of text B had to be changed in several instances, but the original order is indicated by the numbers prefixed to the sections.

A: Incipiunt documenta
  regis Alvredi.

1 At Sevorde sete
þeynes monye,
Fele biscopes [ed,
And feole bokiler-
Eorles prute, 5
Knyhtes egleche.
þar wes þe eorl
   Alvrich,
	B: At Siforde setin
	Kinhis monie,
	Fele biscopis, [ede,
	And fele boocler-
	Herles prude 5
	And cnites egleche.
	þer was erl Alfred,
		A: Of þare lawe swiþe
		     wis,
		And ek Ealvred,
		Englene hurde,
		Englene durlyng;
		On Englene londe
		  he wes kyng.
		Heom he bigon lere,
			B: Of þe lawe suiþe
			     wis,
			And heke Alfred,
			10 Englene herde,
			Englene derling;
			In Enkelonde he
			   was king.
			Hem he gon lerin,

C: Alfredi conciones.

At Sifford[e] seten
þeines manie,
Fele biscopes
And fele boclered,
	Erles prude
	And cnihtes
	   egleche.
	þer was erl Alfrich,
		5 Of þe lage swuð[e]
		     wis,
		And ec Alfred,
		Engle hirde,
			Engle derling;
			On Eng[e]lond[e]
			  he was king.
			10 Hem he gan leren,

Text C, as printed here, is a corrected edition of Spelman's transcript; the bracketed words and letters are not in Spelman, but, if not otherwise stated, they are found in the copy of Wanley (which contains only ll. 1—30). The readings of James (who gives ll. 1—34, 41—42, 61—70, 73—80. 84—95) are taken from Skeat's edition.

2 þaines many S[pelman]   4 And om. W[anley]   5 earles S   6 And om. W   knihts egloche S
7 erle S J[ames]   9 And om. W   Alfrede W J   11 engla J   12 Englond S J   13 laren W

A: So ye mawe i-hure,
Hw hi heore lif 15
Lede scholden.
Alvred, he wes in
    Englene lond,
And king, wel swiþe
    strong.
He wes king, and he wes
    clerek,
Wel he luvede Godes
    werk. 20
He wes wis on his word,
And war on his werke;
He wes þe wysuste mon
þat wes Englelonde on.

2 Þus queþ Alvred, 25
Englene frover:
"Wolde ye, mi leode,
Lusten eure loverde,
He ou wolde wyssye
Wisliche þinges, 30
Hw ye myhte worldes
Wrþsipes welde,
And ek eure saule
Somnen to Criste."
Wyse were þe wordes 35
Þe seyde þe kingAlvred:
"Mildeliche ich munye, [f.
Myne leove freond, 262 b
Poure and riche,
Leode myne, 40

B: So ȝe mugen i-herin,
Whu ȝe ȝure lif 15
Lede sulin.
Alfred, he was in Enke-
    londe a king,
Wel swiþe strong and
    lufsum þing.
He was king and cleric,
Ful wel he lovede Godis
    werc; 20
He was wis on his word,
And war on his werke;
He was þe wisiste mon
Þad was inEngelonde on.

2 Þus quad Alfred, 25
Englene frowere:
"Wolde ȝe, mi leden,
Lustin ȝure lovird,
And he ȝu wolde wissin
Of wi[s]liche þinges, 30
Wu ȝe miȝtin in werelde
Wrsipe weldin,
And heke ȝure sa[u]lle
Samne to Criste."
Þis werin þe sawen 35
Of kinc Alfred:

"Arme and edie ledin,
Of livis dom, 40

A: Þat ye alle a-drede
Ure dryhten Crist,
Luvyen hine and lykyen,
For he is loverd of lyf.
He is one god 45
Over alle godnesse,
He is one gleaw
Over alle glednesse,
He is one blisse
Over alle blissen,
He is one monne,
Mildest mayster,
He is one folkes
Fader and frover,
He is one rihtwis
And so riche king,
Þat him ne schal beo
    wone,
Nouht of his wille,
Wo hine her on worlde
Wrþie þencheþ." 60

3 Þus queþ Alvred,
Englene vrover:
"Ne may non ryhtwis
    king
[Beo] under Criste
    seolven,
Bute if he beo 65
In boke i-lered,
And he his wrytes
Swiþe wel kunne,

MSS.—Ad A: 14 hl hure*Skeat* 59 We 67 wyttes. —*Ad B:* 14, 27 ȝe] we   31 Wu ȝe] gu we   35 þis or Wis

C: Swo hi heren mihten,
Hu hi here lif 15
Leden scolden.
Alfred, he was on Enge-
    lond
A king wel swiþe strong.
He was king and clerk,
Wel he luvede God[e]s
    werk. 20
He was wise on his word
And war on his spech[e];
He was þe wiseste man
Þat was on Engelond
    [on].

2 Þus quaþ Alvred, 25
Engle frofre:
"Wolde ye nu liþen
And lusten yure loverd,
And he yu wolde wisen

Wisliche þinges, 30
Hu ye mihten werld[e]s
Wurðscipe welden
And ec yure soule
Samne to Criste."
Wise weren þe cweþen 35
Þe saide þe king Alfred:
"Mildeliche I mune yu,
Mine dere frend,
Arme and edi[e]
Lede luviende, 40
Þat ye all[e] dred[en]
Yure drihten Crist,
Luvien him and licen,
For he is loverd of lif.
He is one god 45
Over all[e] godnesse,
He is one blisse
Over all[e] blessedness[e],

He is one manne
Milde maister, 50
He [is] one folce
Fader and frofre,
He is one rihtwise
And [swo] riche king,
Þat him ne scal be wane 55
Noht of his will[e]
Hwo him here on werld[e]
Wurþen þencheþ."

3 Þus cwaþ Alvred,
Engle frofre: 60
"Ne mai no riht cing
Ben under Crist selfe,
But[e] he be boclered
And wise o loare,
And he hise writes 65
Wel i-cunne,

14 hi] him S   20 loved S   21 worde J   22 ware J   23 wisest W   24 Englond S
Engelond. J   25 Alvered S   27 ye] the S   liben S   29 you S   ȝu W   30 Wiseliche   winges S
31 werldes J   32 Wurðscipe J   wurthe cipe S   35—40 om. J   39/40 edilede S   41 þat ye
om. J   Alle dreden J   42 Criste J   christ S   43—60 om. J   43 luviend S   50 master S
55 pane S   58 Wurthend and eth S   61 Ne J   He S   62 Criste self J   63 Bute J   64 wis J
loare J   loage S   65 And om. J   is wittes J   66 i-cunne] i-cweme S J

B: Þad ȝe alle dredin
Ȝure dristin Crist,
Lovin him and likin,
For he is lovird ovir lif.
He is one god   45
Over alle godnesse,
And he is gleu
Over alle glade þinhes;
He is one blisse
Over alle blitnesse,   50
He is one mon[ne]
Mildist maister,
He he is one folkes
Fadir and frowere,
He is one ristewis,   55
And suo riche king,
Þat him sal ben wone

Noþing of is wille,
Wo him her on worolde
Wrþin þenket."   60

3 Þus quad Alfred,
Englene frovere:
"May no riche king

Ben onder Crist selve,

Bote ȝif he be booclerid, 65

And hi[s] writes wel
            kenne;

A: And he cunne lettres
Lokie him seolf one,   70
Hw he schule his lond
Laweliche holde."

4 Þus queþ Alvred:
"Þe eorl and þe eþelyng
I·bureþ under godne king 75
Þat lond to leden
Myd lawelyche deden,
And þe clerek and þe
            knyht
He schulle demen eve-
            lyche riht,
Þe poure and þe ryche   80
Demen i·lyche.
Hwychso þe mon soweþ,
Al swuch he schal mowe,
And everuyches monnes
            dom
To his owere dure
            churreþ.   85

5 Þan knyhte bihoveþ
Kenliche on to fone
For to werie þat lond
Wiþ hunger and wiþ
            heriunge,
Þat þe chireche habbe
            gryþ,   90
And þe cheorl beo in fryþ
His medes to sowen,
His medes to mowen,
And his plouh beo i-
            dryve
To ure alre bihove.   95
Þis is þes knyhtes lawe:
Loke he þat hit wel fare."

B: And bote he cunnie
            letteri[s]
Lokin him selven,   70
Wu he sule his lond
Laweliche holden."   70

4 Þus quad Helfred:
"Þe herl and þe heþeling,
Þo ben under þe king
Þe lond to led[en]
Mid laueliche dedin;   75
Boþe þe clerc and þe
            cnit
Demen evenliche rict.

For aftir þat mon souit,
Al swich sal he mouin,
And everiches monnes
            dom   80
To his oȝe dure cher-
            ried."

5 Þus quad Alfred:
"Þe cnith biovit
Kenliche to cnouen
For to weriin þe lon[d]   85
Of here and of heregong,
Þat þe rich[e] habbe
            gryt,
And þe cherril be in frit
Hi[s] sedis to souin,
His medis to mowen,   90
His plouis to drivin,
To ure alre bilif;
Þis is þe cnithes laȝe:
Loke þat hit wel fare."

Ad B: 41 ȝe] we   57 þat] nat   64 selves   65 þif   75 lauelichi   79 alsui pich   87 halbe
93 cnichs

C: And he cunne letres
Locen him selfe,
Hu he scal his lond
Lagelice helden."   70

4 Þus cwaþ Alvred,
Engle frofre:
"Þe erl and þe aþeling,
Þo ben under þe cing
Þe lond to leden   75
Mid lagelich[e] deden,
Boþe þe clerc and þe cniht

Demen evenliche riht.
For after þat þe man
            soweþ,
Þerafter he scal mowen, 80
And efrilces mannesdom
To his ogen dure chari-
            geþ."

5 Þus cwaþ Alvred:
"Þe cniht behoveþ
Ceneliche to cnowen   85
Vor to werie þe lond

[Of] hunger and of
            heregong,
Þat þe chureche have
            griþ
And þe cherl be in friþ
His sedes to sowen,   90
His medes to mowen,
His plowes to driven
To ure alre bilif.
Þis is þe cnihtes lage
To locen þat it wel fare." 95

67 lettres J   69 scall J   70 Lagelice J   72 om. J   73 erl J   earl S   76 lagelice J
79 þe] te J   80 scall J   81—83 om. J   84 bihoveð J   85 cnowen J   mowen S   86 Vor J
Nor S   werie J   werce S   88 te churche J   89 þe] te J   cherle S   92 His hise plowes J
95 wel J   well S

10*

A: 6 Þus queþ Alvred: **B:**

"Þe mon þe on his
                    youhþe
Yeorne leorneþ   100
Wit and wisdom
And i-writen reden,
He may beon on elde
Wenliche lorþeu.
And þe þat nule one
                    youhþe 105
Yeorne leorny
Wit and wysdom
And i-writen rede,
Þat him schal on elde
Sore rewe.   110
Þenne cumeþ elde
And unhelþe,
Þenne beoþ his wene
Ful wroþe i-sene.
Boþe heo beoþ biswike 115
And eke hi beoþ a-
                    swunde.

7 Þus queþ Alvred: 6 Þus quad Helfred: 95
"Wyþute wysdome   "Widutin wisdo[m]
Is weole wel unwurþ;   Is wele ful unwrþ;
For þey o mon ahte   120 For þau o mon h[aue]de
Huntseventi acres,   Huntsevinti acreis,
And he hi hadde i-sowen   And he as hewed[e] 100
Alle myd reade golde,   Mid rede golde, [sawin
And þat gold greowe [f.263 And þe gold gre[we]
So gres doþ on eorþe, 125 So gres deit on þe erþe,
Nere he for his weole   Ne were i[s] wele
Never þe furþer,   Nout þe wrþere,   105
Bute he him of frumþe   Bote he him fremede
Freond i-wrche.   Frend y-werche.
For hwat is gold bute   For wad is g[old] bute
                    ston, 130   ston,
Bute if hit haveþ wis   Buteid habbe wis mon?"
                    mon?"

8 Þus queþ Alvred: [mon   7 Þus quad Alfred: 110
"Ne scolde never yong   "Sulde nefere wise mon
Howyen to swiþe,   ȝiven him to huvele,
Þeih him his wyse   135 Þoch he his wise
Wel ne lykie,   Wel ne like,
Ne þeih he ne welde   Ne þech he ne welde   115
Al þat he wolde.   Al þad he wolde;
For God may yeve,   For God may given,
Þenne he wule,   140 Wanne he wele,
God after uvele,   Goed after yvil,
Weole after wowe.   Wele after wrake;   120
Wel is him þat hit i-   So wel him þet mot
                schapen is.   ascapen."

A: Þus seyþ Alvred:

9 "Strong hit is to reowe 145
A-yeyn þe see þat flo-
                    weþ.
So hit is to swynke
A-yeyn unylimpe.
Þe mon þe on his youhþe
Swo swinkeþ   150
And worldes weole
Her i-winþ,
Þat he may on elde
Idelnesse holde,
And ek myd his worldes
                    weole 155
God i-queme, er he
                    quele.
Youþe and al þat he
                haveþ i-drowe
Is þenne wei bitowe.

10 Þus queþ Alvred:
Mony mon weneþ—   160
Þat he wene ne þarf—
Longes lyves,
Ac him lyeþ þe wrench.

For þanne his lyves
Alre best luvede,   165
Þenne he schal leten
Lyf his owe.
For nys no wrt uexynde,
A wude ne a velde,
Þat ever muwe þas feye 170
Furþ upholde.
Not no mon þene tyme
Hwanne he schal heonne
                    turne,
Ne no mon þene ende
Hwenne he schal heonne
                    wende. 175
Dryhten hit one wot,
Doweþes loverd,
Hwanne ure lif
Leten schule."

11 Þus queþ Alvred: 180
"Yf þu seolver and gold

Yefst and weldest in þis
                    world,
Never upen eorþe
To wlonk þu ny-wrþe.
Ayhte nys non ildre
                i-streon, 185

Ad B: 96 Wid widutin Wiðuten J   97 Welðe wel unwurð J   98 þau] þoh J   man ahte J   99 aceres J
100 heȝed saȝin   hes hauede sowen J   101 Al mid J   102 þe] te J   103 erþe] rerþe   swo gras
doð on erðe J   104 his welðe J   105 Noht wurþ J   106 hime of fremðe J   107 Frende i-wurche J
108 Vor hwat is gold but J   109 it J   halbe   have J   man J   111, 113 ȝlse   121 Se

B: 8 [Þ]us quad Alfred:
[Stran]kþe it his to rowen
A-ȝen þe seflod,

[S]o it his to swinkin 125
A-gain hunselþe.
[A]ch wel is him a ȝueþe
Þe suinch was þanen
Her on werlde
Welþe to winnen, 130
[Þat] he muge on helde
Hednesse holdin;
He mist[e] in his welþe

Werchin Godis wille:

[Þ]enne his his ȝueþe 135

Swiþe wel bitogen."

10 Þus quad Alfred:
"Moni mon wenit—
Þat he wenen ne þarf—
Longes livis, 140
Ac him scal leȝen þat
         wrench;
For þanne he is lif
Alre beste trowen,
Þenne sal he letin
Lif his oȝene. 145
Nis no wurt woxen
On wode ne on felde,
Þat evure muge
Þe lif uphelden.
Wot no mon þe time 150
Wanne he sal henne
         rimen,
Ne no mon þen hende
Wen he sal henne wenden.

Drittin hit one wot,
Domis lovird, 155
Wenne we ure lif
Letin scullen."

9 [Þ]us quad Alfred:
"Gif þu havest welþe
         a-wold
I þis werlde, 160

Ne þinc þu nevre forþi
Al to wlonc wurþen,
Acte nis non eldere stren,

A: Ac hit is Godes lone.
Hwanne hit is his wille,
Þarof we schulle wende,
And ure owe lyf
Myd alle forleten. 190
Þanne schulle ure i-fon
To ure veoh gripen,
Welden ure madmes
And leten us byhinde."

12 Þus queþ Alvred:
"Ne i-lef þu nouht to
         fele 196
Uppe þe see þat floweþ.
If þu hafst madmes

Monye and i-nowe,
Gold and seolver, 200
Hit schal gnyde to
         nouht;
To duste hit schal
         dryven:
Dryhten schal libben [f.
         evere. 263 b
Mony mon for his gold
Haveþ Godes urre, 205
And for his seolver
Hym seolve foryemeþ,
Foryeteþ, and forleseþ.
Betere him bycome
I-boren þat he nere." 210

13 Þus queþ Alvred:
"Lusteþ ye me, leode,
Ower is þe neode,
And ich eu wille lere
Wit and wisdom, 215
Þat alle þing overgoþ.
Syker he may sitte
Þe hyne haveþ to i-vere.
For þeyh his eyhte him
         a-go,
His wit ne a-goþ hym
         nevermo. 220
For ne may he forvare
Þe hyne haveþ to vere,
Þe wile his owe lyf
I-leste mote."

14 Þus queþ Alvred:
"If þu havest seorewe, 226

B: Ac it is Godis lone.
Þanne hit is his wille, 165
Þerfro we sullen wend(n,
And ure oȝene lif
Mid sorw letin.
Þanne scullen ure fon
To ure fe gripen, 170
Welden ure madmes
And lutil us bimenen."

11 [Þ]us quad Alfret:
"Leve þu þe nout to swiþe
Up þe seflod; 175
Ȝif þu hawest madmes
         monie
And moch gold and
         silvir,
It sollen wurþen to nout;
To duste it sullin driven:
Dristin sal livin evre. 180
Moni mon for is gold
Havid Godis erre,
And þuruch is silver
Is saulle he forlesed.
Betere him were 185
I-borin þat he nere."

12 [Þ]us quad Alfred:
"Lustlike lust me
Lef dere,   [leren
And ich her ȝu wille 190
Wenes mine,
Wit and wisdom,
Þe alle welþe ouregod.
Siker he may [sitten],
And hwo him mide
         senden. 195
For þoch his weleþe him
         atgo,
Is wid ne wen[t] him
         newere fro.
Ne may he newir for-
         farin,
Hwo him to fere haveþ,
Hwilis þat is lif 200
Lesten may."

13 Þus quad Alfred:
"Gif þu havist sorwe,

Ad A: 192 vouh   193 Mayþenes — Ad B: 123 [Stron]ge Skeat roȝen   125 sȝinktn
128 yanen *altered to* yapen *by later hand.*   146 purt   147 wdode no   160 iwis ȝerlde   174 syiþe
182 havis erre *or* eire   191 þenes *or* wenes; Borgstr. *reads* wines   192 wisdome   195 hem

A: Ne seye þu hit nouht
        þan arewe,
Seye hit þine sadelbowe,
And ryd þe singinde
        forþ.
Þenne wile wene   230
Þet þine wise ne con,
Þat þe þine wise
Wel lyke.
Serewe if þu havest,
And þe erewe hit wot, 235
Byfore he þe meneþ,
Byhynde he þe teleþ.
Þu hit myht segge
        swych mon,
Þat þe ful wel on;
Wyþute echere ore   240

He on þe muchele more.

Byhud hit on þire heorte,

Þat þe eft ne smeorte.

Ne let þu hyne wite

Alþat þin heorte bywite. 245

15 Þus queþ Alvred:
"Ne schaltu nevere þi wif
By hire wlyte cheose,
For never none þinge
Þat heo to þe bryngeþ. 250
Ac leorne hire custe,
Heo cuþeþ hi wel sone.
For mony mon for ayhte
Uvele i-auhteþ,
And ofte mon of fayre 55
Frakele i-cheoseþ.
Wo is him þat uvel wif
Bryngeþ to his cotlyf
So him is a-lyve
Þat uvele y-wyveþ,   260
For he schal uppen eorþe
Dreori i-wurþe.
Mony mon singeþ
Þat wif hom bryngeþ:
Wiste he hwat he
        brouhte, 265
Wepen he myhte."

16 Þus queþ Alvred: [wod,
"Ne wurþ þu never so
Ne so wyndrunke,
Þat evere segge þine wife 270

B: Ne say þu hit þin areȝe;
Seit þin sadilbowe,   205
And rid þe singende.
Þanne sait þe mon
Þat ti wise ne can,
Þad þe þine wise
Wel þe likit.   210
Soreȝe gif þu havist,
And ten areȝe hit sed,
Biforen he þe bimenid,
Bihindin he þe scarned.
Þu hit mist seien swich
        mon, 215
Þad it þe ful wel on;
Swich mon þu maist
        seien þi sor,
He wolde þad þu heve-
        dest mor.
Forþi hit in þin herte
        one
Forhele hit wid þin
        areȝe, 220
Let þu nevere þin areȝe
        witin
Alþat þin herte þenket."

16 Þus quad Alfred:
"Ne salt þu þi wif
Bi hire wlite chesen,   225
Ne for non athte
To þine bury bringen,
Her þu hire costes cuþe.
For moni mon for athte
Ivele i-hasted,   230
And ofte mon on faire
Fokel chesed.
Wo is him þat ivel wif
Brinhit to is cotlif;
So his o-live   235
Þat ivele wived,
For he sal him often
Dreri maken."

17 Þus quad Alfred:
"Wurþu nevere swo wod, 240
Ne so drunken,
Þat evere sai þu þi wif

A: Alle þine wille.
For if heo i-seye þe bi-
        vore
Þine i-vo alle,
And þu hi myd worde
I-wreþþed hevedest,   275
Ne scholde heo hit lete
For þing lyvyinde,
Þat heo ne scholde þe
        forþ upbreyde
Of þine baleusyþes.
Wymmon is wordwod 280
And haveþ tunge to
        swift;
Þeyh heo wel wolde,

Ne may heo hi nowiht
        welde."

17 Þus queþ Alfred:
"Idelschipe and over- [f. 264
        prute, 285
Þat lereþ yong wif
Uvele þewes,
And ofte þat wolde
Do þat heo ne scholde.
Þene unþeu lihte   290
Leten heo myhte,
If heo ofte a swote
Forswunke were.
Þeyh hit is uvel to buwe
Þat beo nule treowe;   295
For ofte museþ þe kat
After hire moder.
Þe mon þat let wymmon
His mayster i-wurþe,
Ne schal he never beon
        i-hurd 300
His wordes loverd,
Ac heo hine schal steorne
Totrayen and toteone,
And selde wurþ he blyþe
        and gled,
Þe mon þat is his wives
        qued. 305
Mony appel is bryht
        wiþute
And bitter wiþinne.
So is mony wymmon
On hyre fader bure
Schene under schete,   310
And þeyh heo is schend-
        ful.
So is mony gedelyng
Godlyche on horse,

Ad A: 238 swyhe   272 heol] þu   280 word woþ — *Ad B:* 219 þiin   224 gin þu nefre
M J   225 Be J   226 athte] ehte J   227 þi J   233 ifel J   234 bringed to his J

B: Al þat þi wille be.
For hif hue seʒe þe
        biforen
Þine fomen alle, 245
And þu hire mit worde
Wraþed havedest,
He ne sold[e] it leten
For þinke livihinde,
Þat he ne solde þe up-
        breidin 250
Of þine balesiþes.
Wimon is wordwod
And havit tunke to
        swift;
Þauc he hire selue wel
        wolde,
Ne mai he it nowit
        welden." 255

21 Þus quad Alvred:
"Idilscipe and orgul-
        prude,
Þat lerit yung wif
Leþere þewes,
And often to þenchen 260
Don þat he ne scolde.
ʒif he forswu[n]ken
        swoti were,
Swo hie ne þochte.
Ac þoch hit is ivel to
        bewen
Þat tre ben ne wille; 265
For ofte mused þe catt
After þe moder.
Wose lat is wif
His maister wurþen,
Sa' he never ben 270
Is wordes loverd;
Ac he sal him rere dreiʒe,
And moni tene selliche
        hawen:
Selden sal he ben on sele."

20 Þus quad Alvred: 275
"Moni appel is widuten
Brit on leme, [grene,
And bittere widinnen.
So his moni wimmon
In hire faire bure 280
Schene under schete,
And þocke hie is [schend-
        ful]
In an stondes wile.
Swo is moni gadeling

A: And is þeyh lutel wurþ,
Wlonk bi þe glede, 315
And uvel at þare neode."

18 Þus queþ Alvred:
"[N]evre þu bi þine lyve
Þe word of þine wyve
To swiþe þu ne a-rede. 320
If heo beo i-wreþþed
Myd worde oþer myd
        dede,
Wymmon wepeþ for mod
Oftere þan for eny god,
And ofte lude and stille 325
For to vordrye hire wille.
Heo wepeþ oþerhwile,
For to do þe gyle.
Salomon hit haveþ i-sed,
Þat wymmon can wel
        uvelne red. 330
Þe hire red foleweþ,
Heo bryngeþ hine to
        seorewe.
For hit seyþ in þe l[e]oþ:
'As scumes forteoþ.'
Hit is i-furn i-seyd 335
Þat cold red is quene red,
Hu he is unlede
Þat foleweþ hire rede.
Ich hit ne segge nouht
        forþan
Þat god þing ys god
        wymmon 340
Þe mon þe hi may i-
        cheose,
And i-covere over oþre."

19 Þus queþ Alvred:
"Mony mon weneþ
Þat he weny ne þarf, 345
Freond þat he habbe
Þar me him vayre bihat,
Seyþ him vayre bivore
And frakele bihynde.
So me may þane loþe 350
Lengust lede: [mon
Ne i-lef þu never þane
Þat is of feole speche,
Ne alle þe þinge
Þat þu i-herest singe. 355
Mony mon haveþ swi-
        kelne muþ,

B: Godelike on horse, 235
Wlanc on werwe,
And unwurþ on wike."

25 Þus quad Alvred:
"Uretu noth to swiþe
Þe word of þine wive; 290
For þanne hue bed i-
        wraþed
Mid wordes oþer mid
        dedes,
Wimmon weped for mod
Ofter þanne for eni god,
And ofte lude and stille 295
For to wurchen hire
        wille.
Hue weped oþerwile,
Þen hue þe wille biwilen.
Salamon hid hawit i-sait:
'Hue can moni yvel reid.' 300
Hue ne mai hit non oþir
        don,
For wel herliche hue
        hit bigan.
Þe mon þad hire red
        folewid,
He bringeþ him to seruʒe;
For hit is said in lede: 305
'Cold red is quene red.'
Hi ne sawe it nocht
        biþan
Þat god þing is god
        vimmon
Þe mon þad michte hire
        cnowen,
And chesen hire from
        oþre." 310

19 Þus quad Alvred:
"Mani mon wenit
Þat he wenin ne þarf,
Frend þad he habbe
Þer mon him faire bihait, 315
Seiet him faire biforen,
Fokel athinden.
So mon mai welþe
Lengest helden,
Gin þu nevere leven 320
Alle monnis spechen,
Ne alle þe þinke
Þat þu herest sinken;
For moni mon havit
        fikil mod,

Ad B: 247 Wraʒed   262 wuere   265 tre] ter   268 Hwoso J his J   269 master wurden J
270 Ne scal J nefre J   271 His J   276 Mani J widuten] uten J   277 brihte J heme J
278 bitter wiðinnen J   279 is mani wimman J   280 faire] fader J   281 Scene J selte J   282 þoh J
  scondesful J   286 werʒe   Skeat reads weiʒe   291 i-nrarþed   305 Vor it seiþ in þe lcd J
306 cwene J   307 saʒe   309 cnoswen   317 athenden

A: Milde, and monne forcuþ;
Nele he þe cuþe
Hwenne he þe wule
    bikache."

20 Þus queþ Alvred:
"Þurh sawe mon is wis, 361
And þurh his elde mon
    is gleu.
Þurh lesinge mon is loþ
And þurh luþre wren-
    ches unwurþ, [f. 264 b]
And þurh hokede honde
    þat he bereþ 365
Him seolve he forvareþ.
From lesynge þu þe
    wune,
And alle unþewes þu
    þe bischune;
So myht þu on þeode
Leof beon in alle leode. 370
And luve þyne nexte,
He is at þe neode god.
At chepynge and at
    chyreche
Freond þu þe i-wurche
Wyþ pouere and wiþ
    riche, 375
Wiþ alle monne i-lyche.
Þanne myht þu siker-
Sely sytte,   [liche
And ek faren over londe
Hwiderso beoþ þi wille." 380

21 Þus queþ Alvred:
"Alle worldayhte
Schulle bicumen to
    nouhte,
And uyches cunnes
    madmes
To mixe schulen i-
    multen, 385
And ure owe lif
Lutel hwile i-leste.
For þeyh o mon wolde
Al þe worlde,

B: And he is monne cuð. 325
Ne saltu nevere knewen
Wanne he þe wole
    bikechen."

23 Þus quad Alfred:
"Þurch saȝe mon is wis,
And þurch selþe mon
    is gleu. 330
Þurch lesinge mon is loð,
And þuruh luþere wren-
    ches unwurþ.
And hokede honden
    make þen mon
Is hewit to lesen.
Ler þu þe never 335
Overmukil to leȝen;
Ac loke þine nexte,
He is ate nede god,
And frendchipe o werlde
Fairest to wurchen 340
Wid pouere and wid
    riche,
Wid alle men i-liche.
Þanne maist þu siker-
    liche
Seli sittin,
And faren over londe, 345
Hwarso bet þi wille."

29 Þus quad Alfred:
"Werldes welþe
To wurmes scal wurþien,
And alle cunne madmes 350
To nocht sulen melten,
And ȝure lif
Sal lutel lasten.
For [þau] þu, mon,
    weldest

A: And al þe wunne 390
Þe þarinne wunyeþ,
Ne myhte he þarmyde
    his lif
None hwile holde,
Ac al he schal forleten
On a litel stunde; 395
And schal ure blisse
To balewe us i-wurþe,
Bute if we wurcheþ
Wyllen Cristes.
Nu biþenche we þanne
    us sulve 400
Ure lif to leden,
So Crist us gynneþ lere;
Þanne mawe we wenen
Þat he wule us wrþie.
For so seyde Salomon þe
    wise: 405
'Þe mon þat her wel deþ,
He cumeþ þar he lyen
    foþ.'
On his lyves ende
He hit schal a-vynde."

22 Þus queþ Alvred: 410
"Ne gabbe þu, ne schotte,
Ne chid þu wyþ none
    sotte,
Ne myd manyes cunnes
    tales
Ne chid þu wiþ nenne
    dwales.
Ne never þu ne bigynne 415
To telle þine typinges
At nones fremannes
    borde.
Ne have þu to vale
    worde;
Mid fewe worde wis mon
Fele biluken wel con, 420
And sottes bolt is sone
    i-schote.
Forþi ich holde hine for
    dote

Ad A: 362 elþe   364 wrenches. And unwurþ   379 lond le   421 i-scohte
Ad B: 326 faltu   336 leþen   340 Farrest or Fairest.   352 þure

B: 15 Þus quad Alfred:
"Drunken and undrunkin
Eþer is wisdome wel god.
Þarf no mon drinkin þe
    lasse,
Þau he be widale wis; 420
Ac [gif] he drinkit

B: And desiet þere a morge,
So þat he fordrunken
Desiende werchet,
He sal ligen long a nicht, 425
Lutil sal he sclepen;
Him suȝh soreȝe to,
So deð þe salit on fles,

B: Suket þuru is liche,
So dot licheblod; 430
And his morgesclep
Sal ben muchil lestin.
Werse þe swo on even
Yvele haved y-dronken."

427 suȝh or siiȝh

B: Al þis middelert, 355
And alle þe welþe
Þad þe[r]inne wonit,
Ne mist þu þi lif
Lengen none wile,
Bote al þu it salt leten 360
One lutele stunde;
And al þi blisse
To bale sal i-wurþen,
Bote ȝif þu wurche
Wille to Criste. 365
For biþeng we þenne
us selwen
To leden ure lif,
So God us ginnid leren;
Þenne muȝe we wenen
Þad he us wile wurþen. 370
For swo saide Salomon,
Þe wise Salomon:
'Is þad wel doþ wis,
Hwile he in þis werld is!'
Evere at þen ende 375
He comid þer he hit
findit."

26 Þus quad Alfred:
"Be þu nevere to bold,
To chiden a-ȝen oni scold,

Ne mid manie tales 380

To chiden a-ȝen alle
dwales.
Ne nevere þu biginne
To tellen newe tidinges
At nevere nones monnis
bord;
Ne hawe þu to fele word. 385

Þe wise mon mid fewe
Can fele biluken, [word
And sottis bold is sone
i-scoten.
Forþi ich telle him for
a dote,

A: Þat sayþ al his wille, 355
Þanne he scholde beon
stille;
For ofte tunge brekeþ
bon, 425
Þeyh heo seolf nabbe
non."

23 Þus queþ Alvred:
"Wis child is fader blisse.

If hit so bitydeþ
Þat þu bern i-bidest, 430
Þe hwile hit is lutel,
Ler him monþewes;
Þanne hit is wexynde, [f.265
Hit schal wende þarto;
Þe betere hit schal i-
wurþe 435
Ever buven eorþe.
Ac if þu him lest welde,
Werende on worlde,
Lude and stille
His owene wille, 440
Hwanne cumeþ ealde,
Ne myht þu hyne a-
welde;
Þanne deþ hit sone
Þat þe biþ unyqueme,
Oferhoweþ þin i-bod, 445
And makeþ þe ofte sory-
Betere þe were [mod.
I-boren þat he nere,
For betere is child
unbore
Þane unbuhsum. 450
Þe mon þe spareþ yeorde
And yonge childe,
And let hit a-rixlye
Þat he hit a-reche ne
may,
Þat him schal on ealde 45
Sore reowe." Amen.
Expliciunt dicta regis
Alvredi.

B: Þad sait al is y-wille, 390
Þanne he sulde ben
stille:
For ofte tunke brekit
bon,
And navid hire selwe
non."

14 Þus quad Alfred:
"Wis child is fadiris
blisse. 395
Ȝif it so bitidit
Þat þu chil[d] weldest,
Þe wile þat hit is litil,
Þu lere him monnis þewis;
Þanne hit is woxin, 400
He sal wenne þerto;
Þanne sal þe child
Þas þe bet wurþen.
Ac ȝif þu les him welden
Al his owene wille, 405
Þanne he comit to helde,
Sore it sal him rewen;
And he sal banne þat
widt
Þat him first taȝte;
Þanne sal þi child 410
Þi forbod overgangin.
Beter þe were
Child þat þu ne havedest;
For betere is child
unboren
Þenne unbeten." 415

[Lines 416—453 printed at bottom
of p. 152 f.]

Ad B: 364 þif   366 þenne] þennis   373 Wis is þad wel doþ   374 Hwile he is in þis
werld boþ   392 tunge breceþ J   393 þeth he habbe him selve non J

: 18 Þus quad Alvered:
"Wurþu nevere so wod, 436
Ne so desi of þi mod,
Þad evere sige þi frend
Al þat þe likit,
Ne alle þe þonkes 440
Þat þu þoch havist;

B: For ofte sibbie men
Foken hem bituenen,
And ef it so bilimpit
Lo[þ]e þat ȝe wurþen, 445
Þanne wot þi fend
Þad her viste þi frend.
Betere þe bicome

B: Þi word were helden;
For þanne mud mamelit 450
More þanne hit solde,
Þanne sculen his heren
Ef[t] it i-heren."

442 silbie

B: 22 Þus quad Alfred:
"Ʒif þu frend biʒete 455
Mid þi fre biʒete,
Loke þat þu him þeine
Mid alle þeuues þine;
Loke þat he þe be mide
Biforen and bihinden; 460
Þe bett he sal þe reden
At alle þine neden,
And on him þu maist þe
   tresten,
Ʒif is trowþe deʒh.
Ac ʒif þu havist a frend
   to-day, 465
And to-moreuin drivist
   him a-wei,
Þenne bes þu one,
Al so þu her were,
And þanne is þi fe for-
   loren,
And þi frend boþen. 470
Betere þe bicome
Frend þat þu newedest."

24 Þus quad Alvred:
"Ʒif þu havist duʒe[þe],
And Drithen þe senden, 475
Ne þeng þu nevere þi lif
To narruliche leden,
Ne þine faires
To faste holden.
For wer hachte is hid, 480
Þer is armþe i-noch;
And siker ich it te saiʒe:
Letet, ʒif þe liket,
Swich mon mai after þe
Þi god welden, 485
Ofte binnen þine burie
Bliþe wenden,
Þad he ne [þe] wele heren
Mid muþe monegen,
Ac evvere him ofþinket, 490
Þen he [of] þe þenked."

27 Þus quad Alvred:
"Elde cumid to tune
Mid fele unkeþe costes,
And doþ þe man to
   helden, 495
Þat him selwe ne mai he
   him noch welden.
Hit makit him wel un-
   meke,

B: And binimit him is
   miste.
Ʒif it swo bitided,
Þat þu her so longe a-
   bidist, 500
And þu in þiin helde
   werldes
Welþe weldest,
Þi duʒeþe gin þu delen
Þine dere frend,
Hwile þine daʒes duʒen, 505
And þu þe selwen live
   mowe.
Have þu none leve to þo
Þad after þe bileved,
To sone ne to douter,
Ne to none of þine foster. 510
For fewe frend we sculen
   finden,
Þanne we henne funden:
For he þat is ute biloken,
He is inne sone for-
   ʒeten."

28 Þus quad Alvred: 515
"Ʒif þu i þin helde best
Welþes bidelid, [leden
And þu ne cunne þe
Mid none cunnes listis,
Ne þu ne moʒe mid 520
Þe selwen steren,
Þanne þanke þi Loverd
Of alle is love, [live,
And of alle þine owene
And of þe daʒis litht, 525
And of alle murþe
Þad he for mon makede;
And hwederso þu
   wendes,
Sei þu aten ende:
'Wrþe þad i-wurþe, 530
I-wurþe Godes wille.'"

30 Þus quad Alvred:
"Sone min swo leve,
Site me nu bisiden,
And hich þe wile siʒen 535
Soþe þewes.
Sone min, ich fele
Þad min her falewiþ,
And min wlite is wan,
And min herte woc, 540

B: Mine daʒis arren nei
   done,
And we sulen unc to-
   delen;
Wenden ich me sal
To þis oþir werlde
And þu salt bileven 545
In alle mine welþe.
Sone min, ich þe bidde,
Þu ard mi barin dere,
Þad þu þi folck be fader,
And for loverd; 550
Fader be þu wid child,
And be þu widewis frend.
Þe arme ginne þu fro-
   veren,
And þe woke ginne þu
   coveren,
Þe wronke ginne þu
   risten 555
Mid alle þine misten;
And let þe, sune, mid
   lawe,
And lowien þe sulen
   Driʒtin.
And ower alle oþir þinke
God be þe ful minde, 560
And bide þad he þe rede
At alle þine dedis;
Þe bet [he] sal þe filsten
To don al þine wille."

31 Þus quad Alvred: 565
"Sone min so dere,
Do so ich þe lere;
Be þu wis on þi word,
And war o þine speche,
Þenne sulen þe lowien 570
Leden alle. [lawe,
Þ‿ ʒunge mon do þu
Þad helde lat is lond
   hawen.
Drunken mon ʒif þu
   metes
In weis oþer in stretes, 575
Þu ʒef him þe weie reme
And let him ford gliden.
Þenne mist þu þi lond
Mit frendchipe helden.
Sone, þu best bus þe sot 580
Of bismare-word, [mide,
And bet him siþen þer-

---

458 þines   464 þif; troyþe   474 duʒeðe J   475 Drichen MS   Drihten it te sendeþ J
476 þeng] gin J   477 narwlice J   479 helden J   480 ehte is i-hud J   481 armþe] soreʒe J
i-noh J   481 And om. J   ic .. seʒʒe J   483 Lef it if .. liceð J   484 Swulc man J   485 got]
welðe J   486 binne þi buri J   487 wenden] sitten J   488 he] te J   wile J   489 munʒen J
490 efre J   of þincheþ J   491 þen] Hwanne J   of J   þencheþ J   507 þo] þe   528 hwendes
534 bisides   538 falewiþþ   552 wuldewis   574 mestes

B: Þad him ginne to smer-
        ten.
And, baren, ich þe bidde:
Ʒif þu on benche sit-
        thest, 585
And þu þen bevir hore
        sixst
Þe biforen stonden,
Buch þe from þi sete,
And bide him sone þerto.
Þanne welle he saʒin 590
Sone one his worde:
'Wel worþe þe wid
Þad þe first taite.'
Sete þanne seiþin
Bisiden him selven, 595
For of him þu mist leren
Listes and fele þeues:
Þe baldure þu mist ben.
Lere þu his reides,
For þe helder mon me
        mai ofriden 600
Betere þenne ofreden."

32 Þus quad Alvred:
"Sone min so dere,
Ches þu nevere to fere
Þen luþere lusninde mon, 605
For he þe wile wrakedon.
From þe wode þu mitht
        te faren
Wid wilis and wid
        armes;
Ac þanne þu hid lest
        wenest,
Þe luþere þe biswiket. 610
Þe bicche bitit ille,
Þau he berke stille.
So deit þe lusninde lu-
        þere mon
Ofte þen he dar it don;
Þau he be wiþuten stille, 615

B: He bit wiþinnin hille,
And al he bifulit his
        frend,
Þen he him unfoldit."

33 Þus quad Alvred:
"Lewe sone dere, 620
Ne ches þu nevere to fere
Þen hokerfule lese mon,
For he þe wole gile don;
He wole stelin þin haite
        and keren,
And listeliche onsuerren; 625
So longe he uole be bi,
He uole brinhin on and
        tuenti
To nout, for soþe ich
        tell it þe:
And oþer he wole liʒen
        and hokerful ben;
Þuru hoker and lesing
        þe a-loþed 630
Alle men þat he y-
        cnowed.
Ac nim þe to a stable
        mon,
Þat word and dede bi-
        sette con,
And multeplien heure
        god,
A sug fere þe his help
        in mod." 635

34 Þus quad Alvred:
"Leve sone dere,
Ne ches þu nevere to fere
Littele mon, ne long,
        ne red,
Ʒif þu wld don after mi
        red. 640
Þe luttele mon he his
        so rei,

B: Ne mai mon him wonin
        nei;
So word he wole him
        selven ten,
Þat his lovird maister he
        wolde ben;
Bute he mote him selven
        pruden, 645
He wole maken fule
        luden;
He wole grennen, cocken
        and chiden,
And hewere faren mid
        unluden.
Ʒif þu me wld i-leven,
Ne mai me never him
        quemen. 650
Þe lonke mon is leþebei,
Selde comid is herte nei;
He havit stoni herte,
Noþing him ne smerteþ.
Bi ford daʒes he is a-ferd 655
Of sticke and ston in
        huge werd;
Ʒif he fallit in þe fen,
He þew[t]it ut after men;
Ʒif he slit into a dige,
He is ded witerliche. 660
Þe rede mon he is a quet.
For he wole þe þin iwil
        red;
He is cocker, þef and
        horeling,
Scolde, of wrechedome
        he is king.
Hic ne sige nout biþan, 665
Þat moni ne ben gentile
        man;
Þuru wis lore and gen-
        teleri
He amendit huge com-
        panie."

585 þif   590 sawin   592 wld   599 Lere] For lere   607 Fron   629 liþen   631 he] hen
632 þe to þe   635 þa . . . moð   640, 641 þif   652 rei   657, 659 þif   667 þis

2. Robert Mannyng of Brunne, Handlyng Synne (1303).

WW: *William of Wadington, Le Manual des Pechiez (end 13th cent.). — Chief MS.: Brit. Mus. Harl.273 (14th cent.). — Edd.: Furnivall, 1862, Roxb. Club; id.1901—03, E E T S. 119, 123.*
RM: *Robert Mannyng of Brunne, Handlyng Synne. — MSS.: Harl.1701 (= RMH; ab.1360); Oxf. Bodl.415 (=O; ab.1400); Dulwich Coll.24 (=RMD; early 15th cent., a fragment containing ll.1—2897; the piece printed here is taken from Furnivall's preface to his ed. of R.M.'s "Story of England" p. III). — Edd.: Furnivall, 1862, Roxb. Club; id.1901—03, E E T S. 119, 123.*

Autobiographical: Robert Mannyng on Himself and on the Making of his "Handlyng Synne."

RMH: To alle crystyn men undir sunne, [f. 1a² RMD: [.   *Two lines torn off.*]
And to gode men of Brunne,

RMH: And speciali alle be name
　　Þe felaushepe of Symprynghame:
　　Roberd of Brunne greteþ зow,
　　In al godenesse þat may to prow,
　　Of Brymwake yn Kestevene, [evene!
　　Syxe myle besyde Sympryngham
　　Y dwelled yn þe pryorye
　　Fyftene зere yn cumpanye,
　　In þe tyme of gode dane Jone
　　Of Camelton, þat now ys gone;
　　In hys tyme was y þere ten зeres
　　And knewe and herd of hys maneres;
　　Syþyn with dane Jone of Clyntone,
　　Fyve wyntyr wyþ hym gon y wone.
　　Dane Felyp was mayster þat tyme
　　Þat y began þys englyssh ryme;
　　Þe зeres of grace fyl þan to be
　　A þousynd and þre hundred and þre.

RMD: And specyally alle be name
60　Þe felaschepe of Symprynghame:
　　Robert of Brunne gretiþ зow,
　　In al goodnesse þat may be prow,
　　Of Brunne Wake in Kestevene,
　　Sixe myle fro Sympryngham evene!
65　I duellyd in þat priory
　　XV зear in good cumpany,
　　In þe tyme of goode dan John
　　Of Cameltone, þat now is gon;
　　In his tyme was I ther X зerys [nerys;
70　And knew and herd of his goode ma-
　　Siþþin with dan John Clattone,
　　V зear with hym gan I wone.
　　Dan Philipp was mayster þat tyme
　　Þat I began þis ynglysche ryme;
75　Þe зeer of grace fil þan to be
　　A m ccc and þre.

(From Furnivall's ed. of R. M.'s Story of England p. III f.)

The Sacrilegious Carollers.

RMH: Hyt was uppon a crystemessenyзt
　　Þat twelve folys a karolle dyзt;
　　Yn wodehed, as hyt were yn cuntek,
　　Þey come to a tounne men calle
　　　　　　Colbek;
　　Þe cherche of þe tounne þat þey to
　　　　　　come
　　Ys of seynt Magne, þat suffred mar-
　　　　　　tyrdome;
　　Of seynt Bukcestre hyt ys also,
　　Seynt Magnes suster, þat þey come to.
　　Here names of alle þus fonde y wryte,
　　And, as y wote, now shul зe wyte:
　　Here lodesman, þat made hem glew,
　　Þus ys wryte, he hyзte Gerlew;
　　Twey maydens were yn here coveyne,
　　Mayden Merswynde and Wybessyne;
　　Alle þese come þedyr for þat enchesone
　　Of þe prestes doghtyr of þe tounne.
　　Þe prest hyзt Robert, as y kan ame;
　　Aзone hyght hys sone by name;
　　Hys doghter, þat þese men wulde have,
　　Þus ys wryte, þat she hyзt Ave.
　　Echoune consented to o wyl,
　　Who shuld go Ave oute to tyl:
　　Þey graunted echone out to sende
　　Boþe Wybessyne and Merswynde.

[f. 60 a¹
bottom
9016

9018

9020

[f. 60 a²

9025

9030

9035

　　Þese wommen зede and tolled here oute
　　Wyþ hem to karolle þe cherche a-boute. 9040
　　Beune ordeyned here karollyng.
　　Gerlew endyted what þey shuld syng.
　　Þys ys þe karolle þat þey sunge,
　　As telleþ þe latyn tunge:
　　Equitabat Bevo per silvam frondosam, 9045
　　Ducebat secum Merswyndam formo-
　　Quid stamus, cur non imus? [sam;
　　[. . . . *Gap in MS*]
　　By þe leved wode rode Bevolyne,
　　Wyþ hym he ledde feyre Merswyne; 9050
　　Why stonde we? why go we noght?
　　Þys ys þe karolle þat Grysly wroght.
　　Þys songe sunge þey yn þe cherche-
　　　　　　зerd—
　　Of foly were þey noþyng a-ferd—,
　　Unto þe matynes were alle done　　9055
　　And þe messe shuld bygynne sone.
　　Þe preste hym revest to begynne
　　　　　　meess,
　　And þey ne left þerfore neverþelesse,
　　But daunsed furþe as þey bygan; [f. 60 b
　　For alle þe messe þey ne blan.　　9060
　　Þe preste, þat stode at þe autere
　　And herd here noyse and here bere,
　　Fro þe auter down he nam,

9019 of tounne O　23/24 wrete　wete O　26 wrete O　After 26 O inserts wrcngly: þe ouþer
twelve, here names alle | þus were þey wrete as y can calle.

WW: Il avint la nuyt de noel,
　　Quant nasqui li reis de ciel,
　　Genz menerent la karole
　　En une cumpainie fole,
　　Juste un muster al oure chanterent
　　E le prestre desturberent;
　　L'eglise esteit dedié

[f.158 b¹
middle

6940

　　En honur de un martir nomé
　　Seint Magnus, — en franceis seint Grant.
　　Neis le prestre meintenant
　　A cele gent est issuз,　　6945
　　E les ad defenduз
　　Que il plus karolassent,
　　Mes qe il el muster entrassent.

RMH: And to þe cherche porche he cam,
And sayd: "On Goddes behalve y
zow forbede 9065
Þat ze no lenger do swych dede;
But comeþ yn on feyre manere,
Goddes servyse for to here,
And doþ at crystyn mennys lawe;
Karolleþ no more for Crystys awe, 9070
Wurschyppeþ hym with alle zoure
myzt,
Þat of þe vyrgyne was bore þys nyzt."
    For alle hys byddyng lefte þey nozt,
But daunsed furþ, as þey þozt.
Þe prest þarefor was sore agreved, 9075
He preyd God þat he on belevyd,
And for seynt Magne, þat he wulde
so werche,
Yn whos wurschyp sette was þe
cherche,
Þat swych a venjaunce were on hem
sent,
Are þey oute of þat stede were went, 9080
Þat þey myzt ever ryzt so wende
Unto þat tyme twelvemonth ende.
Yn þe latyne þat y fonde þore,
He seyþ nat "twelvemonth," but
"evermore."
He cursed hem þere alsaume 9085
As þey karoled on here gaume.
    As sone as þe preste hadde so spoke,
Every hand yn ouþer so fast was loke,
Þat no man myzt with no wundyr
Þat twelvemo[n]þe parte hem a-
sundyr. 9090
    Þe preste zede yn, whan þys was done,
And commaunded hys sone Azone
Þat he shulde go swyþe aftyr Ave,
Oute of þat karolle algate to have.
But al to late þat wurde was seyd, 9095
For on hem alle was þe venjaunce leyd.
    Azone wende weyl for to spede; [f. 60 b¹
Unto þe karolle asswyþe he zede;

Hys systyr by þe arme he hen e,
And þe arme fro þe body wente.   9100
Men wundred alle, þat þere wore,
And merveyle mowe ze here more,
For seþen he had þe arme yn hand,
Þe body zede furþ karoland;
And noþer body ne þe arme   9105
Bledde never blode, colde ne warme,
But was as drye with-al þe haunche,
As of a stok were ryve a braunche.
    Azone to hys fadyr went,
And broght hym a sory present.   9110
"Loke, fadyr," he seyd, "and have
hyt here,
Þe arme of þy doghtyr dere,
Þat was myn owne syster Ave,
Þat y wende y myzt a save.
Þy cursyng, now sene hyt ys   9115
With veniaunce on þyn owne flessh;
Fellyche þou cursedest and oversone;
Þou askedest veniaunce, þou hast þy
bone."
    Zow þar nat aske zyf þere was wo
With þe preste and with many mo. 9120
    Þe prest þat cursed for þat daunce,
On some of hys fyl harde chaunce.
He toke hys doghtyr arme forlorn
And byryed hyt on þe morn;
Þe nexte day þe arme of Ave,   9125
He fonde hyt lyggyng a-bove þe
grave.
He byryed hyt on anouþer day.
And eft a-bove þe grave hyt lay;
Þe þrydde tyme he byryed hyt,
And eft was hyt kast oute of þe pyt. 9130
Þe prest wulde byrye hyt no more:
He dredde þe veniaunce ferly sore,
Ynto þe cherche he bare þe arme;
For drede and doute of more harme
He ordeyned hyt for to be,   [f. 61
Þat every man myzt with ye hyt se. 9136
    Þese men þat zede so karolland

9065 halfe O   80 Ar O   81 þey O, om. H   90 twelfmonþe O   93 he O, om. H
9105 noþer þe O   14 a] have O   16 þyn O   þy H   27 hyt O, om. H

WW: La premere messe deveit chanter,
Mes il nel lesserent pes aver.   6950
Le prestre pur ceo ad Deu prié   [f.158b¹
Qe en euz mustrat sa poesté,
Que un an entier, sanz cesser,
I poeint ensi karoler,
Pus qe il ne voleint lesser   6955
Tiele nut pur Deu honurer.
Pria seint Grant ensement.
Qe de euz prist vengement.
Ore, escutez grant pité!
Sicum le prestre out Deu prié   6960
L'an entier unt karolé.
Meus lur vaudreit aver cessé

Quant il furent amonesté.
[. . . No gap in MS]
Treis femmes en la semblé,   6965
E quatre homes, unt karolé:
Une aveit a nun Marcent,
De ki Deu prist vengement;
Sun frere, qe Johan fu apelé,
Par le bras l'ad saké   6970
Pur luy estrere de la karole;
Mes le bras estret de la cavole;
Nule gute de sanc ad seigné;
Le miracle par tant est agregé;
Ovesques les autres est demoré   6975
L'an, cum le prestre avoit prié.

RMH: Alle þat ʒere hand yn hand,
Þey never oute of þat stede ʒede,
Ne none myʒt hem þenne lede.   9140
Þere þe cursyng fyrst bygan,
Yn þat place a-boute þey ran,
Þat never ne felte þey no werynes—
As many bodyes for goyng dos—
Ne mete ete, ne drank drynke,   9145
Ne slepte onely alepy wynke;
Nyʒt ne day, þey wyst of none,
Whan hyt was come, whan hyt was gone;
Frost ne snogh, hayle ne reyne,
Of colde ne hete felte þey no peyne;   9150
Heere ne nayles never grewe,
Ne solowed cloþes, ne turned hewe,
Þundyr ne lyʒtnyng dyd hem no dere,
Goddys mercy dd hyt fro hem were;
But sungge þat songge þat þe wo wroʒt: 9155
"Why stonde we, why go we noʒt?"
    What man shuld þyr be yn þys lyve,
Þat ne wulde hyt see and þedyr dryve?
Þe emperoure Henry come fro Rome
For to see þys hard[e] dome.   9160
Whan he hem say, he wepte sore
For þe myschefe þat he sagh þore;
He ded come wryʒtes for to make
Coveryng over hem for tempest sake;
But þat þey wroght, hyt was yn veyn,   9165
For hyt come to no certeyn.
For þat þey sette on oo day,
On þe touþer downe hyt lay;
Ones, twyys, þryys þus þey wroʒt,
And alle here makyng was for noʒt;   9170
Myght no coveryng hyle hem fro colde
Tyl tyme of mercy, þat Cryst hyt wolde.
    Tyme of grace fyl þurgh hys myʒt [f. 61 aˣ]
At þe twelvemonth ende, on þe ʒole nyʒt,
Þe same oure þat þe prest hem banned,   9175
Þe same oure a-twynne þey woned;
Þat houre þat he cursed hem ynne,
Þat same oure þey ʒede a-twynne.
And as yn twynkelyng of an ye
Ynto þe cherche gun þey flye,   9180

And on þe pavement þey fyl alle downe,
As þey had be dede or fal yn a swone.
Þre days styl þey lay echone,
Þat none steryd oþer flesshe or bone,
And at þe þre days ende   9185
To lyfe God graunted hem to wende.
Þey sette hem upp and spak apert
To þe parysshe prest, syre Robert:
"Þou art ensample and enchesun
Of oure long confusyun,   9190
Þou maker art of oure travayle,
Þat ys to many grete mervayle;
And þy traveyle shalt þou sone ende,
For to þy long home sone shalt þou wende."
    Alle þey ryse þat yche tyde   9195
But Ave: She lay dede besyde.
Grete sorowe had here fadyr, here broþer,
Merveyle and drede had alle ouþer.
Y trow no drede of soule dede,
But with pyne was broght þe body dede.   9200
Þe fyrst man was þe fadyr, þe prest,
Þat deyd aftyr þe doʒtyr nest.
Þys yche arme þat was of Ave,
Þat none myʒt leye yn grave.
Þe emperoure dyd a vessel werche   9205
To do hyt yn and hange yn þe cherche,
Þat alle men myʒt se hyt and knawe
And þenk on þe chaunce when men hyt sawe.
    Þese men þat hadde go þus karol-land
Alle þe ʒere fast hand yn hand,   9210
Þogh þat þey were þan a-sunder,   [f. 61 b]
ʒyt alle þe worlde spake of hem wunder:
Þat same hoppyng þat þey fyrst ʒede,
Þat daunce ʒede þey þurgh land and lede;
And as þey ne myʒt fyrst be unbounde,   9215
So efte togedyr myʒt þey never be founde,
Ne myʒt þey never come a-ʒeyn
Togedyr to oo stede certeyn.

9143 ne om. O   58 hyt ne wulde see O   hyt ne wulde hyt see H   61 saghe O   63 carponters
written over wryʒtes H   67 o O   78 þat O   þe H   79 yn a O   92 grete] ful gret O   9206 þe
om. O   08 men] þey O   14 ʒede] wente O   16 mighte þey never togedyr O   17 come never O

WW: Apres qe sis meis sunt passez,
Jesqes les genols sunt enfundrez;
Apres l'an, jesqe lur costé.
[. . .   *No gap in MS*]
Mes Deu, qe plein est de pité,   6980
A cel hure les ad visité;

Car, pur euz ad prié
L'evesqe de Coloine, la cité,
Qe seint Herbert est nomé,   6985
Gracié seit Jhesu, le fiz Dé,
Car par euz nus ad chaustié.
[. . .   *No gap in MS*]

RMH: Foure ȝede to þe courte of Rome,
And ever hoppyng a-boute þey nome; 9220
With sundyr lepys come þey þedyr,
But þey come never efte togedyr;
Here cloþes ne roted, ne nayles grewe,
Ne heere ne wax, ne solowed hewe,
Ne never hadde þey amendement, 9225
Þat we herde, at any corseynt
But at þe vyrgyne seynt Edyght,
Þere was he botened, seynt Teo-
            dryght;
On oure lady day, yn lenten tyde,
As he slepte here toumbe besyde, 9230
Þere he hade hys medycyne
At seynt Edyght, þe holy vyrgyne.
    Brunyng, þe bysshope of seynt
            Tolous,
Wrote þys tale so merveylous;
Seþþe was hys name of more renoun: 9235
Men called hym þe pope Leoun;
Þys at þe court of Rome þey wyte,
And yn þe kronykeles hyt ys wryte,
Yn many stedys beȝounde þe see,
More þan ys yn þys cuntre; 9240

Þarfor men seye, an weyl ys trowed:
"Þe nere þe cherche, þe fyrþer froGod."
    So fare men here by þys tale:
Some holde hyt but a trotevale;
Yn oþer stedys hyt ys ful dere, 9245
And for grete merveyle þey wyl hyt
            here;
A tale hyt ys of feyre shewyng,
Ensample and drede a-ȝens cursyng;
Þys tale y tolde ȝow to make ȝow
            a-ferde [f. 61 bª
Yn cherche to karolle or yn cherche-
            ȝerde, 9250
Namely a-ȝens þe prestys wylle;
Leveþ, whan he byddeþ ȝow be stylle.
    Janglyng longeþ to sacrylage;
Þarof takeþ þe fende taylage;
Jangle we yn cherche never so lyte, 9255
Alle þat we do jangle, þe fende doþe
            wryte.
And shal shewe hyt before oure face
Whan hys rolle ys broght yn place.
And y shal telle, as y kan,
A bourde of an holy man. 9260

9228 seynt *om. O*   30 slepe *O*   44 but] but for *O*   49 make *O, om. H*   56 do *om. O*

WW: Par tant sumes aparceu
Qe ceo ne est mie gas ne ju, 6990
Juste l'eglise karoler,
Ou en cymiter pleder,
Pur le prestre desturber
Quant il chante al muster.
Mes chescun home siet par qeor 6995

Qe en eglise est peché jangler,
Duter poeȝ pur verité
Qe, quant qe avez la janglé,
Del deable vus ert rehercé [f. 159
Quant sun roule ert mustré, 7000
Si ci ne seit amendé
E par confessiun ousté.

---

3. Richard Rolle of Hampole, The Pricke of Conscience
(Richard Rolle died ab. 1349).

MSS.: very numerous. — Ed.: Morris, Berl. 1863 (after MS. Cott. Galba E IX; beg. 15th cent.).

    Biographical: *From the* Officium de sancto Ricardo heremita *(Thornton MS., Lincoln Cathedral Library; ab. 1440; ed. Perry EETS. 20 [1866], p. XV ff.):*

Sanctus Dei heremita Ricardus in villa de Thornton Ebur. Dioc. accepit
sue propagacionis originem. Oportuno autem tempore de parentum industria
positus est ad literas ediscendas. Cumque adultioris aetatis fieret magister
Thomas de Neville, olim archidiaconus Dunolmensis, ipsum honeste exhibuit in
universitate Oxonje, ubi valde proficiens in studio ponitur. Desideravit ple-
nius et perficudius imbui theologicis sacrae scripturae doctrinis, quam phisicis
aut secularis scientie disciplinis. Demum, decimo nono vite sue anno, consi-
derans tempus vite mortalis incertum et terminum tremebundum, maxime hiis
qui vel vacant carnis lasciviis vel solum laborant perquerendis divitiis et pro hiis
student dolis atque fallaciis, (fallentes tamen maxime semet ipsos) cogitavit,
Deo inspirante, provide de seipso memorans sua novissima, ne peccatorum laqueis
caperetur, proinde de Oxonia redisset ad domum paternam. — *He returns home.
Runs away and becomes a hermit.* — Admirande autem et utiles imprimis erant
huius sancti ocupacyones in sanctis exhortationibus quibus quam plurimos
convertit ad Deum, in scriptis etiam suis mellifluis et tractatibus et libellis ad
edificacionem proximorum compositis, quae omnia in cordibus devotorum

dulcissimam resonant armoniam. — *He says of himself*: Cogitatio mea continuo
in carmen canoris commutabatur et quasi odas hymni meditando. Ac etiam
in orationibus ipsis et psalmodia eundem sonum edidi, deinceps que ad canen-
dum que prius dixeram pre affluentia interne suavitatis prorupi.   Occulte
quidem, quia tantummodo coram conditore. — *His other miracles.*

Creation.

Þe myght of þe fader almyghty,   [t. 76
Þe witt of þe son alwytty,
And þe gudnes of þe hali gast,
A Godde and Lorde of myght mast,
Be wyth us, and us help and spede 5
Now and ever, in al our nede;
And specialy at þis bygynnyng,
And bryng us alle til gude endyng!
                             Amen.
   Befor ar any thyng was wroght,
And ar any bygynnyng was of oght, 10
And befor al tymes, als we sal trow, ,
Þe sam God ay was þat es now,
Þat woned ever in his godhede
And in thre persons and anhede.
For God wald ay with þe fader and
                         þe son 15
And wyth þe hali gast in anhede won
Als God in a substance and beyng
Withouten any bygynnyng.
Bygynnyng of hym myght never nan
He was ay Godde in trinite,   [be, 20
Þat was ay als wys and ful of wytte
And als myghty als he es yhitte,
Was myght and wytte of him selve
                         was tan,
For never na God was bot he al an.
Þe sam God sythyn was þe bygynnyng, 25
And þe first maker of alle thyng;
And als he is bygynnyng of alle,
Wythouten bygynnyng swa we him
Ende of al wythouten ende: [calle,
Þus es in haly bokes contende.   30
For als he was ay God in trinite,
Swa he es, and ay God sal be;
And als he first bygan alle thing,
Swa sal he at þe last mak endyng
Of alle þing bot of heven and helle, 35
And of man and fende and aungelle,
Þat aftir þis lyfe sal lyf ay,
And na qwik creature bot þai,
Als men may se in þis boke contende,
Þat wille it se or here to þe ende.   40
And God þat mad man sal ay be þan,
Als he es now: God and man. [he,
   Alle thyng thurgh his myght made
For withouten hym myght nathing be.

Alle thng þat he bygan and wroght 45
Was byfor þe bygynnyng noght.
Alle thing he ordaynd aftir is wille
In sere kyndes for certayn skylle;
Wharfor þe creatours þat er dom   [t. 76 b
And na witt ne skille has er bughsom 50
To lof hym, als þe boke beres wytnesse,
On þair maner, als þair kynd esse.
For ilk a thyng þat God has wroght,
Þat folowes þe kynd and passes it
                             noght,
Loves his maker and hym worshepes, 55
In þat at he þe kynd right kepes;
Sen þe creatures þat skille has nane
Hym loves in þe kynde þat þai haf
                             tane,
Þan aght man, þat has skille and
                             mynde,
Hys creatur worshepe in his kynde, 60
And noght to be of wers condicion
Þan þe creatours withouten reson.
Mans kynd es to folow Goddes wille
And alle hys comandmentes to fulfille;
For of alle þat God made, mare and les, 65
Man mast principal creature es,
And alle þat he made was for man done,
Als yhe sal here aftirward sone.
   God to mans kynd had grete lufe,
When he ordaynd for mans byhufe 70
Heven and herth and þe werld brade
And al other thyng, and man last
                             made
Til hys lyknes and semely stature;
And made hym mast digne creature
Of al other creaturs of kynde;   75
And gaf hym wytte, skille and mynde,
For to knaw gude and ille;
And þarewith he gaf hym a fre wille
For to chese, and for to halde
Gude or ille, wethir he walde;   80
And alswa he ordaynd man to dwelle
And to lyf in erthe, in flesshe and felle,
To knaw his werkes and him worshepe,
And his comandmentes to kepe;
And if he be til God bousom,   85
Til endeles blis at þe last to com;
And if he fraward be, to wende

MS 34 at *added by second hand*   43 his *written between the lines*   64 hys *written between the lines*

Til pyne of helle, þat has nan ende.
Ilk man þat here lyves, mare and lesse,
God made til his awen lyknesse;   90
Til wham he has gyven witte and skille
For to knaw bathe gude and ille,
And fre wille to chese, als he vouches
                                            save,
Gude or ille whether he wil have;
Bot he þat his wille til God wil sette,   95
Grete mede þarfor mon he gette;
And he þat tille ille settes his wille [f.76b]
Grete payne sal have for þat ille;
Wharfor þat man may be halden wode,
Þat cheses þe ille and leves þe gude,   100
Sen God made man of maste dignite
Of alle creatures and mast fre,
And made him til his awen liknes
In fair stature, als befor sayde es,
And maste has gyven him, and yhit
                                            gyves,   105
Þan til any other creature þat lyves,
And has hight him yit þarto
Þe blise of heven, if he uele do.
    And yhit when he had done mys,
And thurgh syn was prived of blys,   110
God tok mans kynd for his sake
And for his love þe dede wald take,
And with his blode boght him a-gayne
Til þat blisse fra endeles payne.
Þus grete lufe God til man kydde,   115
And many benyfices he him dydde;
Wharfor ilk man, bathe lered and
                                            lewed,
Suld thynk on þat love þat he man
                                            shewed,
And alle þier benefice hald in mynde,
Þat he þus dyd til mans kynde,   120
And love hym and thank him als
                                            he can,
And elles es he an unkynd man;
And serve him bathe day and nyght,
And þat he has gyven him, use it
                                            right,
And his wittes despende in his service, 125
Elles es he a fole and noght wise;
And knaw kyndly what God es,
And what man self es þat es les;
How wayke man es in saul and body,
And how stalworth God es and how
                                            myghty; 130
How man God greves þat dose noght
                                            wele,
And what man es worthi þarfor to fele;
How mercyful and gracyouse God es,
And how ful he es of gudenes;
How rightwes God es and how sothe-
                                            fast,   135

Ant what he has done and sal do at
                                            þe last,
And ilk day dos to mankynde;
Þis suld ilk man knaw and haf in
                                            mynde.
For þe right way þat lyggus til blys,
And þat ledys a man theder, es þys: 140
Þe way of mekenes principaly,
And of drede, and luf of God almyghty,
Þat may be cald þe way of wysdom,
Intyl whilk way na man may com
Withouten knawyng of God here, [f.76 bᵃ]
And of his myght and his werkes sere. 146
Bot here he may til þat knawyng
                                            wynne,
Hym byhoves knaw him self withinne,
Elles may he haf na knawing to come
Intil þe forsayde way of wysdome. 150
    Bot som men has wytte to under-
And yhit þai er ful unkunand, [stand,
And of somthyng has na knawyng
Þat myght styrre þam to gude lyfyng;
Swylk men had nede to lere ilk day 155
Of other men, þat can mare þan þay;
To knaw þat myght þam stir and lede
Til mekenes and til lufe and drede;
Þe whilk es way, als befor sayde es,
Til þe blis of heven þat es endeles. 1C0
In grete perille of saul es þat man,
Þat has witt and mynde and na gude
                                            can,
And wil noght lere for to knaw
Þe werkes of God and Godes law,
Ne what hym self es þat es lest;   165
Bot lyves als an unskylwys best,
Þat nother has skil, witt, ne mynde;
Þat man lyfes a-gayn his kynde.
For a man excuses noght his un-
                                            kunnyng,
Þat his wittes uses noght in leryng, 170
Namly of þat at hym fel to knaw,
Þat myght meke his hert and make
                                            it law,
Bot he þat can noght suld haf wille
To lere to knaw bathe gude and ille;
And he þat can oght suld lere mare 175
To knaw alle þat hym nedeful ware;
For an unkunnand man thurgh leryng
May be broght til undirstandyng
Of many thynges, to knaw and se
Þat has bene, and es, and yhit sal be, 180
Þat til mekenes myght stir his wille,
And til lufe and drede, and to fle
                                            alle ille.
    Many has lykyng trofels to here,
And vanites wille blethly lere,
And er bysy in wille and thoght   185

To lere þat þe saul helpes noght;
Bot þat ne[de]ful war to kun and
                                knaw,
To listen and lere þai er ful slaw;
Forþi þai can noght knaw ne se
Þe peryls þat þai suld drede and fle,   190
And wilk way þai suld chese and take,
And wilk way þai suld lef and forsake.
Bot na wonder es, yf þai ga wrang; [f. 77
For in myrknes of unknawyng þai
                                gang,
Withouten lyght of understandyng 195
Of þat þat falles til ryght knawyng.
Þarfor ilk cristen man and weman
Þat has witte and mynd, and skille can,
Þat knaws noght þe ryght way to
                                chese,
Ne þe perils þat ilk wise man flese, 200
Suld be bughsom ay and bysy
To here and lere of þam namely,
Þat understandes and knawes by skille
Wilk es gude way and wilk es ille.
· He þat right ordir of lyfyng wil luke 205
Suld bygyn þus, als says þe boke:
To knaw first what hym self es;
Swa may he tyttest com to mekenes,
Þat es grund of al vertus to last,
On whilk al vertus may be sette fast; 210
For he þat knawes wele, and can se
What him self was and es and sal be,
A wyser man may he be talde,
Wether he be yhung man or alde,
Þan he þat can alle other thyng   215
And of him self has na knawyng.
For he may noght right God knaw
                                ne fele,
Bot he can first him self wele.
Þarfor a man suld first lere
To knaw him self properly here;   220
For if he hym self knew kyndely,
He suld haf knawyng of God almyghty,
And of his endyng thynk suld he
And of þe day þat last sal be.
He suld knaw what þis worlde es,   225
Þat es ful of pompe and lythernes,
And lere to knaw and thynk wythalle
What sal after þis lyf falle.
For knawyng of all þis shuld hym lede
And mynd wythalle til mekenes and
                                drede, 230
And swa may he com to gude lyvyng,
And atte þe last til a gode endyng;
And when he sal out ot þis world
                                wende,
Be broght til þe lyfe þat has na ende.
Þe bygynnyng of alle þis proces   235
Ryght knawyng of a man self es.

Bot som men has mykel lettyng,
Þat lettes þam to haf right knawyng
Of þam selfe, þat þai first suld knaw,
Þat þam til mekenes first suld draw. 240
And of þat, four thynges I find   [f. 77 a²
Þat mase a mans wytt ofte blynd
And knawyng of hym self lettes,
Thurgh wilk four he hym self forgettes.
Of þis saynt Bernard witnes bers,   245
And er þa four wryten in þis vers:
"Forma, favor populi, fervor juvenilis
                                opesque
Surripuere tibi noscere quid sit homo."
Þat es: "Favor of þe folk and fayrnes,
And fervor of thoght and riches,   250
Reves a man sight, skylle and mynde
To knaw hym self, what he es of
                                kynde."
Þus þer four lettes his insight,
Þat he knawes noght him selfe right,
And mas his hert ful hawtayne   255
And ful fraward til his soverayne.
Þir four norisches ofte pompe and pride
And other vices, þat men can noght
                                hyde.
For in him in wham ane of þer four es
Es selden sen any mekenes;   260
Alswa þai lette a man þat he noght sese
Þe perils of þe werld, ne vanitese;
Ne of þe tym of þe dede þat es to com
Thynkes noght, ne of þe day of dom,
Ne he can noght undirstand ne se 265
Þe paynes þat after þis lyfe sal be
To synful men, þat here lofes foly,
Ne þe blise þat gude man er worthy;
Bot in his delytis settes his hert fast,
And fares als þis lyfe suld ay last, 270
And gyffes him noght bot to vanite,
And to al þat lykyng to hym mygt be.
Swylk men er noght led with skylle,
Bot þai folow ay þair awen wille,
And of noght elles thynkes, ne tas hede; 275
What wonder es yf þai haf na drede!
For what þai suld drede þai knaw noght,
Þarfor þai can haf na drede in thoght
Of þat þat myght þam to drede bryng,
And þat es thurgh defaut of knawyng. 280
    Yhit som men wille noght under-
                                stande
Þat þat mught mak þam dredande,
For þai wald noght here bot þat þam
                                pays,
Þarfor þe prophet in psauter says:
"Noluit intelligere, ut bene ageret." 285/6
He says: "He has no wille to fele,
Ne to understand for to do wele." [f. 77 b
Þis wordes by þam may be sayd here,

Þat wil noght undirstand ne lere 290
To drede God and to do his wille,
Bot folowes þair likyng and lyves ille.
Som understandes als þai here telle,
Bot na drede in þair hertes may
      dwelle,
And thurgh defaut of trouthe þat
      may be; 295
For þai trow nathyng bot þat þa[i] se,
But groches when þai dredful thyng
      here;
Þarfor þe prophet says on þis manere:
"Non crediderunt et murmuraverunt." 299/300
Þe prophet sayd: "þai trowed noght,
And groched," and was angred in
      thoght.
Þus er many þat trowes nathyng
Þat men þam says o-gayn þair likyng,
Bot groches gretly and waxes fraward, 305
When men says oght þat þam thynk
      hard.
    Som can se in buk swilk thyng and
      rede,
Bot lightnes of hert reves þam drede,
Swa þat it may noght with þam
      dwelle;
And þarfor says God þus in þe gospelle: 310
"Quia ad tempus credunt, et in tem-
   pore temptacionis recedunt."
"Til a tyme," he says, "som trowes a
      thyng
And passes þarfra in þe tyme of
      fandyng."
Alswa þos says þe prophet David 315
In a psalme þat cordes þarwyth:
"Et crediderunt in verbis eius, et
   laudaverunt laudem eius, cito fecerunt
   et obliti sunt opera eius."
He says: "In his wordes trowed þai, 320
And loved his lovyng als þai couth say,
But tyte þai had don and forgat
His werkes, and thoght na mar of þat."
Swilk men er ay swa unstedfast,

Þat na drede may with þam last; 325
For þai er swa wilde, when þai haf
      quert,
Þat na drede þai can hald in hert;
Bot whaswa can noght drede may lere,
Þat þis tretice wil rede or here;
Yf þai rede or here til þe hende 330
Þe maters þat er þarin contende,
And undirstand þam al and trow,
Parchaunce þair hertes þan sal bow
Thurgh drede, þat þai sal consayve
      þarby,
To wirk gude werkes and fle foli. 335
    Þarfor þis buke es on ynglese drawen,
Of sere maters, þat er unknawen
Til laude men þat er unkunnand,
Þat can na latyn understand,
To mak þam þam self first to knaw, 340
And fra syn and vanytese þam draw,
And for to stir þam til right drede,
When þai þis tretisce here or rede,
Þat sal prikke þair conscience withyn;
And of þat drede may a lofe bygyn 345
Thurgh comfort of joyes of heven sere,
Þat men may aftirwar[d] rede and here.
    Þis buk, als it self bers wittenes,
In seven partes divised es: [mynde,
Þe first party, to knaw and hafe in 350
Es of þe wrechednes of mans kynde.
Þe secunde es of þe condicions sere
And of þe unstabelnes of þis werld here.
Þe þred parte es in þis buke to rede
Of þe dede, and whi it es to drede. 355
Þe ferthe part es of purgatory,
Whar saules er clensed of alle foly.
Þe fift es of þe day of dome,
And of taknes þat befor sal come.
Þe sext es of þe payns of helle, 360
Þar þe dampned sal evermare dwelle.
Þe sevend es of þe joys of heven.
Þer er þe partes of þis buk seven,
And of ilk a parte fynd men may
Sere maters in þis buk to say. 365

4. William Langland, Piers Plowman (1362—1390).

A: *A-text (1362)*. — *Chief MS.: Oxf. Bodl. Vernon (= A$_V$; ab. 1370—1380)*. — *Edd.: Skeat, 1867, EETS. 28; id. Oxf. 1886.*
B: *B-text (1377)*. — *Chief MSS.: Cambr. Trin. Coll. B. 15, 17; (= B$_T$; last third 14th cent.); Oxf. Bodl. Laud Misc. 581 (= B$_L$; betw. 1377 and 1410; possibly in the author's own hand-writing).* — *Edd.: Crowley, 1550; Rogers, 1561; Wright, 1842 (B$_T$), Skeat, 1869 (EETS. 38; B$_L$). id. Oxf. 1886. Mätzner, Sprachpr. 1, 327—36¶ (= Prologue, from Wright's ed.).*
C: *C-text (1390)*. — *Chief MS.: Phillips 8231 (= C$_P$; prob. before 1400)*. — *Edd.: Whitaker, 1813; Skeat, 1873, EETS. 54; id. Oxf. 1886.*
    Biographical: *Note in MS. Dublin D. 4, 1 in handwr. of 15th cent., quoted by Skeat, Oxf. 1886, II, p. XXVIII:* Memorandum, quod Stacy de Rokayle, pater Willielmi de Langlond, qui Stacius fuit generosus, et morabatur in Schiptone under Whicwode, tenens domini le Spenser in comitatu Oxon., qui praedictus Willielmus fecit librum qui vocatur Perys Ploughman.

Langland on Himself.

Thus ich a-waked, God wot,   whanne ich wonede on Cornehulle,
Kytte and ich in a cote · cloþed as a lollere. C VI 1f.
Ich ave lyvede in London   meny longe ʒeres. C XVII 286.

_____

                             .... I waked,
And called Kitte, my wyf,   and Kalote, my douʒter. B XVIII 425 f.
                             ich a-wakede,
And kallyd Kytte, my wyf,   and Kalote, my doughter. C XXI 472 f.

_____

"Whanne ich ʒong was," quath ich,   "meny ʒer hennes,
My fader and my frendes   founden me to scole,
Tyl ich wiste wyterliche   what holy wryt menede,

Lady Meed before the King.

Av: [Passus quartus de visione.]   [f.397 a bottom]

"Seseþ," seide the kyng,   "I suffre ʒou no more.
ʒe schulle sauʒtene for soþe   and serve me boþe.
Cusse hire," quaþ þe kyng,   "Concience, ich hote."
"Nay, be Crist," quod Concience,   "congeye me raþer!
Bote Reson rede me þerto,   arst wol I dye!"   5
   "And I comaunde þe," quod þe kyng   to Concience þenne,
"Þat þou rape þe to ride,   and Reson þou fette;
Comaunde him þat he come   my counseil to here.
For he schal reule my reame   and rede me þe beste
Of Meede, and of oþer mo,   and what mon schal hir wedde;   10

Bl: Passus quartus de visione, ut supra.   [f.14 b]

"Cesseth," seith þe kynge,   "I suffre ʒow no lengere.
ʒe shal sauʒtne for sothe   and serve me bothe.
Kisse hir," quod þe kynge,   "Conscience, I hote."
   "Nay, bi Criste," quod Conscience,   "congeye me for evere!
But Resoun rede me þerto,   rather wil I deye!"   5
   "And I comaunde þe," quod þe kynge   to Conscience þanne,
"Rape þe to ride,   and Resoun þow fecche;
Comaunde hym þat he come   my conseille to here.
For he shal reule my rewme   and rede me þe beste,
And acounte with þe, Conscience,   so me Cryst helpe,   10
How þow lernest þe peple,   þe lered and þe lewede."

   "I am fayne of þat forwarde,"   seyde þe freke þanne,
And ritt riʒte to Resoun   and rowneth in his ere,
And seide as þe kynge badde   and sithen toke his leve.
   "I shal arraye me to ride,"   quod Resoun, "reste þe a while";   15
And called Catoun, his knave,   curteise of speche,
And also Tomme Trewe-tonge-   telle-me-no-tales-
Ne-lesyng-to-lawʒe-of-   for-I-loved-hem-nevere—
"And sette my sadel upon Suffre-   til-I-se-my-tyme,
And lete warrok it wel   with Witty-wordes gerthes,   20
And hange on hym þe hevy brydel   to holde his hed lowe,
For he wil make wehe   tweye er he be there."
   Thanne Conscience upon his caple   kaireth forth faste,
And Resoun with hym rite   rownynge togideres,
Whiche maistries Mede   maketh on þis erthe.   25

And what is best for þe body,   as the bok telleth,
And sykerest for the soule,   by so ich wolle continue.
And ȝut fond ich nevere in faith,   sytthen my frendes deyden,
Lyf þat me lyked   bote in þes longe clothes.
Yf ich by laboure sholde lyve   and lyflode deserven,
That labour þat ich lerned best,   þerwith lyve ich sholde;

In eadem vocatione [*in*] *qua vocati estis,* [*manete*].

And ich lyve in Londone   and on Londone bothe,
The lomes þat ich laboure with   and lyflode deserve
Ys *pater-noster*, and my prymer   *placebo* and *dirige*,
And my sauter som tyme   and my sevene psalmes. C VI 35—47.

Av:

And acounte with Concience,   so me God helpe!
How þou ledest my peple,   lered and lewed."
  "I am fayn of þat foreward,"   seide þe freike þenne,
And rod riht to Reson   and rouned in his ere,
Seyde as þe kyng sende   and seþþe tok his leve.   15
  "I schal araye me to ride," quod Reson,   "reste þe a while";
And clepte Caton, his knave,   curteis of speche:
"Sette my sadel uppon Soffre-   til-I-seo-my-tyme,
And loke þou warroke him wel   wiþ swiþe feole gurþhes;
Hong on him an hevi bridel   to bere his hed lowe,   20
Ȝit wol he make moni a whi   er he come þere."
  Þenne Concience on his capul   carieþ forþ faste,
And Resun with him rideþ   rappynge swiþe;
Bote on a wayn Witti   and Wisdame i-feere   [f.197a²

14 Reson] Conscience   24 Witti] wyd

Cp:

Incipit passus quintus.

"Cesseþ," saide þe kyng,   "ich soffre ȝow no lenger;
Ȝe shulleþ sauhtne for soþe   and serve me boþe.
Kurs hure," quaþ þe kyng,   "Conscience, ich hote."
  "Nay, by Crist," quaþ Conscience,   "conge me rather!
Bote Reson rede me þerto,   raþer wol ich deye."   5
  "And ich comaunde," quaþ þe kynge   to Conscience þenne,
"Rappe þe to ryde,   and Reson þat þow fecche;
Comaunde hym þat he come   my consail to hure,
For he shal rulye my reame   and rede me þe beste,
Of Mede and of oþer mo   and what man shal hure wedde,   10
And acounte with þe, Conscience,   so me Crist helpe,
How þow ledest my puple,   lered and lewede."
  "Ich am fayn of þat forwarde,   in fayþ," þo quaþ Conscience,
And rod forth to Reson   and rouned in hus ere,
And seide hym as þe kyng saide   and sitthe tok hus leve.   15
  "Ich shal araye me to ryde," quaþ Reson,   "rest þow a wyle";
And called Caton, hus knave,   corteys of speche,
And also Tomme Trewe-tonge-   telle-me-none-tales-
Ne lesenges-to-lauhen-of-   for-ich-lovede-hit-nevere—
"And sette my sadel uppon Soffre-   til-ich-see-my-tyme,   20
Let worrok hym wel   with Avyse-[þe]-by-fore,
For it his þe wone of Wil   to wynse and to kyke;
Let peitrel hym and pole hym   wit peyntede wittes."
  Thenne Conscience on hus capel   comsed to prykie,
And Reson with hym ryȝt   rounyng togeders,   25
Wich a maister Mede was   a-mong poure and riche.

Aᵥ: Folweden hem faste,   for þei hedden to done   25
        In esscheker and chauncelrie   to ben descharget of þinges;
        And riden faste, for Reson   schulde reden hem þe beste
        For to saven hem self   from schome and from harme.
        Bote Concience com arst   to court bi a myle,
        And romede forþ bi Reson   riht to þe kyng.   30
           Corteisliche þe kyng   þenne com to Resoun,
        Bitwene him self and his sone   sette him on benche,
        And wordeden a gret while   wysliche togedere.
           Þene Pees com to parlement   and put up a bille,
        Hou þat Wrong a-ʒeyn his wille   his wyf hedde i-take,   35
        And [hou] he ravischede Rose,   Reynaldes lemmon,

Bʟ: One Waryn Wisdom   and Witty, his fere,
        Folwed hem faste,   [for þei] haved to done
        In þe cheker and at þe chauncerie   to be discharged of þinges;
        And riden fast, for Resoun   shulde rede hem þe beste
        For to save hem for silver   fro shame and fram harmes.   30
           And Conscience knewe hem wel,   þei loved coveitise,
        And bad Resoun ride faste   and recche of her noither:
        "Þere aren wiles in here wordes,   and with Mede þei dwelleth;
        Þere as wratthe and wranglyng is,   þere wynne þei silver,
        Ac þere is love and lewte,   þei wil nouʒte come þere;   35
              Contricio et infelicitas in viis eorum, etc.
        Þei ne gyveþ nouʒte of God   one gosewynge,
              Non est timor Dei ante oculos eorum.
        For, wot God, þei wolde do more   for a dozeine chickenes,
        Or as many capones   or for a seem of otes,
        Þan for love of owre Lorde   or alle hise leve seyntes.
        Forþi, Resoun, lete hem ride,   þo riche, bi hem selven,   40
        For Conscience knoweth hem nouʒte,   ne Cryst, as I trowe."
        And þanne Resoun rode faste   þe riʒte heiʒe gate,
        As Conscience hym kenned,   til þei come to þe kynge.
           Curteisliche þe kynge þanne   come a-ʒein Resoun,
        And bitwene hym self and his sone   sette hym on benche,   45
        And wordeden wel wyseli   a gret while togideres.
           And þanne come Pees into parlement   and put forth a bille,
        How Wronge a-ʒeines his wille   had his wyf taken,
        And how he ravisshed Rose,   Reginoldes love,
        And Margarete of hir maydenhode   maugre here chekis.   50
        "Bothe my gees and my grys   his gadelynges feccheth;
        I dar nouʒte for fere of hym   fyʒte ne chyde.

        He borwed of me bayard,   he brouʒte hym home nevre,
        Ne no ferthynge þerfore   for nauʒte I couthe plede.
        He meyneteneth his men   to morther myne hewen,   55
        Forstalleth my feyres   and fiʒteth in my chepynge,
        And breketh up my bernes dore   and bereth a-weye my whete,
        And taketh me but a taile   for ten quarteres of otes,
        And ʒet he bet me þerto   and lyth bi my mayde,
        I nam nouʒte hardy for hym   uneth to loke."   60
        The kynge knewe he seide sothe,   for Conscience hym tolde
        Þat Wronge was a wikked luft   and wrouʒte moche sorwe.

Av:
　　　And Mergrete of hire maydenhod　　maugre hire chekes.
　　　"Boþe my gees and my grys　　þe gadelynges fetten;
　　　I dar not for dreede of hem　　fihte ne chide.
　　　He borwede of me bayȝard　　and brouhte him never a-ȝeyn,　　40
　　　Ne no ferþing him fore　　for nouȝt þat I con plede.
　　　He meynteneþ his men　　to morþere myn owne,
　　　Forstalleþ my feire,　　fihteþ in my chepynges,
　　　Brekeþ up my bernedore　　and bereþ a-wei my whete,
　　　And takeþ me bote a tayle　　of ten quarter oten;　　45
　　　And ȝit he bat me þerto　　and liȝþ be my mayden.
　　　I nam not so hardi for him　　up for to loke."
　　　Þe kyng kneuh he seide sooþ,　　for Concience him tolde.

Cp:
　　　Then Waryn Wysman　　and Wyleman, his felawe,
　　　Fayn were to folwen hem　　and fast ryden after,
　　　To take red at Reson,　　þat recorde sholde
　　　Byfore þe kyng and Conscience　　yf thei couthen pleyne　　30
　　　On Williman and Wittiman　　and Waryn Wrynge-lawe.
　　　Ac Conscience knew hem wel　　and carped to Reson:
　　　"Here comeþ," quaþ Conscience,　　"þat covetyse serven;
　　　Ryd forth, syre Reson,　　and recche nat of here tales,
　　　For þer wratthe and wranglyng ys,　　ther þei wolle a-byde;　　35
　　　Ac þer love and leaute ys,　　hit lykeþ nat here hertes:
　　　　　Contricio et infelicitas in viis eorum, et viam pacis non cognoverunt;
　　　　　　non est timor Dei ante oculos eorum.
　　　Thei geveþ noȝt of good faith,　　God wot the soþe;
　　　Thei wolde don for a dyner　　oþer fore a dosene capones
　　　More þan for oure Lordes love　　oþer oure lady, hus moder."

　　　Thanne Reson rod forth　　and tok reward of no man,　　40
　　　And dude as Conscience kenned,　　til he þe kyng mette.
　　　　Corteslich þe kyng þen　　cam and grette Reson,
　　　And bytwine hym [self] and is sone　　sette þo syre Reson,
　　　And speken þo wise wordes　　a long wile togederes.
　　　　Thenne cam Pees into parlement　　and putte up a bylle,　　45
　　　How þat Wrong wilffullich　　hadde hus wif forleyen,
　　　And how he ravysede Rose,　　þe riche wydewe, by nyhte,
　　　And Margarete of here maidenhod,　　as he mette hure late.
　　　"Boþe my gees and my grys　　and my gras he takeþ,
　　　Ich dar nouht for his felaweshepe,　　in faith," Pees seide,　　50
　　　"Bere sikerlich eny selver　　to seint Gyles doune;
　　　He waiteþ ful wel　　wanne ich selver take,
　　　What wey ich wende　　wel ȝerne he aspieþ,
　　　To robbe me and to ryfle me　　yf ich ryde softe.
　　　Ȝut he is bold for to borwe,　　and baddelich he payeþ;　　55
　　　He borwede of me bayarde　　and browte hym [hom] nevere,
　　　Ne no ferþeng þerfore　　for nouht ich couthe plede.
　　　He menteyneþ hus men　　to morthre myn hywes,
　　　And forstalleþ myn faires　　and fyghteþ in my chepynges,
　　　And breke[þ] up my bernes dore　　and bereþ a-way my whete,　　60
　　　And takeþ me bote a taile　　for ten quarters oþer twelve.
　　　Ȝut he manasceþ me and myne　　and lyth by my mayde,
　　　Ich am nouht hardy for hym　　unneþe to loke."
　　　The kyng knew that he seide soþ,　　for Conscience hym tolde
　　　How Wronge was a wickede man　　and moche wo wrouhte.　　65

MS　49 gees] goos　52 selver] sulfere　55 baldelich　63 owneþe

Av:

Wrong was a-fert þo,   and Wisdam souhte
To make his pees with pons   and proferde forþ moneye,   50
And seide: "Hedde I love of þe kyng,   luite wolde I recche
Þauh Pees and his pouwer   playneden on me evere!"
Wisdam wente þo,   and so dude Wit,
And for Wrong hedde i-do   so wikked a dede;
And warnede Wrong þo   with such a wys tale: 55
"Whose worcheþ bi wil,   wraþþe makeþ ofte;
I sigge hit bi þi selven,   þou schalt hit sone fynde.
Bote ȝif Meede make hit,   þi mischef is uppe,
For boþe þi lyf and þi lond   liȝþ in þe kynges grace."
  Wro[n]g þenne uppon Wisdom   wepte to helpe,   60
Him for his handidandi   rediliche he payede.
Þene Wisdam and Wit   wente to-gedere
And nomen Meede with hem   merci to wynne.
  Pees putte forþ his hed   and his ponne blodi:
"Withouten gult, God wot,   gat I þis scaþe."   65
  Concience and þe kyng   knewen þe soþe;
Wusten wel þat Wrong   was a schrewe evere.

Bl:

Wronge was a-fered þanne,   and Wisdome he souȝte
To make pees with his pens   and profered hym manye,
And seide: "Had I love of my lorde, þe kynge, litel wolde I recche, 65
Theiȝe Pees and his powere   pleyned hym evre!"
  Þo wan Wisdome   and sire Waryn þe witty,
For þat Wronge had y-wrouȝte   so wikked a dede,
And warned Wronge þo   with such a wyse tale:
"Whoso worcheth bi wille   wratthe maketh ofte;   70
I seye it bi þi self,   þow schalt it wel fynde.
But if Mede it make,   þi myschief is uppe,
For bothe þi lyf and þy londe   lyth in his grace."
  Thanne wowed Wronge   Wisdome ful ȝerne
To make his pees with his pens   handidandi payed.   [f. 16 b
Wisdome and Witte þanne   wenten togideres   76
And toke Mede myd hem   mercy to winne.
  Pees put forþ his hed   and his panne blody:
"Wythouten gilte, God it wote,   gat I þis skaþe,
Conscience and þe comune   knowen þe sothe."   80
  Ac Wisdom and Witt   were a-bout faste
To overcome þe kyng   with catel, ȝif þei myȝte.
  Þe kynge swore, bi Crist   and bi his crowne bothe,
Þat Wronge for his werkis   sholde wo þolye,
And comaunded a constable   to casten hym in yrens: 85
"And late hym nouȝte þis sevene ȝere   seen his feet ones."
  "God wot," quod Wysdom,   "þat were nauȝte þe beste;
And he amendes mowe make,   late meynprise hym have
And be borwgh for his bale   and biggen hym bote,
And so amende þat is mysdo   and evermore þe bettere."   90
  Witt acorded þerwith   and seide þe same:
"Bettere is þat bote   Bale a-doun brynge,
Þan Bale be y-bette   and bote nevere þe bettere."
  And þanne gan Mede to mengen here   and mercy she bisought,
And profred Pees a present   al of pure golde: 95
"Have þis, man, of me," quod she,   "to amende þi skaþe,
Fos I wil wage for Wronge   he wil do so na more."
  Pitously Pees þanne   prayed to þe kynge
To have mercy on þat man   þat mysdid hym so ofte:

Av:
>
> But Wisdam and Wit   weoren ʒeorne a-boute faste
> To overcome þe kyng   wiþ catel ʒif heo mihten.
> Þe kyng swor þo bi Crist   and bi his coroune boþe   70
> Þat Wrong for his werkes   schulde wo þole,
> And comaundede a constable   to casten him in irens:
> "He ne schal þis seven ʒer   seon his feet ones."
> "God wot," quaþ Wisdam,   "þat weore not þe beste;
> And he amendes make,   let meynprise him have,   75
> And beo borw of his bale   and buggen him bote,
> And amenden his misdede   and evermore þe bettre."
> Wit acordede herwith   and seide him þe same:
> "Hit is betere þat boote   Bale a-doun bringe,
> Þen Bale be beten   and boote never þe better."   80
> Þenne Meede meokede hire   and merci bisouhte,
> And profrede Pees a present   al of pure red gold:
> "Have þis of me," quod heo,   "to amende with þi scaþe,
> For ichul wage for Wrong   he wol do so no more."
> Pees þenne pitously   preyede þe kyng   85
> To have merci on þat mon   þat misdude him ofte:

_____
69 catel] Meede

Cr:
>
> Tho was Wrong a-fered,   Wysdome he bysouhte;
> On men of lawe lokede   and largelich hem profrede,
> And for to have of here help   handy-dandy payede.
> "Had ich love of þe lorde,   litel wolde ich recche
> Of Pees and of hus power,   thauh he pleynede evere!"   70

> Thoruh Wrong and hus werkes   þer was Mede y-knowe,
> For Wysdome and Wit þo   wenten togederes,
> And toke Mede myd hem   mercy to wynne.
> ʒut Pees putte forth hus hefd   and hus panne blody:
> "Withoute gult, God wot,   gat ich þys scaþe;   75
> Conscience knoweþ hit wel   and alle þe trewe comune."
> Ac Wyles and Wit   weren a-boute faste
> To overcome þe kynge   þo[r]w catel, yf þei myghte.
> Þe kyng swor þo by Crist   and by his corone bothe,
> That Wrong for hus workus   sholde wo þolie,   80
> And comaundede a constable   to caste Wrong in yrenes,
> Ther he ne sholde in seven ʒere   see fet ne hondes.
> "God wot," quaþ a wis on,   "þat were nat þe beste;
> Yf he may amendes do,   let meynpryse hym have
> And be borw of ys bale   and byggen hym bote,   85
> And amende þat ys mysdo   and everemore þe betere."
> Wit acorded herwith   and witnessede þe same;
> "Betere ys þat bote   Bale a-doun brynge,
> Than Bale be [y-]bete   and bote nevere þe betere."
> Thanne gan Mede meken here   and mercy bysouhte,   90
> And profrede Pees a present   al of pure golde;
> "Have þis, man, of me," quaþ hue,   "to amende þy scaþe;
> For ich wol wage for Wrong   he wol do so no more."
> Pytouslich Pees þo   preyede þe kyng
> To have mercy on þat man   þat meny tyme grevede hym: 95

_____
82 fet no (?)   90 muken   92 þus

Av:

"For he haþ waget me amendes,   as Wisdam him tauhte,
I forȝive him þat gult   with a good wille;
So þat ȝe assented beo,   I con no more sigge;
For Meede haþ maad me amendes,   I may no more aske."   90
    "Nay," quod þe kyng þo,   "so God ȝive me blisse!
Wrong went not so a-wei   til ich wite more;
Lope he so lihtliche a-wei,   lauȝwhen he wolde,
And eft be þe baldore   for te beten myne [hynen];
Bote Reson have reuþe of him,   he resteþ in þe stokkes   95
Also longe as I lyve,   bote more love hit make."
    Þenne summe radde Reson   to have reuþe of þat schrewe,
And to counseile þe kyng   and Concience boþe;
Þat Meede moste be meynpernour   Reson heo bisouȝte.
    "Rede me not," quod Reson,   "reuþe to have,   100
Til lordes and ladies   loven alle treuþe,
And Perneles porfyl   be put in heore whucche;
Til children chereschinge   be chastet wiþ ȝerdes,

Bl:

"For he hath waged me wel,   as Wysdome hym tauȝte,   100
And I forgyve hym þat gilte   with a goode wille;
So þat þe kynge assent,   I can seye no bettere;
For Mede hath made me amendes,   I may na more axe."
"Nay," quod þe kynge þo,   "so me Cryst helpe!
Wronge wendeth nouȝte so a-waye,   arst wil I wite more;   105
For loupe he so liȝtly,   laughen he wolde,
And efte þe balder be   to bete myne hewen;
But Resoun have reuthe on hym,   he shal rest in my stokkes,
And þat as longe as he lyveth,   but Lowenesse hym borwe."
    Somme men redde Resoun þo   to have reuthe on þat schrewe,   110
And for to conseille þe kynge   and Conscience after;   [f. 16
That Mede moste be meynpernour   Resoun þei bisouȝte.
    "Rede me nouȝte," quod Resoun,   "no reuthe to have,
Til lordes and ladies   lovien alle treuthe,
And haten al harlotrye,   to heren it or to mouthen it;   115
Tyl Pernelles purfil   be put in here hucche;
And childryn cherissyng   be chastyng with ȝerdes;
And harlotes holynesse   be holden for an hyne;
Til clerken coveitise be   to clothe þe pore and to fede,
And religious romares   *recordare* in here cloistres,   120
As seynt Benet hem bad,   Bernarde and Fr021ceys;
And til prechoures prechyng   be preved on hem selven;
Tyl þe kynges conseille   be þe comune profyte;
Tyl bisschopes baiardes   ben beggeres chambres,
Here haukes and here houndes   helpe to pore religious;   125
And til seynt James be souȝte   þere I shal assigne,

That no man go to Galis   but if he go for evere;
And alle Rome-renneres   for robberes of byȝende
Bere no silver over see   þat signe of kynge sheweþ,
Noyther grave ne ungrave,   golde noither silver,   130
Uppon forfeture of þat fee,   who so fynt hym at Dovere,
But if it be marchaunt or his man,   or messagere with letteres,

Provysoure or prest,   or penaunt for his synnes.
    And ȝet," quod Resoun, "bi þe rode,   I shal no reuthe have.
While Mede hath þe maistrye   in þis moothalle.   135
Ac I may shewe ensaumples,   as I se otherwhile;

Av:

Til harlotes holynesse   be holden for an hyne;
Til clerkes and knihtes   ben corteis of heore mouþes,   105
And haten to don heor harlotrie   and usun hit no more;
Til prestes heore prechyng   preven hit in hem selven,
And don hit in dede   to drawen us to gode;
Til seint Jame beo i-souht   þer I schal asigne,
And no mon go to Galys   bote he go for evere;   110
And alle Rome-renners   for robbeours of biȝonde
Bere 'no selver over see   þat bereþ signe of þe kyng,
Nouþer grotes ne gold i-grave   wiþ þe kynges coroune,
Uppon forfet of þat fe,   hose hit fynde at Dovere,
Bote hit beo marchaund oþur his men,   or messager with lettres, 115
Or provisours or preestes   þat popes avaunset.
     And ȝit," quod Reson, "bi þe roode,   I schal no reuþe have,
While Meede haþ eny maystrie   to mooten in þis halle;
Ac y mai schewe ȝow ensamples   y seie be my selve.

Cp:

"For he hath waged me wel,   as Wisdome hym tauhte;
Mede hath mad myne amendes,   ich may no more asken,
So alle myne claymes ben quyt,   by so þe kynge asente."

     "Nay, by Crist," quath þe kynge,   "for Consciences sake,
Wrong goþ nat so a-way,   ar ich wite more;   100
Loupe he so lyghtlich,   lauhen he wolde,
And eft be þe boldere   to bete myne hywes;
Bote Reson have reuthe of hym,   he shal reste in stockes
As longe as ich lyve   for hus luther werkes."
     Somme radde Reson þo   to have reuthe on þat shrewe,   105
And for to consail þe kyng   on Conscience þei loked;
Þat Mede myghte be menepernour   Reson thei bysouhte.
     "Red me nat," quaþ Reson,   "no reuthe to have,
Til lordes and ladies   loven alle treuthe,
And haten alle harlotrie   to huyren oþer to mouthen hit;   110
And Purneles porfil   be put in þe wucche,
And children cherissing   be chasted with ȝerdes,
And harlotes holynesse   be an hey ferye;
Til klerken covetise   be cloth for þe poure,
Here pelure and here palfrayes   poure menne lyflode,   115
And religious outryders   reclused in here cloistres,
And be as Benit hem bad,   Domenik and Fraunceis;
Tyl þat lerede men lyve   as þei lere and techen,
And til þe kynges consayl   be al comune profit,
Tyl bisshopes ben bakers,   brewers and taylours,   120
For alle manere men   þat þei fyndeþ nedfol;
Tyl seynt Jame be souht   þer poure syke lyggen,
In prisons and in poore cotes,   for pilgrymages to Rome,
So þat non go to Galys   bote it be for evere;
And alle Rome-renners   for robbers in Fraunce   125
Bere no sulver over see   þat kynges sygne sheweþ,
Neiþer grave ne ungrave,   of gold ne of sulver,
Up forfeture of þe fee,   hoso fynt hym overwarde,
Bote it be marchaunt oþer hus man,   oþer messager with lettres,
Provisour oþer prest,   oþer penaunt for hus synnes.   130
     And ȝut," quaþ Reson, "by þe rode,   ich shall no reuthe have,
Whyl Mede hath þe maistrye   þer motyng his atte barre.
Ac ich may seye ensamples,   as ic see oþere:

_____

101 lyghtlich] l. a-wey   120 bisschepes (?)   ben] and

Av:

          For I sigge hit for my soule,   and hit so weore   120
          Þat ich weore kyng with croune   to kepen a reame,
          Scholde never wrong in þis world,   þat ich i-wite mihte,
          Ben unpunissched beo my pouwer   for peril of my soule,
          Ne gete grace þorw a ȝift,   so me God helpe,
          Ne for Meede have merci,   but Mekenesse hit make,   125
          For *nullum malum* þe mon mette   with *inpunitum,*
          And bad *nullum bonum*   be *irremuneratum.*
          Let þi clerk, sire kyng,   construe þis in englisch;
          And ȝif þou worchest hit in wit,   ich wedde boþe myn eres
          Þat Lawe schal ben a laborer   and leden a-feld dounge,   130
          And Love schal leden þi lond,   as þe leof lykeþ."
          Clerkes þat were confessours   coupled hem togedere,

_____
_{124 God] gold   126 withe] withouten}

Bl:

          I sey it by my self," quod he,   "and it so were
          That I were kynge with crowne   to kepen a rewme,
          Shulde nevere wronge in þis worlde,   þat I wite myȝte,
          Ben unpunisshed in my powere   for peril of my soule,   140
          Ne gete my grace for giftes,   so me God save,
          Ne for no mede have mercy,   but mekenesse it make.
            For *nullum malum* þe man   mette with *inpunitum,*
          And badde *nullum bonum*   be *irremuneratum.*
            Late ȝowre confessoure, sire kynge,   construe þis unglosed;   145
          And ȝif ȝe worken it in werke,   I wedde myne eres,
          That Lawe shal ben a laborere   and lede a-felde donge,
          And Love shal lede þi londe,   as þe lief lyketh!"
            Clerkes þat were confessoures   coupled hem togideres,
          Alle to construe þis clause   and for þe kynges profit,   [f. 16 b]
          Ac nouȝte for conforte of þe comune,   ne for þe kynges soule, 151
            For I seiȝe Mede in þe mootehalle   on men of lawe wynke,
          And þei lawghing lope to hire   and lafte Resoun manye.
            Waryn Wisdome   wynked uppon Mede,
          And seide: "Madame, I am ȝowre man,   whatso my mouth jangleth; 155
          I falle in floreines," quod þat freke,   "an faile speche ofte."
            Alle riȝtful recorded   þat Resoun treuthe tolde,
          And Witt acorded þerwith   and comended his wordes,
          And þe moste peple in þe halle   and manye of þe grete,
          And leten Mekenesse a maistre   and Mede a mansed schrewe.   160
            Love lete of hir liȝte   and Lewte ȝit lasse,
          And seide it so heiȝe,   þat al þe halle it herde:
          "Whoso wilneth hir to wyf   for welth of her godis,
          But he be knowe for a kokewolde,   kut of my nose!"
            Mede mourned þo   and made hevy chere,   165
          For þe moste comune of þat courte   called hire an hore.
          Ac a sysoure and a sompnoure   sued hir faste,
          And a schireves clerke   byschrewed al þe route.
          "For ofte have I," quod he,   "holpe ȝow atte barre,
          And ȝit ȝeve ȝe me nevere   þe worthe of a russhe."   170
            The kynge called Conscience   and afterwardes Resoun,
          And recorded þat Resoun   had riȝtfullich schewed,
          And modilich uppon Mede   with myȝte þe kynge loked,
          And gan wax wrothe with lawe,   for Mede almoste had shent it,
          And seide: "Þorw ȝowre lawe, as I leve,   I lese many chetes;   175
          Mede overmaistrieth lawe   and moche treuthe letteth.
          Ac Resoun shal rekene with ȝow,   ȝif I regne any while,
          And deme ȝow bi þis day   as ȝe han deserved.
          Mede shal nouȝte meynprise ȝow,   bi þe Marie of hevene,

Av:

For te construe þis clause   and distinkte hit after.
Whon Resun to þis reynkes   rehersede þeose wordes,
Nas non in þat moothalle,   more ne lasse,   135
Þat ne held Reson a mayster þo   and Meede a muche wrecche.
Love lette of Meede luite   and louh hire to scorn,
And seide hit so loude,   þat soþnesse hit herde:
"Hose wilneþ hire to wyve   for weolþe of hire godes,
Bote he beo a cokewold i-kore,   cut of boþe myn eres!"   140
Was nouþer Wisdam þo,   ne Witti his feere,
Þat couþe warpen a word   to withsiggen Reson;
Bot stareden for studiing   and stooden as bestes.
    Þe kyng acordede, bi Crist,   to Resons connynge,
And rehersede þat Reson hedde   rihtfoliche i-schewet: 145

Cp:

Ich seye it for my selve," quath Reson,   "and hit so were,
Þat ich were kyng with corone   to kepe eny reame,   135
Shold nevere wronge in þis worlde,   þat ich wite myghte,
Be unpunysshed in my power   for peril of my soule,
Ne gete my grace þorw eny gyft,   ne glosyng speche,
Ne þorw mede do mercy,   by Marye of hevene,
For man *nullum malum*   mette with *impunitum*,   140
And bad þat *nullum bonum*   bee *irremuneratum.*
Lete þy confessour, syre kyng,   construe þis in english,
And ȝif ȝe worchen hit in werke,   ich wedde boþe myn handes,
That Lawe shal be a laborer   and lede a-folde donge,
And Love shal lede þy land,   as þe leef lykeþ."   145
    Clerkus þat were confessours   couplede hem togederes,
To construe this clause   kyndeliche wat hit menede.

Mede in þe motehalle þo   on men of lawe gan wynke,
In sygne þat þei sholde   with som sotel speche
Reherce þo anonryght   þat myghte Reson stop[p]e.   150

And alle ryghtful recordeden   þat Reson treuthe seyde,
And Kynde Wit and Conscience   cortesliche þankede;
Reson for hus ryght speche,   riche and poure hym lovede,
And seiden: "We seth wel,   syre Reson, by þy wordes,
That Meknesse worth mayster   over Mede atte laste."   155
Love let lyght of Mede   and Leaute ȝut lasse,
And cryed upon Conscience,   þe kynge hit myghte y-hure:
"Whoso wylneþ hure to wyve   for welthe of hure goodes,
Bote he be knowe for cokewold,   kut of my nose!"
    Mede mornede þo   and made hevy cheere,   160
For þe comune cald hure   queynte comune hore.
A sysour and a somner þo   softeliche forth ȝeden
With Mede, þe mayde,   out of þe mothalle.
A shereyves clerk cryede: "A! *capiatis* Mede,
Et salvo custodias,   sed non cum carceratis."   165
    The kynge to his consail tho   tok Conscience and Reson,
And modiliche upon Mede   meny tyme lokede,
And lourede upon men of lawe   and lightliche seide:
"Thorȝe ȝoure lawe, ich leyve,   ich lese menye escheytes;
Mede and men of ȝoure craft   muche treuthe letteþ.   170
Ac Reson shal rekene with ȝow,   yf ich regne eny wile,
And deme ȝow by þys day   as ȝe have deservyd.
Mede shal nat meynprise ȝow,   by Marye of hevene,

---

145 luf   148 þe] þat   167 myldeliche   171 rekene] regne

Av: "Bote hit is hard, be myn hed,   herto hit bringe,
Al my lige leodes   to lede þus evene."
"Bi him þat rauhte on þe roode,"   quod Reson to þe kyng,
"Bote I rule þus þi reame,   rend out my ribbes!
ʒif hit beo so þat boxumnesse   beo at myn assent."   150
    "Ich assente," quod þe kyng,   "bi seinte Marie, mi ladi,
Beo my counseil i-come   of clerkes and of erles.

Bl: I wil have leute in lawe,   and lete be al ʒowre janglyng,   180
And as moste folke witnesseth wel   wronge shal be demed."
    Quod Conscience to þe kynge: "But þe comune wil assent,
It is ful hard, bi myn hed,   hereto to brynge it,
Alle ʒowre lige leodes   to lede þus evene."
    "By hym þat rauʒte on þe rode,"   quod Resoun to þe kynge, 185
"But if I reule þus ʒowre rewme,   rende out my guttes!
ʒif ʒe bidden buxomnes,   be of myne assente."   [f. 17]
    "And I assent," seith þe kynge,   "by seynte Marie, my lady,
Be my conseille comen   of clerkis and of erlis.
Ac redili, Resoun,   þow shalt nouʒte ride fro me,   190
For as longe as I lyve,   lete þe I nelle."
"I am a-redy," quod Resoun,   "to reste with ʒow evere,
So Conscience be of owre conseille,   I kepe no bettere."
"And I graunt," quod the kynge,   "Goddes forbode it faile,
Als longe as owre lyf lasteth,   lyve we togideres."   195

5. John Gower, Confessio Amantis (compl. 1390, revised 1392—3).

O: *Ovid, Metamorphoses.*

CA: *John Gower, Confessio Amantis. — About 40 MSS. Three chief recensions: A-text, chief MS.: Oxf. Bodl. 902 (early 15th cent.); B-text, chief MS.: Oxf. Bodl. 294 (= CA$_B$; 1st quarter 15th cent.); C-text, chief MS.: Oxf. Bodl. Fairfax 3 (= CA$_F$; end 14th cent.). — Old Prints: Caxton, 1483; Berthelette, 1532 and 1554. — Edd.: Chalmers, 1810 (Brit. Poets II); Pauli, 1857 (chiefly after Berthelette, 1532); Morley, 1889; Macaulay, 1901—02, EETS. ES. 81—82 (bases his text on CA$_F$); Mätzner, Sprachpr. I 347—357 (after Pauli: = Macaulay Prol. 93—192, I 761—1076, IV 77—233, IV 1908—1949).*

Introduction.

Incipit Prologus.

CAf: Of hem that writen ous tofore
The bokes duelle, and we therfore
Ben tawht of that was write tho:
Forthi good is that we also
In oure tyme a-mong ous hiere   5
Do wryte of newe som matiere,
Essampled of these olde wyse,
So that it myhte in such a wyse,
Whan we ben dede and elleswhere,
Beleve to the worldes eere   10
In tyme comende after this.
Bot for men sein, and soth it is,
That who that al of wisdom writ
It dulleth ofte a mannes wit

To him that schal it al dai rede,   15
For thilke cause, if that ye rede,
I wolde go the middel weie
And wryte a bok betwen the tweie,
Somwhat of lust, somwhat of lore,
That of the lasse or of the more   20
Som man mai lyke of that I wryte:
And for that fewe men endite
In oure englissh, I thenke make
A bok for Engelondes sake,
The yer sextenthe of kyng Richard.   25
What schal befalle hierafterward
God wot, for now upon this tyde
Men se the world on every syde

Av:
<blockquote>
Bote rediliche, Reson,   þou rydest not heonnes,
For as longe as I live,   lette þe I nulle."
"Icham redi," quod Reson,   "to reste with þe evere;   155
So þat Concience beo ur counseiler,   kepe I no betere."
"I graunte gladly," quod þe kyng,   "God forbeode he fayle;
And also longe as I lyve,   leve we togedere."
</blockquote>

Cp:
<blockquote>
Ich wolle have leaute for myn lawe;   let be al ȝoure janglyng;
By leel men and lyf holy   my lawe shal be demyd."   175
  Quath Conscience to þe kynge: "Withoute [þe] commune help,
Hit is ful hard, by myn hefd,   þerto hit to brynge,
And alle ȝoure lege ledes   to lede þus evene."
  "By hym þat rauhte on rode,"   quaþ Reson to þe kynge,
"Bote ich rewely þus alle reames,   reveþ me my syght;   180
And brynge alle men to bowe   withoute byter wounde,
Withoute mercement oþer manslauht   amenden alle reames."
  "Ich wolde hit were," quaþ þe kyng,   "wel al a-boute.
Forþy, Reson, redelyche   þow shalt nat ryden hennes,
Bote be my chyf chaunceler   in chekyr and in parlement,   185
And Conscience in alle my courtes   be as kynges justice."
  "Ich asente," seyde Reson,   "by so þy self y-huyre,
Audi alteram partem   a-mong aldermen and comuners;
And þat unsittynge Suffraunce   ne seele ȝoure pryveie letteres,
Ne seynde *supersedeas*   bote ich asente," quath Reson;   190
"And ich dar legge my lyf   þat Love wol lene þe sulver,
To wage thyne, and help wynne   þat þou wilnest after,
More þan al þy marchauns   oþer þy mytrede bisshopes,
Oþer Lumbardes of Lukes   þat lyven by lone as Jewes."
The kyng comaunded Conscience tho   to congie alle hus officers,   195
And receyven þo þat Reson lovede;   and ryȝt wit þat ich a-wakede.
        Hic explicit passus quintus.
</blockquote>

---

174 janglend   175 be demyd] by d.   176 whithoute   191 þel] þat

CAf:
<blockquote>
In sondry wyse so diversed,
That it wel nyh stant al reversed,   30
As for to speke of tyme a-go.
The cause whi it changeth so
It needeth nought to specifie,
The thing so open is at ye
That every man it mai beholde;   35
And natheles be daies olde,
Whan that the bokes weren levere,
Wrytinge was beloved evere
Of hem that weren vertuous;
</blockquote>

<blockquote>
For hier in erthe a-monges ous,   40
If no man write hou that it stode,
The pris of hem that weren goode
Scholde, as who seith, a grete partie
Be lost. So for to magnifie
The worthi princes that tho were,   45
The bokes schewen hiere and there,
Wherof the world ensampled is;
And tho that deden thanne a-mis
Thurgh tirannie and crualte,
Right as thei stoden in degre,   50
</blockquote>

ACb:

Older version 1—23 as in CAf)

<blockquote>
A bok for king Richardes sake,
To whom belongeth my ligeance   25
With al myn hertes obeissance
In al that evere a liegeman
Unto his king may doon or can.
So forforth I me recomande
To him which al me may comande,   30
Prevende unto the hihe regne
Which causeth every king to regne,
That his corone longe stonde.
I thenke and have it understonde,
</blockquote>

<blockquote>
As it bifel upon a tyde   35
As thing which scholde tho betyde
Under the toun of newe Troye,
Which tok of Brut his ferste joye.
In Temse whan it was flowende,
As I be bote cam rowende,   40
So as fortune hir tyme sette,
My liegelord par chaunce I mette;
And so befel, as I cam nyh,
Out of my bot, whan he me syh,
He bad me come into his barge.   45
</blockquote>

CAf: So was the wrytinge of here werk.
Thus I, which am a burel clerk,
Purpose for to wryte a bok
After the world that whilom tok
Long tyme in olde daies passed: 55
Bot for men sein it is now lassed
In worse plit than it was tho,
I thenke for to touche also
The world which neweth every dai,
So as I can, so as I mai. 60
Thogh I seknesse have upon honde
And longe have had, yit woll I fonde
To wryte and do my bisinesse,
That in som part, so as I gesse,
The wyse man mai ben avised. 65
For this prologe is so assised
That it to wisdom al belongeth:
What wys man that it underfongeth,
He schal drawe into remembrance
The fortune of this worldes chance, 70
The which no man in his persone
Mai knowe, bot the god al one.
Whan the prologe is so despended,
This bok schal afterward ben ended
Of love, which doth many a wonder 75
And many a wys man hath put under.
And in this wyse I thenke trete
Towardes hem that now be grete,
Betwen the vertu and the vice
Which longeth unto this office. 80
Bot for my wittes ben so smale
To tellen every man his tale,
This bok, upon amendment
To stonde at his commandement,
With whom myn herte is of accord, 85
I sende unto myn oghne lord,
Which of Lancastre is Henri named;
The hyhe God him hath proclamed
Ful of knyhthode and alle grace.
So woll I now this werk embrace 90
With hol trust and with hol believe;
God grante I mot it wel achieve.

CAb: And whan I was with him at large,
A-monges othre thinges seid
He hath this charge upon me leid,
And bad me doo my besynesse
That to his hihe worthinesse 50
Som newe thing I scholde boke,
That he him self it mihte loke
After the forme of my writynge.
And thus upon his comandynge
Myn herte is wel the more glad 55
To write so as he me bad;
And eek my fere is wel the lasse
That non envye schal compasse
Withoute a resonable wite
To feyne and blame that I write. 60
A gentil herte his tunge stilleth,
That it malice non distilleth,
But preyseth that is to be preised;
But he that hath his word unpeysed
And handleth [onwrong] every thing, 65
I preye unto the heveneking
Fro suche tunges he me schilde.
And natheles this world is wilde
Of such jangling, and what befalle,
My kinges heste schal nought falle, 70
That I, in hope to deserve
His thonk, ne schal his wil observe;
And elles were I nought excused,
For that thing may nought be refused
Which that a king him selfe bit. 75
Forthi the symplesce of my wit
I thenke if that it myhte avayle
In his service to travaile:
Though I seknesse have upon honde
And longe have had, yit wol I fonde, 80
So as I made my beheste,
To make a bok after his heste,
And write in such a maner wise
Which may be wisdom to the wise
And pley to hem that lust to pleye. 85
But in proverbe I have herd seye
That who that wel his werk begynneth
The rather a good ende he wynneth;
And thus the prologe of my bok
After the world that whilom tok, 90
And eek somdel after the newe,
I wol begynne for to newe.

Pyramus and Thisbe.

CAf: Ich rede a tale, and telleth this:
The cite which Semiramis
Enclosed hath with wall a-boute,
Of worthi folk with many a route
Was enhabited here and there; 1335
A-mong the whiche tuo ther were
A-bove alle other noble and grete,
Dwellende tho withinne a strete
So nyh togedre, as it was sene,
Ma-cauley Lib.III. That ther was nothing hem betwene, 1340
But wow to wow and wall to wall.
This o lord hadde in special
A sone, a lusti bacheler,
In al the toun was non his pier.
That other hadde a dowhter eke, 1345
In al the land that for to seke
Men wisten non so faire as sche.
And fell so, as it scholde be,

CAF: This faire dowhter nyh this sone
　　　As thei togedre thanne wone,　　　1350
　　　Cupide hath so the thinges schape,
　　　That thei ne mihte his hand ascape,
　　　That he his fyr on hem ne caste:
　　　Wherof her herte he overcaste
　　　To folwe thilke lore and suie　　　55
　　　Which nevere man yit miht eschuie;
　　　And that was love, as it is happed,
　　　Which hath here hertes so betrapped,
　　　That thei be alle weies seche
　　　How that thei mihten winne a speche,　60
　　　Here wofull peine for to lisse.
　　　　Who loveth wel, it mai noght misse,
　　　And namely whan ther be tuo
　　　Of on acord, howso it go,
　　　Bot if that thei som weie finde;　　65
　　　For love is evere of such a kinde
　　　And hath his folk so wel affaited,
　　　That, howso that it be awaited,
　　　Ther mai no man the pourpos lette:

And thus betwen hem tuo thei sette 1370
An hole upon a wall to make, [take
Thurgh which thei have her conseil
At alle times, whan thei myhte.
This faire maiden Tisbee hihte,
And he whom that sche loveth hote　75
Was Piramus be name hote.
So longe here lecoun thei recorden,
Til ate laste thei acorden
Be nihtes time for to wende
Al one out fro the tounes ende,　　1380
Wher was a welle under a tree;
And who cam ferst, or sche or he,
He scholde stille there a-bide.
So it befell the nyhtes tide
This maiden, which desguised was,　85
Al prively the softe pas
Goth thurgh the large toun unknowe,
Til that sche cam withinne a throwe
Wher that sche liketh for to duelle,
At thilke unhappi freisshe welle,　　90

O:　　Pyramus et Thisbe, iuvenum pulcherrimus alter,　　　　　Met. IV
　　Altera, quas oriens habuit, praelata puellis,　　　　　　　56
　　Contiguas tenuere domos, ubi dicitur altam
　　Coctilibus muris cinxisse Semiramis urbem.
　　Notitiam primosque gradus vicinia fecit:
　　Tempore crevit amor.　Taedae quoque iure coissent:　　　60
　　Sed vetuere patres quod non potuere vetare,
　　Ex aequo captis ardebant mentibus ambo.
　　Conscius omnis abest, nutu signisque loquuntur,
　　Quoque magis tegitur, tectus magis aestuat ignis.
　　Fissus erat tenui rima, quam duxerat olim,　　　　　　　65
　　Cum fieret, paries domui communis utrique.
　　Id vitium nulli per saecula longa notatum —
　　Quid non sentit amor? — primi vidistis amantes,
　　Et vocis fecistis iter; tutaeque per illud
　　Murmure blanditiae minimo transire solebant.　　　　　　70
　　Saepe, ubi constiterant, hinc Thisbe, Pyramus illinc,
　　Inque vices fuerat captatus anhelitus oris,
　　"Invide," dicebant, "paries, quid amantibus obstas?
　　Quantum erat, ut sineres toto nos corpore iungi,
　　Aut hoc si nimium, vel ad oscula danda pateres!　　　　75
　　Nec sumus ingrati: tibi nos debere fatemur,
　　Quod datus est verbis ad amicas transitus aures."
　　Talia diversa nequiquam sede locuti
　　Sub noctem dixere vale, partique dedere
　　Oscula quisque suae non pervenientia contra.　　　　　80
　　Postera nocturnos aurora removerat ignes,
　　Solque pruinosas radiis siccaverat herbas:
　　Ad solitum coiere locum. Tum murmure parvo
　　Multa prius questi, statuunt, ut nocte silenti
　　Fallere custodes foribusque excedere temptent,　　　　85
　　Cumque domo exierint, urbis quoque tecta relinquant;
　　Neve sit errandum lato spatiantibus arvo,
　　Conveniant ad busta Nini, lateantque sub umbra
　　Arboris. Arbor ibi niveis uberrima pomis
　　Ardua morus erat, gelido contermina fonti.　　　　　　90
　　Pacta placent, et lux tarde discedere visa est—
　　Praecipitatur aquis, et aquis nox exit ab isdem—
　　Callida per tenebras versato cardine Thisbe
　　Egreditur fallitque suos, adopertaque vultum

CAF: Which was also the forest nyh;
Wher sche comende a leoun syh
Into the feld to take his preie
In haste; and sche tho fledde a-weie,
So as fortune scholde falle,   1395
For feere and let hire wympel falle
Nyh to the welle upon therbage.
This leoun in his wilde rage
A beste, which that be fond oute,
Hath slain and with his blodi snoute, 1400
Whan he hath eten what he wolde,
To drynke of thilke stremes colde
Cam to the welle, where he fond
The wympel, which out of hire hond
Was falle, and he it hath todrawe,   05
Bebled a-boute and al forgnawe;
And thanne he strawhte him for to
                              drinke
Upon the freisshe welles brinke,
And after that out of the plein
He torneth to the wode a-yein.   10
And Tisbee dorste noght remue,
Bot—as a bridd which were in mue
Withinne a buissh—sche kepte hire clos
So stille that sche noght a-ros,
Unto hir self and pleigneth ay.   15
   And fell, whil that sche there lay,
This Piramus cam after sone
Unto the welle, and be the mone

He fond hire wimpel blodi there.
Cam nevere yit to mannes ere   1420
Tidinge, ne to mannes sihte
Merveile, which so sore aflihte
A mannes herte, as it tho dede
To him, which in the same stede
With many a wofull compleignynge   25
Began his handes for to wringe,
As he which demeth sikerly
That sche be ded: and sodeinly
His swerd al naked out he breide
In his folhaste, and thus he seide: 30
"I am cause of this felonie,
So it is resoun that I die,
As sche is dede because of me."
And with that word upon his kne
He fell, and to the goddes alle   35
Up to the hevene he gan to calle,
And preide, sithen it was so
That he may noght his love as tho
Have in this world, that of her grace
He miht hire have in other place: 40
For hiere wolde he noght a-bide,
He seith. Bot as it schal betide,
The pomel of his swerd to grounde
He sette, and thurgh his herte a wounde
He made up to the bare hilte: 45
And in this wise him self he spilte
With his folhaste, and deth he nam.

O: Pervenit ad tumulum, dictaque sub arbore sedit.   95
Audacem faciebat amor. Venit ecce recenti
Caede leaena boum spumantes oblita rictus,
Depositura sitim vicini fontis in unda.
Quam procul ad lunae radios Babylonia Thisbe
Vidit, et obscurum trepido pede fugit in antrum,   100
Dumque fugit, tergo velamina lapsa reliquit.
Ut lea saeva sitim multa compescuit unda,
Dum redit in silvas, inventos forte sine ipsa
Ore cruentato tenues laniavit amictus.
Serius egressus vestigia vidit in alto   105
Pulvere certa ferae, totoque expalluit ore
Pyramus. Ut vero vestem quoque sanguine tinctam
Repperit, "Una duos," inquit, "nox perdet amantes:
E quibus illa fuit longa dignissima vita,
Nostra nocens anima est. Ego te, miseranda, peremi,   110
In loca plena metus qui iussi nocte venires,
Nec prior huc veni. Nostrum divellite corpus,
Et scelerata fero consumite viscera morsu,
O quicumque sub hac habitatis rupe, leones.
Sed timidi est optare necem." Velamina Thisbes   115
Tollit, et ad pactae secum fert arboris umbram.
Utque dedit notae lacrimas, dedit oscula vesti.
"Accipe nunc," inquit, "nostri quoque sanguinis haustus!"
Quoque erat accinctus, demisit in ilia ferrum,
Nec mora, ferventi moriens e vulnere traxit.   120
Ut iacuit resupinus humo, cruor emicat alte:
Non aliter, quam cum vitiato fistula plumbo
Scinditur, et tenui stridente foramine longas
Eiaculatur aquas atque ictibus aëra rumpit.
Arborei fetus aspergine caedis in atram   125

AF: For[th] sche withinne a while cam,
Wher he lai ded upon his knif.
So wofull yit was nevere lif   1450
As Tisbee was, whan sche him sih:
Sche mihte noght o word on hih
Speke oute, for hire herte schette,
That of hir lif no pris sche sette,
Bot ded swounende doun sche fell.   55
Til after, whanne it so befelle
That sche out of hire traunce a-wok,
With many a woful pitous lok
Hire yhe alwei a-monge sche caste
Upon hir love, and ate laste   60
Sche cawhte breth and seide thus:
"O thou which cleped art Venus,
Goddesse of love, and thou, Cupide,
Which loves cause hast for to guide,
I wot now wel that ye be blinde   65
Of thilke unhapp which I now finde
Only betwen my love and me.
This Piramus, which hiere I se
Bledende, what hath he deserved?
For he youre heste hath kept and served,   70

And was yong and I bothe also:
Helas, why do ye with ous so?
Ye sette oure herte bothe a-fyre,
And maden ous such thing desire
Wherof that we no skile cowthe;   1475
Bot thus oure freissche lusti yowthe
Withoute joie is al despended,
Which thing mai nevere ben amended:
For as of me this wol I seie,
That me is levere for to deie   80
Than live after this sorghful day."
And with this word, where as he lay,
Hire love in armes sche embraseth,
Hire oghne deth and so pourchaseth
That now sche wepte and nou sche   85
Til ate laste, er sche it wiste, [kiste,
So gret a sorwe is to hire falle,
Which overgoth hire wittes alle,
As sche which mihte it noght asterte.
The swerdes point a-yein hire herte   90
Sche sette, and fell doun therupon,
Wherof that sche was ded anon:
And thus bothe on o swerde bledende
Thei weren founde ded liggende.

O: Vertuntur faciem. Madefactaque sanguine radix
Puniceo tinguit pendentia mora colore.
Ecce metu nondum posito, ne fallat amantem,
Illa redit, iuvenemque oculis animoque requirit,
Quantaque vitarit narrare pericula gestit.   130
Utque locum et rigua cognoscit in arbore formam,
Sic facit incertam pomi color. Haeret, an haec sit.
Dum dubitat, tremebunda videt pulsare cruentum
Membra solum, retroque pedem tulit, oraque buxo
Pallidiora gerens exhorruit aequoris instar,   135
Quod tremit, exigua cum summum stringitur aura.
Sed postquam remorata suos cognovit amores,
Percutit indignos claro plangore lacertos,
Et laniata comas amplexaque corpus amatum
Vulnera supplevit lacrimis fletumque cruori   140
Miscuit, et gelidis in vultibus oscula figens
"Pyrame," clamit, "quis te mihi casus ademit?
Pyrame, responde: tua te carissima Thisbe
Nominat. exaudi, vultusque attolle iacentes!"
Ad nomen Thisbes oculos iam morte gravatos   145
Pyramus erexit, visaque recondidit illa.
Quae postquam vestemque suam cognovit, et ense
Vidit ebur vacuum, "Tua te manus," inquit, "amorque
Perdidit, infelix. Est et mihi fortis in unum
Hoc manus, est et amor: dabit hic in vulnera vires.   150
Persequar extinctum, letique miserrima dicar
Causa comesque tui. Quique a me morte revelli
Heu sola poteras, poteris nec morte revelli.
Hoc tamen amborum verbis estote rogati,
O multum miseri, meus illiusque parentes,   155
Ut quos certus amor, quos hora novissima iunxit,
Componi tumulo non invideatis eodem;
At tu, quae ramis arbor miserabile corpus
Nunc tegis unius, mox es tectura duorum,
Signa tene caedis, pullosque et luctibus aptos   160
Semper habe fetus, gemini monumenta cruoris."

CAF: Now thou, mi sone, hast herd this 1495
Be war that of thin oghne bale [tale,
Thou be noght cause in thi folhaste,
And kep that thou thi witt ne waste
Upon thi thoght in aventure,
Wherof thi lyves forfeture   1500
Mai falle: and if thou have so thoght
Er this, tell on and hyde it noght."
  "Mi fader, upon loves side
Mi conscience I woll noght hyde,
How that for love of pure wo   05
I have ben ofte moeved so,
That with my wisshes, if I myhte,
A thousand times I yow plyhte,
I hadde storven in a day;
And therof I me schryve may.   10
Though love fully me ne slowh,
Mi will to deie was y-nowh,
So am I of my will coupable:
And yit is sche noght merciable,
Which mai me yive lif and hele.   15
Bot that hir list noght with me dele,
I wot be whos conseil it is,
And him wolde I long time er this,
And yit I wolde and evere schal,
Slen and destruie in special.   20
The gold of nyne kinges londes
Ne scholde him save fro myn hondes,

In my pouer if that he were;
Bot yit him stant of me no fere
For noght that evere I can manace. 1525
He is the hindrere of mi grace,
Til he be ded I mai noght spede;
So mot I nedes taken hiede
And schape how that he were a-weie,
If I therto mai finde a weie."   30
  "Mi sone, tell me now forthi:
Which is that mortiel enemy
That thou manacest to be ded?"
  "Mi fader, it is such a qwed,
That wher I come, he is tofore   35
And doth so, that mi cause is lore."
  "What is his name?"
                    "It is Daunger,
Which is mi ladi consailer:
For I was nevere yit so slyh,
To come in eny place nyh   40
Wher as sche was be nyht or day,
That Danger ne was redy ay,
With whom for speche ne for mede
Yit mihte I nevere of love spede;
For evere this I finde soth,   45
Al that my ladi seith or doth
To me, Daunger schal make an ende,
And that makth al mi world mis-
              wende . . ."

O: Dixit, et aptato pectus mucrone sub imum
     Incubuit ferro, quod adhuc a caede tepebat.
     Vota tamen tetigere deos, tetigere parentes.
     Nam color in pomo est, ubi permaturuit, ater: 165
     Quodque rogis superest, una requiescit in urna.

X. Longer Political Poems.

1. Adam Davy, Five Dreams about Edward II. (1307).

MS.: Oxf. Bodl. Libr. Laud 622 Misc. (end 14th cent.). — Ed.: Furnivall 1878, EETS. 69, p. 11.

To oure Lorde Jesu Crist in hevene [f. 26 b
Ich to-day shewe myne swevene,   middle
Þat ich mette in one niȝth,
Of a kniȝth of mychel miȝth:
His name is i-hote sir Edward, þe kyng, 5
Prince of Wales, Engelonde þe faire
                          þing.
  Me mette þat he was armed wel,
Boþe wiþ yrne and wiþ stel:
And on his helme, þat was of stel,
A coroune of gold bicom hym wel.   10
Bifore the shryne of seint Edward he
                          stood,
Myd glad chere, and mylde of mood,

Mid two kniȝttes armed on eiþer side,
Þat he ne miȝth þennes goo ne ride.
Hetilich hij leiden hym upon,   15
Als hij miȝtten myd swerd don.
He stood þere wel swiþe stille,
And þoled altogedres her wille;
No strook ne ȝaf he a-ȝeinward
To þilk þat hym weren wiþerward. 20
Wounde ne was þere blody non
Of al þat hym þere was don.
After þat me þouȝth, onon,
As þe tweie kniȝttes weren gon,
In eiþer ere of oure kyng   25
Þere spr,onge out a wel fare þing:

Hij wexen out so briȝth so glem
Þat shyneþ of þe sonnebem;
Of divers coloures hij weren,
Þat comen out of boþe his eren, 30
Foure bendes alle by rewe on eiþer ere,
Of divers colours, red and white als
       hij were;
Als fer as me þou[ȝth] ich miȝth see, [f. 27
Hij spredden fer and wyde in þe
       cuntre.
For soþe me mette þis ilk swevene, 35
Ich take to witnesse God of hevene,
Þe wedenysday bifore þe decollacioun
       of seint Jon,
It is more þan twelve moneþ gon.
God me graunte so heveneblis,
As me mette þis swevene as it is. 40
Now God, þat is hevenekyng,
To mychel joye tourne þis metyng!
    Anoþer swevene me mette on a
       tiwesniȝth
Bifore the fest of alle halewen of þat
       ilk kniȝth;
His name is nempned herebifore; 45
Blissed be þe tyme þat be was bore!
For we shullen þe day see,
Emperour y-chosen he worþe of
       cristiente.
God us graunte þat ilk bone,
Þat þilk tydyng here we sone 50
Of sir Edward, oure derworþ kyng,
Ich mette of hym anoþere fair metyng.
To oure Lorde of hevene ich telle þis,
Þat my swevene tourne to mychel blis.
Me þouȝth he rood upon an asse, 55
And—þat ich take God to witnesse—
Y-wonden he was in a mantel gray.
Toward Rome he nom his way.
Upon his hevede sat an gray hure;
It semed hym wel a mesure. 60
He rood wiþouten hose and sho,
His wone was nouȝth so for to do.
His shankes semeden al blood-rede;
Myne herte wep for grete drede.
Als a pilgryme he rood to Rome, 65
And þider he com wel swiþe sone.
    Þe þrid swevene me mette a niȝth,
Riȝth of þat derworþe kniȝth;
Þe wedenysday a niȝth it was,
Next þe day of seint Lucie bifore
       cristenmesse. 70
Ich shewe þis God of hevene:
To mychel joye he tourne my swevene!
Me þouȝth þat ich was at Rome,
And þider ich com swiþe sone:
Þe pope, and sir Edward, oure kyng, 75
Boþe hij hadden a newe dubbyng;

Hure gray was her cloþing,
Of oþere cloþes seiȝ ich noþing.
Þe pope ȝede bifore, mytred wel faire
       i-wys;
Þe kyng Edward com corouned myd
       gret blis; 80
Þat bitokneþ he shal be
Emperour in cristianete:
Jesus Crist ful of grace
Graunte oure kyng in every place
Maistrie of his wiþerwynes 85
And of alle wicked Sarasynes!
    Me met a swevene on worþingniȝth
Of þat ilche derworþe kniȝth; [f. 27 a
God ich it shewe and to witnesse take,
And so shilde me fro synne and sake! 90
Into an chapel ich com of oure lefdy;
Jesus Crist, hire leve son, stood by;
On rode he was, an lovelich man,
Als þilk þat on rode was don.
He unneiled his honden two, 95
And seide wiþ þe kniȝth he wolde go:
"Maiden and moder and mylde quene,
Ich mote my kniȝth to-day sene.
Leve moder, ȝive me leve,
For ich ne may no lenger bileve; 100
Ich mote conveye þat ilk kniȝth,
Þat us haþ served day and niȝth:
In pilerinage he wil gon,
To bien a-wreke of oure fon."
"Leve son, ȝoure wille be, so mote it be; 105
For þe kniȝth boþe day and niȝth haþ
       served me,
Boþe at oure wille wel faire i-wys,
Þerfore he haþ served heveneriche
       blis."
God, þat is in hevene so briȝth,
Be wiþ oure kyng boþe day and niȝth! 110
Amen, Amen, so mote it be!
Þerto biddeþ a pater-noster and an
       ave.
    Adam, þe marchal of Stretford-
       atte-Bowe—
Wel swiþe wide his name is y-knowe,
He hym self mette þis metyng: 115
To witnesse he takeþ Jesu, hevene-
       kyng.
On wedenysday in clene leinte
A voice me bede I ne shulde nouȝth
       feinte;
Of þe swevenes þat her ben write,
I shulde swiþe don my lorde kyng
       to wite. 120
Ich ansuerde þat I ne miȝth for derk
       gon.
Þe vois me bad goo, for liȝth ne shuld
       ich faile non.

And þat I ne shulde lette for noþing,
Þat ich shulde shewe þe kyng my
Forþ ich went swiþe onon, [metyng. 125
Estward as me þouȝth ich miȝth gon;
Þe liȝth of hevene me com to,
As ich in my waye shulde go,
Lorde, my body ich ȝelde þee to,
What ȝoure wille is wiþ me to do. 130
Ich take to witnesse God of hevene,
Þat soþlich ich mette þis ilche swevene!
I ne recche what ȝee myd my body do,
Als wisselich Jesus of hevene my
        soule undergo.
Þe þursday next þe beryng of oure
            lefdy 135
Me þouȝth an aungel com sir Edward
        by:
Þe aungel bitook sir Edward on honde
Al bledyng þe foure forþer clawes so
        were of þe lombe.
At Caunterbiry bifore þe heiȝe autere
        þe kyng stood,
Y-cloþed al in rede murre he was, of
        þat blee red as blood. 140
God, þat was on gode-friday don on
        þe rode,
So turne my swevene niȝth and day
        to mychel gode!
Tweye poyntz þere ben þat ben
        unshewed, [f.27 b
For me ne worþe to clerk ne lewed,

Bot to sir Edward, oure kyng,   145
Hym wil ich shewe þilk metyng.
Ich telle ȝou, for soþe wiþouten les,
Als God of hevene maide Marie to
            moder ches,
Þe aungel com to me, Adam Davy,
        and sede:
"Bot þou, Adam, shewe þis, þee
        worþe wel yvel mede!" 150
Þerfore, my lorde sir Edward, þe kyng,
I shewe ȝou þis ilk metyng,
As þe aungel it shewed me in a visioun.
Bot þis tokenyng bifalle, so dooþ me
            into prisoun!
Lorde, my body is to ȝoure wille;   155
Þeiȝ ȝee willeþ me þerfore spille,
Ich it wil take in þolemodenesse,
Als God graunte us heveneblisse;
And lete us nevere þerof mysse,
Þat we ne moten þider wende in
            clennesse!   160
Amen, amen, so mote it be,
And lete us nevere to oþere waye tee!
    Whoso wil speke myd me, Adam
        þe marchal,
In Stretforþ-e-Bowe he is y-knowe
            and overe-al.
Ich ne shewe nouȝth þis for to have
            mede, 165
Bot for God almiȝtties drede;
            For it is sooþ!

    MS 133 reiche (?)

2. On the Times (ab. 1308).

MS.: Harl. 913 (1st quarter 14th cent.). — *Edd.: Wright, Political Songs, 1839, Camden
Soc., p. 195; H e u s e r, Bonner Beiträge zur Anglistik 14 (1904) 133.*

Lion and Ass.

1 Whose þenchiþ up þis carful lif, [f.44 b
    Niȝte and dai þat we beþ inne,
So moch we seeþ of sorow and strif,
    And lite þer is of worldis winne; 4
Hate and wreþ þer is wel rive,
    And trew love is ful þinne;
Men þat beþ in heiiȝist live
    Mest i-charged beþ wiþ sinne.   8

2 Fals and liþer is þis lond,
    As al dai we mai i-se:
Þerin is boþe hate and onde,
    Ic wene þat ever so wol be.   12
Coveitise haþ þe law an honde,
    Þat þe trewþe he ne mai i-se.
Nou is maister prude and onde;
    Alas! Loverde, whi suffriþ he? 16

3 Wold holi cherch pilt is miȝte
    And law of lond pilt him to,
Þan schold coveitise and unriȝte
    Ute of lond ben y-do.   20
Holi cherch schold hold is riȝt
    For no eie no for no love;
Þat hi ne schold schow har miȝt
    For lordingen boste þat beþ a-bove. 24

4 To entredite and amonsi   [f.45
    Al þai, whate hi evir be,
Þat lafful men doþ robbi,
    Whate in lond, what in see;   28
And þos hoblurs namelich,
    Þat husbond benimeþ eri of grund;
Men ne schold ham biri in non chirch,
    Bot cast ham ute as a hund.   32

5 Þos kingis ministris beþ i-schend,
  To riȝt and law þat ssold tak hede,
And al þe lond fort amend:
  Of þos þevis hi takeþ mede.   36
Be þe lafful man to deþ i-broȝt,
  And is catel a-wei y-nom:
Of his deþ ne telliþ hi noȝt,
  Bot of har prei hi hab som.   40

6 Hab hi þe silver and þe mede
  And þe catel underfo,
Of feloni hi ne takeþ hede,
  Al þilk trepas is a-go.   44
Of þos a vorbisen ic herd telle;
  The lion is king of alle beeste,
And—herkniþ al to mi spelle!—
  In his lond he did an heste.   48

7 The lyon lete cri, as hit was do,   [f. 45 b
  For he hird lome to telle;
And eke him was i-told also
  Þat þe wolf didde noȝt welle.   52
And þe fox, þat liþer grome,
  Wiþ þe wolf i-wreiid was;
Tofor har lord hi schold come,
  To amend har trepas.   56

8 And so men didde þat seli asse,
  Þat trepasid noȝt, no did no gilte,
Wiþ ham boþe i-wreiid was
  And in þe ditement was i-pilt.   60
Þe voxe hird a-mang al menne,
  And told þe wolf wiþ þe brode
                crune;
Þat on him send gees and henne,
  Þat oþer geet and motune.   64

9 Þe seli aasse wend was saf,
  For he ne eete noȝt bote grasse;
None ȝiftes he ne ȝaf,
  No wend þat no harm nasse.   68
Þo hi to har lord com to tune,
  He told to ham law and skille;
Þos wikid bestis lutid a-dune:
  "Lord," hi seiid, "what is þi wille?" 72

10 Þo spek the lion hem to,   [f. 46
  To þe fox anone his wille:
"Tel me, boi, what hast i-do?
  Men beþ a-boute þe to spille."   76
Þo spek þe fox first anone:
  "Lord king, nou þi wille;
Þos men me wreiiþ of þe tune
  And wold me gladlich for to spille. 80

11 Gees no hen nad ich noȝt,
  Sire, for soþ ich þe sigge,
Bot al ich ham dere boȝt
  And bere ham up myn owen rigge." 84

"Godis grame most hi have,
  Þat in þe curte þe so pilt!
Whan hit is so, ich vouchesave,
  Ich forȝive þe þis gilte."   88

12 Þe fals wolf stode behind;
  He was doggid and ek felle:
"Ich am i-com of grete kind,
  Þes þou grant me, þat miȝt ful
              welle." 92
"What hast i-do, bel amy,
  Þat þou me so oxist þes?"
"Sire," he seid, "i nel noȝt lie,
  If þou me woldist hire a res.   96

13 For ich huntid up þe doune,   [f. 46 b
  To loke, sire, mi biȝete;
Þer ich slow a motune,
  Ȝe, sire, and fewe gete.   100
Ich am i-wreiid, sire, to þe
  For þat ilk gilt;
Sire, ichul sker me
  Y ne ȝef ham dint no pilt."   104

14 "For soþ I sigge þe, bel ami,
  Hi nadde no gode munde,
Þai þat wreiid þe to me[rc]i,
  Þou ne diddist noȝt bot þi kund. 108
Sei þou me, asse, wat hast i-do?
  Me þenchiþ þou cannist no gode.
Whi nadistou [do] as oþer mo?
  Þou come of liþer stode."   112

15 "Sertis, sire, not ich noȝt;
  Ich ete sage alnil gras;
More harm ne did ich noȝt;
  Þerfor i-wreiid ich was."   116
"Bel ami, þat was misdo,
  Þat was a-ȝe þi kund
For to et such gras so.
  Hastilich ȝe him bind!   120

16 Al his bonis ȝe todraw,   [f. 47
  Loke þat ȝe noȝt lete!
And þat ich ȝive al for law,
  Þat his fleis be al i-frette."   124
Also hit fariþ nou in lond,
  Whose wol tak þerto hede:
Of þai þat habbiþ an hond,
  Of thevis hi takiþ mede.   128

17 Þe lafful man ssal be i-bund,
  And i-do in strang pine,
And i-hold in fast prisund,
  Fort þat he mak fine.   132
And þe þef to skap so,
  Þat doþ ever a-ȝe þe riȝt.
God take hede þerto,
  Þat is al ful of miȝt!   136

18 Þus fariþ al þe world nuþe,
    As we mai al i-se,
  Boþe est and west, norþ and suþe;
    God us help and þe trinite!   140
  Trewþ is i-faillid wiþ fremid and sibbe,
    Al so wide as al þis lond
  Ne mai no man þerin libbe,
    What þroӡ coveitise and þroӡ onde.   144

19 Þoӡ lafful man wold hold is lif   [f. 47 b
    In love, in charite and in pes,
  Sone me ssul compas is lif,
    And þat in a litil res.   148
  Prude is maister and coveitise,
    Þe þrid broþer men clippiþ ond;
  Niӡt and dai he fondiþ i-wisse
    Lafful men, to hab har lond   152

20 Whan erþe haþ erþ i-gette
    And of erþe so haþ i-nouӡ,
  Whan he is therin i-stekke,
    Wo is him þat was in wouӡ!   156
  What is þe gode þat man ssal hab,
    Ute of þis world whan he ssal go?
  A sori wede—whi ssal ich gab?
    For he broӡt wiþ him no mo.   160

21 Riӡt as he com, he ssal wend
    In wo, in pine, in poverte;
  Takiþ gode hede, men, to ӡure end,
    For as I sigge, so hit wol be.   164
  Y not wharof beþ men so prute;
    Of erþe and axen, felle and bone?
  Be þe soule enis ute,
    A vilir caraing nis þer non.   168

22 Þe caraing is so lolich to see,   [f. 52
    Þat under erþ men mot hit hide;
  Boþe wif and child wol fram him fle,
    Þer nis no frend þat wol him bide.   172
  What wol men for þe sowle del?
    Corne no mel, wel þou wost;
  Bot wel seld at þe mele
    A rowӡ bare trenchur oþer a crust.   176

23 Þe begger þat þe crust ssal hab
    Wel hokirlich he lokiþ þeran:
  Soþ to sigge and noӡt to gabbe,
    Riӡt noӡt he is i-paiid a pan.   180
  Þan seiiþ þe begger in is mode:
    "Þe crust is boþe hard and touþ,
  Þe wreche was hard þat ow þe gode,
    Hard for hard is gode y-nowӡ."   184

24 Moche misanter þat for him bidde
    Pater noster oþer crede;
  Bot let him hab as he didde,
    For of þe ӡift naþ he no mede.   188
  Ich red up no man þou hab triste,
    No uppon non oþer;
  Ok del hit wiþ ӡure owen fist,
    Trist to soster no broþer.   192

25 Anuriþ God and holi chirch,   [f. 52
    And ӡiveþ þe pouir þat habbiþ nede;
  So Godis wille ӡe ssul wirche
    And joi of heven hab to mede.   196
  To whoch joi us bring
    Jhesus Crist, hevenking!   Amen.

3. Poem on the Evil Times of Edward II. (1307—27).

MSS.: Cambr. Peterhouse 104 (= C; late 14th cent.); Edinb. Advocates Libr. MS. Auchinleck (= E; 1st quarter 14th cent.). — Edd.: Wright, Polit. Songs, 1839, Camd. Soc., p. 323 (gives E); Hardwick, 1849, Percy Soc. 29 (gives C).

C: 1 Why werre and wrake in londe   and manslaugt is y-come,   [f.210 a
      Why honger and derthe on erthe   the pour hath overnome,
      Wy bestes beth i-storve,   and why corne is so dere:
      Ӡe that wyl a-byde,   lystyn and ӡe mow here
        With skyl;
      Certes withut lesyng,   herken hit hoso wyl.

E: 1 Whii werre and wrake in londe   and manslauht is i-come,
      Whii hungger and derthe on eorthe   the pore hath undernome,
      Whii bestes ben thus storve,   whii corn hath ben so dere:
      Ӡe that wolen a-bide,   listneth and ӡe muwen here
        The skile;   5
      I nelle liӡen for no man,   herkne whoso wile.

C:

2 In hevene y-blessyd mut he be　　that herkeneth here a stounde;　*Cf. E st. 67*
How plenteth and al myrthe　　for pride is brout to grounde.
How stedfastnesse and trewthe　　ys turned to trecherye,
And all poure mennes sing:　　"Alas! for hunger I dye　　10
　　Upryȝt!"
Y-hered be the kyng of heven,　　such is hys myȝt!

3 God greteth al the peple wel,　　and doth hem to understonde
That ther nys but falsenes　　and trecherye in londe.
At the court of Rome,　　that trewth schuld begynne,　　15
Hym is forbode the paleys;　　he dar not com therynne
　　For dowte:
Thow the pope clepe hym,　　ȝet he schal stond theroute.

4 Alle the popes clerkes　　have i-take to red:
Gif trewth com a-mong hem,　　i-wys he schal be ded.　　20
Ther ne dare he noȝt com　　for doute to be slayn
Withyn the popes paleys,　　ȝif he myȝt be sayn,
　　For ferde.
Ȝif symonye may mete hym,　　he wil smyte of his hede.

5 Voys of clerk shal lytyl be herd　　at the court of Rome,　　25
Were he never so gode a clerk,　　without selver and he come:
Thoȝ he were the holyest man　　that ever ȝet was i-bore,
But he bryng gold or sylver,　　al hys while is forlore
　　And hys thowȝt:
Allas! whi love thei that so mych　　that schal turne to nowgt?　　30

6 So another ther a-ȝen,　　that is an horlyng and a shrewe,
Lete hym com to the court　　hys nedes for to shewe,
And bryng gold and selver　　and non other wedde,
Be he never so mych a shrewe,　　hys nedes shul be sped
　　Ful styll;　　35
Covetyse and symonye　　have all the world at wylle.

MS 9 yt

E:

2 God greteth wel the clergie,　　and seith theih don a-mis,
And doth hem to understonde　　that litel treuthe ther is;
For at the court of Rome,　　ther treuthe sholde biginne,
Him is forboden the paleis,　　dar he noht com therinne　　10
　　For doute;
And thouh the pope clepe him in,　　ȝit shal he stonde theroute.

3 Alle the popes clerkes　　han taken hem to red:
If treuthe come a-monges hem,　　that he shal be ded.
There dar he noht shewen him　　for doute to be slain,　　15
A-mong none of the cardinaus　　dar he noht be sein,
　　For feerd.
If symonie may mete wid him,　　he wole shaken his berd.

4 Voiz of clerk is sielde i-herd　　at the court of Rome;
Ne were he nevere swich a clerk,　　silverles if he come,　　20
Thouh he were the wiseste　　that evere was i-born,
But if he swete ar he go,　　al his weye is lorn
　　I-souht,
Or he shal singe "*Si dedero*,"　　or al geineth him noht.

5 For if there be in countre　　an horeling, a shrewe,　　25
Lat him come to the court　　hise nedes for to shewe,
And bringe wid him silver　　and non other wed,
Be he nevere so muchel a wrecche,　　hise nedes sholen be spede
　　Ful stille;
For coveytise and symonie　　han the world to wille.　　30

C:

7 Erchebisshopes and byshopes,   that shuld trewly enquere
   Of al men of holy cherche   in what stat thei were,
   Some be foles hem self   and ledeth a feble lyf;
   Therfor dar thei nowȝt speke,   lest ther ryse a stryf   40
     Of clerkes.
   Lest ychon bewrye other   of her feble werkes.

8 Certes holy cherche   is mych i-browt a-doun,
   Syth seynt Thomas of Cantrebury   was smyt of the crown.   45
   He was byshop of ryȝt   to governe holy cherche,
   These other be many lewed   and feblech do the wyrche,
     I-wys.
   That is i-sene in holy chyrch;   hyt fareth al a-mys.

9 Every man hym self   may therof take ȝeme,   50
   No man may serve   twey lordes to qweme:
   Thei beth in offys with the kyng   and gadereth gold an hepe,
   And the state of holy cherch   thei lat go lygge to slepe
     Ful stylle:
   Al to many ther ben of such   nerer Goddes wylle.

10 The erchedeknes that beth sworn   to visite holy cherche,   55
   Anon thei welle begynne   febleche to wyrche.
   Thei wolleth take mede   of on and of other,
   And lete the persoun have a wyf   and his prest another
     At wylle:
   Covetyse schal stoppen here mowth   and make hem ful stille.   60

11 Whan an old persoun hys ded   and his lyf a-gon,
   Than schal the patrone   have ȝiftes anon:

E:

6 And erchebishop and bishop,   that ouhte for to enquere
   Off alle men of holi churche   of what lif theih were,
   Summe beth foles hem self   and leden a sory lif,
   Therfore doren hii noht speke   for rising of strif   25
     Thurw clerkes,
   And that everich biwreied other   of here wrecchede werkes.

7 But certes holi churche   is muchel i-brouht ther doune,
   Siththen seint Thomas was slain   and smiten of his croune.
   He was a piler a-riht   to holden up holi churche,
   Thise othere ben to slouwe   and feinteliche kunnen worche,   40
     I-wis.
   Therfore in holi churche   hit fareth the more a-mis.

8 But everi man may wel i-wite,   whoso take ȝeme,
   That no man may wel serve   tweie lordes to queme.
   Summe beth in ofice wid the king   and gaderen tresor to hepe,   45
   And the fraunchise of holi churche   hii laten ligge slepe
     Ful stille;
   Al to manye ther beth swiche,   if hit were Godes wille.

9 And thise ersedeknes that ben set   to visite holi churche,
   Everich fondeth hu he may   shrewedelichest worche;   50
   He wole take mede   of that on and that other,
   And late the parsoun have a wyf   and the prest another
     At wille;
   Coveytise shal stoppen here mouth   and maken hem al stille.

10 For sone so a parsoun is ded   and in eorthe i-don,   55
   Thanne shal the patroun   have ȝiftes anon:

O: Than wolle the ȝong clerk   bygynne for to wowe,
The patroun schal have ȝiftes   and presentes y-nowe,
    And the byschoppe: 65
Ther schal symonye wel sone   be take by the toppe.

12 Covetyse upon hys hors   wolle sone be ther
And brynge the bischop sylver   and rown in hys ȝhere:
"Alle the pour clerkes   for nowt thei schul wyrche;
He that most bryngeth,   he shal have the chyrch,   70
    I-wys."
Thus the stat of holy chirch   is gyed al a-mys.

13 Whan the ȝong persoun   is stedyd in hys cherch,
Anon he wolle bygynne   feblych to wyrch;
Ne schal the corn in hys berne   be ete with no mows,   75
Hyt schal be spended sykyrly   in a ful sory use,
    If he may.
Hit schal be alle i-throschen   ar christymasseday.

14 Wan he hath gadred togeder   markys and powndes,
He pricket out on hys contre   with haukes and houndes   80
Into a strange contre   and halt a wenche in cracche.
A! wel is her that fyrst may   such a persoun cacche
    In londe.
Thus thei serveth the chapels   and leteth the chyrch stonde.

15 He nymeth all that he may   and maketh the cherch pour,   85
And leteth ther behynde hym   a thef and an hore,
A servand and a deye   that ledeth a sory lyf:
As homlych the gon to bedde   as godman and hys wyf

E: The clerkes of the cuntre   wolen him faste wowe,
And senden him faire ȝiftes   and presentes i-nowe,
    And the bishop;
And there shal symonye   ben taken bi the top.   60

11 Coveytise upon his hors   he wole be sone there
And bringe the bishop silver   and rounen in his ere:
That alle the pore that ther comen,   on ydel sholen theih worche;
For he that allermost may ȝive,   he shal have the churche,
    I-wis.   65
Everich man nu bi dawe   may sen that thus hit is.

12 And whan this newe parsoun   is institut in his churche,
He bithenketh him hu he may   shrewedelichest worche;
Ne shal the corn in his berne   ben eten wid no muis,
But hit shal ben i-spended   in a shrewede huis,   70
    If he may.
Al shal ben i-beten out   or christemesseday.

13 And whan he hath i-gadered   markes and poundes,
He priketh out of toune   wid haukes and wid houndes
Into a straunge contre   and halt a wenche in cracche;   75
And wel is hire that first may   swich a parsoun kacche
    In londe.
And thus theih serven the chapele   and laten the chirche stonde.

14 He taketh al that he may   and maketh the churche pore,
And leveth thare behinde   a theef and an hore,   80
A serjaunt and a deie   that leden a sory lif;
Al so faire hii gon to bedde   as housebonde and wif

C:

           With sorow.
    Ne schal ther pour man have ther gode   at heve ne at morow.   90

16 Wan he hath that sylver   of wolle and eke of lomb,
   He putteth in hys pawtener   a kerchyf and a comb,
   A shewer and a coyf   to bynd with hys loks,
   And ratyl on the rowbyble,   and in non other boks
      Ne moo;   95
   Mawgrey have the bysshop   that lat hyt so goo.

17 Thei the bysshop hyt wyte   and hit be name cowthe,
   With a lytyl selver   he may stop his mowth;
   He medeth the clerkes   and sustyneth the wench
   And lat the parysch far a-mys: the devyl hem a-drenche   100
      For hys werkys!
   Sory may the fader be   that ever mad hem clerkys.

18 Ʒif the person have a prest   that is of clene lyf,
   And a gode shryftfader   to maydyn and to wyf,
   Than schal an other putte hym out   for a lytyl lasse,   105
   That can not a ferthingworth,   and nowʒt wel hys masse
      But ille.
   Thus schul the persons shep   for defaute spylle.

19 Certes al so hyt fareth   by a prest that is lewed
   As by a jay in a cage,   that hym self hath beshrewed: 110
   Gode englysh he speketh,   but he not never what.
   No more wot a lewed prest   hys gospel wat he rat
      By day;
   Than is a lewed prest   no better than a jay.

E:

           Wid sorwe.
    Shal there no pore lif fare the bet   nouther on even ne on morwe.

15 And whan he hath the silver   of wolle and of lomb,   85
   He put in his pautener   an honne and a komb,
   A myrour and a koeverchef   to binde wid his crok,
   And rat on the rouwebible,   and on other bok
      No mo;
   But unthank have the bishop   that lat hit so go.   90

16 For thouh the bishop hit wite,   that hit be name kouth,
   He may wid a litel silver   stoppen his mouth;
   He medeth wid the clerkes   and halt forth the wenche
   And lat the parish forworthe: the devel him a-drenche
      For his werk!   95
   And sory may his fader ben   that evere made him clerk.

17 And if the parsoun have a prest   of a clene lyf,
   That be a god consailler   to maiden and to wif,
   Shal comen a daffe and putte him out   for a litel lasse,
   That can noht a ferthingworth of God,   unnethe singe a masse   100
      But ille.
   And thus shal al the parish   for lac of lore spille.

18 For riht me thinketh hit fareth   bi a prest that is lewed,
   As bi a jay in a kage,   that him self hath bishrewed:
   God engelish he speketh,   ac he wot nevere what;   105
   No more wot a lewed prest   in boke what he rat
      Bi day;
   Thanne is a lewed prest   no betre than a jay,

C:
20 Eche man may wel wyte,   by the gode rode,   115
   Ther bethe many prestes,   but not alle gode:
   That maketh gode men ofte   to be in mych blame;
   For these nyse prestes   that playeth her nyse game
       By nyȝt,
   Thei goth with swerd and bokler   as thei wolde fiȝt.   120

21 Abbots and priours   doth a-ȝenst the ryȝtis,
   Thei rydeth with hauks and hounds   and contrefetith knyȝts.
   Thei schuld byleve such pride   and be relygious,
   And now is pryde lord and syre   in eche house,
       I-wys.   125
   Religion is nowȝt i-loked,   hit fareth al a-mys.

22 By that ilke deth   that I schal on dye,
   Ther nys no relygion   that ther nys yn envye.
   Pryde and envie   have tempreth so here gle,
   That a-mong men of religion   is non unyte   130
       I-take:
   For sothe, love and charite   is turned to woo and wrake.

23 Late come to an abbey   syx men other seven,
   And lat ther on aske gode   for Godd love of heven,
   He schal stond theroute   an-hungred and a-cold;   135
   Schal no man do hys nede,   nother ȝong ner old,
       For hys love
   That is kyng over all kyng,   and sytteth us al a-bove.

24 Bot lat a boye com fro a lord   and bryng hym a letter
   And do hys erand to the porter,   and he schal spede the better: 140

E:
19 But everi man may wel i-wite,   bi the swete rode,
   Ther beth so manye prestes,   hii ne muwe noht alle be gode: 110
   And natheles thise gode men   fallen oft in fame;
   For thise wantoune prestes   that pleien here nice game
       Bi nihte,
   Hii gon wid swerd and bokeler   as men that wolde fihte.

20 Summe bereth croune of acolite   for the crumponde crok,   115
   And ben a-shamed of the merke   the bishop hem bitok;
   At even he set upon a koife   and kembeth the croket,
   A-dihteth him a gay wenche   of the newe jet,
       Sanz doute;
   And there hii clateren cumpelin   whan the candel is oute.   120

21 And thise abbotes and priours   don a-ȝein here rihtes;
   Hii riden wid hauk and hound   and contrefeten knihtes.
   Hii sholde leve swich pride   and ben religious;
   And nu is pride maister   in everich ordred hous,
       I-wis.   125
   Religioun is evele i-holde   and fareth the more [a-mis].

22 For if there come to an abey   to pore men or thre
   And aske of hem helpe   par seinte charité,
   Unnethe wole any don his ernde,   other ȝong or old,
   But late him coure ther al day   in hunger and in cold,   130
       And sterve.
   Loke what love ther is to God,   whom theih seien that hii serveǀ

23 But there come another   and bringe a litel lettre
   In a box upon his hepe,   he shal spede the betre;

C:

Ʒif he is with any man   that may do the abbot harme,
He schal be led into the halle   and be maked warme
    A-bowt mawe;
And a Goddes man shal stond therowt—   sory was that lawe.

25 Thus is God almyʒty dryve   out of relygion;   145
He ne mot noʒt a-mong hem come   in felde ne in ton;
His men beth unwelcome   both erlych and late;
The porter hath comaundement   to hold hem without the ʒate
    In the fen:
How myʒt thei love wel the Lord,   that faryth so with hys men? 150

26 Mych sorow thei suffre   for our Lordes love:
Thei wereth sokkes in her schon   and felted botys a-bove;
Wel thei beth i-fed   with gode flesch and fysch,
And if it ys gode mete,   the lete lytyl in her disch
    Of the beste: 155
Thus thei pyneth her bodyes   to hold Crystes hest!

27 Religion was i-maked   penance for to drye;
Now it is mych i-turned   to pryde and glotonye.
Wer schalt thu fynde   redder men on lerys,
Fayrer men other fatter   than monkes, chanouns other freres   160
    In toun?
For sothe, ther nys non aysier lyf   than is religion.

28 Religion wot every day   redely what he schal don:
He ne careth no skynnes thing   but for his mete at non.
For clothes ne for hows-hyre   he ne careth nowt,   165
But whan he cometh to the mete,   he maketh his wombe towt

E:

And if he be wid eny man   that may don the abot harm,   135
He shal be lad into the halle   and ben i-mad ful warm
    A-boute the mawe;
And Godes man stant theroute—   sory is that lawe.

24 Thus is God nu served   thurwout religioun;
There is he al to sielde i-sein   in eny devocioun;   140
His meyne is unwelcome,   comen hii erliche or late;
The porter hath comaundement   to holde hem widoute the ʒate
    In the fen:
Hu mihte theih loven that Loverd,   that serven thus his men?

25 This is the penaunce that monekes don   for ure Lordes love: 145
Hii weren sockes in here schon   and felted botes a-bove;
He hath forsake for Godes love   bothe hunger and cold;
But if he have hod and cappe fured,   he nis noht i-told
    In convent;
Ac certes wlaunknesse of wele   hem hath al a-blent.   150

26 Religioun was first founded   duresce for to drie;
And nu is the moste del i-went   to eise and glotonie.
Where shal men nu finde   fattere or raddere of leres,
Or betre farende folk than monekes,   chanons and freres
    In uch toun?   155
I wot non eysiere lyf   than is religioun.

27 Religioun wot, red I,   uch day what he shal don:
He ne carez noht to muche   for his mete at non.
For hous-hire ne for clothes   he ne carez noht,
But whan he cometh to the mete,   he maketh his mawe touht   160

C:
　　Of the beste:
　And therafter he wol fonde　　for to cache hys reste.

29 Hafter mete the haf a pyne　　that greveth hem ful sore:
　He wil drawe at a drawȝt　　a gode quart other more　　170
　Of gode ale and strong,　　wel i-browen of the beste,
　And sone therafter he wol fond　　for to cach reste,
　　ȝif he may.
　Thus thei pyneth her bodyes　　bothe nyȝt and day.

30 Now beth ther other relygious,　　Menours and Jacobyn,　　175
　Carmes and other freres　　i-found of seynt Austyn,
　That wole preche more　　for a buschel of whete,
　Than brynge a sowle fro helle　　out of grete hete
　　In rest.
　Thus is covetyse lord　　est and eke west.　　180

31 Lete me come to a frer　　and aske hym shryft,
　And come thu to another　　and bryng hym a ȝift,
　Thou shalt into the fraytrye　　and be made glad,
　And I schal stond without　　as a man that wer mad
　　In sorowe.　　185
　And ȝet schal myn erynd be undo　　for to hyt be on the morow.

32 Ȝif a ryche man be seke　　and evel hym hath nome,
　Than wol the frere　　al day theder come.
　Ȝif hit is a pore man　　and lyth in myche care,
　Mych mysauntre on that on　　that wol com thar　　190
　　Ful loth.
　Now mow ȝe wel here　　how the game goth.

33 Ȝif the rych man deyth　　that was of grete myȝt,
　Than wol the freres al day　　for the cors fiȝt.
　Hyt is not al for the calf　　that the cow loweth,　　195

E:
　　Off the beste;
　And anon therafter he fondeth　　to kacche reste.

28 And ȝit ther is another ordre,　　Menour and Jacobin,
　And freres of the Carme　　and of seint Austin,
　That wolde preche more　　for a busshel of whete,　　165
　Than for to bringe a soule　　from helle out of the hete
　　To rest.
　And thus is coveytise loverd　　bothe est and west.

29 If a pore man come to a frere　　for to aske shrifte,
　And ther come a ricchere　　and bringe him a ȝifte,　　170
　He shal into the freitur　　and ben i-mad ful glad,
　And that other stant theroute　　as a man that were mad
　　In sorwe.
　Ȝit shal his ernde ben undon　　til that other morwe.

30 And if there be a riche man　　that evel hath undernome,　　175
　Thanne wolen thise freres　　al day thider come;
　And if hit be a pore lyf　　in poverte and in care,
　Sorwe on that o frere　　that kepeth come thare
　　Ful loth.
　Alle wite ȝe, gode men,　　hu the gamen goth.　　180

31 And if the riche man deie　　that was of eny mihte,
　Thanne wolen the freres　　for the cors fihte.
　Hit nis noht al for the calf　　that kow louweth,

---
171 freitar

C: But it is for the gode gras   that in the mede groweth,
               By my hod!
            And that may eche man know   hat can any god.

       34 So ych mut broke myn hed   under myn hatte,   200
            The frer wol do *dirige*   if the cors be fatte:
            Be the fayth ic schal to God,   if the cors be lene,
            He walketh a-bowt the cloystre   and halt his fet clene
               In hows.
            How mowe thei forsake   that thei ne be covetows?

       35 An other religion ther is   of the Hospital,   205
            They ben lords and sires   in contrey overal;
            Ther is non of hem all   that ne awt to ben a-drad,
            Whan thei bethenken   how the Templers have i-sped
               For pride:
            For sothe catel cometh and goth,   as wederis don in lyde.   210

       36 Official and denys   that chapitres schuld holde,
            The schuld chaste men fro syne,   and thei make hem bolde.
            Make a present to the official   ther thu thenkest to dwelle,
            Thu schalt have a twelfmoneth   to serve the devel of hell   215
               To qweme.
            For soth, have thei the selvre,   of synne take thei no ȝeme.

       37 Ȝif a man have a wyf   and he love her nowt,
            Bryng hyr to the constery   ther trewth schuld be wrowt,
            Bring twei fals wytnes with hym   and hym self the thrydde,
            And he schal be deperted   as fair as he wold bydde   220
               From his wyf;
            He schal be mayntend full wel   to lede a sory lyf.

       38 Whan he is deperted   from hys trew spowse,
            Take his neyȝtbores wyf   and bryng her to howse;

E: Ac hit is for the grene gras   that in the medewe grouweth
               So god.   185
            Alle wite ȝe what I mene,   that kunnen eny god.

       32 For als ich evere brouke min hod   under min hat,
            The frere wole to the *direge*,   if the cors is fat;
            Ac bi the feith I owe to God,   if the cors is lene,
            He wole wagge a-boute the cloistre   and kepen hise fet clene   190
               In house.
            Hu mihte theih faire forsake   that hii ne ben coveytouse?

       33 And officials and denes   that chapitles sholden holde,
            Theih sholde chastise the folk, and theih maken hem bolde.
            Mak a present to the den   ther thu thenkest to dwelle,   195
            And have leve long i-nouh   to serve the fend of helle
               To queme;
            For, have he silver, — of sinne taketh he nevere ȝeme.

       34 If a man have a wif   and he ne love hire noht,
            Bringe hire to the constorie   ther treuthe sholde be souht,
            And bringge tweye false wid him   and him self the thridde,
            And he shal ben toparted   so faire as he wole bidde   200
               From his wif;
            He shal ben holpen wel i-nouh   to lede a shrewede lyf.

       35 And whan he is thus i-deled   from his rihte spouse,   205
            He taketh his neiheboures wif   and bringeth hire to his house;

C:

Ȝif he have selver   a-mong the clerks to sende,   225
He may have hir to hys wyf   to hys lifs ende
     With onskyll:
Thei that so fair with falsenes dele,   Gods cors on her bill!

39 Ȝut ther is another craft   that towcheth to clergye,
That beth thes fisisiens   that helpeth men to dye;   230
He wol wag his uryn   in a vessel of glass,
And swer by seynt Jon   that he is seker than he was,
     And seye:
"Dame, for defawȝt   the godman is i-sleye."

40 Thus he wol affray   all that ben therinne   235
And mak many lesyngs   sylver for to wynne.
After that he wol begynne   to confort that wyf,
And sey: "Dame, ley cost,   and we schul save his lyf,"
     And lye,
Thow he be never the wyser   whether he wol lyve or dye.   240

41 Furst he wol begynne   to blere the wyfs eyȝe;
He wol aske half a pownd   to bygge with spiserye:
The eyȝt shillyngs schul up   to wyn and to ale,
And bryng hem rotys and rynds   bretful a male
     Of nowȝt: 245
Hit schal be dere i-now a leke,   wan it is al i-browt.

42 He wol preise hit fast   and swere as he were wod:
"For the kyng of Ynglond   the drynk is swet and god,"
And gif the godeman to drynke   a gode quantite
And make hym wers than he was—   evel mot he the,   250

E:

And whiles he hath eny silver   the clerkes to sende,
He may holde hire at his wille   to his lives ende
     Wid unskile.
And but that be wel i-loked,   curs in here bile!   210

36 And ȝit ther is another craft   that toucheth the clergie,
That ben thise false fisiciens   that helpen men to die;
He wole wagge his urine   in a vessel of glaz,
And swereth that he is sekere   than evere ȝit he was,
     And sein: 215
"Dame, for faute of helpe   thin housebonde is neih slain."

37 Thus he wole afraien   al that ther is inne
And make many a lesing   silver for to winne.
Ac afterward he fondeth   to comforte the wif,
And seith: "Dame, for of thin,   I wole holde his lyf,"   220
     A[n]d liȝe,
Thouh he wite no more than a gos   wheither he wole live or die.

38 Anon he wole biginne   to blere the wives eiȝe;
He wole aske half a pound   to bien spicerie:
The VIII shillinges sholen up   to the win and the ale,   225
And bringe rotes and rindes   bretful a male
     Off noht:
Hit shal be dere on a lek,   whan hit is al i-wrouht.

39 He wole preisen hit i-nohw   and sweren as he were wod:
"For the kyng of the lond   the drink is riche and god,"   230
And ȝeve the godeman drinke   a god quantite
And make him worsse than he was—   evele mot he the,

C:

   The clerk,
That so beryth a-wey that selver and falselich dothe hys werk!

43 He wol byd the wif sethe a capoun and a pese of bef;
The godeman schal have never a mossel, be he never so lef.
He wol pike hit hym self and make his mawe towt, 255
And ȝif the godeman to drynk lene broth, that is nowȝt
 For the sek:
That so bygileth the godeman, Godds cors on hys cheke!

44 He maketh hym al nyȝt at ese, as wel as he can,
And loke that ha fare wel hors and eke man: 260
A morow he taketh the uryn and waggeth in the sunne,
And seyth: "Dame, blessed be God! thi maystre is i-wonne,
 And lyketh"
Thus he bereth a-wey that selver and the godewyf biswyketh.

45 Certes and by my sowle, this world is al beshrewed; 265
Muche thei fare with falsenes bothe lered and lewed.
Of the lewed men now speketh the pope,
Whether I lye or I segge soth, now ȝhe it schul grope,
 That sothe:
Falsenes cometh to eche feire and piccheth first his bothe. 270

46 The pope gret wel al lewed men, William, Richard and Jon,
And doth hem to understonde that trewth is ther non;
And seyth that he wer worthi to be hanged and drawe,
That hathe dryve trewth out of lond without proces of lawe: 275
 Alas!
Certes whil treweth was in londe, a gode frend he was.

47 Treweth was overal redy for pore men to speke,
And now go pore men al a-doun: God hem mot a-wreke!
Pryde and covetise giveth overal jugement,
And turneth lawes up and doun: therfor pore men be shent 280
 Al clene:
Ther is no rych man that dredeth God the worth of a bene.

48 Thei that weldeth al the world in town and in feld,
Erles and barowns and also knyts of shelde,
All thei be i-swore to maynten holy cherch ryȝt, 285
And therfor was knyȝt i-maked for holy cherch to fiȝt,
 Sanȝ fayl;
And thei beth the first men that holy cherch wolle assaile.

E:

   That clerk,
That so geteth the silver and can noht don his werk!

40 He doth the wif sethe a chapoun and piece beof; 235
Ne tit the gode man noht therof, be him nevere so leof.
The best he piketh up him self and maketh his mawe touht,
And ȝeveth the godeman soupe the lene broth, that nis noht
 For seke:
That so serveth eny man, Godes curs in his cheke! 240

41 And thilke that han al the wele in freth and in feld,
Bothen eorl and baroun and kniht of o sheld,
Alle theih beth i-sworne holi churche holde to rihte;
Therfore was the ordre mad for holi churche to fihte,
 Sans faille; 245
And nu ben theih the ferste that hit sholen assaille.

c:

49 Thei maketh werre and wrake   in lond ther schuld be pees;
   Thei schuld to the Holy Lond   to make ther a rees: 290
   Thei schuld into the Holy Lond   and preve ther her myʒt,
   And help to wreke Jhesum Crist,   and than were he a knyʒt
     With sheld:
   Now be they lyons in the halle   and hares in the feld.

50 Knytes schuld were clothes   i-schape in dewe manere,   295
   As his order wold aske,.   as wel as schuld a frere:
   Now thei beth disgysed   so diverselych i-diʒt,
   That no man may knowe   a mynstrel from a knyʒt
     Wel ny:
   So is mekenes falt a-down   and pride a-ryse an hye.   300

51 Thus is the order of knyʒt   a-turned up and doun;
   As wel wol a knyʒt chide   as eny scold in a toun.
   Thei schuld be as hend   as any lady in londe;
   To speke al maner of fylth   ne nys ne knyʒt fonde
     For shame;   305
   Thus is chyvalrye acloyed   and woxen fote-lame.

52 Chyvalrye now is acloyed   and wyckedlych i-diʒt;
   Conne a boye breke a spere,   he schal be made a knyʒt.
   Thus beth knyʒtis i-gadered   of unkynde blod,
   And thei shendeth the order   that schuld be hende and god   310
     And hende:
   On shrew in a court   may al a company shende.

53 Knyʒts to drawe, God almyʒt   iche tyme schal be swore:
   His yen, his fet, his nayles,   his sowle is nowt forbore.
   That is now the gentry   in chawmbre and eke in halle!
   The Lord wil hab on othe   grettest of hem alle: 315
     For pride
   At the day of dom ne schal   no man his othes hyde.

E:

42 Hii brewen strut and stuntise   there as sholde be pes;
   Hii sholde gon to the Holi Lond   and maken there her res,
   And fihte there for the croiz   and shewe the ordre of knihte,
   And a-wreke Jhesu Crist   wid launce and speir to fihte   250
     And sheld;
   And nu ben theih liouns in halle   and hares in the feld.

43 Knihtes sholde weren weden   in here manere,
   After that the ordre asketh,   also wel as a frere;
   Nu ben theih so degysed   and diverseliche i-diht,   255
   Unnethe may men knowe   a gleman from a kniht
     Wel neih:
   So is mieknesse driven a-doun,   and pride is rison on heih.

44 Thus is the ordre of kniht   turned up-so-doun';
   Also wel can a kniht chide   as any skolde of a toun.
   Hii sholde ben also hende   as any levedi in londe;   260
   And for to speke alle vilanie   nel nu no kniht wonde
     For shame;
   And thus knihtshipe [is] acloied   and waxen al fot-lame.

45 Knihtshipe [is] acloied   and deolfulliche i-diht;   265
   Kunne a boy nu breke a spere,   he shal be mad a kniht.
   And thus ben knihtes gadered   of unkinde blod
   And envenimeth that ordre   that shold be so god
     And hende:
   Ac o shrewe in a court   many man may shende.   270

C:

54 Now is non mysprowd squier in al this mydilȝerd, 320
 Bot he bere a long babel a-bowt and a longe berd
 And swere by Godds sowle and often vowen to God:
 "I byshrew hym for that, perdou, bothe hosed and shod,
   For his werke":
 For such othes God is wroth with lewed men and clerke.

55 Godds sowle schal be swore, the knyf schal stond a-strout, 325
 Thow his botes be al totore, ȝat he wol make it stout:
 His hod schal hang on his brest riȝt as a draveled lowt,
 Alas, the sowle worthe forlore for the body that is so prowd
   In felle.
 For sothe he is deseyved, he wenyth he dothe ful well. 330

56 A new entaile thei have i-fend that is now in eche toun:
 The ray is turned overthwart that was wont be up and doun;
 Thei beth desgysed as turmentours i-come fro clerks pleye;
 Thei beth beleved al with pryde and have cast norter a·way 335
   In a diche:
 Thei beth so desgised, thei beth no man lych.

57 Mynystres under the king that schuld meynten ryȝt,
 Of the fair clere day thei maken darke nyȝt:
 Thei goth out of the hyway, thei letten for no sclandre,
 Thei maketh the motehall at home in here chawmbre 340
   With wrong;
 That schal pore men a-bygge evermore a-mong.

58 When the kyng into his werre wol have stronge men,
 Of ech toun to help hym at his werre fourten or ten:

E:

46 And nu nis no squier of pris in this middelerd,
 But if that he bere a babel and a long berd
 And swere Godes soule and vuwe to God and hote;
 But sholde he for everi fals uth lese kirtel or kote, 275
   I leve
 He sholde stonde starcnaked twye o day or eve.

47 Godes soule is al day sworn, the knif stant a-strout,
 And thouh the botes be torn, ȝit wole maken hit stout;
 The hod hangeth on his brest, as he wolde spewe therinne,
 Ac shortliche al his contrefaiture is colour of sinne 280
   And bost.
 To wraththe God and paien the fend hit serveth allermost.

48 A newe taille of squierie is nu in everi toun:
 The raye is turned overthvert that sholde stonde a-doun;
 Hii ben degised as turmentours that comen from clerkes plei; 285
 Hii ben i-laft wid pride and cast nurture a-wey
   In diche;
 Gentille men that sholde ben, ne beth hii none i-liche.

49 And justises, shirreves, meires, baillifs, if I shal rede a-richt,
 Hii kunnen of the faire day make the derke niht: 290
 Hii gon out of the heie wey, ne leven hii for no sklaundre
 And maken the mothalle at hom in here chaumbre
   Wid wouh;
 For be the hond i-whited, it shal go god i-nouh.

50 If the king in his werre sent after mihti men, 295
 To helpe him in his nede, of sum toun IX or X:

C:

  The stronge schul sytte a-doun for X shylynge other twelve 345
  And send wreches to the kyng that mow not help hem selve
   At nede:
  Thus is the kyng deseyved and pore men shend for mede.

59 Whan the kyng into his werre wol have a taxacion
  To help hym at his nede, of ech toun a portion: 350
  Hit schal be totolled, hit schal be totwyȝt,
  Hit schal halfdel be go into the develes fliȝt
   Of helle:
  Ther beth so many parteners ne dar no pore mon telle.

60 A man that hath an hundred pownd schal pay XII pens round, 355
  And so mych schal a pore man pay that poverte hath browt to ground,
  That hath an housful of chyldre sitting about the flete.
  Cristis cors hab thei! But that be wel sette
   And sworn,
  The pore schal be i-pylt, and the rych schal be forborn. 360

61 Wyst the kyng of Ynglond, for god he wold be wroth,
  How his pore men be i-pyled, and how the selver goth:
  Hit is so totolled bothe heder and theder,
  Hit is halfendel i-stole, ar hit be brout togeder
   And acounted; 365
  If a pore man speke a word, he shal be foul afrounted.

62 Wold the kyng do after me that wold tech hym a skyl,
  That he ne schul never habbe wylle pore men to pil;
  He ne schuld not seke his tresor so fer, he schuld fynd it ner,
  At justices and at shiryves, corowners and chancelers 370

E:

  The stiffeste sholen bileve at hom for X shillinges or XII
  And sende forth a wrecche that may noht helpe him selve
   At nede:
  Thus is the king deceyved and pore men shent for mede. 300

51 And if the king in his lond maketh a taxacioun,
  And everi man is i-set to a certein raunczoun,
  Hit shal be so forpinched, totoilled and totwiht,
  That halvendel shal gon in the fendes fliht
   Off helle:
  Ther beth so manye parteners may no tunge telle. 305

52 A man of XL poundesworth god is leid to XII pans rounde,
  And also much paieth another that poverte hath brouht to grounde,
  And hath an hep of girles sittende a-boute the flet.
  Godes curs moten hii have, but that be wel set
   And sworn, 310
  That the pore is thus i-piled and the riche forborn.

53 Ac if the king hit wiste, I trowe he wolde be wroth,
  Hou the pore beth i-piled, and hu the silver goth;
  Hit is so deskatered bothe hider and thidere,
  That halvendel shal ben stole, ar hit come togidere 315
   And acounted;
  An if a pore man speke a word, he shal be foule afrounted.

54 Ac were the king wel avised and wolde worche bi skile,
  Litel nede sholde he have swiche pore to pile;
  Thurfte him noht seke tresor so fer, he mihte finde ner, 320
  At justices, at shirreves, cheiturs and chaunceler

O:
        No lesse:
    This myȝt fynd hym i-now   and let the pore have pes.

63 Who that is in such offys,   ne come he ner so pore,
    He fareth wit[h]in a while as he had selver in horde;
    Thei byen londs and ledes,   ne may ther nowt astonde.   375
    Wat shul pore men be i-pild,   wil such be in londe
        Ful fele?
    Thei pleyeth wit the kyngs selver   and bredeth wode for wele

64 Sotelych, for sothe,   thei don the kyngs hest;
    Whan ech man hath his parte,   the kyngs hath the lest.   380
    Eche man is a-bowt   to fille his own pors;
    The kyng hath the lest,   and he hath al the cors
        Wit wrong:
    God send trewth into Ynglond!   Trechery dureth to long.

65 Thei byggeth wit the kyngs selver   bothe londes and ledes,   385
    Hors as fair as the kyngs   save grete stedes;
    This myȝt help the kyng   and have hem self i-now:
    Thei take thus wit a pore man,   that hath but half, I trowe,
        A plowland,
    Other of a wreched laborer   that lyveth by hys hond.   390

66 Baylys and southbailys   under the shireves,
    Ever thei fondeth wer thei mow   pore men togreve.
    The pore men shul to London   to somons and to syse,
    The rych wol sytte at home,   were selver wol a-ryse
        Anon: 395
    Crist cors mut thei have,   but that be wel -idon!

67 Counteours in the benche   that stondeth at the barre
    Wol bygile the in thin hond,   bot if thu be war:
    He wol take half a mark   and do doun his hood

397 Courteous

E:
        And at les:
    Swiche mihte finde him i-nouh   and late pore men have pes.

55 For whoso is in swich office,   come he nevere so pore,   325
    He fareth in a while   as thouh he hadde silver ore;
    Theih bien londes and ledes,   ne may hem non astonde.
    What sholde pore men [ben] i-piled,   when swiche men beth in londe
        So fele?
    Theih pleien wid the kinges silver   and breden wod for wele.   330

56 Ac shrewedliche, for sothe,   hii don the kinges heste;
    Whan everi man hath his part,   the king hath the leste.
    Everi man is a-boute   to fille his owen purs;
    And the king hath the leste part,   and he hath al the curs
        Wid wronge.   335
    God sende treuthe into this lond!   for tricherie dureth to longe.

57 And baillifs and bedeles   under the shirreve,
    Everich fondeth hu he may   pore men most greve.
    The pore men beth overal   somouned on assise,
    And the riche sholen sitte at hom,   and ther wole silver rise   340
        To shon:
    Godes curs moten hii have,   but that be wel don!

58 And countours in benche   that stondeth at the barre,
    Theih wolen bigile the in thin hond,   but if thu be the warre:
    He wole take XL pans   for to do doun his hod   345

C:

And speke a word for a pore man   and do hym lytil god,   400
    I trowe.
Whan the godeman gothe a-wey,   he maketh hym a mowe.

68 Attorneis in contre   wynneth selfre for nowt,
Thei make men to bigynne ple   that never had it thowȝt;
Wan thei cometh to the ryng: hoppe if thei con.   405
All that thei wynne wit falsenes,   all that thei tell i-wonne
    Ful wel;
Ne tryst no man to much to hem,   thei beth fals by skyl.

69 Suche bethe men of this world,   fals in the bille.
If eny man wolleth lyf   in trewth and in skil,   410
Let his fals neyȝbours   and sewe not the rowte,
He may ech day of his lyf   have grete dowte;
    For why?
Thei schal al day be endited   for manslauȝt and robbery.

70 Take the trewest man   that ever in londe was,   415
He schal be endited   for thing that never was;
I-take and i-bounde,   a strong thef as he were,
And led to the kyngs prison   and lete hym lygge there
    And rote;
Other wit a fals enquest   hang hym by the throte.   420

71 Many of thes assisours,   that seweth shyre and hundred,   *Cf. E st. 79*
Hangeth men for selver;   therof is non wonder,
For wan the rich justice   wol do wrong for mede,
Than thynketh hem thei mow the beter,   for thei have mor nede
    For to wyn.   425
Thus hath covetise benome hem trowth   for love of dedly syn.

72 Be seynt Jame in Gal,   that many man hath sowt,   *Cf. E st. 80*
The pelery and the cokstol   be i-made for nouȝt:
Wan thei have al i-reyned   and i-cast on hepe,
Bred and ale is the derrer,   and never the better schepe   430
    For al that.
Trechery is i-meyntend,   and trewth is al tosqwat.

73 Somtyme wer marchants   that trewly bout and sold;
Now is thilk assise i-broke,   and trewth is nowȝt of told.
Marchandis was wont   be hold up with trewth: 435
Now it is turned to trechery,   and that is grete rewth,
    To wete,
How trechery shal be hald up   and trewth doun i-smete.

D:

And speke for the a word or to   and don the litel god,
    I trouwe.
And have he turned the bak,   he makketh the a mouwe.

59 Attourneis in cuntre,   theih geten silver for noht,
Theih maken men biginne   that they nevere hadden thouht;   350
And whan theih comen to the ring: hoppe if hii kunne.
Al that theih muwen so gete,   al thinketh hem i-wonne
    Wid skile.
Ne triste no man to hem,   so false theih beth in the bile.

60 And sumtime were chapmen   that treweliche bouhten and solde;   355
And nu is thilke assise broke,   and nas noht ȝore holde.
Chaffare was woned   to be meintened wid treuthe:
And nu is al turned to treccherie,   and that is muchel reuthe,
    To wite,
That alle manere godnesse   is thus a-doun i-smite.   360

C:

74 Ther nys wel ny no man   that can any craft,
That he nis a party   lose in the haft: 440
Falsnes is over   al the world i-sprong,
That nys wel ny no trewth   in hond, ne in tonge,
   Ne in hert;
For sothe thei nyl sese   ar God make hem to smert.

75 Ther was a game in Ynglond   that dured ȝer and other;   445
Even upon the moneday   ech man beshrewed other.
So long dured the game   a-mong lered and lewed,
That thei nold never beleve,   ar the world wer beschrewed,
   I-wis:
Al that ever schal help man,   all it fareth a-mys.   450

76 For the mych falsenes   that walketh in lond,
God almyȝty of heven   hath bound nowt his bond,
And send wederyng on erthe   cold and unkynde,
And ȝet is ther non man   that to God taketh mynde
   With ryȝte;   455
We be nothing a-ferd   of hys myche myȝt.

77 God is wroth with the world,   and that is wel i-sene:
Al that was play and game   is turned to sorow and tene.
God shewed us plente i-now,   suffre whil we wold,
Al maner of frute   groweng on molde   460
   Ful thik;
And ever a-ȝens God almyȝty   we beth a-lych wyk.

78 Whan God almyȝty seth   the work is overthwart,   *Cf. E st.*
He sende his sond into erthe   and makethe us to smert;

E:

61 Unnethe is nu eny man   that can eny craft,
That he nis a party   los in the haft;
For falsnesse is so fer forth   over al the londe i-sprunge,
That wel neih nis no treuthe   in hond, ne in tunge,
   Ne in herte;   365
And tharfore nis no wonder   thouh al the world it smerte.

62 Ther was a gamen in Engelond   that durede ȝer and other;
Erliche upon the monenday   uch man bishrewed other.
So longe lastede that gamen   a-mong lered and lewed,
That nolde theih nevere stinten,   or al the world were bishrewed, 370
   I-wis;
And therfore al that helpe sholde   fareth the more a-mis.

63 So that for that shrewedom   that regneth in the lond,
I drede me that God us hath   forlaft out of his hond,
Thurw wederes that he hath i-sent   cold and unkinde;   375
And ȝit ne haveth no man   of him the more minde
   A-riht;
Unnethe is any man a-ferd   of Godes muchele miht.

64 God hath ben wroth wid the world,   and that is wel i-sene;
For al that whilom was murthe   is turned to treie and tene.   330
He sente us plente i-nouh,   suffre whiles we wolde,
Off alle manere sustenaunce   grouwende upon molde
   So thicke;
And evere a-ȝeines his godnesse   we weren i-liche wicke.

65 Men sholde noht sumtime finde a boy   for to bere a lettre,   335
That wolde eten eny mete,   but it were the betre.

C:

Whan bestes beth i-storve   and corne waxeth dere,   465
And honger and pestilence in ech lond,   as ʒe mow ofte here
    Overal;—
But if we amende us,   it wil wel wers befal.

Explicit.

E:

For beof ne for bakoun,   ne for swich stor of house,
Unnethe wolde eny don a char,   so were theih daungerouse
    For wlaunke;
And siththen bicom ful reulich   that thanne weren so ranke.   390

66 For tho God seih that the world   was so overgart,   *Cf. C st. 78*
He sente a derthe on eorthe   and made hit ful smart.
A busshel of whete was   at foure shillinges or more,
And so men mihte han i-had   a quarter noht ʒore
    I-gon;   395
So can God make wane   ther rathere was won.

67 And thanne gan bleiken here ble,   that arst lowen so loude,   *Cf. C st. 2*
And waxen al handtame   that rathere weren so proude.
A mannes herte mihte blede   for to here the crie
Off pore men that gradden: "Allas! for hungger I die   400
    Uprihte!"
This auhte make men a-ferd   of Godes muchele miht.

68 And after that ilke wante   com eft wele i-nouh,
And plente of alle gode   grouwende on uch a bouh.
Tho god ʒer was a-ʒein i-come   and god chep of corn,   405
Tho were we also muchele shrewes   as we were beforn,
    Or more;
Also swithe we forʒeten   his wreche and his lore.

69 Tho com ther another sorwe   that spradde over al the lond;
A thusent winter ther bifore   com nevere non so strong   410
To binde alle the mene men   in mourning and in care.
The orf deiede al bidene   and maden the lond al bare
    So faste.
Com nevere wrecche into Engelond   that made men more a-gaste.

70 And tho that qualm was a-stin[t]   of beste that bar horn,   415
Tho sente God on eorthe   another derthe of corn,
That spradde over al Engelond   bothe north and south,
And made seli pore men   afingred in here mouth
    Ful sore;
And ʒit unnethe any man   dredeth God the more.   420

71 And wid that laste derthe   com ther another shame,
That ouhte be god skile   maken us alle tame:
The fend kidde his maistri   and a-rerede a strif,
That everi lording was bisi   to sauve his owen lyf
    And his god.   425
God do bote theron,   for his blessede blod!

72 Gret nede hit were to bidde   that the pes were brouht,
For the lordinges of the lond,   that swich wo han i-wrouht,
That nolde spare for kin   that o kosin that other;
So the fend hem prokede   uch man to mourdren other   430
    Wid wille,
That al Engelond i-wis   was in point to spille.

E:

73 Pride prikede hem so faste,   that nolde theih nevere have pes
   Ar theih hadden in this lond   maked swich a res,
   That the beste blod of the lond   shamliche was brouht to grounde. 435
   If hit betre mihte a ben, allas!   the harde stounde
     Bitid,
   That of so gentille blod i-born   swich wreche was i-kid.

74 Allas! that evere sholde hit bifalle   that in so litel a throwe
   Swiche men sholde swich deth thole   and ben i-leid so lowe.   440
   Off eorles ant of barouns   baldest hii were;
   And nu hit is of hem bicome   riht as theih nevere ne were
     I-born.
   God loke to the soules,   that hii ne be noht lorn!

75 Ac whiles thise grete lordinges   thus han i-hurled to hepe,   445
   Thise prelatz of holi churche   to longe theih han i-slepe;
   Al to late theih wakeden,   and that was muchel reuthe;
   Theih weren a-blent wid coveytise   and mihte noht se the treuthe
     For mist.
   Theih dradden more here lond to lese   than love of Jhesu Crist. 450

76 For hadde the clergie   harde holden togidere,
   And noht flecched a-boute   nother hider ne thidere,
   But loked where the treuthe was,   and there have bileved:
   Thanne were the barnage hol,   that nu is al todreved
     So wide.   455
   Ac certes Engelond is shent   thurw falsnesse and thurw pride.

77 Pride hath in his paunter   kauht the heie and the lowe,
   So that unnethe can eny man   God almihti knowe.
   Pride priketh a-boute   wid nithe and wid onde;
   Pes and love and charite   hien hem out of londe   460
     So faste.
   That God wole fordon the world   we muwe be sore a-gaste.

78 Alle wite we wel it is oure gilt,   the wo that we beth inne;
   But no man knoweth that hit is   for his owen sinne.
   Uch man put on other   the wreche of the wouh;   465
   But wolde uch man ranczake him self,   thanne were al wel i-nouh
     I-wrouht.
   But nu can uch man demen other,   and him selve nouht.

79 And thise assisours, that comen   to shire and to hundred,   *Cf. C st. ?*
   Damneth men for silver;   and that nis no wonder,   470
   For whan the riche justise   wol do wrong for mede,
   Thanne thinketh hem theih muwen the bet,   for theih han more nede
     To winne.
   Ac so is al this world a-blent,   that no man douteth sinne.

80 But bi seint Jame of Galice,   that many man hath souht,   *Cf. C st. ?*
   The pilory and the cuckingstol   beth i-mad for noht   476
    · · · · · · ·

[End lost.]

XI. Drama.

1. Interludium de Clerico et Puella (ab. 1300).

*MS.: Brit. Mus. Add. 23986 (ab. 1300). — Edd.: Wright, Reliquiae Antiquae, I, 1841, 145;
Heuser, Anglia 30 (1907) 306.*

Hic incipit Interludium de Clerico et Puella.

Clericus ait: Damishel, reste wel!
Puella. Sir, welcum, by saynt Michel!
Clericus. Wer es ty sire, wer es ty dame?
Puella. By Gode, es noþer her at hame.
Clericus. Wel wor suilc a man to life, 5
  Þat suilc a may mithe have to wyfe!
Puella. Do way, by Crist and Leonard!
  No wily lufe na clerc fayllard,
  Na kepi herbherg, clerc, in huse no
             y flore
  Bot his hers ly wituten dore. 10
  Go forth þi way, god sire,
  For her hastu losye al thi wile.
Clericus. Nu, nu, by Crist and by sant
               Jhon,
  In al þis land ne [wist] hi none,
  Mayden, þat hi luf mor þan þe, 15
  Hif me micht ever þe bether be.
  For þe hy sory nicht and day;
  Y may say: "Hay wayleuay!"
  Y luf þe mar þan mi lif,
  Þu hates me mar þan gayt dos cnif. 20
  Þat es nouct for mysgilt,
  Certhes, for þi luf ham hi spilt.
  A, suythe mayden, reu of me
  Þat es ty luf hand ay sal be.
  For þe luf of þ[e] moder of efne, 25
  Þu mend þi mode and her my stevene.
Puella. By Crist of hevene and sant
               Jone!
  Clerc of scole ne kepi non;
  For many god wymman haf þai don
               scam.
  By Crist, þu michtis haf ben at hame. 30
Clericus. Synt it noþir gat may be,
  Jesu Crist bytechy þe,
  And send neulic bot þarinne
  Þat y be lesit of al my pyne.
Puella. Go nu, truan, go nu, go! 35
  For mikel canstu of sory and wo.

Clericus. God te blis, mome Helwis!
Mome Elwis. Son, welcum, by san Dinis!
Clericus. Hic am comin to þe, mome,
  Þu hel me noth, þu say me sone. 40

Hic am a clerc þat hauntes scole,
Y lydy my lif wyt mikel dole;
Me wor lever to be dedh,
Þan led þe lif þat hyc ledh
For ay mayden with and schen, 45
Fayrer ho lond hawy non syen.
Ʒo hat mayden Malkyn, y wene;
Nu þu wost quam y mene.
Ʒo wonys at the tounes ende,
Þat suyt lif so fayr and hende. 50
Bot if Ʒo wil hir mod amende,
Neuly Crist my ded me send!
Men send me hyder, vytuten fayle,
To haf þi help an ty cunsayle.
Þarfor am y cummen here, 55
Þat þu salt be my herandbere,
To mac me and þat mayden sayct,
And hi sal gef þe of myn ayct,
So þat hever al þi lyf
Saltu be þe better wyf. 60
So help me Crist and hy may spede,
Riche saltu haf þi mede.
Mome Ellwis. A, son, vat saystu?
              Benedicite,
Lift hup þi hand, and blis þe.
For it es boyt syn and scam 65
Þat þu on me hafs layt thys blam.
For hic am an ald quyne and a lam.
Y led my lyf wit Godis love.
Wit my roc y me fede,
Can i do non oþir dede, 70
Bot my *pater noster* and my *crede*
To say Crist for missedede,
And myn avy Mary—
For my scynnes hic am sory—
And my *de profundis*, 75
For al þat y sin lys.
For can i me non oþir þink,
Þat wot Crist, of hevene kync.
Jesu Crist, of hevene hey,
Gef þat hay may heng hey, 80
And gef þat hy may se,
Þat þay be henge on a tre,
Þat þis ley as leyit onne me.
For aly wyman am i on.
              [End lost.]

MS 20 yavt chnief   21 noutt   32 bytethy   33 neulit   34 y] yi   36 canstu]
þu canstu   84 wymam

Source: Dame Siriz (above p. 118) or, possibly, a French fabliau founded upon Dame
Siriz (G. Elsner, Zschr. f. vgl. Lit. I, 1887, 261).

2. York Mysteries (comp. from 1330).

MS.: Brit. Mus. Add. 35290 (late 15th and 16th centt.). — Edd.: L. T. Smith, Oxf.1885;
Hemingway, Engl. Nativity Plays, New York 1909, p. 141.

The Journey to Bethlehem.

XIV. The Tille Thekers.

1 Jos. Allweldand God in trinite,   [f. 53
    I pray þe, Lord, for thy grete myght,
    Unto thy symple servand see
    Here in þis place wher we are pight,
      Oure self all one;   5
    Lord, graunte us gode herberow
        þis nyght
      Within þis wone.

2   For we have sought bothe uppe and
        doune
    Thurgh diverse stretis in þis cite:
    So mekill pe pull is comen to towne, 10
    Þat we can nowhare herbered be,
      þere is slike prees;
    For suthe I can no socoure see,
      But belde us with þere bestes.

3   And yf we here all nyght a-bide, 15
    We shall be stormed in þis steede;
    Þe walles are doune on ilke a side,
    Þe ruffe is rayned a-boven oure hede,
      Als have I roo;   [rede?
    Say, Marie doughtir, what is thy 20
      How sall we doo?

4   For in grete nede nowe are we stedde,
    As þou thy selffe the soth may see,
    For here is nowthir cloth ne bedde,
    And we are weyke and all werie, 25
      And fayne wolde rest.
    Now, gracious God, for thy mercie,
      Wisse us þe best!

5 Mar. God will us wisse, full wele witt ȝe;
    Þerfore, Joseph, be of gud chere, 30
    For in þis place borne will he be
    Þat sall us save fro sorowes sere,
      Boþe even and morne.
    Sir, witte ȝe wele þe tyme is nere
      He will be borne.   35

6 Jos. Þan behoves us bide here stille,
    Here in þis same place all þis nyght.
Mar. Ȝa, sir, for suth, it is Goddis
        will.
Jos. Þan wolde I fayne we had sum
        light;
    Whatso befall   40
It waxis right myrke unto my sight, [f. 53b
    And colde withall.

7 I will go gete us light forthy,
    And fewell fande with me to bryng.
Mar. Allweldand God yow governe
        and gy, 45
    As he is sufferayne of all thyng
      Fo[r] his grete myght,
    And lende me grace to his lovyng
      Þat I me dight.

8   Nowe in my sawle grete joie have I, 50
    I am all cladde in comforte clere,
    Now will be borne of my body
    Both God and man togedir in feere.
      Blist mott he be!
    Jesu, my son, þat is so dere,   53
      Nowe borne is he.

9   Hayle my lord God, hayle prince
        of pees!
    Hayle my fadir, and hayle my sone!
    Hayle sovereyne sege all synnes to
        sesse!
    Hayle God and man in erth to wonne! 60
      Hayle, thurgh whos myht
    All þis worlde was first begonne,
      Merknes and light.

10   Sone, as I am sympill sugett of thyne,
    Vowchesaffe, swete sone, I pray þe, 65
    That I myght þe take in þe[r]
        armys of myne
    And in þis poure wede to arraie þe;
      Graunte me þi blisse,
    As I am thy modir chosen to be
      In sothfastnesse.   70

11 Jos. A, Lorde, what þe wedir is colde!
    Þe fellest freese þat evere I felyd:
    I pray God helpe þam þat is alde,
    And namely þam þat is unwelde,
      So may I saie.   75
    Now, gud God, þou be my belde,
      As þou best may.

12   A, Lord God, what light is þis
    Þat comes shynyng þus sodenly?
    I can not saie, als have I blisse; 80
    When I come home unto Marie,
      Þan sall I spirre.
    A! here be God, for nowe come I.
    Mar. Ȝe ar welcum, sirre.

MS 76 bilde
Source: General knowledge of the Bible.

13 Jos. Say, Marie doghtir, what chere
                                  with þe? 85
   Mar. Right goode, Joseph, as has
                                  been ay. [t. 54
   Jos. O Marie! what swete thyng
                             is þat on thy kne?
   Mar. It is my sone, þe soth to saye,
            Þat is so gud.
   Jos. Wele is me I bade þis day   90
            To se þis foode!

14   Me merveles mekill of þis light
      Þat þusgates shynes in þis place,
      For suth, it is a selcouth sight!
   Mar. Þis hase he ordand of his grace, 95
            My sone so ȝing,
      A starne to be schynyng a space
            At his bering.

15   For Balam tolde ful longe beforne
      How þat a sterne shulde rise full hye, 100
      And of a maiden shulde be borne
      A sonne þat sall oure saffyng be
            Fro caris kene.
      For suth, it is my sone so free
      Be whame Balam gon meene. 105

16 Jos. Nowe welcome, floure fairest of
                                       hewe,
      I shall þe menske with mayne and
                                       myght.
      Hayle, my maker, hayle, Crist Jesu!
      Hayle, riall kyng, roote of all right!
            Hayle, saveour.   110
      Hayle, my lorde, lemer of light,
            Hayle, blessid floure!

17 Mar. Nowe Lord, þat all þis worlde
                               schall wynne,
      To þe, my sone, is þat I saye,
      Here is no bedde to laye the inne. 115
      Þerfore, my dere sone, I þe praye
            Sen it is soo,
      Here in þis cribbe I myght þe lay
            Betwene þer bestis two.

18   And I sall happe þe, myn owne
                           dere childe, 120

With such clothes as we have here.
   Jos. O Marie, beholde þes beestis
                              mylde: [t. 54 b
      They make lovyng in ther manere,
            As þei wer men.
      Forsothe, it semes wele be ther chere 125
            Þare Lord þei ken.

19 Mar. Ther Lorde þai kenne, þat
                              wate I wele,
      They worshippe hym with myght
                              and mayne.
      The wedir is colde, as ye may feele,
      To halde hym warme þei are full
                              fayne 130
            With þare warme breth,
      And oondis on hym, is noght to layne,
            To warme hym with.

20   O nowe slepis my sone, blist mot
                              he be,
      And lyes full warme þer bestis byt-
                              wene. 135
   Jos. O nowe is fulfilled, for suth I see,
      Þat Abacuc in mynde gon mene
            And prechid by prophicie:
      He saide, oure savyoure shall be sene
            Betwene bestis lye;   140

21   And nowe I see þe same in sight.
   Mar. Ȝa! sir, for suth, þe same is he.
   Jos. Honnoure and worshippe both
                              day and nyght
      Aylastand Lorde, be done to þe,
            Allway as is worthy,   [me 145
      And, Lord, to thy service I oblissh
            With all myn herte holy.

22 Mar. Þou mercyfull maker, most
                              myghty,
      My God, my Lorde, my sone so free,
      Thy handemayden, for soth, am I, 150
      And to thi service I oblissh me,
            With all myn herte entere.   [t. 55
      Thy blissing, beseke I t.
            Þou graunte us all in feere.

The Angels and the Shepherds.

XV. The Chaundelers.

1 i Past. Bredir, in haste takis heede
                         and here [t. 56
      What I wille speke and specifie:
      Sen we walke þus, withouten were,
      What mengis my moode nowe mevyt
                              will I.
      Oure forme fadres, faythfull in fere, 5

Bothe Osye and Isaye,
Preved þat a prins withouten pere
Shulde descende doune in a lady,
And to make mankynde clerly,
      To leche þam þat are lorne.   10
And in Bedlem hereby
      Sall þat same barne by borne.

_____
      4 mevyd   7 al I

2 ii Past.   Or he be borne in burgh
                        hereby,
Balaham, brothir, me have herde say,
A sterne shulde schyne and signifie 15
With lightfull lemes like any day.
And als the texte it tellis clerly
By witty lerned men of oure lay,
With his blissid bloode he shulde
                        us by,
He shulde take here al of a maye. 20
I herde my syre saye:
        When he of hir was borne,
She shulde be als clene maye
        As ever she was byforne.

3 iii Past.   A! mercifull maker, mekill
                        is thy myght 25
That þus will to þi servauntes see;
Might we ones loke uppon þat light,
Gladder bretheren myght no men be!
I have herde say, by þat same light
The childre of Israell shulde be
                        made free, 30
The force of the feende to felle in
                        sighte,
And all his pouer excluded shulde be.
Wherfore, brether, I rede þat wee [f. 56 b
Flitte faste overe thees felles,
To frayste to fynde oure fee,   35
And talke of sumwhat ellis.

4 i Pas.   We! Hudde!
  ii Pas.   We! Howe!
  i Pas.   Herkyn to me!
  ii Pas.   We! man, þou maddes all
                        out of myght.
  i Pas.   We! Colle!
  iii Pas.   What care is comen to þe?
  i Pas.   Steppe furth and stande by 40
        And tell me þan   [me right,
        Yf þou sawe evere swilke a sight!
  iii Pas.   I? nay, certis, nor nevere
                        no man.

5 ii Pas.   Say, felowes, what! fynde
                        yhe any feest,
Me falles for to have parte, parde! 45
  i Pas.   Whe! Hudde! behalde into
                        the heste!
A selcouthe sight þan sall þou see
        Uppon þe skye!
  ii Pas.   We! telle me men, e-mang
                        us thre,
        Whatt garres yow stare þus
                        sturdely? 50

6 iii Pas.   Als lange as we have herde-
                        men bene,
And kepid þis catell in þis cloghe,

So selcouth a sight was nevere non
                        sene.
  i Pas.   We! no, Colle! nowe comes
                        it newe i-nowe,
        Þat mon we fynde.   55
Itt menes some mervayle us e-mang, [f. 57
        Full hardely I you behete.

7 i Pas.   What it shulde mene, þat
                        wate not ȝee,
For all þat ȝe can gape and gone:
I can synge itt alls wele as hee,   60
And on asaie itt sall be sone
        Proved or we passe.
Yf ȝe will helpe, halde on! late see,
        For þus it was.

        Et tunc cantant.

8 ii Pas.   Ha! ha! þis was a mery note, 65
        Be the dede þat I sall dye;
I have so crakid in my throte,
        Þat my lippis are nere drye.
  iii Pas.   I trowe you royse,
For what it was fayne witte walde I, 70
        That tille us made þis noble noyse.

9 i Pas.   An aungell brought us tyth-
                        andes newe,
A babe in Bedlem shulde be borne,
Of whom þan spake oure prophicie
                        trewe,
And bad us mete hym þare þis morne, 75
        Þat mylde of mode.   [horne,
I walde giffe hym bothe hatte and
And I myght fynde þat frely foode.

10 iii Pas.   Hym for to fynde has we
                        no drede,
I sall you telle achesonne why: 80
ȝone sterne to þat lorde sall us lede.
  ii Pas.   ȝa! þou sais soth, go we forthy
        Hym to honnour,
And make myrthe and melody,
        With sange to seke oure savyour. 85

        Et tunc cantant.

11 i Pas. Breder, bees all blythe and glad, [f. 57 b
        Here is the burght þer we shulde be.
  ii Pas.   In þat same steede now are
                        we stadde,
Tharefore I will go seke and see.
Slike happe of heele nevere herde-
                        men hadde, 90
Loo! here is the house, and here
                        is hee.
  iii Pas.   ȝa! for sothe, þis is the same,
        Loo! whare þat Lorde is layde,
Betwyxe two bestis tame,
        Right als þe aungell saide.   95

41—42 are given to iii Pastor, 43 to ii Pastor.

12 i **Pas.**   The aungell saide þat he
                              shulde save
This worlde and all þat wonnes þerin;
Therfore yf I shulde oght aftir crave,
To wirshippe hym I will begynne.
Sen I am but a symple knave,   100
Þof all I come of curtayse kynne:
Loo! here slyke harnays as I have,
A baren broche by a belle of tynne
At youre bosom to be,
    And whenne ȝe shall welde all,   105
Gud sonne, forgete noȝt me,
    Yf any fordele falle.

13 ii **Pas.**   Þou sonne! þat shall save
                              boþe see and sande,
Se to me sen I have þe soght.
I am ovirpoure to make presande,   110
Als myn harte wolde, and I had
                              ought.
Two cobillnotis uppon a bande,
Loo! litill babe, what I have broght,

And when ȝe sall be Lorde in lande,
Dose goode a-gayne, forgete me   115
For I have herde declared [noght. [f. 53
    Of connyng clerkis and clene,
That bountith askis rewarde;
    Nowe watte ȝe what I mene.

14 iii **Pas.**   Nowe loke on me, my Lorde
                              dere,   120
Þof all I putte me noght in pres;
Ye are a prince withouten pere,
I have no presentte þat you may
                              plees.
But lo! an hornespone, þat have
                              I here,
And it will herbar fourty pese,   125
Þis will I giffe you with gud chere,
Slike novelte may noght disease.
Fare [wele], þou swete swayne,
    God graunte us levyng lange,
And go we hame a-gayne,   130
    And make mirthe as we gange.

118 askis] aftir

---

3. Towneley Plays (early 15th cent.).

T: *Towneley Plays. — MS.: in private possession (written middle 15th cent.). — Edd.: Raine
and Gordon, 1836, Surtees Soc.; England, 1897, EETS. ES. 71; the present play is also
reprinted by Hemingway, Engl. Nativity Plays, New York 1909, and with the omission
of lines 55—268, 350—502, 523—570 by Pollard, Engl. Miracle Plays, Moralities and
Interludes², Oxf. 1895, 31; Mätzner, Sprachpr. I 357—371 (Processus Noe cum Filiis,
from Surtees Ed.).*

*Parallel play of a deceitful peasant and his dream: De Clericis et Rustico (12th cent.). —
MS.: Vat. Christ. 344 f. 37 b. — Ed.: Wattenbach, Anzeiger f. Kunde der deutschen Vorzeit
1875, col. 343.*

Consocii! "Quid?" Iter rapiamus! "Quid placet?" Ire
    Ad sacra. "Quando? modo quo?" Prope fiat, ita:
Addatis peram lateri, ecce crucem scapulo, ecce
    Et manibus baculum! ecce venite! bene est.
"Immo male est." Quid abest? "Expensa." Quid ergo   5
    In gremio portas? "Ecce tot." Hic nichil est.
Hoe moram facimus; iam sol declinat, eundum est
    Quam cicius, procul est urbs, stimulate gradus!
Sed quis ad hospicium prior ibit? "Si placet, ibo."
    Set placet. ergo prehi, plus pede namque potes.   10
Fert bene; precedit solus, soli remanemus,
    Iamque referre licet, quicquid utrique libet.
Est libum nobis commune, satisque duobus,
    Exiguumque tribus: quid faciemus in hoc?
Rusticus ille vorax totum consumeret uno   15
    Morsu: sic nobis porcio nulla foret.
"Rusticus est Coridon et magnae simplicitatis,
    Inscius ille doli, fallibilisque dolo.
Est in eo nimiumque gulae minimumque dolorum:
    Si vis ergo gulam fallere, finge dolos."   20
Quam bene dixisti! non amplius exigo verbum.
    Conveniamus eum, dissimulesque dolum.
Rustice, rustice! "Quid, domini?" Sunt omnia presto?
    "Sunt." Quid edatur habes? "Ecce!" Magisme? "Nichil."
Quid res inter tot tantilla foret? "Nichil." Ergo
    Evincat pactus, cuius erit. "Sit ita."   25

MS 14 faciendum   18 incius

Hoc ergo pacto stemus: cui somnia somnus
  Plura videre dabit, mira videntis erit.
Hocne probatis ita? placet hoc vobis? "Ita." Lecti
  Presto sunt.   "Ita." Nunc ingrediemur? "Ita."   30
Cum sint urbani, cum semper in urbe dolosi,
  Suspicor in sociis non nichil esse doli.
Primo iusserunt precedere, post revocarunt,
  Extremo pactum constituere michi.
Qui premunitur, non fallitur, et capientem   35
  Primo piget raro: me capere ergo bonum est.
Tucius est etenim ventris sedare furorem
  Et removere famem, quam retinere fidem.
Quicquid de somno post haec evenerit, illud
  Expedit ut faciam, ne michi fiat idem.   40
"Hoc quid est visum?" Quis somnia casus ademit?
  Quis modo subripuit gaudia tanta michi?
Sese pretulerat mihi spera poli, paralelli,
  Lactea, zodiacus, signa minuta, gradus.
Mirabar motus varios, ciclos, epiciclos,   45
  Et quod ab egregia cuspide nomen habet.
Mirabar lunam sibi vendicasse nitorem,
  Cum foret in reliquis non aliunde nitor.
Singula quid numerem? sed singula quis numerabit?
  Ut breviter dicam: non rediturus eram.   50
Ha deus! a quantis redii languoribus, et quot
  Somnia sopitis subposuere malis!
Quatuor obstupui furias, Alecto, Megeram,
  Tesiphonem: quartae nomen Erinis erat.
Vulture consumtus Ticius, Stige Tantalus, axe   55
  Yxion, saxo Sisiphus ante stetit.
Vidi quam multas, vidi, puduitque videre
  Claustrales dominas femineosque viros.
Singula quid memorem? set singula quis numerabit?
  Ut breviter dicam: non rediturus eram.   60
Haec vidi, et libum, quia neuter erat rediturus,
  Feci individuum, quod fuit ante, genus.
              Expliciunt versus.

----
28 Plure videre stabit   30 ingrediemus   33 revocarant

Secunda Pastorum.

T: 1 Primus pastor. Lord, what these weders ar cold!   and I am yll happyd;
          I am nere-hande dold,   so long have I nappyd;
          My legys thay fold,   my fyngers ar chappyd,
          It is not as I wold,   for I am al lappyd
              In sorow.   5
          In stormes and tempest,
          Now in the eest, now in the west,
          Wo is hym has never rest,
              Mydday nor morow!

      2 Bot we sely shepardes,   that walkys on the moore,   10
          In fayth we are nere-handys   outt of the doore;
          No wonder, as it standys,   if we be poore,   [f. 38 b
          For the tylthe of oure landys   lyys falow as the floore,
              As ye ken.
          We ar so hamyd,   15
          Fortaxed and ramyd,
          We ar mayde handtamyd
              With thyse gentlery-men.

      3 Thus thay refe us oure rest,   oure lady theym wary!
          These men that ar lord-fest   thay cause the ploghe tary.   20
          That men say is for the best,   we fynde it contrary;

T: Thus ar husbandys opprest   in po[i]nte to myscary
      On lyfe.
    Thus hold thay us hunder,
    Thus thay bryng us in blonder;   25
    It were greatte wonder,
      And ever shuld we thryfe.

4 For may he gett a paynt slefe or a broche now-on-dayes,
    Wo is hym that hym grefe or onys a-ganesays!
    Dar no man hym reprefe what mastry he mays, 30
    And yit may no man lefe oone word that he says,
      No letter.
    He can make purveance
    With boste and bragance,
    And all is thrugh mantenance   35
      Of men that are gretter.

5 Ther shall com a swane as prowde as a po.
    He must borow my wane, my ploghe also,
    Then I am full fane to graunt or he go.
    Thus lyf we in payne, anger and wo   40
      By nyght and day;
    He must have if he langyd;
    If I shuld forgang it,
    I were better be hangyd
      Then oones say hym nay.   45

6 It dos me good, as I walk thus by myn oone,
    Of this warld for to alk in maner of mone.
    To my shepe wyll I talk and herkyn anone,
    Ther a-byde on a balk or sytt on a stone
      Full soyne.   50
    For I trowe, perde,
    Trew men if thay be,
    We gett more compane
      Or it be noyne.

7 Secundus pastor. *Benste* and *Dominus!* What may this bemeyne? 55
    Why fares this warld thus, oft have we not sene.
    Lord, thyse weders ar spytus and the weders full kene,
    And the frostys so hydus, thay water myn eeyne, [f. 39
      No ly.
    Now in dry, now in wete,   60
    Now in snaw, now in slete,
    When my shone freys to my fete,
      It is not all esy.

8 Bot as far as I ken, or yit as I go,
    We sely wedmen dre mekyll wo; 65
    We have sorow then and then, it fallys oft so;
    Sely Capyle, oure hen, both to and fro
      She kakyls;
    Bot begyn she to crok,
    To groyne or [to clo]k, 70
    Wo is hym is of oure cok,
      For he is in the shekyls.

9 These men that ar wed have not all thare wyll;
    When they ar full hard sted, thay sygh full styll;
    God wayte, thay ar led full hard and full yll; 75

23 *Stanzas 4 and 5 are probably to be transposed* (Kölbing).

T:

In bower nor in bed   thay say noght thertyll
　　This tyde.
My parte have I fun,
I know my lesson.
Wo is hym that is bun,   80
　　For he must a-byde.

10　Bot now late in oure lyfys   a mervell to me
That I thynk my hart ryfys   sich wonders to see,
What that destany dryfys   it shuld so be:
Som men will have two wyfys   and som men thre   85
　　In store;
Som ar wo that has any,
Bot so far can I:
Wo is hym that has many,
　　For he felys sore.   90

11　Bot yong men of wowyng,   for God that you boght,
Be well war of wedyng   and thynk in youre thoght!
"Had I wyst" is a thyng   it servys of noght;
Mekyll styll mowrnyng   has wedyng home broght,
　　And grefys   95
With many a sharp showre;
For thou may cach in an owre
That shall [savour] fulle sowre
　　As long as thou lyffys.

12　For, as ever red I pystyll,   I have oone to my fere   100
As sharp as a thystyll,   as rugh as a brere;
She is browyd lyke a brystyll   with a sowreloten chere;
Had she oones wett hyr whystyll   she couth syng full clere   [f. 39 b
　　Hyr *pater-noster*.
She is as greatt as a whall,   105
She has a galon of gall;
By hym that dyed for us all,
　　I wald [I had ryn to] I had lost hir.

13 Primus pastor. God looke over the raw!   Full de[r]fly ye stand.
　ijus pastor. Yee, the dewill in thi maw!   So tariand!   110
　　Sagh thou awro of Daw?
Primus pastor.　　　Yee, on a ley-land
Ha d I hym blaw. He commys here at hand,
　　Not far;
Stand styll.
ijus pastor. Qwhy?
Primus pastor. For he commys, hope I.   115
ijus pastor. He wyll make us both a ly,
　　Bot if we be war.

14 Tercius pastor. Crystys crosse me spede   and sant Nycholas!
Therof had I nede,   it is wars then it was.
Whoso couthe take hede   and lett the warld pas,   120
It is ever in drede   and brekyll as glas,
　　And slythys.
This warld fowre never so,
With mervels mo and mo,
Now in weyll, now in wo,   125
　　And all thyng wrythys.

---

98 *The word in brackets illegible in* MS

T: 15   Was never syn Noe floode   sich floodys seyn;
        Wyndys and ranys so rude   and stormes so keyn;
        Som stamerd, som stod   in dowte, as I weyn;
        Now God turne all to good,   I say as I mene,   130
            For ponder:
        These floodys so thay drowne,
        Both in feyldys and in towne,
        And berys all downe,
            And that is a wonder.   135

    16   We that walk on the nyghtys   oure catell to kepe,
        We se sodan syghtys   when othere men slepe.
        Yit me thynk my hart lyghtys,   I se shrewys pepe;
        Ye ar two all-wyghtys,   I wyll gyf my shepe
            A turne.   140
        Bot full yll have I ment,
        As I walk on this bent,
        I may lyghtly repent,
            My toes if I spurne.

    17   A! sir, God you save   and master myne!   145
        A drynk fayn wold I have   and somwhat to dyne.
      Primus pastor. Crystys curs, my knave,   thou art a ledyr hyne!
      ijus pastor. What! the boy lyst rave;   a-byde unto syne
            We have mayde it.
        Yll thryft on thy pate!   [f. 40
        Though the shrew cam late,   151
        Yit is he in state
            To dyne, if he had it.

    18 Tercius pastor. Sich servandys as I   that swettys and swynkys,
        Etys oure brede full dry,   and that me forthynkys;   155
        We ar oft weytt and wery   when mastermen wynkys,
        Yit commys full lately   both dyners and drynkys.
            Bot nately
        Both oure dame and oure syre,
        When we have ryn in the myre,   160
        Thay can nyp at oure hyre
            And pay us full lately.

    19   Bot here my trouth, master,   for the fayr that ye make,
        I shall do therafter   wyrk as I take;
        I shall do a lytyll, sir,   and e-mang ever lake,   165
        For yit lay my soper   never on my stomake
            In feyldys.
        Wherto shuld I threpe?
        With my staf can I lepe,
        And men say: "Lyght chepe   170
            Letherly foryeldys."

20 Primus pastor. Thou were an yll lad   to ryde on wowyng
        With a man that had   bot lytyll of spendyng.
      ijus pastor. Peasse, boy, I bad,   no more jangling!
        Or I shall make the full rad,   by the heven's kyng,   175
            With thy gawdys;
        Wher ar oure shepe, boy, we skorne?
      iijus pastor. Sir, this same day at morne
        I thaym left in the corne,
            When thay rang lawdys;   180

---

137 slepe] *originally* slepys *altered in red ink.*

T: 21   Thay have pasture good,   thay can not go wrong.
          Primus pastor. That is right, by the roode,   thyse nyghtys ar long,
              Yit I wold, or we yode,   oone gaf us a song.
          ijus pastor. So I thoght as I stode   to myrth us e-mong.
          iijus pastor. I grauntt.   185
          Primus pastor. Lett me syng the tenory.
          ijus pastor. And I the tryble so hye.
          iijus pastor. Then the meyne fallys to me;
              Lett se how ye chauntt.

              Tunc intrat Mak, in clamide se super togam vestitus.

22   Mak.   Now Lord, for thy naymes vii,   that made both moyn and starnes 190
              Well mo then I can neven: thi will, Lorde, of me tharnys;
              I am all uneven,   that moves oft my harnes.   f. 40 b
              Now wold God I were in heven,   for the[re] wepe no barnes
                  So styll.
          Primus pastor. Who is that pypys so poore?   195
          Mak. Wold God ye wyst how I foore!
              Lo, a man that walkys on the moore,
              And has not all his wyll.

23   Secundus pastor. Mak, where has thou gon?   Tell us tythyng.
     Tercius pastor. Is he commen? Then ylkon   take hede to his thyng. 200
              et accipit clamidem ab ipso.

          Mak. What! ich be a yoman,   I tell you, of the king;
              The self and the same   sond from a greatt lordyng,
                  An sich.
              Fy on you! goyth hence
              Out of my presence!   205
              I must have reverence;
                  Why, who be ich?

24   Primus pastor. Why make ye it so qwaynt?   Mak, ye do wrang.
          ijus pastor. Bot, Mak, lyst ye saynt?   I trow that ye lang.
          iijus pastor. I trow the shrew can paynt,   the dewyll myght hym hang! 210
          Mak. Ich shall make complaynt   and make you all to thwang
                  At a worde,
              And tell evyn how ye doth.
          Primus pastor. Bot, Mak, is that sothe?
              Now take outt that sothren tothe   215
                  And sett in a torde!

25   ijus pastor. Mak, the dewill in youre ee,   a stroke wold I leyne you.
          iijus pastor. Mak, know ye not me?   By God, I couthe teyn you.
          Mak. God looke you all thre!   Me thoght I had sene you.
              Ye ar a fare compane.   220
          Primus pastor.   Can ye now mene you?
          Secundus pastor. Shrew, jape!
              Thus late as thou goys,
              What wyll men suppos?
              And thou has an yll noys   225
                  Of stelyng of shepe.

26   Mak. And I am trew as steyll,   all men waytt,
              Bot a sekenes I feyll   that haldys me full haytt:
              My belly farys not weyll,   it is out of astate.
          iijus pastor. Seldom lyys the dewyll   dede by the gate.   230

    _____
    199 gom   218 tein] teyle, *but* le *in later hand.*

T: Mak. Therfor
         Full sore am I and yll,
         If I stande stonestyll;
         I ete not an nedyll
               Thys moneth and more.   235

27 Primus pastor. How farys thi wyff?   By my hoode,   how farys sho?
   Mak. Lyys walteryng, by the roode,   by the fyere, lc l
         And a howse-full of brude,   she drynkys well, to;   [f. 41
         Yll spede othere good   that she wyll do!
               Bot so   240
         Etys as fast as she can,
         And ilk yere that commys to man
         She bryngys furth a lakan,
               And som yeres two.

28   Bot were I not more gracyus   and rychere be far,   245
         I were eten outt of howse   and of harbar;
         Yit is she a fowll dowse,   if ye com nar:
         Ther is none that trowse   nor knowys a war,
               Then ken I
         Now wyll ye se what I profer,   250
         To gyf all in my cofer,
         To-morne at next to offer
               Hyr hed mas-penny.

29 Secundus pastor. I wote so forwakyd   is none in this shyre:
         I wold slepe if I takyd   les to my hyere.   255
   iijus pastor. I am cold and nakyd   and wold have a fyere.
   Primus pastor. I am wery, for-rakyd   and run in the myre.
               Wake thou!
   ijus patsor. Nay, I wyll lyg downe by,
         For I must slepe truly.   260
   iijus pastor. As good a man's son was I
               As any of you.

30   Bot, Mak, com heder!   betwene   shall thou lyg downe.
   Mak. Then myght I lett you bedene   of that ye wold rowne,
               No drede.   265
         Fro my top to my too,
         Manus tuas commendo,
         Poncio pilato,
               Cryst crosse me spede!

         Tunc surgit, pastoribus dormientibus, et dicit:

31   Now were tyme for a man,   that lakkys what he wold,
         To stalk prevely than   unto a fold,   270
         And neemly to wyrk than   and be not to bold,
         For he might a-by the bargan,   if it were told
               At the endyng.
         Now were tyme for to reyll;
         Bot he nedys good counsell   275
         That fayn wold fare weyll
               And has bot lytyll spendyng.

32   Bot a-bowte you a serkyll   as rownde as a moyn,
         To I have done that I wyll,   tyll that it be noyn,
         That ye lyg stonestyll,   to that I have doyne,   280
         And I shall say thertyll   of good wordys a foyne.
               On hight
         Over youre heydys my hand I lyft: [f. 41b]

T: "Outt go youre een, fordo your syght!"
   Bot yit I must make better shyft,   285
    And it be right.

  33 Lord! what thay slepe hard! That may ye all here;
   Was I never a shepard, bot now wyll I lere.
   If the flok be skard, yit shall I nyp nere.
   How! drawes hederward! Now mendys oure chere 290
    From sorow:
   A fatt shepe, I dar say;
   A good flese dar I lay,
   Eftwhyte when I may,
    Bot this will I borow.   295

  34 How, Gyll, art thou in? Gett us som lyght!
  Uxor eius. Who makys sich dyn this tyme of the nyght?
   I am sett for to spyn. I hope not I myght
   Ryse a penny to wyn. I shrew them on hight! 300
    So farys
   A huswyff that has bene
   To be rasyd thus betwene:
   Here may no note be sene
    For sich small charys.

  35 Mak. Good wyff, open the hek! Seys thou not what I bryng? 305
  Uxor. I may thole the dray the snek. A! com in, my swetyng!
  Mak. Yee, thou thar not rek of my long standyng.
  Uxor. By the nakyd nek art thou lyke for to hyng.
  Mak. Do way:
   I am worthy my mete,   310
   For in a strate can I gett
   More then thay that swynke and swette
    All the long day,

  36 Thus it fell to my lott. Gyll, I had sich grace.
  Uxor. It were a fowll blott to be hanged for the case. 315
  Mak. I have skapyd, Jelott, oft as hard a glase.
  Uxor. Bot so long goys the pott to the water, men says,
    At last
   Comys it home broken.
  Mak. Well knowe I the token,   320
   Bot let it never be spoken;
    Bot com and help fast.

  37 I wold he were slayn, I lyst well ete:
   This twelmothe was I not so fayn of oone shepemete.
  Uxor. Com thay or be he slayn, and here the shepe blete! 325
  Mak. Then myght I be tane, that were a cold swette!
    Go spar   [f. 42
   The gayttdoore.
  Uxor.   Yis, Mak,
   For and thay com at thy bak,
  Mak. Then myght I by, for all the pak,   330
    The dewill of the war.

  38 Uxor. A good bowrde have I spied, syn thou can none:
   Here shall we hym hyde to thay be gone;
   In my credyll a-byde lett me al one,
   And I shall lyg besyde in chylbed and grone. 335
    Mak. Thou red;

---
  291 ffron

T:

     And I shall say thou was lyght
     Of a knavechilde this nyght.
   Uxor. Now well is me day bright,
     That ever was I bred.   340

39   This is a good gyse   and a far cast;
     Yit a woman-avyse   helpys at the last.
     I wote never who spyse,   a-gane go thou fast.
  Mak. Bot I com or thay ryse,   els blawes a cold blast!
      I wyll go slepe.   345
     Yit slepys all this meneye,
     And I shall go stalk prevely,
     As it had never bene I
      That caryed thare shepe.

40 Primus pastor. *Resurrex a mortuis*!   Have hald my hand.
  Iudas carnas Dominus!   I may not well stand:
   My foytt slepys, by Jhesus,   and I water fastand.
   I thoght that we layd us   full nere Yngland.
  Secundus pastor. A ye!
     Lord! what I have slept weyll;   355
     As fresh as an eyll,
     As lyght I me feyll
      As leyfe on a tre.

41 Tercius pastor. *Benste* be here in!   So my [hart] qwakys,
   My hart is outt of skyn,   whatso it makys.   360
   Who makys all this dyn?   So my browes blakys.
   To the dowore wyll I wyn.   Harke, felows, wakys!
     We were fowre:
     Se ye awre of Mak now?
  Primus pastor. We were up or thou.   365
  ijus pastor. Man, I gyf God a vowe,
     Yit yede he nawre.

42 iijus pastor. Me thoght he was lapt   in a wolfeskyn.
  Primus pastor. So are many hapt   now namely within.
  ijus pastor. When we had long napt,   me thoght with a gyn   370
   A fatt shepe he trapt;   bot he mayde no dyn.   [f. 42 b
  Tercius pastor. Be styll!
     Thi dreme makys the woode:
     It is bot fantom, by the roode.
  Primus pastor. Now God turne all to good,   375
      If it be his wyll!

43 ijus pastor. Ryse, Mak, for shame!   Thou lygys right lang.
  Mak. Now Crystys holy name   be us e-mang!
   What is this? For sant Jame,   I may not well gang!
   I trow I be the same.   A! my nek has lygen wrang   380
     E-noghe;
     Mekill thank! syn yistereven,
     Now, by sant Stevyn,
     I was flayd with a swevyn
      My hart out of sloghe.   385

44   I thoght Gyll began to crok   and travell full sad
   Wel ner at the fyrst cok   of a yong lad,
   For to mend oure flok.   Then be I never glad.
   I have tow on my rok   more then ever I had.
      A! my heede!   390

---

352 Jhesus] ihe   383 strevyn

T: A house-full of yong tharmes,
          The dewill knok outt thare harnes!
          Wo is hym has many barnes
              And therto lytyll brede!

45   I must go home, by youre lefe,   to Gyll, as I thoght.   305·
          I pray you looke my slefe   that I steyll noght:
          I am loth you to grefe   or from you take oght.
     iijus pastor. Go furth, yll myght thou chefe!   Now wold I we soght
              This morne
          That we had all oure store.   400·
     Primus pastor. Bot I will go before,
          Let us mete.
     ijus pastor. Whore?
     iijus pastor. At the crokyd thorne.

46 Mak. Undo this doore! [Ux.] Who is here? [Mak.] How long shall I stand?
     Uxor eius. Who makys sich a bere?   Now walk in the wenyand.   405·
     Mak. A! Gyll, what chere?   It is I, Mak, youre husbande.
     Uxor. Then may we be here   the dewill in a bande,
              Syr Gyle;
          Lo, he commys with a lote
          As he were holden in the throte.   410·
          I may not syt at my note
              A hand-lang while.

47 Mak. Wyll ye here what fare she makys   to gett hir a glose,
          And dos noght bot lakys   and clowse hir toose.
     Uxor. Why, who wanders, who wakys,   who commys, who gose?   415·
          Who brewys, who bakys?   What makys me thus hose?
              And than
          It is rewthe to beholde,
          Now in hote, now in colde.
          Full wofull is the householde   420·
              That wantys a woman.

48   Bot what ende has thou mayde   with the hyrdys,   [f. 43
              Mak?
     Mak. The last worde that thay sayde   when I turnyd my bak,
          Thay wold looke that thay hade   thare shepe all the pak.
          I hope thay wyll nott be well payde   when thay thare shepe lak, 425·
              Perde.
          Bot howso the gam gose,
          To me thay wyll suppose
          And make a fowll noyse
              And cry outt apon me.   430·

49   Bot thou must do as thou hyght.
     Uxor.   I accorde me thertyll.
          I shall swedyll hym right   in my credyll;
          If it were a gretter slyght,   yit couthe I help tyll.
          I wyll lyg downe stright;   com hap me.
     Mak.   I wyll.
     Uxor. Behynde   435·
          Com Coll and his maroo,
          Thay will nyp us full naroo.
     Mak. Bot I may cry out "haroo,"
              The shepe if thay fynde.

50 Uxor. Harken ay when thay call,   thay will com onone.   440·
          Com and make redy all   and syng by thyn oone;

T:
```
        Syng lullay thou shall,      for I must grone,
        And cry outt by the wall     on Mary and John,
            For sore.
        Syng lullay on fast                                        445
        When thou heris at the last;
        And bot I play a fals cast,
            Trust me no more.
```

51 Tercius pastor. A! Coll, goode morne,   why slepys thou nott?
Primus pastor. Alas, that, ever was I borne!   We have a fowll blott. 450
    A fat wedir have we lorne.
Tercius pastor.   Mary Godys forbott!
ijus pastor. Who shuld do us that skorne?
                                  That were a fowll spott.
Primus pastor. Som shrewe.
    I have soght with my dogys
    All Horbery shrogys,   455
    And of XV hogys
        Fond I bot oone ewe.

52 iijus pastor. Now trow me, if ye will,   by sant Thomas of Kent,
    Ayther Mak or Gyll   was at that assent.
Primus pastor. Peasse, man, be still!   I sagh when he went;   460
    Thou sklanders hym yll,   thou aght to repent.
        Goode spede.
ijus pastor. Now as ever myght I the,
    If I shuld evyn here de,
    I wold say it were he   465
        That dyd that same dede.

53 iijus pastor. Go we theder, I rede,   and ryn on oure feete.
    Shall I never ete brede,   the sothe to I wytt.
Primus pastor. Nor drynk in my heede,   with hym tyll I mete.
Secundus pastor. I wyll rest in no stede,   tyll that I hym grete,   [f. 43 b
    My brothere.   471
        Oone I will hight:
    Tyll I se hym in sight
    Shall I never slepe one nyght
        Ther I do anothere.   475

54 Tercius pastor. Will ye here how thay hak?   Oure syre lyst croyne.
Primus pastor. Hard I never none crak   so clere out of toyne;
    Call on hym!
ijus pastor. Mak!   Undo youre doore soyne!
Mak. Who is that spak   as it were noyne
        On loft?   480
    Who is that, I say?
iijus pastor. Goode felowse, were it day.
Mak. As far as ye may,
        Good, spekys soft,

55   Over a seke woman's heede   that is at mayll-easse;   485
    I had lever be dede   or she had any dyseasse.
Uxor. Go to an othere stede,   I may not well qweasse.
    Ich fote that ye trede   goys thorow my nese.
        So hee!
Primus pastor. Tell us, Mak, if ye may,   490
    How fare ye, I say?
Mak. Bot ar ye in this towne to-day?
        Now how fare ye?

T: 56   Ye have ryn in the myre   and ar weytt yit:
        I shall make you a fyre,   if ye will syt.   495
        A nores wold I hyre,   thynk ye on yit,
        Well qwytt is my hyre,   my dreme this is itt
           A seson.
        I have barnes, if ye knew,
        Well mo then e-newe,   500
        Bot we must drynk as we brew,
           And that is bot reson.

     57   I wold ye dynyd or ye yode,   me thynk that ye swette.
    Secundus pastor. Nay, nawther mendys oure mode,   drynke nor mette
    Mak. Why, sir, alys you oght bot goode?
    Tercius pastor. Yee, oure shepe that we gett,   505
        Ar stollyn as thay yode;   oure los is grette.
    Mak. Syrs, drynkys!
        Had I bene thore,
        Som shuld have boght it full sore.
    Primus pastor. Mary, som men trowes that ye wore,   510
        And that us forthynkys.

     58 ijus pastor. Mak, som men trowys   that it shuld be ye.
    iijus pastor. Ayther ye or youre spouse,   so say we.
    Mak. Now if ye have suspowse   to Gill or to me,
        Com and rype oure howse,   and then may ye se   515
           Who had hir,
        If I any shepe fott,
        Aythor cow or stott;
        And Gyll, my wyfe, rose nott
           Here syn she lade hir.   520

     59   As I am true and lele,   to God here I pray,   [f. 44
        That this be the fyrst mele   that I shall ete this day.   Sig.H
    Primus pastor. Mak, as have I ceyll,   avyse the, I say;
        He lernyd tymely to steyll   that couth not say nay.
    Uxor. I swelt!   525
        Outt, thefys, fro my wonys!
        Ye com to rob us for the nonys!
    Mak. Here ye not how she gronys?
           Youre hartys shuld melt.

     60 Uxor. Outt, thefys, fro my barne!   Negh hym not thor.   530
    Mak. Wyst ye how she had farne,   youre hartys wold be sore.
        Ye do wrang, I you warne,   that thus commys before
        To a woman that has farne.   bot I say no more.
    Uxor. A! my medyll!
        I pray to God so mylde,   535
        If ever I you begyld,
        That I ete this chylde
           That lygys in this credyll.

     61 Mak. Peasse, woman, for Godys payn,   and cry not so:
        Thou spyllys thy brane   and makys me full wo.   540
    Secundus pastor. I trow oure shepe be slayn,   what finde ye two?
    iijus pastor. All wyrk we in vayn.   As well may we go.
        Bot hatters!
        I can fynde no flesh,
        Hard nor nesh,   545
        Salt nor fresh,
           Bot two tome platers.

T: 62   Whik catell bot this,   tame nor wylde,
    None, as have I blys,   as lowde as he smylde.
Uxor. No, so God me blys,   and gyf me joy of my chylde!   550
Primus pastor. We have merkyd a-mys,   I hold us begyld.
ijus pastor. Syr don,
    Syr, oure lady hym save!
    Is youre chyld a knave?
Mak. Any lord myght hym have,   555
    This chyld to his son.

63   When he wakyns he kyppys,   that joy is to se.
ijus pastor. In good tyme to hys hyppys   and in cele.
    Bot who was his gossyppys,   so sone rede?
Mak. So fare fall thare lyppys—
Primus pastor.   Hark now, a le!   560
Mak. So God thaym thank,
    Parkyn and Gybon Waller, I say,   [f. 44 b]
    And gentill John Horne, in good fay,
    He made all the garray,
        With the greatt shank.   565

64 ijus pastor. Mak, freyndys will we be,   for we ar all oone.
Mak. We! now I hald for me,   for mendys gett I none.
    Fare well all thre,   all glad were ye gone.
ijus pastor. Fare wordys may ther be,   bot luf is ther none
    This yere.   570
Primus pastor. Gaf ye the chyld any thyng?
ijus pastor. I trow not oone farthyng.
iijus pastor. Fast a-gane will I flyng,
    A-byde ye me there.

65   Mak, take it to no grefe   if I com to thi barne.   575
Mak. Nay, thou dos me greatt reprefe,   and fowll has thou farne.
iijus pastor. The child will it not grefe,   that lytyll day-starne.
    Mak, with youre leyfe,   let me gyf youre barne
    Bot VI pence.
Mak. Nay, do way: he slepys.   580
iijus pastor. Me thynk he pepys.
Mak. When he wakyns, he wepys.
    I pray you go hence.

66 iijus pastor. Gyf me lefe hym to kys   and lyft up the clowtt.
    What the dewill is this?   He has a long snowte.   585
Primus pastor. He is merkyd a-mys;   we wate ill a-bowte.
ijus pastor. Ill-spon weft, I-wys,   ay commys foull owte.
    Ay, so!
    He is lyke to oure shepe!
iijus pastor. How, Gyb! may I pepe?   590
Primus pastor. I trow, kynde will crepe
    Where it may not go.

67 ijus pastor. This was a qwantt gawde   and a far cast.
    It was a hee frawde.
iijus pastor.   Yee, syrs, wast.
    Lett bren this bawde   and bynd hir fast.   595
    A fals skawde   hang at the last;
    So shall thou.
    Wyll ye se how thay swedyll
    His foure feytt in the medyll?
    Sagh I never in a credyll   600
    A hornyd lad or now.

T: 68 Mak. Peasse byd I : what !   Lett be youre fare;   [f. 45
          I am he that hym gatt,   and yond woman hym bare.   Sig.H.3
       Primus pastor. What dewill shall he hatt,   Mak ? lo God, Makys ayre!
       ijus pastor. Lett be all that,   now God gyf hym care,   605
          I sagh.
       Uxor. A pratty child is he
          As syttys on a waman's kne;
          A dyllydowne, perde,
             To gar a man laghe.   610

    69 iijus pastor. I know hym by the eere-marke,   that is a good tokyn.
       Mak. I tell you, syrs, hark !   Hys noyse was brokyn.
          Sythen told me a clerk   that he was forspokyn.
       Primus pastor. This is a fals wark,   I wold fayn be wrokyn:
             Gett wepyn.   615
       Uxor. He was takyn with an elfe,
          I saw it my self.
          When the clok stroke twelf
             Was he forshapyn.

    70 ijus pastor. Ye two ar well feft   sam in a stede.   620
       iijus pastor. Syn thay manteyn thare theft,   let do thaym to dede.
       Mak. If I trespas eft,   gyrd of my heede.
          With you will I be left.
       Primus pastor.   Syrs, do my reede.
          For this trespas,
          We will nawther ban ne flyte,   625
          Fyght nor chyte,
          Bot have done as tyte
             And cast hym in canvas.

    71   Lord! what I am sore,   in poynt for to bryst.
          In fayth, I may no more,   therfor wyll I ryst.   630
       ijus pastor. As a shepe of VII skore   he weyd in my fyst.
          For to slepe aywhore   me thynk that I lyst
       iijus pastor. Now I pray you,
          Lyg downe on this grene.
       Primus pastor. On these thefys yit I mene.   635
       iijus pastor. Wherto shuld ye tene
             So, as I say you?
             Angelus cantat "gloria in exelsis"; postea dicat:

    72 Angelus. Ryse, hyrdmen heynd!   For now is he borne
          That shall take fro the feynd   that Adam had lorne;
          That warloo tosheynd,   this nyght is he borne.   640
          God is made youre freynd   now at this morne.
             He behestys,
          At Bedlem go se,
          Ther lygys that fre
          In a cryb full poorely   645
             Betwyx two bestys.

    73 Primus pastor. This was a qwant stevyn   that ever yit I hard. [f. 45 b
          It is a mervell to nevyn   thus to be skard.
       ijus pastor. Of Godys son of hevyn   he spak upward.
          All the wod on a levyn   me thoght that he gard   650
             Appere.
       iijus pastor. He spake of a barne
          In Bedlem, I you warne.
       Primus pastor. That betokyns yond starne.
          Let us seke hym there.   655

T: 74 ijus pastor. Say, what was his song? Hard ye not how he crakyd it?
  Thre brefes to a long.
 iijus pastor.   Yee, mary, he hakt it.
  Was no crochett wrong, nor nothyng that lakt it.
 Primus pastor. For to syng us e-mong right as he knakt it,
  I can.   660
 ijus pastor. Let se how ye croyne.
  Can ye bark at the mone?
 iijus pastor. Hold youre tonges, have done!
 Primus pastor. Hark after, than.

75 ijus pastor. To Bedlem he bad that we shuld gang: 665
  I am full fard that we tary to lang.
 iijus pastor. Be mery and not sad, of myrth is oure sang,
  Everlastyng glad to mede may we fang
   Withoutt noyse.
 Primus pastor. Hy we theder forthy;   670
  If we be wete and wery,
  To that chyld and that lady
   We have it not to lose.

76 ijus pastor. We fynde by the prophecy— let be youre dyn—
  Of David and Isay and mo then I myn,   675
  Thay prophecyed by clergy that in a vyrgyn
  Shuld he lyght and ly, to slokyn oure syn
   And slake it,
  Oure kynde from wo;
  For Isay sayd so: 680
  " *Citè virgo concipiet*
   A chylde that is nakyd.''

77 iij pastor. Full glad may we be and a-byde that day,
  That lufly to se that all myghtys may.
  Lord well were me, for ones and for ay,   685
  Myght I knele on my kne som word for to say
   To that chylde.
  Bot the angell sayd
  In a cryb wos he layde;
  He was poorly arayd   690
   Both mener and mylde.

78 Primus pastor. Patryarkes that has bene and prophetys beforne,
  Thay desyryd to have sene this chylde that is borne.
  Thay ar gone full clene, that have thay lorne.
  We shall se hym, I weyn, or it be morne, [f. 46
   To tokyn.   Sig.H.4
  When I se hym and fele,   696
  Then wote I full weyll
  It is true as steyll
   That prophetys have spokyn.

79 To so poore as we ar, that he wold appere, 700
  Fyrst fynd and declare by his messyngere.
 ijus pastor. Go we now, let us fare: the place is us nere.
 iijus pastor. I am redy and yare. Go we in fere
   To that bright.   705
  Lord, if thi wylles be,
  We ar lewde all thre,
  Thou grauntt us somkyns gle
   To comforth thi[s] wight.

T: 80 Primus pastor. Hayll, comly and clene!   Hayll, yong child!   10
      Hayll, maker, as I meyne,   of a madyn so mylde!
      Thou has waryd, I weyne,   the warlo so wylde;
      The fals gyler of teyn,   now goys he begylde.
          Lo, he merys;
      Lo, he laghys, my swetyng.   715
      A wel fare metyng.
      I have holden my hetyng:
          Have a bob of cherys!

   81 ijus pastor. Hayll, sufferan savyoure!   For thou has us soght:
      Hayll, frely foyde and floure,   that all thyng has wroght!   720
      Hayll, full of favoure,   that made all of noght!
      Hayll! I kneyll and I cowre.   A byrd have I broght
          To my barne.
      Hayll, lytyll tyne mop!
      Of oure crede thou art crop;   725
      I wold drynk on thy cop,
          Lytyll day-starne.

   82 iijus pastor. Hayll, derlyng dere,   full of godhede!
      I pray the be nere   when that I have nede.
      Hayll! swete is thy chere!   My hart wold blede   730
      To se the sytt here   in so poore wede
          With no pennys.
      Hayll! put furth thy dall!
      I bryng the bot a ball:
      Have and play the withall,   735
          And go to the tenys.

   83 Maria. The fader of heven,   God omnypotent,
      That sett all on seven,   his son has he sent.
      My name couth he neven   and lyght or he went.
      I conceyvyd hym full even   thrugh myght as he ment,   740
          And now is he borne.
      He kepe you fro wo!
      I shall pray hym so;
      Tell furth as ye go
          And myn on this morne.   745

   84 Primus pastor. Farewell, lady,   so fare to beholde
          With thy childe on thi kne!
      ijus pastor.   Bot he lygys full cold.
          Lord, well is me;   now we go, thou behold.
      iijus pastor. For sothe, all redy   it semys to be told   750
          Full oft.
      Primus pastor. What grace we have fun.
      ijus pastor. Com furth, now ar we won.
      iijus pastor. To syng ar we bun:
          Let take on loft.

               Explicit pagina pastorum.

XII. Prose.

1. Ancren Riwle (towards 1200).

MSS.: Cambridge, Corp. Christi Coll. 402 (early 13th cent. or 2nd half 12th cent.); Brit.
Mus. Titus D XVIII (early 13th cent.); ib. Cott. Nero A. XIV (13th cent.); ib. Cleopatra
C. VI; Cambridge, Caius Coll. 234 (13th cent.); Oxf. Bodl. Vernon (14th cent.). — Latin
version: Oxf. Magd. Coll. 67 — Ed.: Morton 1853, Camden Soc. (prints Nero A. XIV).
Cf. Kölbing's collation in Jahrbuch für Roman. und Engl. Lit. Neue Folge 3 (1876) 179 ff.;
Mätzner, Sprachpr. II 5—41 (= Morton pp. 48—116).

The Seven Deadly Sins.

Her beoð nu a-reawe i-told þe seoven heavedsunnen. Þe Liun of Prude [Morton
haveð swuðe monie hweolpes, and ich chulle nemnen sume. Vana Gloria hette   p. 198
þe vorme, þet is, hwose let wel of ei þing þet heo deð and wolde habben word
þerof, and is wel i-paied ʒif heo is i-preised, and mis-i-paied ʒif heo nis i-told swuch
ase heo wolde. Þe oðer hweolp hette Indignatio, þet is, hwose þuncheð hokerlich 5
of out ðet heo i-sihð bi oþre oðer i-hereð, oþer vorhoweð chastiement oþer
lowure lore. Þe þridde hweolp is Ipocrisis, þet is þeo þet makeð hire betere
þen heo beo. Þe veorðe is Presumptio, þet is þeo ðet nimeð more an hond þen
heo mei overcumen, oþer entremeteð hire of þinge þet to hire ne valleð. Þe
vifte hweolp hette Inobedience, þet is ðet child þet ne buhð nout his eldre; 10
underling his prelat; paroschian his preost; meiden hire dame; everich lowure
his herre. Þe sixte hweolp is Locquacitas. Þeo vedeð þesne hweolp þet beoð
of muchel speche, ʒelpeð and demeð oþre, lauhweð oðerhwules, gabbeð, upbreideð,
chideð, vikeleð, sturieð leihtres. Þe seoveðe hweolp is Blasphemie. Þisses
hweolpes nurice is ðe þet swereð greate oðes, oðer bitterliche kurseð oþer misseið 15
bi God oðder bi his haluwen vor eni þing þe he þo[t. 52]leð, i-sihð oðer i-hereð.
Þe eihteoðe hweolp is Impacience. Þesne hwelp fet hwose nis nout þolemod
a-ʒean alle wowes and in alle uveles. Þe niʒeðe hweolp is Contumace, and
þesne hweolp fet hwose [is] onwil ine þinge ðet heo haveð undernumen vor to
donne, beo hit god, beo hit uvel, so ðet non wisure read ne mei bringen hire ut 20
of hire riote. Monie oþre þer beoð ðet cumeð of weole and of wunne, of heie
kunne, of feire cloþes, of wit, of wlite, of strencðe; of heie live waxeð prude and
of holi þeauwes. Monie mo hweolpes þen ich habbe i-nempned haveð þe Liun
of Prude i-hweolped, auh a-buten þeos þencheð and astudieð wel swuðe; vor
ich go lihtliche over, ne do bute nempnie ham. Auh ʒe everihwar, hwarse ich 25
go swuðest forð, bileauve ʒe þe lengure; vor þer ich feþri on, a-wurðeð tene oðer
tweolve. Hwose haveð eni unþeau of þeo ðet ich er nemde oðer ham i-liche,
heo haveð prude sikerliche. Huse-ever hire kurtel beo i-scheaped oþer i-seouwed,
heo is Liunes make þet ich habbe i-speken of and fet his wode hweolpes wiðinnen
hire breoste.   30
    Þe Neddre of attri Onde haveð seove kundles. Ingratitudo; þesne kundel
bret, hwose nis nout i-cnowen of goddede, auh telleð lutel þerof oþer vorʒiteð
midalle. Goddede ich sigge, nout one þet mon deð him, auh þet God deð him
oðer haveð i-don, oðer him oðer hire, more þen heo understonde, ʒif heo hire
wel biþouhte. Of þisse unþeauwe me nimeð to lutel ʒeme, ant is þauh of alle 35
onloðest God and mest a-ʒean his grace. Þe oþer kundel is Rancor sive Odium,
þet is hatunge oþer great [t. 52b] heorte. Þe ðet bret þesne kundel, in hire breoste al is
attri to Gode, þet heo ever wurcheð. Þe þridde kundel is Ofþunchunge of oþres
god. Þe veorðe is Gledschipe of his uvel, lauhwen oþer gabben, ʒif him mis-
biveolle. Þe vifte is Wreiunge. Þe sixte Bacbitunge. Þe seoveðe Upbrud 40
oðer Schornunge. Hwarase eni of þeos was oþer is, þer was oðer is þe kundel
oþer þe olde moder of þe attri neddre of helle, Onde.
    Þe Unicorne of Wreððe, þet bereð on his neose þene horn þet he asneseð
mide alle þeo ðet he a-reacheð, haved six hweolpes. Þe vormeste is Cheaste
oþer Strif; þe oðer is Wodschipe; þe þridde is Schenful Upbrud; þe veorðe is 45

MS 34 i-don bi oðer hi oðer hire

Wariunge; þe vifte is Dunt; þe sixte is wil þet him uvele i-tidde, oþer on him sulf oþer on his freond oðer on his eihte.

Þe Bore of hevi Slouhðe haveð þeos hweolpes: Torpor is þe vorme; þet is wlech heorte, þet schulde leiten al o leie ine luve of ure Loverde. Þe oþer is Pusillanimitas; þet is to poure i-heorted and to herde midalle eni heih þing to 50 undernimen ine hope of Godes helpe and ine truste of his grace and nout of hire strencðe. Þe þridde is Cordis gravitas; þesne hweolp haveð hwose wurcheð god and deð hit, tauh mid one deade and mid one hevie heorte. Þe veorðe hweolp is Idelnesse, þet is hwose stunt midalle. Þe vifte is Heorte-grucchunge. Þe sixte is a dead Seoruwe vor lure of eie worldliche þinge oðer of freond, oðer 55 vor eni unðonc, bute vor sunne one. Þe seoveðe is ჳemeleaschipe, oþer to siggen oðer to don oþer to biseon bivoren oðer te þenchen efter oðer miswiten ei þing þet heo haveð to [t. 53] witene. Þe eihteoðe is Unhope. Þes laste bore-hweolp is grimmest of alle, vor hit tocheoweð and tovret Godes milde milce and his muchele merci and his unimete grace.   60

Þe Vox of ჳiscunge haveð þeos hweolpes: Tricherie and Gile, Þeofðe, Reflac, Wite, and Herrure strenðe, Vals witnesse oðer oð, Simonie, Gavel, Oker, Vest-schipe of ჳeove oðer of lone, Monsleiht oðerhule. Þeos unðeawes beoð to voxe vor monie reisuns i-efnede. Two ich chulle siggen: muche gile is i ðe voxe, and so is ine ჳiscunge of worldliche biჳeate; and on oðer reisun is: Þe vox a- 65 wurieð al enne floc, þauh he ne muwe bute one vrechliche vorswoluwen. Al so ჳisceð a ჳissare þet moni þusunt muhten be flutten, auh, þauh his heorte berste, he ne mei bruken on him sulf bute one monnes dole. Al ðet mon oþer wummon wilneð more þen heo mei gnedeliche leden hire lif bi, everich efter ðet heo is, al is ჳiscunge and rote of deadlich sunne. Þet is riht religiun, þet everich 70 efter his stat boruwe et tisse vrakele worlde so lutel so heo ever mei of mete, of cloðe, of eihte and of alle worldliche þinges. Understondeð wel ðiჳ word þet ich ou sigge, everich efter his stat, vor hit is i-veðored, þet is i-charged. ჳe moten makien, ðed wute ჳe, in monie wordes muche strencðe. Þenchen longe þerabuten, and bi ðet ilke o word understonden monie wordes þet limpeð þerto; vor ჳif 75 ich scholde writen alle, hwonne come ich to ende?

Þe Suwe of ჳivernesse, þet is Glutunie, haveð pigges þus i-nemned: To Erliche hette þet on, þet oðer to Estliche, þet þridde to Vrechliche, þet feorðe hette to Muchel, þat fifte to Ofte ine drunche, more þen ine mete. Þus beoð þeos pigges i-veruwed. Ich spe[t. 53 b]ke scheortliche of ham, vor ich nam nout 80 ofdred, mine leove sustren, þet ჳe ham veden.

Þe Scorpiun of Lecherie, þet is of golnesse, haveð swuche kundles þet in one wel i-towune muðe hore summes nome ne sit nout vor to nemmen; vor þe nome one muhte hurten alle wel i-towune earen and fulen alle clene heorten. Þeo me mei nemnen wel hwas nomen me i-cnoweð wel, and heo beoð, more herm 85 is, to monie al to kuðe, ase Hordom, Eaubruche, Meidelure and Incest; þet is bitwhwe sibbe, vleshliche oðer gostliche, ðet is i monie i-deled. On is ful wil vor te don þet fulðe, mid skilles ჳettunge, þet is hwonne þe schil and te heorte ne wiðsiggeð nout, auh likeð wel and ჳirneð al ðet tet fleschs to prokeð, and helpen oðer þideward, — beon waite and witnesse þerof; hunten ðerefter mid 90 wouhinge, mid togginge oðer mid eni tollunge; mid giggeleihtre, mid hor eien, mid eni lihte lates, mid ჳeove, mid tollinde wordes oðer mid luvespeche, cos, unhende gropunges, ðet beoð heavedsunnen; luvien tide oðer time oðer stude, vor to kumen ine swuche kefte, and oþer swuche vorrideles, ðet me mot forbuwen hwose nule i ðe muchele fulðe venliche vallen; ase seint Austin seið: "Omissis 95 occasionibus que solent aditum aperire peccatis, potest consciencia esse inco-lumis." Þet is, hwose wule hire inwit witen clene and feir, heo mot fleon ðe vorrideles ðet beoð i-wunede ofte to openen þet inჳong and leten in sunne. Ich ne der nemen þeo unkundeliche kundles of þisse deovel scorpiun, attri-iteiled. Auh sori mei heo beon þet mid fere oðer wiðuten ha[t. 54]ved so i-ved eni kundel 100 of hire golnesse, þet ich ne mei speken of vor scheome ne ne der vor drede, leste sum leorne more uvel þen heo con and þerof beo i-tempted. Auh þenche everich

of hire owune a-wariede cundles in hire golnesse. Vor hwuso hit ever is i-don,
willes and wakiinde mid flesches likunge, .bute one ine wedlake, hit is deadlich
sunne. Ine ʒuweðe me deð wundres: gulche hit ut ine schrifte utterliche, ase 105
heo hit dude, þeo ðet i-veleð hire schuldi, oþer heo is i-demed þuruh ðe fule brune
to þe eche fur of helle. Þe scorpiunes cundel ðet heo bret in hire boseme, schek
hit ut mid schrifte and slea hit mid dedbote. I-nouh is eðcene hwu ich habbe
i-efned prude to liun and onde to neddre, and of alle ðe oþre wiðuten þis laste,
þet is, hwu golnesse beo i-efned to scorpiun. Auh, lo, her ðe skile þerof, sutel 110
ant eðcene. Salomon seið: *"Qui apprehendit mulierem quasi qui apprehendit
scorpionem."* Þe scorpiun is ones cunnes wurm þet haveð neb, ase me seið, sumdel
i-liche ase wummon, and is neddre bihinden, makeð feir semblaunt and fikeð
mit te heaved and stingeð mit te teile. Þet is lecherie, ðet is þes deofles best,
þet he let to chepinge and to everich gederinge, and cheapeð hit for to sullen 115
and biswikeð monie þuruh ðet heo ne biholdeð nout bute ðet feire heaved. Þet
heaved is biginninge of golnesses sunnen, and te licunge, þeo hwule ðet hit i-lest,
ðet þuncheð so swuðe swete. Þe teil, ðet is þe ende þerof, þet is sor ofþunchung
þerof and stingeð her mid atter of bitter bireousinge and of dedbote. Ant
i-seliliche muwun heo siggen þet þene teil swuch i-vindeð, vor ðet atter a-geð. 120
Auh ʒif hit ne suweð her, þe teil and þe attri ende is ðe eche pine of helle. Ant
nis he fol chep [f. 54 b] mon þet, hwon he wule buggen hors oðer oxe, ʒif he nule
biholden bute ðet heaved one? Vorþi hwon ðe deovel beodeð forð his best and beot
hit to sullen and bit þine soule þervore, he hut ever þene teil and scheauweð
forð þet heaved. And tu, go al a-buten and scheau vorð þen ende ðermide, 125
and hwu ðe teil stingeð, and swuðe vlih ðervrommard, er þu beo i-attred.

Þus, mine leove sustren, i ðe wildernesse ase ʒe goð inne mid Godes folke
toward Jerusalemes londe, þet is þe riche of heovene, beoð swuche bestes and
swuche wurmes; ne not ich none sunne þet ne mei beon i-led to one of ham seovene
oðer to hore streones. Unstaðelevest bileave a-ʒean holi lore, nis hit of prude? 130
Inobedience herto valleð. Sigaldren and false teolunges, levunge on ore and
o swefnes and alle wichchecreftes, niminge of husel ine heavedsunne oðer ei oþer
sacrament, nis hit þe spece of prude ðet ich cleopede presumciun, ʒif me wot
hwuch sunne hit is? And ʒif me not nout, þeonne is hit ʒemeleste under accidie,
ðet ich cleopede slouhðe. Þe þet ne warneð oþer of his uvel oðer of his lure, 135
nis hit slouh ʒemeleaste oðer attri onde? Misiteoðeged, etholden cwide oþer fund-
les oðer lone, nis þis ʒiscunge oþer þeofte? Etholden oðres hure over his rihte
terme, nis hit strong reflac, þet is under ʒiscunge? Oþer ʒif me ʒemeð wurse
ei þing i-leaned oþer biteih to witene þen he wene þet hit ouh, nis hit tricherie
oðer ʒemeleaste of slouhðe? Al so is dusi biheste oðer folliche i-pluht trouðe 140
and longe beon unbish[o]ped and falsliche i-gon to schrifte oþer to longe a-biden
vor te techen god [f. 55] childe *pater-noster* and *credo*? Þeos and alle swuche beoð
i-led to slouhðe, þet is ðe veorðe moder of ðe seoven heavedsunnen. Þeo ðet
dronc eni drunch oðer ei þing dude hwarðuruh no child ne schulde beon of hire
i-streoned oþer ðet i-streonede schulde vorwurðen, nis þis strong monsleiht of 145
golnesse a-wakened? Alle sunnen sunderliche bi hore owune nomeliche nomen
ne muhte no mon rikenen, auh ine þeos ðet ich habbe i-seid alle ðe oþre beoð
bilokene, and nis, ich wene, no mon ðet ne mei understonden him of his sunnen
nomeliche under summe of þen ilke i-mene ðet beoð her i-writene.

Of þeos seove bestes and of hore streones i ðe wildernesse and of 150
onliche live is i-seid hiderto,—þet alle ðe vorðfarinde vondeð to vordonne.
Þe Liun of Prude sleað alle þe prude and alle þeo ðet beoð heie and overheie
i-heorted. Þe attri neddre alle þeo ontfule and alle þeo luðere i-þoncked. Þe
unicorne alle þeo wreðfule and also of ðe oþre a-reawe. Ase to God heo beoð
i-sleiene, auh heo libbeð to þe veonde and beoð alle ine his hirde and serveð him 155
ine his kurt, everichon of þet mester ðet him to valleð.

Þe prude beoð his bemares, draweð wind inward of worldlich hereword,
and eft mid idel ʒelpe puffeð hit utward, ase ðe bemare deð, vor te makien
noise and lud dream to scheauwen hore horel. Auh ʒif heo wel þouhten of Godes

bemares and of þe englene bemen of heovene, þet schulen an vour halve ðe 160
worlde bivoren þe grurefule dome grisliche bloawen: "A-riseð, deade, a-riseð!
cumeð to Drihtenes dome, vor te beon i-demed, þer no prud bemare ne mei beon
i-boruwen." Ʒif [t. 55 b] heo þouhten þis wel, heo wolden i-nouh reaðe i ðe deofles
servise dimluker bemen.   Of þeos bemares seið Jeremie: *"Onager solitarius in
desiderio anime sue attraxit ventum amoris."*   Of þeo ðet draweð wind inward 165
vor luve of hereword seið Jeremie ase ich er seide.   Summe juglurs beoð þet ne
kunnen serven of non oþer gleo, buten makien cheres, and wrenchen mis hore
muð, and schulen mid hore eien.   Of þisse mestere serveð ðeo uniselie ontfule
i ðe deofles kurt, to bringen o leihtre hore ontfule loverd.   Vor ʒif ei seið wel
oþer deð wel, nonesweis ne muven heo loken þiderward mid riht eie of gode heorte, 170
auh winckeð oþere half, and biholdeð o-luft and a-squint; and ʒif þer is out to
eadwiten, oþer lodlich, þiderward heo schuleð mid eiðer eien; and hwon heo
i-hereð ðet god, heo sleateð a-dun boa two hore earen; auh þet lust a-ʒean þet
uvel is ever wid open.   Þeonne heo wrencheð hore muð mis, hvonne heo turneð
god to uvel, and ʒif hit is sumdel uvel, þuruh more lastunge heo wrencheð hit to 175
wurse.   Þeos beoð hore owune prophetes forcwiddares.   Þeos bodieð bivoren
hwu þe ateliche deovel schal ʒet a-gesten ham mid his grimme grennunge, and
hu heo schulen ham sulf grennen and nivelen, and makien sur semblaunt vor
ðe muchele angoise, i ðe pine of helle.   Auh forþui heo beoð þe lesse te menen,
þet heo bivorenhond leorneð hore mester to makien grimme chere.   180

    Þe wreðfule bivoren þe veonde skirmeð mid knives, and he is his knif-
worpare, and pleieð mid sweordes, and bereð ham bi ðe scherpe orde uppen his
tunge.   Sweord and knif, eiþer beoð scherpe and keorvinde wordes þet he [t. 56]
worpeð frommard him, and skirmeð touward oþre.   Auh heo bodieð hwu þe
deoflen schulen pleien mid ham, mid hore scherpe aules, and skirmen mid ham 185
a-buten, and dusten ase enne pilcheclut, euchon touward oðer, and mid helle-
sweordes alsnesien ham þuruhut, þet beoð kene and keorvinde, and ateliche
pinen.

    Þe slowe lið and slepeð i ðe deofles berme, ase his deore deorling; and te
deovel leið his tutel a-dun to his earen, and tuteleð him al þet he ever wule. 190
Vor so hit is sikerliche to hwamso is idel of god.   þe veond maðeleð ʒeorne, and
te idele undervoð luveliche his lore.   Þe ðet is idel and ʒemeleas, he is þes
deofles bermes slep: auh he schal a domesdei grimliche a-breiden mid te dred-
fule dreame of ðe englene bemen, and ine helle wondrede ateliche a-wakien.
"Surgite, mortui qui iacetis in sepulcris: surgite, et venite ad iudicium salvatoris." 195

    Þe ʒiscare is þes feondes askebaðie, and lið ever i ðen asken, and fareð
a-buten asken and bisiliche stureð him vor te rukelen muchele and monie ruken
togedere, and bloweð þerinne, and a-blent him sulf, paðereð and makeð þerinne
figures of augrim, ase þeos rikenares doð þet habbeð muchel vor to rikenen. Þis
is al þes canges blisse and te veond bihalt al þis gomen, and lauhweð ðet he to- 200
bersteð.   Wel understond everich wis mon þis, þet gold and seolver boðe and
everich eorðlich eihte nis buten eorðe and asken, ðet a-blent evrichne mon
ðet bloaweð in ham, þet is, þet boluweð him ine ham, þuruh ham ine heorte
prude. And al ðet he rukeleð and gedereð togedere, and ethalt of eni þinge ðet
nis buten asken, more þen hit beo neod, al schal ine helle i-wurðen to him tadden 205
and [t. 56 b] neddren, and boðe, ase Isaie seið, schulen beon of wurmes his kurtel
and his kuvertur, ðet nolde her þe neodfule veden ne schruden.   *"Subter te
sternetur tinea, et operimentum tuum vermis."*

    Þe ʒivre glutun is þes feondes manciple.   Vor he stikeð ever i ðe celere,
oðer i ðe kuchene.   His heorte is i ðe dissches, his þouht is al i ðe neppe, his lif 210
i ðe tunne, his soule i ðe crocke.   Kumeð forð bivoren his Loverde bismitted
and bismeoruwed, a dischs in his one hond and a scoale in his oðer, maðeleð
mid wordes, and wigeleð ase vordrunken mon þet haveð i-munt to vallen, bihalt
his greate wombe, and te veond lauhweð þet he tobersteð.   God þreateð þeos

---

      '182 pleied   209 feonðes

þus þuruh Isaie: *"Servi mei comedent, et vos esurietis, etc."* "Mine men," he 215
seið, "schulen eten, and ou schal ever hungren. And ȝe schulen beon veondes
fode, world a buten endel" *"Quantum glorificavit se et in deliciis fuit, tantum
date ei luctum et tormentum."* In *Apocalipsi*: *"Contra unum poculum quod mis-
cuit, miscete ei duo."* Ȝif þe gulchecuppe weallinde bres to drincken, and ȝeot
in his wide þrote þet he a-swelte wiðinnen. A-ȝean one ȝif him two. Lo! swuch 220
is Godes dom a-ȝean þe ȝivre, and a-ȝean þe drinckares i ðe Apocalipse. Þe le-
churs i ðe deofles kurt habbeð a-riht hore owune nome. Vor i ðeos muchele kurz,
þeo me cleopeð lechurs þet habbeð so vorloren scheome þet ham nis nowiht
of scheome, auh secheð hwu heo muwen mest vileinie wurchen. Þe lechur i ðe
deofles kurt bifuleð him sulf fulliche and alle his feolawes, and stinkeð of ðet 225
fulðe, and paieð wel his loverd mid tet ilke stinkinde breð, betere [t. 57] þen
he schulde mid eni swote rechles. Ine *Vitas Patrum* hit telleð hwu he stinkeð
to God. Þe engel hit scheawede soðliche and openliche, þet heold his neose,
þo ðer com ðe prude lechur ridinde, and nout for ðet rotede lich þet he help ðe
holie eremite vor to biburien. Of alle ðe oðre þeonne habbeð þeos ðet fuluste 230
mester i ðe veondes kurt þet so bidoð ham sulven. And he schal bidon ham
and pinen ham mid eche stunche i ðe pine of helle.

2. Sawles Warde (1st half 13th cent.).

*MSS.: Oxf. Bodl. 34 (= B. 13th cent.; forms present text down to l. 292, where it ends);
Brit. Mus. Royal 17. A. 27 (= R; 13th or 14th cent.; forms present text from l. 292 to end);
Brit. Mus. Cott. Titus D. 18 (= C; 13th cent.). — Edd.: Morris, 1868, EETS. 34, 245
(takes the same texts for his basis as present book); Wagner, Bonn 1908 (founds his
text upon R and tries to reconstruct the whole in a rhythmical form).*

B: *Si sciret pater familias qua hora fur venturus esset; vigilaret utique et non sineret
perfodi domum suam.* Ure Laverd i þe godspel teacheð us þurh a bisne hu we ahen
wearliche to biwiten us seolven wið þe unwiht of helle ant wið his wernches.
"Ȝef þes laverd wiste," he seið, "hwenne ant hwuch time þe þeof walde cume
to his hus, he walde wakien ne nalde he nawt þolien þe þeof for te breoken hire." 5
Þis hus þe ure Laverð spekeð of is seolf þe mon inwið; þe monnes wit i þis hus
is þe huselaverd, ant te fulitohe wif mei beon Wil i-haten; þat ga þe hus efter
hire, ha diht hit al to wundre, bute Wit ase laverd chasti hire þe betere ant
bineome hire muchel of þat ha walde. And tah walde al hire hird folhin hire
overal, ȝef Wit ne forbude ham; for alle hit beoð untohene ant rechelese hinen, 10
bute ȝef he ham rihte. Ant hwucche beoð þeos hinen? Summe beoð wiðuten
ant summe wiðinnen. Þeo wiðuten beoð þe monnes fif wittes: sihðe ant herunge,
smechunge ant smeallunge ant euch limes felunge. Þeos beoð hinen under Wit
as under huselaverd. Ant hwerse he is ȝemeles, nis hare nan þe ne feareð ofte
untoheliche ant gulteð i-lome, oðer i fol semblant oder in uvel dede. Inwið beoð 15
his hinen in se moni mislich þonc to cwemen wel þe husewif a-ȝein Godes wille,
ant swerieð somet readliche þat efter hire hit schal [t. 76 b] gan; þah we hit ne
here nawt, we mahen i-felen hare nurhð ant hare untohe bere, aþet hit cume
forð ant ba wið eie ant wið luve tuhte ham þe betere. Ne bið neaver his hus for
þeos hinen wel i-wist; for hwen þat he slepe oðer ohwider [fare] from hame, 20
þat is, hwen mon forȝet his wit ant let ham i-wurðen. Ah ne bihoveð hit nawt

---

    1 ora *R*   2 leareð us ant teacheð þurh a forbisne *C*   3 warliche *C*   to *om. R*   witen *C*
selven *C*   hise *C*   wrenches *RC*   4 Ȝif *C*   þes laverd] þe husebonde *RC*   hwuch] i hwuch *RC*
cumen *C, om. R*   5 hus to breken *C*   breken *C*   ne] ant *RC*   noht *C*   to *RC*   6 Laverd *R*   spekes
C   7 hus *om. R*   þe] te *C*   mai *C*   beo *RC*   þe] þat *RC*   after *C*   8 dihteð *C*   hit *om. C*
as *RC*   chastie *RC*   9 binime *C*   muchel] ofte *R*   ofte muchel *C*   ho *C*   al hire]
al þe *R*   al þat *C*   folhen *RC*   10 ȝif *C*   hit] ha *RC*   11 buten *R*   ȝif *C*   Ant *om. C*
hwucche *om. R*   beon þeose *C*   beon *C*   wiðute *C*   12 þeo] þeos *R*   beon *C*   heringe *C*
13 smecchunge *C*   smelunge *R*   smeallinge *C*   ewch *C*   felinge *C*   þeose *C*   huinen *C*
14 husl. *C*   hwerso *R*   ȝemles *C*   þe] þat *RC*   fareð *RC*   15 samblant *R*   semblaund *C*
oðer *RC*   beon *C*   16 his *om. R*   so *R*   a-ȝain *C*   a-ȝeines *C*   17 swereð *R*   sweren *C*
somen *C*   redliche *R*   readliche *C*   after *C*   18 heren *RC*   make *R*   felen *R*   fele *C*
iþþlen *B (above line)*   nurð *R*] murð *C*   aðet Wit *R*] til þat Wit *C*   19 baðe *C*   wid *R*
beð *C*   20 þise *C*   slepes *C*   owhider *C*   fares *C*   fram *C*   21 bihoveð *C*   nowt *R*

Source: Hugo de St. Victore, cf. p. 237 ff.

B: þat tis hus beo i-robbet, for þer is inne þe tre[sur], þat Godd ʒef him seolf fore:
þat is monnes sawle. For te breoke þis hus efter þis tresor þat Godd bohte mid
his dead ant lette lif o rode is moni þeof a-buten ba bi dei ant bi niht, unseheliche
gasttes wið alle unwreaste þeawes. Ant a-ʒein euch god þeaw þe biwited i þis 25
hus Godes deore castel under Wittes wissunge, þat is huselaverd, is eaver hire
unþeaw for te sechen inʒong a-bute þe wahes to a-murðrin hire þrinne. Þat
heaved þrof is þe feont, þe meistred ham alle a-ʒeines him ant his keis, þe huse-
bonde — þat is Wit — warned his hus þus. Ure Laverd haved i-leanett him
frovre of his dehtren. Þat beod to understonden þe fowr heavedþeawes. Þe 30
earste is War[t. 77]schipe i-cleopet, ant te oþer is i-haten gastelich Strengde,
ant te þridde is Mead, Rihtwisnesse þe feorðe. Wit — þe husbonde, Godes
cunestable — cleoped Warschipe forð ant maked hire durewart, þe warliche
loki hwam ha leote in ant ut, ant of feor bihalde alle þe cuminde, hwuch beo
wurðe inʒong to habben oðer beon bisteken þrute. Strengðe stont nest hire, 35
þat, ʒef ei wule in — Warschipes unþonkes — warni Strengðe, þat is hire
suster, ant heo hit utwarpe. Þe þridde suster þat is Mead; hire he maked meistre
over his willesfule hird, þat we ear of speken, þat ha leare ham mete, þat me
meosure hat, þe middel of twa uveles; for þat is þeaw in euch stude ant tuht
for te halden; ant hated ham alle, þat nan of ham a-ʒein hire nohwer wid unmead 40
ne ga over mete. Þe feorðe suster — Rihtwisnesse — sit on hest as deme ant
beated þeo þe a-ʒulted, ant cruned þeo þe wel dod, ant demed euchan his dom
efter his rihte. For dret of hire nimed his hird euch efter þat he is warde to witene,
þe ehnen hare, þe muð his, þe eare hare, þe honden hare, ant euch alswa of þe
oþre wit, þat onont him ne schal nan unþeaw cumen in. As þis is i-do þus ant 45
is al stille þrinne, Warschipe, þat aa is waker, is offearet, lest sum fortruste him
ant feole o slepe ant forʒeme his warde ant sent ham in a sonde, þat ha wel cnawed
of feorren i-cumen for te offearen þeo þe beod [t. 77 b] overhardi, ant þeo þe
ʒemelese beod halden ham wakere. He is undervon in ant swiðe bihalden of ham
alle; for lonc he is ant leane ant his leor deaðlich ant blac ant elheowet; ant euch 50
her þunched, þat stont in his heaved up; Warschipe hat him tellen bivoren hwet he
beo ant hweonene he comme ant hwet he þer seche. "Ne mei ich," he seid, "nohwer
speoken bute ich habbe god lust; lustnið me þenne; Fearlac ich hatte ant am
deades sonde ant deades munegunge ant am i-cumen bivore hire to warnin ow
of hire cume." Warschipe, þat best con bisetten hire wordes ant ec hire werkes, 55
speked for ham alle ant freined hwene he cume ant hwuch hird ha leade. Fearlac
hire ontswered: "Ich nat nawt þe time; for ha ne seide hit me nawt; ah eaver
lokið, hwenne? for hire wune is to cumen bi stale ferliche ant unmundlunge,
hwen me least wened. Of hire· hird þat tu easkest Ich þe ontswerie: ha lihted,
hwerse ha eaver kimed, wið a þusent deoflen ant euchan bered a gret boc al of 60
sunnen i-writen wið swarte smale leattres ant an unrude raketehe gledread of

22 tresur R   tresor C   self C   23 to RC   breoken R   breke C   after C   treoseor R   23/4 mit
is ded R   wið his dead C   on R   ba om. C   dai C   25 gastes RC   unwreste R   Ant om. R   ʒein C
þe] þat C   wited R   26 chatel R   wissinge C   huslaverd C   27 to RC   ingong C   a-murðren RC
27/8 þet heavet þerof R   þe heaved trof is te C   feond C   þe] þat C   a-ʒaines C   29 wearnið C
þus] tus C   i-lenet R   i-leaved C   30 frovre] fowre R   hise C   beon C   heavet- R   31 eareste
R   i-clepet C] i-haten, om. R   gastliche C   Strencðe C   32 Med R   te husebonde C   þe h. C
33 cunnestable R   cleped C   makid B   makes C   dureward RC   þe] þat C   warliche] Werschipe R
C   Strencðe R   stond C   35 wurð C   beon] beo C   bistekene R   þruten
34 loke C   hwom R   ho C   lete RC   36 ʒif ani wile C   Warschipe unþeonkes R   Strencðe R
37 Med R   meister R   maistre C   38 willefule C   hird C] hinen R   we] me R
mete] meðe R   38/9 þat is meosure C   uveles] þing   40 to RC   heated C   a-ʒain C
wið RC   unmead R   41 on hest] hom nest C   demere R   demande C   ant om. C
42 þa þe a-gulted C   þe wel] þat w. C   43 after C   dred RC   nimed þis RC   hird RC
euch om. R   after C   is] is his RC   to witene om. R   44 ehne C   euchan R   alswa
as R   45 oðere R   wites C] wið þat wit R   tis is i-don C   46 aa] ai C   offeared R   offeard C
leste R   47 slep R   his] is R   seint R   48 to RC   þat beon C   overardi R   and
þeo þat C   49 underfon RC   49/50 of alle RC   long C   dedlich R   deadliche C   blac ille
heowet C   50/1 euh er in his heavet þunched þat stont up R   heavet C   up om. C   hat]
bldes C   him to telle bivoren ham hwet R   biforen ham hwat C   52 hweden C   com RC   hwat
C   mal C   seid he. nowhwer speken C   53 lustned C   Farlac R   54 dedes munenginge C
i-cume R   bivoren R   bifore C   wearnen C   56 alle, freined him hwenne ha C
leadde R   56/7 Farlac him onswered R   I C   te time RC   58 loked C   ferliche C om.
unmundlinge C   59 men C   eskest R   askest C   onswerie C   ondswere C   60 hwerso R
ho eaver C   cumed RC   þusend C   deovlen R   devlen C   61 smale swarte C   lettres RC   gledred C

B: fure, for te binden ant to drahen into inwarde helle, hwuchse he mei preovin
þurh his boc, þat is on euch sunne enbre[t. 78]vet, þat he wið wil oðer wið word
oðer wið werc wrahtte in al his lifsiðe, bute þat he haveð i-bet earþon wið soð
schrift and wið deadbote." Ant Warschipe hire easkeð: "Hweonene cumest tu, 65
Fearlac, deaðes munegunge?"   "Ich cume," he seið, of helle."   "Of helle,"
ha seið, Warschipe, "and havest tu i-sehen helle?"   "ȝe," seið Fearlac, "witer-
liche ofte ant i-lome."   "Nu," seið þenne Warschipe, "for þi trowþe treoweliche
tele us hwuch is helle ant hwet tu havest i-sehen þrin."   "Ant ich," he seið, Fear-
lac, "o mi trowðe bluðeliche, nawt tah efter þat hit is, for þat ne mei na tunge 70
tellen, ah efter þat ich mei ant con, þertowart ichchulle readien. Helle is [wið]
wiðute mete ant deop wiðute grunde, ful of brune unevenlich, foɪ ne mei nan
eorðlich fur evenin þertowart; ful of stench unþolelich — for ne mahte in eorðe
na cwic þinge hit þolien; ful of sorhe untalelich — for ne mei na muð for wrecche-
dom ne for wa rikenin hit ne tellen. Se þicke is þrinne þe þosternesse, þat me 75
hire mei grapin; for þat fur ne ȝeveð na liht, ah blent ham þe ehnen þe þer beoð
wið a smorðrinde smoke smeche forcuðest ant tah i þat ilke swarte þeosternesse
swarte þinges ha i-seoð as deoflen, þat ham meallið ant derveð aa ant dreccheð
wið alles cunnes pinen, ant i-teilede draken grisliche ase deoflen þe forswolheð
ham i-hal ant speoweð ham [t. 78b] eft ut bivoren ant bihinden, oðerhwile torendeð 80
ham ant tocheoweð ham euch greot, ant heo eft i-wurðeð hal to a swuch bale
bote, as ha ear weren; ant ful wel ha i-seoð ham to grisle ant to grure ant to
echen hare pine. Þe laðe hellewurmes, tadden ant froggen, þe freoteð ham ut
te ehnen ant te neasegristles ant snikeð in ant ut, neddren ant eavraskes —
nawt i-lich þeose her, ah hundret siðe grisluker — et muð ant et earen, ed ehnen 85
ant ed neavele ant ed te breosteholke as meaðen i forrotet flesch eaverȝete þickest.
Þer is remunge i þe brune ant toðes hechelunge i þe snawi weattres. Ferliche
ha flutteð from þe heate into þe chele. Ne neaver nuten ha of þeos twa hweðer
ham þuncheð worse; for eiðer is unþolelich. Ant i þis ferliche mong þe leatere
þurh þe earre derveð þe mare. Þat fur ham forbearneð al to colen calde; þat pich 90
ham forwalleð, aðet ha beon formealte, ant eft a-cwikieð anan to drehen al þat
ilke ant muchedeale wurse a wiðuten ende. Ant tis ilke unhope is ham meast
pine, þat nan naveð neaver mare hope of nan a-coverunge, ah aren sikere of
euch uvel to þurhleasten i wa from world into worlde aa on echnesse. Euch
a-þrusmeð oðer, ant euch is oðres pine, ant euchan heateð oðer ant him seolven 95
[t. 79] þe blake deovel; ant eaver se ha i þis world luveden ham mare, se ha
þer heatieð ham swiðere, ant eiðer curseð oðer ant fret of þe oðres earen ant te
nease alswa. Ich habbe bigunne to tellen of þing, þat ich ne mahte nawt bringe
to eni ende, þah ich hefde a þusent tungen of stele ant talde aðet ha weren alle
forwerede. Ah þencheð nu her, þurh hwuch þe measte pine beo; for þe leaste pine 100

62 fuire C   for to RC   hwuc C   hwuchso R   mai R   63 i-brevet R   embrcvet
C   64 wrahte C   earþen C   65 schrift oðer wið dedbote R   deaðbote C
eskeð R   askeð C   Hweonne R   Hwenne cumestu C   66 Farlac, þu deaðes R   mu-
neginge C   ha seið C   67 havestu RC   ȝea R   Farlac R   68 treowðe RC   trewe-
liche C   69 tel C   hwat R   þu havest R   i-sehe C   ha C   69/70 Farlac R   treowðe R   trewðe
C   bliðeliche C   after C   71 tellen om. RC   after C   i mai C   þertowart ichulle RC
rodien R   reoden C   71/2 wid wiðute C   is wiðuten med R   wiðuten R   unevenlich] unwerilich
R   73 fuir C   þertoward R   stinc C   74 þing RC   74/5 þat wrecchedom ne þat wa re-
kenen C   wrechedom R   hit om. RC   80 R   trinne C   þeosternesse RC   me om. R
men C   76 mai C   grapen C   þer fur C   fuir C   ȝiveð C   blend C   ter beon C
77 smecche R   ilke] ilke þicke C   78 i-seð C   deovlen RC   mellið RC   al C   79 cunes R
as þe deovlen R   as deovlen C   þe] þat C   80 al hal C   spewed C   biforen C   81 tocheoweð
euch grot RC   i-wurðen C   81/2 bale unbotelich as C   ear] her R   i-seð C   83 pinen
R   laðe] luðere R   froggen] froder C   þat RC   freten C   84 neosegr. R   nasegr. C   sniken C
eavreskes R   eafroskes C   85 i-liche R   þeos RC   hundreð C   ah an hundret R   85 6 ed]
et (3 times) R   et, ed] at (5 times) C   nevle R   navele C   medeð R   maðekes in for-
roted C   everȝete R   eaverȝette C   87 þear C   reminge RC   hechelinge C   wettres R
snawwattres C   88 flitteð fram C   into] to R   Ne om. R   never R   þeose C   89 þe] þat R   89/90 latere
C   latere wurse þen þe earre ant derveð R   þe fur C   forberneð R   calde colen C   91 aðet]
til þat C   formelte R   a-cwikeneð R   92 muchedel R   muchedeal C   aa R   mest R
93 haveð C   hope of om. R   a-coveringe C   arn siker C   aa aren R   94 þurhlasten C   in wa RC
fram C   worlde RC   a C   ecnesse RC   94/5 Euchan þrusmeð C   oðeres R   hateð (repeated) R
95/6 ant ter teken him selven as te blake devel C   eaver so ha R   so ha R   97 hatieð R   hatien C
swiðre C   þes RC   oderes R   earm, earen R   te om. C   98 neose R   nase C   bigunnen C   to] for
to R   telle C   i ne mihte C   bringen RC   99 eni om. RC   hafde C   þusand tunges C   stel C
her] hwer R   100 leaste] leste R   alre leaste C

B: is se heard, þat hefde a mon i-slein ba mi feader ant mi moder ant al þe ende of
mi cun ant i-do me seolven al þe scheome ant te hearm þat cwic mon mahte
þolien ant ich i-sehe þes mon i þe ilke leaste pine þat ich i-seh in helle—ich walde,
ȝef hit mahte beon, þolien a þusent deaðes to a-rudden him ut þrof: swa is þe
sihðe grislich ant reowðful to bihalden. For þah neaver nere nan oðer pine bute 105
to i-seon eaver þe unseli gastes ant hare grislïche schape, biseon on hare grim-
fule ant grurefule nebbes ant heren hare rarunge ant hu ha wið hokeres edwiteð
ant upbreideð euchan his sunnen, þis schenðlac ant te grure of ham were unimete
pine ant hure þolien ant a-beoren hare unirude duntes wið mealles i-stelet ant
wið hare eawles gledreade hare dustlunges, as þah hit were a pilcheclut euchan 110
towart oðer i misliche pinen. O helle, deaðes hus, wununge of wanunge, of grure
ant of granunge, heatel [f. 79 b] ham ant heard wan of alle wontreaðes, buri of
bale ant bold of eavereuch bitternesse, þu laðest lont of alle, þu dorc stude i-fullet
of alle dreorinesses! Ich cwakie of grisle ant of grure, ant euch ban schokeð me,
ant euch her me rueð up of þi munegunge; for nis þer na stevene bituhhe þe 115
fordemde bute wumme! ant wa is me! ant wa beo þe! ant wa beo þe! 'Wa'
ha ȝeieð, ant wa ha habbeð; ne of al, þat eaver wa is, ne schal ham neaver wontin
þe swuch wununge ofearneð, for ei hwilinde blisse her o þisse worlde. Wel were
him, ȝef þat he neaver i-bore nere. Bi þis ȝe mahen sumdel witen hwuch is helle;
for i-wis ich habbe þrin i-sehen a þusent siðe wurse, ant from þeonne kimeð deað 120
wið a þusent deoflen hiderwart, as ich seide. Ant ich com þus" quoð Fearlac,
"for te warnin ow fore ant tellen ow þeos tidinges." "Nu laverd Godd," quoð
Warschipe, "wardi us ant werie ant rihte us ant reade, hwet us beo to donne ant
we beon þe warre ant wakere to witen us on euch half under Godes wengen.
Ȝef we wel werieð ant witeð ure hus ant Godes deore tresor, þat he haveð bitaht 125
us, cume deað hwen he wule: Ne þurve we nowðer beon ofdred for hire ne for
helle; for ure deað bið deore Godd ant inȝong into heovene. Of þeos fikelinde
world ne of hire false blisse ne neome we neaver ȝeme; for al þat is on eorðe
nis bute as a schadewe; for al wurðeð [f. 80] to noht bute þat deore tresor, Godes
deorewurðe feh, þat is us bitaht to witene. Ich habbe þervore sar care; for ich 130
i-seo," seið Warschipe, "hu þe unwhiht wið his ferd, ase liun i-burst, ȝeað a-buten
ure hus sechinde ȝeornliche hu he hit forswolhe, ant tis ich mei," seið Warschipe,
"warnin ow of his lað ant for his wrenches, ah ich ne mei nawt a-ȝeines his strengðe."
"Do nu," quoð Strengðe, Warschipe suster, "þat te limpet to þe, ant warne us
of his wiheles, for of al his strengðe ne drede we nawiht; for nis his strengðe noht 135
wurð, bute hwerse he i-findeð eðeliche ant wake unwarnede of treowe bileave.
Þe apostle seið: 'Etstont þen feont, ant he flið ananriht.' Schulde we þenne
fleon him? Ȝe, nis Godd ure scheld? ant alle beoð ure wepnen of his deore grace,
ant Godd is on ure half ant stont bi us i fehte. Ȝef he schute towart me wið
weole ant wunne of þe world, wið este of flesches lustes — of þulliche nesche 140
wepnen ich mahte carien summes weis, ah ne mei me naþing heardes offearen,

101 so R   swa C   hard RC   feder R   fader C   þe ende of om. R   102 i-don   selven   schome C
harm RC   mihte   103 þis C   þat ilke C   ilke om.R   leste C   ich (before i-seh) om. R   104 ȝif C   her
a þusand C   deades C   a a-rudden C   104/5 so grislich is þe sihðe R   swa is te sihðe C   For om.R
þah þer nere neaver C   106 seon RC   unselie R   hore-grislich C   107 etwiteð R   108 hise C   wið
schenlac C   109 pine om. C   unrude RC   melles RC   110 tah C   111 toward oðre misliche R   wuninge
C   waninge R   112 graninge R   hatel R] heates C   hard RC   wondraðes R   wandreðes C   113 bold
eavereuch bitternesse is of (!) R   lond RC   darc R   114 grissen R   schekeð C] sorheð R
115 hear C   ruveð (or runeð) RC   of] for R   muneginge C   ter RC   bituhe R   116
ant¹] and C   ant³] ah C   117 wonten C   118 þe] þat C   wuninge R   ofhearneð R   ei]
ani C   wilinde R   hwilende C   þis C   119 ȝef om. R   ȝif C   þat om. C   i-boren R
120 for þis (or wis?)   have C   ant þusand C   ant] a C   cumeð RC   deð C   121 þusanð C
deovlen RC   hideward R   ich (before com) om. R   i C   Farlac C   122 to RC   warnen C
tiðinges C   123 hwat C   124 þe om. C   125 ȝif C   biwiteð C   ure] hure   tresor R
haves C   126 ha wile C] ha eaver wule R   Ne þarf us nowðer C   127 deð R   beoð C
þis C   fikilinde R   128 false] fahe RC   nime C   129 buten C   wurcheð R   buten C
130 witen   þerfore   131 seo C   unwhiht RC   ase] as a C   geð R   ȝeað C   132 ure] hure R
sechinde inȝong ȝeornliche R   mai C   133 warnen   leað for hise wrenches ich con. Ah i ne mai C
ne mei] nel R   a-ȝaines C   strencðe R   134 Warschipes R   te om. R   limpeð R   lim-
peð to.   þu wearne us C   135 hise C   for of to nawiht om. C   strencðe R   strencðe R
nowt C   136 hwerso R   findeð   unwearnede ant unwepnede of C   137 Etstont te feont R
Atstond te feond   fleoð C   138 Ȝe om. C   Godd is ure C   deore om. C   139 And Godd
stond C   on] onont R   Ȝif C   toward RC   140 winne C   141 mihte C   hardes C

B: ne nowcin ne na wone falsi min heorte, ne wursi mi bileave towart him, þat
ȝeveð me alle mine strengðen." "For ba me ah," quoð Meað, "ant for heart of
nowcin ant for wone of wunne dreden ant carien; for moni, for to muchel heard
of wa þat he dreheð, forȝet ure Laverd, ant ma þah for nesche and for flesches 145
licunge for[t. 80b]ȝemeð ham ofte.   Bituhhen heard ant nesche, bituhhe wa of
þis world ant to muche wunne, bituhhe muchel ant lutel is in euch worldlich
þing þe middelwei ȝuldene. ȝef we hire haldeð, þenne ga we sikerliche; ne þerf
us nowðer for deað ne for deovel dreden. Hwetse beo of heardes ne drede ich
nawiht nesches; for ne mei na wunne ne na flesches licunge ne licomlich este 150
bringe me over þe midel of mesure ant of mete." Rihtwissnesse spekeð nu: "Mi
suster," ha seið, "Warschipe, þe haveð wit ant schad bituhhe god ant uvel, ant
wat hwet is in euch þing to cheosen ant to schunien, readeð us ant leareð for te
ȝeme lutel alle fallinde þing ant witen warliche þeo þe schulen a lesten. Ant
seið, as ha soð seið, ðat þurh unweotenesse ne mei ha nawt sunegin, ant tah nis 155
nawt siker of þe unwihtes strengde, as þeo þe halt hire wac, þah ha beo muche
wurð ant ure alre ehnen demeð hire unmihti onont hire seolven to etstonden wið
his turnes, ant deð ase þe wise. Mi suster Strengðe is swiðe bald ant seið þat
nawiht heardes ne mei hire offearen; ah þah ha ne trust nawt on hire ahne wepnen,
ah deð o Godes grace, ant þat ich demi riht ant wisdom to donne. Mi þridde 160
suster Meað spekeð of þe middel sti bituhhe riht ant luft, þat lut cunnen halden;
[t. 81] ant seið, i nesche ha is bald ant heard mei hire offearen; ant forþi ne ȝelpeð
ha of na sikernesse ant deð as þe wise. Mi meoster is to do riht for te demen, ant
ich deme me seolf, þat ich þurh me ne do hit nawt; for al þat god is of Godd,
þat we her habbeð. Nu is riht þenne þat we demen us seolf eaver unmihtie to 165
werien ant to witen us oðer ei god to halden wiðute Godes helpe. Þe rihtwise
Godd wule þat we demen us seolf eðeliche ant lahe. Ne beo we neaver swucche;
for þenne demeð he us muche wurð ant gode ant halt for his dehtren. For þah
mi forme suster war beo of euch uvel ant min oðer strong beo toȝeines euch
nowcin ant mi þridde meaðful in alles cunnes estes ant ich do riht ant deme, 170
bute we wið al þis milde beon ant meoke ant halden us wake, Godd mei mid
rihte fordemen us of al þis þurh ure prude, ant forþi is riht dom þet we al ure
god þonkin him ane." Wiit þe husebonde, Godes cunestable, hereð alle hare
sahen ant þonkeð God ȝeorne wið swiðe glead heorte of se riche lane as beoð
þeos sustren, his fowr dehtren, þat ha haveð i-leanet him on helpe for te wite 175
wel ant werien his castel ant Godes deorewurðe feh, þat is biloke þrinne. Þe
willesfule husewif halt hire al stille ant al þat hird, þat ha wes i-wunet to dreaien
efter hire, turneð [t. 81b] ham treowliliche to Wit, hare laverd, ant to þeos fowr
sustren.   Umben ane stunde spekeð eft Warschipe ant seið: "Ich i-seo a sonde
cumen swide giedd i-cheret, feier ant freolich ant leofliche aturnet." "Let him 180
in," seið Wit; "ȝef Godd wule, he bringeð us gleade tidinges; ant þat us were
muche neod, for Fearlac, deaðes sonde, haveð wið his offearet us swiðe midalle."

---

142 na nowcin C   falsin R   wursi min R   toward RC   143 ȝiveð C
strencðen R   143/4 hard of neowcin R   For baðe, quoð Meað, man ah for hard of nowcin and for
nesche of wunne dreden C   hard R   146 likinge C   Bituhen hard R] Bituhe h. C   bi-
tuhen R   wa ant of C   147 muchel wunne R   bituhen R   worldlich] eorðlich C   148 guldene
RC   ȝif C   sikerure C   þearf C   149 deð R   ne þurf we nowðer dreden for deað ne for na deovel C
Hwetso R Hwatse C hardes RC   149/50 i nawt winne C nan flesches R   150/1 licom-
liche bringen C ne of licomliche estes bringen R   me om. C   middel RC   152 þe] þat C   bituhen R
153 hwat C   readeð] teacheð C   for to C   154 ȝemen R   þinges C   þat RC aa R
ai C   lasten C   155 unwitnesse R   unweonesse C   heo nawiht R   nis] nis ha C
156 strencðe R   strengðe C   þe] þat RC   þah] þa R ho C   157 wurð to ure R ant demeð RC
selven atstonden   158 hise C as R   Strencðe R   159 hardes C þat ha nawiht herdes R
mai C   truste C   160 tat C   deme C   161 Með R   sti] wei C   lust C   halden
om. C   162 seid C   hard RC   deme C   163 nane R þe] te C   mester RC   don R
riht ant riht fon ant demen R   riht ant riht for to demen C   164 i deme C   self C   þet R i C
þurh me self al þe god C   165 we eaver habben C tenne riht þat self C   166 weren R oþer
ani god to habben C   wiðuten RC   help C   167 wile   self C   swuche RC   168 hise
C   170 meðful R   171 meke   mai C   172 þat C   173 Godd R   þonken C
cunestable R   174 þonkið R   þoncheð C   Godd RC   gled R   glad C so R   rihte leane
(or leave) C   beon C   175 hise R   dohtren C   hi-leanet R   to RC   witen R   176
þrinne C   177 stille þat al R   i-wuned C   dreien R   drahen C   178 after C   treowliche R
treweliche C   179 I seo C   cumen a sonde R   180 swiðe RC   gled R   glad i-chered C   feir
  aturned   181 ȝif C   glede R   glade tiðinges C   tat RC   182 ned C   Farlac, deðes R
hise C   offeared RC   wiðalle C

B: Warschipe let him in, ant he gret Wit, þen laverd, ant al þat hird seoðen wið
lahhinde chere; ant ha ȝeldeð him his gretunge, ant beoð alle i-lihtet ant i-gleadet,
ham þuncheð, of his onsihðe; for al þat hus schineð ant schimmeð of his leome. 185
He easkeð ham ȝef ham biluveð to heren him ane hwile. "Ȝe," quoð ha, Rihtwis-
nesse, "wel us biluveð hit, ant wel is riht þat we þe liðeliche lustnin." "Hercnið
nu," þenne he seið, "ant ȝeornliche understondeð. [I]ch am Murðes sonde ant
munegunge of eche lif ant Livesluve i-haten ant cume riht from heovene, þat
ich habbe i-sehen nu ant ofte ear þe blisse, þat na monnes tunge ne mei of tellen. 190
Þe i-blescede Godd i-seh ow offruhte ant sumdel drupnin of þat Fearlac talde
of deað ant of helle, ant sende me to gleadien ow, nawt forþi þat hit ne beo al
soð, þat he seide; and þat schulen alle uvele fondin ant i-finden. Ah ȝe wið þe
fulst of Godd ne þurve naþing dreden; for he sit on [t. 82] heh, þat is ow on
helpe ant is alwealdent: þat haveð ow to witene!" "A," seið Warschipe, "wel- 195
cume, Livesluve, ant for þe luve of Godd seolf, ȝef þu eaver sehe him, tele us
sumwhet of him ant of his eche blisse." "Ȝe i-seoð," quoð Livesluve, Murðhes
sonde, "ich habbe i-sehen him ofte, nawt tah alswa as he is; for a-ȝein þe briht-
nesse ant te liht of his leor þe sunnegleam is dosc ant þuncheð a schadewe, ant
forþi ne mahte ich nawt a-ȝein þe leome of his white lokin ne bihalden bute þurh 200
a schene schawere bituhhe me ant him, þat schilde mine ehnen. Swa ich habbe
ofte i-sehen þe hali þrunnesse, feader ant sune ant hali gast, þreo an untodealet;
ah lutle hwile ich mahte þolie þe leome. Ah summesweis ich mahte bihalden
ure Laverd Jhesu Crist, Godes sune, þat bohte us o rode, hu he sit blisful on his
feader riht half, þat is alwealdent, rixleð i þat eche lif bute linnunge, se unimete 205
feier, þat te engles ne beoð neaver ful on him to bihalden. Ant ȝet ich i-seh et-
scene þe studen of his wunden ant hu he schaweð ham his feader, to cuðen hu he
luvede us ant hu he wes buhsum to him þe sende him swa to a-lesen us ant bise-
cheð him a for moncunnes heale. Efter him ich i-seh on heh over alle heovenliche
[weordes] þe eadi meiden, his moder, Marie i-nempnet, sitten in [t. 82 b] a trone se 210
swiðe briht wid ȝimmes i-stirret ant hire wlite se weoleful, þat euch eorðlich liht
is þeoster þe[r]aȝeines. Þear ich i-seh as ha bit hire deorewurðe sune se ȝeorn-
liche ant se inwardliche for þeo þat hire servið, ant he hire ȝetteð blideliche al
þat ha bisecheð. Þet liht þa ich ne mahte lengre þolien. Ich biseh to þe engles
ant to þe archangles ant to þe oðre þe beoð buven ham; i-blescede gastes 215
þe beoð a bivore Godd ant servið him eaver ant singeð a unwerget. Nihe wordes
þer beoð, ah hu ha beoð i-ordret ant sunderliche i-sette, þe an buve þe oðre,
ant euchanes meoster, were long to tellen. Se muche murhðe ich hefde on hare
onsihðe, þat ne mahte ich longe hwile elleshwider lokin. Efter ham ich i-seh
towart te patriarches ant te prophetes, þe makied swuch murhðe, þat ha aren 220
nuðe i þat ilke lont of blisse, þat ha hefden of feor i-gre[si ðe]t ear on eorðe ant
seoð nu al þat i-soðet þat ha hefden longe ear i-cwiddet of ure Laverd, as he
hefde i-schawed ham i gastelich sihðe. Ich i-seh þe apostles poure ant lah on

183 he om C   Wið, ten R þat] his R   soðden R   siðen C   184 lahinde RC   ȝelden C   gretinge C
i-lihted C   i-gledeð R   i-gladeð C   185 schimereð C   186 eskeð R   askeð C   ham (before ȝef) om. RC
ȝif C   Ȝa C   187 lustin þat helden us swa stille hwil Fearlac us a-grette   Hercneð C
188 murhðes R   189 munege R   fram C   hevene   190 have i-sehe   oftre R   mai
sumdeal C   191 durcnin   Farlac   192 deð R   gledien C   gladen C   193 ant tat C   þat
om. R   schullen R   194 þurven R   þurn C   195 al weldenit R   seid C   196 self, ȝif
seh   telle C   197 sumwhat   Ȝoi i-soð C   Murðhes   198 have C   alswa om. R   a-ȝain
C   dosk C   199 þuncheð dosc ant as a schadewe R   200 i nawt a-ȝain C   leom R   loken C
201 scheawere C] schadewe R   have C   202 i-sehen him þe R   feder R   fader C
te hali C   203 lute (twice) C   bihalde C   204 blisful] wunderful R   205 feder R
alweldent R   eche] riche C   linunge, so R   206 feir C   fulle C   i seh edscene C   ȝet
is eðsene R   207 hise C   scheaweð C   feder R   fader C   208 was C   þe] þat C   swa] so R
209 aa R   ai C   moncunne C   After   i biseh C   209/10 hevenliche weordes C   his] ant R, om. C
i-nempned C   so R   211 brih R   brihte C   wið RC   i-sterret C   se weoleful]
so meinful R   212 þertoȝeines C   þear ich] þer R   þer i C   so R   213 so R   serveð C
bliðeliche RC   214 þat C   mahte na mare of hire i-þolien R   liht i ne mihte of hire na lengre þolien C
þe om. C   215 ant to archangles om. C   anchangles (!) R   to oðre C   oðer þe þe beoð a-buven
R   i-blesce R   216 aa R   ai bifore   serveð   singed C   aa R   ai unwerched C   wordes]
ordes corrected from original wordes R   Novem ordines ibi sunt. Nihe woredes C   217 ah] ant R   ha] ha
ha B   odere R   218 mester RC   So R   hafde C   on] of RC   219 long whiles C   loken. After C   biseh
220 toward   patriarkes R   to þe patr. C   þe] þat C   makieð R   makeð C   arn C   220/21 þat haren nuðe
i þe ilke R   lond RC   i-greiðet on eorðe R   222 soð R   seð C   al i-soðet RC   ong   Laverd ant he l:
223 i-schawet R   i-schoawet C   in gasteliche R   i gastliche C   of poure ant lahe C   apostles þat poure weren ant lahe

B: eorðe, i-fullet ant bigoten al of unimete blisse sitten i trones ant al under hare
vet þat heh is i þe worlde, ȝarowe for te demen i þe dei of dome kinges ant keiseres 225
ant alle cunreadnes of alle cunnes ledenes. [t. 83] Ich biheolt te martyrs ant
hare unimete murhðe, þe þoleden her pinen ant deað for ure Laverd ant lihtliche
talden to alles cunnes neowcins ant eorðliche tintreohen a-ȝeines þe blisse þat
Godd in hare heorte schawede ham to cumene.   Efter ham ich biheolt þe
confessurs hird, þe liveden i god lif ant haliche deiden, þe schineð as doð steorren 230
i þe eche blissen, ant seoð Godd in his wlite, þat haveð alle teares i-wipet of hare
ehnen. Ich i-seh þat schene ant þat brihte ferreden of þe eadi meidnes i-likest
towart engles ant feolohlukest wið ham blissin ant gleadien þe libbinde i flesche
overgað flesches lahe ant overcumeð cunde, þe leadeð heovenlich lif in eorðe, as
ha wunieð hare murhðe ant hare blisse. Þe feierlec of hare wlite, þe swetnesse 235
of hare song ne mei na tunge tellen. Alle ha singeð þe þer beoð. Ah hare song
ne mahe nane buten heo singen. Se swote smeal ham folheð, hwiderse ha wendeð,
þat me mahte libben aa bi þe swotnesse. Hwamse heo bischeð fore is sikerliche
i-borhen. For a-ȝein hare bisocnen Godd him seolf a-riseð þat alle þe oðre halhen
sittende i-hereð.''   ''Swiðe wel,'' quoð Warschipe,'' likeð us þat tu seist. Ah nu 240
þu havest se wel i-seið of euch asetnesse, of þe seli sunderlepes, sumhwet sei us
nu hwuch blisse is to alle illiche meane.''   Ant Livesluve hire ondswereð: [t. 83 b]
'' Þe i-meane blisse is seovenfald: lengðe of lif, wit ant luve, ant of þe luve a
gleadunge wiðute met, murie loftsong ant lihtschipe, ant sikernesse is þe seoveðe.''
'' Þah ich þis,'' seið Warschipe, ''sumdel understonde, þu most unwreo þis 245
witerluker ant openin to þeos oðre.'' ''Ant hit schal beon,'' seið Livesluve,
''Warschipe, as þu wilnest. Ha livieð a in a wlite þat is brihtre seovevald ant
schenre þen þe sunne ant eaver in a strengðe to don buten euch swinc al þat ha
wulleð, ant eavermare in a steal in al þat eaver god is, wiðute wonunge, wiðuten
euch þing þat mahe hearmin oðer eilin, in al þat eaver is softe oðer swote. Ant 250
hare lif is Godes sihðe ant Godes cnawlechunge, as ure Laverd seide. 'þat is,'
quoð he, 'eche lif to seon ant cnawen soð Godd ant him þat he sende, Jhesu
Crist, ure Laverd, to ure a-lesnesse'; ant beoð forþi i-lich him i þe ilke wlite,
þat he is; for ha seoð him as he is, nebbe to nebbe. Ha beoð se wise, þat ha witen
alle Godes reades, his runes ant his domes, þe derne beoð ant deopre þen eni 255
seadingle.   Ha seoð i Godd alle þing ant witen of al þat is ant wes ant eaver
schal i-wurden, hwet hit beo, hwi ant hwerto ant hwerof hit bigunne. Ha livieð
God wiðute met, for þat ha understondeð hu he haveð bi ham i-don þurh his
muchele godlec, ant hwet ha ahen his deorewurde milce to ȝelden, ant euchan
luveð oðer ase muchel as him seolven. Se gleade ha beoð of Godd, þat al is hare 260
blisse se muchel [t. 84], þat ne mei hit munne na muð ne spealie na speche; forþi
þat euchan luveð oðer as him seolven. Euchan haveð of odres god ase muche
murhðe as of his ahne. Bi þis ȝe mahen seon ant witen þat euchan haveð sunder-

224 on eorðe *om.* R   225 fet *RC*   is on worlde *R*   to *RC*   dai dom   keisers *C*   226
cunredes *R*   kunrednes *C*   alles *C*   biheold *R*   biheld *C*   te] to *B* martirs *RC*   227 hore *C* muhðe (!) *R*
ure] hare *C*   228 to] of *C*   nowcins *RC*   tintreon *R*   tintrohen *C* a-ȝaines te blisse *C*   229 herte
C   halliche *RC*   231 blisse *C*   i-seoð *R*   232 shene *C*   tet *R*, tat *C*   fearreden *C*   adie *R*
eadie *C*   233 toward *RC*   feolahlukest *R*   f elahl. *C*   blissen *C*   gledien *R* gladien *C* þe] þah
C   libinde *R*   libbende *C*   234 þat leadden *C*   235 feiriec *R*   feirleic *C*   236 þat ter *C*
236/7 þe þer beoð *to* heo singen *om.* R   So smel hwuderso *R*   238 men mihte libbe ai
bi þat   swetnesse *C*   Hwamso *R*   239 a-ȝain *C*   self *C*   oðer *R*   þoðre *C*   halhen] he
walden (!) *R*   240 sittinde *RC*   him hereð *C*   241 haves *C*   so *R*   i-seid *RC*   euch
an to setnesse *R*   an setnesse *C*   selie sunderleapes, sumhwat *C*   nu us *R*   242 onswereð *RC*
243 seovevald *R*   sevenfald *C*   244 gladinge witute *C*   245 sumdeal *C*   þis *om.* R   246
witerluter (!) *R*   þeose *C*   oðere *R*   hit *om.*   schalt beo *C*   246/7 tu wilnes *C*   ai in *C*
lifieð in an wlite *R*   scovefald *R*   sevefald *C*   248 strencðe *C*   swing *C*   ha] aa *R*
men *C*   eilen *C*   swete *R*   sweote *C*   251 is] is in *R*   cnawlechinge *C*   250 hearm *R*   har-
seið *R*   te *R*   ant te cnawen *R*   sod *B*   in þe *R*   þat ilke *C*   254 beo so *R*   255 hise hise *C*
Godes runes and his reades, þat derne *R*   þat dearne *C*   deoppre *R*   depre *C*   256 in Godd *RC*
wes *C*   al þat wes ant is ant ever shal *R*   257 i-wurðen *RC*   hwat *C*   hwi ant hwerto *om.*
biginne   luieð (!) *R*   258 Godd *RC*   wiðuten *R*   þat *om.*   ham *om.* R   259 goddlec *R* hwat
C   deorewurðe *C*] muchele *C*   te *R*   260 ase muchel *om.* R   selven *C*   So glede *R* glade
C   al *om.* R   261 se muchel *om.* RC   nnmne *C*   spelien *R*   spelie *C*   262 as him seolven
om. R   selven *C*   oðeres *R*   ase] as *R*   263 of his ahne] him seolven *R*   i-seon sunderlepes
haþ *R*   sunderleapes *C*

B: lepes ase feole gleadschipes as ha beod monie; alle ant euch of þe ilke gleadschipes
is to eavereuchan ase muche gleadunge as his ahne sunderliche; ȝet over al þis, 265
hwen euchan luveð Godd mare þen him seolven ant þen alle þe odre, mare he
gleadeð of Godd wiðuten ei etlunge þen of his ahne gleadunge ant of alle þe oðres.
Neomeð nu þenne ȝeme, ȝef neaver anes heorte ne mei in hire [unde]rvon hire
ahne gleadunge sunderliche [i-seide. So uni]mete muchel is þe[n] anlepi blisse,
þat ha nimeð in hi[re] þus monie ant þus muchele. Forþi seide ure Laverd to 270
þeo þe him hefden i-cwemet: '*Intra in gaudium, et cetera.*' 'Ga,' quoð he, 'into
þi Laverdes blisse; þu most al gan þrin ant al beon bigotten þrin, for in þe ne
mei hit nanesweis neomen in.' Herof ha herieð Godd ant singeð a unwerget
eaver i-liche lusti in þis loftsonges, as hit i-writen is: *Beati qui habitant, et cetera.*
Eadi beoð þeo, Laverd, þe i þin hus wunieð; ha schulen herien þe from [worlde 275
into worlde]. Ha beoð alle ase lih[te ant as swifte as þe sunne]gleam, þe sch[eot
from est into west, ase þin [t. 84 b] ehelid tuneð] ant openeð; for hwerseeaver þe
gast wule þe bodi is ananriht wiðute lettunge. For ne mei ham naþing a-ȝeines
etstonden. For euchan is almihti to don al þat he wule. Ȝe makie to cwakien
heovene ba ant eorðe wið his an finger. Sikere ha beoð of al þis of þulli lif, of 280
þulli wit, of þulli luve ant gleadunge þrof ant of þulli blisse, þat hit ne mei
neaver mare lutlin ne wursin, ne neome nan ende. Þis lutle ich habbe i-seid of
þat ich i-seh in heovene; ah nower neh ne seh ich al, ne þat ȝet þat ich [i-seh ne]
ne con ich half tellen." "Witer[liche," quoð] Warschipe, "wel we understondeð
þat t[u h]avest i-beo þear ant soð havest i-seid trof efter þi sihðe; ant wel is 285
him þat is war ant bisið him hu he mahe beast halden his hus, þat Godes tresor
is in, a-ȝeines Godes unwine, þe weorreð þertowart a wið unþeawes; for þet
schal bringen him þider, as he schal al þis, þat tu havest i-speken of, an[t] hun-
dret siðe mare of blisse buten euch bale folhin ant i-finden." Quod Strengðe:
"Hwen hit swa is, hwet mei tweamen us from Godd [ant halden us þeonne? 290
Ich] am siker ine Godd, þat ne schal lif ne deð, ne wa] ne wunne nowðer [todealen

R: us ant his luve. Ah al þis] us haveð i-garc*[ket, ȝef we as treowe tresures witeð *from he*
wel his tresor þat is bitaht us to halden, as we schulen ful wel under his wengen.   *end fro*
"Warpeð ut," quoð Warschipe, "Farlac, ure fa. Nis nawt riht þat an hus halde
þeos tweien, for þer as Murðes sonde is ant soð luve of eche lif Farlac is fleme." 295
"Nu ut," quoð Strencðe, "Farlac, ne schaltu na lengere leven in ure ende."
"Nu," quoð [Farlac], "ich seide for god al þat ich seide, and þah hit muri nere
nes na lessere mi tale þen wes Murhðes sondes, ne unbihefre to ow, þah hit ne
beo so licwurðe ne i-cweme." [Moderation:] "Eiðer of ow haveð his stunde to
speokene, ne nis incker noðres tale to schunien in his time. Þu warnest of wa, he 300
telleð of wunne. Muche neod is þat me ow ba ȝeornliche herkni. Flute nu, Farlac,
þah, hwil Liveslove is herinne, and þole wið efne heorte þe dom of Rihtwisnesse.

264 gledschipes *R*   beoð *RC*   alle *om. R*   euch of *om. R*   þa *C*   gledschipes *R*   gladschipes *C*   265
beoð to evereuchan *F*   ase] as *R*   gledunge *R*   gladinge *C*   266 selven *C*   ten alle þoðre *C*   oðer *R*
267 ha gladieð *C*   gleaveð of God *R*   ei] ani *C*   eilung *R*   eatlunge *C*   gledung *R*   gladinge *C*   oðeres *R*
268 Nimeð *C*   nu *om. R*   ȝif *C*   never *R*   underfon *RC*   269 gledunge *R*   gladinge *C*   sundorliche
C   i-seide *om. C*   So] Se *C*   is þen *R*   is te *C*   270 tus *C*   seið *R*   271 þe] þat *RC*
i-cwemed *C*   gaudium Domini (et cetera *om.*) *R*   272 blisse] hus *R*   beo biȝoten *C*   biȝeoten
R   273 mai *C*   o nane wise *RC*   ai unwerged *C*   274 i-lich *R*   þis] his *C*   loftsong *R*
habitant in domo tua, Domine (et cet. *om.*) *R*   habitant in domo tua et cetera *C*   275 þe] þat *C*   in þis
hus *R*   f[r]om *added above line R*   fram *C*   276 as lihte *R*   se lihte *C*   as swifte ase
sunnegl. *C*   glem *R*   þe] þat *RC*   277 f[r]om *added above line R*   as tin ehlid tuineð ant opneð *C*
openeð ant tuneð *R*   hwersocver *C*   278 wile *C*   þer is te bodi *C*   wiðuten *R*
lettinge *C*   mai *C*   nawt *R*   a-ȝaines *RC*   279 atstonden *C*   as mihti *R*   wile.
ȝea *C*   makien *R*   cwakie *C*   280 hevene (ba *om.*) *C*   eorne (l) *R*   281 luva a gleadenge
R   gladinge *C*   mai *C*   282 mei neaver *om. R*   wursen *RC*   nime *C*   of *om. R*
283 i seh *R*   ich seh in hevene *C*   ne seh] ne neh *BR*   ȝet *om. R*   283/4 ich seh ne con *C*   half] al *R*
understonden *C*   285 þer *RC*   i-seið *C*   þrof *RC*   after *C*   286 bisihð *C*   best *RC*
287 inne *R*   a-ȝaines *C*   unwines *C*   þe þat] *R*   weorren ai þertoward wið *C*   þertoward *R*
þat *RC*   288 ham þider þer he schal *C*   ant hundret *R*   ant hundreð *C*   289 blisse
wiðuten balesið *R*   folhen *R*] fonden *C*   an finden *R*   Strencðe *R*   290 hwat *C*
twemen *RC*   291 Ich *R*   Ich *C*   in *C*   deað ne pine nowðer *C*   292 Ah] þat *C*   haveð us *R*
i-ȝarcket *R*   ȝarket *C* — *From here to end the variants not specially marked are from C.* — ase
trewe tresorers *C*   293 us *om.*   schuln   294 Warschipe] Rihtwisnesse   Fearlaic
295 Murhðes   soðe   295/6 Farlac is to Strencðe *om.*   Fearlaic   lengre leaven   297 Nu] Nu, nu
Fearlaic   þat i   tah   muri] murie tale   298 lesre   wes *om.*   sonden   ne] nawt
ne   299 so] ow   ow] ow", quoð Meað.   stude   300 spekene   inker   nowðeres   warnet
us of   301 telleð us of   ned   men   baðe ȝernliche hercnen   Flutte nu þah, Fearlac, þe hwil

R: For þu schal[t] ful bliðeliche beon underfon in as ofte as Livesluve stinteð for to
spekene." Nu is Wil, þat husewif, al stille, þat er wes so wiliesful, al i-tuht efter
Wittes wissunge, þat is husebonde. Ant al þat hird hat him stille þat wes i- 305
wunet to beon fulitohen ant don efter Wil, hare lefdi, and nawt efter Wit, lustneð
nu his lare ant fondeð evere uchan efter þat him limpeð to, þurh þeos twa sonden
þat ha i-herd habbeð, ant þat fowr sustren lerden þruppe for euch unþeawes
inȝong his warde te witene ant te warden treowliche.

[f. 10b] Þus ah mon te þenchen ofte ant i-lome ant wið þulliche þohtes a-wecchen 310
his heorte þe i slep ȝemeles forȝet hire sawle-heale, efter þeos twa sonden, from
hellesihðe biseon to þe blisse of heovene—to habben farlac of þat an, luve toward
þat oðer, ant leaden him ant hinen, þat beoð his limen alle, nawt efter Wile,
þe untohe lefdi, ant his lust leareð, ah efter þet Wit wule, þat is husebonde,
tuhten ant teachen, þat Wit ga ever bivore ant teache Wil efter him to al þat 315
he dihteð ant demeð to donne, ant wið þe fowr sustren þer fore þe fowr heved-
þeawes: Warschipe, Strencðe in Godd ant Með and Rihtwisnesse witen Godes
treosor, þat is his ahne sawle i þe hus of þe bodi from þe þeof of helle. Þulli
þoht makeð mon te fleon alle unþeawes ant ontent his heorte toward þe blisse
of heovene, þat ure Laverd ȝeve us þurh his hali milce þat wið þe feder ante 320
sune ante hali gast rixleð in þreohad a buten enden. Amen.

Par seinte charite biddeð a *pater-noster* for Johan þat þeos boc wrat.

Hwase þis writ haveð i-red
Ant Crist him haveð swa i-sped,
Ich bidde *par seinte charite*   325
Þet ȝe bidden ofte for me
Aa *pater-noster* ant *ave Marie,*
Þet ich mote þat lif her drehen
Ant ure Laverd wel i-cwemen
I mi ȝuheðe ant in min elde,   330
Þet ich mote Jhesu Crist mi sawle ȝelden. Amen.

---

303 schalt *C*   ase ofte as eaver   stuteð   304 Nu *C*] Hu *R*   wel þe husewif   al
stille *om.*   ear was   se   after   305 þat is] þe   al his hird   halt him stille *om.*   305/6 was
i-wuned for to   beon se f.   don al as ham luste ase Will, hare lafdi, ant nawt ase Wit ham tuhte,
lustneð   307 eavereuchan after   þes   308 ant to fowr   learden   309 to
witene   ant te *to* treowl. *om.*   310 to   311 herte   i] i þe   ȝemles   efter þeos]
after þe tiðinges of þe   fram   312 hevene   haven fearlac   an ant luve   313 ant his
hinen   limes   after þat his wil   314 after   wile þe wise husebonde   315 eaver
biforen   drahe Wil after   316 þer fore *om.*   heavedþ.   317 ant Strengðe i God, Með   wite
318 tresor   of his bodi   fram   to   319 unþeawes alle   ontenden   te blisse
320 ȝive   fader   ante sune *om.*   321 te hali gast, an Godd i þrehad rixleð ai bute ende.   322—31 *om.*

---

3. Proclamation of Henry III. (1258).

F: *FrenchVersion. — MS.: Publ. Record Off. Patent Roll 42, Henry III m. 1. — Edd.: Rymer,
Foedera, 1816, I 1, 377; Pauli, Geschichte von England, Hamburg 1853, II 909; Ellis,
1869, EETS. ES. 7, 501; Mätzner, Sprachpr. II 52—57.*

E: *English Versions. 1) Huntingdon recension (= E_H); MS.: Publ. Record Off. Patent Roll
43, Henry III m. 15. 40. — Edd.: Rymer, Foedera, 1816, I 1, 378; Pauli, Geschichte von Eng-
land, Hamburg 1853, III 910; Mätzner, Sprachpr. II 52—57.   2) Oxford recension
(=E_O); MS.: A slip of vellum at the Oxford town-clerk's office with the strip by which the seal
was attached. — Edd.: Ingram, Memorials of Oxford, 1837, III 5; Skeat, Academy, 1882,
May, p. 339.*

E_H: Henr', þurȝ Godes fultume king on Engleneloande, lhoaverd on Yrloand',
duk on Norm', on Aquitan' and eorl on Anjow send i-gretinge to alle hise holde, i-lærde and i-leawede on Huntendon'schir'. Þæt witen ȝe wel alle, þæt
we willen and unnen, þæt þæt ure rædesmen, alle oþer þe moare dæl of heom,
þæt beoþ i-chosen þurȝ us and þurȝ þæt loandes folk on ure kuneriche, habbeþ 5
i-don and schullen don in þe worþnesse of Gode and on ure treowþe for þe freme
of þe loande, þurȝ þe besiȝte of þan toforen i-seide redesmen, beo stedefæst and

E_O: 1 Henri   2 his   3 i-lerde   on Oxenefordeschir' þet (*always*)   4 redesmen del   5 beoþ
habben   6 God   7 loand   seide   stedefest

EH: i-lestinde in alle þinge a-buten ænde. And we hoaten alle ure treowe in þe treowþe, þæt heo us oʒen, þæt heo stedefæstliche healden and swerien to healden and to werien þo i-setnesses, þæt beon i-makede and beon to makien þurʒ þan toforen 10 i-seide rædesmen oþer þurʒ þe moare dæl of heom, alswo alse hit is biforen i-seid; and þæt æhc oþer helpe, þæt for to done bi þan ilche oþe a-ʒenes alle men, riʒt for to done and to foangen, and noan ne nime of loande ne of eʒte, wherþurʒ þis besiʒte muʒe beon i-let oþer i-wersed on onie wise. And ʒif oni oþer onie cumen her o-ʒenes, we willen and hoaten, þæt alle ure treowe heom healden 15 deadliche i-foan, and for þæt we willen, þæt þis beo stedefæst and lestinde, we senden ʒew þis writ open i-seined wiþ ure seel, to halden a-manges ʒew ine hord.
    Witnesse us selven æt Lunden' þane eʒtetenþe day on þe monþe of octobr' in þe two and fowertiʒþe ʒeare of ure cruninge.
    And þis wes i-don ætforen ure i-sworene redesmen: Bonefac' archebischop 20 on Kant'-bur'. Walter of Cantelow, bischop on Wirechestr'. Sim' of Muntfort, eorl on Leirchestr'. Ric' of Clar', eorl on Glowchestr' and on Hurtford'. Rog' Bigod, eorl on Northfolk' and marescal on Enʒleneloand'. Perres of Savveye. Will' of Fort, eorl on Aubem'. Joh' of Plesseiz, eorl on Warewik'. Joh', Gefrees sune. Perres of Muntfort. Ric' of Grey. Rog' of Mortemer. James 25 of Aldithel, and ætforen oþre i-noʒe.
    And al on þo ilche worden is i-send into ævrihce oþre shcire over al þære kunerice on Engleneloande and ek intel Irelonde.

EO:

8 lestinde	ende	9 stedefesteliche	10 setnesses makede maken		11 seide redesmen
del toforen	12 don þat ilche oaþ	13 don fongen loand wherþurʒ		14 let gif	
15 on-ʒenes	16 foan stedefest	17 sened healden amaonges		18 þene	19 ʒear
20 don sworen	21 Muntford	23 mareschal	24 Aubemar'l Plecc (?)	25 Geffrees	26 i-noge

F: Henri par le grace Deu rey de Engleterre, sire de Irlande, duc de Normandie, de Aquitien et cunte de Angou a tuz ses feaus clers et lays saluz. Sachez ke nus volons et otrions ke se ke nostre conseil u la greignure partie de eus, ki est esluz par nus et par le commun de nostre reaume, a fet u fera al honur de Deu et nostre fei et pur le profit de nostre reaume sicum il ordenera, seit ferm et estable en tuttes choses a tuz jurz; et comandons et enjoi-nons a tuz noz feaus et leaus en la fei k'il nus deivent, k'il fermement teignent et jurgent a tenir et a maintenir les establemenz ke sunt fet u sunt a fere par l'avant dit cunseil u la greignure partie de eus en la maniere k'il est dit desuz; et k'il s'entre-eident a ce fere par meismes tel serment cuntre tutte genz dreit fesant et parnant; et ke nul ne preigne de terre ne de moeble par quei ceste purveaunce puisse estre desturbee u empiree en nule manere; et se nul u nus viegnent encuntre ceste chose, nus volons et comandons ke tuz nos [f]eaus et leaus le teignent a enemi mortel; et pur ce ke nus volons ke ceste chose seit ferme et estable, nos giveons nos lettres overtes seelees de nostre seel en checun cunte a demorer la en tresor.
    Testmoin meimeismes a Londres le disutime jur de octobre l'an de nostre regne quaraunte secund.
    Et ceste chose fu fete devant: Boneface, arceveske de Cantrebur'. Gaut' de Cantelou, eveske de Wyrecestr'. Simon de Montfort, cunte de Leycestr'. Richard de Clare, cunte de Gloucestr' et de Hertford. Roger le Bigod, cunte de Norf' et mareschal de Engleterre. Humfrey de Bohun, cunte de Hereford. Piere de Savoye. Guilame de Forz, cunte de Aubemarle. Johan de Plesseiz, cunte Warrewyk. Roger de Quency, cunte de Wyncestr'. Johan, le fiz Geffrey. Piere de Muntfort. Richard de Grey. Roger de Mortemer. James de Audithel' et Hug' le Despens'.

4. Dan Michel, Ayenbite of Inwyt: Appendix (1340).

HV: *Hugo de St. Victore (ab. 1079—1141), Appendix to his Works. Migne's Patrologia Latina 177, col. 185 ff.*

DM: *Dan Michel, Ayenbite of Inwyt. — MS.: Brit. Mus. Arundel 57 (1340; in the author's own handwriting). — Edd.: Stevenson, 1855, Roxb. Club; Morris 1866, EETS. 23; Mätzner, Sprachpr. II 58—118 = Morris pp. 5—70.*

Dan Michel on Himself and on his Book.

    Þis boc is dan Michelis of Northgate, y-write an englis of his oʒene nand. [Morris
Þet hatte "A-yenbyte of Inwyt" and is of þe bochouse of saynt Austines of Canterberi mid þe lettres CC.

Þis boc is y-write   Vor englisse men, þet hi wyte   [p. 5
Hou hi ssolle ham zelve ssrive   And maki ham klene in þise live.
Þis boc hatte huo þet writ   "A-yenbite of Inwyt."
A verst byeþ þe hestes ten   Þet loki ssolle alle men.
Nou ich wille þet ye y-wyte   Hou it is y-went   [p. 262
Þet þis boc is y-write   Mid engliss of Kent:
Þis boc is y-mad vor lewede men,   Vor vader and vor moder and vor oþer ken,
Ham vor to berȝe vram alle manyere zen,   Þet in hare inwytte ne bleve no
voul wen.
"Huo ase God?" is his name y-zed   Þet þis boc made: God him yeve þet bread
Of angles of hevene and þerto his red,   And ondervonge his zaule huanne
þet he is dyad.
Amen.

Y-mende þat þis boc is volveld ine þe eve of þe holy apostles Symon an
Judas of ane broþre of þe cloystre of saynt Austin of Canterberi ine þe yeare of
oure Lhordes beringe 1340.
Follows a prayer, then in the same hand—

Custody of the Soul.

DM: Vor to sseawy þe lokynge of man wyþinne, þellyche ane vorbysne oure   [f. 94b new
Lhord Jhesu Crist zayþ: "þis vor zoþe y-wyteþ, þet yef þe vader of þe house   numbering,
wyste huyche time þe þyef were comynde: vor zoþe, he wolde waky and nolde   ed. Morris
naȝt þolye þet me dolve his hous." Be þise vader of house me may onderstonde   p. 263
þe wyl ʊr skele, to huam belongeþ moche mayne, þoȝtes and his besteriinge, 5
wyt, and dedes ase wel wyþoute ase wyþinne. Þet is to zigge huych mayne
to moche slac and wyllesvol ssel by, bote yef þe ilke vaderes stefhede hise strayny
and ordayny. Vor zoþe, yef he hym a lyte of his bysyhede wyþdraȝþ, huo may
zigge hou þoȝtes, eȝen, earen, tonge, and alle oþre wyttes becomeþ wylde? Hous
is inwyt, in huychen þe vader of house woneþ, þe hord of virtues gadereþ, vor 10
huych hord þet ilke zelve hous ne by y-dolve, heȝliche he wakeþ. Þer ne is
naȝt on þyef, ac vele; ac to eche virtue ech vice wayteþ. Þaȝles heȝlyche by
þe þyeve is onderstonde þe dyevel, a-ye huam and his kachereles þe ilke zelve
vader, þaȝles yef he ne were naȝt onlosti, his hous mid greate strengþe wolde
loky. Þe vader of þe house ate verste guoinge in, he zette Sleȝþe to by dore- 15
ward, þet y-knauþ huet ys to vorlette, and huet ys to wylny, huet vor to bessette
out of þe house, huet vor to ondervonge into þe house. Nixt þan ha zette Strengþe,
þet þe vyendes þet Sleȝþe zent to zygge to keste out Strengþe wyþdroȝe, þet
his voule lostes wyþdroȝe and wyþzede. Riȝtnesse, vor zoþe, ssel zitte a-mydde
þet echen his oȝen yefþ. Huervore huyche time þe þyef is comynde, me not, 20
ac eche tyme me ssel drede. Þise zuo y-diȝt, naȝt longe to þe wakynde þe slep

HV: Ad insinuandam interioris hominis custodiam Dominus Iesus talem similitudinem ponit:
Hoc autem scitote quoniam si sciret paterfamilias qua hora fur veniret, vigilaret utique, et
non sineret perfodi domum suam. Pater iste familias animus potest intellegi, cuius familia
sint cogitationes et motus earum, sensus quoque et actiones, tam exteriores quam interiores.
Quae familia lasciviens nimis et petulans erit, nisi eiusdem patris vigore coercita et dispo-
sita fuerit. Nam si vel parum a sua sollicitudine torpuerit, quis potest dicere quomodo
per cogitationes, oculi, lingua, aures, et caetera organa insolescant? Domus est conscientia,
in qua pater iste habitans thesauros virtutum congregat, propter quos ne domus effo-
diatur, summopere vigilatur. Fur autem non unus est, sed multiplex, quia singulis virtu-
tibus singula vitia insidiantur. Principalis tamen fur diabolus intelligitur. Contra quem
et eius satellites pater idem, si tamen non negligens fuerit, domum suam forti custodia
muniens, Prudentiam in primo aditu constituat, quae discernat quid sit admittendum,
quid vitandum, quid excludendum. Secus hanc Fortitudo locetur, ut hostes, quos Pru-
dentia venire nuntiaverit, repellat. Iustitia sedeat in medio, ut sua cuique tribuat. Et
quia qua hora fur sit venturus nescitur, omni hora timeatur, et ne somnus peccati
subrepat, assidue vigilandum est. His ita dispositis introducere debet Prudentia
aliquos nuntios, qui aliqua narrent quae ad exercitationem valeant. Itaque nuntius

DM: of zenne benymþ. Vor al þet lyf is to waky. Zome messagyers sleȝþe ssel lete
in, þet zome þinges moȝe telle þet me may a-waki myde. Þus þe messagyer
of dyaþe acseþ inguoynge: he is ondervonge. Me him acseþ huo he ys, huannes
he comþ, huet he heþ y-soȝe. He ansuereþ he ne maȝ naȝt zigge, bote yef þer 25
by heȝliche clom, Huych y-graunted, þus he begynþ: "Ich am Drede and Be-
þenchinge of dyaþe, and dyaþ comy[n]de, ich do you to wytene." Sleȝþe specþ
vor alle and acseþ: "And huer is nou þe ilke dyaþ, and huanne ssel he come?"
Drede zayþ: "Ich wot wel þet he ne a-byt naȝt to comene and nyeȝ he is; ac
þane day oþer þane tyme of his comynge ich not." Sleȝþe zayþ: "And huo ssel 30
come myd hyre?" Drede zayþ: "A þouzend dyevlen ssolle come mid hire and
brenge mid ham greate bokes and bernynde hokes and chaynen a-vere." Sleȝþe
zayþ: "And huet wylleþ hy do mid alle þan?" Drede zayþ: "Ine þe bokes byeþ
y-write alle þe zennen of men, and hise brengeþ þet be ham hi moȝe overcome
men of huychen þe zennes þerinne byeþ y-wryte. Þet byeþ to hare riȝte. Hokes 35
hi brengeþ þet, þo þet byeþ to hare riȝte, overcomeþ hire zaulen be strengþe,
of þe bodye draȝeþ out and hise byndeþ mid þe chaines and into helle hise draȝeþ."
Sleȝþe zayþ: "Huannes [t. 95] comste?" Drede zayþ: "Vram helle." Sleȝþe
zayþ: "And huet is helle, and huet y-seȝeþe ine helle?" Drede zayþ: "Helle
is wyd wyþoute metinge, dyep wyþoute botme, vol of brene onþolyinde, vol 40
of stenche wyoute comparisoun. Þer is zorȝe, þer is þyesternesse, þer ne is non
ordre, þer is groniynge wyþoute ende; þer ne is non hope of guode, non wan-
trokiynge of kueade. Ech þat þerinne is hateþ him zelve and alle oþren. Þer
ich y-zeȝ alle manyere tormens. Þe leste of alle is more þanne alle þe pynen
þet moȝe by y-do ine þise wordle. Þer is wop and grindinge of teþ. Þer me geþ 45
vram chele into greate hete of vere and buoþe onþolyinde. Þere alle be vere
ssolle by vorbernd, and myd wermes ssolle by y-wasted and naȝt ne ssolle wasti.
Hire wermes ne ssolle naȝt sterve, and hare ver ne ssel nevre by y-kuenct. No
rearde ne ssel þer by y-hyerd bote "Wo, wo." Wo hy habbeþ, and "wo" hy gredeþ.
Þe dyevles tormentors pyneþ, and togydere hy byeþ y-pyned. Ne nevre ne ssel 50
by ende of pyne oþer reste. Þellich is helle, an a þousend zyþe worse. And
þis ich y-seȝ ine helle, and a þousend ziþe more worse. Þis ich com uor to zygge
you." Sleȝþe zayþ: "God, wet ssolle we do? Nou, broþren and zostren, y-hyreþ
my red and yveþ youre. Byeþ sleȝe, an wakeþ ine youre bedes porveynde
guodes, naȝt onlyche bevore Gode, ac bevore alle men." Þolemodness zayþ: 55
"Do we to worke Godes nebsseft ine ssrifte and ine zalmes, glede we hym. Byeþ

HV: mortis ingressum postulans admittitur. Qui rogatus ut dicat qui sit, unde veniat,
quid viderit, se respondit non aliter quidquam dicturum, nisi summum fiat silentium.
Quo impetrato sic incipit: Ego sum Timor mortis, et mortem vobis venire nuntio.
Prudentia loquitur pro omnibus, et interrogat sic dicens: Ubi est mors? Memoria mortis:
Scio quia non tardat venire, et prope est. Sed diem et horam adventus eius ego nescio.
Prudentia: Et qui veniunt cum illa? Memoria: Mille daemones ferentes secum libros
grandes, et uncos ferreos et igneas catenas. Prudentia: Quid praetendunt his omnibus?
Memoria: In libris scripta sunt omnia peccata hominum, et quorum ibidem peccata sunt
scripta, illos sui esse dicunt iuris. Uncos ferunt, ut quos sui esse iuris convicerint, eorum
animas violenter extrahant et ligatas catenis in infernum pertrahant. Prudentia: Qualis
est infernus? vel quid vidisti in eo? Memoria: Infernus latus est sine mensura, profundus
sine fundo, plenus ardore incomparabili, plenus fetore intolerabili, plenus dolore innume-
rabili. Ibi miseria, ibi tenebrae, ibi ordo nullus, ibi horror aeternus, ibi nulla spes boni,
nulla desperatio mali. Omnis qui est in eo odit se et omnes alios. Ibi vidi omnia genera
tormentorum, quorum minimum est maius omnibus his tormentis quaecunque in hoc
saeculo fieri possunt. Ibi est fletus et stridor dentium, ibi transitur a frigore nivium ad
calorem ignium [nimium], et utrumque intolerabile. Ibi omnes comburuntur et vermibus
corroduntur, nec consumuntur. Vermis quorum non moritur, et ignis non exstinguitur.
Nulla ibi vox, nisi vae, vae habent, vae sonant, tortores diabolici torquent pariter et
torquentur, et eorum nunquam finis erit aut remedium. Talis est infernus et millies
peior, et haec vidi in inferno et millies peiora. Prudentia: Deus, quid faciemus? Nunc,
fratres, audite consilium meum, et date vestrum. Estote fideles, prudentes, et vigilate
in orationibus providentes bona non tantum coram Deo, sed etiam coram hominibus.
Temperantia: Praeoccupemus faciem eius, etc. Sobrii estote et vigilate etc. Fortitudo:

DM: sobre, and wakyeþ, vor youre vo, þe dyvel, ase þe lyoun brayinde geþ a-boute
þan þet he wyle vorzuelȝe." Strengþe zayþ: "Wyþstondeþ hym, stronge ine
byleave. Byeþ glede ine God. Cloþeþ you mid Godes armes: þe hauberk of
ryȝt, þane sseld of beleave; nymeþ þane helm of helþe and þe holy gostes zuord, 60
þet is Godes word." Ryȝ[t]nesse zayþ: "Lybbe we sobreliche, ry[ȝt]vollyche
an bonayrelyche. Sobrelyche: ine ous zelve; ryȝtvollyche: to oure emcristen;
bonayrelyche: to God. Þet we nolleþ þet me do to ous zelve, ne do we hy ɩ naȝt
to oþren, and þet we wylleþ þet me do to ous zellve, do we hit to oþre men. And
vor zoþe þet is riȝt." 65

Sleȝþe zayþ: "Þer is anoþer wyþoute þe gates, vayr and gled. Hit þingþ
þe he bre[n]gþ glednesse." Ryȝ[t]nesse zayþ: "Ondervongeþ hym, be cas he ous
ssel gledye. Vor þes ilke verste, gratlyche he ous heþ y-mad ofdret." Sleȝþe
zayþ to þe messagere: "Guo in, and huo þou art, and huannes þou comst, and
huet þou hest y-zoȝe, zay ous." Þe messagyr zayþ: "Ich am Love of lyve evre- 70
lestynde, an Wylnynge of þe contraye of hevene. Yef ye me wylleþ y-here, habbeþ
a-mang you clom and reste. Naȝt vor zoþe a-mang gredynges and noyses ych
ne may by y-herd." Riȝ[t]volnesse zayþ: "Yef we, longe Godes Drede and Be-
þenchinge of dyaþe, were stille, ryȝt hit is þet, þe spekinde, wel more we by stille."
Wylningge of þe lyve wyþoute ende zayþ: "Þervore byeþ stille and y-hereþ 75
myd wylle. Ich come vram hevene, and þelliche þinges ich y-zeȝ þer þet no
man ne may dyngneliche zigge. Þaȝles zomþyng ich wylle zigge [f. 95 b] ase ich may.
Ich y-zeȝ God, ac be ane sseawere ine ssede. Ich y-zeȝ þe ilke onspekynde
an ontodèlinde mageste of þe holy trinyte, begynnynge ne ende ne heþ. Ac and
lyȝt þerinne woneþ, þet me ne may naȝt come to. Vram þo lyȝte byeþ y-þorsse 80
mine eȝen and þe zyȝþe þyester. Hyt overgeþ vor zoþe alle wyttes and alle zyȝþes,
þe ilke bryȝ[t]nesse and þe ilke volnesse. Þaȝles a lytel ich y-seȝ oure Lhord Jesu
Crist ine riȝt half zittinde, þet is to zygge, ine þe lyve wyþoute ende regnynde.
Þaȝ he over alle sseþþes by zuo vayr þet ine him wylneþ þe angles to zyenne,
yet nou þe wounden and þe toknen of þe passion he heþ ine his bodye, huer- 85
myde he ous boȝte, bevore þe vader vor ous stant vor to bydde. Ich y-zeȝ nyxt
Jesu Crist þe ilke blisfolle mayde and moder þe ilke Godes and oure Lhordes
Jesu Cristes myd alle worþssipe and reverence, y-nemned Marie, ine þe wonder-
volle trone zittynde a-bove alle þe holy ordres of angles and of men anheȝed,
hire zone Jesus vor ous byddinde, and to huam hi is vol of merci. Ac þe ilke 90

MS   87 Godes] zodes

HV: Cui resistite fortes in fide. Confortamini in Domino, induite vos armaturam Dei, lori-
cam iustitiae, scutum fidei, galeam salutis. Assumite et gladium spiritus, quod est verbum
Dei. Iustitia: Sobrie, et juste, et pie vivamus. Sobrie in nobis, juste ad proximum, pie
ad Deum. Et quod nobis fieri nolumus, aliis non faciamus, hoc enim iustum est.
Prudentia loquitur: Alius nuntius venit pulcher et hilaris, qui videtur affere bona.
Iustitia: Admittatur, forsitan nos laetificabit; nam iste prior terruit nos. Prudentia:
Admittam. Ingredere et quis sis, unde venias, quid videris edicito. Nuntius: Ego sum
Amor vitae aeternae et Desiderium coelestis patriae. Si me vultis audire, silentium et quietem
habete; non enim inter clamores et tumultus audiri possum. Iustitia: Si nos, dum Timor et
Memoria mortis loqueretur, tacuimus, iustum est ut te loquente multo magis taceamus.
Desiderium vitae aeternae: Tacete ergo. Vidi talia, quae nullus hominum postest digne loqui.
Dicam tamen aliquid, prout potero. Vidi Deum, sed per speculum et in aenigmate. Con-
templatus illam ineffabilem individuae trinitatis maiestatem initio fineque carentem.
Sed quia lucem habitat inaccessibilem ab ipsa luce reverberati sunt oculi mei, et intuitus
obtusus. Exsuperat enim omnem sensum, omnemque intuitum illa claritas, illa pulchri-
tudo. Aliquantisper tamen intuitus sum Dominum Iesum Christum in dextera Patris
sedentem, in aeterna vita regnantem, quamvis super omnem creaturam adeo speciosum,
ut in eum desiderent angeli prospicere, ad haec tamen vulnera passionis, quibus nos redemit,
in corpore suo habentem, patri pro nobis assistentem. Vidi iuxta ipsum gloriosam matrem
eius cum omni honore et reverentia in throno mirabili sedentem, super omnes ordines
beatorum angelorum et hominum exaltatam, suum filium pro nobis interpellantem, et
eius cui vult miserentem. Sed hanc admirabilem claritatem matris et filii diu ferre non

DM: wondervolle mageste and þe briȝtnesse of þe moder and of þe zone ich ne myȝte
naȝt longe þolye, ich wente myne ziȝþe vor to y-zi þe ilke holy ordres of þe gostes
þet stondeþ bevore God, of huichen þe evrelestinde holynesse of þe ziȝþe of
God an of þe love ne hit ne ssel lessi ne hit ne ssel endi ac evre wexe and blefþ.
Ac naȝt þe ilke degrez and dingnetes heryinges alsuo huyche hyre makyere hy 15
bereþ no man vollyche þenche, ne naȝt ne may by y-noȝ to telle. Þerefter þe
profetes ich y-zeȝ and þe patriarkes wonderlyche glediynde in blisse, vor þet
hy y-zeȝen ine goste, volveld hy y-zeþ, þet longe anoy ondervynge, þet ovet
of blysse wyþoute ende chongeden. Ich y-zeȝ þe apostles ine tronen zittynde,
þe tribȝ and þe tongen alle preste[1]), and of poure and of zyke, zuo blisvolle and 100
holy of oure Lhord Jesu Crist and zuo heȝe, y-noȝ alneway ich am wondrinde.
Ich y-zeȝ, ac vollyche ich ne my[ȝ]te al y-zy, þe innumerable velaȝrede of þe
holy martires mid blisse and worþssipe y-corouned, þet be þe pinen of þise time,
huyche hi beren to þo blisse, þet wes y-sseawed ine ham, hy come þerto. Hyre
holynesse and hyre blysse, long time ich me lykede. Ich y-zeȝ to þe blyssede 105
heape of confessours, a-mang huam men apostles and techeres þet holy cherche
mid hare techinge wereden, and alsuo vram alle heresye wy[þ]oute wem habbeþ
y-clenzed sseaweþ; and hy vele habbeþ y-taȝt; ssyneþ ase sterren ine evrelest-
ynde wy[þ]oute ende. Þer byeþ monekes þet vor claustres and vor strayte
cellen wel moche an clyerer þanne þe zonne, habbeþ wonyinges, vor blake and 110
vor harde kertles huyter þane þe snaw, and of alle zofthede and nesshede cloþ-
inge habbeþ an. Vram hare eȝen God wypeþ alle tyeres, and þane kyng hy ssolle
y-sy ine hys vayrhede. A-last to þe velaȝrede of maydynes ich lokede, of huy-
chen blysse, sseþþe, a-grayþinge and melodya, huyche none mannes speche ding-
nelyche may telle. And hy zonge þane zang þet non oþer ne may zynge. Ac 115
and þe zuete smel ine hare regyon zuo zuete ys, þet alle manyre [t. 96] zuete
smelles overcomþ. And to hare benes oure Lhord a-rist, to alle oþren
zittinde he lhest."

    Sleȝþe zayþ: "Hyt lykeþ þet þou zayst. Ac vor of echen of þe holy
ordres wondres þou hest y-zed, we byddeþ þet þou zigge ous huet is hare 120
dede in mennesse and huet is þe convers[ac]ion of velaȝrede, zay ous!" Þe
wylny[n]gge of þe lyve wyþoute ende zayþ: "Vor zoþe ich wylle zygge. Þe
dede of alle ine mennesse ys zevevald. Hy lybbeþ, hy smackeþ, hy lovyeþ, hy
byeþ glede, hy heryeþ, hy byeþ zuyfte, hy byeþ zikere." Sleȝþe zayþ: "Þaȝ

HV: sustinens converti aspectum meum ad illos beatorum spirituum ordines, qui ante Deum
assistunt, quorum sempiterna beatitudo de visione Dei et amore, nec minuitur, nec finitur,
sed semper crescit, et permanet. Sed nec istorum quidem gradus et dignitates laudes
quoque quas creatori referunt, ullus hominum cogitare nedum enarrare sufficiat. Deinde
prophetas intuitus sum, et patriarchas miro exsultantes gaudio, qui eam, quam olim a
longe salutaverant patriam, obtinent, qui ea quae in spiritu praeviderant completa con-
spiciunt. Vidi apostolos in thronis sedentes, tribus et linguas omnes iudicare[1]) paratos, et
de pauperibus, et de infirmis tam gloriosos tamque sublimes factos a Domino Iesu,
satisque super hoc miratus sum. Vidi, sed pervidere non potui innumerabilem bea-
torum martyrum exercitum gloria et honore coronatum, qui passiones huius temporis,
quas pertulerant minimas reputabant ad illam gloriam, quae revelata erat in eis.
Horum felicitate et gloria diu delectatus respexi gloriosam multitudinem confessorum,
inter quos viri apostolici, et doctores, qui sanctam ecclesiam doctrinis suis munierunt,
fulgent quasi stellae in perpetuas aeternitates. Sunt ibi monachi, qui pro claustris et cellis
angustis immensa et sole clariora palatia possidentes, pro asperis tunicis nive candidiores;
omnique suavitate molliores vestes induti, ab oculis quorum abstersit Deus omnem lacry-
mam. Regem in decore suo vident. Postremo ad chorum virginum respexi, quarum gloria,
ornatus et melodia dulcis. Nam cantabant canticum, quod nemo alius poterat dicere,
nulla hominum eloquentia digne enarrare potest. Sed odor in regione earum tam suavis
erat, ut omnia aromatum genera exsuperet.
    Loquitur iterum Prudentia: Placet quod dicis. De singulis beatorum ordinibus
mira disseris, quaesumus ut quae sit eorum in communi actio edicas. Desiderium
vitae aeternae: Dicam utcunque potero. Omnium simul in communi actio septi-
formis est. Vivunt, sapiunt, amant, gaudent, laudant, veloces sunt, securi sunt.

DM: ich zomdel þis onderstonde, vor ham þet lhesteþ, of echen zay." Wylnynge 125
of þe lyve wy[þ]oute ende zayþ: "Zuo by hyt! Hy lybbeþ be lyve wyþoute ende,
wyþoute enye tyene, wyoute enye lessinge, wyþoute enye wyþstondynge. Hyre
lyf is þe zyȝþe and þe knaulechynge of þe holy trinyte, ase zayþ oure Lhord Jesus:
'þis is þet lyf wyþoute ende, þet hy knawe þe, zoþe God, and huam þe zentest,
Jesu Crist.' And þervore y-lyche hy byeþ, vor hy y-zyeþ ase he is. Hy smackeþ 130
þe redes and þe domes of God. Hy smackeþ þe kendes and þe causes and þe
begynny[n]ges of alle þynges. Hy lovyeþ God wyþoute enye comparisoun,
vor þet hy wyteþ huerto God his heþ y-broȝt vorþ. Hy lovyeþ ech oþren ase
ham zelve. Hy byeþ glede of God onzyginde. Hy byeþ glede of zuo moche of
hare oȝene holynesse. And vor þet ech loveþ oþren ase him zelve, ase moche 135
blisse heþ ech of oþres guode ase of his oȝene. Þervore by zyker, vor everych heþ
ase vele blyssen ase he heþ velaȝes, and ase vele blissen to echen ase his oȝene
of alle. And þervore evreich more loveþ wyþoute comparisoun God, þet hym
and oþre made, þanne him zelve and alle oþre. More hy byeþ glede wyþoute
gessynge of Godes holynesse þanne of his oȝene and of alle oþre myd hym. Yef 140
þanne on onneaþe nymþ al his blisse, hou ssel he nyme zo vele and zuo manye
blyssen? And þervore hit is y-zed: Guo into þe blysse of þyne Lhorde; naȝt þe
blisse of þine Lhorde guo into þe, vor hy ne may. Þerefter hy herieþ God wyþ-
oute ende, wyþoute werynesse, ase hyt is y-wryte: Lhord y-blyssed by þo þet
wonyeþ ine þyne house, in wordles ssolle herye þe. Zuyfte hy byeþ, vor huer 145
þet þe gost wyle by, vor zoþe þer is þet body. Alle hy byeþ my[ȝ]tvolle. Zykere
hy byeþ of zuyche lyve, of zuo moche wysdome, of zuo moche love, of zuo moche
blysse, of zuyche heryinge, of zuyche holynesse, þet non ende, non lessynge,
non vallynge doun ssolle habbe. Lo! a lyte ich habbe y-zed to you of þan þet
ich y-zeȝ ine hevene. Naȝt, vor zoþe, ne may zigge ase ich y-zeȝ, ne naȝt ase hy 150
byeþ ne myȝte y-sy." Sleȝþe zayþ: "Vor zoþe, ine hevene we onderstondeþ þet
þou were, and zoþ þing þer þou y-seȝe, and zoþ þou hest y-zed." Strengþe zayþ:
"Huo ssel ous todele vram Cristes love? Tribulacion, oþer zorȝe and oþre.
Zykere byeþ, vor noþer dyaþ, ne lyf and oþre." Ryȝt zayþ: "Doþ out þane
verste messagyer, hyt ne is naȝt riȝt þet he bleve ine þe house myd þe ryȝtvolle. 155
Vor ryȝ[t]volle love deþ out drede." [f. 95 b] Strengþe zayþ: "Guo out, Drede!
Þou ne sselt naȝt by ine oure stedes." Drede zayþ: "Huet habbe ich misdo?

133 hy wyteþ] by w.

HV: Prudentia: Licet aliquatenus hoc intellegam, tamen propter audientes de singulis
pauca dissere. Desiderium: Fiat. Vivunt vita sine fine, sine molestia, sine diminutione,
sine omni adversitate. Vita eorum visio et cognitio beatae trinitatis, sicut Dominus
ait: Haec est vita aeterna, ut cognoscant te Deum verum, et quem misisti Iesum
Christum. Sapiunt consilia atque iudicia Dei, quae sunt abyssus multa. Sapiunt causas,
et naturas, et origines omnium rerum. Amant Deum incomparabiliter, quia sciunt unde
et ad quid eos Deus provexit. Amant singuli singulos sicut seipsos. Gaudent de Deo
ineffabiliter. Gaudent de tanta sua beatitudine. Et quia unusquisque unumquemque
diligit sicut seipsum, tantum gaudium quisque habet de bono singulorum quantum de suo,
quoniam bonum, quod non habet in seipso, possidet in altero. Constat igitur quod sin-
guli tot gaudia habent quot socios, et singula gaudia tanta sunt singulis, quantum proprium
singulorum. Cum autem quisque plus amet Deum quam seipsum, et omnes alios secum,
plus gaudet de Dei felicitate quam de sua et omnium aliorum secum. Si ergo cor unius-
cuiusque vix capit suum gaudium, quomodo capit tot et tanta gaudia? Ideo dicitur:
Intra in gaudium Domini tui; non intret gaudium Domini tui in te, quia capi non posset.
Inde laudant Deum, sine fine, sine fastidio, sicut scriptum est: Beati, qui habitant in domo
tua, Domine, in saecula saeculorum laudabunt te. Veloces sunt, quia ubicunque esse vult
spiritus, ibi est etiam corpus. Omnes securi sunt. Securi sunt de tali vita, de tanta sapientia,
de tanto amore, de tanto gaudio, de tali laude, de tali velocitate, quod nullum finem,
nullam diminutionem, nullum detrimentum habebunt. Ecce pauca dixi vobis, quae vidi
in coelo. Neque enim ut vidi dicere, neque ut sunt videre potui. Prudentia: Vere in coelo
te fuisse, vera vidisse, vera narrasse te intelligimus. Fortitudo: Quis igitur nos separabit
a charitate Christi? Tribulatio, an angustia, etc. Certa sum quia neque mors, neque vita,
neque caetera alia poterunt nos separare a charitate Christi. Iustitia: Eiciatur foras
ille prior nuntius, non est enim iustum in eadem domo manere cum isto. Perfecta enim
charitas foras mittit timorem. Fortitudo: Egredere, Timor. Iam non eris in finibus nostris.

DM: Do! Do! Ich vor guode zede." *Temperancia* zayþ: "Broþren and zostren, ich
zigge to you, nan more smacky þanne behoveþ, ac smacke to sobrete. Þou, Drede,
guo out myd guode wylle! Þole þane dom þet riȝt heþ y-demd. Be aventure þe 160
myȝt eft by ondervonge, yef Wylnynge of lyf wyþoute ende oþerhuyl let of."
    Þe makyere zayþ: "Þus þus nou ssel everich hys hevynesse ssake away,
vram drede to þe love of þe hevenlyche contraye him zelve wende. Zuo by hit!

HV: Timor: Quid mali feci? Age, age, ego pro bono dixi quod dixi. Temperantia: Fratres,
dico non plus sapere quam oportet sapere, sed sapere ad sobrietatem. Tu vero egre-
dere, Timor, et aequo animo patere iudicium, quod Iustitia iudicavit. Forsitan tu ad-
mitteris si Desiderium vitae aeternae aliquando loqui cessaverit.
    Auctor: Sic debet quisque torporem suum excutere, et a timore ad coelestis
patriae desiderium transferre.

5. Translations of the Gospel.
V: *Vulgate.*
A: *Anonymous (14th cent.). — Chief MS.: Cambr. Selwyn Coll. 108. L. 1. f. 134 (ab. 1400).
— Ed.: Paues, A Fourteenth Cent. Engl. Bibl. Version, Cambr. 1904.*
W: *Wycliffe, Translation of the Bible (1382). — Chief MS.: Oxf. Bodl. Douce 369, 2nd part
(before 1390). — Ed.: Forshall and Madden, The Holy Bible . . . by John Wycliffe and
his Followers, IV, Oxf. 1850.*
P: *Purvey, Revision of Wycliffe's translation (1388). — Chief MS.: Brit. Mus. Old Royal
Libr. 1. C. 8 (prob. before 1420). — Ed.: as under W.*

The Birth of Jesus.
a) According to Matthew II.

A: 1 Herfore whan Jesus was bore in Bethlem of þe Jewery in þe dayes of kyng Heroude, loo! þe 5 kynges come fro þe est to Jerusalem 2 seyenge: "Where is he þat is bore þe kyng of Jewys? Soþly we sawe a sterre of hym 10 in þe est, and we come to wurschupe hym." 3 Soþly, kyng Heroud herynge was troublyd in herte, and alle Jerusalem wiþ 15 hym. 4 And he gederyd alle þe princes of prestis and þe wyse men of þe puple, and he enqueryd of hem where Crist 20 schulde be bore. 5 And þei seyde to hym: "In Betleem of þe Jewrye; forwhy so it is wryte by þe prophete: 'And þou 25 Betleem, in þe lond of þe Jewrye, þou art not

W: 1 Therfore when Jhe-sus was born in Bethlem of Juda in the days of kyng Herode, loo! kyngis or wijs men camen fro the eest to Jerusalem, 2 sayinge: "Wher is he that is borun kyng of Jewis? For sothe, we han seyn his sterre in the este, and we comen for to wirshipe hym." 3 Sothely, kyng Herode herynge is trublid, and al Jerusalem with him. 4 And he, gedrynge to-gidre alle the princis of prestis and scribis of the peple, enquiride of hem wher Crist shulde be borun. 5 And thei seiden to hym: "In Bethlem of Juda; for so it is writen bi a pro-phete: 'And thou, Beth-lem, the lond of Juda,

P: 1 Therfor whanne Jhe-sus was borun in Beth-leem of Juda in the daies of king Eroude, lo! astromyenes camen fro 5 the eest to Jerusalem 2 and seiden: "Where is he that is borun king of Jewis? For we han seyn his sterre in 10 the eest, and we comen to worschipe him." But king Eroude herde and was trublid, and al Je-rusalem with hym. And 15 he gaderide togidre alle the prynces of prestis and scribis of the puple, and enqueride of hem where Crist shulde be 20 borun. 5 And thei sei-den to hym: "In Beth-leem of Juda; for so it is writun bi a profete: 6 'And thou, Bethleem, 25 the lond of Juda, art

V: Ev. Matth. II. 1 Cum ergo natus esset Iesus in Bethlehem Iudą in diebus Herodis regis, ecce, magi ab oriente venerunt Ierosolymam, 2 dicentes: "Ubi est, qui natus est rex Iudaeorum? Vidimus enim stellam eius in oriente et venimus adorare eum." 3 Audiens autem Herodes rex, turbatus est, et omnis Ierosolyma cum illo. 4 Et congregans omnes principes sacer-dotum et scribas populi, sciscitabatur ab eis, ubi Christus nasceretur. 5 At illi dixerunt ei: "In Bethlehem Iudae: sic enim scriptum est per prophetam: 6 'Et tu Bethlehem terra

A: leest in princes of þe Jewry—þat is to seye, þou cyte Betlem, þou 30 art not holde to be lest a-mong alle þe cytees of þe Jewry, but most of dignite—: for soþly out of þe schal goo a dewke 35 —a ledere—, þe whuche schal governe my peple Israel.'" 7 Þan pryvely Heroud callyd þe kynges, and bysyly he enqueryd 40 of hem þe tyme of þe sterre þe whuche apperid to hem. 8 And he seyde, sendenge hem into Betlem: "Goo ȝe and bysyly 45 enquere ȝee of þe chylde; þat whan ȝe have founden hym, telle ȝee me a-ȝeyn, þat I come and wurschupe hym also." 50 9 Þese þre kynges, whan þei had herd þe kyng Heroud, þei wente þer weye. And lo! þe sterre, þat þei sawe in þe est, 55 wente byfore hem, unto suche tyme þat it come and stode a-bove, where þe chyld was. 10 Soþly, þei seynge þe sterre were 60 joyeful. 11 And wiþ gret joye þei entrede into þe hous and fownden þe chyld wiþ Mary, his moder; and þei felden down 65 worschypynge hym. And þei openyde þer tresoris and offrede to hym ȝyftys, gold and encense and myrre. 12 And toke in 70 slepe an answere þat þei schulde not turne a-ȝeyn by Herode. By anoþer weye þei turnyd a-ȝeyn into her cuntrey.

W: thou art nat the leste in the princis of Juda; for of thee a duk shal gon out, that shal governe my peple of Yrael.'" 7 Than Herode pryvyli the kyngis clepid to hym, bisily lernyde of hem the tyme of the sterre that apperide to hem. 8 And he, sendynge hem into Bethlem, saide: "Go ȝee and axe ȝee bisily of the chyld, and whan ȝee han founden, telle a-ȝein to me, that and Y cummynge wirshipe hym." 9 The whiche, when thei hadden herde the kyng, wenten a-wey. And loo! the sterre, the whiche thei sayen in [the] este, wente bifore hem, til that it cummynge stood a-bove, wher the child was. 10 For sothe, thei, seeynge the sterre, joyeden with a ful grete joye. 11 And thei, entrynge the hous, founden the child with Marie, his modir; and thei fallynge doun worshipiden hym. And her tresours opnyd, thei offreden to hym ȝiftis, gold, encense and merre. 12 And answer taken in sleep that thei shulden not turne a-ȝein to Herode, thei ben turned by another wey into her cuntree.

P: not the leest a-mong the prynces of Juda; for of thee a duyk schal go out, that schal governe 30 my puple of Israel.'" 7 Thanne Eroude clepide pryveli the astromyens, and lernyde bisili of hem the tyme of the 35 sterre that apperide to hem. 8 And he sente hem into Bethleem, and seide: "Go ȝe and axe ȝe bisili of the child, and 40 whanne ȝe han foundun, telle ȝe to me, that Y also come and worschipe hym." 9 And whanne thei hadden herd the 45 kyng, thei wenten forth. And lo! the sterre, that thei siȝen[1] in the eest, wente bifore hem, til it cam and stood a-bove, 50 where the child was. 10 And thei siȝen the sterre and joyeden with a ful greet joye. 11 And thei entriden into the 55 hous and founden the child with Marie, his modir; and thei felden doun and worschipiden him. And whanne thei 60 hadden openyd her tresouris, thei offryden to hym ȝiftis, gold, encense and myrre 12 And whanne thei hadden take 65 an aunswere in sleep that thei schulden not turne a-ȝen to Eroude, thei turneden a-ȝen bi anothir weie into her 70 cuntrey.

[1] MS saien

V: Iuda, nequaquam minima es in principibus Iuda: ex te enim exiet dux, qui regat populum meum Israel.'" 7 Tunc Herodes clam vocatis magis diligenter didicit ab eis tempus stellae, quae apparuit eis, 8 et mittens illos in Bethlehem, dixit: "Ite et interrogate diligenter de puero, et cum inveneritis, renuntiate mihi, ut ego veniens adorem eum." 9 Qui cum audissent regem, abierunt: et ecce stella, quam viderant in oriente, antecedebat eos, usquedum veniens staret supra, ubi erat puer. 10 Videntes autem stellam gavisi sunt gaudio magno valde. 11 Et intrantes domum, invenerunt puerum cum Maria matre eius, et procidentes adoraverunt eum; et aperitis thesauris suis obtulerunt ei munera: aurum, thus et myrrham. 12 Et responso accepto in somnis, ne redirent ad Herodem, per aliam viam reversi sunt in regionem suam.

b) According to Luke II.

W: 1 For sothe, it was in tho dayes, a maundement went out fro Cesar August, or noble, that al the world schulde be discryved. 2 This firste dis-
5 cryvyng was maad of Cyryne, justice of Cirye. 3 And alle men wenten, that thei schulde make professioun or knowleching, ech by him self into his cite. 4 Sothly, and Josep stiʒede
10 up fro Galilee of the cite of Nazareth into Jude and to a cite of Davith, that is clepid Bedleem, for that he was of the hous and meyne of Davith, 5 that he schulde knowleche with Marie with
15 child, spousid wyf to him. 6 Sothli, it was don, whanne thei weren there, the dayes weren fulfillid, that she schulde bere child. 7 And sche chil-dide her firsteborn sone and wlappide
20 him in clothis and puttide him in a cracche, for ther was not place to hym in the comyn stable. 8 And schep-herdis weren in the same cuntre, wakinge and kepinge the watchis
25 of the nyʒt on her flok. 9 And loo! the aungel of the Lord stood bysydis hem, and the clerenesse of God schyn-ede a-boute hem; and thei dredden with greet drede. 10 And the aungel
30 seide to hem: "Nyle ʒe drede; lo! sothli I evangelise to ʒou a grete joye, that schal be to al the peple. 11 For a savyour is borun to-day to us, that is Crist, the Lord, in the cite
35 of Davith. 12 And this a tokene to ʒou: ʒe schulen fynde a ʒong child wlappid in clothis and put in a cracche." 13 And sudenly ther is maad with the aungel a multitude of
40 hevenly knyʒthod, heriynge God and seyinge: 14 "Glorie be in the hiʒeste thingis to God, and in erthe pees be to men of good wille." 15 And it was [don], that whanne the aungelis pas-
45 siden a-wey fro hem into hevene, the schepherdis spaken togidere seiynge: "Passe we over til to Bedleem, and se we this word that is maad, [the whiche the Lord maad] and schewid
50 to us." 16 And thei hyʒinge camen and founden Marie and Joseph, and a ʒong child put in a cracche. 17 Sothli, thei seinge knewen of the word that was seid to hem of this child. 18 And alle

P: 1 And it was don in tho daies, a maundement wente out fro the em-perour [August], that al the world schulde be discryved. 2 This firste discryvyng was maad of Cyryn, 5 justice of Sirie. 3 And alle men wenten to make professioun, ech into his owne citee. 4 And Joseph wente up fro Galilee fro the citee Nazareth into Judee into a citee of David, 10 that is clepid Bethleem, for that he was of the hous and of the meyne of David, 5 that he schulde knouleche with Marie, his wijf, that was wedded to hym and was greet with child. 15 6 And it was don, while thei weren there, the daies weren fulfillid, that sche schulde bere child. 7 And sche bare hir firstborun sone, and wlap-pide hym in clothis and leide hym 20 in a cratche, for ther was no place to hym in no chaumbir. 8 And scheep-herdis weren in the same cuntre, wakynge and kepynge the watchis of the nyʒt on her flok. 9 And lo! the 25 aungel of the Lord stood bisidis heme and the cleernesse of God schinedo a-boute hem; and thei dredden with greet drede. 10 And the aungel seide te hem: "Nyle ʒe drede; for lo! Y prech, 30 to ʒou a greet joye, that schal be to al puple. 11 For a savyoure is borun to-dai to ʒou, that is Christ, the Lord, in the citee of David. 12 And this is a tokene to ʒou: ʒe schulen fynde a 35 ʒong child wlappid in clothis and leid in a cratche." 13 And sudenli ther was maad with the aungel a multi-tude of hevenli knyʒthod, heriynge God and seiynge: 14 "Glorie be in 40 the hiʒeste thingis to God, and in erthe pees be to men of good wille." 15 And it was don, as the aungelis passiden a-wei fro hem into hevene, the scheephirdis spaken togider and 45 seiden: "Go we over to Bethleem, and se we this word that is maad, which the Lord hath maad and schewide to us." 16 And thei hiʒynge camen and founden Marie and Jo- 50 seph, and the ʒong child leid in a cratche. 17 And thei seynge knewen of the word that was seid to hem of this child. 18 And alle men that herden

V: *Cp. above p. 87 f., to which add:* 20 Et reversi sunt pastores, glorificantes et laudantes.

W: men that hadden herd wondriden, and
55 of thes thingis that weren seide to hem
of the schepherdis. 19 For soth, Marie
kepte alle thes wordis, beringe togidere
in hir herte. 20 And the schepherdis tur-
neden a-ʒen, glorifiynge and heriynge
60 God in alle thingis that thei hadden
herd and seyn, as it is seyd to hem.

P: wondriden, and of these thingis that
weren seid to hem of the scheephirdis. 55
19 But Marie kepte alle these wordis,
berynge togider in hir herte. 20 And
the scheepherdis turneden a-ʒen, glo-
rifiynge and heriynge God in alle
thingis that thei hadden herd and 60
seyn, as it was seid to hem.

V: Deum in omnibus, quae audierant et viderant, sicut dictum est ad illos.

6. John Wycliffe, Sermon on the Nativity.

MS.: Oxf. Bodl. 788 (end 14th cent.). — Ed.: Th. Arnold, Select Engl. Works of John Wyclif, Oxf. 1869, I 316.

Exiit edictum a Cesare Augusto. — Luc. II.

Þis dai men singen þree massis in worship of þe trinite; but þe þridde and
þe moste is of þe manhede of Crist, þe which is boþe God and man for þe love
of mankynde. Þe gospil of þe firste masse, and of þe secounde also, tellen what
þingis bifellen in þe birþe of þis child. Þe emperour of Rome was þanne in his
flouris and in pees on ech side, as þis autour of pees ordeynede. Men seien þat 5
þis emperour was clepid Octavian; and in þe two and fourtiþe ʒeer, whanne he
was in moost pees, was Crist born, God and man, in þe lond undir þis emperour.
Men seien also þat þis Cesare was moost in generalte and larges and pees of his
lordship; for more generali þan oþer hadde he lordship of þis world. Of Julius
he took þis name to be clepid Cesare; and August he was clepid, for he alargide 10
þe empire. Þis emperour sente a comandement to al þe peple of his empire, to
discryve alle his londis, þat was welnyʒ al þis world. And he bigan at Sirie, for
it was myddil of his empire. And so Syryne, þat was þere cheef undur þe empe-
rour, bigan to make þis discripcion and gaderide tribute to þe emperour. And
þus myʒte þe emperour wite what peple he hadde in his empire, and what þei 15
myʒten helpe him in tyme of nede in men and moneie. And þus he devidide
þis rewme in þree partis, þat men shulden come in nyne ʒeer to Rome and bringe
tribute for her lond. But al þis is passid now; for þe pope and his covent haþ
so put doun þe emperour, þat litil rewmes tellen liʒt by bim. And so dukes and
eerlis and lesse wolen fiʒte wiþ him and dispise him. And so wente alle of 20
Jude, þat was ny Sirye, to make þer profession in her owne citee. Ech man
hadde an heedtoun þat was next to his dwelling and þat was clepid his citee;
and sum men clepen it chepingtoun.
   And Joseph wente fro Nazareth, þat was a toun in Galile, into þe toun of
Bedleem, þat was sett in Judee. For boþ Joseph and oure ladi weren[of]þe hous 25
of Daviþ; and þe cite of Beedleem was Daviþis bi sum propirte, for Daviþ was
borne in þat citee, as þe book of kingis telliþ. And so Joseph wente wiþ Marie,
þat was his wyf, into Bedelem, to make þis professioun þat þe emperour bad
make. Þei brouʒten an oxe and an asse wiþ hem, as men seien, for þis enchesoun;
— Marie was greet wiþ childe; þerfore she rood upon an asse; þe oxe þei brouʒten 30
for to selle; for Jewis haten begging. And Bedleem was fillid of men before
þei camen to þe toun; and so þei hadden noon herborwe, but dwelten in a comune
stable, and þes two beestis wiþ hem, til tyme cam to use hem.
   And it felle, while þei weren þare, oure ladi bare hir child, þe which was
hir firste child, for him she bar and noon oþer. And þis is maner of Goddis lawe, 35
to clepe sich children firstborn,—not for oþer was born; bifore ne after Crist
she bar noon oþer. And she wrapte Crist wiþ cloþis and putte him in þe cratche,
for she hadde no betere place to put him in al þe hous. And so, as men singen and
trowen, Crist lai bifore an oxe and an asse. And [þe] breeþ of þes two beestis
kepte him hoot in þis cold tyme.

And herdis weren in þe same contre, wakinge and keping þe houris of þe
niȝt upon þer flok. For þis was maner in Judee, whanne þe niȝt was lengest, to
kepe þer sheep and wake þat niȝt. And so men seien þat Crist was bore at þe
myddil of þis nyȝt, for þe myddil persone in trinite lovede myddil in many þingis.
And lo, þe aungel of þe Lord stood bi þes heerdis, and clerenesse of God shynede 45
a-boute hem, and þei dredden bi greet drede. But þe aungel seide to hem:
"Wole ȝe not drede; for loo, Y telle ȝou a greet joie þat shal be to al þe peple.
For þis daie is born to us a savyour, þat is Crist þe Lord, in þe citee of Daviþ.
And þis shal be tokene to ȝou: ye shal fynde þe child wlappid wiþ cloþis and put
in þe cratche, as Y shal telle ȝou." And sudeynli þer was maad wiþ þis aungel 50
a multitude of hevenli knyȝtis, heryinge God and seiynge: "Glori be to God in
hiȝeste hevenes, and pees be to men in erþe which ben of good wille."

Here mai we see how Crist lovede comun povert on many maners; for he
chees to be herborid in comun place, wiþouten pryde and wiþouten worldli
helpe boþe of men and of wymmen, and he chees a pore cradil þat þe child was 55
put inne. But he hadde, passinge oþer, a pryvylegie in many þingis; for he was
born wiþouten peyne or sorewe of his fadir and modir. For as he brak not Maries
cloister whanne þat she was maad wiþ childe, so he brak not his modirs wombe
whanne he cam out of þis cloister. And so þes just folk bifore God weren betere
þan myche wordli peple, kinges or lordis and ladies and wiþ myche fare of þis 60
world; for þis birþe was glorious, neer þe staat of innocence. Þe secounde confort
of Cristis birþ was of þes many aungels; for þei weren betere þan many lordis,
and her song was of greet confort. Oftetyme in þe olde law apperiden aungels
to men, but not in sich a multitude, ne in sich a joieful speche.

And whanne þe aungels wenten fro hem, þes herdis spaken to hem silf: 65
"Passe we into Bedleem and se we þis word þat is maad, þat þe Lord haþ maad
and shewid to us." And þei came hastinge and fond þes þree persones, Marie
and Joseph, and þe ȝong child putt in þe cratche. And whanne þes heerdis sawen
þis þing, þei knewen of þe word þat was seid to hem of þis child bi þe aungel.
And alle þe men of þe contre þat herden þis wondriden and of þes þingis þat 70
weren seid of þe heerdemen to hem. But Marie kepte alle þes wordis and bare
hem togidere in her herte. And no drede she hadde greet confort and un-
dirstonding over oþere men. And þes heerdis turneden a-ȝen, glorifiynge and
heryinge God in alle þingis þat þei herden and sawen, as it was seid to hem.

We supposen þat aungels ledden hem to þis place in Beedleem, and con- 75
fortiden hem many gatis, boþe in bodi and in soule. And þei wisten bi þes
aungelis and bi þe good will þat þei hadden, how þei shulden have pees in erþe:
and herfore þei herieden God. And so, ȝif we taken hede, Crist hadde company
of þre. First, of his fadir and of his modir, þat weren boþe holi folk; after, of
herdemen þat lyveden symple and holi lyf. And þes weren licli mo þan two, and 80
nyȝ þe state of innocence; for God lovede Abel betere þan Cayn, þat was his
broþer. And þe first was an heerde and þe toþer a tilying man; and tilying
men have more of craft þan have heerdis in þer dedis. And as God lovede
Jacobes sones, þat weren alle heerdemen, so he lovede þes heerdis þat camen
for to visite Crist. And so þis nativite of Crist was more þan ony oþer, ȝhe, 85
and more þan Adames makyng, whanne he cam into þis world; for oure ladi
and Joseph passiden Adam and Eve, and þe company of aungelis passiden
frendis þat weren wiþ oure firste eldris; and þes heerdis þat camen to hem
passiden Adams children. And algatis þe birþ of Crist passide oþer dedis
þat ever God dide; for it is more to make God man þan to make þis world 90
of nouȝt. It is maistrie to make a virgyn bere a child and dwelle a virgyn,
more þan to make Adam of erþe or to make Eve of Adams ribbe; but
it is wiþouten mesure more to make God to be a man. For here mennis
wittis moten faile. But oon ensample haþ kynde ȝovun us; as þe spirit þat is
mannis soule is þe same persone wiþ him, so þe secounde persone of God is þe 95
same persone wiþ þis man. But diversite is greet here and þere, whoso wole
loke. Leeve we þis and speke we of vertues. For þis child is Goddis virtue, and

wisdom of þe fadir of hevene.   But þis is bi his godhede; and mo redelis þan we
can telle ben soþ of Crist bi his two kindis.   And ȝif we taken good hede of him,
Crist is þree kyndis and o persone; for Crist is godhede and bodi and soule 100
and echoon of þes þree.   And so, as sum men seien, Crist is sevene þingis and
ech of hem; for his spirit is þree þinges and his bodi oþer þree þingis, and Crist is
over þis his godhede, but oonli oo persone of it.   And so, as sevene is ful nombre
of universite of þingis, so Crist is ful rewme of hevene and of þis world; for al
þis world bi him is betirid and as who made a newe world.   For ech creature of 105
þis world is beterid bi his birþ.   For man is beterid siþ he is bouȝt and maad
Goddis sone and his eire and þerwiþ þe broþer of Crist, which is boþe God and
man; angelis in hevene be beterid, siþ þei have more feloushyp, and sich felouship
of seintis makiþ hem more glad togidere.   And þus alle þe fendis in helle ben
beterid a-ȝens þer wille; for þer cumpany is maad lesse, and þei have harm of 110
many felowis.

Al þis world bodili shulde serve to God and to man; and it wantide þis
eende til þat Crist was maad man; for bifore þis world fauȝte wiþ God and tor-
mentide man, but fro þat þis pees was maad, God made þis world to serve man.
And herfore aungelis in hevene for Cristis incarnacioun wolden not take kneling 115
of Joon, but seiden þat þei weren his servantis and servantis of his breþeren;
and þis þei fulfillid in dede.   And so ech part of þis world shulde joie for þis
nativite; but þe fendis maken sorewe for old envie þat þei have.   And for þei
shulden make joie, þei synnen in þis and harmen hem silf.   And herfore Crist is
clepid a pesible kyng in þe chirche; for he made pees in al þis world and lefte 120
fiȝtinge for more pees.   For man fiȝtiþ wiþ þre enemys, to have more blessid
pees in hevene.   And so, as many men seien, alle þingis comen for þe beste; for
alle comen for Goddis ordenance, and so þei comen for God him silf; and so alle
þingis þat comen fallen for þe beste þing þat mai be.   Moreover to anoþer witt
men seien þat þis world is beterid bi everyþing þat falliþ þerinne, where þat it 125
be good or yvel; so moche, þat þis world is betere for synne þat is punishid in
helle; for it falliþ to oure Lord to have a prisoun and prisoneris and do his merci
to hem and savore more his seintis in hevene.   And herfore seiþ Gregori þat it
was a blesful synne þat Adam synnede and his kynde, for bi þis þe world is beterid;
but þe ground of þis goodnesse stondiþ in grace of Jesus Crist.   130

But ȝit men mai muse how Crist is pesible kyng, siþ he seiþ he cam not
to sende pees in þe erþe but swerd, and þat bitokeneþ fiȝting and noo pees.   Here
men seien soþeli þat þer ben two peesis, verri pees and fals pees, and þei ben ful
dyvers.   Verry pees is groundid in God, whanne God loveþ a man, and to þat
pees sueþ pees wiþ alle creaturis; for to men þat þus loven God done alle þingis 135
good.   And þis pees stondiþ in pacience and mekenes and oþer vertues; and
þus was Crist pesible kyng, and he and hise hadden pees here.   Fals pees is ground-
id in reste wiþ oure enemys, whanne we assente to hem wiþouten a-ȝenstonding.
And swerd a-ȝens sich pees cam Crist to sende into erþe; for þus fouȝte Poul
a-ȝens his fleish, a-ȝens þe world and þe fend; and þus dide Crist, partinge fleishli 140
frendis fro þe love of oþer, for þe more love þat þei shulden have to Crist, þat is
her God.   Þis fals pees is cowardise and enemyte of God; and auctor of þis pees is
þe fend of helle.   And Crist contrariede þis pees wiþ synnes þat bringiþ it in, as
ben pryde, envie and bateils, ydilnes and oþer synnes.   And where verry pees
techiþ pacience, þis pees techiþ fiȝting and blasfemeþ in God, as it wolde be his 145
maistir.   And to þis undirstonding was not Crist pesible kyng.   And herfore þe
prophete seiþ, þat in tyme of Crist þei shulden welle þer swerdis to sharris and
þer speris to sykelis.   For of Crist seiþ anoþer prophete, þat Crist shulde do
a-wei bateilis to þe ende of þe erþe, and instrumentis of bateilis, as bowe and
sheld and swerd and oþer engynes of batailis.   Þus shulde it be; but þe fend 150
reversiþ þis.

7. Petition from the Folk of Mercerye, London 1386.

MS.: Public Rec. Off., Lond. 5550 Petitiones in Parliamento — Edd.: Rotuli Parliamentorum, vol. III p. 225; Morsbach, Über den Ursprung der neuengl. Schriftsprache, Heilbronn 1888, p. 171.

[T]o the moost noble and worthiest lordes, moost ryghtful and wysest conseille to owre ligelorde, the kyng, compleynen, if it lyke to yow, the folk of the mercerye of London [as] a membre of the same citee of many wronges subtiles and also open oppressions, y-do to hem by longe tyme herebifore passed.

Of which oon was, where the eleccion of mairaltee is to be to the fremen of 5 the citee bi gode and paisible avys of the wysest and trewest at o day in the yere frelich, there noughtwithstondyng the same fredam or fraunchise Nichol Brembre wyth his upberers purposed hym the yere next after John Northampton mair of the same citee with stronge honde, as it is ful knowen, and thourgh debate and strenger party a-yeins the pees bifore purveyde was chosen mair in destruc- 10 cion of many ryght.

For in the same yere the forsaid Nichol withouten nede a-yein the pees made dyverse enarmynges bi day and eke bi nyght and destruyd the kynges trewe lyges, som with open slaughtre, some bi false emprisonementz, and some fledde the citee for feere, as it is openlich knowen. 15

And so ferthermore, for to susteyne thise wronges and many other, the next yere after the same Nichol a-yeins the forsaide fredam and trewe comunes did crye openlich that no man sholde come to chese her mair but such as were sompned, and tho that were sompned were of his ordynaunce and after his avys. And in the nyghte next after folwynge he did carye grete quantitee 20 of armure to the Guyldehalle, with which as wel straungers of the contree as othere of withinne were armed on the morwe a-yeins his owne proclamacion, that was such that no man shulde be armed, and certein busshmentz were laide that, when free men of the citee come to chese her mair, breken up armed, cryinge with loude voice "Sle! sle!" folwyng hem, wherethourgh the 25 peple for feere fledde to houses and other [hid]ynges, as in londe of werre, a-dradde to be ded in comune.

And thus yet hiderward hath the mairaltee ben holden as it were of conquest or maistrye, and many othere offices als so that, what man pryve or apert in special that he myght wyte grocchyng pleyned or helde a-yeins any of his 30 wronges or bi puttyng forth of whom so it were, were it never so unprenable, were apeched, and [if] it were displesyng to hym, Nichol, anon was emprisoned, and, though it were a-yeins falshede of the leest officer that hym lust meynteigne, was holden untrewe ligeman to owre kyng; for who reproved such an officer, maynteigned bi hym of wronge or elles, he forfaited a-yeins hym, Nichol, 35 and he unworthy, as he saide, represented the kynges estat. Also if any man bicause of service or other leveful comaundement approched a lorde to which lorde he, Nichol, dradde his falshede to be knowe to, anon was apeched that he was false to the conseille of the citee and so to the kyng.

And yif in general his falsenesse were a-yeinsaide, as of us togydre of the 40 mercerye or othere craftes, or ony conseille wolde have taken to a-yeinstande it or, as [tyme] out of mynde hath be used, [we] wolden companye togydre, how lawful so it were for owre nede or profite, were anon apeched for arrysers a-yeins the pees, and falsly many of us, that yet stonden endited and we ben openlich disclaundred, holden untrewe and traitours to owre kyng. For 45 the same Nichol sayd bifor mair, aldermen and owre craft bifor hem gadred in place of recorde that XX or XXX of us were worthy to be drawen and hanged, the which thyng lyke to yowre worthy lordship by an even juge to be proved or disproved. The whether that trowthe may shewe for trouthe a-monges us of fewe, or elles no man many day dorst be shewed. And nought oonlich un- 50 shewed or hidde it hath be by man now, but also of bifore tyme the moost profitable poyntes of trewe governaunce of the citee, compiled togidre bi longe labour of discrete and wyse men, wythout conseille of trewe men, for thei sholde nought be knowen ne contynued, in the tyme of Nichol Exton, mair, outerliche were brent. 55

And so ferforth falsehede hath he used, that ofttyme he, Nichol Brembre, saide in sustenaunce of his falshede owre ligelordes wille was such, that never was such, as we suppose. He saide also, whan he hadde disclaundred us, which of us wolde yelde hym false to his kyng, the kyng sholde do hym grace, cherise hym and be good lorde to hym. And if any of us alle that wyth Goddes help 60 have and shulle be founden trewe, was so hardy to profre provyng of hym self trewe, anon was comaunded to prisone as wel bi the mair that now is as of hym, Nichol Brembre, bifore.

Also we have be comaunded ofttyme up owre ligeaunce to unnedeful and unleveful diverse doynges. And also to wythdrawe us bi the same comaundement 65 fro thynges nedeful and lefful, as was shewed whan a companye of gode women, there men dorst nought, travailleden barfote to owre ligelorde, to seche grace of hym for trewe men, as thay supposed: for thanne were such proclamacions made, that no man ne woman sholde approche owre ligelorde for sechyng of grace, and overmany othere comaundementz also bifore and sithen, bi suggestion and 70 informacion of suche that wolde nought her falsnesse had be knowen to owre ligelorde. And, lordes, by yowre leve, owre lygelordes comaundement to symple and unkonning men is a gret thyng to ben used so familerlich withouten nede, for they, unwyse to save it, mowe lyghtly therayeins forfait.

Forthy, graciouse lordes, lyke it to yow to take hede in what manere 75 and where owre ligelordes power hath ben mysused by the forsaid Nichol and his upberers. For sithen thise wronges biforesaide han ben used as accidental or comune braunches outward, it sheweth wel the rote of hem is a ragged subject or stok inward, that is the forsaid Brere or Brembre, the whiche comune wronge uses and many other, if it lyke to yow, mowe be shewed and wel knowen 80 bi an indifferent juge and mair of owre citee, the which wyth yowre ryghtful lordeship y-graunted formoost pryncipal remedye, as Goddes lawe and al resoun wole that no domesman stonde togidre juge and partye, wronges sholle more openlich be knowe and trouth dor apere. And ellis, as a-monge us we konne nought wyte in what manere without a moch gretter disese sith the governaunce 5 of this citee standeth, as it is bifor saide, and wele stande whil vittaillers bi suffraunce presumen thilke states upon hem, the which governaunce of bifor this tyme to moche folke y-hidde sheweth hym self now open, whether it hat be a cause or bygynnyng of dyvvysion in the citee and after in the rewme or no.

Wherfore for grettest nede as to yow, moost worthy, moost ryghtful and 90 wysest lordes and conseille to owre ligelorde, the kyng, we biseche mekelich of yowre graci coreccion of alle the wronges biforesayde and that it lyke to yowre lordeship to be gracious menes to owre lygelorde, the kyng, that suche wronges be knowen to hym, and that we mowe shewe us and sith ben holden suche trewe to hym as we ben and owe to ben. 95

Also we biseche unto yowre gracious lordeship that, if any of us in special or general be apeched to owre ligelorde or to his worthy conseille bi comunyng with othere or approchyng to owre kyng, as wyth Brembre or his abettours, with any wronge wytnesseberyng, as that it stode otherwyse a-monges us here than as it is now proved it hath y-stonde, or any other wronge suggestion by which 100 owre ligelorde hath y-be unleeffullich enfourmed, that thanne yowre worshipful lordeship be such that we mowe come in answer to excuse us. For we knowe wel as for by moche the more partye of us, and, as we hope, for alle: alle suche wronges han ben unwytyng to us or elles enterlich a-yeins owre wille.

And, ryghtful lordes, for oon the grettest remedye with othere for to a- 105 yeinstonde many of thilke diseses a-fore-saide, a-monges us we prayen wyth mekenesse this specialich that the statut ordeigned and made bi parlement, holden at Westmystre in the sexte yere of owre kyng now regnynge, mowe stonde in strengthe and be execut as wel here in London as elleswhere in the rewme, the which is this: *Item ordinatum est et statutum quod etc. etc.* 110

Appendix.

Thomas Malory, Morte d'Arthur (ab. 1469).

TM: *Thomas Malory, Morte d'Arthur. — No MS. extant. — First printed by Caxton, 1485;*
by Wynkyn de Worde, 1498 and 1529. — Ed.: Sommer, 1889—91 (reprints Caxton's text).
MA: *Mort Ariu (before middle 13 th cent.). — Chief MS.: Paris Bibl. Nat. fonds franç. 342*
(dated 1274). — Ed.: Bruce, Halle 1910. (Not direct source to Malory, but closely
related to it and also to Mort Arthur in Stanzas, above p. 80 ff.)

Thomas Malory on Himself and on his Book.

TM: I praye you all, jentyl men and jentyl wymmen that redeth this book of
Arthur and his knyghtes from the begynnyng to the endyng, praye for me whyle
I am on lyve, that God sende me good delyveraunce, and whan I am deed, I praye
you all praye for my soule. For this book was ended the IX yere of the reygne
of kyng Edward the fourth by syr Thomas Maleore, knyght, as Jhesu helpe hym 5
for hys grete myght, as he is the servaunt of Jhesu bothe day and nyght.
     This endeth thys noble and joyous book entytled "Le Morte d'Arthur"
notwythstondyng it treateth of the byrth, lyf and actes of the sayd kyng Arthur,
of his noble knyghtes of the rounde table, theyr mervayllous enquestes and ad-
ventures, thachyeving of the sangreal and in thende the dolorous deth and depart- 10
yng out of thys world of them al. Whiche book was reduced into englysshe
by syr Thomas Malory, knyght, as a-fore is sayd, and by me devyded into XXI
bookes, chapytred and enprynted and fynysshed in thabbey Westmestre the last
day of juyl the yere of our Lord MCCCCLXXXV.
Caxton me fieri fecit.   *(Book XXI, cap. 13.)*

Arthur's Death.
The Last Battle.

     Book XXI, cap. 4. . . . And never was there seen a more doolfuller ba-
taylle in no crysten londe. For there was but russhyng and rydyng, fewnyng and
strykyng, and many a grymme worde was there spoken eyder to other, and many
a dedely stroke. But ever kyng Arthur rode thorughoute the bataylle of syr
Mordred many tymes and dyd ful nobly as a noble kyng shold, and at al tymes 5
he faynted never; and syr Mordred that day put hym in devoyr and in grete
perylle. And thus they faughte alle the longe day and never stynted tyl the
noble knyghtes were layed to the colde erthe; and ever they faught stylle tyl it
was nere nyghte, and by that tyme was there an hondred thousand layed deed
upon the down. Thenne was Arthure wode wrothe oute of mesure, whan he sawe 10
his peple so slayn from hym. Thenne the kyng loked a-boute hym, and thenne
was he ware of al hys hoost and of al his good knyghtes were lefte no moo on
lyve but two knyghtes; that one was syr Lucan de Butlere, and his broder, syr
Bedwere. And they were ful sore wounded. "Jhesu mercy," sayd the kyng,
"where are al my noble knyghtes becomen? Alas, that ever I shold see thys 15
dolefull day, for now," sayd Arthur, "I am come to myn ende. But wolde to
God that I wyste where were that traytour, syr Mordred, that hath caused alle
thys meschyef." Thenne was kyng Arthure ware where syr Mordred lenyd upon
his swerde e-monge a grete hepe of deed men. "Now gyve me my spere," sayd
Arthur unto syr Lucan, "for yonder I have espyed the traytour that alle thys 20

MA: A cele eure un poi apries noune estoit ja la bataille si menee a fin ke de tous chiaus ki al [Bruce
matin assamblerent a la campaigne, ki estoient plus de cent mile, ke a piet ke a cheval, p. 243
ni avoit pas remes iij. cens, ke d'une part ke d'autre, ke tout ne fuissent ocis et detrenchié. Et
des compaignons de la Table Reonde estoit ja si avenu ke il estoient tout mort et detrenchiet
ne mais iiij. . . . Des iiij. ki remes estoient en vie est li rois Artus li uns; et li autres Lucans
li Boutelliers; et li tiers Gy[r]fles, li fius Dos; et li quars Saigremors li Derres. Mais Segremors,
sans faille, estoit si navrés durement parmi le cors ke a paines, se pooit il maistenir s'espee.
The battle is renewed. Mordres kills Saigremors before the eyes of Arthur who attacks Mordres
in order to revenge the death of Saigremors. Il tint un glaive boin et fort et bien trencant

TM: woo hath wrought." "Syr, late hym be," sayd syr Lucan, "for he is unhappy.
And yf ye passe thys unhappy day ye shalle be ryght wel revengyd upon hym.
Good lord, remembre ye of your nyghtes dreme and what the spyryte of syr
Gauwayn tolde you this nygₐt: yet God of his grete goodnes hath preserved
you hyderto. Therfore, for ()ddes sake, my lord, leve of by thys, for blessyd 25
by God, ye have wonne the feₗe. For here we ben thre on lyve, and wyth syr
Mordred is none on lyve. Anₐ yf ye leve of now, thys wycked day of desteynye
is paste." "Tyde me deth, betyde me lyf," sayth the kyng," now I see hym
yonder all one, he shal never escape myn handes. For at a better avaylle shal
I never have hym." "God spede you wel," sayd syr Bedwere. Thenne the kyng 30
gate hys spere in bothe his handes and ranne toward syr Mordred cryeng:
"Tratour, now is thy dethday come!" And whan syr Mordred herde syr Arthur,
he ranne untyl hym with his swerde drawen in his hande. And there kyng Arthur
smote syr Mordred under the shelde wyth a foyne of his spere thorughoute the
body, more than a fadom. And whan syr Mordred felte that he had hys dethes 35
wounde, he thryst hym self wyth the myght that he had up to the bur of kynge
Arthurs spere. And right so he smote his fader Arthur wyth his swerde holden
in bothe his handes on the syde of the heed, that the swerde persyd the helmet
and the braynepanne; and therwythall syr Mordred fyl starkedeed to the erthe.
And the nobyl Arthur fyl in a swoune to the erthe, and there he swouned ofte- 40
tymes. And syr Lucan de Butlere and syr Bedwere oftymes heve hym up. And
soo waykely they ledde hym betwyxte them bothe to a lytel chapel not ferre
from the seesyde. And whan the kyng was there, he thought hym wel eased.
Thenne herde they people crye in the felde. "Now goo thou, syr Lucan," sayd
the kyng, "and do me to wyte what bytokenes that noyse in the felde." So syr 45
Lucan departed, for he was grevously wounded in many places. And so as he
yede, he sawe and herkened by the monelyght how that pyllars and robbers
were comen into the felde, to pylle and robbe many a ful noble knyghte of brochys
and bedys, of many a good rynge and of many a ryche jewel, and who that were
not deed al oute, there they slewe theym for theyr harneys and theyr rychesse. 50
Whan syr Lucan understode thys werke, he came to the kyng as sone as he myght
and tolde hym al what he had herde and seen. "Therfore be my rede," sayd
syr Lucan, "it is beste that we brynge you to somme towne." "I wolde it were
soo," sayd the kyng.
    Cap. V. "But I may not stonde, myn hede werches soo. A, syr Launcelot," 55
sayd kyng Arthur, "thys day have I sore myst the. Alas, that ever I was a-yenst
the, for now have I my dethe wherof syr Gauwayn me warned in my dreme."
Than syr Lucan took up the kyng the one parte, and syr Bedwere the other
parte, and in the lyftyng the kyng sowned; and syr Lucan fyl in a sowne wyth
the lyfte, that the parte of his guttes fyl oute of his bodye. And therwyth the 60
noble knyghtes herte braste. And whan the kyng a-wake, he behelde syr Lucan,

MA: si laisse courre tant k'il puet del cheval traire. Et Mordres, ki bien counoist et apiercoit
ke li rois ne bee fors a lui ocire, ne le refusa pas, car trop estoit de grant cuer, ain[s] li adreche
le tieste del cheval, l'espee traite, ki toute estoit viermelle de sanc de chiaus qui il avoit
le jor ocis. Et li rois, ki li vient de toute la force ke il ot, le fiert si durement ke il ront les
mailles del haubierc se li met parmi le cors le fier de son glaive et del fust grant partie . . .
Et quant Mordres se sent plaié, il pense bien ke il est navrés a mort si fiert si durement le
roi Artu amont en l'iaume ke li hiaumes ne la coiffe de fier ne le garandist ke il ne li face sentir
le trencant de l'espee duskes au ties[te], et del ties[te] li abat grant piece. De celui cop fu
li rois Artus si estordis ke il vole a la tiete del cheval et autresi fait Mordres, li uns dales
l'autre, car molt estoit cascuns navrés. Ensi ocist li peres le fil, et li fius le pere navra a mort.
Now the battle between the two parties becomes so deadly, that before night closes in there remain
alive only Lucans li Boutelliers and Girfles. They lament the death of so many good knights
and after a long while they find king Arthur mortally wounded, who feels his end approaching
and wants to get away from his enemies. He mounts on his horse, the two knights follow him.
Si oirent tout troi en tel maniere droit viers la mer tant ke la nuis lor sorvint. Lors vinrent
enmi une capiele ki estoit enmi une lande. *The king enters it and stays the whole night*
there praying. In the morning Lucans comes in and says it is a great pity that Arthur should
die. Quant li rois ot oié ceste parole, si s'estent arriere. Il fu grans et fors et pesans et

TM: how he laye foomyng at the mowth and parte of his guttes laye at his feet.
"Alas," sayd the kyng, "thys is to me a ful hevy syght to see thys noble duke
so deye for my sake, for he wold have holpen me, that had more nede of helpe
than I. Alas, he wold not complayne hym, hys herte was so sette to helpe me. 65
Now Jhesu have mercy upon hys soule!" Than syr Bedwere wepte for the deth of
his brother. "Leve thys mornyng and wepyng," sayd the kyng, "for al this
wyl not avaylle me; for wyte thou wel: and I myght lyve my self, the deth of
syr Lucan wolde greve me evermore; but my tyme hyeth fast," sayd the kyng.
"Therfore," sayd Arthur unto syr Bedwere, "take thou Excalybur, my good 70
swerde, and goo with it to yonder watersyde, and whan thou comest there, I
charge the, throwe my swerde in that water and come a-geyn and telle me what
thou there seest." "My lord," sad Bedwere, "your commaundement shal be
doon, and lyghtly brynge you worde a-geyn." So syr Bedwere departed, and by
the waye he behelde that noble swerde, that the pomel and the hafte was al of 75
precyous stones; and thenne he sayd to hym self: "Yf I throwe this ryche swerde
in the water, therof shal never come good, but harme and losse." And thenne
syr Bedwere hydde Excalybur under a tree. And so, as sone as he myght, he
came a-geyn unto the kyng and sayd he had ben at the water and had throwen the
swerde into the water. "What sawe thou there?" sayd the kyng. "Syr," 80
he sayd, "I sawe nothynge but wawes and wyndes." "That is untrewly sayd
of the," sayd the kynge. "Therfore goo thou lyghtelye a-geyn and do my com-
maundemente; as thou arte to me leef and dere, spare not, but throwe it in."
Than syr Bedwere retorned a-geyn and took the swerde in hys hande; and than
hym thought synne and shame to throwe a-waye that nobyl swerde, and so efte 85
he hydde the swerde and retorned a-geyn and tolde to the kyng that he had ben
at the water and done his commaundemente. "What sawe thou there?" sayd
the kyng. "Syr," he sayd, "I sawe nothynge but the waters wappe and wawes
wanne." "A, traytour untrewe," sayd kyng Arthur, "now hast thou betrayed
me twyse. Who wold have wente that? Thou hast been to me so leef and dere, 90
and thou arte named a noble knyghte, and wold betraye me for the richesse of the
swerde? But now goo a-geyn lyghtly, for thy longe taryeng putteth me in grete
jeopardye of my lyf. For I have taken colde; and but yf thou do now as I byd
the, yf ever I may see the, I shal slee the myn owne handes; for thou woldest
for my ryche swerde see me dede." Thenne syr Bedwere departed and wente 95
to the swerde and lyghtly took hit up and wente to the watersyde; and there
he bounde the gyrdyl a-boute the hyltes, and thenne he threwe the swerde as
farre into the water as he myght; and there cam an arme and an hande a-bove
the water and mette it and caught it and so shoke it thryse and braundysshed,
and than vanysshed a-waye the hande wyth the swerde in the water. So syr 100

MA: corsus et tous armés si a consiut desous lui entre lui et la terre Lucan, ki tous estoit des-
armés, si l'estraint, si non mie par courous que il eust a lui, mais por l'angoisse ki li estoit au
cuer, si durement ke il le froissa tout en tel maniere ke il ne puet parole dire, ains li parti
tout maintenant l'ame del cors. Quant li rois ot deseur lui esté grant pieche, il se relieve
ne ne quide pas encore que il soit mors. Et quant Gyrfles l'a grant piece regardé et il
voit ke il ne se remue, il apierchoit molt bien ke il est mors et ke li rois l'a ocis, si recou-
mence son duel et dist au roi: "Ha! sire, mal aves fait, ki Lucam aves mort! ja vous avoit
il siervi tout son aage et loyalment". Et quant li rois se regarde et il voit ke il a son
chevalier ocis, lors li croist ses dieus et enforce. *Then he rides with Gyrfles down to the*
sea, sits down, and takes out his sword Escalibor, saying how much relief it would have afforded
him if he could have given it to Lanselot. Then he asks Gyrfles: "Ales la sus en cel tiertre u
vous troveres un lac, et, quant vous l'ares trové, si gietes ceste espee dedens, car je ne wel
mie ke li mauvais oir de cest roiaume ki apries nous regneront soient saisi de si bone espee
comme ceste est." "Sire", fait il, "a vostre commandement, mais encore vausisse jou
miex ke vous le me dounissies". "Non ferai, Gyrflet", fait li rois, "car en vous ne seroit
ele pas bien enploié a ma volenté!" Lors prent Gy[r]fles l'espee et vient el tiertre et trueve
le lac tout ensi ke li rois li avoit dit. Et quant il vit le lac, il traist l'espee fors del fuerre
si le comence a regarder, et li samble si biele et si bone et si rice ke il li est avis ke trop
seroit grans damages, se il le gietoit en cel lac, car ensi seroit ele pierdue; mius vieut il
ke il giet la soie et celi retiegne, puis die au roi ke il li a jetee. Lors descaint s'espee si l'a jetee
el lac et l'autre repont en l'ierbe et vient au roi si li dist: "Sire, jou a[i] fait vostre com-

TM: Bedwere came a-geyn to the kyng and tolde hym what he sawe. "Alas," sayd
the kyng, "helpe me hens, for I drede me I have taryed overlonge." Than syr
Bedwere toke the kyng upon his backe and so wente wyth hym to that water-
syde; and whan they were at the watersyde, evyn fast by the banke hoved a
lytyl barge wyth many fayr ladyes in hit, and e-monge hem al was a quene, and 105
al they had blacke hoodes, and al they wepte and shryked whan they sawe kyng
Arthur. "Now put me into the barge," sayd the kyng; and so he dyd softelye.
And there receyved hym thre quenes wyth grete mornyng; and soo they sette
hem doun, and in one of their lappes kyng Arthur layed hys heed; and than that
quene sayd: "A, dere broder, why have ye taryed so longe from me? Alas, 110
this wounde on your heed hath caught overmoche colde." And soo than they
rowed from the londe, and syr Bedwere behelde all tho ladyes goo from hym.
Than syr Bedwere cryed: "A, my lord Arthur, what shal become of me, now ye
goo from me and leve me here all one e-monge myn enemyes?" "Comfort thy
self," sayd the kyng, "and doo as wel as thou mayst, for in me is no truste for to 115
truste in. For I wyl into the vale of Avylyon, to hele me of my grevous wounde.
And yf thou here nevermore of me, praye for my soule." But ever the quenes
and ladyes wepte and shryched, that hit was pyte to here. And as sone as syr
Bedwere had loste the syght of the baarge, he wepte and waylled and so took the
foreste; and so he wente al that nyght, and in the mornyng he was ware be- 120
twyxte two holtes hore of a chapel and an ermytage. . . .

  Cap. VII. Yet somme men say in many partyes of Englond that kyng
Arthur is not deed but had by the wylle of our Lord Jhesu into another place.
And men say that he shal come a-geyn and he shal wynne the holy crosse. I wyl
not say that it shal be so, but rather I wyl say: here in thys world he chaunged 125
his lyf. But many men say that there is wryton upon his tombe thi, vers: *Hic
iacet Arthurus, rex quondam rexque futurus.* . . .

MA: mandement, car jou ai jetee l'espee dedens le lac". "Et ke as tu veu?" fait li rois. "Sire,"
fait il, "jou ne vic noient". "Ha! Gyrflet", fait li rois, "tu me travailles. Va arriere
et se li giete, car encore ne li as tu pas jetee." Et cil retorne maintenant al lac et prent
l'espee si le traist hors del fuere et le commence trop durement a regarder et a plaindre,
et dist ke ce seroit trop grans damages, se ele estoit ensi del tout pierdue. Et lors se pour-
pense ke il i gietera le fuerre et l'espee retenra, car encore pora avoir mestier u a lui u a
autrui. Lors giete le fuerre el lac erranment et puis repont l'espee desoz un arbre, puis
s'en revient maintenant au roi se li dist: "Sire, jou ai fait vostre commandement". Et
que as tu vĕut?" fait li rois. "Sire, je n'ai riens vĕu ke je ne dĕusse voir." "Ha!"
fait li rois, "encore ne l'i as tu pas jetee. Porcoi me travailles tu tant? Va se l'i
giete, si verras k'il en avenra; car sans trop grant merveille ne sera ele ja pierdue, ce
saces tu". Quant Gyrfles voit ke faire li couvient, si revient la u il avoit l'espec
laissié si le prent et le coumence a regarder et a plaindre trop durement et dist: "Ha!
espee, boine et biele, com est grans damages ke vous ne chaes en le main a aucun preud-
ome!" Lors l'a gietee el lac au plus loins de lui ke il puet. Et maintenant ke il aprocha
l'iaue, il vit ke une mains issi del lac et apparu desi au coute, mais del cors de quoi la main
estoit ne vit il point. La mains recut l'espee parmi le heut, puis le commencha a brandir
et a escoure encontre mont par trois fois. Quant Gyrfles l'ot vĕu apiertement, la mains
se rebouta en l'iaue a toute l'espee. Et il atendi illuec grant piece, por savoir se ele se
demousterroit plus. Et quant il vit k'ili musoit por noient, si se part de lac et vint au
roi si li dist ke il a l'espee jetee el lac, et il li conte tout chou k'il avoit vĕu. "Par Diu",
fait li rois, "tout chou pensoie jou bien, car ma fins aproche mout durement." *Then Arthur
asks Girfles to leave him alone, else he would hate him mortally. After a good deal of hesitating,
G. goes away, but from afar he looks back.* Si vit venir parmi la mer une nef toute plaine
de dames, et ariva la nes devant le roi Artu, ki encore estoit a la rive. Les dames vinrent
al bort de la nef et cele ki estoit dame d'eles estoit Morghe, la suer le roi Artu, si proia le
roi ke il entrast en la nef. Et il li otroia. Si tost comme il counut Morgain, si se leva tantost
de la tiere u il seoit et entra en la nef et mist son cheval aveuc lui et ses armes. *Girfles
runs down to the sea, but when he arrives at the shore the king is already far away. G. passes
the whole night there; on the following morning he rides away into a wood where he stays
two days with a hermit whom he knows well. On the third day he starts for the chapel where
Sir Lucans died. He finds two tombs there: the less rich one belongs to Sir Lucans, but the
other one harbours the earthly remains of king Arthur.*

Latin Source of Robert Mannyng's Tale of the Sacrilegious Carollers (p. 156 ff).

Vita Sanctae Edithae virginis composed by Goscelin (Gocelinus Monachus). — MS.: Oxf. Bodl. Rawlinson C 938 f. 22 b (ab 1300?). Printed in Furnivall's ed. of Handlyng Synne, Roxb. Club 1862, p. XXVIII. The particular chapter is headed: "De advena ab orrendo et jugi saltatu liberato". ... Romanus orbis novit et hodierna iuventus recolit homines nova inquietudine corporum divinitus percussos et ubi vis gentium pervagatos; ex quibus quatuor nobis conspecti (cf. l. 9219). ... *One of the carollers nomine Teodericus relates his story, and to prove the truth of it he shows a paper which had been dictated by* Bruno Tullanus episcopus in medio civitatis, qui postea papa Leo dictus sanctissimum lumen emicuit nostri temporis (cf. l. 9233 ff.). *The story runs thus:* In nocte Natalis Domini, 1 lucifera qua lux saeculorum est orta, nos duodecim socii in vanitate et insania venimus ad locum qui dicitur Celebeca, ad basilicam dedicatam sancto Magno martiri sanctaeque Buccestre eius sorori. Dux nobis erat nomine Gerlevus, ceteri quoque duodecim maioris fidei gratia hic inserendi. Sic fuimus dicti: Theodericus, Meinoldus, Odbertus[1]), Bovo, 5 Gerardus, Wetzerelo, Azelinus, Folpoldus, Hildebrandus, Alvardus, Benna, Odricus. Quid moramur infelicitatem nostram exponere? Tota causa haec erat damnosi conventus nostri, ut uni sodalium nostrorum in superbia et in abusione puellam raperemus parochiani pre(s)biteri filiam nomine Rodberti; puella vero dicebatur Ava. Non virginalis nativitas Domini, non christianitatis memoria, non totius fidelis populi ad ecclesiam concurrentis 10 reverentia, non divinae laudis audita preconia inpudentiam nostram a tanta temperavit audacia. Mittimus geminas puellas Mersuinden et Wibecynam, quae similes similem de ecclesia allactarent. ad iniquitatis nostrae choream, quam venabamur praedam. Quid hoc? Aucupio facilius adducitur Ava, ut avicula irretita. Colligit advenientes Bovo, tam aetate prior quam stultitia. Conserimus manus et chorollam confusionis in atrio ordina- 15 mus. Ductor furoris nostri alludens fatale carmen orditur Gerlevus: "Equitabat Bovo per silvam fro(n)dosam; Ducebat sibi Mersuinden formosam. Quid stamus? Cur non imus?" Istud ioculare inceptum iusto Dei iudicio miserabile nobis est factum. Istud enim carmen noctes et dies incessabiliter gyrando per continuum redintegravimus annum. Quid multa? Finitis nocturnalibus sacris, prima missa tantae noctis reverentia debita 20 incipitur. Nos maiori strepitu quasi Dei ministros ac Dei laudes nostro perdendo choro superaturi debacamur. His auditis presbiter de altari ad ecclesiae ianuam congreditur nosque emissa voce ut Divinitati daremus honorem et more Christianorum intraremus ad divinum officium contestatur. Sed cum nemo adquiescere vel audire vellet obdurato corde, sacerdos divino zelo Dei ultionem per sanctum Magnum martirem imprecatus est 25 nobis et "Ab isto", inquit, "officio ex Dei nutu amodo non cessetis". Dixerat; atque ita nos prolata sententia aligavit, ut nullus nostrum ab incepto cessare, nullus ab alio dissolvi potuerit. At presbiter mittit filium nomine Azonem, ut raptam de medio nostrum in ecclesiam adducat Avam suam sororem. Sed non ita resolubilem iniecerat nobis manicam, nimisque tarde ei filiae salus venit in memoriam. It ille patrio praecepto, arreptamque 30 manu sororem trahebat. Inauditum saeculis miraculum! Totum brachium sequutum est, suaque compage avulsum in manum trahentis ultro recessit, atque illa cum reliquo corpore sociali choro inseparabilis adhaesit. Maximoque hoc maius additur prodigium, quia exausto brachio nulla unquam gutta sanguinis effluxit. Refert filius patri munus lamentabile, refert partem natae quasi ramum de arbore, cetero corpore remanente, cum 35 tali animadversione: "En, pater, suscipe, haec est soror mea, haec filia tua quam me iussisti adducere." Tum ille luctuosus et sero paenitens sententiae suae solum brachium sepelit superstitis natae. Miracula miraculis repensantur. Sepultum membrum invenit sequenti die summo tenus proiectum. Iterum sepelit, iterum postera die inhumatum reperit. Tertio sepelit, tertio nihilominus die altius eiectum offendit; quod ultra tentare 40 timens in ecclesia brachium recondidit. Nos nullo momento intermittimus chorizando circuire, terram pede pulsare, lachrimabiles plausus et saltus dare, eandem cantilenam perpetuare. Semper vero insultabat nostrae poenae cantilenae regressus: "Quid stamus? cur non imus?" qui nec restare nec sutulum nostrum mutare potuimus. Sicut autem nullus alius rerum nobis dabatur modus, ita quicquid est humanae necessitatis nec 45 fecimus nec passi sumus. Revera enim in toto anno illo districtae expeditionis nostrae nec comedimus nec bibimus nec dormuimus; sed neque famem neque sitim neque somnolentiam nec quicquam carnalis conditionis sensimus. Nox, dies, aestas torrida, hiems gelida, tempestates, inundationes, nives, grandines universaque aeris intemperies omnino nos non tetigere, nec lassati sumus circulationis diuturnitate. Non capilli, non ungulae 50 nostrae crescebant, non sunt attrita vestimenta nostra. Ita clemens erat poena, ita suaviter nos torquebat superna clementia. Quas terras haec fama non adiit? Quae gens, quae natio ad hoc spectaculum non cucurrit? Ipse christianissimus imperator

Henricus, ut audivit, a facie altissimi imperatoris, ut cera a facie ignis defluxit, suffususque ubercim lachrimis iudicia Domini vera magnificavit. Tum humane iussit super 55
nos tecta a caeli turbine defensoria fabricari; sed frustra laboraverunt artifices lignarii,
quia quicquid in die aedificabatur in nocte penitus evertebatur. Hoc semel, hoc bis, hoc
etiam tertio ceptum et cassatum est. Sic nobis cum toto anni circulo sub nudo aere rotatis
rediit mundo fausta et remediabilis nox Dominici Natalis. Illa nos alligavit, illa reversa
absolvit. In eadem quippe hora temporis revoluti qua vel cepimus iocari, vel constricti 60
sumus ore sacerdotali, repentina violentia quasi in ictu oculi singulis manibus abinvicem
sumus excussi, ut nullus ab alio posset retineri. Eodemque impetu ecclesiam ingressi
subitoque in pavimentum proiecti post longas vigilias triduo integro obdormivimus immoti. Tertio demum die, ubi per Resurgentem a mortuis surreximus et erecti sumus,
tu comes longae inquietudinis, tu causa et exemplum tantae animadversionis, quae 65
dextram amiseras datam sociis praevaricationis, iam tuos labores finieras et somno perpetuae pacis, ut credimus, dedita quiescebas. Ava puella, paterna virga nobiscum percussa, nobis surgentibus iacebas mortua. Stupor et tremor omnibus haec videntibus
facta. Beata cuius periit unum membrum, ne perires tota; quae divinis flagellis a corruptione servata et moriendo a morte es liberata. Ipse quoque presbiter Rodbertus 70
proxima morte filiam est sequutus. Brachium vero puellae insepelibile imperator Henricus
auro argentoque fabricatum ad exemplum Dei magnalium in ecclesia iussit dependere.
Nos licet abinvicem essemus dissoluti tamen eosdem saltus et rotatus, quos simul
feceramus, fecimus singuli; atque ita singuli iactu membrorum videbamur tumultuari.
Stipat nos frequens populus et intuetur nos quasi tunc primum cepissemus. Notant 75
vestes nostras, crines, ungulas et cetera spectabilia inveniunt, quae eodem modo omnia
quo fuerant ante fera discrimina munda, nitida, integra. Ita ergo abinvicem, quasi conversa in aliam vindicta poenam, sumus seiuncti, ut qui prius non poteramus separari,
iam non possumus amplius agregari. Ita vagamur per omnes terras dispersi, ut quibus
antea nusquam licuit prodire, iam nusquam liceat stabiles durare... *Thus Theodericus;* 80
he prays to St. Edith. Illuxerat mundo celebris dies Dominicae Annunciationis, omnibusque
egressis remansit solus apud sanctam virginem advena spectabilis, cum ecce prostratus
coram obdormivit et, O Dei omnipotentiam et apud Deum dilectae suae gratiam! evigilans homo totus sanus surrexit. *The people are struck with wonder. He thanks St. Edith.*

---

[1] Memoldus, Gobertus. *Hs. vgl. E. Schröder, Zs. f. Kirchengesch. XVII (1896) 94ff.*

Glossary.

NOTE: Modern English equivalents are indicated by NE (New English); where NE appears accompanied by no Modern English equivalent, the Middle English word and its modern equivalent are identical.

To be read before using the glossary:

1. The head-words are given in the spelling in which they generally occur in the older Chaucer MSS. Other forms are mentioned in the way of cross-references, in their alphabetical order.
2. The double consonants of Orrm are printed as simple consonants; likewise, double vowels, which are preferred by some scribes for long vowels, are represented by simple vowels. Thus the word *Orrmulumm* must be looked up under *Ormulum*, *ook* under *ok*, *breeth* under *breth*.
3. The diphthong spellings *eo, ea* must be sought under *e*; *oa* under *o*; *ui* under *u* but *ou* has always been printed for *ū* in accordance with the Chaucer MSS.—As to the Old French etyma, certain forms have been designated as **Anglo Norman** conformably to a tradition observed in Romance philology; but this does not imply that the forms thus distinguished do not occur in Continental French also.
4. The vowel *y* has usually been replaced by *i*, except at the end of words (where, however, from an alphabetical standpoint, it has also been regarded as *i*). In the same way final *ou* is rendered by *ow*.
5. The verbal prefix *i-*, also the prefix *a-* in Teutonic verbs, as separable, have been ignored; the other prefixes will be found in their alphabetical order, *be-* under *bi-*.
6. *K* is to be found under *c*, *sch* under *sh*, *cw* under *qu*, *hw* under *wh*.
7. Initial ʒ, which occurs with characteristic frequency for *g, h* in the ME manuscripts, has been replaced by *y*. After vowels the change of *g, ʒ, gh, h* to *i, y* (after light vowels), or to *w* (after dark vowels), has been preferred. Thus *legen* is recorded under *leien*, *boge* under *bowe*. Only the OE group *ht* (ʒt, cht, gt) has to be looked up under *ght*. The glides which often appear before such *g, ʒ, gh* are rendered by a small *i, u*, printed above the line, e. g. *heigh, boughte*; they have not been taken into consideration for the alphabetical order.

Abbreviations.

Anglo Norman   Arabian   Danish   Dutch   French   Friesic   Gaelic   German   Greek   Hebrew   High German   Italian   Latin   Low German   Middle Dutch   Middle English   Middle Latin   Middle Low German   New English   Norwegian   Old Danish   Old English   Old French   Old High German   Old Low German   Old Norse   Old Northern French   Old Northumbrian   Old Saxon   Picard   Spanish   Swedish   Welsh. adjektive   adverb   comparative   confer   dative   dialectial   feminine   from   genitive   gerund   imitative   imperative   indicative   inflected   masculine   neuter   (case)oblique   obscure   obsolete   onomatopoetic   origin   participle past   plural   present   preterite   probably   see   singular   subjunctive   substantive   superlative   uncertain   unknown   verb.

A.

a interj. NE ah! *ah!*

a = a(n). | a = have. | a = he. | a = of. | a = on. | a = o, NE ever. | a' = al, NE all.

a-bak OE on bæc, NE aback, *zurück.*

a-bad = a-bod(e). | abais(s)e = abashe.

abandoune AN; NE subdue, abandon, *unterwerfe, gebe auf.*

abashe OF esbaïsse sbj., NE alarm, abash, *erschrecke, beschäme.* — abashement NE dread, *Furcht, Schreck.* — abashinge NE confusion, *Verwirrung, Erniedrigung.*

abatailment = batelment.

abate OF sbj.; NE abate, cast down, *schlage nieder.*

abaved, abawed OF esbaubi, NE astonished, *erstaunt, bestürzt.*

abbe = have. | a-bedde = on bed(e).

ab(b)eie OF; NE abbey, *Abtei.* — abbesse OF; NE abbess, *Äbtissin.* — ab(b)ot OE abbod m., cf. L abbatem; NE abbot, *Abt.*

abet OF; NE abetting, aid, *Vorschub, Hilfe.* — abettour AN; NE abettor, *Helfer, Anreizer.*

abhominable OF; NE abominable, *abscheulich.* — abhominacioun AN; NE abomination, *Greuel.*

abilitee OF habilité, NE ability, *Fähigkeit.*

abite = habit.

able OF; NE; *geschickt.* — able NE enable, qualify, *mache fähig, befähige.*

ablucion L ablutionem, NE ablution, *Waschung.*

abod(e) cf. OE ābîde; NE abiding, delay, *Aufenthalt, Verzögerung.*

abof = above(n).

abominable, abominacioun = abhom-. | abounde = habounde.

a-bout(en), a-but(en), a-bouʒt OE onbûtan, NE about, *herum, umher, ungefähr, betreffs.* — am aboute(n) NE intend, *habe vor.*

a-bove(n), a-bowen OE on + bufan, NE above, *über.*

abregge AN; NE abridge, *kürze ab.* — abregging NE abridging, *Abkürzung.*

abroche OF; NE broach, *steche an, beginne.*

a-brod OE on + brâd, NE abroad, *ins Breite, umher*

absence OF; NE; *Abwesenheit.* — absent OF; NE; *abwesend.* — absente OF; NE absent myself, *gehe weg.*

absolucio(u)n AN; NE absolution, *Absolution.* — absolut L -tum; NE absolute, unlimited, *absolut, unumschränkt.* — absolutly NE wholly, *völlig.*

abstinence OF; NE; *Enthaltsamkeit.* — abstinent F; NE; *enthaltsam.*

abusioun AN; NE abuse, *Irrtum.*

a-buve(n) = a-bove(n).

ac OE; NE but, *aber.*

accepte OF; NE accept, *nehme an.* — acceptable OF; NE; *annehmbar.*

accesse OF acces, NE attack (of fever), (*Fieber-)Anfall.*

accident OF; NE; *Zufall.* — accidental ML -alem; NE accidental, *zufällig.*

accidie AN; NE sloth, *Trägheit.*

accioun AN; NE action, accusation, *Handlung, Anklage.*

accomplice = acomplishe.

accord OF acord, NE agreement, *Vereinbarung, Übereinstimmung.* — accordable OF; NE proportionate, harmonious, *verträglich, harmonisch.* — accorda(u)nce AN; NE agreement, *Übereinstimmung.* — accordaunt AN; NE conformable, *übereinstimmend.* — accorde OF; NE reconcile (myself), grant, agree, *versöhne (mich), gebe zu, stimme überein.*

account = acount.

accuse OF; NE; *klage an.* — accusacioun AN; NE accusation, *Anklage.* — accusement OF; NE accusation, *Anschuldigung.* — accusour AN; NE accuser, *Ankläger.*

aken, p. ok OE acan, NE ache, *schmerzen.* — akinge NE aching, pain, *Schmerz.*

aketoun AN; NE sleeveless jacket worn under the hauberk, *Koller.*

achat OF; NE purchase, *Kauf.* — achatour AN; NE buyer, *Einkäufer.*

achaufe = enchaufe.

ache OE ece m. (s. aken), NE ache, *Schmerz.*

acheso(u)n OF achoison, = enchesoun.

acheve, achieve OF acheve, AN achieve, NE achieve, *vollende.*

acloie OF encloe, NE lame (with a nail), hinder, *lähme (durch Einschlagen eines Nagels), hindere.*

acoie OF; NE appease, *besänftige.*

acolit ML acolytum, NE acolyte, *Akoluth (Kirchenbeamter).*

acombre = encombre.

acomplishe OF acomplisse sbj., NE accomplish, *vollende, vollführe.*

acompt = acount. | acord = accord.

acorn OE æcern n., NE acorn, *Eichel, Ecker.*

acount AN; NE account, *Rechnung, Rechenschaft.* — acounte AN; NE count, (be)rechne. — acountinge NE calculation, *Berechnung.*

acoverunge fr. OE ācofrige; NE recovery, *Wiederherstellung.*

acquite = aquite.

acre OE æcer m., NE acre, *Acker.*

acse = axe, NE ask. | acte = eighte.

acte OF; NE act, deed, *Tat, Akt.* | actif OF; NE active, *tätig.* — actuel OF; NE actual, *wirklich.*

acumbre = encombre. | acuse = accuse.

acustomaunce AN; NE custom, *Gewohnheit.*

a-day OE on dæge, NE by day, *am Tage.*

adamant OF; NE; *Diamant, Magnet.*

adaunte AN; NE subdue, overwhelm, *bewältige, überwältige.*

adde L addo, NE add, *füge hinzu.* — adding NE addition, *Hinzufügung.*

adde = had, s. have.

adder OE næd(d)re f., NE adder, *Natter.*

ad(d)le ON øðlask, NE earn, *verdiene.*

adjeccioun L adiectionem, NE addition, *Hinzufügung.*

adjuracioun L adiurationem, NE adjuration, *Beschwörung.*

adorne OF; NE adorn, *schmücke.*

a-doun(e), -dun(e) OE of dûne, NE down(wards), hinunter, *nieder.*

adouring fr. AN adourer; NE adoration, *Anbetung.*

adressinge fr. OF adresser; NE directing, *Leitung.*

adubbement OF adoub(b)emenť, NE array, splendor, *Schmuck, Glanz.*

adventure = aventure.

adversarie AN; NE adversary, *Gegner;* hostile, *feindlich.* — adversitee OF -té; NE adversity, *Widerwärtigkeit.*

advertence OF; NE attention, *Aufmerksamkeit.*

advocacie OF; NE plea, *Prozeß.* — advocat OF; NE advocate, *Anwalt.*

ædele = æthele. | æfne = even(e). | æfre = ever. | æft = eft. | æfter = after. | æhc = ech. | æl- = al-. | æld = old. | æm = am. | æm = em, NE uncle. | ænde = ende. | ænne = anne s. a(n). | ær = ere, *Ohr.* | ær(e) = er, *bevor.* | ærd = erd. | ærest = erst. | ærm = arm | ært = art s. am. | æst- = est-. | æt- = at-. | æthele = athele. | ævri(h)c = every.

af = have. | afden s. have.

a-fer OE on feor(r), NE afar, *(von) fern.*

aff = of.

af(f)aite OF; NE fashion, subdue, adorn, *bringe in eine Verfassung, unterwerfe, schmücke.*

affe = have.

affeccioun AN; NE affection, devotion, *Anhänglichkeit, Ergebenheit.* — affect L -tum; NE desire, *Wunsch, Neigung.*

afferme OF aferme, NE affirm, *mache fest, bestätige.*

affie OF; NE trust, *vertraue.* — affia(u)nce AN; NE trust, *Vertrauen.*

affile OF; NE file, whet, *schärfe.*

affinitee OF -té; NE affinity, *Verwandt-schaft.*

afforce OF; NE force, *zwinge.*

affray AN; NE fray, quarrel, *Schrecken, Streit.* — af(f)raie AN; NE frighten, *setze in Schrecken.*

a-fine OE on + OF fine, NE finally, *schließ-lich.*

afingred, afingret = ofhingred.

a-fire OE on fŷre, NE on fire, *in Brand.*

aflighte fr. OF affli(c)t pp.; NE afflict, *betrübe.*

a-fore(n), a-forn(e) OE on + foran, NE before, *vorn, ⟨zu⟩vor.*

a-foryein OE on + foran ongegn, NE over against, *gegenüber.*

afounde, afoundre OF affondre, NE founder, perish, *gehe zu Grunde.*

afrounte AN; NE affront, *schmähe.*

after, aifter OE æfter, NE after, after-wards, *nach, nachher.* — afterdiner OE æfter + OF diner, NE time after dinner, *Zeit nach dem Mittagessen.* — aftertale OE æfter + talu f., NE de-famation,*Nachrede.* — afterward(es) OE æfterweard (+ es), NE afterwards,*nachher.*

aftir(e) = after. | afürst = ofthirst.

a-game OE on game, NE in play, *im Spiel, Scherz.*

aga(i)n(e) = ayein.

agast pp. of OE gǣstan 'terrify', NE aghast, *erschreckt.*

age OF; NE; *Alter.*

age = awe. | aʒe = owe. | a-ge(i)n = a-yein. | a-gete 111,77 fr. ON ā-gætr (?); NE enrich, distinguish, *bereichere, zeichne aus* (?). | aʒʒ = ay. | aʒhen = owen. | auᵍht(e) = ouᵍhte s. owe. | auᵍhte = eighte, NE property.

ago(n) OE āgån, NE ago, *vergangen, vorher.*

agonie OF; L -iam; NE agony, struggle, *Agonie, Krampf.*

agraithe = agreithe.

agree OF; NE agree, consent, *genehmige.* — agreable OF; NE agreeable, *ange-nehm.* — agreablely NE willingly, *be-reitwillig.* — agreabletee NE willing-ness, *Bereitwilligkeit.*

agregge AN aggregge, NE aggravate, *mache schwerer, schlimmer.*

agreithe ON greiða, NE prepare (my-self), adorn, *rüste (mich), schmücke.* — agreithinge NE dress, ornament, *Kleidung, Schmuck.*

agreve OF; NE aggrieve, *kränke.* — take a-gr(i)ef OE on + OF grief, NE take in dudgeon, *nehme übel.*

agrote orig. obsc.; NE surfeit, cloy, *über-lade, übersättige.*

agu(e) OF; NE ague, *Fieber.*

aguiler OF aguillier, NE **needle-case,** *Nadelbüchse.*

ah = ac. | ah = ouᵏ s. owe.

a-he¹(gh) OE on + hêah, NE on high, *in der (die) Höhe.*

ahen = owe(n). | a-hy = a-he¹(gh). | ahte = eighte *'acht'* cf. ON *ahta (> ātta).

ay, aie ON ei, ey, NE aye, ever *immer.* — aι-dwellinge ON ei + OE dwellende, NE perpetual, *ewig.* — ailastand ON ei + OE lǣstende, NE everlasting, *ewig.*

ay = ey, NE egg. | ay = a(n). | aicte = eighte.

aiel OF; NE grandfather, *Großvater.*

aihte = eighte. | aile = eile. | aiquere = aiwhere. | air = eir. | air = heir. airiss = eirish. | aise = ese. | aisy = esy. | aither, aithor = e(gh)ther.

aiwhere, -whore OE ǣghwǣr, NE every-where, *überall, irgendwo.*

ajourne AN; NE adjourn, *lade auf einen andern Tag ein.*

ajug(g)e AN; NE judge, *urteile, schätze.*

al OE æl m., NE awl, *Ahle.*

al, all, gen. pl. alre, alder OE eal(l), NE all, *all, ganz.*

alabastre OF; NE alabaster, *Alabaster.*

alay OF; NE alloy, *Zusatz, Legierung.*

al-an = al(l) on(e).

alambik OF -ic; NE alembic, *Retorte.*

alarge OF eslarge, NE enlarge, give in abundance, *erweitere, gebe reichlich.*

a-last OE on + lǣtest, NE at last, *zuletzt.*

alaunt F alan, NE Alan dog, *Wolfshund.*

albificacioun AN; NE albefaction, whit-ening, *Weißmachen.*

al-be-it OE eal(l) + bêo hit, NE although, *obschon.*

alc = ech.

alkaly F alcali, NE alkali, *Alkali.*

alkamistre OF alkemistre, NE alchemist, *Alchemist.*

ald = old.

alday OE ealne dæg, NE all day long, continually, *den ganzen Tag lang, immer-fort.*

alder OE alor m., NE alder-tree, *Erle.*

alder OE ealra, NE of all, *aller.* — alder-best NE best of all, *allerbest(e).* Cf. the similar compounds alderfairest, -first, -last, -lest, -levest, -most, -next, -wisest, -worst.

alderman OE ealdorman(n) m., NE alder-man, *Ratsherr.*

ale OE ealo n., NE ale, *Bier.* — alestake OE ealo + staca m., NE alehousesign, *Bierpfahl (Wirtshauszeichen).*

ale = eile. | alegge = allegge.

aley AN; NE alley, *Allee, Spaziergang.*

aley OF alie, NE service-berry, *Elsebeere.*

alemandre OF almandre, NE almond-tree, *Mandelbaum.*

alembik = alambik. | alenge = elenge. alepy = onlepy.

alesnes(se) OE ǣlīesnes f., NE redemption, *Erlösung.*

algate(s), -is, allegate, ON alla götu, NE always, in any case, *immer, auf alle Fälle.*

alhone = al(l) on(e). | aly = holy.

alike, alich(e) OE anlîc, NE alike, *gleich*.

al-if OE eal(l) + gif, NE even if, *selbst wenn*.

aliene L -no; NE alienate, *entfremde*.

alige = halwe.

a-line OE on + OE lîne f., OF line, NE in a line, *in einer Linie*.

alis = ails, 3 sg. of aile = eile.

a-live OE on lîfe, NE alive, *lebendig*.

all = al.

al(l)as! OF alas! NE alas! *ach!*

allegge AN; NE adduce, *führe an, bringe bei*.

aller- = alder-.

allie AN; NE ally myself, *verbünde mich.* — allie OF alié, NE ally, relative, *Verbündeter, Verwandter.* — alliaunce AN; NE alliance, *Verbindung*.

allinge OE eallunga, -inga, NE entirely, *völlig*.

allowe OF alloue, NE approve, applaud, *gestehe zu, lobe.* | (I) allow(e) thee, *gewiß.*

allrærest OE eal ra ǽrest, NE first of all, *zu allererst*.

allswase OE eall swâ swâ, NE quite so as, *so wie*.

almahtiᵹ OE ælmeahtig, = almighty.

almenak ML almanach, NE almanac, *Almanach*.

almes(se) OE ælmesse f., NE alms, *Almosen.* — almes(se)dede OE ælmesdǽd f., NE almsdeed, *Almosenspende*.

almest = almost.

almikantera F almicantarat, NE almacantar, *Höhenkreis*.

almight, almightin, -ten = almighty.

almighty OE ælmihtig, NE almighty, *allmächtig*.

almiten = almightin s. almight.

almost(e) OE ealmǽst, NE almost, *fast.*

almury Arab.; NE pointer on the astrolabe, *Zeiger auf dem Astrolabium*.

alneway = alwey.

a lnil 183,114 OE ealnig, *immer* + L (ve)l, *oder.*

a-loft OE on + ON lopt, NE aloft, *in der Luft, Höhe*.

alon, all one OE eal(l) ân, NE alone, *allein.* — al only OE eal(l) + ânlîc adv.

a-londe OE on lande, NE on land, ashore, *zu Lande, am (ans) Ufer*.

a-long OE on gelang, NE dependent, concerning, *abhängig, betreffend*.

alose OF; NE commend, *lobe*.

a-loud(e) OE on + hlûd, NE aloud, *laut.*

a louterly cf. OE eall + ûtor, NE entirely, *völlig*.

alpe orig. obsc.; NE bull-finch, *Dompfaff*.

alpy OE ân-lîepig, ǽlpig = onlepy. | als(e) = also. | alsaume = al + sam(en). | alsnesie = a-snesie.

also, alse, as(e) OE eal(l)swâ, NE also, as (that, rel. pron.), *als (ob), sobald als, so, wie. auch. (welche).* — as in this cas NE this time, *diesmal, hier.* — as that NE as soon as, *sobald als.*

alsonsum OE eal(l)swâ + sôna + OSw., ODan. sum, NE as soon as, *sobald als.*

alsso, alswa, alswo = also.

altercacioun AN; NE altercation, *Streit.*

altre ML -ro; NE alter, *verändere.*

alther = alder.

althoᵘgh, -thauᵹ OE eal(l) + ON þ (older form: Orrm's þohh), NE although, *obschon.*

altogedere(s) OE eal(l) + tôgædere(+ s), NE altogether, *alles in allem.*

altitude L -dinem; NE altitude, *Höhe.*

alum OF; NE; *Alaun.*

alutterly = alouterly. | alve = elf.

alweldand, alwealdent, all- OE ealwealdende, NE allruling, *allwaltend.*

alwey, -way OE ealne weg, NE always, ceaselessly, *immer(zu).*

al what OE eal(l) + hwæt, NE until, *bis.*

alwitty OE eal(l) + wit(t)ig, NE omniscient, *allwissend.*

am, is, 2 sg. art, bes(t), 3 sg. is, es, bith, pl. ar(en), be(o)th, be(on), be(s), sind(en), is, es, sbj. be(o), sy. pl. be(o)n, p. was, we(o)re(n), sbj. we(o)re, we(o)ren, pp. i-be(on), i-bene, inf. be(on), ben(ne) OE êom, NE am, *bin.*

amadrides L Hamadryades, NE hamadryads, *Baumnymphen.*

amaie OF amaie, esmaie, NE dismay, *erschrecke.*

amalgaminge fr. OF amalgamer; NE amalgamation, *Amalgamierung.*

a-mang = a-mong.

amansing OE âmânsumung f., NE excommunication, *Bann.*

ambages OF; NE ambiguous words, *umschweifende, zweideutige Worte.*

ambassiatour ML ambassiatorem, NE ambassador, *Gesandter.*

ambes-as OF; NE double aces, *Doppelas (schlechtester Wurf im Würfelspiel).*

amble OF; NE ambling pace, *Paßgang.* — amble OF; NE; *gehe im Paßgang.* — amblere NE ambler, *Zelter, Paßgänger.*

ame OF aesme, esme, NE estimate, *schätze.*

amele OF esmaille, AN enamaille, NE enamel, *überziehe mit Schmelz.*

amen Hebr.; NE; *Amen.*

amende OF; NE reparation, compensation, *Buße, Genugtuung.* — amende OF; NE amend, *(ver)bessere.* — amend(e)ment OF; NE improvement, reparation, *Verbesserung, Genugtuung.*

amenuse OF; NE lessen, *vermindere.* — amenusinge NE diminution, *Verringerung.*

amerciment OF; NE fine, *Geldstrafe.*

amesure OF; NE moderate, *mäßige.*

ameve OF esmoeve, NE move, *bewege.*

ami, amie OF ami, NE friend, *Freund.* — amiable OF; NE friendly, *freundlich.*

a-midde(n), -es OE on middan, NE in the middle, *in der (die) Mitte.* — a-midward OE on middeweardan, NE in the middle, *in der (die) Mitte.*

17*

aministre OF; NE administer, *verwalte, verrichte.*

a-mis OE on + miss n., NE amiss, *falsch, verkehrt.*

amoeve = ameve.

amoneste OF; NE admonish, *ermahne.* — amonestinge NE admonition, *Ermahnung.* — amonicioun AN; NE admonition, *Ermahnung.*

a-mong(es) OE on gemang(+ gen.-es), NE among, sometimes, *unter, inmitten, bisweilen.*

a-monsie OE āmânsumige,NE excommunicate, curse, *tue in den Bann, verfluche.*

amor- s. amour.

amortise OF amortisse sbj., NE deaden, amortize, *ertöte, gebe an die tote Hand.*

a-morwe OE on morgen(n)e, NE in the morning, *am Morgen.*

amo(u)nte AN; NE amount to, mean, *erreiche eine Höhe von, betrage, bedeute.*

amour OF; NE love, *Liebe.* — amorette OF; NE love-affair, love-knot, *Liebschaft, Liebeshandel.* — amorous OF; NE; *liebevoll, verliebt.* — amorously adv.

amove = ameve.

amphibologie L -giam; NE ambiguity, *Zweideutigkeit.*

an, pl. unnen, p. uthe, pp. unned OE an(n), NE favour, grant, *gönne.*

a(n), ane, dat. sg. f. a(n)re, acc. sg. m. anne, ænne OE ân, NE a(n), *ein.*

an = a. | an = and. | an = haven (129, 25). | an = on. | anan, anæn = anon. | anker = ancre.

ancestre OF; NE ancestor, *Vorfahr.*

ancille L -lam; NE handmaiden, *Magd.*

ancle OE ancléow f., NE ancle, *Knöchel.*

ancre OE ancra m., NE anchorite, *Mönch, Nonne.*

ancre OF; NE anchor, *Anker.*

and OE; NE and, also, if, *und, auch, wenn, ob.*

and = on. | andsware = answere.

anent, anende OE on efn + t, NE in line with, close by, over against, with regard to, *in gleicher Linie mit, neben, gegenüber, mit Rücksicht auf.*

anes = ones.

a-neweste, a-neo(u)ste, a-neuste OE on nêawiste, NE in the neighbourhood, in the presence, *in der Nähe, zur Hand.*

anexe = annexe. | angel, angle = aungel.

angle OF; NE; *Winkel.* — anglehok NE fish-hook, *Angelhaken.*

angoise = anguish.

angre, anger ON angr, NE anger, trouble, *Zorn, Schmerz.* — angre ON angra, NE anger, vex, *ärgere.* — angry NE; *ärgerlich.*

anguish OF -uisse; NE anguish, *Angst, Qual.* — anguishe OF -uisse sbj.; NE anguish, *ängstige.* — anguissous AN; NE full of anguish, *traurig, betrübt.*

anhange = anho. | anhede = onhede.

anhel[1](gh)e, -heȝe fr. OE on + hêah; NE exalt, *erhöhe.*

anho(nge), anhange OE onhô, NE hang, *henke, hange.*

anhungred cf. OE ofhyngred; NE hungry, *hungrig.*

any OE ǽnig, NE any(one), *irgend ein, irgend welch.*

aniente, anientisse OF sbj.; NE annihilate, *vernichte.*

a-night OE on niht, NE at night, *in der Nacht.*

animal L; NE; *Tier, tierisch.*

anious = anoious.

anlas = Late L anelacium, O Welsh anglas, NE dagger, *Dolch.*

anlepy = onlepy. | anlik = only.

annexe F; NE annex, *hänge an.*

annueler AN; NE priest who receives annuals; who celebrates anniversary masses for the dead, *Priester, der eine Jahresrente erhält; der jährliche Totenmessen liest.*

annunciate L; NE; *künde an.*

anoy OF anoi, anui, NE vexation, *Ärger.* — anoiaunce OF anoiance, NE annoyance, *Verdruß.* — anoie OF; NE annoy, vex, *ärgere, quäle.* — anoiful NE annoying, *ärgerlich.* — anoiinge NE injury, *Schaden;* injurious, *schädlich.* — anoious AN; NE annoying, *ärgerlich.* — anoiously adv.

anointe fr. OF enoint pp.; NE anoint, *salbe, öle.*

anon(e) OE on ân, NE without interruption, at once, *in einem fort, sogleich.* — anonright(es) NE immediately, *sofort.*

another, anouther OE ân + ôther, NE another, *ein ander(er).*

a-nough = i-nough.

anoveward OE on + ufanweard, NE above, on the top, *über, oben auf.*

ansine OE ansîen f., NE lack, want, *Not, Mangel.*

anslet = hainselin.

answer(e) OE an(d)swaru f., NE answer, *Antwort.* — answere OE andswarige, NE answer, *antworte.* — answering NE answer, *Antwort.*

ant = and.

antartik OF -ique; NE antarctic, *antarktisch.*

ante = and the.

antem OE antefn m. f., NE anthem, *(Wechsel-, Chor-)Gesang.*

anter = auntre.

antiphoner L antiphonarium, NE anthem-book, *Gesangbuch.*

anunder OE on under, NE under, *unter.*

anure = honoure.

anvelt OE anfilte n., NE anvil, *Amboß.*

aornement OF; NE adornment, *Schmuck.*

apaie OF; NE satisfy, *befriedige.*

apaire = apeire. | apaise = apese.

apalle fr. OF apallir; NE grow pale, make pale, *werde bleich, mache bleich.*

aparaile AN; NE apparel, (*Aus-*)*Rüstung, Schmuck.* — aparaile AN; NE apparel, *rüste aus, schmücke.* — aparailement AN; NE preparation, apparel, *Zurüstung, Schmuck.* — aparailing NE preparation, *Ausrüstung, Vorbereitung.*

aparceive AN sbj.; = aperceive.

a-part F à part, NE aside, apart, *beiseite, besonders.*

a-party OF en partie, NE partly, *teilweise.*

a-pas = on pas(e). | apase = apese.

apasse OF, NE pass, *gehe vorüber.*

ape OE apa m., NE ape, dupe, *Affe, Geäffter.*

apeche OF empeche, NE hinder, impeach, *hindere, klage an.*

apeire OF empeire, NE injure, impair, *verschlechtere, schädige.*

apeirt = apert. | apeise = apese.

apende OF sbj.; NE belong to, *gehöre zu.*

aperceive, -seive OF sbj.; NE perceive, *nehme wahr, erkenne.* — aperceiving NE perception, *Wahrnehmung.*

apere = appere.

apert OF; NE open, lively, *offen(bar), lebhaft.* — apertly NE openly, readily, courageously, *offenbar, bereitwillig, mutig.*

apertene OF apartiene sbj., NE appertain, *gehöre.* — apertenant OF; NE belonging to, *gehörend zu.*

apese OF; NE appease, pacify, *beruhige.*

apike fr. OF pique; NE trim, adorn, *schmücke.*

a-plight OE on plihte, NE on my faith, *auf mein Wort.*

apocalips AN; NE apocalypse, *Apokalypse.*

a point OF; NE at point, ready, exactly, *auf dem Punkte, bereit, im Begriff, genau.*

apointe OF; NE appoint, *bereite, bestimme.*

apon = upon. | apose = appose.

apostle, pl. apostelles OF; NE; *Apostel.*

apotecarie AN; NE apothecary, *Apotheker.*

appalle = apalle. | apparaile = aparaile.

apparaunt AN; NE apparent, manifest, *offenbar.* — apparence AN; NE appearance, *Schein, Aussehen.*

appel OE æppel m., NE apple, *Apfel.*

appende = apende. | apperand = apparaunt.

appere AN sbj.; NE appear, *erscheine.*

appetit OF; NE appetite, desire, *Verlangen.* — appetite NE desire, *verlange.*

applie OF; NE apply, *führe hin, wende mich zu, gelange zu.*

appose OF; NE question, *frage.*

apreinte = emprente.

apprentice OF aprentis, NE apprentice, *Lehrling.* — apprentis OF; NE unskilled, *ungeübt.*

appreve OF approeve sbj., NE approve, confirm, *billige, bestätige.*

approche OF; NE approach, *nähere mich.*

appropre OF; NE appropriate, *eigne zu.*

approve OF approver inf., NE prove, confirm, commend, *beweise, bestätige, lobe.*

approwour NE informer, *Berichterstatter.*

apurtena(u)nce AN; NE appurtenance, *Zubehör.*

aqueinte AN; NE acquaint, *mache bekannt.* — aqueintaunce, aquointaunce AN; NE acquaintance, *Bekanntschaft.*

aquite OF; NE acquit, *bezahle, befreie;* aquite me NE acquit myself, *entledige mich.* — aquita(u)nce AN; NE acquittance, *Befriedigung, Entlassung.*

ar = he(o)re, gen. pl. of he. | ar(e) s. am. | ar(e) = ore, NE ere.

arace OF; NE eradicate, uproot, *reiße heraus.*

aray, arey OF arrai, NE array, dress, *Ordnung, Zurüstung, Anzug.* — araie OF arraie, NE array, *ordne, rüste zu, kleide.*

arbitre OF; NE will, choice, *Wille, Wahl.*

arblaster(e) OF arbalestier, NE arbalister, *Armbrustschütze.*

ark(e) OE earc f., L arcam, NE chest, ark, *Lade, Truhe, Arche.*

arc(h) OF arc, arche, NE arc, arch, *Bogen (Sonnenbahn).* — archer AN; NE; *Bogenschütze.*

archa(u)ngel L archangelum, NE archangel, *Erzengel;* titmouse, *Meise.*

arch(e) OF arche, = ark(e).

archebishop OE ærcebisc(e)op, NE archbishop, *Erzbischof.* — archedekne OE ærcedêacon, NE archdeacon, *Archidiakon, Erzdechant.*

archewife OE ærce- + wîf n., NE archwife, ruling wife, *Erzweib, Mannweib.*

ard = art s. am. | -ard s. hard.

ardaunt AN; NE ardent, *glühend.*

are s. am. | are = a(n)re s. a(n).

aredy cf. OE ā-ræd; NE ready, *bereit, fertig.*

areʒe = arwe, NE bad. | arey = aray. | arem = arm, NE poor.

aresone OF; NE question, call to account, *befrage, stelle zur Rede.*

arest OF arest(e), NE rest (for a spear), *Lanzenschuh.* — areste OF arest, NE arrest, *Aufenthalt, Verfügung.* — areste OF; NE stop, *halte an, verweile.*

arette AN; NE reckon, accuse, *rechne, beschuldige.*

a-rewe, a-reawe OE on rêwe, NE in succession, *der Reihe nach.*

arewe = arwe, NE arrow.

argoile AN argoil, NE dregs of wine, *Hefe des Weines.*

argue OF; NE; *argumentiere, verdächtige.* — arguinge NE arguing, *Argumentieren.*

argument OF; L -tum; NE argument, *Beweis, Grund.* — argumente L -tor; NE argue, *argumentiere.*

a-right, a-richt OE on rihte, NE rightly, straight forward, *richtig, geradeaus.*

a-riser fr. OE ā-rîse, NE one who stands up, *einer der sich erhebt.* — **a-rising** NE rising, rise, *Aufstehen, Auferstehung.*

a-riste OE ǣrist f., NE rising, resurrection, *(Sonnen-)Aufgang, Auferstehung.*

arive = arrive.

arm OE earm, NE poor, miserable, *arm, elend.* — **armthe** cf. OE iermþ(e) f., NE poverty, *Armut.*

arm OE earm m., NE arm, *Arm.* — **arm-gret** OE earm + grêat, NE thick as one's arm, *armstark.* — **armhole** OE earm + hol n., NE arm-pit, *Achselhöhle.* — **armles** NE armless, without an arm, *ohne Arm.*

arm = harm.

arme OF; NE arm, *bewaffne.* — **armes** OF; NE arms, weapons, *Waffen.* — **arminge** NE (putting on of) armour, *(Anlegen der) Rüstung.*

armee OF; NE army, *Heereszug.*

armipotente L -tem; NE powerful in arms, *waffengewaltig.*

armoniak L armeniacum, NE ammoniac, *ammoniakalisch.*

armonie OF harmonie, NE harmony, *Harmonie.*

armthe s. arm, NE poor.

armure OF; NE armour, *Waffen.* — **armurer** AN; NE armourer, *Waffenschmied.*

arnde s. renne. | ar(o)n = ar(en) s. am.

a-roste OE on + OF roste, NE roast, *röste.*

a-roume OE on + rûm, NE at a distance, *entfernt.*

a-rowe OE on râwe, = a-rewe. | arowe = arwe. | arrace = arace. | arrai(e), arai(e). | arren = aren s. am.

arrerage OF arerage, NE arrears, *rückständige Summe.*

arrette = arette. | arriser = a-riser.

ar(r)ive Ch. CT. A 60 NE arrival, landing, *Ankunft, Landung* (if not wrong for 'arme'). — **arrive** OF; NE; *komme an.* — **arrivage** OF; NE coming to shore, *Landung.* — **arrivaile** NE landing, arrival, *Landung, Ankunft.*

arrogance OF; NE; *Anmaßung.* — **arrogant** OF; NE; *anmaßend.*

arsenik OF; NE arsenic, *Arsenik.*

arsmetrike OF arismetique, NE arithmetic, *Arithmetik.*

arst = erst.

art s. am.

art(e) OF art, NE; *Kunst.* — **artificial** L -lem; NE artificial, *künstlich;* ar. day, *mittlerer, durchschnittlicher Tag.*

arte OF; NE constrain, urge, *enge ein, betreibe eifrig.*

artellerie OF artillerie, NE artillery, *Kriegsmaschine, Kriegsgerät.*

artificial s. art(e).

artik OF artique, NE arctic, northern, *arktisch, nördlich.*

artow, artu = art thou. | aruwe = arwe.

arwe OE ar(e)we f., NE arrow, *Pfeil.*

arwe OE earh, NE cowardly, bad, *feig, schlecht.*

as OF; NE ace, *As.*

as = also. | as = has s. have. | asay = assay.

ascape OF; NE escape, *entgehe.*

ascaunce orig. obsc.; NE as though, *als wenn.*

aske OE âscige, âxige, NE ask, *frage, verlange, heische.* — **asking** OE âscung, âxung f., NE question, demand, *Frage, Bitte.*

aske = ashe, NE ashes. — **askebathie** cf. OE asce f. + baþige; NE one who sits in the ashes, *Aschenbrödel.*

ascencioun AN; NE ascension, *Ersteigung, Aufsteigen.*

ascende OF sbj.; NE ascend, *ersteige.* — **ascendent** OF ascendant, NE ascendant, *Aufgangspunkt, Horoskop.*

ascry OF escri, NE outcry, alarm, *Alarm.*

ase = also. | asemble = assemble. | asent = assent.

a-setnesse OE ā-set(t)nes f., NE law, institution, *Gesetz, Bestimmung, Einrichtung.*

aseuraunce = assuraunce.

a-shamed OE âsc(e)amod, NE ashamed, *beschämt.*

ash(e) OE æsc m., NE ash-tree, *Esche.*

ashe OE asce f., NE ashes, *Asche.* — **ashy** NE strewn with ashes, *mit Asche bestreut.*

a-side OE on sîdan, NE aside, *beiseite.*

asigne = assigne.

a-slepe OE on slǽpe, NE asleep, *im Schlafe.*

a-slope cf. OE on + slûpan; NE aslant, *schief, quer.*

a-sonder OE on sundran, NE asunder, apart, *abgesondert.*

asp(e) OE æspe f., NE aspen-tree, *Espe.* — **aspen** OE æspen, NE belonging to an aspen-tree, *zu einer Espe gehörig.* — **aspenlef** OE æs] + lêaf n., NE leaf of an aspen-tree, *Espenblatt.*

aspect L -tum; NE aspect, *Anblick.*

aspie OF espie, NE spy, watch, *spähe, belauere.* — **aspie** OF espie, NE spy, *Späher.*

aspre OF; NE sharp, rough, *scharf, rauh.* — **asprenesse** NE sharpness, *Schärfe.*

a-squint cf. OE on + Du. schuinte; NE asquint, *schielend, schief.*

assay AN assai, NE trial, *Prüfung, Versuch.* — **assaie** AN; NE try, *prüfe, versuche.*

assail(l)e AN sbj.; NE assail, attack, *greife an.*

assaut OF; NE assault, *Angriff.*

ass(e) OE assa m. NE ass, *Esel.*

assege OF; NE besiege, *belagere.* — **assege** fr. the vb.; NE siege, *Belagerung.*

assemblen OF -er; NE assemble, *sich versammeln.* — assemblee OF; NE assembly, *Versammlung.* — assemblinge NE union, *Vereinigung.*

assendent = ascendent. | assencioun = ascencioun.

assent OF; NE assent, harmony, *Zustimmung, Harmonie.* — assente, ascente OF; NE assent, *stimme zu.*

asseth OF as(s)et, NE satisfaction, reparation, *Genugtuung, Buße.*

asseure = assure.

assigne OF; NE assign, *bestimme, weise an.*

assise OF; NE assize, session, size, condition, manner, *Gericht(ssitzung), Größe, Zustand, Weise.* — assise cf. sb.; NE appoint, *bestimme.* — assisour AN; NE sworn recognitor, *Geschworner.*

assoigne = essoine.

assoil(i)e, assolze OF assoille sbj., NE absolve, unknit, explain, *spreche los, löse auf, erkläre.* — assoiling NE absolution, explanation, *Lossprechung, Erklärung.*

assoine = essoine. | assolie = assoile. | assunder = a-sonder.

assumpcioun AN; NE assumption, *Himmelfahrt.*

assure fr. the vb.; NE assurance, *Versicherung.* — assure AN; NE make sure, feel secure, trust, *mache sicher, fühle mich sicher, vertraue.* — assuraunce AN; NE assurance, *Versicherung.*

asswage = aswage.

asswithe OE eal(l)swâ + swîþe, NE as quickly as possible, immediately, *so schnell als möglich, sofort.*

astat OF estat, NE state, *Zustand, Stand.*

asterte = atsterte. | astonde = atstonde.

astonie OF estone, NE astonish, *mache bestürzt.* — astoniinge NE astonishment, *Erstaunen, Bestürzung.*

astore OF estore, NE store, *statte aus.*

astow 33, 896 = as thou.

a-stray fr. OE on + OF estraier; NE astray, *umherirrend.*

astrolabie, astrelabie L astrolabium, NE astrolabe, *Astrolabium, Winkelmesser.* — astrologer NE; *Sterndeuter.* — astrologie OF; NE astrology, *Astrologie, Sternkunde.* — astrologien OF; NE astrologer, *Astrolog.* — astro(no)mie OF astronomie, NE astronomy, *Astronomie.* — astro(no)mien OF astronomien, NE astronomer, *Sternkundiger.*

a-strout fr. OE on + strûtige; NE sticking out, *hervorstehend.*

astudie OF estudie, NE study, *studiere.*

a-sunder = a-sonder.

asure OF asur, NE azure, *Azur.* — asurd NE azured, coloured azure, *azurn.*

aswage AN asuage, NE assuage, mitigate, *besänftige, mildere.*

a-swown cf. OE geswôgen; NE in a swoon, *in Ohnmacht.*

at OE æt, NE at, from, *an, bei, neben, von.* — at-after OE æt + æfter, NE after, *nach.*

at = that. | ataine = atteine.

ataste OF; NE taste, *koste, genieße.*

atazir Span.; NE evil influence (astrol.), *schlimme Wirkung.*

ate = at the.

aten OE æt þêm, NE at the.

ateine = atteine.

ateliche OE atol(l)ic, NE terrible, *schrecklich.*

atempre OF; NE temper, regulate, *mildere, regle.* — atempraunce AN; NE temperance, *Mäßigung.* — atempre OF; NE temperate, *gemäßigt.* — attemprely adv. — atempringe NE regulation, *Regelung.*

atfore(n) OE ætforan, NE before, in the presence of, *vor, in Gegenwart von.*

atgo OE æt + gâ, NE depart, *gehe weg.*

athamaunt = adamant. | athe, athte = aughte. | at-he 1C7, 158 = at he, *in die Höhe.*

athel(e) OE æþele, NE noble (man), *edel(er Mann).* — atheling OE æþeling m., NE nobleman, *Edelmann.*

athet OE ôþ-þæt, NE until, *bis.*

at-hinden OE æt-hindan, NE behind, *hinter, hinten.*

athinken OE ofþincan, NE displease, repent, *mißfallen, reuen.*

athürst = ofthirst.

atir AN; NE attire, dress, *Kleidung.* — atire OF; NE attire, dress, *kleide.*

a-to = a-two.

aton(es) OE æt ânum (+ s), NE together, at one, *zusammen, überein.*

atount AN atouné, NE confounded, *bestürzt.*

atour OE æt + ofer, NE above, beyond, *über.*

atrede OE æt + rǽde, NE surpass in counsel, *übertreffe an Rat.*

atrenne OE æt + ON renna, NE surpass in running, *übertreffe im Laufen.*

atrute cf. OE æt + OF route; NE escape, *entfliehe.*

atsake OE ætsace, NE deny, *verleugne.*

atsterte OE æt + cf. OE steartlige; NE escape, *entweiche.*

atstonde OE ætstonde, NE stand still, resist, *bleibe stehen, widerstehe.*

attaine = atteine.

attame OF atame, NE broach, cut into, *steche an (Faß), schneide an.*

attare = at hare, NE at her. | atte = at the.

atteine OF ateigne, NE attain, *erreiche.*

attemperaunce, attempre = atemp-.

attencioun AN; NE attention, *Aufmerksamkeit.* — attendaunce AN; NE attention, *Aufmerksamkeit.* — attentifly cf. OF ententif; NE attentively, *aufmerksam.*

atter OE ât(t)or n., NE venom, *Gift.* —
ı-**attred** OE geæt(t)red, NE poisoned,
vergiftet. — **attry** OE ætrig, NE veno-
mous, *giftig.* — **attri-iteiled** fr. OE
ætrig + tægl m.; NE with a venomous
tail, *giftgeschwänzt.*

atto(u)rnei AN attourné, NE attorney,
Sachwalter.

attour AN; NE adornment, equipment,
Schmuck, Ausrüstung. — **attourne** AN;
NE return, dress, *kehre zurück, mache
zurecht, schmücke.* — **attourning** NE
return, *Rückkehr.*

attry s. atter.

attricioun L -itionem; NE contrition,
Zerknirschung.

aturne = attourne.

a-twein OE on + twêgen, NE in twain,
entzwei.

a-twen OE on + twêonum, NE between,
zwischen.

a-twinne OE on + twin(n), NE asonder,
getrennt.

atwite, p. atwot, atwite(n), pp. atwite(n)
OE ætwîte, NE reproach, *werfe vor.*

a-twixen cf. OE on + -twix; NE between,
zwischen.

a-two OE on twâ, NE in twain. *entzwei.*

auchte = eighte.

aucto(u)r AN; L auctorem, NE author,
Autor. — **auctoritee** AN -té; NE
authority, *Autorität.*

audience OF; NE hearing, *Zuhören.* —
auditour AN; NE auditor, *Zuhörer.*

aught OE âwiht, âht, NE aught, anything,
irgend etwas, irgendwie, etwa.

augrim OF augorime, NE arithmetic,
Rechenkunst. — **augrimston** OF augo-
rime + OE stân m., NE stone or counter for
calculating, *Stein oder Marke zum Rechnen.*

augurie OF; NE augury, *Wahrsagen,
Anzeichen.*

august, -ost L Augustum, NE August,
Augustmonat.

auh OE ah, NE but, *aber.*

ı-**auhte** OE ge-eahtige, NE reckon, *rechne.*

auld = old.

aule L aulam, NE court, *Hof.*

aule = oule NE awl.

aum(en)ere cf. OF aumosnier; NE alms-
bag, *Almosenbeutel.*

aumente It.-to; NE augment, *mehre.*

aun = owe(n).

auncessour AN; NE ancestor, *Vorfahr,
Ahne.* — **auncestre** AN; NE ancestor,
Vorfahr, Ahn. — **auncetrie** OF ances-
serie, NE ancestry, *Abstammung, Ahnen.*
— **auncian**, -ien AN; NE ancient, *alt-
(ertümlich).*

aungel AN cf. OE engel; NE angel, *Engel.*
— **aungellik** F angelique cf. OE -lîc,
NE angelical, *engelgleich.*

aunswere = answere.

aunte AN; NE aunt, *Tante.*

auntre, auntire, auntour OF aventure,
NE adventure, chance, *Abenteuer, Zufall.*

— by an **anter** NE suddenly, *plötzlich.*
— **auntre** OF aventure, NE risk, *wage.*
— **auntrous** AN aventurous, NE ad-
venturous, *zufällig, abenteuerlich.*

autentike OF -ique; NE authentic, *authen-
tisch.*

auter OF; NE altar, *Altar.*

authour = auctour.

autompne OF; NE autumn, *Herbst.*

autoritee = auctoritee. | **autour** =
auctour.

avail(l)e fr. the vb.; NE avail, *Vorteil,
Nutzen.* — avail(l)e cf. OF vaille sbj.;
NE avail, aid, *nütze, helfe.*

avale OF; NE go down, take down, *gehe
herunter, nehme, lasse herunter.*

avant = avaunt.

avarice OF; NE; *Geiz, Habsucht.*

avaunce, -se AN; NE promote, (be)*fördere.*
— **avaunt** AN; NE onward, forward, *vor-
wärts.* — **ava(u)ntage** AN; NE ad-
vantage, *Vorteil.*

avaunt fr. the vb.; NE vaunt, boast,
Prahlerei. — **avaunte** AN; NE vaunt,
boast, *rühme, prahle.* — **avaunting** NE
boasting, *Ruhmredigkeit.* — **avauntour**
AN; NE boaster, *Prahler.*

ave L; NE; *ave.*

ave = have.

avenaunt AN; NE graceful, omely, *an-
mutig.*

aventail(l)e AN -aille; NE ventail, *Visier-
klappe.*

aventure, -tour = auntre. | **aventurous**
= auntrous. | **aver(e)** = ever. | **a-vere**
238,₃₂ = a-fire. | **avinant** = avenaunt.

avis OF; NE advice, opinion, *Rat, Mei-
nung.* — **avise** OF; NE consider, notice,
advise, *erwäge, erdenke, bemerke, berate.*
— **avisee** OF -sé; NE deliberate, *überlegt,
besonnen.* — **avisely** NE advisedly, *mit
Bedacht.* — **avisement** OF; NE consi-
deration, counsel, *Überlegung, Rat.*

avisio(u)n AN; NE vision, *Vision.*

avoy OF avoi, NE fie! *pfui!*

avouterie OF; NE adultery, *Ehebruch.* —
avoutier, avoutre AN avoultier, OF
avoutre, NE adulterer, *Ehebrecher.*

avow fr. the vb; NE vow, *Gelübde.* —
avowe AN; NE avow, *gelobe.*

a-way- = a-wey-.

await AN; NE watch, lying in wait,
Wacht, Lauer. — **awaite** AN; NE
await, *spähe, warte.* — **awaiting** NE
attention, *Aufmerksamkeit.* — **awaitour**
NE lier in wait, *Auflaurer.*

award fr. the vb.; NE decision, *Entschei-
dung.* — **awarde** AN; NE award, *ur-
teile, bezahle.*

awe ON agi, NE awe, fear, *Furcht,
Schrecken.*

awe(n) = owe(n).

a-wey(e), away(e), a-wa OE on weg, NE
away *weg, fort.* — **a-waiward** OE on
weg + -weard, NE away, *(hin)weg. fort.*

awm(en)ere = aum(en)ere.

a-wepe cf. OE on + wêpe; NE weeping, *weinend.*

a-werke OE on weorce, NE at work, *bei der Arbeit.*

awhape cf. Goth. afwapja; NE amaze, *setze in Verwirrung.*

awne cf. MHG ougene; NE show, *zeige.*

a-wold OE on geweald, NE at one's disposal, *zur Verfügung.*

awre, awro = owher.

a-wry fr. OE on + wrîgige; NE on one side. *schief.*

ax OE æx f., NE axe, *Axt.*

axe = aske, NE ask. | axe = ashe, *Asche.* | axes = accesse. | axing = asking.

a-ye(i)n, a-ya(i)n, a-yean, a-ye, also ag-OE ongegn > ongiên, ongægn > on-geân, cf. ON ī gegn, NE again, back, *gegen, wieder, zurück.* — a-yeins(t), a-yeines OE ong. + es, NE against, *gegen.* — ayenbite OE ong. + bite m., cf. L remorsus; NE remorse, *(Gewissens-) Biss.* — a-yeinlede OE ong. +lǣde, NE re-conduct, *führe zurück.* — a-yeinseie, -saie OE ong. + secge, NE contradict, *widerspreche.* — a-yeinstonde OE ong. +stande, NE resist. *widerstehe.* — ayein-stonding NE resistance, *Widerstand.* — a-ye(i)ntorninge OE ong. + turnunge f., NE return, *Rückkehr.* — ayeinward OE ongegnweard, NE backward again, on the other hand, *rückwärts, wiederum, andererseits.*

azimut OF; NE azimuth, *Azimut.*

B.

ba onomat.; NE kiss, *küsse.*

ba OE bâ = bothe.

babe onomat., cf. NE babble; NE babe, *kleines Kind.*

babel OF; NE bauble, *Narrenkolben.*

babeuri = babwinerie? NE burlesque absurdity, *komische Abgeschmacktheit.*

babewin, babuin OF babuin, NE ba-boon, *Pavian.*

bak OE bæc n., NE back, *Rücken.* — bak NE (a)back, *zurück, rückwärts.* — bakbite OE bæc + bîte, NE backbite, *verleumde.* — bakbiter cf. ON bakbītari; NE backbiter, *Verleumder.* — bakbit-ing, -unge NEbackbiting, *Verleumdung.* — bak(ke)bon OE bæc + bân n., NE backbone, *Rückgrat.* — bakhalf OE bæc + healf f., NE backside, *Rückseite.* — bakside OE bæc + sîde f., NE backside, *Rückseite.* — bakward OE bæc+ weard, NE backwards, *rückwärts.*

bake, p. bok, boke(n), pp. ⁱ-bake(n), baked OE bace, NE bake, *backe.* — bakemete OE bace + mete, NE pie, *Pastete.* — bakere OE bæcere m., NE baker, *Bäcker.*

bachelere AN; NE bachelor, young knight *Junggeselle, junger Ritter.* — bachelerie OF; NE bachelorhood, company of young men, *Junggesellenstand, Schar junger Leute.*

bacin OF; NE basin, *Becken.*

baco(u)n AN; NE bacon, *Schinken, Speck-seite.*

bad(de) s. bidde.

bad(de) cf. OE bæddel m., bædling m.; NE bad, *schlecht.* — baddeliche NE badly, *schlecht.*

bade fr. OE bîdan; NE stay, *weile, ertrage.*

bade = bode, NE delay. | bæd = bad(de) s. bidde. | bære = bere, NE bier.

bag(ge) ON baggi, NE bag, *Sack, Beutel.* — baggepipe ON baggi + OE pîpe f., NE bagpipe. *Dudelsack.*

bagge orig. obsc.; NE squint, *schiele.* — baggingly NE squintingly, *schielend.*

bay OF bai, NE bay-coloured, *rötlichbraun.* — baiard OF baiart, NE bay (horse), *braun, Brauner, Pferd.*

bay 63, 967 orig. obsc.; NE round, thick, *rundlich.*

baily OF baillie, NE office, power, *Amt, Gewalt.* — bail(l)y OF bailli, = baillif. — baillif OF; NE bailiff, *Amtmann, Verwalter.*

bain ON beinn, NE prompt, obedient, *schnell, gehorsam.*

baisment = abashement. | baitaille = bataile.

bait(e) ON beita, NE bait, chase, *Köder, Jagd.* — baite ON beita, NE feed, torment, chase, *füttere, quäle, jage.*

baith = both.

bal, ball OF balle, NE ball, *Ball, Kugel.*

balade OF; NE ballad, *Tanzlied.*

balaunce AN; NE balance, *Wage.*

balke OE balca m., NE balk, beam, ridge between two furrows, *Balken, Rain.*

bald = bold. | baldore, -ure comp. of bald = bold.

bale, dat. balewe OE bealu, gen. bealwes n., NE sorrow, *Kummer, Elend.* — bal(e)-ful OE bealofull, NE evil, *schlimm.* — balesith, baleusith OE bealosîþ m., NE misfortune, *Unglück.*

balled cf. ODan. bældet; NE bald, *kahl.*

balme = baume. | ban = bon. | ban = banne.

bank ON bakki (< *banke), NE bank (of a river), hill, *Ufer, Hügel.*

banker OF banquier, NE carpet for a bench, *Bankteppich.*

band s. binde.

band(e) ON band, NE band, string, obli-gation, *Band, Verpflichtung.*

bando(u)n AN; NE discretion, power, *Willkür, Gewalt.*

ban(e) = bon. | ban(e) = banne.

bane OE bana m., NE destroyer, destruc-tion, *Verderber, Verderben.*

baner AN banere, NE banner, *Banner.*

banishe OF banisse sbj., NE banish, *verbanne.*

ban(ne) OE ban(n) n., NE ban, edict, *Aufgebot, Verkündigung.* — banne OE; NE summon, curse, *entbiete, verfluche.*

baptisme OF; NE baptism, *Taufe.* — baptist OF -te; NE baptist, *Täufer.*

barbar L -rum; NE barbarian, *Barbar.* — barbre NE barbarous, *barbarisch.*

bar adj. s. bare. | **bar vb.** s. bere.

barbe OF; NE barb, *Widerhaken*; sort of veil used by women, *Barbe (Art Frauenschleier).*

barbican(e) F barbacane, NE outwork of a fortress, *Außenwerk einer Festung.*

barbour AN; NE barber, *Barbier.*

barbre s. barbar.

bark Dan; NE; *Borke, Rinde.*

barke = berke.

bare, bar OE bær, NE bare, poor, *bar, bloß, arm.* — bar(e)fot OE bær(e)fôt, NE barefoot, *barfuß.*

bare = bor.

bareine, -aine AN; NE barren, *unfruchtbar, kahl.*

barel OF baril, NE barrel, *Faß.*

baren = barn.

baret OF barat, NE strife, grief, *Kampf, Kummer.*

bargain, bargan OF bargaine, NE bargain, *Handel.* — bargaininge NE bargaining, *Handeln.*

barge OF; NE; *Barke.*

barin = barn.

barly cf. OE bere m.; NE barley, *Gerste.* — barlybred ME barly + OE brêad n., NE barley-bread, *Gerstenbrot.*

barm OE bearm m., NE lap, bosom, *Schoß, Busen.* — barmcloth OE bearmclâþ n., NE apron, *Schürze.*

barn OE bearn n., NE bairn, child, *Kind.* — barn(i)tem(e) OE bearntêam m., NE offspring, *Nachkommenschaft, Sprößling.*

baro(u)n AN; NE baron, *Baron.* — bar(o)nage OF barnage, NE baronage, *(Gesamtheit der) Barone.*

barre OF; NE bar, *Riegel, Schranke*; bar, *verriegele, umgebe mit Schranken.* — barringe NE barring, adorning with (heraldic) bars, *Verriegelung, Verzierung mit Buckeln.*

bas, base OF base, NE; *Basis.*

basket cf. Norm. basquette; NE basket, *Korb.*

bashement = abashement.

basilicok, basiliskoc L basiliscum, NE basilisk, *Basilisk.*

basin = bacin. | basme = baume.

baste OF sbj.; NE; *nähe lose, hefte.*

bastele, bastile OF bastille, NE tower of a castle, *Festungsturm.* — bastelrof OF bastille + OE hrôf n., NE roof of a 'bastele', *Dach eines Festungsturmes.*

baston OF; NE stanza, *Strophe.*

bat sb. = bot. | bat vb. = 3 sg. of bete.

batail(l)e, -ail, -eil OF -aille; NE (line of) battle, *Schlacht(reihe).* — bataile OF -aille; NE fight, embattle, *kämpfe, versehe mit Zinnen.*

bat(e) OF debat, NE strife, *Kampf, Streit.* — bate OF debate sbj., NE strive, bet, *streite, wette.*

bate = abate.

batelment OF batilement, NE battlement, *Zinne.*

batere fr. OF batre; NE batter, *schlage.*

bath OE bæþ n., NE bath, *Bad.* — bathe OE baþige, NE bathe, bade (*mich*).

bath(e), gen. bathre = both(e).

baude, bawdestrot OF baudetrot, NE bawd, *Kuppler(in), Metze.* — bauderie OF; NE bawdry, mirth, *Kuppelei, Unzucht, Fröhlichkeit.* — baudy NE bawdy, dirty, *schmutzig.*

baudric OF baldret, baldrei, NE baldric, *Gürtel.*

baume OF ba(u)sme, NE balm, *Balsam.* — baume NE embalm, *balsamiere ein.*

baundon = bandoun. | bawd- = baud-. | baw(l)me = baume.

be OE bêo f., NE bee, *Biene.*

be- = bi-. | be = by. | be sb. = belgh, NE ring. | be, beo vb. s. am. | bealte OF -té; = beautee.

beau OF; NE fair, *schön.* — beautee OF -té; NE beauty, *Schönheit.*

bek OF bec, NE beak, *Schnabel.*

beck OE bece m., ON bekkr, NE brook, *Bach.*

bekke cf. OE bêacnige; NE beckon, nod, *winke, nicke.*

bech OE bêce f., NE beech-tree, *Buche.* — bechen OE bêcen, NE beechen, of beech, *buchen.*

bechop = bishop.

bed OE bed(d) n., NE bed, *Bett.* — bedde OE beddige, NE bed, *bette.* — bedding(e) OE bedding f., NE bedding, couch, *Bettzeug, Bett.* — bedrede OE bedreda, NE bedridden, *bettlägerig.* — bedstraw OE bed(d) + strêaw n., NE bedstraw, *Bettstroh.*

bed s. bidde.

bede, beode, p. bed(e), beod, bede(n), pp. i-bode(n) OE bêode, NE (pr)offer, command, *biete dar, gebiete.*

bede OE (ge)bed n., NE prayer, bead, *Gebet(skügelchen).*

bedel = bidel. | bede(n) s. bidde. | bedene = bidene.

bef, beof, AN boef, NE beef, *Rind(fleisch).*

begge AN; NE beg, *bettle.* — begger(e), -are OF begard, NE beggar, *Bettler.* — beggarly NE; *bettlerhaft.* — beggestere NE (female) beggar, *Bettler(in).* — beggeth, begged NE begging, *Betteln.* — begging(e) NE begging, *Bettelei.*

ᵃ-begge = ᵃ-bie.

beigh, bei, bi(gh) OE bêag m., NE ring, *Ring*.

beighe, beie, bi(gh)e OE biege, NE bend, *beuge*.

beizen, beie, beine OE bêgen, NE both, *beide*.

beine = be(n), pp. of am.

being(e) cf. OE bêo; NE being, essence, *Dasein, Wesen*.

beire OE bêgra, gen. of beie(n).

bel(e) OF bel, NE fair, good, *schön, gut*. — belami(e) OF bel ami, NE good friend, fair friend, *guter Freund*.

beld(e) OE bieldo f., gebield, NE courage, comfort, *Mut, Trost*. — belde OE bielde, NE encourage, protect, grow vigorous, take shelter, *ermutige, beschütze, erstarke, finde Schutz*.

bele cf. OE bêl n.; NE burn, *brenne*.

a-belze, p. a-balh, pp. a-bolze(n), a-bolwe(n) OE (ā)belge, NE make angry, grow angry, *erzürne (mich)*.

bely, belle OE b(i)elg m., NE belly, bellows, (*Blase-*)*Balg, Bauch, Leib*. — belynaked OE b(i)elg + nacod, NE entirely naked, *splitternackt*.

belle OE f.; NE bell, *Glocke*.

belle = belwe.

belt OE m.; NE; *Gürtel*.

belwe cf. OE belle *and* bylgige; NE bellow, *brülle*.

bem OE bêam m., NE beam, *Balken, Strahl*.

beme OE bieme f., NE trumpet, *Trompete*. — bemare OE bîemere m., NE trumpeter, *Trompeter*.

ben, beon s. am.

bench(e) OE benc f., NE bench, *Bank*. — benche OE bencige, NE furnish with benches, *statte mit Bänken aus*.

bend OE m. f. n.; NE band, bond, *Band, Fessel, Binde*.

bende OE; NE bend, *biege, spanne* (*Bogen*). — bendinge NE adorning with (heraldic) bends, *Schmücken mit (heraldischen) Bändern*.

bene OE bêan f., NE bean, *Bohne*. — benestraw OE bêan + strêaw n., NE bean-straw, *Bohnenstroh*.

bene OE bên f., NE prayer, request, *Bitte, Gesuch*.

bene orig. obsc.; NE radiant, beautiful, *glänzend, schön*.

benedicite L; NE a blessing, an ejaculation of astonishment, *ein Segenswunsch, ein Ausruf der Verwunderung*.

benefice OF; NE; *gute Tat, Wohltat, Pfründe*.

benigne OF; NE benign, kind, *gütig*. — benignely adv. — benignitee OF -té; NE benignity, *Güte*.

beniso(u)n AN beneiçoun, NE benison, blessing, *Segen*.

benste = benedicite.

bent OE beonet, NE bent-grass, *Binse, Gras*.

bent cf. bende; NE moor, grassy slope, *Moor, Halde*.

beod = be(o)th s. am. | a-beod p. of a-bide. | beonne = banne. | beore = bere, *trage*. | beovie = bivie.

ber OE bêor n., NE beer, *Bier*.

berke, p. bark, pp. burken, borken OE beorce, NE bark, *belle*.

berd(e) OE beard m., NE beard, *Bart*; make a berd NE cheat, *täusche*.

berde = birde.

bere OE bera m., NE bear, *Bär*. — bereskin OE bera + ON skinn, NE bearskin, *Bärenhaut*.

bere, beore, p. bar, ber(e), bere(n), bare(n), pp. i-bore(n), born(e) OE bere, NE bear, *trage, gebäre* (*halte, werfe*). — a-bere, a-beore OE (ā)bere, NE carry, endure, (*er*)*trage*. — berer(e) NE bearer, conductor, *Träger, Führer*. — bering(e), beoring NE bearing, birth, *Tragen, Geburt*.

bere OE bêr f., NE bier, *Bahre*.

bere cf. MDu. buur; NE pillow-case, *Bettüberzug*.

-bere, beare OE (ge)bêru n. pl., NE behaviour, noise, *Betragen, Lärm*. — i-bere OE gebêre, NE behave, lament, *gebare mich, klage*. — beringe NE bearing, behaviour, *Gebaren, Betragen*.

bere, beare OE bêre, NE wave, *Woge*.

berze, p. bargh, borge(n), pp. i-borge(n) OE beorge, NE protect, save, *berge, rette*. — berhles OE *beorgels m., NE salvation, *Rettung*.

bery, berie OE berige f., NE berry, *Beere*.

berie = birie. | berizing = biriing.

berile OF beril, NE beryl, *Beryll*.

berine, berinne = berne.

berm OE beorma m., NE barm, yeast, *Bärme, Hefe*.

berm = barm.

bern OE ber(e-ær)n n., NE barn, *Scheuer, Scheune*. — bernedor OE bern + dor n., NE barndoor, *Scheunentor*.

bern OE beorn m., NE man, warrior, *Mann, Kämpe*.

bern = barn.

berne, brenne, p. bernde, brende OE bierne, beorne, ON brenna, NE burn, *brenne*.

berste = breste. | bes s. am.

besaunt AN; NE besant, *Byzantiner* (*Goldmünze*). — besauntwight AN besaunt + OE wiht n., NE weight of a besant, *Gewicht eines Byzantiners*.

besy = bisy.

best, beast OE betst, NE best, *best*.

best(e) OF beste, NE beast, *Tier, Bestie*. bestialitee OF -té; NE nature of a beast, *tierische Natur*.

besteriinge = bistiring.

besternais OF bestorneis, NE awry, *verkehrt*.

bet, beot OE bêot m., NE threat, *Drohung*.
bet OE adv.; = bettre. | bet = be(o)th
s. am. | bet = be it.
bete, p. bet(te), bette(n), pp. i-bet(t)e(n)
OE bêate, NE beat, *schlage*. — beting
NE beating, *Züchtigung*.
bete OE bête, NE amend, remedy, atone,
bessere, heile, büße.
betere, bether = bettre.
bettre, better, -ir OE betera, adv. bet,
NE better, *besser*; go bet NE go
quickly, *gehe fürbaß*; bet(ter) than
wel NE still more, *noch mehr*. — better
NE gain, *Gewinn*. — bettere OE beter-
ige, NE make better, *mache besser*.
beutee = beautee.
bever OE beofor m., NE beaver, *Biber*;
made of beaver, *aus Biberpelz*. — bever-
hat OE beofor + hæt(t) m., NE beaver-
hat, *Biberhut*. — bever hued, -hwed
OE beofor + hîwod, NE beaver-coloured,
biberfarben.
beverage AN; NE; *Getränk*.
bevir cf. OE bifige; NE trembling, *zitternd,
altersschwach*.
bewe = beie or bowe, NE bend. | bezste
= beste.
by OE bî, NE by, beside, *bei, an, für, von,
durch, mit, dabei, dazu*.
by = be inf. or pr. sbj. of am.
bibbe L bibo, NE imbibe, drink, *trinke*.
bibirie OE bebyrige, NE bury, *begrabe*.
bible, bibel OF bible, NE; *Bibel, Buch*.
biblede OE be + blêde, NE cover with
blood, *bedecke mit Blut*.
biblotte OE be + ME blotte, NE blot,
beflecke.
bibuʒe, p. bibah OE bebûge, NE surround,
escape, *umzingele, entfliehe*.
bibürie = bibirie.
bikache OE be + Pic. cache, NE entrap,
fange.
bicause OE be + OF cause, NE because,
wegen.
bikeche = bikache.
bikenne OE be + cenne, NE signify,
commit, *bedeute, übertrage*.
biker cf. OE becca m. 'pickaxe'; NE
quarrel, *Streit*.
bicharre, bicherre OE becierre, NE de-
ceive, *betrüge*.
biche OE bicce f., NE bitch, *Hündin*. —
biched bones fr. OE bicce + bân n.;
NE dice, *Würfel*.
bicherre = bicharre.
biclappe be + OE clæppe, NE entrap,
fange im Garne.
biclippe OE beclyppe, NE embrace, en-
close, *umarme, umschließe*.
biclose = enclose. | biclüppe = bi-
clippe.
beknowe OE becnâwe, NE acknowledge,
know, *bekenne, erkenne*. — am biknowe
OE êom becnâwen, NE confess, *be-
kenne*.

bicolle, bicolme fr. OE be + col n.; NE
blacken with coal, *schwärze mit Kohle*.
bicome, bieume OE becume, NE become,
go, befit, *werde, komme, stehe an*.
bidæle = bidele.
bidaffe fr. OE be + ME daf; NE befool,
mache zum Narren.
bidde, bid, 3 sg. bit, p. bad(de), bed,
bede(n), pp. bidde, i-bede(n) OE bidde,
NE request, pray, command, *bitte, bete,
befehle*. — bidding NE prayer, request,
command, *Bitte, Gebot*.
bide = bidde.
a-bide, 3 sg. a-bideth, a-bit, p. a-bad(e),
a-bod, a-bide(n), pp. a-biden OE (ā)bîde,
NE abide, await, expect, keep watch, live
to see, endure, *bleibe, erwarte, passe auf,
erlebe, ertrage*. — a-bidinge OE ābid-
ung f., NE expectation. *Erwartung*.
bidel OE bydel m., NE messenger, herald,
beadle, *Bote, Herold, Büttel*.
bidele OE bedæle, NE deprive, *beraube*.
bidelve OE bedelfe, NE dig, bury, *grabe
ein, begrabe*.
bidene ONorthh. bi dœne 'bei getanem',
but cf. also Flem. bedeen(en) < met'een;
NE at the same time, at once, *zugleich,
sogleich*.
bider = bitter.
bidewe fr. OE be + dêaw m. n.; NE
bedew, *betaue*.
bido OE be + dô, NE befoul, *besudele*.
bidote OE be + ME dote, NE befool, *foppe*.
a-bie, p. bought(e), pp. bought OE (ā)bycge,
NE buy, pay for, atone for, *kaufe, be-
zahle, büße*. — bier OE ME buyer, *Käufer*.
bien = ben s. am. | bieolde = biheold
p. of biholde. | bierne = bern. | bieth
= be(o)th s. am.
bifallen OE befeallan, NE happen, *ge-
schehen*. — bifallinge NE event, *Er-
eignis*.
bifinde OE be + finde, NE find, *finde*.
bifle OE beflêo, NE flee from, *entfliehe*.
bifor(en), -in, biforn(e) OE beforan, NE
before, in front, *(be)vor, vorher, vorn*. —
bifornhond OE beforan honde, NE
beforehand, *vorher*. — bifornseid, bi-
foresaid OE beforan + sægd, NE afore-
said, *vorbesagt*.
bifüle OE befŷle, NE defile, *beschmutze*.
big cf. OE Bicga; NE strong, fitted, big,
stark, tüchtig, groß.
biʒ, bigh sb. = beigh.
bigamie OF; NE bigamy, *Bigamie*.
bigan pp. of bigo. | bigete = bi-yete.
bigge ON byggia, NE dwell, build, estab-
lish myself, *wohne, bleibe, baue, lasse
mich nieder*. — big(g)ing ON bygging,
NE dwelling, dwelling-place, *Verweilen,
Wohnung*.
a-bigge = a-bie.
bigile OE be + OF guile, NE beguile, *be-
trüge*. — bigiler OE be + AN guilour,
NE beguiler, *Betrüger*.

biginne, p. bigan, bigon, bigunne(n), bi-
gonne(n), pp. bigunne(n) OE beginne,
NE begin, *beginne.* — biginninge NE
beginning, *Beginn.*

bigo OE begâ, NE go around, surround,
provide, adorn, *gehe herum, umcebe,
versehe, schmücke;* wel bigon NE in
good spirits, *wohlgemut;* wo bigon NE
(woe begone), disheartened, *schmerzerfüllt.*

bigoten s. bi-yeten.

bigrede, p. bigradde OE be + grǣde,
NE cry out against, bewail, *schreie an,
beklage.*

bihaite = bihote. | bihalde = biholde.

on bihalfe. -halve fr. OE be + healf f.;
NE on behalf, *von Seiten, im Namen.*

bihate = bihote.

bihated OE be + hatod, NE hated, *ge-
haßt, verhaßt.*

bihede OE be + hêde, NE observe, guard,
prevent, *beobachte, behüte, verhüte.*

bihede OE behêafdige, NE behead, *ent-
haupte.*

biheghte p. of bihote. | bihelde =
biholde. | biheolt, -heold p. of biholde.

biheste Late OE behǣs f., NE promise,
command, *Versprechen, Geheiß.* — bi-
heste NE promise, command, *(ver)heiße.*

bihet(e) p. of bihote. — bihete = bihote.
— bihetinge cf. OE behât n.; NE
promise, *Verheißung.*

bihevede = bihede, NE behead.

bihewe OE behêawe, NE hew into shape,
behaue.

bihide OE behŷde, NE conceal, *verberge.*

bihight(e) p. of bihote.

bihind(en) OE behindan, NE behind,
hinten, hinter.

bihof cf. bihoven; NE behoof, profit,
Nutzen.

biholde OE behealde, NE hold, signify,
behold, *halte, bedeute, erblicke, sehe (an).*
—biholder NE beholder, *Betrachter.*

bihote OE behâte, NE promise, *verspreche.*

bihoven OE behôfian, NE behove, be
necessary, *nötig sein, sich schicken.* —
bihovely OE behôflîc, NE helpful,
profitable, necessary, *nützlich, nòtig.*

bihüde = bihide. | bihuf = bihof. |
bihufen = bihoven. | bihuld = biheld
p. of biholde.

bi(i)s, bisse OF bisse, NE byssus, *Byssus.*

bijape OE be + ME jape, NE mock, *ver-
höhne.*

bil OE bil(l) n., NE sword, pickaxe, *Schwert,
Hacke.*

bilæfve = bileve, NE abandon. | bilafte
p. of bileve, NE abandon. | bilay p. of
bilegge. | bilave = bileve, NE abandon.

bilde Late OE bylde, NE build, create, *baue,
schaffe.* — bildere ok fr. Late OE bylde
+ OE âc f.; NE building oak, *Eiche,
die zum Bauen dient.* — bilding NE
building, *Bau.*

bile F; NE; *Galle.*

bile(c)k s. bilouke.

bilegge OE belecge, NE besiege, *belagere.*

bileve, bileofve, bileauve OE belǣfe, NE
abandon, desist, remain (behind), *verlasse,
lasse ab, gebe auf, bleibe (zurück).*

bileve, -leave, -lieve cf. OE gelêafa m.;
NE belief *Glaube.* — bileve, -lieve OE
beliêfe, NE believe, *glaube.*

bilif OE bîleofa m., NE sustenance, *Lebens-
unterhalt.*

bilimie fr. OE be + lim n.; NE mutilate,
verstümmele.

bilimpen OE belimpan, NE happen, *ge-
schehen.*

bilinne OE be + linne, = blinne.

bill(e) AN bille, NE bill, petition, *Schreiben,
Gesuch.*

bil(l)e OE bile m., NE bird's bill, *Schnabel.*
— bille NE peck, *picke.*

bilonge OE be + langie, NE belong,
gehöre.

bilouke OE belûce, NE lock (up), *schließe
(ein).*

bilove, biluve OE be + lufian, NE please,
beliebe, gefalle. — biloved NE beloved,
beliebt.

bimeine = bimene.

bimelde OE be + meldige, NE denounce,
zeige an.

bimene OE bemǣne, NE (be)moan, mean,
(be)jammere, bedeute.

biname OE bînama m., NE byname, *Bei-
name.*

bink, cf. bench and OSw bænke.

binde, p. band, bond, b(o)und(en), pp.
bounde(n) OE binde, NE bind, *binde.* —
binding NE binding, constraint, *Bin-
dung, Zwang.*

binethe(n) OE beneoþan, NE beneath,
below, *unten, unter.*

binime, bineome OE benime, NE deprive,
take away, *beraube, nehme weg.*

binne OE bin(n) f., NE manger, bin,
Krippe, Behälter.

binnen OE binnan, NE within, *binnen,
in(nen).*

bioven = bihoven.

bipath OE bî + pæþ m., NE bypath,
Nebenweg.

biquad p. of biquethe. | birafte p. of
bireve.

biquethe OE becweþe, NE mean, lament,
appoint, *besage, beklage, bestimme.*

birch(e) OE bierce f., NE birch-tree, *Birke.*

bird p. of biren. | bird = brid.

birde cf. bride; NE lady, maid, bride,
Dame, Mädchen, Braut.

birde = birthe.

birede OE berǣde, NE advise, deliberate,
berate.

bireinen cf. OE rignan and regn m.; NE
rain upon, *beregnen, benetzen.*

biren, 3 sg. birth, p. bird OE gebyrian,
NE happen, befit, *geschehen, sich gebühren,
sich schicken.*

bireousing OE behrêowsung f., NE re-
pentance. *Reue.*

bireve OE berêafige, NE rob, deprive,
(be)*raube.*

biride, p. biræd OE berîde, NE ride
around, besiege, *reite herum, belagere.*

birie OE byr(i)gige, NE bury, *begrabe.* —
biriel(s) OE byrgels m., NE burial-place,
Grabstätte. — biriing NE burial, *Be-
stattung.*

birinen OE be + rignan, NE rain upon,
beregnen.

bir(r)th 3 sg. of biren.

birste, pp. ¹-birst, ²-burst ON byrsta, NE
furnish with bristles, *versehe mit Borsten.*

birth(e) OE gebyrd f., ON burðr, NE birth,
child, kindred, *Geburt, Kind, Geschlecht.*
— birthtime ME birth(e) + OE tîma
m., NE time of birth, *Zeit der Geburt.*

birtheltre cf. OE beran + trêow n.; NE
fruit-tree, *Obstbaum.*

birthen(e) OE byrþen(n) f., NE burden,
birth, *Bürde, Geburt.*

biscop = bishop.

biscorne OE be + OF escarne, NE scorn,
verhöhne.

bise, biseo OE bisêo, NE see, provide,
take care, *sehe, sorge, sehe mich vor.*

biseke OE be + sêce NE seek, visit,
beseech, procure, *suche (auf), bitte, ver-
schaffe.*

biseche = biseke.

bisege fr. OE be + AN sege sb.; NE
besiege, *belagere.*

biseh p., biseie pp. of bise.

bisemare OE bismer, -or n. m., NE
mockery, insult, *Spott, Beleidigung.* —
bismareword OE bismerword n., NE
insult, *Beleidigung.*

bisemen OE be + sêman, NE befit, be-
seem, *geziemen.*

bisette OE besette, NE set, place, surround,
employ, (be)*setze, umgebe, verwende.*

bishende OE be + scende, NE ruin,
richte zu Grunde.

bishet pp. of bishitte.

bishine OE bescîne, NE shine upon, *be-
scheine.*

bishitte OE be + scytte, NE shut up,
schließe ein.

bishop(e) OE biscop m., NE bishop,
Bischof.

bishrewe cf. OE scrêawa m.; NE corrupt,
beshrew, *verderbe, verwünsche.*

bishune OE be + scunige, NE shun,
avoid, *vermeide.*

bisy OE bysig, bisig, NE busy, *fleißig,
beschäftigt.* — bisie OE bisgige, NE busy
myself, *beschäftige mich.* — bisihede
NE industry, solicitude, *Fleiß, Besorgt-
heit.* — bisinesse NE business, *Fleiß.*

biside(s), bisiden OE be sîdan (+ s),
NE beside(s), (da)*neben, in der Nähe,
außer(dem).*

bisight OE be + siht f., NE provision,
Verfügung.

bismeoruwe OE besmierwe, NE besmear,
beschmiere.

bismitte OE besmittige, NE defile, *be-
schmutze.* — bismetere = bismotere.

bismoke OE be + smocige, NE cover
with smoke, *beräuchere.*

bismotere cf. OE besmittige; NE besmut,
besudele.

bisne OE bisn f., NE example, *Beispiel.*

bisocne OE be + sôcn f., NE petition, re-
quest, *Gesuch, Bitte.*

bispete cf. OE be + spittige; NE spit
upon, *bespeie.*

bispotte cf. OE be + splott m.; NE
bespot, *beflecke.*

bisse = bi(is), cf. bie(n). | bissop =
bishop.

bistad cf. OE be + stede m.; NE placed
in a (bad) position, *in eine (üble) Lage
versetzt.*

bistal p. of bistele.

bisteke OE bestece, NE close, bar,
schließe, sperre.

bistele OE bestele, NE steal (away), *stehle
(mich fort).*

bistirie OE bestyrige, NE bestir, *rege
mich.* — bistiring NE emotion, *Er-
regung.*

bistowe OE be + stôwige, NE bestow,
place, *verwende, stelle, bringe.*

bistride OE bestrîde, NE mount, *be-
steige.*

biswike, p. biswac OE beswîce, NE
deceive, *betrüge.*

bit, bite OE bita m., NE bit, morsel,
Gebiß, Biss(en).

bit s. bidde. | a-bit s. a-bide.

bitak(e) OE be + ON taka, NE commit,
übergebe.

bitache, bitæche = biteche. | bitacne =
bitokne.

¹-bite, p. bot, bite(n), pp. ¹-bite(n). ¹-bete(n)
OE bîte, NE bite, taste, touch, punish,
beiße, genieße, rühre, strafe. — a-bite
OE âbîte, NE taste, bite to pieces, *koste,
zerbeiße.* — bitinge NE biting, *Biß,
beißend.*

bi-te OE betêo, NE draw (over), bestow,
employ, betray, *beziehe, ziehe, wende an,
verrate.*

biteche, p. bitaughte, pp. bitaught, biteiht
OE betêce, NE commit, *vertraue an.*

biteih(t) pp. of biteche. | biter = bitter.
| bith s. am.

bi-than OE bî þæm, NE by that, *damit,
dadurch.*

bithenche, bithenke, bithenge = bithinke.

bithenchinge cf. OE beþence; NE action
of thinking, *Nachdenken.*

bithinke OE beþence, NE think, consider,
(be)*denke.*

bithinne = withinne. | bithoute, bi-
thute = withoute.

bitiden, 3 sg. bitit OE be + tîdan, NE betide, happen, *geschehen.* — bitidinge NE event, *Ereignis.*

bitime(s) cf. OE tîma m.; NE betimes, *früh.*

bitokne OE be + tâcnige, NE betoken, signify, *bedeute.* — bitokening OE be + tâcnung f., NE meaning, sign, *Bedeutung, Zeichen.*

bitogen pp. of bi-te.

bitore F butor, NE bittern, *Rohrdommel.*

bitowe pp. of bi-te.

bitraie, -eie fr. OE be + OF traïr inf.; NE betray, *verrate.* — bitraise OE be + OF tra(h)isse sbj., = bitraie.

bitrappe OE betreppe, betræppe, NE entrap, *fange.*

bitrashe = bitraise.

bitrende cf. OE be + trendlige; NE surround, encircle, *umgebe, umschlinge.*

bitreshe = bitraise.

bitter, comp. bitteror OE bit(t)er, NE bitter, *bitter.* — bitternesse OE -nes f.; NE bitterness, *Bitterkeit.*

bituhhe(n), bitwhwe OE bet(w)uh, = bitwix(en).

bitwe(o)ne(n), bitwine, -twen OE betwêonan, NE between, *zwischen.*

bitwix(en), bitwixte OE betweox, -twix, NE between, *zwischen.* — bitwixand NE until, *bis.*

bivie OE bifige, NE tremble, *zittere.*

bivlie = bifle. | bivore = bifore.

biwake OE be + wacige, NE watch about, *bewache.*

biwail(l)e, -eile cf OE be + ME wai, wei; NE bewail, *bejammere.*

biware OE bewarige, NE employ, expend, *wende an, gebe aus.*

biwepe OE bewêpe, NE beweep, bewail, *beweine, beklage.*

biwere OE bewerige, NE protect, defend, *beschütze, verteidige.*

biweve, p. biwefde OE bewêfe, NE wrap around, *umhülle.*

biwile = bigile.

biwinde OE bewinde, NE wind around, *bewinde, umwinde.*

biwinne OE be + winne, NE win, *gewinne.*

biwist(e) OE bîwist f., NE dwelling-place, condition, *Aufenthaltsort, Zustand.*

biwite OE bewitige, NE take care (of), *sorge für, nehme in acht.*

biword OE bîword n., NE proverb, *Sprichwort.*

biwreⁱ(gh)e, OE be + wrêge, NE reveal, bewray, accuse, *offenbare, verrate, klage an.* — biwreiing OE be + wrêgung f., NE revealing, *Enthüllung, Anklage.*

biye(o)nde = bi-yond.

biyet(e), biyeat(e) OE begeat n., NE gain, procreation, *Gewinn, Erzeugung, Gabe.* — biyete OE begiete, NE acquire, beget, *erlange, gewinne, erzeuge.*

biyond(e) OE begeondan, NE beyond, *jenseits.*

biyoten OE begoten pp. of begêote, NE poured over, covered, *übergossen, bedeckt.*

biyute pp. of biyete.

blabbe onomat.; NE blabber, *Plapperer, Schwätzer.* — blabbe, blabere NE blab, *plappere, schwätze.*

blak(e) OE blæc, NE black, *schwarz.* — blak(e) OE blæc n., NE ink, (*schwarze*) *Tinte.* — blake OE blacige, NE blacken, *schwärze.* — a-blakeberied fr. OE blæc + berige f.; NE a-blackberrying. a-wandering astray, *umherirrend.*

blak(i)e OE blâcige, NE bleach, (*er*)*bleiche.*

bladdre OE blæd(d)re f., NE bladder, *Blase.*

blad(e) OE blæd n., NE blade, sword, *Blatt, Schwert(klinge).*

blaʒ cf. OE blâc and ME bleched pp. of bleche, NE white, *weiß.*

blaik = bleik.

blame OF; NE blame, *Tadel, Vorwurf.* — blame OF; NE blame, *tadele.*

blan s. blinne.

blanke OE blanca m., NE (white) horse, (*weißes*) *Roß.*

blanket AN; NE; *weißes Wollenzeug, wollene Bettdecke.*

blancmanger OF; NE; *Gericht mit weißer Sauce.*

blandishe = blaundishe. | blanne s. blinne.

blase OE blæse f., NE blaze, *Flamme, Glut.*

blase ON blâsa, NE blow, *blase.*

blasoun AN; NE blazon, shield, (*Wappen-*) *Schild.*

blaspheme OF; NE blasphemy, *Lästerung.* — blaspheme OF blasfeme, NE blaspheme, *lästre.* — blasphemie L -ia; NE blasphemy, *Lästerung.* — blasphemour AN blasfemour, NE blasphemer, *Gotteslästerer.*

blast OE blæst m., NE blast, *Hauch,* (*Wind-, Trompeten-*)*Stoß.* — blaste OE blæste, NE blow, *blase.*

bla(u)nche AN f.; NE white, *weiß.*

blaundishe AN blaundisse sbj., NE flatter, *schmeichle.*

blaunn(i)er fr. OF *blanc de mer (?); NE kind of fur, *Art Pelzwerk.*

blawe = blowe, NE blow.

ble, bleo OE blêo n., NE colour, *Farbe.*

blea(u)nt, bleeaunt OF bliaut, NE a sort of rich stuff, surcoat made of it, *edler Kleiderstoff, Obergewand aus demselben.*

bleche OE blæce, NE bleach, (*er*)*bleiche.*

blede OE blêde, NE bleed, *blute.*

blefth 3 sg. of bleve = bileve.

bleik ON bleikr, NE pale, *bleich.* — bleike ON bleikia, NE turn pale, make pale, (*er*)*bleiche.*

bleine OE blegen, blegne f., NE blain, *Pustel.*

bleinte s. blenche.
blemishe OF blemisse sbj., NE blemish, *beflecke.*
blenke = blinke. | blenkc = blenche.
blenche, p. bleinte OE blence, NE deceive, flinch, *betrüge, weiche aus.*
a-blende OE (ā)blende, NE make blind, *mache blind.* | bleo = ble.
blere cf. LG blarr-oged; NE blear, deceive, *mache triefäugig, betrüge.* — blering NE dimming, deceiving, *Trübung, Täuschung (der Augen).*
blesful = blisful.
blesse, blesce OE blêtsige, NE bless, *segne.* — blessedful NE full of blessing, *reich gesegnet.* — blessednesse NE blessedness, *Seligkeit.* — blessing OE blêtsung f., NE blessing, *Segen.*
blete OE blǣte, NE bleat, *blöke.*
bleth(e)ly, -liche = blithly. | bleve = bileve, *bleibe.*
blew AN; NE blue, *blau.*
blewe p. of blowe.
blikie OE blicige, NE shine, *scheine, glänze.*
blideliche = blithly. | blif = blive.
blinke cf. MDu. blinke; NE gleam, look, *glänze, blicke.*
blind OE; NE; *blind.* — blinde NE blind, *blende.*
blinne, p. blann(e) OE blinne (= belinne), NE cease, *höre auf.*
blisce = blesse.
blisne cf. OE blysa m. 'torch, fire'; NE gleam, *glänze.*
blis(se) OE bliþs f., bliss, NE bliss, *Freude.* — blisful, -fol, -vol NE blissful, *glück-selig.* — blisfulnesse NE blissfulness, *Glückseligkeit.*
blisse = blesse. | blissing = blessing.
blithe cf. OE bliþs f.; NE mercy, *Gnade.* — blithe, comp. blithur OE bliþe, NE blithe, fain, *froh, schön.* — blit(he)nesse OE bliþnes f., NE joy, *Freude.* — blith(e)ly OE bliþelīce, NE gladly, *fröh-lich, gerne.*
blive OE be life, NE quickly, *schnell.*
blo ON blār, NE blue, livid, *bläulich, bleifarbig.*
blod(e) OE blôd n., NE blood, *Blut.* — blody OE blôdig, NE bloody, *blutig.* — blodrede OE blôdrêad, NE bloodred, *blutrot.* — blodshedinge fr. OE blôd +sceâdan; NE blood-shed, *Blutvergießen.* — blodstrem OE blôd + strêam m., NE stream of blood, *Blutstrom.*
blome ON blōmi, NE flower, *Blume.* — blome NE flower, *blühe.*
blonk = blanke. | blondre, blonder = blundre.
blosme, blossom, -um OE blôs(t)ma m., NE blossom, flower, *Blume.* — blosme OE blôs(t)mige, NE blossom, *blühe.* — blosmy NE blossoming, *blühend.*

blot(te) orig. obsc.; NE blemish, *Makel.* — blotte NE blot, *beflecke.*
blowe, bloawe, p. blew, pp. blowe(n) OE blâwe, NE blow, *blase.*
blowe, p. blewe, pp. blowe OE blôwe, NE bloom, *blühe.*
blud(e) = blod(e).
blunder fr. the vb.; NE blunder, *Verwir-rung, Unheil.* — blundre cf. ON blunda and blanda; NE blunder, *verwirre, tappe herum, handle unbesonnen.*
blunt orig. obsc.; NE blunt, *stumpf.*
blush fr. the vb.; NE ray, glance, *Strahl, Blick.* — blushe cf. OE blysce, NE gleam, look, blush, *glänze, blicke, erröte.*
blutheliche = blithly. | blw = blew. | bo = ben s. am.
bo, boa OE bâ f. n., NE both, *beide.*
bob orig. obsc.; NE bob, bunch, *Bund, Strauß.*
bobance OF; NE boast, pomp, *Prahlerei, Prunk.*
bok OE bôc f., NE book, *Buch.* — boke, bocne OE bôcige, NE book, instruct, *buche, unterweise.* — bokfel OE bôcfel(l) n., NE vellum, *Pergament.* — boc-hous OE bôchûs n., NE library, *Bücherei.* — boklered, bokilered OE bôc + gelǣred, NE book-learned, *buchgelehrt.* — boc-staff OE bôcstæf m., NE letter, cha-racter, *Buchstabe.*
bock = bok.
boce OF; NE boss, *Buckel.*
bokel OF bocle, NE buckle, *Schildbuckel.* — bokele F boucle, NE buckle, *schnalle.* — bokeler OF bocler, NE buckler, *Schild mit Buckel.*
boket AN; NE bucket, *Eimer.*
boch OF boche, NE botch, *Beule.*
bocher AN; NE butcher, *Schlächter.*
bocler = bokeler. | bocne = boke s. bok. | bod s. bide.
bode, i-bod OE (ge)bod n., NE command, message, offer, *Gebot, Botschaft, An-erbieten.* — bode OE bodige, NE pro-claim, *verkünde.* — bod(e)word OE bod + word n., NE command, message, *Gebot Botschaft.*
bode OE bâd f., NE delay, *Zögern.*
a-bode(n) s. bede.
body OE bodig n., NE body, man, *Kör-per, Mensch.* — bodily NE; *körperlich.*
bodie = bode, NE proclaim. | boef AN; = bef. | i-boen = i-boun. | boes, boz = bihoves 3 sg. of bihove. | buʒ = bough.
bog(h)e, bowe OE boga m., NE bow, *Bogen.*
a-bought(e) s. a-bie.
boy, boie fr. L boiam (?); NE boy, servant, knave, *Knabe, Knecht, Schurke.*
boidekin orig. obsc.; NE bodkin, *Dolch.*
boil(l)e OF boille sbj., NE boil, *werfe Blasen, koche.*
boinard OF buinard, NE fool, *Narr.*
boist(e) OF boiste, NE box, *Büchse.*

boistous Norw. bausta + OF -ous, NE rude, boisterous, *roh, ungestüm*.
boit = bothe. | bol = bol(le).
bolas OF beloce, NE bullace(-plum), *Schlehe*.
bold OE n.; NE house, *Haus*.
bold OE beald, NE bold, certain, *kühn, sicher*. — bolde OE bealdige, NE make bold, grow strong, *mache kühn, werde stark*. — boldnesse NE boldness, *Kühnheit*.
bole cf. OE bulluc m., ODan. buli; NE bull, *Bulle*.
bole armoniak ML bolum armoniacum, NE Armenian clay, *armenische Erde*.
a-bolʒe s. a-belʒe.
bolle OE bolla m., NE bowl, *Gefäß, Schale*.
bol(le) ON bolr, NE bole, trunk of a tree, *Baumstamm*.
bolne ON bolgna, NE swell, *schwelle*.
bolt, bold OE bolt m., NE (crossbow) bolt, (*Armbrust-*)*Bolzen*. — bolt-upright OE bolt + upright, NE bolt-upright, *bolzengerade*.
boluwe cf. OE pp. gebolgen; NE swell, *blähe* (*mich*) *auf*.
bomble onomat., cf. bumbe; NE bumble, *summe, brumme*.
bon, bone OF bon, NE good, fair, *gut, schön*.
bon OE bân n., NE bone, *Knochen, Bein*.
bon = be(o)n s. am. | bon = boun. | bonaire = debonair. | bonk = bank. | bond = band(e). | bond s. binde.
bond(e) ON bōndi, OE banda, bonda m., NE peasant, bondman, *Bauer, Höriger*. — bondefolk b. + OE folc n., NE bondmen, *hörige Leute*. — bondeman b. + OE man(n) m., NE bondman, *Höriger*.
bone ON bōn, NE boon. petition, prayer, *Gesuch, Bitte*.
bone = 1-boun. | bonte = bountee.
bor, bore OE bâr m., NE boar, *Eber*.
boras ML borax, NE; *Borax*.
borken s. berke.
bord OE n.; NE board, table, feast, *Bord, Brett, Tisch, Fest*.
borde = bourde.
bordel OF; NE brothel, *Bordell*. — bordelwoman OF bordel + OE wîfman(n) m., NE woman of the brothel, *Bordellmädchen*.
bordon = burdoun.
bordure OF; NE border, *Rand, Saum, Grenze*.
bore ON bora, NE bore, hole, *Loch*.
bore(n) s. bere. | borel = burel. | borelich = burlich. | borewe dat. of burgh. | bor(g)h(e) = borwe. | borh = burgh. | borne s. bere. | borne = burne. | bornet = burnet. | bornisse = burnishe. | borow = borwe. | boru = burgh. | borun pp. of bere.
borstax orig. obsc.; NE pickaxe, *Spitzaxt* (?).

1-boruwe OE beorge, NE save, *rette*.
boruwe = borwe. | borw = burgh.
borw(e), borwgh OE borg m., NE pledge, *Bürge, Bürgschaft*. — borwe OE borgige, NE am security for, save, borrow, *bürge, rette, borge*.
borwis pl. of borw = burgh. | bos = boce. | bos = bihoves 3 sg. of bihoven.
bosard OF bosart, NE buzzard, *Bussard*.
bosom, bosem OE bôs(u)m m., NE bosom, *Busen*.
boss = bush.
bost AN; NE boast, talking, *Prahlerei, Geschwätz*. — boste fr. sb., NE boast, *prahle*.
bostos = boistous. | bot, bote = but.
bot OE bât n., NE boat, *Boot*.
bot s. bite. | a-bot 3 sg. p. of a-bide.
bote OF; NE boot, *Stiefel*.
bot(e) OE bôt f., NE amendment, remedy, *Besserung, Heilmittel*. — boteles OE bôtlêas, NE without remedy, *nicht zu bessern*. — botene NE amend, cure, *bessere, heile*.
botel OF bottel, NE bottle (of hay), bundle, *Bündel*.
boteler AN; NE butler, *Kellermeister*.
boterflie OE buterflèoge f., NE butterfly, *Schmetterling*.
botene s. bot(e). | both = beth s. am.
bothe, gen. bother ON bâðir, NE both, *beide*. — both(en).. and NE both.. and, *sowohl .. als auch*.
bothe OSw bôþ, NE booth, *Bude*.
bothon = boto(u)n.
botme OE botm m., NE bottom, *Boden, Grund*. — botmeles NE bottomless, *bodenlos, grundlos*.
bouk OE bûc m., NE belly, body, *Bauch, Leib*.
boto(u)n AN; NE button, bud, *Knopf, Knospe*.
bott = but.
bouele AN bouelle, NE bowel, *Darm, Eingeweide*. — bouele NE take out the bowels, *nehme die Eingeweide heraus*.
bouge OF; NE budget, *Schlauch*.
bou(g)h, bow OE bôh m., gen. bôges, NE bough, *Ast, Zweig*.
boug(h)e, bowe, p. beah, belgh, bey, bowede, buʒe(n), bowede(n), pp. bowed OE bûge, NE bend, bow, submit, turn, go, *beuge* (*mich*), *biege, gehorche, drehe* (*mich weg*), *gehe*.
1-boun ON bûinn, NE prepared, *bereit*. — boune NE prepare, *rüste* (*mich*).
bounde AN; NE bound(ary), *Grenze*.
1-bounde(n) s. binde.
bounte(e), bountith OF bonté, bonteit, AN bounté, NE goodness, kindness, *Güte*. — bountevous AN; NE bounteous, *gütig, freigebig*.
bour OE bûr m., NE bower, (lady's) chamber, (*Frauen-*)*Gemach*.

bourde OF; NE jest, *Scherz*. — bourde
OF; NE jest, *scherze*.

bousom = buxom.

bout LG bugt, NE bout, throw, *Wurf*.

bout = a-boughte s. a-bie.

bove OE bufan, NE above, *oben (auf)*,
über.

bow = bou(g)h, *Zweig*. | bowe = bog(h)e,
Bogen. | bowe = b(o)ug(h)e, *biege*.

bowel(e) = bouele. | bower = bour. |
bowge = bouge. | bowne = l-boun.

box OE m.; NE boxtree, *Buchsbaum*. —
boxtre OE boxtrêow n., NE boxtree,
Buchsbaum.

box OE m.; NE box, *Büchse*.

box orig. obsc.; NE box, blow, *Schlag*,
Streich.

boxum = buxum.

bracer OF brasseure, NE bracer, *Arm-
schiene*.

brak s. breke. | brad pp. of brede, NE
roast. | a-brad p. of a-brede. | brade =
brod.

bragance orig. obsc.; NE boasting, *Prahlen*.

bragot W; NE bragget, *eine Art Met*.

braid OE brægd m., NE quick movement,
deceit, *hastige Bewegung, Betrug*.

braid(e) = breide.

braie OF sbj.; NE bray, roar, *schreie,
brülle*.

brain OE brægen n., NE brain, *Gehirn*. —
brainepanne OE brægen + panne f.,
cf. OE brægpanne f.; NE skull, *Schädel*.

brand(e) = brond. | brane = brain.

brant OE; NE steep, *steil*.

bras OE bræs n., NE brass, *Erz*.

brasil F bresil, NE brazil, *rotes Sandelholz*.

braste = breste.

brastlie OE brastlige, NE crackle, clash,
krache, prassele.

brat Late OE brat(t), NE cloth, cloak, *Rock*.

bratful = bredful.

brath ON brâðr, NE violent, angry,
heftig, zornig. — brath(e) ON brâð, NE
violence, wrath, *Heftigkeit, Zorn*.

braun OF braon, NE brawn, muscle,
fleischiger Teil, Muskel.

braunche AN; NE branch, *Zweig*. —
braunched NE full of branches, *voller
Zweige*.

bra(u)ndishe OF brandisse sbj., NE bran-
dish, *schwinge*.

braule OF; NE brawl, *schwingen*.

brawle = braule. | brawn = braun.

brekke OE (ge)brec n., NE break, defect,
Bruch, Gebrechen.

breke, breoke, p. brak, breke(n), pp.
l-broke(n) OE brece, NE break, *breche*;
broken harm NE petty annoyance,
kleines Leid. — breker NE breaker,
Brecher, Verletzer.

brekill = brichel.

brech(e) OE brêc, pl. of brôc f., NE bree-
ches, *Beinkleid, Hose*.

bred OE brêad n., NE bread, *Brot*.

brede OE brǣdo f., NE breadth, *Breite*.
— a-brede OE ābrǣde, NE dilate, *öffne
weit*.

brede OE brǣde, NE roast meat, *ge-
röstetes Fleisch, Braten*. — brede, p.
bredde, bradde OE brǣde, NE roast,
brate.

brede OE brêde, NE breed, originate,
grow up, *brüte aus, ziehe groß, entstehe,
wachse*.

bredful cf. Sw. bräddfull; NE brimful,
voll bis zum Rande.

bredir = bretheren.

bref AN; NE brief, *kurz*. — brefe NE
note of brief duration, *Note von kurzer
Dauer*.

breide, p. braide, breide, breided, pp.
broiden, breided, broided OE bregde,
NE draw, wrench, rush, start, *ziehe,
reiße, stürze, fahre auf*; also broide.
browde, by confusion with F brode, NE
embroider, *sticke*. — a-breide, p. a-braid,
a-breide OE ābregde, NE awake, start
up, remove, blame, *wache auf, fahre auf,
entferne, tadele*.

brem, breme OF bresme, NE bream,
Brassen (Fisch).

bremble, brembul OE brêmbel m., NE
bramble, *Dornstrauch, Brombeerstrauch*.
— brembleflour OE brêmbel + OF
flour, NE flower of the bramble, *Brom-
beerblüte*.

breme OE brême, NE famous, furious,
strong, merry, quick, *glorreich, wild,
stark, lustig, rasch*. — bremly, -lich
adv.

bren OF; NE bran, *Kleie*.

brene = brine.

brenne = berne. — brenning NE burn-
ing, greed, *Brennen, brennendes Verlangen*.

brent = brant. | brent pp. of brenne.

brer(e) OE brêr m., NE brier, *Dornstrauch,
Hundsrose*.

bres = bras.

brest, breste OE brêost n. m., NE breast,
Brust. — brestbon OE brêostbân n., NE
breast-bone, *Brustbein*. — breosteholk
OE brêost + holc n., NE thorax, *Brust-
kasten*. — brestplat OE brêost + OF
plate, NE breast-plate, *Brustharnisch*.

brest OE geberst n., NE bursting, da-
mage, defect, *Bersten, Schaden, Mangel*.

bresto, berste, p. brast, barst, brust,
broste(n), burste(n), pp. broste(n),
l-borste(n) ON bresta, OE berste, NE
burst, *berste*.

bret 3 sg. of brede. | bretful = bredful.

breth OE brǣþ m., NE breath, *Hauch*.

brether(en) pl. of brother. — bretherhed
NE brotherhood, religious order, *Brüder-
lichkeit, Bruderschaft*.

bretown AN; NE British, *britisch*.

brettene = britne. | breve = bref.

brewe, p. brew, brewed, browe(n), pp.
l-browe(n), brewed OE brêowe, NE

brew, *braue.* — brewer NE brewer, *Brauer.* — brewhous OE brêow- + hûs n., NE brewhouse, beer-house, *Brauerei.*

bribe OF; NE steal, *stehle.* — briberie OF; NE pilfering, *Dieberei.*

brike ONF brique, NE trap, snare, *Falle, Schlinge.*

briche OE bryce m., NE advantage, opportunity, *Vorteil, Gelegenheit.*

briche OE bryce m., NE breach, violation, *Bruch, Verletzung.* — brichel NE fragile, *gebrechlich.*

brict = bright.

brid OE brid(d) m., NE (young) bird, *(junger) Vogel.*

brid(e) OE brŷd f., NE bride, *Braut, weibliches Wesen.* — bridale (= brid and ale 44, c 1257) OE brŷd-ealo n., NE bridal, wedding, *Hochzeit.*

bridel OE brîdel m., NE bridle, *Zügel.* — bridele OE brîdlige, NE bridle, *zügele.*

brig(e) = brigge.

brige cf. F brigue; NE contention, *Streit.*

brigge OE brycg f., NE bridge, *Brücke.*

bright OE beorht, bierht, briht, NE bright, *glänzend.* — brightnesse, brignes OE beorhtnes f., NE brightness, *Glanz.*

brim(me) OE brymme m., NE brim, *Rand, Ufer.*

brimme OE bremme, NE am in heat, bear fruit, *bin in Brunst, trage Früchte.*

brimston, brenston fr. ON brenna + OE stân m.; NE brimstone, *Schwefel.*

brink MLG brink, *Rand,* cf. OSw brinka, *Bergabhang;* NE brink, *Rand.*

brine OE bryne m., NE burning, fire, *Brand, Feuer.*

bringe, brinke, brenge, p. brouᵘghte, pp. i-brought OE bringe, brenge, NE bring, make, *bringe, mache.* — bringer, -are NE bringer, *Überbringer.*

brinhe = bringe.

brini(e) ON brynja, NE coat of mail, *Panzerhemd.*

brinne = brenne. | brist = brest, NE breast. | briste = breste.

briste cf. ON byrsta; NE cover with bristles, *bedecke mit Borsten.* — bristel, bristill cf. OE byrst f.; NE bristle, *Borste.* — bristled(e) pp. NE bristly, *mit Borsten versehen.*

brit, brith = bright.

britne OE brytnige, NE cut in pieces, *zerstückele.*

brok OE broc(c) m., NE brock, badger, *Dachs.*

brok OE brôc m., NE brook, *Bach.*

brocage OF; NE mediation, *Vermittlung.*

brokke orig. obsc.; NE yelp, chirp, *kläffe, zwitschere.*

broke = brouke. | broke(n) s. breke.

broche OF; NE broach, brooch, *Spieß, Spange.* — broche OF; NE pierce, spur, *durchbohre, sporne.*

brod = bord.

brod, broad OE brâd, NE broad, *breit.* — brode OE brâde, NE widely, distinctly, very, *weit, ausführlich, sehr.*

brod OE brôd f., NE brood, *Brut, Nachkommen.*

brodder comp. of brod, NE broad. | brode hylde 32,1074 = bridale. | broder, -ir = brother. | broᵤe = browe. | brohute = broᵘghte s. bringe.

broide, browde cf. F brode and OE bregde, pp. broidon, NE embroider, *flechte, sticke.*

broille AN; NE broil, *röste.*

brom OE brôm m., NE broom, *Ginster.*

brond(e) OE brand, brond m., NE firebrand, sword, *Feuerbrand, Schwert.*

broste(n) s. breste.

brotel cf. OE gebrot n. 'fragment'; NE brittle, frail, *gebrechlich.* — brotelnesse NE brittleness, frailty, *Gebrechlichkeit.*

broth OE broþ n., NE broth, *Brühe.*

brother, brothire OE brôþor m., NE brother, *Bruder.* — brotherhede = bretherhed.

brouke, bruke OE brûce, NE enjoy, use, *genieße, gebrauche.*

broude AN; NE braid, embroider, *flechte, sticke.* — brouding NE embroidery, *Stickerei.*

broun, brun OE brûn, NE brown, *braun;* brown vessel, brown beer, *braunes Gefäß, Braunbier.*

broute = broᵘghte, i-brouth = i-brought s. bringe.

browe OE brû f., NE eye-brow, *Augenbraue.* — browed NE provided with eye-brows, *mit Brauen versehen.*

i-browen s. brewe. | i-browt = i-brought s. bringe. | bru = browe. | brüche = briche. | brud = brod, NE brood. | brüdale = bridale. | brügge = brigge. | brüne = brine. | bruni(e) = brini(e).

brunt orig. obsc.; NE blow, violence, *Schlag, Ungestüm.*

brust p. of breste. | brustel = bristel. | brutel = brotel. | buk = boke. | buc = bouk.

buk(ke) OE bucc(a) m., NE buck, *Bock;* blowe the bukkes horn, NE work in vain, *bemühe mich vergeblich.*

buch imp. of bowe. | büdel = bidel. | buen = be(on) s. am. | bueth = be(o)th s. am. | bufan = bove.

buffet, buffeit OF buffet, NE blow, *Schlag;* sort of stool, *Schemel.*

buge, buᴣe = bowe. | a-bügge = a-bie. | bügging = bigging. | bughsom = buxom.

bugle OF; NE wild ox, *Büffel.* — buglehorn OF bugle + OE horn n., NE bugle-horn, *Büffelhorn (zum Trinken oder Blasen).*

buhth 3 sg. of buge = bowe. | buhsum = buxom. | buie = a-bie. | builde = bilde. | buirdus = birdes pl. of birde, NE lady. | buish = bush. | bulde = bilde.

bulle L bullam, NE (papal) bull, (*päpstliche*) *Bulle.*

bulte OF; NE bo(u)lt, sift, *siebe.*

bulte p. sg. of bulde = bilde.

bumbe onomat., cf. bomble; NE boom, *summe, dröhne.*

bun, bunde = ¹-bounde(n), bunden s. binde. | **buothe** = bothe.

bur orig. obsc.; NE iron ring on a spear behind the place for the hand, *Eisenring am Speer hinter dem Handgriff.*

bur = bour. | **burde, brude** = bride. | **burd(e)** = birde p. of buren = biren.

burdoun AN; NE droning sound, bass, *dröhnender Ton, Baß.*

burdo(u)n AN; NE pilgrim's staff, *Pilgerstab.*

bure = birie, NE bury.

burel OF; NE coarse woollen stuff, *grober Wollstoff*; rough, unlettered, *rauh, ungebildet.*

burgeis, burgas OF burgeis, NE burgess, citizen, *Bürger.*

burgh, burh(ʒ) OE burg f., NE borough, *Burgflecken.* — burghfolk OE burg + folc n., NE citizens, *Bürger.* — burghman, -mon OE burgman(n) m., NE citizen, *Bürger.* — burghwere(n) sg. and pl. OE burgwaran m. pl., burgwaru f. sg., NE citizens, *Bürger, Bürgerschaft.*

burght = birthe. | **burght** = burgh.

bury OE byrig dat. sg., NE abode, *Wohnstätte* s. burgh.

burie, buriels, buriing, burieng = = birie etc.

burjo(u)n AN; NE bud, *Knospe.*

burly, burlich(e) cf. OHG buro-'very'; NE thick, strong, mighty, *dick, stark, mächtig.*

burne fr. OF burnir inf.; NE burnish, *poliere.*

burne = bern.

burnet OF brunet, NE brown (cloth), *braun(er) Stoff.*

burnishe, burnisse OF burnisse sbj. M = burne.

bür(re) ON byrr, NE storm, violence, blow, shock, *Sturm, Gewalt, Schlag, Streich.*

burste s. breste. | **burth** = burgh. | **bürth(e)-** = birth(e)-. | **burthone** = birthen(e). | bus 154,580 3 sg. of bowe. | **busk** = bush.

buske ON būask, NE prepare, adorn, go, *rüste (mich), schmücke, gehe.*

bush ON buskr, NE bush, *Busch.* — bushe NE place in ambush, *lege in den Hinterhalt.*

bushel AN bousselle, NE bushel, *Scheffel.*

bushment = embushement. | **büshop** = bishop. | **büsi** = bisi.

but, bute(n) OE būtan, būte, NE without, except, unless, *ohne, ausgenommen, wenn nicht.* — but-if OE būtan gif, NE unless, *außer wenn, wenn nicht.*

buth s. am. | **butiller** = boteler.

butte AN boute, NE butt, thrust, *stoße, werfe.* — buttinge NE thrusting, *Stoßen.*

buttok OE buttuc m., NE buttock, *Hinterbacken.*

buve(n) = bove. | **buwe** = bowe NE bend.

buxom, buxum fr. OE būgan; NE yielding, obedient, *nachgiebig, gehorsam.* — buxumnes(se) NE obedience, *Gehorsam.*

C.

cable OF; NE cable, cord, *Seil.*

cake ON kaka, NE cake, *Kuchen.*

cakele onomat.; NE cackle, *gackere.* — cakelinge NE cackling, *Gegacker.*

cache, cacche, p. caʒt(e), caᵘghte, cachede, pp. ¹-caᵘght, k(e)iht Pic. cache, NE catch, seize, take, *jage, ergreife, nehme, hole.*

cachepol AN cacchepole, NE catchpoll, *Büttel.*

cacherel = cachepol.

cadence F; NE; *Tonfall.*

cage OF; NE; *Käfig.*

kaggerleʒe cf. ON kærleikr and Sw. dial. känger; NE love, lust, *Liebe, Lust.*

caught(e) s. cache.

cay cf. obs. Dan. kei; NE left, *link.*

kainard F cagnard, NE sluggard, wretch, *Faulpelz, Elender.*

kaire ON keyra, NE go, *gehe.*

kaisere OHG kaisar, NE emperor, *Kaiser.*

caitif AN; NE caitiff, captive, wretch, *gefangen, unglücklich; Gefangener, Unglücklicher.*

calcening cf. F calciner; NE calcination, *Kalzinieren.* — calcinacioun AN; NE calcination, *Kalzinieren.*

calcule F; NE calculate, *rechne.* — calkuler NE calculator, pointer, *Zeiger im Astrolabium.* — calculinge NE calculation, *Rechnung, Berechnung.*

cald = cold. | **cald(e)** p. of calle.

kalender L calendarium, NE calendar, almanack, *Kalender.* — calendes L calendas, NE calends, *Kalenden.*

calewey OF (poire de) cailloel, NE sort of pear, *Birnenart.*

calf OE cealf n., NE calf, *Kalb.*

calf ON kalfi, NE calf (of the leg), *Wade.*

calion cf. obs. F caillon; NE pebble, *Kieselstein.*

calle OF cale, NE caul, net, *Haarnetz.*

calle ON kalla, OE ceallige, NE call, *rufe.*

calme OF; NE calm, *ruhig.*

camaille ONF cameil, NE camel, *Kamel.*

cambok ML cambucam, NE crooked staff, *krummer Stab.*

cam(en) s. come.

cameline OF; NE camlet, *Kamelott (wollener Kleiderstoff).*

camuse F camus, NE low, flat, *niedrig, flach (Nase).*

can, pl. cun(nen), conne(n), sbj. cunne, inf. cun(nen), p. couth(e), coude, pp., couth, ¹-coud OE can, NE know, can, do, *kenne, kann.*

can = gan s. ª-ginne.

canacle. conacle (covacle ?) *(for* covercle, or fr. MDu. kanneken, cf. Mod. E cannakin); NE lid of a cup, cup, *Deckel, Becher*(?).

cancre ONF; NE cancer, *Krebs.* — cankerdort ONF cancre + ?; NE state of suffering, *Leidenszustand.*

candele OE candel, condel f. n., NE candle, *Kerze.* — candlestikke OE candelsticca m., NE candlestick, *Leuchter.*

canel OF; NE canal, channel, pipe, *Kanal, Röhre.* — canelbon OF canel + OE bân n., NE collar-bone, *Schlüsselbein.*

canelle AN; NE cinnamon, *Kaneel, Zimmet.*

canestow = canst thou.

canevas AN; NE canvas, *Hanfleinen, Leinwand.*

cang cf. Sw. kång; NE fool, *Narr.*

canon L; NE; *Kanon, Regel.*

canstow = canst thou.

cant cf. MDu. cant; NE brave, strong, *tapfer, stark.*

cantel OF; NE (corner-)piece, *(Eck-)Stück.*

kanunk ON kanunkr, NE canon, *Kanonikus, Chorherr.*

canvas = canevas.

cape F cap, NE cape, headland, *Kap.*

cape = gape.

capel, caple ON kapall, NE horse, nag, *Pferd.*

capitain OF; NE captain, *Anführer.*

capital OF; NE; *hauptsächlich.*

capitolie AN; NE capitol, citadel, *Kapitol, Zitadelle,*

caple = capel. | capman = chapman.

capo(u)n OE capun m., L caponem, AN capoun, NE capon, *Kapaun.*

cappe OE cæppe f., NE cap, *Kappe.* — capped NE wearing a cap, *eine Kappe tragend.*

captive OF f.; NE; *Gefangener.*

capul = capel. | caraing, caraine = careine.

carande part. pr. of car(i)e s. care.

carboucle, -buncle OF carboucle, L carbunculum, NE carbuncle, *Karfunkelstein.*

carke OF; NE am anxious, *bin besorgt.*

cardi(n)acle AN cardiacre, NE pain about the heart, *Herzkrankheit.*

cardinal L cardinalem, NE cardinal, *Kardinal.*

care OE caru f., NE care, *Sorge.* — car(i)e OE carige, NE care, *sorge.* — careful OE carful(l), NE full of care, full of trouble, *sorgenvoll.*

careine AN caroigne, NE carrion, carcase, *Leichnam, Aas.*

carf s. kerve.

carie AN; NE carry, drive, ride, *befördere, fahre, reite.* — cariage AN; NE carriage, *Wagentransport, Zoll.* — cariinge NE carrying, *Tragen.*

carie = kaire. | car(i)e s. care.

carl ON, OE m.; NE man, *Kerl.*

carnele = kernel.

carole OF; NE round dance accompanied with singing, song, chain, *Reigentanz mit Gesang, Lied, Kette.* — carole OF; NE dance round singing, sing, *tanze den Reigen unter Gesang, singe.* — carolewise fr. OF carole + OE wîse f.; NE carol-wise, *wie ein Reigentanz, Gesang.* — carol(l)ing NE carolling, *(Reigentanz-)Gesang.*

carp ON karp, NE discourse, *Rede.* — carpe ON karpa, NE talk, speak, *schwatze, spreche.*

carpenter AN; NE; *Zimmermann.*

carrik ML carricam, NE barge, *Barke.*

cart, karte OE cræt n., ON kartr, NE cart, chariot, *Wagen.* — cartere, cartare NE carter, charioteer, *Fuhrmann, Wagenlenker.* — carthors OE crætehors n., NE cart-horse, chariot-horse, *Wagenpferd.* — cartwhel OE cræt + hwêol n., NE cartwheel, chariotwheel, *Wagenrad.*

cas, case OF cas, NE case, accident, chance, *Sache, Lage, Vorfall, Zufall, Gelegenheit.*

cas OF casse, NE case, quiver, *Behälter, Köcher.*

kaserking OE câsere m. + cy(ni)ng m., NE emperor, *Kaiser.*

cast fr. the vb.; NE throw, plan, *Wurf, Schlag, Plan.* — ª-caste ON kasta, NE cast (down), *werfe, schlage (nieder).*

castel(le) castle L, OE castel m., NE castle, *Schloß.* — castelcarnele OE castel + OF crenel, NE battlement of a castle, *Burgzinne.* — castelled NE castellated, *schloßartig gebaut.* — castelwal OE castelweal(l) m., NE castle-wall, *Festungsmauer.* — castelyate, -yete, castelgate OE castel + geat n., pl. gatu, NE castle-gate, *Burgtor.*

castigacioun AN; NE chastisement, *Züchtigung.*

casuel OF; NE casual, accidental, *zufällig.* — casuelly adv.

cat OE cat(t) m., NE cat, *Katze.*

catapuce OF; NE euphorbia, *Euphorbia (als Abführmittel dienende Pflanze).*

catel ONF; NE cattle, property, wealth, *Vieh, Besitz, Reichtum.*

ª-caterwawed cf. OE cat(t) m. + wâwa m.; NE caterwauling, *miauend.*

cauld = calde p. of calle.

cause OF; NE; *Ursache, (Rechts-)Sache.* — cause OF; NE; *verursache.* — causeles NE causeless, *grundlos.* — causer NE causer, creator, *Urheber, Schöpfer.*

¹-kaut = ¹-caught s. cache.

cave OF; NE; *Höhle.* — cavern OF -ne; NE cavern, *Höhle.*

cavillacioun AN; NE cavilling, *List, Ausflucht.*

ce = se, NE sea.

kek onomat.; NE the cackling of a goose, *das Schnattern einer Gans.*

kecche = cache. | keke = kike. | cawhte = ca^ughte s. cache.

kechil OE cêcel m., NE small cake, *kleiner Kuchen.*

kedde = kidde s. kithe.

cedre OF; NE cedar, *Zeder.*

keft cf. MDu. kevese; NE harlotry, *Hurerei.*

ke^i(gh)e, key OE cæg f., NE key, *Schlüssel.*

keiht pp. of cache. | ceill = sel. | kein = kene.

ceint(e) OF ceinte, NE cincture, girdle, *Gürtel.*

keiser = kaisere. | cel = sel. | kelde = colde vb.

kele OE cêle, NE cool, *kühle, werde kühl.*

celebrable OF; NE worthy of honour, *ruhmwürdig.* — celebritee OF -té; NE celebrity, *Berühmtheit.*

celere AN celer, NE cellar, *Keller.* — celerer AN; NE cellarer, *Kellermeister.*

celestial AN; NE; *himmlisch.*

kell = kele.

celle L cellam, NE cell, *Zelle, Kleinkloster.*

celle = sille, NE sill, flooring. | cellerer = celerer. | ke[l]we = colmy. | kelwe = colle.

kembe OE cembe, NE comb, *kämme.*

keme(n) p. of come.

cementing cf. OF ciment; NE cementing, *Verbindung, Kittung.*

kemp cf. ON kampr 'mustache'; NE shaggy, rough, *zottig, rauh.*

kempe OE cempa m., NE champion, *Kämpe, Vorstreiter.*

^i-kempt pp. of kembe. | ken = kin. | cen = ^i-kenne. | ken = kin s. cow, NE cow. | kende = kinde. | kendle = kindle.

kene OE cêne, NE bold, keen, *kühn, scharf.* — ken(e)ly, -liche OE cênlîce, NE boldly, *kühn.*

cenith = senith.

kenne OE cenne, NE bring forth, beget, *bringe hervor, erzeuge.*

^i-kenne OE cenne, NE teach, discern, *lehre, erkenne.*

centaure OF; NE centaury, *Flockenblume, Tausendgüldenkraut.*

centre OF; NE; *Mittelpunkt.*

keome = come, NE coming.

kep fr. the vb.; NE care, heed, *Acht, Schutz.* — ^i-kepe OE cêpe, NE take care, desire, keep, preserve, *überwache, wünsche, halte, bewahre (auf), behalte bei.* — keper, kepare NE keeper, *Aufseher.* — keping(e) NE keeping, *Obhut.*

ceptre OF; NE sceptre, *Zepter.*

kerchef, -chif, -chof = coverchief.

cercle OF; NE circle, *Kreis.* — cercle OF; NE encircle, *umgebe (kreisförmig).*

cere L cero, NE cover with wax, *bestreiche mit Wachs.*

kere = kire. | kerfe = kerve.

cerial L -lem; NE sacred to Ceres, *der Ceres geheiligt.*

cerimonie OF; NE ceremony, *Zeremonie, Satzung.*

ceriously fr. L series; NE minutely, with full details, *genau, ausführlich.*

kernel OF crenel, NE battlement, *Zinne.*

kers OE cresse, cerse f., NE cress, *Kresse.*

kers = curs.

certain, -ein OF; NE certain, *sicher, gewiß*; something certain, truth, *etwas Gewisses, Wahrheit*; a certain NE a certain sum, *etwas Gewisses.* — certainly adv. — certainte OF; NE certainty, *Gewißheit.* — certes OF; NE certainly, *gewiß, wahrlich.*

certhes, certis = certes. | kertle = kirtel.

ceruce OF; NE ceruse, white lead, *Bleiweiß.*

kerve, keorve, p. carf, corve(n), pp. ^i-corve(n) OE ceorfe, NE carve, cut, *kerbe, schneide.* — kerver(e) NE carver, *Vorleger bei Tafel, Bildhauer.* — kerving NE carving, *Schneiden, Vorlegen bei Tafel.* — kervingtole OE ceorfing- + tôl m., NE tool to cut with, *Werkzeug zum Schneiden.*

ces(s)e OF cesse, NE cease, *höre auf.*

kesse = kisse. | keste = caste.

kete cf. ON kæti f.; NE strong, merry, *kräftig, munter.*

cetewale AN; NE zedoary, *Zitwer(wurzel).*

ketillehat ON ketill + OE -hæt m., NE helmet, *Sturmhaube.*

keve cf. ON kefja; NE am submerged, *werde versenkt(?).*

kevere OF cuevre, = covere. | kevere = ^i-covere.

chace OF; NE chase, *Jagd*; chase, hunt, *jage.*

chaf OE ceaf n., NE chaff, *Spreu.*

chaffare OE cêap m. + faru f., NE business, merchandise, *Geschäft, Ware*; chaffer, trade, *handele.*

chaier, chaire AN chaiere, NE chair, *Stuhl.*

chaine AN; NE chain, *Kette.*

chalange, -lenge OF; NE accuse, claim, *beschuldige, beanspruche.* — chalanging NE accusation, false claim, *Beschuldigung, falscher Anspruch.*

chalaundre AN; NE sort of lark, *Kalanderlerche.*

chalk OE cealc m., NE chalk, *Kalk.* — chalkston OE cealcstân m., NE a piece of chalk, *Kalkstein.* — chalkwhit OE cealc + hwît, NE chalkwhite, *kreideweiß.*

chalice OF; NE; *Kelch, Becher.*

chalons fr. OF Chalons; NE blanket, *wollene Bettdecke.*

chambioun = champioun.

chambre, chambir OF chambre, NE chamber, *Kammer.* — chambercurtin OF chambre + co(u)rtine, NE chambercurtain, *Zimmergardine.* — chambredore OF chambre + OE dor n., NE chamberdoor, *Zimmertüre.* — chamberere AN; NE lady's maid, maidservant, *Kammerjungfer, Dienerin.* — chamberlein OF chambrelein, NE chamberlain, *Kammerdiener, Hofbeamter.* — chamberrof OF chambre + OE hrôf m., NE roof of a chamber, *Zimmerdach.* — chamberwal OF chambre + OE weall m., NE chamber-wall, *Zimmerwand.* — chambrewow OF chambre + OE wâg m., = chamberwal.

champartie F champ parti, NE participation in power, *Machtanteil.* — champioun AN; NE champion, *(Zwei-)Kämpfer.*

chance = chaunce. | change = chaunge.

chano(u)n AN; NE canon, *Kanonikus, Domherr.*

chape = eschape. | chape = cope.

chapel(e), chapaile OF chapele, NE chapel, *Kapelle.* — chapelbelle OF chapele + OE belle f., NE chapel-bell, *Kapellenglocke.* — chap(e)lein(e), chaplain AN -ein(e); NE chaplain, *Kaplan(in).*

chapelet OF; NE chaplet, *kleiner Kranz, Haarband.*

chapitre, chapitle OF; NE chapter, *Kapitel.* — chapitre NE divide into chapters, *teile in Kapitel.*

chapman OE cêapman(n) m., NE merchant, *Kaufmann.* — chapmanhede, -hode NE trade, *Gewerbe.*

chapoun = capoun.

chappe cf. chip(pe); NE chap, split, *zerschlage, zerschneide.*

char OE cier(r) m., NE time, turn, piece of work, *Mal, Wendung, Verrichtung.* — charre OE cierre, NE turn, lead, *drehe, wende (mich), führe.*

char OF; NE car, chariot, *Wagen.* — charhors OF char + OE hors n., NE chariot-horse, *Wagenpferd.*

charbocle = carboucle.

charcole cf. OF charbon + OE col n.; NE charcoal, *(Holz-)Kohle.*

charge OF; NE; *Last, Auftrag, Amt.* — charge, chargge OF charge, NE; *belade, beauftrage, beschwere.* — chargea(u)nt AN; NE burdensome, *beschwerlich.* — chargeous(e) = chargea(u)nt.

chariet OF chariot, NE; *Wagen.*

charige = charre s. char, NE time.

charitee OF -té; NE charity, *Mildtätigkeit.* — charitable OF; NE; *mildtätig.*

charme OF; NE charm, *Zauber(formel).* — charmeresse OF; NE witch, *Zauberin.*

charre s. char, NE time.

chart(r)e AN; NE charter, agreement, *Urkunde, Abkommen.*

chase = chace. | chase s. chese.

chast OF; NE chaste, *keusch.* — chastitee, -ete OF -eté; NE chastity, *Keuschheit.*

chastein = chesteine.

chastelein AN; NE castellan, *Schloßvogt.* — chasteleine AN; NE wife of a castellan, *Frau eines Schloßvogtes.*

chast(i)e OF; NE chasten, rebuke, *züchtige, weise zurecht.* — chastiement OF; NE chastisement, *Züchtigung.* — chastise = chast(i)e. — chastisinge NE chastening, *Züchtigung.*

chateringe onomat., cf. chitere; NE chattering, *Geschnatter, Geschwätz.*

chaumbir, -bre = chambre. | chaumpioun = champioun.

chaunce AN; NE chance, *Fall, Zufall, Ereignis.* — chauncely NE accidentally, *zufällig.*

chauncel AN; NE; *Kanzel.* — chaunceler AN; NE chancellor *Kanzler.* — chaunce(l)rie AN chauncellerie, NE chancery, *Kanzlei.*

chaundeler AN; NE candle-maker, *Verfertiger von Kerzen.*

chaunge AN; NE change, *Wechsel, Veränderung.* — chaunge AN; NE change, *wechsele, verändere (mich).* — chaungeable NE changeable, *veränderlich.* — chaunginge NE changing, *Wechsel, Veränderung.*

chaunpioun = champioun. | chauns = chaunce. | chaunsel = chauncel.

chaunte AN; NE chant, *singe.* — chaunterie AN; NE chantry for singing masses for the dead, *Kantorei für Seelenmessen.*

cheance = chaunce.

chek, cheke OE cêace f., NE cheek(-bone), *Backe, Kinnbacken.*

chek OF eschec, NE check!, move, check, *Schach!, (Schach-)Zug, Hemmung.* — chekke NE check, *biete Schach, hindere.* — chek(k)er(e) AN escheker, NE chessboard, exchequer, *Schachbrett, Schatzkammer(gericht).* — chekmat OF eschec + mat, NE checkmate, *schachmatt.*

a-cheke = a-choke.

chef AN; NE chief, *Spitze, Haupt, Oberhaupt; hauptsächlich.* — chefly NE chiefly, *hauptsächlich.* — cheft(a)in(e) OF chevetaine, NE chieftain, captain, *Häuptling, Führer.*

chefe = cheve. | cheier = chaier. | cheine = chaine. | cheiß = chese, NE choose. | cheitour = eschetour. | chelaundre = chalaundre. | chelde = colde vb.

chele OE ciele m., NE cold, coolness, *Kälte, Kühle.*

chemne = chimene(e).

chep OE cêap m., NE market, price, *Kauf(preis).* — chepe, cheape OE cêapige, NE bargain, *handele.* — cheping, chepin OE cêaping f., NE market place), *Markt(platz)*. — chepingtoun OE cêaping + tûn m., NE market town, *Marktflecken*.

chepmon = chapman. | cherche = chirch(e).

cher(e) AN chere, NE face, countenance, mood, good treatment, *Gesicht, Gemütsverfassung, Bewirtung.* — gledd-i-cheret NE glad-looking, *von heiterem Aussehen.*

cherete = cherte(e).

chery ONF cherise, NE cherry, *Kirsche*.

cheris(s)e, cheriche, cherice OF cherisse sbj., NE cherish, *liebe, hege*. — cherissing, chereshinge NE cherishing, *Liebe, Pflege*.

cherl, cherril, cheorl OE ceorl m., NE churl, *Bauer, Kerl*. — cherlish OE ceorlisc, NE churlish, rustic, *bäurisch, ländlich*.

cherre, cherrie = charre.

cherte(e), cherete OF cherté, NE charity, fondness, *Liebe*.

cherubin OF; NE cherubim, *Cherubim*.

ches OF eschecs pl., NE chess, *Schach*.

chese OE ciêse m., NE cheese, *Käse*.

chese, cheose, 3 sg. chest, p. ches, chos, chase, pp. i-chose(n), i-coren OE cêose, NE choose, discern, see, turn to, *wähle, unterscheide, sehe, wende mich zu*. — a-chese OE ācêose, NE choose, recognise, *wähle, erkenne*. — chesinge NE chosing, choice, *Wahl*.

cheso(u)n = encheso(u)n.

cheste OE ciest f., NE chest, coffin, *Kiste, Kasten, Sarg*.

chest(e), cheaste OE cêast f., NE quarrel, *Streit*.

chesteine AN chestaine, NE chestnut, *Kastanie*.

chestre OE ceaster f., NE city, *Stadt*.

chete = eschete. | chetour = eschetour. | cheval- = chival-. | chevauchee = chivachee.

cheve fr. OF chevir inf.; NE succeed, *gelange zum Ziele*. — chevis(s)aunce AN; NE success, profit, borrowing, *Erfolg, Nutzen, Anleihe*. — chevise OF chevisse sbj., NE procure, get, *verschaffe, erlange*.

chevere, chivere cf. MD schevere; NE shiver, *zittere*.

chevesaile OF -aille; NE necklace, *Halsband*.

chevetein = cheftaine.

chewe OE cêowe, NE chew, think over, *kaue, überdenke*.

chiche = chi(n)che.

chide, 3 sg. chit, p. chidde OE cîde, NE chide, quarrel, *zanke, streite*. — chideresse NE scold, *Zänkerin*. — chidester(e) NE scold, *Zänkerin*. — chidinge OE cîdung, -ing f., NE chiding, *Zank, Schelten*.

chief = chef. | chiere = chere. | chiertee = cherte(e).

chike(n), pl. chiknes OE cŷcen, cîcen n., NE chicken, *Küchlein*.

child, chil OE cild n., NE child, young man, *Kind, junger Mann*. — childbed, chilbed OE cild + bed(d) n., NE childbed, *Kindbett*. — childbering NE child-bearing, *Gebären, Niederkunft*. — childe fr. the sb.; NE bear child, *gebäre*. — childhede, -hothe OE cildhâd m., NE *Kindheit*. — childish OE cildisc, NE childish, *kindisch*. — childly OE cildlîc, NE childlike, *kindlich*.

chilindre ML chilindrum, NE cylinder, portable sun-dial, *Zylinder, tragbare Sonnenuhr*.

chimbe cf. OE cimb-îren n.; NE edge, *Kimme, äußerster Rand*.

chimbe OF chimbale, NE cymbal, *Zimbel*. — chimbe NE chime. *klinge, läute*.

chimble ON kimbla, NE bind up, *bebinde*.

chimene(e) AN chimene(i)e, NE chimney, furnace, *Kamin, Schlot*.

chin OE cin(n) f., NE chin, *Kinn*.

chi(n)che OF chiche, NE niggard, miser, *Knauser*; niggardly, *knauserig*. — chincherie NE niggardliness, miserliness, *Knauserei*. — chinchy NE niggardly, *knauserig*.

chine OE cine f., NE chink, fissure, *Ritze, Spalt*. — chining NE gaping, yawning, *weit offen stehend*.

chingerie = chincherie.

chip(pe) cf. OE cippige; NE chip, *Span*.

chip = ship.

chirke onomat.; NE chirp, *zirpe*. — chirking NE creaking, grating sound, *Knirschen, Kratzen*.

chir(e)che OE cirice, cyr(i)ce f., NE church, *Kirche*. — chirchedore OE cyricdor n., NE church-door, *Kirchentür*. — chirchehawe OE cyrice + haga m., NE churchyard, *Kirchhof*. — chircheporche OE cyrice + OF porche, NE churchporch, *Vorhalle einer Kirche*. — chirchereve OE cyrice + gerêfa m., NE churchwarden, *Kirchenvorsteher*. — chirchewow OE cyricwâg f., NE churchwall, *Kirchenmauer*. — chircheyerd OE cyrice + geard m., NE churchyard, *Kirchhof*.

chisel ONF; NE; *Meißel*.

chiste = cheste. | chit s. chide. | chite = chide.

chitere onomat., cf. chateringe; NE chatter, prattle, *schwätze*. — chiteringe NE chattering, *Geschwätz*.

chivachee, -ie, chivauchie AN chivauché, NE riding, expedition, *Ritt, Feldzug*.

chival(e)rie AN -erie; NE chivalry, chivalrous deed, *Ritterlichkeit, ritterliche Tat*. — chivalrous AN chivalerous, NE chivalrous, *ritterlich*.

a-choke OE āceocige, NE choke, *ersticke*.

chough cf. OHG chaha, OE cêo f.; NE chough. *Dohle*.

chois OF; NE choice, *Wahl; erlesen, vortrefflich*.

chonge = chaunge.

choppe cf. chappe; NE chop, knock, *schlage, haue.*

chose s. chese. | chost = cheste, NE quarrel. | christenei pl. of cristen.

chuk onomat.; NE chuck, cluck, *Gluck(s)en.* — chukke NE crow, cackle, *krähe, gackere.*

(ich) chulle = (ich)ulle = (ich) wol. | chüreche = chirche. | chürre = charre.

kike orig. obsc.; NE kick, *stoße mit dem Fuß, trete.*

kike cf. LG kīke; NE peep, *gucke.*

kichene OE cycene f., NE kitchen, *Küche.*

kichil = kechil.

ciclatoun AN; NE costly stuff, *kostbarer Stoff.*

¹-kid, kid(de) s. kithe.

cider OF cidre, NE cider, *Apfelwein.*

cierge OF; NE wax taper, *Wachskerze.*

kiht pp. of cache.

kille cf. OE cwelle; NE kill, *töte.*

kimeth OE cymeþ, NE comes 3 sg. of come.

kimelin cf. OE cumb m.; NE brewing-tub, *Braubottich.*

kin OE cyn(n) n., NE kin, kindred, kind, *Familie, Art.* — kinrede OE cyn(n) + -rǣden, NE kindred, *Stamm, Verwandtschaft.*

kin pl. of cow.

cinamome OF; NE cinnamon. *Zimmet.*

cink OF; NE five, *fünf.*

kinc = king.

kind(e) OE (ge)cynd f. n., NE nature, kind, kindred, *Natur, Art, Familie.* — kinde OE (ge)cynde, NE natural, kind, *natürlich, gütig.* — kind(e)ly OE cyndlic, NE natural, agreeable, *natürlich, angenehm;* OE cyndelice, NE by nature, anording to nature, kindly, *von Natur, der Natur nach, liebevoll.* — kindenesse OE (ge)cyndnes f., NE kindness, *Güte.*

kindel cf. kind(e); NE young one, *Junges* — kindle NE bring forth, *gebäre.*

kindle cf. ON kynda vb., kyndill sb.; NE kindle, *zünde an.*

kinedom OE cynedōm m., NE kingdom, *Königreich.* — kinelich OE cynelic, NE royal, *königlich.* — kinelond OE cyne-+land n., NE kingdom, *Königreich.* — kineriche OE cynerîce n., NE kingdom, *Königreich.* — kineyerde OE cynegierd(e) f., NE sceptre, *Zepter.*

king OE cyning, ci(ni)ng m., NE king, *König.*

kinhis = kinges pl. of king. | kinrede s. kin. | kinrik = kineriche.

kippe ON kippa, NE seize, behave, *er-greife, nehme, gebärde mich.*

cipres OF cypres, NE cypress, *Zypresse.*

kirke = chirche.

circuit F; NE; *Umkreis, Umfang.*

circumcise fr. L circumcisum; NE circumcise, *beschneide.*

circumscrive L circumscribo, NE circumscribe, *umschreibe.*

circumstaunce AN; NE circumstance, *Umstand.*

kire fr. OE cyre m.; NE choose, *wähle.*

kirtel OE cyrtel m., NE kirtle, *Rock.*

ciser ML ciseram, NE strong drink, *berauschendes Getränk.*

kisse OE cysse, NE kiss, *küsse.* — kissing NE; *Küssen.*

kiste ON kista, = cheste. | kiste p. of kisse. | kitchen = kichene.

kite OE cŷta m., NE kite, *Weihe, Geier.*

cite 221, 681 for ecce L; NE look! *sieh!*

cite(e) OF cité, NE city, *Stadt.* — citezein AN citisein, NE citizen, *Bürger.*

kithe, p. kid(de), pp. ¹-kid(de) OE cŷþe, NE make known, show, *künde, offenbare.* — kith(e) OE cŷþþ(o) f., NE native country, message, *Heimat, Kunde.*

citole OF; NE kind of harp, *Saiteninstrument.* — citolestring OF citole + OE streng m., NE string of the citole, *Saite der 'citole'.*

citrin OF; NE citrine, *zitronenfarbig.* — citrinacioun L citrinationem, NE the turning to the colour of citron, *Zitrination (alchem.).*

kitte p. sg. of cutte. | clad(de) s. clothe. | clay = cley.

claim OF; NE; *Anspruch.* — claime OF; NE claim, *verlange.*

clamb s. climbe.

clambre ON (?) klambra, NE cluster together, *dränge zusammen.*

clambre fr. climbe; NE clamber, climb, *klettere.*

clamour AN; NE; *Geschrei, Klage.*

clane, clanly, clanliche, clan(n)esse = clene etc.

claper(e) AN claper, NE rabbit-burrow, *Kaninchenhöhle.*

clap(pe) onomat.; NE clap, stroke, *Schlag.*

clappe OE clæppe, NE clap, beat, babble, *klapp(er)e, schlage, schwätze.* — clappe NE clapper (of a mill), tongue, *Klapper, Klappe (=Zunge).* — clap(p)er fr. clappe vb., cf. OE clipor m.; NE clapper, rattle, (*Warnungs-) Klapper (der Aussätzigen), Klöppel.* — clapping NE chatter, *Geschwätz.*

clapse cf. clippe OE clyppe; NE clasp, *umklammere.*

clark = clerk.

clario(u)n AN; NE clarion, *Trompete.* — clarioning NE trumpeting, *Trompetenblasen.*

clarree OF claré, NE clarified spiced wine, *geklärter Gewürzwein.*

clasp cf. clapse; NE clasp, *Klammer.* — claspe = clapse.

clatere OE clatrige, NE clatter, *rassele.* — clateringe OE clatrung f., clattering, *Gerassel.*

clath = cloth.

clause OF; NE; *Klausel, Stelle, Gedanke.*
claustre L claustrum, = cloistre.
clawe OE; NE claw, scratch, stroke,
klaue, kratze, streichele. — claw(e) OE
clawu f., NE claw, hoof, *Klaue, Huf.*
cleche, p. claꭇghte OE *clǣce, NE clutch,
seize, *packe, ergreife.*
cled(de) s. clothe. | cleft(e) s. cleve, NE
cleave.
cley OE clǣg m., NE clay, *Ton, Erde.*
cleime = claime.
clenke cf. clinke; NE make to clink, *lasse
ertönen.*
clenche, pp. cle(i)nt OE clence, NE seize,
clench, enclose, *ergreife, verklammere,
schließe ein.*
clene OE clǣne, NE clean, *rein;* entirely,
völlig. — clenlich OE clǣnlīc, NE
cleanly, pure, *rein.* — clenliche, -ly OE
clǣnlīce, NE purely, entirely, *rein,
völlig.* — clennesse OE clǣnnes f., NE
purity, *Reinheit.* — clense OE clǣnsige,
NE cleanse, *reinige.*
clenge = clinge.
cle(o)pe OE clipige, cleopige, NE call,
rufe, nenne.
cleppe = clippe.
cler OF; NE clear, *klar.* — clere NE
grow or make clear, *werde klar, kläre.* —
cler(e)nesse NE clearness, *Klarheit.* —
clerly NE pure, *rein.*
clerk, clerek, clerik OE cleric, OF clerc,
NE clerk, scholar, student, *Geistlicher,
Gelehrter, Student.*
clergeo(u)n AN; NE choristerboy, *Chor-
knabe.* — clergi(e) OF clergie, NE
clergy, learning, *Klerus, Gelehrsamkeit.* —
clergial NE learned, *gelehrt.*
clethe OE clǣþe, NE clothe, *kleide.*
cleve, p. clef, cleve, cleft(e), pp. ᴵ-clowe(n),
cleft OE clêofe, NE cleave, cut, *kliebe,
spalte.*
cleve OE clifige, cleofige, NE adhere,
stand fast, *klebe, stehe fest.*
clew OE cliwen, cleowen n., NE clew,
Knäuel.
cliket F cliquet, NE latch-key, *Schlüssel,
Drücker.*
clier = cler.
clif(fe) OE clif n., NE cliff, *Klippe, Fels.*
clifte fr. cleve; NE cleft, *Spalt.*
climat OF; NE climate, zone, *Klima,
Zone.*
climbe, p. clamb, clomb, cloumben, clomb-
en, clamben, pp. -ᴵclombe(n) OE climbe,
NE climb, *klimme.*
clinke onomat.; NE clink, *(lasse) er-
klinge(n).* — clinking NE tinkling, *Er-
klingen.*
clinge, p. clong, clonge(n), pp. ᴵ-clonge(n)
OE clinge, NE wither, cling, rush, *ver-
dorre, hafte, klebe, eile.*
clippe OE clyppe, NE embrace, *umarme.*
— clipping NE embracing, *Umarmung.*

clippe ON klippa, NE clip, *schneide ab,
schere.*
clippe = clepe.
clipsy OF eclipsé, NE eclipsed, obscure,
verdunkelt, dunkel.
clive = clif(fe). | clive = cleve.
clobbed fr. ON klubba; NE clubbed,
keulenförmig, roh.
clok(ke) MDu. clocke, ONF cloque, NE
clock, *Glocke.*
clocke OE cloccige, NE cluck, *glucke.*
cloke ONF cloque, NE cloak, *Mantel.*
clogh = clough.
cloistre, -er OF cloistre, NE cloister,
Kloster. — cloisterer OF cloistrier,
NE monk, *Mönch.* — cloisterles NE
outside of a cloister, *außerhalb eines
Klosters.*
clom cf. OE clûmian; NE silence, *Stille.*
clombe(n) s. climbe.
clos OF; NE enclosure, enclosed place,
Einfriedigung, umschlossener Ort; close,
enclosed, hidden, *(ein)geschlossen, ver-
borgen.* — close fr. OF clos; NE(en)close,
wrap, *schließe (ein, ab), umhülle.* — closer
AN; NE enclosure, *Gehege.* — closet
OF; NE small room, *kleines Zimmer.*
— closing NE enclosure, boundary,
Einfriedigung, Grenze. — closure OF;
NE; *Verschließen, Verschluß.*
clot OE clot(t), NE clod, clay. *Erdkloß,
Erde.* — clotere NE clot, coagulate,
gerinne.
clote OE clâte f., NE burdock, *Klette.*
cloth OE clâþ m., NE cloth(ing), *Stoff,
Kleidung, Tischtuch.* — clothe, p. clo-
thede, clad(de), cledde, pp. ᴵ-clothed,
ᴵ-clad, ᴵ-cled OE clâþige, NE clothe, *kleide.*
— clothing NE; *Kleidung.* — clothles
NE naked, *nackt.*
clothere = clotere.
cloud OE clûd n. 'rock', NE cloud, *Wolke.*
— cloudeles NE cloudless, *wolkenlos.*
— cloudy OE clûdig 'rocky', NE cloudy,
wolkig.
clough OE *clôh cf. OHG kläh; NE clough,
Abhang, Talschlucht.
cloumben s. climbe.
clout(t) OE clût m., NE bit of cloth, patch,
Stück Tuch, Flicken. — cloute OE
clûtige, NE patch, *flicke.*
cloven s. cleve, NE cleave. | clow =
claw.
clow-gelofre AN cloue de gilofre, NE
clove-gilly-flower, *Gartennelke.*
clowse = close. | clum = clom. | clüppe
= clippe.
cluster OE cluster, clyster n., NE cluster,
bunch, *Büschel, Traube.* — clustered
NE; *zusammengeballt.*
clut = clot. | clut = clout.
knak orig. obscure; NE trick, *Kniff.*
knakke onomat.; NE cause to sound,
lasse ertönen.
knaiff = knave.

knarre cf. LG knarre; NE a knot in wood, knotted fellow, *Knorren, knorriger Mensch.* — knarry NE knotty, *knorrig.*

knau- = know-. | knaulage = know(e)leche.

knave OE cnafa m., NE boy, servantlad, page, *Knabe, Diener, Knappe.* — knavechild OE cnafa + cild n., NE male child, *Knäblein.* — knavish NE; *gemein.*

knaw- = know-.

kne OE cnêo n., NE knee, *Knie.* — knele OE cnêowlige, NE kneel, *knie.* — kneling NE kneeling, *Niederknien.*

knede, pp. i-knede(n) OE cnede, NE knead, *knete.* — knedingtrogh fr. OE cnede + trog m.; NE kneading-trough, *Backtrog.* — knedingtubbe fr. OE cnede + MDu. tobbe; NE kneading-tub, *Backmulde.*

knei = kne. | kneill = knele. | knele s. kne. | knen pl. of kne. | knette, knettinge = knitte, knittinge. | kneu(h) = knew(e) s. knowe. | knew(en) s. knowe. | knict = knight.

knif ON knîfr, OE cnîf m., NE knife, *Messer.* — knifworpare OE cnîf + weorpere m., NE knifethrower, *Messerwerfer.*

knight OE cni(e)ht m., NE boy, servant, soldier, knight. *Knabe, Knecht, Soldat, Ritter.* — knighthod OE cnihthäd m., NE knighthood, *Rittertum.* — knightly OE cnihtlîc, NE knightly, *ritterlich.* — knightshipe NE knighthood, *Ritterschaft, Ritterlichkeit.*

knil OE cnyl(l) m., NE knell, *Glockengeläut.*

knit, cnith(t) = knight.

knitte OE cnytte, NE knit, *knüpfe.* — knittinge NE connection, *Verbindung.*

knobbe cf. knoppe; NE knob, *Knorre, Beule.*

knok fr. knokke; NE knock, *Schlag.* — knokke OE cnocige, NE knock, *schlage, klopfe.* — knokkinge NE knocking, *Anklopfen, Pochen.*

knoppe cf. OE cnæp(p) m.; NE knob, bud, *Knopf, Knospe.* — knoppe NE provide with knobs, *besetze mit Knöpfen oder Buckeln.*

knotte OE cnotta m., NE knot, difficulty, *Knoten, Schwierigkeit.* — knotteles NE without a knot, *ohne Knoten.* — knotty NE; *knotig.*

knowe dat. sg., knowes pl., of kne.

i-knowe, knawe, knowne (91, 134), p. knew(e), knowed(e), knewe(n), pp. i-knowe(n) OE (ge)cnâwe, NE know, *kenne, weiß.* — am a-knowe OE êom oncnâwen, NE acknowledge, *bekenne.* — knower NE one who has cognisance, *Eingeweihter.* — knowing NE knowledge, *Kunde, Wissen.* — knowinge NE conscious, *bewußt.* — knowleche NE acknowledge, *erkenne an, bekenne.* —

know(e)leche, -liche NE knowledge, *Kenntnis, Erkenntlichkeit.* — knowleching, -unge NE acknowledging, information, *Kenntnis, Wissenschaft.*

cnül = knil.

coagulat L coagulatum, NE coagulated, clotted, *geronnen.*

cobillnote cf. OE hnutu f.; NE cobnut, *kleine Haselnuß.*

cok OE coc(c) m., NE cock, *Hahn.* — cokenay fr. OE coc(c) + æg n.; NE cockney, effeminate creature, *verweichlichtes Wesen.*

cok OE côc m., NE cook, *Koch.*

cocke prob. fr. OE coc(c) m.; NE wrangle, swagger, *streite, prahle.* — cocker NE wrangler, swaggerer, *Zänker, Prahler.*

cokkel OE coccel m., NE corn-cockle, *Kornrade.*

cokkes euphemistic = goddes.

cokkow OF coucou, NE cuckoo, *Kuckuck.*

cokewold OF cucuault, NE cuckold, *Hahnrei.*

cokstol = cuckingstol.

cod OE cod(d) m., NE husk, bag, pillow (-case), skin, *Schote, Sack, Kissen(-überzug), Balg.*

coempcioun L coemptionem, NE coemption, *Zusammenkauf.*

coeterne L coaeternum, NE coerternal, *gleich ewig.*

koeverchef = kerchef. | cofedre = confedere.

cofre, cofer OF cofre, NE coffer, chest, *Kasten, Kiste.*

cogge OF cogue, MLG kogge, NE small boat, *Kogge.*

coughe fr. the vb.; NE cough, *Husten.* — coughe, cf. OE cohhete; NE cough, *huste.*

coy OF; NE coy, quiet, *still.* — coie NE make quiet, *beruhige.*

coif OF coife, NE coif, *Kopfbedeckung.*

coillon OF; NE testicle, *Hode.*

coin OF; NE; *Münze.* — coine NE coin, *präge.*

coin(e) OF coin, NE quince, *Quitte.*

coint = queint.

col OE col n., NE coal, *Kohle.* | colblak OE col + blæc, NE coal-black, *kohlschwarz.* — colfox OE col + fox m., NE black fox, *Kohlfuchs.* — colle NE blacken with coal, *schwärze mit Kohle.* — colmy NE sooty, *rußig.*

col OE côl, NE cool, *kühl.* — a-cole OE (â)côlige, NE become cool, *werde kühl.*

cold OE ceald, NE cold, *kalt.* — cold(e) OE ceald n., NE cold, *Kälte, Erkältung.* — colde OE cealdige, NE become cold, *werde kalt.*

a-cold pp. of a-cole.

coler OF; NE collar, necklace, *Halsstück an der Rüstung, Kragen, Halsband.* — colered NE provided with a necklace, *mit einem Halsband versehen.*

colera L choleram, NE choler, *Galle, Zorn.*
— colere OF; NE choler, *Zorn.* — co-
lerik OF -ique; NE choleric, *leiden-*
schaftlich.

collacioun AN; NE discourse, conference,
comparison, *Rede, Unterredung, Ver-*
gleichung.

collateral L collateralem, NE collateral,
parallel laufend, untergeordnet.

colle s. col, NE coal.

collect L collectam, NE collect, *Kollekte,*
Altargebet. — collect pp. L -tum; NE
collected, *gesammelt.*

collegge OF college, NE; *Kollegium, Bil-*
dungsanstalt.

collusioun AN; NE collusion, conspiracy,
Verschwörung.

colmy s. col, NE coal.

colo(u)r OF colour, NE; *Farbe.* — co-
loure OF couloure, colore, NE colour,
färbe.

colpon OF; NE shred, billet, *Fetzen,*
Zettel.

colt OE m.; NE; *Füllen.* — coltish NE;
ausgelassen wie ein Füllen.

columbin OF colombin, L columbinum,
NE dove-like, *taubenartig.*

colver(e) OE culfre f., NE dove, *Taube.*

coma(u)nde AN; NE command, *befehle.*
— coma(u)nd(e)ment AN; NE com-
mandment, *Gebot.* — comaundour AN;
NE commander, *Befehlshaber.*

comb OE camb m., NE comb, honey-
comb, *Kamm, Wabe.*

combre = cumbre.

combust L combustum, NE burnt, *ver-*
brannt.

come, cume, p. com, cam, come(n),
keme(n), pp. ¹-come(n), keme(n) OE cume,
NE come (by something), *komme (zu etw.)*
— ᵃ-come OE ācume, NE attain, come
to, recover, *gelange, kömme zu, erhole*
mich. — come OSw. koma, NE coming,
Ankunft. — cominge NE coming, *An-*
kunft.

comedie OF; NE comedy, pleasant tale,
heiter ausgehende Geschichte.

comende L commendo, NE commend,
lobe. — comendable L commendabile,
NE commendable, :-----wert. — comen-
dacion L commendationem, NE com-
mendation, *Empfehlung.*

comeve = commeve.

comfort OF confort, NE comfort, *Trost.*
— comforte, comforthe OF conforte,
NE comfort, *stärke, tröste.*

comin OE cumin m., OF comin, NE
cum(m)in, *Kümmel.*

comin = comune.

comly, -liche, comely, comp. comloker
superl. comlokest cf. OE cymlīc; NE
comely, *geziemend, schön.* — comlily
adv. — comlinesse NE comeliness,
Anstand, Schönheit.

comma(u)nde = coma(u)nde | com-
mende = comende. | commeve =
commoeve.

commissioun AN; NE commission, *Auf-*
trag.

committe L -tto; NE commit, *übergebe*
vertraue an.

commoeve OF sbj.; NE move, influenceᵗ
bewege, beeinflusse. — commoevinge
NE moving, disturbing, *Bewegung, Er-*
regung.

com(m)un(e), commoun OF comun, NE
common, (all)*gemein.* — comunablete
NE community, *Gemeinschaft.* — comu-
nalitee, comonalte OF comunalté NE
commonalty, *Gesamtheit.* — com(m)une
OF; NE commons, *Gemeinde.* — comu-
ner NE partaker, citizen, member of
town-council, *Teilnehmer, Bürger, Mit-*
glied des Stadtrats. — comuning NE
public meeting, deliberation, *öffentliche*
Zusammenkunft, Beratung. — com(m)u-
nion OF communion, NE holy commu-
nion, *hl. Abendmahl.* — com(m)unity,
comunte OF communité, NE community,
Bürgerschaft, Volk. — comunliche NE
in common, commonly, *gemeinsam, ge-*
wöhnlich.

compame = com pa me = com ba (NE
kiss) me.

compani(e), compai(g)ni(e), compane OF
compaignie, NE company, *Gesellschaft.* —
compaignable OF; NE companionable,
gesellig. — companien inf., NE unite
to a company, *sich zu einer Gesellschaft*
zusammenschließen.

compariso(u)n AN; NE comparison, *Ver-*
gleich. — compariso(u)ne NE compare,
vergleiche.

compas OF; NE compass, trick, shape,
Kreis, Umkreis, List, Gestalt. — ᵃ-compas
NE in a circle, *im Kreise.* — compas-
(se)ment OF compassement, NE plott-
ing, contrivance, *Anschlag, Plan.* —
compasse OF; NE compass, contrive,
zirkele ab, ersinne. — compassing NE
boundary, contrivance, *Umfang, Er-*
findung.

compassioun AN; NE compassion, *Mit-*
leid.

comper AN comper, OF compair, NE
compeer, comrade, *Gefährte.*

compelle L -llo; NE compel, *nötige.*

compilatour AN; NE compiler, *Kom-*
pilator. — compile OF; NE; *stelle zu-*
sammen.

compleine, -aine OF ͵complaigne sbj., NE
complain, (be)*klage.* — complei(g)ning
NE complaining, *Klage.* — compleint,
-aint OF complainte, NE complaint,
Klage.

complet L -tum; NE complete, *voll-*
ständig.

complexioun AN; NE complexion, *Kör-*
perbeschaffenheit, Temperament.

complie, complin(e) OF complie, NE compline, *Abendgebet, Komplete.*

complishe OF complisse sbj., NE accomplish, *(er)fülle.*

comporte OF; NE bear, endure, *ertrage.*

composicioun AN; NE agreement, *Vereinbarung.*

compotent NE allpowerful, *allmächtig.*

compoune AN; NE compound, *setze zusammen.*

compre(he)nde L compre(he)ndo, NE comprehend, *fasse zusammen, begreife.*

compresse L -sso; NE compress, restrict, *beschränke.*

comse OF comence, NE commence, *beginne.*

comste = comst thou s. come. | comthe = cometh 3 sg. of come. | comun(e) s. com(m)un(e). | con = can. | con = gan s. ginne.

conceive AN sbj.; NE comprise, conceive, *fasse zusammen, begreife, empfange.* — conceit(e) formed after deceit fr. AN conceivre; NE conception, *Gedanke.*

concel = conseil.

concepcio(u)n AN; NE conception, *Empfängnis!*

concience = conscience.

conclude L -do; NE conclude, *fasse zusammen, schließe ab.* — conclusioun AN; NE conclusion, *Schluß(-folgerung).*

concord OF -de; NE concord, *Eintracht.* — concorde OF; NE make to agree, *bringe in Übereinstimmung.*

concours OF; NE course, result, *Lauf, Ergebnis.*

concubin OF -ine; NE; *Konkubine.*

concupiscence OF; NE; *sinnliche Begier.*

concurbite = cucurbite.

condescende OF sbj.; NE condescend, *gebe nach, lasse mich herab.*

condicio(u)n AN; NE condition, *Bedingung, Zustand.* — condicionel OF; NE conditional, *bedingt.*

conduit OF; NE guidance, conduit, *Geleit, (Leitungs-)Röhre.*

cone = can. | conestable = constable.

confedere OF; NE conjoin, *vereinige durch ein Bündnis.* — confederacie OF; NE confederacy, *Bündnis.*

conferme OF; NE confirm, *bekräftige.*

confessioun AN; NE confession, *(Sünden-)Bekenntnis.* — confess(o)ur AN; NE confessor, *Bekenner, Märtyrer, Beichtiger.*

confiture OF; NE mixture, *Mischung.*

confort = comfort.

confounde AN sbj.; NE confound, destroy, *verwirre, vernichte.*

confus OF; NE confused, *verwirrt.* — confusioun AN; NE confusion, ruin, *Verwirrung, Verderben.*

congecte = conjecte.

cong(e)ie, conge OF cong(e)ie, NE dismiss, *beurlaube, verabschiede.*

congele OF; NE congeal, *erstarre.*

congregacioun AN; NE congregation, *Versammlung.*

cony, coning OF connin, connil, NE cony, *Kaninchen.*

conisaunce AN; NE knowledge, *Kenntnis, Einsicht.*

conjecte L -to; NE conjecture, *vermute.* — conjectinge NE conjecturing, *Vermutung.*

conjoi(g)ne OF conjoigne sbj., NE conjoin, *verbinde.* — conjoininge NE conjoining, *Verbindung.*

conjunccioun AN; NE conjunction, *Konjunktion (astron.).*

conjure OF; NE; *verschwöre mich, zaubere.* — conjuracioun AN; NE conspiracy, enchantment, *Verschwörung, Zauber.*

conne = can. | conne = cony. | conne(n) s. can. | conning = cunning. | conporte = comporte.

conquere fr. OF conquerre; NE conquer, *erobere, besiege.* — conquering NE victory, *Sieg.* — conquerour AN; NE conqueror, *Eroberer.* — conquest(e) OF; NE conquest, *Eroberung.*

conrei OF; NE provision, troop, *Ausrüstung, Schar.*

consa(i)ve, consaiwe = conceive.

conscience OF; NE; *Gewissen, Bewußtsein.*

consecrat L consecratum, NE consecrated, *geweiht.*

conseil = counseil. | conseit(e) = conceit(e).

consentant OF; NE consenting (to), *zustimmend.* — consente OF sbj.; NE consent, *willige ein.* — consentement OF; NE consenting, *Einwilligung.* — consentinge NE consenting, *Einwilligung.*

consentrik OF concentrique, NE concentric, *konzentrisch.*

consequence OF; NE; *Folge.* — consequent NE sequel, result, *Folge(rung).*

conservatif OF; NE preserving, *erhaltend.* — conserve OF; NE preserve, *bewahre auf.*

considere OF; NE consider, *erwäge.*

consistorie OF; NE consistory, *Konsistorium.*

consolacioun AN; NE consolation, *Tröstung.*

conspiracie L -ationem; NE conspiracy, *Verschwörung.*

constable OF conestable, NE constable, governor, *Marschall, Befehlshaber.* — constablerie NE office of a constable, *Würde eines constable.* — constablesse NE constable's wife, *Frau eines constable.*

consta(u)nce AN; NE constancy, *Standhaftigkeit.*

constellacioun AN; NE constellation, *Konstellation.*

constery, -ory = consistorie.

constreine OF constraigne sbj., NE constrain, *ziehe zusammen, fessele.* — constreinte OF; NE constraint, *Not.*

construe L construo, NE construe, *lege zurecht, lege aus.*

consuler = conseiler.

consume L consumo, NE consume, *verzehre.* — consumpt L -tum; NE consumed, *aufgezehrt, dahingeschwunden.*

contagious AN; NE contagious, *ansteckend.*

contek AN; NE contest, *Streit.*

contemplacioun AN; NE contemplation, *Betrachtung.* — contemplatif OF; NE contemplative, *beschaulich.* — contemplaunce AN = contemplacioun.

contenance = countenance.

contene fr. OF contenir; NE contain, *enthalte.* — continence OF; NE; *Enthaltsamkeit.*

contesse = countesse.

continue OF; NE; *setze fort.* — continuacioun AN; NE continuation, *Fortsetzung.* — continuel OF; NE continual, *ununterbrochen.* — continuing NE continuance, *Beharren.*

contract L contractum, NE contracted, *zugezogen.* — contract OF; NE; *Kontrakt, Vertrag.*

contraie, -eie = countre(i)e.

contraire OF; NE contrary, *Gegenteil, entgegengesetzt.* — contrari(e) AN = contraire. — contrarie OF; NE oppose, *bin zuwider, widerspreche.* — contrarious AN; NE contrary, *entgegengesetzt.* — contrarioustee AN; NE contrary state, *entgegengesetzter Zustand.*

contricioun AN; NE contrition, *Zerknirschung.* — contrit F; NE contrite, *zerknirscht.*

contrive = controve OF; NE contrive, *erdenke.* — controvinge NE contrivance, *Erfindung.*

contubernial L -nalem; NE familiar, *vertraut.*

contumac(i)e AN; NE contumacy, *Widerspenstigkeit.*

contumelie OF; NE contumely, *Schmach.*

contune = continue.

conveie AN; NE convey, *geleite, befördere.*

convenable = covenable. — convenient L -tem; NE convenient, *passend.*

convent L -tum; NE convent, *Konvent.*

in **convers** L in converso, NE on the reverse side, *auf der entgegengesetzten Seite.*

conversacio(u)n AN; NE (manner of) life, *Leben(sweise).*

converte OF sbj.; NE convert, *wende um, bekehre.* — convertible F; NE; *vertauschbar.*

convict L convictum, NE convicted, *überführt.*

convoie OF = conveie.

cop OE cop(p) m., NE top, head, *Gipfel, Spitze, Kopf.*

cope L capam, NE cope, *Kappe, Mantel, Chorrock.* — cope NE provide with, put on, a cope, *versehe mit einer Kappe etc., lege eine Kappe etc. an.*

coper OE copor n., NE copper, *Kupfer.*

cop(e)roun OF couperon, NE capital, *Kapitäl.*

copie OF; NE abundance, copy, *Menge, Abschrift.*

coppe OE (ātor)coppe f., NE spider *Spinne.*

coppe = cope. | coppe = cuppe. | copple = couple. | corage = courage.

coral OF; NE; *Koralle.*

corbet OF; NE architectural ornament, *architektonischer Schmuck.*

corde OF; NE cord, *Seil.*

corde = accorde.

cordewane OF cordouan, NE Cordovan leather, *spanisches Leder.*

cordial OF; NE; *Herzstärkung.*

coreccion = correccioun. | corecte = correcte. | ¹·core(n) s. chese, NE choose.

corfew AN coeverfu; NE curfew, *Feierabendglocke.*

corige OF corrige, NE correct, *verbessere.*

cormeraunt OF cormarant, cormoran, NE cormorant, *Kormoran, Seerabe.*

corn OE n., NE; *Korn.* — corny NE strong of the corn or malt (of beer), *stark an Malz (vom Bier).*

cornemuse OF; NE bagpipe, *Dudelsack.*

corner AN cornere, NE corner, *Ecke.*

corniculere L -larium; NE Roman official, *römischer Beamter.*

corolarie AN; NE corollary, *Folgesatz.*

corompe = cor(r)umpe.

corosif OF; NE corrosive, *zerfressend.*

coroun(e) AN = coron(ne) OF; NE crown, garland, tonsure, *Krone, Kranz, Tonsur, Schädel.* — coro(u)ne AN; NE crown, *kröne.* — corouner NE coroner, *Kronbeamter.*

corps OF; NE corpse, *Körper, Leichnam.*

correccioun AN; NE correction, *Verbesserung, Züchtigung.* — correcte fr. L correctum; NE correct, *verbessere, weise zurecht.*

cor(r)umpe OF corrumpe sbj.; NE corrupt, *verderbe.* — corrumpable NE corruptible, *verderbbar.* — cor(r)umpinge NE corruption, *Verderbnis.* — cor(r)upcioun AN; NE corruption, *Verderbnis.* — corrupte NE corrupt, *verderbe.*

cors OF; NE corse, *Körper, Leichnam.* — corseint OF cors seint, NE saint, *Heiliger.*

cors = cours. | cort = court. | cortel = kirtel. | cortine = curtin. | corune = coro(u)ne | corve = kerve. **corvon** = ¹·korve(n) s. kerve.

cos OE coss, NE kiss, *Kuß.*

cosin(e) = cousin(e).

cost OF; NE cost, *Ausgabe.* — coste OF;
NE cost, *koste.* — costage OF; NE
cost, expense, *Kosten, Ausgabe.* — cost-
lewe cf. ON kostligr; NE costly, *kost-
bar.*

cost ON kostr, NE manner, nature, vir-
tue, condition, *Art und Weise, Natur,
Eigenschaft, Zustand.*

cost(e) OF coste, NE side of human body,
coast, *Seite des menschl. Körpers, Küste.*
— costeie AN; OF costoie, NE coast,
fahre die Küste entlang, komme nahe.

costrel OF costerel, NE bottle, *Flasche.*

cot, cote OE cot n., cote f., NE cot, *Hütte,
Häuschen.* — cotage OF; NE cottage,
Hütte. — cotlif OE cotlíf n., NE life in
a cottage, *Hüttenleben.*

cote OF; NE coat, jacket, *Rock.* — cote-
armure OF cote + armure, NE coat
of arms, *Waffenrock.*

coth(e) = quoth.

couche OF; NE couch, *Lager.* — couche
OF; NE lay down, place, *lege nieder,
setze.*

¹-coud, coude s. can. | couel = covel.

counseil, -sail, -ell AN; NE counsel, *Rat,
Beratung.* — counseil(l)e AN -eille;
NE counsel, *rate.* — couns(e)iler, -lour,
consail(l)er AN counseiller, NE counsell-
or, consul, *Ratgeber, Konsul.*

count AN; NE count, *Graf.* — coun-
tesse, -asse AN countesse, NE countess,
Gräfin.

counte AN; NE account, *Rechnung.* —
counte AN; NE count, *zähle, rechne.* —
countingbord fr. AN counte + OE
bord n.; NE counting-board, *Rechnungs-
tafel.* — countour, -eour AN; NE cal-
culator, *Rechnungsbeamter.* — countour
AN; NE counter, countinghouse, *Rechen-
tisch, Geschäftszimmer, Kontor.* — coun-
tourdore, countourhous.

countek = contek.

countenaunce AN; NE countenance,
äußere Erscheinung, Gesicht, Haltung.

countertaille = countretaille.

countre AN encountre, NE encounter,
combat, *treffe zusammen, kämpfe.*

countre(e), -eie AN; NE country, *Gegend,
Land.* — countreefolc AN countree +
OE folc n., NE people of one's country,
Landsleute. — countreehous AN coun-
tree + OE hûs n., NE home, *heimatliches
Haus.* — to his countreeward NE to-
wards his country, *nach seiner Heimat
zu.*

countrefete fr. AN countrefet pp.; NE
counterfeit, *bilde nach.* — contrefeture,
-aiture NE dissimulation, *Heuchelei.*

countrepeise AN; NE counterpoise, *halte
im Gleichgewicht.*

countreplete AN countreplede, NE coun-
terplead, *spreche gegen.*

countretaille AN; NE correspondence,
Entsprechung (im Tone).

countrewaite AN: NE am on my guard
against, *bin auf der Hut vor.*

coupable OF; NE culpable, *schuldig.*

coupe = cuppe.

co(u)ple OF; NE; *Paar.* — couple OF
cople, couple, NE couple, *verbinde.*

co(u)rage AN; NE heart, spirit, *Herz,
Sinn.* — co(u)rageous AN; NE; *mutig.*

coure Norw. dial., Swed. kura, Dan. kure,
NE cower, *kauere, ducke mich.*

cours AN cors, curs, NE course, *Lauf.*
— courser, -or -ur AN courser, -our,
NE runner, battlehorse, *Renner, Streit-
roß.*

ª-course = ª-curse.

court AN; NE: *Hof.* — co(u)rteis, cur-
teis OF; NE courteous, *höfisch, freigebig.*
— co(u)rteisliche adv. — co(u)rteisie
AN; NE courtesy, *höfisches Wesen, edle
Sitte.* — courteour AN; NE courtier,
Hofmann. — courtman AN court +
OE man(n), = courteour.

courtepy MDu. korte pie, NE short coat,
kurzer Mantel.

co(u)sin OF; NE; *Vetter, Verwandter.* —
co(u)sinage OF; NE kinship, *Verwandt-
schaft.* — co(u)sine OF; NE (female)
cousin, *Base, Kusine.*

couth(e) s. can.

couth(e) OE cúþ, NE known, *bekannt.* —
couthly adv.

rime couwee AN; NE tail-rhyme, *Schweif-
reim.*

coveine = covine.

cove(i)te AN; NE covet, *begehre.* — co-
veitise AN; NE covetousness, *Begierde.*
— covetour AN coveitour, NE one
who covets, *Lüsterner.*

covel cf. OE cufle f., cûg(e)le f.; NE coat,
Rock.

covenable OF; NE fit, *passend.* — co-
venaunt AN; NE covenant, *Überein-
kommen.*

covent OF; NE convent, *Versammlung.*

covercle OF; NE pot-lid, *Deckel.*

covere fr. OF covrir; NE cover, *bedecke,
verhehle.* — coverchief AN; NE kerchief,
Kopftuch. — covering NE; *Bedeckung.*
coverlite, coverled OF coverlit, -let,
NE coverlet, *Bettdecke.* — covert OF;
NE covert, *Versteck, versteckt.* — co-
vert(o)ure OF -ture; NE covering, *Decke.*

¹-covere cf. OE ácofrige, OF recovrer inf.;
NE attain, recover, *erlange, erhole mich.*

covet- = cove(i)t-.

covine AN; NE intrigue, *(hinterlistiger)
Anschlag.*

cow, pl. kin OE cû f., NE cow, *Kuh.*

cow cf. MDu. cauw(e); NE chough, *Dohle.*

coward AN c(o)uard, NE coward(ly), *Feig-
ling, feige.* — cowardie, -ise OF c(o)u-
ardie, -ise, NE cowardice, *Feigheit.*

cowthe = couth(e) s. can.

crabbed fr. crab sb.; NE crabbed, *gräm-
lich, widerwärtig.*

crak fr. the vb.; NE crack, *Krach, Schall.*
— crake OE cracige, NE crack, break,
cry, *krache, breche, schreie.* — crakk-
inge NE cracking, boasting, *Krachen,
Prahlen.*
cracche, crecche OF creche, NE cratch,
crib, hut, *Krippe, Hütte.*
cracche MDu. cratse, NE scratch, *kratze.*
— cracchinge NE scratching, *Kratzen.*
cradel, -il OE cradol m., NE cradle, *Wiege.*
crafe = crave.
craft OE cræft m., NE strength, (deceit-
ful) art, craft, *Kraft,* (*betrügerische*)
Kunst, Handwerk. — crafty OE cræftig,
NE strong, skilled, *kräftig, geschickt.* —
craft(is)mon OE cræft + mon(n) m.,
NE craftsman, *Handwerker.*
crag W craig, NE crag, *Fels, Klippe.*
cramme OE crammige, NE cram, *stopfe
voll.*
crampe cf. OE crampiht 'wrinkled'; NE
cramp, *Krampf.* — crampishe OF
crampisse sbj., NE cramp, *ziehe krampf-
haft zusammen.*
crane OE cran m., NE crane, *Kranich.*
crase cf. Sw. krasa; NE crack, break,
(*zer*)*breche.*
cratche = cracche.
crave OE crafige, NE crave, *bitte.*
crawe = crowe.
creacioun AN; NE creation, *Schöpfung.* —
creat L creatum, NE created, *geschaffen.*
— creatour AN; NE creator, *Schöpfer.*
— creatur(e) OF creature, NE; *Ge-
schöpf, Wesen.*
creaunce AN; NE belief, *Glaube.* —
creaunce NE borrow, *borge.*
crea(u)nt AN; NE craven, *besiegt.*
crece = encres. | creke = crike. | creke
= cracche, NE crib.
crede OE crêda m., L credo, NE creed,
Glaubensbekenntnis. — credence, cre-
dens OF credence, NE belief, trust,
Glaube, Vertrauen.
credill = cradel. | crenkled = crinkled.
crepe, p. crep, crope(n), crepte(n), pp.
i-crope(n) OE crêope, NE creep, *krieche.*
crepul, -il OE crêopel, crypel m., NE
cripple, *Krüppel.*
crepuscule OF; NE twilight, *Dämmerung.*
cresse = kers.
crest(e) OF creste, NE crest, *Kamm, Kopf-
schmuck.*
crevace OF; NE crevice, *Spalt.*
crew s. crowe. | crewel = cruel.
crib(be) OE crib(b) f., NE crib, *Krippe.*
crike ON kriki, NE creek, crooked device,
Winkel, Bucht, hinterlistiger Anschlag.
cri(e) OF cri, NE cry, *Schrei, Ruf.* — crie
OF; NE cry (out), *schreie, rufe (aus).* —
criinge, crie(i)ng NE crying, *Schrei(en).*
criestow = criest thou.
crime OF; NE; *Verbrechen.*
crinkled cf. OE crince; NE twisted, *ge-
wunden.*

crisp, crips OE crisp, cirps, NE crisp,
curly, *kraus.*
cristal OF; NE crystal, *Kristall, kristallen.*
cristen, -in OE cristen, NE Christian,
Christ, christlich. — cristendom OE
cristendōm m., NE Christianity, *Christen-
tum.* — criste(n)messe, -masse OE
Cristmæsse f., NE Christmas, *Weih-
nachten.* — c(h)ristemasseday. —
cristemassenight. — cristenmas-
while OE Cristmæsse + hwîl f., NE
Christmastime, *Weihnachtszeit.* — cristi-
anitee, -ete, cristiente AN cristieneté, NE
Christendom, *Christenheit.* — cristn(i)e
OE crist(e)nige, NE christen, *taufe.* —
cristninge, cristening OE crist(e)nung
f., NE christening, *Taufe.*
crithe cf. OE cradol m.; NE crib, manger,
Krippe, Raufe.
crok ON krōkr, NE crook, sickle, curl,
crooked device, *Haken, Sichel, Locke,
List.* — croke NE curb myself, am
crooked, *krümme* (*mich*), *bin krumm.* —
croked NE crooked, *gebogen, krumm.* —
croket OF croquet, NE lock of hair,
Locke.
crokke OE crocca m., NE earthenware
pot, *irdener Topf.*
croce OF; NE staff, stick, *Stock, Krücke.*
croke cf. OE crâcette; NE croak, *krächze.*
crochet OF; NE crotchet, *Häkchen, Achtel-
note.*
croine = crone.
crois, croiz OF; NE cross, *Kreuz.*
cromme OE cruma m., NE crumb, *Krume.*
crone Pic. carone, NE crone, hag, *schlechtes
altes Weib.*
crone cf. MDu. krone, MLG krone; NE
croon, moan, *jammere, summe.*
cronicle, kronikele AN cronicle, NE chro-
nicle, *Chronik.* — cronique OF; =
cronicle.
crop OE crop(p) m., NE crop (of a bird),
top (of a tree), ear, (*Vogel*-)*Kropf, Wipfel,
Spitze, Ähre.*
crope(n) s. crepe. | croper = croupere.
cros(s), crosse ON kross, NE cross, *Kreuz.*
— croslet, crosselet cf. OF croisel; NE
crucible, *Schmelztiegel.* — crosline NE
cross-line, *Querlinie.*
crouke OE crûce f., NE pitcher, *Kruke,
Krug.*
crouche fr. OE crûce; NE sign with the
cross, *bekreuze mit der Hand.*
croude, p. cred, pp. croden OE crûde,
NE push, *stoße fort.* — crouding NE
pressure, *Druck.*
croun(e) = coro(u)ne.
croupe OF; NE croup, *Kruppe.* — crou-
pere AN; NE crupper, *Schwanzriemen.*
crouth W crwth, NE crowd, fiddle, *Fiedel.*
crow fr. the vb.; NE crow(ing), *Hahnen-
schrei.* — crowe OE crâwe f., NE crow,
Krähe. — crowe, p. crew OE crâwe,
NE crow, *krähe.* — crowing NE; *Krähen.*

cruel OF; NE; *grausam.* — cruelliche NE cruelly, *grausamer Weise.* — cru-eltee, -alte OF -té; NE cruelty, *Grausamkeit.*

crul cf. MDu. crulle sb.; NE curly, *lockig.*

crumbe, crumpe, part. pres. crumponde cf. OE crumb, crump; NE make curved, bend, *krümme (mich).*

crune = coro(u)ne.

crust OF crouste, NE crust, *Kruste.* — crustlik 138, 36 NE crustated, *inkrustiert.*

cu-, ku- = qu-.

cubite L cubitum, NE cubit, *Elle(nbogen).*

cuckingstol cf. ON cûka + OE stôl m.; NE cuckingstool, *Tauchsessel.*

cukkow = cokkow. | kuchene = kichene.

cucurbite L -tam; NE gourd-shaped chemical vessel, *gurkenförmiges chemisches Gefäß.*

¹-cud = ¹-kid(de) s. kithe. | cüdde = kithe. | kuead = qued. | kuinde = kind(e).

culpe L culpam, OE f.; NE guilt, *Schuld.*

culter OE m.; NE coulter, *Pflugmesser.*

cumbre OF combre, NE encumber, annoy, *belaste, belästige.* — cumbreworld OF combre + OE woruld f., NE one who encumbers the world, *Weltbelüstiger.*

cumaunde = coma(u)nde. | cum(e) = come. | cumly = comly. | cumme = come. | cummin pp. of come. | cumpa(i)ni(e) = compani(e). | cumpelin complie. | kun = kin. | kun s. can. | künd = kind. | kuneric(h)e = kineriche. | cunestable = constable. | cunnand = cunning. | cünne = kin. | cunne(n) s. can.

cunning adj., s. can: NE skilful, *geschickt.* — cunning sb. OE cunnung f., NE skill, knowledge, *Geschicklichkeit, Kenntnis.*

cünreaden = kinrede. | cunsail = counseil. | cuntek = contek. | cuntre(e)-, -ey = countre(e), -eie.

cuppe OE f.; NE cup, *Becher.*

cure OF; NE cure, healing, *Heilung, Sorge;* take care of, heal, *sorge für, heile.* — curacioun OF; AN; NE cure, healing, *Heilung.* — curat L -tum; NE curate, *Seelsorger.*

cüre = kire.

curious AN; NE eager, curious, *eifrig, neugierig, merkwürdig.* — curiowsly adv. — curiositee OF -té; NE curiosity, *Neugier.*

curre cf. Late MDu. corre, Sw. Norw. dial. kurre, korre; NE cur, *Köter, Hund.*

currour AN; NE courier, lightarmed soldier, *Läufer, Leichtbewaffneter.*

curs OE; NE curse, *Fluch, Verwünschung.* — ᵃ-curse OE ā- + cursige, NE curse, *(ver)fluche, verwünsche.* — cursedly NE; *in abscheulicher Weise.* — cursednesse NE cursedness, *Fluchwürdigkeit.* — curs-

ing OE cursung f., NE cursing, *Fluch, Verwünschung.*

kurt = court. | curtein = curtin. | curteis -ais, -sie, = court-. | cürtel = kirtel.

curtiler OF courtilier, NE monastery gardener, *Klostergärtner.*

curtin, -en OF co(u)rtine, NE curtain, *Vorhang.*

kurz pl. of kurt. | küsse = kisse.

cushin OF coussin, NE cushion *Kissen.*

cüst OE cyst f. = cost, NE manner.

custume, -om OF custume. NE custom, *Gewohnheit.*

cüt fr. the vb.; NE lot, *Los.* — cutte cf. Sw. dial. kuta; NE cut, *schneide.*

cuthe = couth(e) s. can. | kuthe = kithe. | kuvertur = coverture. | cw- = qu-. | cwn = cun(nen) s. can. | cwnnand- = conning-.

D.

dæi = day. | dæl = del, NE part. | dærnelike = derneliche. | dæth = deth, NE death.

daf, daffe cf. MDu d(e) affe; NE fool, *Narr.*

daʒ = day. | dageth = daweth 3 sg. of dawen.

dagge OF dague, NE pierce, jag, *durchbohre, schlitze.* — daggere OF dague, NE dagger, *Dolch.* — dagginge NE act of slitting, *Schlitzen.*

dago(u)n orig. obsc.; NE piece, *Stück (Zeug).*

dahe(i)t OF dehait, NE woe (an oath), *Leid, Weh (ein Fluch).*

day, daiʒ, pl. dawes, daies OE dæg m., NE day, *Tag.* — daybelle OE dæg + belle f., NE morning-bell, *Frühglocke.* — daiesie OE dæges êage n., NE daisy, *Gänseblümchen.* — daily OE dæglic, NE daily, *täglich.* — daylight OE dæg + lêoht n., NE day-light, *Tageslicht.* — daysterre, -starne OE dægsteorra m., ON stjarna, NE day-star, *Morgenstern.* — daywerk OE dægweorc n., NE day's work, *Tagewerk.*

daie = del(gh)e. | daierie = deierie. | daiesie s. day. | daigening = daweninge. | dailie = dalie. | daine = deigne. | dainte = deintee.

dal(e) OE dæl n., NE dale, *Tal.*

dalf s. delve.

dalie OF; NE dally, play, *tändele, spiele.* — daliaunce AN; NE dalliance, *freundlicher Verkehr, Zärtlichkeit.*

dall infantile word, cf. NE dial. daddle; NE hand, *Hand.*

dalte p. of dele.

dam cf. OE fordemme; NE dam, water, *Damm, Gewässer.*

damage AN; NE; *Schaden, Verlust.* — damageous NE injurious, *schädlich.*

damaske fr. L Damascus; NE damask, *damaskisch.*

dam(e) OF dame, NE dame, lady, mother, *Dame, Herrin, Mutter.* — damisel(l)e, damesel(l)e, damoisele, damishel OF dameisele, NE damsel, *Jungfrau, Mädchen.*

dam(p)ne OF; NE condemn, *verdamme, verurteile.* — dam(p)nable OF; NE damnable, *verdammungswürdig.* — dampnacioun AN; NE damnation, *Verdammung.*

dan, danz OF; NE lord, sir, *Herr.*

dank cf. Norw. Sw. dial. dank; NE damp, *feucht.*

dance = daunce. | dang(e) s. dinge. | dangerous = daungerous. | dante(e)= deintee.

dappelgray cf. ON depill + OE grǣg; NE dapplegray, *apfelgrau.*

dar, darr, pl. durren, doren, p. dorst(e), durste, derste OE dear(r), NE dare, have cause, need, *wage, habe Grund, brauche.*

darke = derke.

dar(i)e cf. OE deorc; NE am concealed, am afraid, doze, *bin verborgen, bange, starre.*

darreine OF deraine, NE defend my cause, vindicate a claim, *verteidige meine Sache, rechtfertige einen Anspruch.*

dart OF; NE; *Wurfspieß, Geschoß.* — darte cf. OF darde; NE pierce with a dart, *durchbohre mit einem Geschoß.*

dase ON dasask, NE am dazed, daze, *bin betäubt, betäube.*

das(e)we OE dwǣsige, NE grow dim, *werde trüb.*

dat = that.

date OF; NE; *Datum.*

date OF; NE; *Dattel.*

dathe(i)t = dahe(i)t. | daun = dan.

daunce AN; NE dance, *Tanz.* — daunce AN; NE dance, *tanze.* — dauncingchambre fr. AN daunce + OF chambre; NE dancing-room, *Tanzsaal.*

daunger AN; NE power, resistance, difficulty, *Macht, Weigerung, Schwierigkeit.* — daungerous AN; NE haughty, difficult (to please), dangerous, *hochmütig, schwierig (zu befriedigen), gefährlich.*

daunse = daunce.

daunte AN; NE subdue, tame, *bezwinge, zähme.*

daus = dawes s. day.

^a-dawe OE ā + dagige, NE awake, *erwache.* — dawen OE dagian, NE dawn, *tagen.* — daw(e)ning(e) NE dawn, *Morgendämmerung.* — dawes s. day. — dawing OE dagung f., NE dawning, *Morgendämmerung.*

de pl. dis OF dé, NE die, *Würfel.*

de = deⁱ(gh)e, NE die. | deau = dew(e).

debat(e) OF debat, NE debate, strife, *Streit, Zwist.* — debate fr. OF debatre; NE debate, fight, affirm, *streite, kämpfe, behaupte.*

debonaire, -e(i)re OF; NE meek, gentle, *sanft, freundlich.* — debonairelichc, -e(i)r(e)ly adv. — debonairetee -e(i)r(e)te OF -aireté; NE gentleness, *Güte.*

debowa(i)l(l)e cf. bouele; NE take out the bowels, *nehme die Eingeweide heraus.*

dece = deis.

deceit OF pp.; NE; *Betrug.* — deceive OF sbj.; NE; (be)*trüge.* — deceivable AN; NE deceptive, *trügerisch.* — deceivaunce AN; NE deception, *Täuschung.*

decerne OF; NE discern, *unterscheide.*

declame L -mo; NE discuss, *erörtere.*

declaracioun AN; NE declaration, *Erklärung.* — declare OF; NE; *erkläre.* — declaring = declaracioun.

decline OF; NE; *neige, gehe zu Ende.* — declinacioun AN; NE declination, *Abweichung.* — declininge NE sloping, *schräg, abfallend.*

dekne AN deacne, OE dêacon m., NE deacon, *Diakon.*

decollacioun AN; NE beheading, *Enthauptung.*

decope OF; NE cut, *zacke aus.*

decree OF decré, NE decree, *Beschluß, Erlaß.*

ded OE dǣd, dêd f., NE deed, act, *Tat.* — de(a)dbote OE dǣdbôt f., NE amendment, *Buße.*

ded, dead, deth OE dêad, NE dead, *tot.* — dede OE diede, NE kill, become dead, *töte, sterbe.* — ded(e)ly, de(a)dlich OE dêadlic, NE subject to death, deadly, *sterblich, todbringend.*

ded(e) = deth. | ded(e) s. do.

dedicat L -tum; NE dedicated, *geweiht.*

deduit OF; NE pleasure, *Vergnügen.*

def OE dêaf, NE deaf, *taub.*

deface OF; NE; *entstelle.*

defamatiown = diffamacioun. | defame = diffame.

defaute, defawzt OF defaute, NE default, fault, *Mangel, Verfehlung.*

defel, gen. defles = devil.

defence, defens AN; NE protection, prohibition, *Schutz, Verbot.*

defende, deffende OF sbj.; NE defend, forbid, *verteidige, verbiete.* — in his defendaunt OF en son defendant, NE in defending himself, *in der Abwehr.* — def(f)endour AN; NE defender, *Verteidiger.*

defet, deffeted AN defet, OF defait, NE exhausted, *erschöpft.*

def(f)ie = diffie. | def(f)ine = diffine.

defoule OF; NE trample down, *trete nieder.*

defoule cf. L de + OE fŷle; NE defile, *beschmutze.*

defray 67, E 7882 OF defroi, NE disorderly living, *unordentliches Leben.*

deⁱgh, dezh, dowes, dou, pl. duze(n), p. do^ught(e), dowed OE dêah, NE am of use, am of good, *tauge, fromme.*

de¹(gh)e, di(gh)e ON deyja, Late OE dêge, NE die, *sterbe*. — de¹(gh)inge NE dying, death, *Sterben, Tod*.

de¹(gh)e, die OE dêagige, NE dye, *färbe*. — de¹(gh)er(e) NE dyer, *Färber*.

degise OF de(s)guise, NE disguise, *verkleide*. — degise OF desguisé, NE fashionable, *modisch*. — degisinesse NE strange appearance, elaborate style, *seltsames Aussehen, Aufgeputztheit*. — degisinge NE covering, elaborate ornamentation, *Umhüllung, künstliche Verzierung*.

degre(e) OF degré, NE degree, *Stufe, Grad*.

defusioun = diffusioun. | de ʒ e =de¹(gh)e, | dehtren = doᵘghters s. doᵘghter. | dey = day. | deid = ded, NE deed. | deie = de¹(gh)e.

deie ON deigja, NE dairywoman, *Milchmagd*. — deierie NE dairy, *Milcherei*.

deigne, deine, AN deigne, NE deign, *geruhe, beliebe*.

deignous = disdei(g)nous. | deil = del, NE part.

deintee OF -té; NE worth, value, esteem, joy, dainty, *Würde, Wert, Achtung, Freude, Leckerbissen*. — deintevous NE dainty, *köstlich*.

deir = dere.

deis OF; NE daïs, *Speisetafel*.

deit = deth s. do.

deitee OF -té; NE deity, *Gottheit*.

del, deal OE dǽl m., NE part, *Teil*. — dele OE dǽle, NE separate, deal, give, take part, amuse myself, *trenne, teile (aus), gebe, verhandele, verfahre, nehme teil, vergnüge mich*.

del, de(o)l(e) OF doel, NE grief, mourning, *Kummer, Trauer*. — delful, ðeolful NE doleful, *schmerzvoll, trauervoll*.

delay OF delai , NE delay, *Aufschub*.

delibere L -ro; NE deliberate, resolve, *überlege, beschließe*. — deliberacioun AN; NE deliberation, *Überlegung, Beratung*.

delicacie AN; NE luxury, amusement, *Üppigkeit, Vergnügen*. — delicat OF; NE delicate, delicious, fastidious, *köstlich, wählerisch*. — delice OF; NE delight, *Freude*. — delicious AN; NE; *köstlich*.

delie OF; NE delicate, fine, *zart, fein*.

delit OF; NE delight, joy, *Vergnügen, Lust*. — delitable OF; NE delightful, *angenehm, lieblich*. — delite OF; NE delight, *ergötze (mich)*. — delitous AN = delitable.

deliver(e) OF delivre, NE quick, active, *frisch, energisch*. — deliveraunce AN; NE delivrance, *Befreiung, Entbindung*. — deliv(e)re OF; NE deliver, set free, *befreie, lasse frei*. — deliverly, -liche adv. of deliver(e). — delivernesse NE activity, *Behendigkeit*.

delphin L -num; NE dolphin, *Delphin*.

delte pt. of dele.

deluge OF; NE; *Überschwemmung*.

delve, p. dalf, dolve(n), sbj. dulve, pp. ¹-d(e)olve(n), ¹-delve OE delfe, NE delve, dig, bury, *grabe, begrabe*. — delver OE delfere m., NE delver, digger, *Gräber*.

delvol = delful s. del, NE grief.

dema(u)nde AN; NE demand, *Forderung, Frage*.

deme OE dêma m., NE judge, *Richter*. — deme OE dême, NE judge, deem, speak, *richte, urteile, halte für, spreche*.

demeine OF; NE dominion, *Gewalt, Besitz*.

demeine OF; NE manage, behave, demean, *behandele, dîepe, benehme mich*.

demembre OF; = dismembre. | demlich = dimlich.

demme cf. OE fordemme; NE am obstructed, *werde versperrt*.

demoniak L daemoniacum, NE possessed by a devil, *von einem Teufel besessen*.

demonstracioun AN; NE demonstration, *Beweis*. — demonstratif OF; NE demonstrative, *beweisend*.

den OE den(n) n., NE den, *Höhle, Lager*.

den OF dean, NE dean, *Dekan, Dechant*.

dene OE denu f., NE valley, *Tal*.

dene = dinne.

deneie, denie, denoie OF; NE deny, (ver)leugne, weise ab.

denne = dinie. | dent = dint.

denticle L denticulum, NE pointer, *Zeiger*.

deofel = devil. | deol = del, NE grief.

dep OE dêop, NE deep, *tief*. — depe OE dêop n., dîepe f., NE deep, *Tiefe*. — depnesse OE dêopnes f., NE deepness, *Tiefe*.

depardieux OF de par Dieu, NE in the name of God, by God, *in Gottes Namen, bei Gott*.

departe OF sbj.; NE separate, divide, depart, *trenne, teile, gehe weg*. — departing(e) NE dividing, separation, departure, *Teilung, Scheiden*.

depeinted OF depeint, NE painted, *bemalt, gemalt*.

deperte = departe. | depper comp. of dep.

deprave OF; NE depreciate, *würdige herab*.

depressioun AN; NE depression, *tiefe Lage (astron.)*.

deprive OF; NE; *beraube*.

der, deor OE dêor n., NE deer, *Tier, Wild*.

der = dar.

deray OF derei, NE disorder, tumult, *Unordnung, Tumult*.

derk OE deorc, NE dark, *dunkel*. — derke NE darkness, *Dunkelheit*. — derke NE darken, *mache dunkel, werde dunkel*. — derkhede = derknesse. — derknesse OE ðeorcnes f., NE darkness, *Dunkelheit*.

dere, deore OE dîere, NE dear, joyful, *teuer, lieb, freudig*. — der(e)ling, deorling OE dîerling m., NE darling, *Lieb-*

ling. — derth cf. ON dȳrþ; NE dearth,
glory, *Teuerung, Herrlichkeit.* — der(e)-
worth(e), -wurthe, -wurde OE dêor-
weorþe, NE precious, *kostbar.* — dere-
worthines OE dêorwierþnes f., NE
treasure, *Schatz.* — dereworthliche
NE preciously, carefully, *kostbarlich,
sorgfältig.*

dere cf. OE daru f.; NE harm, *Schaden,
Leid.* — dere OE derige, NE injure,
verletze, schade.

derf ON djarfr, cf. OE dearf, NE bold,
strong, difficult, cruel, *kühn, stark, schwie-
rig, grausam.*

derling, deorling s. dere, NE dear.

derne OE dierne, NE secret, *heimlich.*

derre(r) comp. of dere. | derste s. dar.
| derth s. dere. | derve inflected form
of derf.

1-derve, pp. 1-dorve(n), 1-derved OE (ge-)
deorfe, NE grieve, torment, injure,
betrübe, peinige, schädige.

dervely fr. OE (ge)deorf n.(?); NE painful,
qualvoll.

des = deis. | des- in some compounds
s. dis-.

desarme OF; NE disarm, *entwaffne.*

deskatere OF de(s)- + OE scaterige, NE
scatter about, *zerstreue.*

desceivaunce = deceivaunce.

descende OF sbj.; NE descend, *steige
herab.* — descencioun AN; NE des-
cent, *Herabsteigen.* — descente OF; NE
descent, *Abstammung.*

descensorie AN; NE apparatus for ex-
tracting oil, *Apparat zum Herauspressen
von Öl.*

descerne = decerne.

descharge OF; NE discharge, *entlaste.*

desclaundre OF esc(l)andre, NE slander,
verläumde.

descomfiture, desconfiture = discon-
fiture.

descripcioun AN; NE description, tax-
ation, *Beschreibung, Schätzung.* — des-
crive OF sbj.; NE describe, tax, *be-
schreibe, schätze.* — descriving NE
taxation, *Schätzung.*

desdei(g)ne = disd. | deseive = deceive.

desert OF; NE; *Einöde.* — desert OF;
NE deserted, *verlassen.*

desert OF; NE; *Verdienst.* — deserve
OF sbj; NE; *verdiene.*

desese fr. AN dessesir, OF dessaisir inf.;
NE dispossess, *beraube.*

desespair, -eir AN; NE despair, *Verzweif-
lung.* — desespaired OF desesperé, NE
in despair, *verzweifelt.* — desesperaunce
AN; NE despair, *Verzweiflung.*

desg(u)ise = disgise | desherite = dish-.

deshonestee OF -té; NE unseemliness.
Ungehörigkeit.

desy = disy. | desie = disie.

desir OF; NE desire, *Wunsch.* — desire
OF; NE; *wünsche.* — desiring NE

desire, *Verlangen.* — desiringe NE
desirous, *verlangend.* — desirous AN;
NE; *verlangend, begierig.*

deslavee OF -vé; NE foul, unrestrained,
verderbt, ungezügelt.

desolat AN; NE desolate, *verlassen.*

desord(e)inee OF desordené, NE unregu-
lated, *ungeregelt.* — desordinat Latiniz-
ed form of OF desordené; NE inordi-
nate, *unordentlich.*

despair, despeir AN; NE despair, *Ver-
zweiflung.* — despeire AN; NE despair,
verzweifle. — desperacioun AN; NE
desperation, *Verzweiflung.*

despence, -se OF -se; NE expense, *Geld-
ausgabe.* — despende OF sbj.; NE
spend, *gebe aus, wende auf.* — dispen-
sacioun AN; NE dispensation, *Aus-
spendung, Befreiung.*

despise AN; NE; *verachte.* — despit(e)
OF despit, NE spite, contempt, *Ver-
achtung, Widerwille.* — despitous AN
NE spiteful, *gehässig.*

desplaie AN; NE display, *entfalte.*

despoile AN; NE disrobe, despoil, *ent-
kleide, beraube.* — dispoilinge NE
spoil, *abgezogenes Fell.*

despone OF dispone, L dispono, NE
dispose, *ordne an.*

desport OF; NE (di)sport, *Ergötzung.* —
desporte OF; NE sport, divert, *ergötze.*

despute OF; NE dispute, *(be)streite, mache
streitig.*

desray OF desrei, NE disarray, *Unord-
nung.*

dest s. do. | destaine = deste(i)ne. | des-
tany = destinee.

deste(i)ne OF destine, NE destine, *be-
stimme.* — desteinie, destene = des-
tinee.

destempre OF; NE distemper, disorder,
bringe in Unordnung. — destemp(e)r-
aunce AN; NE unfavourableness, *Un-
gunst (des Wetters).*

destinable OF; NE predestinate, *vorher-
bestimmt.* — destinal NE fatal, *durchs
Schicksal bestimmt.* — destine(e) OF
-nee; NE destiny, *Bestimmung.*

destourbe OF; NE disturb, *störe.* —
disturbaunce AN; NE disturbance,
Störung, Aufruhr. — destourbing NE
disturbing, *Störung.*

destrat OF destrait, NE distracted, *ver-
wirrt.*

destreine OF destraigne sbj., NE com-
pel, *zwinge.*

destresse OF; NE distress, *Not.*

destroie OF destruie sbj., NE destroy,
zerstöre. — destroier NE destroyer,
Zerstörer.

destrouble OF; NE disturb, *störe.*

destruccio(u)n AN; NE destruction, *Zer-
störung.*

destruie = destroie. | desturbe = des-
tourbe. | 1-det = 1-dight pp. of dighte.

determin(i)e OF determine, NE; *bestimme, entscheide.* — determinate L -tum; NE determinate, *bestimmt.*

deth, death OE dêaþ m., NE death, *Tod.* — dethday OE dêaþdæg m., NE deathday, *Todestag.* — deathlich OE dêaþlic, = dedly.

deth s. do.

detraccioun AN; NE detraction, *Verkleinerung, Verleumdung.*

dette OF; NE debt, *Schuld.* — detteles NE free from debt, *schuldenfrei.* — dettour AN; NE debtor, *Schuldner.*

deus! OF; NE God! *Gott!*

deve pl. of def.

deviaunt AN; NE divergent, *abweichend.*

devide = divide.

devil, de(o)vel OE dêofol m., NE devil, *Teufel.*

devine, divine OF devin, NE astrologer, divine, *Astrolog, Theolog.* — devine OF; NE divine, prophecy, suspect, *errate, weissage, schöpfe Verdacht.* — divinacioun L divinationem, NE divination, *Weissagung.* — divinaile AN -aille; NE divination, *Weissagung.* — devineresse NE female diviner, *Wahrsagerin.* — divininge = devinacioun. — divinistre NE divine, theologian, *Weissager, Theolog.* — divinitee OF -té; NE divinity, *Theologie.* — divinour AN; NE seer, soothsayer, *Seher, Weissager.*

devis(e) OF; NE division, decree, opinion, device, *Teilung, Verfügung, Ansicht, Erfindung.* — devise OF; NE divide, describe, contrive, arrange, *teile, beschreibe, erfinde, denke aus, ordne an.* — devising NE narration, *Erzählung.*

devision AN = divisioun.

devocioun AN; NE devotion, *Hingebung.*

devoide OF desvoide, NE remove, *beseitige.*

devoir OF; NE duty, *Pflicht.*

devoure AN; NE devour, *verschlinge.* — devourer NE; *Verschlinger.*

devout AN; NE; *andächtig.* — devoutly adv.

dew, dewe OE dêaw m. n., NE dew, *Tau.*

dewke = duk. | **dewe** = due. | **dewill** = devil. | **dewine** = dwine.

dextrer L dextrarium, NE warhorse, *Kriegsroß.*

di = de. | **diad** = ded.

diademe OF; NE diadem, *Diadem.*

diamaunt AN; NE diamond, *Diamant.*

diametre OF; NE diameter, *Durchmesser.*

diaper OF diapre, NE diaper, *buntfarbiger Stoff.* — diapred NE variegated, *buntfarbig.*

diath = deth. | **dike** = diche.

dich OE dîc m., NE ditch, *Graben.* — diche, dike OE dîcige, NE dig, make a dike round, *grabe, umgebe mit einem Graben.*

didde = did(e) s. do. | **die** = del(gh)e, di(gh)e. | **diere** = del(gh)er(e). | **diep** = dep. | **dievel** = devil.

diffame OF; NE ignominy, *Schande.* — diffame OF; NE defame *verleumde.* — diffamacioun AN; NE dishonour, *Schande.*

diete OF; NE diet, daily food, *Lebensweise, tägliche Nahrung.*

diffense = defence.

difference OF; NE; *Unterschied.*

difficultee OF -té; NE difficulty, *Schwierigkeit.*

diffie AN deffie, NE defy, *mißachte, biete Trotz.*

diffine AN; NE define, declare, *bestimme, erkläre.* — diffinicioun AN; NE definition, *Bestimmung, Auseinandersetzung.* — diffinishe OF -isse sbj.; NE define, *bestimme.* — diffinitif OF; NE definite, *bestimmt.*

diffusioun L -sionem; NE prolixity, *Weitschweifigkeit.*

dig OF digue = dich. | **dize** = del(gh)e.

digestible OF; NE; *verdaulich.* — digestioun AN; NE digestion, *Verdauung.* — digestive OF digestif, NE digestive, *Verdauungsmittel.*

digge OF digue, OE dîcige, NE dig, *grabe.*

ᵃ-**dighte**, ᵃ-**dite** OE (ā)diht(ig)e, NE decree, prepare, adorn, *bestimme, bereite, schmücke.*

digne OF; NE worthy, *würdig.* — dignely NE worthily, *in würdiger Weise.* — dignite(e) OF -té; NE dignity, *Würde.*

diinge = del(gh)inge.

dilatacioun L -ationem; NE dilatation, enlargement, *Weiterung.*

diligence, -ens OF diligence, NE; *Sorgfalt, Fleiß.* — diligent OF; NE; *sorgfältig, fleißig.*

dillidoune cf. OE dîerling m.; NE pet, darling, *Liebling.*

diluge AN; = deluge.

dim OE dim(m), NE dim, *blöde, schwach.* — dimlich, comp. dimluker OE dimlic, NE secret, *heimlich.*

diminucioun AN; NE diminution, *Verringerung.*

din(e) OE dyne m., NE din, sound, noise, *Schall, Getöse.* — dine OE dynige, NE din, sound, *dröhne.*

dine OF; NE; *speise zu Mittag.* — diner OF; NE dinner, *Mahlzeit.*

dinge, p. dang(e), dong(en), pp. ¹-**dunge(n)** ODan. dinge, NE beat, *schlage.*

dingne = digne.

dinie OE dynige, NE resound, *dröhne.*

dint OE dynt m., NE stroke, *Schlag.*

diocise OF; NE diocese, *Diözese.*

diol- = del-. | **dirk** = derk.

direct OF; NE straight, *gerade.* — directe NE direct, *führe, richte an.*

dirige L; NE dirge, *Totenamt, Seelenmesse.*

dir(r)ive OF derive, NE derive, *leite her.*

dis = this. | dis- in some compounds s. des-.

disavaunce AN; NE hinder, damage, *hindere, schädige.*

disaventure OF desaventure, NE misfortune, *Mißgeschick.*

disblame OF desblasme, -blâme, NE free from blame, *befreie vom Tadel.*

disceive = deceive. | discerne = decerne.

discipline OF; NE discipline, bodily mortification, *Zucht, Kasteiung.*

disconfite, discomfite fr. OF desconfit pp.; NE discomfit, *überwältige, besiege.* — disconfitinge, discomfitinge NE discomfiture, *Niederlage.* — disconfiture AN; = disconfitinge.

disconfort OF desconfort, NE discomfort, *Betrübnis.* — disconforte OF desconforte, NE discomfort, *betrübe.*

disconsolat ML -tum; NE disconsolate, *trostlos.*

discord OF; NE; *Uneinigkeit.* — discorde OF; NE discord, *disharmoniere.* — discordable OF; NE discordant, *widerstreitend.* — discordance OF; NE; *Disharmonie.* — discordaunt AN; NE discordant, *widerstreitend.* — discordinge NE different, *abweichend.*

discovere fr. OF descovrir inf.; NE discover, *entdecke, enthülle.* — discovert OF descovert, NE uncovered, *aufgedeckt.*

discret OF; NE discrete, *verständig, vorsichtig.* — discrecioun, -tiown AN discrecioun, NE discretion, *Urteil, Verstand.*

discreve = descrive. | discrif = discrive. | discripcio(u)n = descripcioun. | discumfit- = disconfit-. | discure = discovere.

discusse fr. L discussum; NE discuss, examine, *untersuche, erörtere.*

disdai(g)ne, disdei(g)ne OF desd. sbj.; NE disdain, *verschmähe.* — disdein OF desdein, NE disdain, *Widerwille, Abscheu.* — disdai(g)nous, desdainous AN; NE disdainful, *verächtlich, widerwillig.*

disencrese L dis- + AN encresce, NE decrease, *nehme ab.*

disese AN desese, OF desaise, NE trouble, disease, *Leid, Krankheit.* — disese OF desaise, NE trouble, annoy, *beunruhige, betrübe.*

disesperat Latinized form of desespaired; NE hopeless, *verzweifelt.*

disfigure fr. the vb.; NE disfigurement, *Verunstaltung.* — disfigure OF desf.; NE disfigure, *verunstalte.* — disfigurat NE disguised, *verkleidet.*

disgis- = degis-.

disgressioun AN; NE digression, *Abschwächung.*

dish, dischs OE disc m., NE dish, bowl, *Schüssel, Teller, Trinkschale.* — dishmete OE disc + mete m., NE food cooked in a dish, *im Topf bereitetes Gericht.*

disherite OF desh.; NE disinherit, *enterbe.*

dishevele OF deschevelé, NE dishevelled, *mit aufgelöstem Haar.*

dishonest OF deshoneste, NE dishonest, *unehrlich, schimpflich.* — dishonour OF deshonour, NE dishonour, *Unehre.*

disy OE dysi(g), NE foolish, *töricht.* — disie OE dysige, NE am foolish, act foolishly, *bin, handele töricht.*

disjoint OF disjointe, NE dilemma, *Dilemma, mißliche Lage.*

dismaie OF *desm.; NE dismay, *setze in Schrecken.*

dismal AN, NE unlucky day, *Unglückstag.*

dismembre OF desm.; NE dismember, *zergliedere.* — dismembringe NE dismemberment, *Zergliederung.*

disobeisaunt AN des.; NE disobedient, *ungehorsam.*

disordenaunce AN des.; NE disorder, *Unordnung.* — disordinat Latinized form of ME desord(e)inee; NE disorderly, *unordentlich.*

disour AN; NE story-teller, jester, *Erzähler, Spaßmacher.*

dispeir = desespair.

disparage OF desparage, NE disparagement, *Herabwürdigung.* — disparage OF; NE disparage, *würdige herab.*

dispite = despit.

displese AN sbj.; OF desplaise sbj., NE displease, *mißfalle.* — displesant AN des.; NE displeasing, *mißfällig.* — displesaunce AN des.; NE displeasure, *Mißfallen.* — displesinge NE disregard, *Mißachtung.*

dispose OF; NE; *ordne an, mache geeignet.* — disposicioun AN; NE disposicioun, *Anordnung.*

dispreise OF; NE blame, *tadele.* — dispreisinge NE blame, *Tadel.*

disprove OF desprove, NE disprove, *widerlege.*

disputisoun AN disputeisoun, NE disputation, *Erörterung.*

disrewlily fr. L dis- + OF reule; NE disorderly, *in ungeregelter Weise.*

diss = dish.

dissensioun AN; NE dissension, *Uneinigkeit.*

disserve = deserve.

dissevere OF dessevre, NE sever, *trenne.* — disseveraunce AN dess.; NE separation, *Trennung, Scheidung.*

disshevele = dishevele.

dissimule L -lo; NE dissimulate, hide, *heuchle, verberge.* — dissimulacioun AN; NE dissimulation, *Verstellung.* — dissimulinge NE dissembling, *Verstellung.* — dissimulour L dissimulatorem, NE dissembler, *Heuchler.*

dissolve AN sbj.; NE; *löse auf.*

distaf OE distæf m., NE distaff, *Rocken.*

distant OF; NE; *entfernt.*

distempre OF dest.; NE disorder, sicken, *bringe aus der Ordnung, mache krank.* — distempre NE intemperate, *ungemäßigt.* — distemperance = destempraunce.

disteine OF desteigne sbj., NE stain, *beflecke.*

distille OF; NE drop, distil, *tröpfele herab, destilliere.*

distincte fr. L distinctum; NE distinguish, *unterscheide, erkenne.* — distinctioun, distinccioun AN; NE distinction, *Unterscheidung, Auszeichnung.* — distinctly NE; *deutlich.* — distingwe OF distingue, NE distinguish, *unterscheide, zeichne aus.*

distone cf. OF destonne; NE put out of tune, *bringe aus der Melodie.*

distresse AN distresce, NE distress, *Bedrängnis, Not.*

distrie = destroie.

disturne OF destourne, NE turn away, *wende ab.*

ᵃ-dite = ᵃ-dighte.

dite(e) AN; NE ditty, song, *Lied.*

ditement OF; NE indictment, *Anklage.*

dith = deth, NE death.

diurne L -num; NE diurnal, *täglich.*

divel = devil.

divers OF; NE; *verschieden.* — diverse OF; NE render divers, *mache verschieden.* — diverseliche adv. — diversite(e) OF -té; NE diversity, *Verschiedenheit.*

diversorie L -orium; NE inn, *Herberge.*

divide AN; NE; *verteile, teile (ein).*

divin- s. devine-. | divise = devise.

divisio(u)n AN; NE division, *Teilung.*

do OE dâ f., NE doe, *Hindin.*

do, 2 sg. dest, 3 sg. doth, deth, dos, pl. don, doth, dos(e), p. did(e), diede, dude, ded(e), pp. ¹-do(ne) OE dô, NE do, *tue.* — doere OE dôere m., NE doer, agent, *Täter.* — doing(e) NE doing, act, *Tun, Tat.*

doand = doing s. do.

dok ON dockr, NE tail, *Schwanz.* — dokke NE dock, cut short, *stutze.*

doc = duk(e).

doke OE duce f., NE duck, *Ente.*

dokke OE docce f., NE dock, *Ampfer.*

doᵘchter = doᵘghter.

doctour AN; NE doctor, *Doktor.* — doctrine OF; NE doctrine, instruction, *Lehre, Belehrung.*

doel = del, NE grief.

dogerel prob. fr. dogge; NE dogg(e)rel, *schlecht, holperig.*

dozethe = douthe.

dogge, dog OE dogga m., NE dog, *Hund.* — dogged NE; *grausam.*

doᵘgh OE dâg m., NE dough, *Teig.*

doᵘghte s. deᵍgh.

doᵘghter, -ir OE dohtor f., NE daughter, *Tochter.*

doht = doth s. do. | doine = ¹-do(ne) s. do. | dold = dulled s. dulle.

dole OE (ge)dâl n., NE portion, *Teil.*

dole = del. | dol(e)ful = delful. | dolve(n), ¹-dolve(n) s. delve.

dolour AN; NE grief, *Schmerz, Kummer.* — dolorous AN; NE; *schmerzlich.*

dom OE dôm m., NE doom, decision, judgment, will, *Entscheidung, Urteil, Gericht, Wille.* — domesday, -daz, -dey OE dômesdæg m., NE doomsday, day of judgment, *jüngstes Gericht.* — domesman OE dômes gen. + man(n) m., NE judge, *Richter.*

dom = domb.

domb OE dumb, NE; *stumm.*

dominacioun AN; NE domination, power, *Herrschaft, Gewalt.*

don OE dô on, NE don, put on, *lege an.*

don = dan. | don = doun(e).

donke cf. dank; NE moisten, *befeuchte.*

dong OE dung f., NE dung, *Dung, Mist.* — dongcarte OE dung + cræt n., NE dung-cart, *Mistwagen.* — donge cf. OE dynge; NE dung, *dünge.* — dongehil, -hül OE dung + hyl(l) m. f., NE dunghill, *Misthaufen.*

dong s. dinge.

dongeoun AN; NE dungeon, *Turm, Kerker.*

donne = dun. | donne inflected inf. of do. | dor = der, NE deer. | dor = durre, NE dare. | dorc = derk.

dore OE dor n., duru f., NE door, *Tür.* — doreward OE dor + weard m., NE doorkeeper, *Türhüter.*

doren s. dar.

dormant OF; NE fixed, *feststehend.*

dorre, dorring = durre, durring. | dorste s. dar.

dortour AN; NE dormitory, *Schlafgemach.*

¹-dorve(n) s. ¹-derve.

dosc OE; NE dusk, *düster, trübe.*

dos(e) s. do, NE do.

dosein, dosene OF do(u)zaine, NE dozen, *Dutzend.*

doseper fr. OF douze pairs; NE (one of the twelve) pair(s), *(einer der zwölf) Pair(s).*

dosse = dos(e) s. do.

dosser AN; NE pannier, *Tragkorb.*

dot = doth s. do.

dote cf. MHG vertutze; NE dote, *bin töricht.* — dote NE fool, foolish, *Tor, töricht.* — dotage NE; *Torheit.* — dotard NE; *Tor.*

dothe, dotz = doth s. dô. | dotous = doutous. | dou s. deᵍgh. | dou = doᵘgh.

double OF; NE; *doppelt, verdopple.* — doublefelde OF double + OE -feald, NE double, *doppelt.* — doublenesse NE duplicity, *Falschheit.*

douk = duk(e).

doucet OF; NE dulcet, *süß*. — doucet
OF doucette, NE (sweet-sounding) pipe,
(*süßtönende*) *Flöte*.

d(o)ughty OE dyhtig and inf. dugan, NE
doughty, *tüchtig*. — doughtines(s) NE
doughtiness, *Tapferkeit*.

doumb = domb.

doun ON dūnn, NE down, *Daune, Flaum-
feder.*

doun OE dûn f., NE down, hill, *Hügel*. —
doun(e), down(e), downne = a-doune. —
dounere NE more downward, *niedriger*.
— dounright OE dûn + riht, NE
downright, at once, *gerade herunter, so-
gleich*. — dounward OE dûn + weard,
NE downward, *niederwärts*.

doung = dong. | dousaine = dosein.

douse OF douce, NE sweet one, *Süße*.

doute, douthe OF doute, NE doubt, fear,
Zweifel, Furcht; dubious, *zweifelhaft*. —
doute OF; NE fear, *fürchte*. — dout-
a(u)nce AN; NE doubt, *Zweifel*. —
douteles NE doubtless, *zweifellos*. —
doutous AN; NE doubtful, *zweifelhaft*.

douter = doughter.

douthe OE duguþ f., NE virility, virtue,
glory, riches, army, men, *Männlichkeit,
Tüchtigkeit, Ehre, Reichtum, Heer,
Menschen.*

douthe = doughte s. delgh. | douther
= doughter.

d'outremere OF d'outremer, NE from
beyond the sea, *von jenseits des Meeres*.

do(u)ve OE dûfe, NE dove, *Taube*.

dow = dough.

dowaire OF douaire, NE dower, *Mitgift*.
— dowe OF doue, NE endow, grant,
statte aus, verleihe.

dowchspere = doseper. | dowelle =
dwelle. | dowethe = douthe. | dowhter
= doughter. | dowine = dwine.

dowore cf. OF douvre; NE warren, *Gehege*.

dozeine = dosein.

drake OE draca m., NE dragon, *Drache*.

drake cf. OHG antrahho; NE drake,
Enterich.

drad cf. OE ondrêded; NE afraid, *er-
schrocken*.

dradde s. drede.

draf OE *dræf, NE draff, chaff, *Träber,
Bodensatz*. — drafsak, -sek OE *dræf
+ sac(c) m., NE sack full of draff, *Sack
voll Träber.*

dragge AN; OF dragée, NE a digestive
sweetmeat, *Mischkorn*.

drage, draze, draghe = drawe.

draght, draught ON *drahtr (> drǎttr),
NE draught, drawbridge, *Zug, Schluck,
Zugbrücke.*

dragoun AN; NE dragon, *Drache*.

drahe, dray = drawe.

drank cf. OE drenc m.; NE drink, *Trank*.

drank s. drinke.

drasty OE dræstig, NE dreggy, *hefig,
schmutzig.*

drat 3 sg. of drede.

dravele cf. EFries. drabbele; NE slaver,
bespatter, *besudele, bespritze.*

drawe, p. drough, drow, drew, droughe(n),
drowe(n), pp. i-drawe(n) OE drage, NE
draw, tear to pieces, endure, compile,
betake myself, *ziehe, zerreiße, ertrage,
stelle zusammen, trage zusammen, kom-
piliere, begebe mich.*

dre = a-drelghe. | dreaie = drawe.

drecche OE drecce, NE torment, delay,
quäle, verzögere. — drecchinge OE
dreccing f., NE tormenting, delay,
Quälen, Verzögerung.

a-drede, p. dredde, dradde, pp. i-drad,
i-dred OE ondrǣde, NE dread, *fürchte*.
— drede NE dread, doubt, *Furcht,
Zweifel*. — dredeles NE dreadless *furcht-
los*. — dredful NE timid, dreadful, *voll
Furcht, furchtbar.*

dred = drad. | dreid = drede.

drelgh(e) OE (ge)drêah n., NE crowd,
lamentation, *Masse, Klage.*

drelgh, drigh cf. ON drjúgr; NE great,
strong, long, patient, *groß, stark, lang, ge-
duldig*. — on drelgh NE at a distance,
abseits. — drelghly NE continuously,
seriously, *anhaltend, tüchtig.*

a-drel(gh)e, dri(gh)e, p. drelgh, pp.
i-drow(en) OE (ǎ)drêoge, NE perform,
endure, *führe durch, dulde.*

dreint(e) s. drenche.

drem(e) OE drêam m., NE sound, music,
dream, *Klang, Musik, Traum*. — dreme
OE drîeme, NE make melody, dream,
mache Musik, träume. — dre(a)minge
NE dream, *Traum.*

drench OE drenc m., = drink. —
a-drenche, p. a-dreinte, pp. a-dre(i)nt,
a-drenched OE drence, NE drown, *er-
tränke*. — drenching NE drowning,
Ertränkung.

dreng OE m.; ON drengr, NE military
vassal, warrior, *Lehnsmann, Krieger.*

drery, dreory OE drêorig, NE dreary,
traurig. — drerihed NE dreariness,
Traurigkeit. — drerimod OE drêorig-
môd, NE sad, *traurig*. — drerinesse
OE drêorignes f., NE dreariness, *Traurig-
keit.*

dresse OF; NE make straight, direct,
prepare, dress, *mache gerade, richte, be-
reite, kleide (mich).*

dret = drede.

dreve OE drêfe, NE am driven, hurry,
werde getrieben, eile.

drew s. drawe. | drewry = druerie.

dri(e) OE drŷge, NE dry, *trocken*. — drie
OE drŷge, NE dry, *(ver)trockne.*

a-drie = a-drel(gh)e. | drife, driff =
drive. | driz = drelgh.

drighte(n), -in OE dryhten, drihten m.,
NE Lord, *Herr.*

drinke, p. dronk, drank, dronke(n), pp.
i-drunke(n), i-dronke(n) OE drince, NE

drink, *trinke.* — drink OE drinc m., NE drink, *Trank.* — drin(c)kare OE drincere m., NE drunkard, *Säufer.* — **a-drinke** OE ādrince, NE am drowned, drown, *ertrinke, ertränke.* — drinkeles NE without drink, *ohne Trank.*

dringe = drinke. | dristen, drithen, drittin = drighte(n).

drive, p. drof, drive(n), pp. 1-drive(n) OE drīfe, NE drive, rush, *treibe, eile.*

drof OE drāf f., NE drove, herd, *Schar, Herde.*

drof s. drive.

drogge OF drogue, NE drug, *Drogue.*

droʒe, droughe, s. drawe.

drought(e) OE drūgaþ m., NE drought, thirst, *Trockenheit, Durst.*

dronk(en), a-dronque s. drinke.

drope OE dropa m., NE drop, *Tropfen.* — droppe OE dropige, NE (be)drop, (be)*tröpfele.* — droppinge OE dropung f., NE dropping, *Getröpfel.*

drou = drow s. drawe.

droune, drowne MDan. droune, NE drown, *ertränke.*

droupe ON drūpa, NE droop, *lasse den Kopf hängen.* — droupne ON *drūpna, NE am dejected, pine away, *bin niedergeschlagen, sieche dahin.*

drovy cf. OE drōf; NE turbid, muddy, *trüb, schmutzig.*

drow s. drawe. | 1-drow(en) s. a-dre1(gh)e.

druerie OF; NE (object of) affection, (*Gegenstand der*) *Liebe.*

drugge orig. obs.; NE drag, *schleppe.*

drunken OE druncen, NE drunken, causing drunkenness, *trunken, trunken machend.* — drunken OE druncen n., NE drunkenness, *Trunkenheit.* — dronkelewe NE addicted to drink, *dem Trunk ergeben.* — dronkenesse OE druncen(n)es f., NE drunkenness, *Trunkenheit.*

drünche = drinke. | 1-drunken s. drinke. | drupne = droupne. | drury, drwry = drery. | du- s. dw-.

dubbe OE dubbige, NE dub, adorn, *schlage zum Ritter, schmücke.* — dubbement = adubbement. — dubbing NE dubbing of a knight, *Ritterschlag.*

duk(e) OF duc, NE duke, *Herzog.* — ducat OF; NE; *Dukaten.* — duchesse OF; NE duchess, *Herzogin.*

düde = dide s. do.

due OF deu, f. deue, NE due, *gebührend.* — duelly NE duly, *in gebührender Weise.* — duetee AN -té; NE duty, *Pflicht.*

duere = dere. | duʒen s. delgh. | duʒethe = douthe. | duhtig = doughty. | duik = duk.

dul cf. OE dwal, dol; NE dull, *töricht, stumpf.* — dulle NE make dull, grow dull, *mache stumpf, werde stumpf.* — dulnesse NE dullness, *Stumpfheit.*

dulcarnon ML; NE dilemma, *Dilemma.*

dulecote OF duel + cote, NE mourning garment, *Trauerkleid.* — dulfull = delful.

dulve s. delve. | dumb = domb.

dun OE dun(n), NE dun, *dunkelfarbig.* — dun NE (dun) horse, (*graues*) *Pferd.*

düne = dine. | dun(e) = doun(e). | dungeoun = dongeoun. | dunt = dint.

dure OE duru f., NE door, *Tür.* — durepin OE duru + pin(n), NE door-bolt, *Türriegel.* — durewart OE duruweard m. = doreward.

dure OF; NE last, endure, *dauere, ertrage.* — durabletee OF -té; NE durability, *Dauer(-haftigkeit).* — duracioun L -ationem; NE duration, *Dauer.* — durande NE continual, *dauernd.* — duree OF; NE power of endurance, *Kraft auszuhalten.* — duresse, -esce OF; NE hardship, *Härte.* — duringe NE duration, *Dauer.*

dürling OE dīerling m., = der(e)ling.

durre s. dar.

durring cf. OE dar; NE daring, *Kühnheit.*

durste s. dar. | durte = durste.

duske cf. dosc; NE grow dim, *werde trüb.*

düsy = disy. | düsie = disie. | dusszeper = doseper. | duszeine = dosein.

dust OE dūst n., NE dust, *Staub.*

duste orig. obsc.; NE beat, throw, *schlage, schleudere.* — dustlunge NE stroke, *Schlag.*

dut AN duit, = deduit. | dut 59,784 p. of doute. | dute = doute. | duv = douve. | duweliche = duelly s. due.

dwal OE gedwal, NE foolish, heretical, *töricht, abtrünnig.* — dwale OE (ge)dwala m., NE error, soporific drink, *Irrtum, einschläfernder Trank.* — dwele, dweole OE gedweola m., NE error, *Irrtum.*

dwelle OE dwelle, dwelige, NE dwell, remain, *verweile, bleibe.* — dwelling NE; *Aufenthaltsort.*

dwine OE dwīne, NE waste away, *welke dahin.*

E.

e = e1(gh)e. | e = he. | eafne = even(e). | eald = old. | earm = arm. | earre, earste cf. er. | earver = ever. | easke = aske.

eaubrüche OE ǣwbryce m., NE adultery, *Ehebruch.*

eavrask OE êa f. + forsc m., NE water-frog, *Wasserfrosch.*

eawle = oule.

ebbe OE ebba m., NE ebb, low water, *Ebbe.* — ebbe OE ebbige, NE ebb, *ebbe, nehme ab.*

ebreish, ebriss OE ebr(ē)isc, NE Hebrew, *hebräisch.*

ecclesiaste OF; NE minister, *Geistlicher.*

ekko L echo, NE; *Echo.*

ek(e), eake OE êac, NE eke, also, *auch.*
— eke = eche, NE add.

ech, dat. m. n. echen, f. echere OE
ǣ(ghwi)lc, NE each, *jeder.*

eche OE îece, NE add, increase, *füge
hinzu, vermehre.*

eche OE êce, NE eternal, *ewig.* — ech(e)-
nesse OE êcnes f., NE eternity, *Ewigkeit.*

echin L echinum, NE sea-urchin, *Seeigel.*

echo(u)n(e) = ech + on, *ein jeglicher.*

eclipse OF; NE; *Verfinsterung.* — eclip-
tik L eclipticum, NE ecliptic, *Ekliptik.*

ed = at.

eddre OE ǣd(d)re f., NE vein, *Ader.*

ede, eode = yede s. go.

edy, eady OE êadig, NE happy, blessed,
rich, *glücklich, selig, reich.* — edinesse
OE êadignes f., = ednesse. — ednesse
OE êadnes f., NE happiness, *Glück.*

edifie OF; NE build, *baue.*

edwit OE edwît n., NE reproach, dis-
grace, *Vorwurf, Schmach.* — edwite, ead-
OE edwîte, NE reproach, *werfe vor.*

ée(i)n(e)pl. of eᶦ(gh)e. | ef= yif. | efen=
even.

effect OF; NE; *Wirkung.* — effectuel
OF; NE effectual, *wirksam.*

ᶦ-efne OE ge-efn(ig)e, NE compare, *ver-
gleiche.*

efne dat. of efen = heven. | efrile = every.

eft(e) OE eft, NE again, afterwards,
wiederum, nachher. — eftsone(s) OE
eftsôna (+ s), NE again, soon, after,
wiederum, bald darauf.

efter, ef(f)tir(e) = after.

eftwhite OE eft + OF quite (?), NE re-
pay, *zahle zurück* (?).

egal OF; NE equal, *gleich.* — egaly NE
equally, impartially, *gleichmäßig, un-
parteiisch.* — egalitee OF -té; NE
equality, equanimity, *Gleichheit, Gleich-
mut.*

egge OE ecg f., NE edge, *Schneide.*

egge ON eggja, NE incite, *reize an.* —
eggement NE instigation, *Anreizung.* —
egging NE instigation, *Anreizung.*

eȝȝwhær = aiwhere.

eᶦ(gh)e, i(gh)e OE êage n., NE eye, *Auge.*
— eᶦ(gh)elid OE êage + hlid n., NE
eyelid, *Augenlid.* — eᶦ(gh)ed NE en-
dowed with eyes, *mit Augen begabt.* —
heie-renning 122, 283 fr. OE êage + ON
renna; NE weeping, *Tränen des Auges.*

eȝhne pl. of eᶦ(gh)e.

eghte, eighte OE ǣht f., NE property,
Besitz.

e(gh)ther, ei(gh)ther OE ǣg(hwæ)þer, NE
either, *jeder von beiden.* — eghwhat OE
ǣghwæt, NE everything, *ein jedes.*

egle AN; OF aigle, NE eagle, *Adler.*

egleche cf. OE ǣglǣca m. NE valiant,
tüchtig.

egre AN; OF aigre, NE sharp, sour, fierce,
eager, *scharf, sauer, grimmig, eifrig.* —

egre OF aigre, NE make eager, incite,
reize auf.

egremoin OF aigremoine, NE agrimony,
Odermennig.

ehnen pl. of eᶦ(gh)e. | ehte = eighte.

ey OE ǣg n., NE egg, *Ei.*

ey! NE eh! alas! *ei! ach!*

ey = ay, NE aye, ever. | eider = e(gh)-
ther.

eie OE ege m. (cf. awe), NE fear, *Furcht,
Schrecken.*

eighte OE eahta, NE eight, *acht.* — eighte,
eihteothe OE eahtoþa, NE eighth, *ach-
te(r, -s).* — eightetene OE eahtatîene,
NE eighteen, *achtzehn.* — eightetethe,
eȝtetenthe OE eahtatêoþa, NE eighteenth,
achtzehnt. — eghtinde cf. OFries.
achtunda; NE eighth, *achter.*

eighte = eghte 'Besitz'. | eighther =
eghther. | eild = elde. | eild = yeld.

eile OE egle, NE ail, trouble, *schmerze,
betrübe.*

eill = el. | eille = aile. | eime = em,
NE uncle. | einde = ende. | eine pl. of
ey = eᶦ(gh)e, NE eye.

eir AN; NE air, *Luft.* — eirish NE aërial,
der Luft angehörig, luftig.

eir = heir, NE heir.

eir(e) OF erre, eire, NE journey, swiftness,
Reise, Geschwindigkeit.

eise = ese. | eisy = esy.

eisel OF aisil, eisil, NE vinegar, *Essig.*

eithe = ethe. | either = e(gh)ther.
eiwat = e(gh)what.

el OE ǣl m., NE eel, *Aal.*

elacion OF; NE elation, pride, *Erhebung,
Hochmut.* — elat OF; NE elate, *erhaben.*

elborin s. ellebor.

elbowe, elbouthe OE el(n)boga m., NE
elbow, *Ellbogen.*

eld = old.

elde OE ield(o) f., NE (old) age, (hohes)
Alter. — elde OE ealdige, NE grow old,
altere. — eld(e)fader, -ir OE eald(e)fæder
m., NE grandfather, ancestor, *Großvater,
Vorfahr.* — elder OE ieldra, NE older,
älter. — elder, -ir OE ealdor m., NE
chieftain, ancestor, *Häuptling, Vorfahr,*
pl. eldren NE parents, *Eltern.* — elder-
fader OE ieldra + fæder m., NE grand-
father, *Großvater.*

eleborin(e) s. ellebor.

eleccio(u)n AN; NE election, *Wahl.*

element OF; NE; *Element.*

elenge OE ǣlenge, NE miserable, *elend.*
— elengenesse OE ǣlengnes f., NE
distress, *Not, Kummer.*

elevacio(u)n AN; NE altitude above
the horizon, *Höhe über dem Horizont.* —
elevat L elevatum, NE elevated, *er-
haben, hoch.*

eleven OE endlufon, NE eleven, *elf.*

elf OE ielf m., NE elf, *Elf.* — elfquen
OE ielf + cwên f., NE fairy-queen,
Elfenkönigin.

elheowet OE el + hîwod, NE strangely shaped, *fremdartig von Aussehen.*

elidelik OE ealdlīc, NE elderly, *ältlich.*

elixir L; NE; *Elixir.*

ell OE el-, NE otherwise, *anders.*

ellebor OF -re; NE hellebore, *Nieswurz.* — el(e)borin(e) NE wine spiced with hellebore, *mit Nieswurz zubereiteter Wein.*

elleovene = eleven.

elles, -is OE elles, NE else, *anders, sonst.* — ellesw(h)er(e), -whare OE elleshwǣr, NE elsewhere, *anderswo.* — elleswhider OE elleshwider, NE elsewhither, *anderswohin.*

elm OE m.; NE elm-tree, *Ulme.*

elongacioun L- ationem; NE elongation, angular distance, *Winkelabstand.*

eloquence OF; NE; *Beredsamkeit.*

els = elles.

elves pl. of elf. — elvish cf. OE ielf m.; NE elvish, foolish, *elfisch, töricht.*

em, eam OE êam m., NE uncle, *Oheim.* em = them. | e-mang = a-mong.

embassadour cf. OF embassade; NE ambassador, *Gesandter.* — embassadrie NE embassy, *Gesandtschaft.*

embaume OF; NE embalm, *balsamiere ein.*

embelif OF en belif, NE oblique, *schief.*

embelis(h)e OF embelisse sbj., NE embellish, *verschönere.*

embose fr. OF en+bos, bois (?); NE plunge into the thicket, *flüchte ins Dickicht.*

embrace, -se OF embrace, NE; *umarme, nehme (ein Werk) in Angriff.* — embracinge NE embrace, *Umarmung.*

embroude cf. F -ode and OE bregde; NE embroider, *(be)sticke.*

embusshement OF embuschement, NE ambushment, *Hinterhalt.*

emcristen = even(e)cristen(e).

emeraude, emerad OF emeraude, NE emerald, *Smaragd.*

emerlion OF emerillon, NE merlin, *Zwergfalk.*

emforth OE efen, em(n) + forþ, NE according to, *gemäß, nach.*

emisperie L hemispherium, NE hemisphere, *Halbkugel.*

e-mong(e) = a-mong. | emparour = emperour.

empeire OF; NE impair, *verschlechtere.*

emperesse, -isse OF -esse, -ice; NE empress, *Kaiserin.* — emperie OF; NE empire, rule, *Herrschaft, Reich.* — emperour AN; NE emperor, *Kaiser.* — empire OF; NE; *Herrschaft, Reich.*

emplastre OF; NE plaster over, bedaub, *(be)pflastere, verdecke.*

emplie OF em- + plie, NE wrap, *umhülle.*

empoisone OF; NE poison, *vergifte.* — empoisoner NE poisoner, *Vergifter.* — empoisoning NE poisoning, *Vergiftung.*

emprente fr. OF empreint pp.; NE imprint, *drücke (hin)ein.* — emprenting NE imprinting, impression, *Hineindrücken, Eindruck.*

emprioure = emperour.

emprise, empriß OF emprise, NE enterprise, boldness, *Unternehmen, Kühnheit.*

emprisone OF; NE imprison, *sperre ein.* — emprisonement OF; NE imprisonment, *Einkerkerung.*

empty OE æmettig, NE empty, *leer.* — empte OE æmettigige, NE empty, *leere.*

enamoure AN; NE enamour, *mache verliebt.*

enarming(e) fr. OF enarmer inf.; NE arming, *Bewaffnung, bewaffnetes Aufgebot.*

enbaissinge = abashinge.

enbane orig. obsc.; NE fortify, *befestige (?).*

enbashinge = abashinge.

enbataille OF en + bataille; NE embattle, *versehe mit Schießscharten.*

enbelise = embelis(h)e.

enbibing fr. L imbibo; NE absorption, *Einsaugung.*

enbrace = embrace. | enbraude = embroude.

enbreve OF embreve, NE record, *verzeichne.*

enbroude = embroude.

encens OF; NE incense, *Weihrauch.* — encense OF; NE offer incense, *opfere Weihrauch.*

enchace OF; NE drive away, *jage weg.*

encharge OF; NE charge, *erlege auf.*

enchaufe cf. OF eschaufe; NE become warm, *werde warm.*

enchaunte AN; NE enchant, *bezaubere.* — encha(u)ntement AN; NE enchantment, *Zauber, Bezauberung.* — enchaunteresse AN; NE enchantress, *Zauberin.* — encha(u)ntour AN; NE enchanter, *Zauberer.*

enches(o)un, -o(u)n AN; NE occasion, reason, *Gelegenheit, Grund.*

encline OF; NE incline, bow. *neige (mich).* — enclining NE inclination, *Neigung.*

enclose AN; NE enclose, *schließe ein.*

encombre OF; NE encumber, *(be)hindere.* — encombraunce NE encumbrance, *Belästigung.* — encomb(e)rous OF encombros, NE cumbrous, *lästig.*

encorporing fr. L incorporo; NE incorporation, *Einverleibung.*

encres AN; NE increase, *Vermehrung.* — encrese AN encresce, NE increase, *wachse, vermehre.*

encroche OF; NE seize, obtain, *ergreife, erlange.*

endamage OF en + AN damage, NE harm, *schädige.*

ende, eande OE ende m.; NE end, territory, *Ende, Gebiet.* — ende OE endige, NE end, *ende.* — endeles OE endelēas, NE endless, *endlos.* — endere NE ender, *Beendiger.* — ending OE endung f., NE

end(ing),death,*Ende, Tod.* —endingday
OE endung + dæg m., NE death-day,
Sterbetag.

ende, eande = hende.

endelong, endlang OE andlang, ON end-
lange, NE lengthwise, along, *der Länge
nach, entlang.*

endentinge fr. ML indeuto; NE joint,
Fuge.

this enderday cf. MDu. sander(s) dachs;
NE the other day, *neulich.* — this en-
dursnight cf. MDu. sanders nachts; NE
the other night, *neulich nacht.*

endette OF; NE indebt, *mache verschuldet,
verpflichte.*

endirke cf. OE deorc, dierc; NE bedim,
trübe.

endite OF; NE indite, indict, *schreibe
nieder, diktiere, klage an.* — endite-
ment NE indictment, *Anklage.* — en-
diting NE style of composition, accu-
sation, *Schriftstil, Anklage.*

endlang = endelong.

endoute cf. OF douter; NE fear, *fürchte.*

endure OF; NE; *ertrage.*

endursnight s. enderday.

ene OE æne, NE once, *einmal, einst.*

ene pl. of e = eł(gh)e, NE eye.

en(e)de OE ened f., NE duck, *Ente.*

enemy OF enemi, NE enemy, *Feind.* —
enemitee AN -té; NE enmity, *Feind-
schaft.*

enes OE ænes, = ene.

e-newe = ł-nough.

enfamine AN; NE famish, *verhungere.*

enfecte OF infecte, NE infect, taint,
stecke an, beflecke.

enforce OF; NE force, endeavour, *zwinge,
strenge mich an.*

enforme, enfourme OF; NE inform,
(be)lehre, teile mit.

enfortune cf. OF enfortuné pp.; NE en-
dow, *statte aus.*

enfouble cf. OF afuble; NE wrap up, *hülle
ein.*

engel, gen. pl. englene, OE engel m., NE
angel, *Engel.* — englethe(o)d OE engel
m. + þêod f., NE nation of angels, *Volk
von Engeln.*

engendre OF; NE engender, *erzeuge.* —
engendring(e) NE production, *Er-
zeugung.* — engendrure OF; NE pro-
creation, *Zeugung.*

engin OF; NE understanding, engine,
Verstand, Maschine. — engine OF;
NE contrive, torture, *ersinne, foltere.*

engleis, englis(h), englisc, englissr AN
engleis, OE englisc, NE English, *englisch.*

engregge OF engrege, NE make heavy,
mache schwer.

engreif = engreve.

engreve OF engrever inf., NE trouble,
betrübe.

enhabite OF; NE inhabit, accustom,
bewohne, gewöhne ein.

enhaunce AN; NE enhance, raise, *er-
höhe, erhebe.*

enhause OF enhauce, = enhaunce. —
enhausing NE elevation, *Erhebung.*

enhorte OF; NE exhort, *ermahne.*

eny = any. | enimy = enemy. | enis =
enes.

enjoine OF enjoigne sbj., NE enjoin,
schreibe vor.

enlace OF; NE entangle, *verwickele.*

enlumine OF; NE illumine, *erleuchte.*

enluting cf. OF luter; NE daubing with
clay, *Verkitten.*

enmite = enemite. | e-nogh(e) = i-nough.

enointe fr. OF enoint pp.; NE anoint,
salbe.

enp- cf. emp-.

enpresse OF; NE oppress, *bedränge.*

enprinte = emprente.

enquere OF enquiere sbj.; enquire cf. L.
inquiro; NE enquire, *forsche nach.* — en-
queringe NE inquiring, *Nachforschung.*
— enqueste OF; NE inquest, *Erkun-
digung, Untersuchung.*

ens = enes. | ensaigne = enseigne.

ensa(u)mple, -pel AN ensaumple, NE ex-
ample, *Beispiel, Muster.* — ensa(u)mple
NE regulate after an example, *richte ein
nach einem Beispiel.* — ensaumpler
AN; NE prototype, copy, *Muster, Ab-
schrift.*

enseigne OF; NE ensign, *Fahne.*

ensele OF enseele, NE seal up, *versiegele.*

enserche OF encerche, NE search, exa-
mine, *untersuche.*

enspire OF; NE inspire, *belebe, begeistere.*

ensure cf. assure; NE insure, assure, *ver-
sichere.*

entaile AN; NE carving, formation,
fashion, *Schnitzwerk, Gestalt(ung), Mode.*
— entail(l)e OF -aille; NE carve, en-
tail, *schnitze, vererbe.*

entalente OF; NE stimulate, *rege an.*

entame OF; NE cut, injure, *schneide, ver-
letze.*

entecche AN; NE infect, imbue, endow,
beflecke, durchtränke, begabe.

entencioun AN; NE intention, *Be-
mühung, Absicht.*

entende OF sbj.; NE turn, direct, give
attention to, take care of, *richte, wende,
bin aufmerksam auf, sorge für.* — en-
tendement OF; NE discernment, *Ein-
sicht.* — entent(e) OF -te; NE intent,
Acht, Zweck, Gesinnung. — entente =
entende. — ententif OF; NE attentive,
aufmerksam. — ententifly adv.

enter AN; NE entire, *ganz, vollständig.* —
enterlich, entierely adv.

enter- = entre-. | entere = entre. | en-
tenue = entune.

enterlace fr. OF entrelacier; NE alternate
rhyme, *Kreuzreim.*

entice OF; NE *reize an.* — enticement,
entisement OF enticement, NE; *An-*

reizung, Verlockung. — entisinge NE allurement, *Lockung.*

entitle OF entitule, NE entitle, *betitele.*

entrail(l)e OF entraille, NE entrails, *Eingeweide.*

entre OF; NE enter, *betrete, trete ein.* — entre(e) OF entree, NE entry, entrance, *Eingang.*

entrechaunge AN; NE interchange, *vertausche.* — entrechaungeable AN; NE interchangeable, *vertauschbar.* — entrechaunginge NE interchange, *Tausch.*

entrecomune cf. F entrecommuniquer; NE intercommunicate, *verkehre.* — entrecomuninge NE interchange, *Tausch (-handel).*

entredite fr. OF entredit pp.; NE interdict, *untersage, belege mit dem Interdikt.*

entrelace OF; NE entangle, *verwickele.*

entremedle OF; NE intermeddle, *mische hinein.*

entremes OF; NE entremets, *Zwischengericht.*

entremet(t)e OF sbj.; NE interfere, *mische mich ein.*

entreparte OF entre + parte sbj., NE share, *teile.*

entrete AN; OF entraite, NE treat, entreat, *behandele, bitte.*

entrike OF entrique, NE entangle, *verwickele.*

entune cf. OF entoner; NE tune, song, music, *Ton, Lied, Melodie.* — entune OF entone, NE intone, *stimme an.*

envenime OF; NE envenom, *vergifte.* — enveniminge NE poisoning, *Vergiftung.*

envi(e) OF envie, NE envy, *Neid, beneide.* — envious AN; NE; *neidisch.*

envine OF; NE store with wine, *versehe mit Wein.*

environ AN; NE round about, *im Kreise, rings.* — environinge NE circumference, *Umkreis.*

envolupe OF; NE envelop, *hülle ein.*

eode = yede s. go. | eou = yow s. ye.

episicle, epicicle F epicycle, NE; *Nebenkreis.*

epistel OF epistle, NE letter, *Brief.*

equacion L aequationem, NE equal partition, *Gleichteilung.*

equal L aequalem, NE equal, *gleich.*

equator L aequator, NE equator, *Äquator.*

equinoxium L aequinoctium, NE equinox, *Tag- und Nachtgleiche.* — equinoxial NE equinoctial, *die Tag- und Nachtgleiche betreffend.*

equipolence OF equipollence, NE equivalent, *gleicher Wert.*

equitee OF -té; NE equity, *Unparteilichkeit.*

er(e), ear OE ǣr adv., NE before, *(be)vor, ehe(r);* comp. adj. earre OE ǣrra; erour OE ǣror, NE earlier, *früher;* superl. erst(e) OE ǣrest(a), NE first, *zuerst,*

erster. — er-thon OE ǣr þon, NE before that time, *vorher.*

er(e) = are s. am.

er(e) OE êar n., NE ear (of corn), *Ähre.*

erand, erind OE ǣrende n., NE errand, *Botschaft.* — erandbere OE ǣrende + *bera m., NE messenger, *Bote.*

erbage = herbage. | erbe = herbe.

erk, orig. obsc. cf. OE iergþ(o) f.; NE weary, irk, *müde, mißvergnügt.*

erchebishop OE ærcebiscop m., NE archbishop, *Erzbischof.*

erc(h)edeken OE ærcedêacon m., NE archdeacon, *Archidiakonus.*

erd OE eard m., NE country, land, earth, *Heimat, Land, Erde.* — erdie OE eardige 'dwell', NE bury, *beerdige.*

ere, eare OE êare n., NE ear, *Ohr.*

ere OE erige, NE plough, *pflüge.*

ere = her, NE here. | ere = are s. am.

ereming = erming. | eremite OF; = ermite. | erest = erst s. er. | erewe = arwe.

erf(e), erve OE ierfe n.. NE inheritance, cattle, *Erbe, Vieh.*

eri = erien inf. of ere, NE plough. | erind = erand. | eritage = heritage.

erl, eorl OE eorl m., NE earl, *Graf.*

erly, erliche OE ǣrlice, NE early, *früh.*

erme OE ierme, NE feel sad, make miserable, *bin traurig, mache unglücklich.* — erming OE ierming m., NE poor wretch, *Elender.*

ermine OF; NE; *Hermelin.*

ermite OF; NE hermit, *Einsiedler.* — ermitage OF; NE hermitage, *Einsiedelei.*

ernde s. renne.

erne OE ærne, NE ride, *reite.*

erne OE eorne, = renne.

ernes OF erres, ernes, NE earnest-money, pledge, *Angeld, Pfand.*

ernest OE eornost f., NE seriousness, *Ernst.* — ernestful NE serious, *ernst (-haft).*

erour s. er. | eroust OE ǣrost, = erst s. er. | errand = erand.

erratik OF -ique; NE erratic, wandering, *wandernd.*

erraunt AN; NE arrant, vagabond, *umherstreifend.*

erre = irre, NE anger. | errnde = erand.

erre OF; NE err, *irre.* — erro(u)r AN; NE error, *Irrtum.*

ers OE ears m., NE ars, buttocks, *Gesäß.*

erse- = erche-.

erst(e) s. er.

erthe, eorthe OE eorþe f., NE earth, *Erde.* — e(o)rth(e)ly, -lich, -liȝ OE eorþlic, NE earthly, *irdisch.* — erthen NE earthen, *irden.*

ert = art s. am. | er-thon s. er. | ertou, ertu = art thou. | erve = erfe. | erver = ever. | es = as = also. | es = is s. am. | es = his. | es = is, NE them.

esc(h)ape OF; NE escape, *entgehe, ent-
fliehe.*

eschaufe OF; NE warm, heat, *erwärme,
erhitze.* — eschaufinge NE heating,
Erhitzung.

eschaunge AN; NE exchange, *Tausch,
Wechsel.*

eschete, escheite OF eschete, NE es-
cheat, *Heimfall.* — eschetour AN; NE
escheator, *Fiskal (Beamter, der die Ge-
rechtsame des Fiskus bei heimfälligen
Gütern wahrnimmt).*

escheve, eschewe = acheve.

eschew, eschiew, eschu OF eschiu, NE
disinclined, *unwillig.* — eschewe,
eschu(w)e, eschuie OF escheve, NE avoid,
escape, *meide, fliehe.* — eschewing,
eschuinge NE avoidance, *Meiden.*

ese, ease AN ese, OF aise, NE ease, *Be-
haglichkeit, Lust; erquicke, erleichtere.* —
esement AN; NE easement, *Bequem-
lichkeit, Erleichterung.* — esy AN esé,
NE easy, at leisure, *behaglich, frei.* —
esily NE easily, *behaglich, leicht.*

espace OF; NE space of time, *Zeitraum.*

espece OF; NE kind, *Art.* — in especial
OF en esp.; NE in particular, *im be-
sonderen.*

espie OF; NE spy, *Späher, Spion; (er)-
spähe, beobachte.* — espiaille OF; NE
espial, *Auskundschaften.*

espirituel OF; NE spiritual, heavenly,
geisterhaft, himmlisch.

espleite OF; NE perform, *verrichte, führe
aus.*

essample OF; = ensa(u)mple. | esscheker
AN eschequer = chekkere. | esse =
es = is.

essoine OF; NE essoin, excuse, *Ent-
schuldigung.*

est, east OE êast m., NE East, *Osten.* —
est OE êast, NE east, *östlich.* — estende,
easteande OE êastende m., NE eastern
quarter, *Ostseite.* — esthalf OE êasthealf
f., NE east side, *Ostseite.* — estward OE
êastweard, NE eastward, *nach Osten.*

estable OF; NE stable, *Stall.*

estable AN; NE establish, *setze fest, setze
ein.* — establise OF sbj.; NE establish,
befestige, richte ein.

estat OF; NE state, estate, *Staat, Zustand,
Rang, Pracht.* — estatlich NE stately,
stattlich, würdevoll.

estatut OF; NE law, security, *Gesetz,
Bürgschaft.*

este OE êst f., NE favour, pleasure, *Gunst,
Lust.* — estliche OE êst(e)lîce, NE de-
liciously, *wohlschmeckend.*

estraunge AN; NE strange, *fremdartig.*

estre OF; NE nature, locality, room,
Wesen, Aufenthaltsort, Raum.

estreday OE Êasterdæg m., NE Easterday,
Ostertag. — estrenight OE Êasterniht f.,
NE Easter-eve, *Nacht vor Ostern.*

et = at.

ete, p. et, ete(n), pp. ¹-ete(n) OE ete, NE
eat, *esse.*

eternal AN; NE; *ewig.* — eterne OF;
NE eternal. — eternitee OF -té; NE
eternity, *Ewigkeit.*

ethalde = etholde. | ethcene = ethsene
s. eth(e).

eth(e) OE êaþe, NE easy,*leicht.* — ethelich
OE êaþelic, NE easy, trifling, *leicht, un-
bedeutend.* — ethsene OE îeþ-gesîene,
NE easily seen, distinct, *leicht zu sehn,
deutlich.*

etheling = atheling. | ether = e¹(gh)ther.

ethique, etik OF ethique, NE ethics,
Ethik.

etholde OE æt + healde, NE retain,
behalte.

etscene = ethsene s. eth(e).

etlunge fr. ON ætla vb., ætlun sb.; NE
estimation, *Schätzung.*

etstonde = atstonde. | eu = yow s. ye.
| euch = ech. | euchan, euchon =
ech on. | eure = youre.

eva(u)ngile AN; NE gospel, *Evangelium.*
— evangelise OF; NE; *verkündige das
Evangelium.* — evangelist(e) AN; NE
evangelist, *Evangelist.*

eve = even. | evel = ivel. | eveliche =
eveneliche.

even, -in OE æfen m., NE eve, even(ing),
Abend. — evensong OE æfensang m.,
NE evening song, *Abendgesang.* — eve-
sterre OE æfensteorra m., NE evening
star, *Abendstern.* — eventide OE æfentîd
f., NE evening time, *Abendzeit.*

even(e), -in OE ef(e)n, NE even, equal, im-
partial, average, *eben, gleich, unparteiisch,
durchschnittlich.* — even(e), -in OE efne,
NE even, exactly, with, after, *eben, ge-
rade, genau, bei, nach.* — evene OE efne,
NE render even, compare, am equal,
ebene, mache gleich, vergleiche, bin gleich.
— evenly, evenlik OE efenlîc, NE simi-
lar, *gleichartig.* — even(e)liche OE efen-
lîce, NE evenly, *gleich, genau.*

even(e)cristen(e) OE efencrîsten m., NE
fellow-Christian, *Mitchrist.*

ever, ev(e)re, evure, eaver(e) OE æfre,
NE ever, *immer, jemals.* — evera-
mong = everimong. — everaware =
everiwhere. — evereft OE æfre + eft,
NE evermore, *immerfort.* — evereuch,
eavereuch = every. — every, everich,
-ech, evreich OE æfre ælc, NE each,
jeder. — everichon, eavereuchan OE
æfre ælc + ân, NE every one, *jeder ein-
zelne.* — everidaies OE æfre ælces dæges,
NE daily, *täglich.* — everidel OE æfre
ælcne dæl, NE every whit, *ganz und gar.*
— everilk = every. — everilkon, -ane
= everichon. — everimong OE æfre +
gemang, NE continually, *fortwährend.* —
everiwhere, -hwar OE æfre + gehwær,
NE everywhere, *überall.* — everlast-
ing, -lestinde OE æfre læstende NE ever-

lasting, *immerwährend.* — evermo(re), -mar(e) OE ǽfre + mâ(ra), NE evermore, *immerfort.* — everu(i)ch = every. — everyet(e), eavery. OE ǽfre + giet, NE always, *immer.*

evidently fr. OF evident; NE by observation, *durch Beobachtung.*

evir, evure, evvere = ever.

ew OE î(e)w m., NE yew-tree, *Eibenbaum.*

e-way = a-wey(e).

ewe OE eowu, -e f., NE sheep, ewe, (*Mutter-*)*Schaf.*

exaltacioun AN; NE (astrological) exaltation, *Erhöhung, Höhe.* — exaltat L -tatum; NE exalted, *erhöht.*

exametron L hexameter, NE; *Hexameter.*

examine OF; NE; *prüfe.* — examininge NE examination, *Untersuchung.*

excede OF; NE exceed, *überschreite, übertreffe.*

excellence OF; NE; *Trefflichkeit.* — excellent OF; NE; *ausgezeichnet.*

exces OF; NE ecstasy of mind, *Verzückung.*

excite OF; NE; *errege.*

exclude L -do; NE exclude, *schließe aus.*

excuse OF; NE; *Entschuldigung, entschuldige.* — excusable OF; NE; *entschuldbar.* — excusacioun, -atiown AN -acioun; NE excuse, *Entschuldigung.*

execute OF; NE; *führe aus.* — execucio(u)n AN; NE execution, *Ausführung, Vollstreckung.* — executour AN; NE executor, *Vollstrecker.* — executrice OF; NE female executor, *Vollstreckerin.*

exemple OF; = ensa(u)mple.

exempt OF; NE; *ausgenommen, frei.*

excepcioun AN; NE exception, *Ausnahme.*

exerce OF; NE exercise, *übe aus.* — excercise OF excercice, NE exercise, *Übung.* — exercise NE exercise, observe, *übe, begehe.* — exercitacio(u)n AN; NE exercise, *Übung.*

exil OF; NE exile, *Verbannung.* — exile OF; NE; *verbanne.* — exilinge NE banishment, *Verbannung.*

existence OF; NE reality, *Wirklichkeit.*

exorsisacioun fr. ML exorciso; NE exorcism, *Geisterbeschwörung.*

expans L -sum; NE separate, *einzeln* (*astrol.*).

expelle L expello, NE expel, *treibe heraus.*

experience OF; NE; *Erfahrung.* — expert OF; NE; *erfahren, kundig.* poun(d)e AN expoune, NE expound, *erkläre.*

expres OF; NE express(ly), *ausdrücklich.* — expresse OF; NE tell, relate, *sage, erzähle.*

expulsif OF; NE expellent, *hinaustreibend.*

extende OF sbj.; NE extend, value, *dehne aus, schätze ab.*

extorcioun AN; NE extortion, *Erpressung.*

extre OE eax f. + trêow n., NE axletree, *Achse.*

F.

fa = fo.

fable OF; NE fable, talk, *Fabel, Geschwätz.*

face OF; NE; *Angesicht.*

facound AN; NE eloquent, *beredt.* — fac(o)und(e) AN facounde, NE eloquence, *Beredsamkeit.*

facultee OF -té; NE faculty, *Vermögen, Befähigung.*

fade OF; NE faded, *welk.* — fade NE; *welke dahin.*

fader, -ir OE fæder m., NE father, *Vater.* — fader-in-lawe NE father-in-law, *Schwiegervater.*

fadme OE fæþm m., NE fathom, *Faden.* — fadme OE fæþm(ig)e, NE embrace, *umarme, umfasse.*

fadom = fadme. | fæie = fei(e). | fær = fer, NE fear. | fagen = fain. | faught(e) s. fighte. | fay = fo, NE foe. | fay = feith.

faierie OF; NE magic, fairyworld, fairy, *Zauberwerk, Elfenwelt, Elfe.*

fail(e), faille OF faille, NE fail(ure), *Fehl.* — fail(l)e OF sbj.; NE fail, lack, *fehle, ermangele, schwinde hin.* — faillard fr. OF faillir inf.; NE failing, delinquent, *fehlend, pflichtvergessen.*

fain OE fægen, NE fain, glad, willing, *froh, bereitwillig.* — faine adv.

fainte = feinte.

fair OE fǽger, NE fair, lovely, *schön.* — faires pl., NE fine things, *Kostbarkeiten.* — fairhede = fairnesse. — fairnesse OE fægernes f., NE beauty, *Schönheit.*

fair = fare sb.

faire AN feire, NE fair, market, *Jahrmarkt, Messe.*

fairie = faierie.

faite fr. OF fait pp.; NE dissemble, *heuchle.*

faith = feith. | fald = fold(e).

falding orig. unc.; NE a sort of coarse cloth. *rauher Kleiderstoff.*

fale OE feala, NE much, many, *viel(e).*

fal(l) OE (ge)feal(l) n., NE fall, *Sturz.* — a-falle, p. fel(l)e, feol, fil(l), felde, felle(n), felden, pp. i-falle(n) OE (ä)fealle, NE fall, happen, am due, *falle, sich ereignen, sich ziemen.*

fallace OF; NE deceitfulnes, *Hinterlist.*

falow fr. OE fealh f. 'harrow'; NE fallow, untilled, *brach.* — falwes OE fealwe n. pl., NE fallow ground, *Brachland.*

fals OF; NE false, *falsch.* — fals(e) OF false, NE falsify, deceive, *fälsche, betrüge.* — falsdom, falsed(e) = falshed(e), falsete OF -té, NE falsehood, *Falschheit, Betrug.* — fals(e)ly, false-

lich(e) adv. — fals(e)nes(se) NE fals-
ness, *Falschheit*. — falsshipe = fals-
nesse.
falt pp. of falde = folde.
faltre orig. obsc.; NE falter, stumble,
stottere, stolpere.
falwe OE fealo, NE fallow. *fahl, falb*. —
fal(e)we OE fealwige, NE grow yellow,
fade, *werde fahl, erbleiche*.
falwes s. falow. | faman = foman s. fo,
NE foe.
fame OF; NE fame, reputation, *Ruhm,
Ruf*. — famous AN; NE famous, *berühmt*.
familer AN; NE familiar (friend), *ver-
traut(er Freund)*. — familerlich NE
familiarly, *vertraulich*. — famil(i)ar-
ite(e) OF -iarité; NE familiarity, *Ver-
trautheit*. — familier, famulier =
familer.
famine OF; NE; *Hungersnot*.
fan OE fana m., NE vane, quintain,
(*Wetter-*)*Fahne, Stechpfahl*.
fand = fond s. finde. | fande = fonde. |
fane = fain. | fange = fonge.
fanne OE fan(n) f., NE fan, *Fächer*.
fantasie OF; NE fancy, *Trugbild*. — fan-
tastik ML fantasticum, NE belonging
to the fancy, *phantastisch, eingebildet*.
fantome OF -tosme; NE phantasm, *Trug-
bild*.
far = fer, NE far.
farce fr. OF farcir inf.; NE stuff, *stopfe,
fülle*.
fard = ª-ferd s. fer, NE fear.
fardel OF; NE bundle, *Bündel*.
fare, p. for, ferde, pp. fare(n), farne, ferd
OE fare, NE fare, travel, behave, *fahre, bin
gut (schlecht) daran, reise, benehme mich*;
hit fareth NE it happens, *es geht zu*. —
fare OE faru f., NE journey, troop, equip-
ment, behaviour, fuss, way of living, suc-
cess, fate, *Reise, Schar, Ausrüstung, Be-
nehmen, Getue, Lebensweise, Erfolg, Ge-
schick*. — farecart OE faru + cræt n.,
NE travelling-cart, *Reisewagen*. — fare-
wel(e), -well OE far wel, NE farewell,
leb wohl.
far(e) = fair. | fare = fer, NE far. | farlac
= ferlak s. fer. | farre = fer, NE far.
| farse = farce.
fart NE breaking of wind, *Furz*. — fart-
ing OE feorting f., NE breaking of wind,
Farzen.
farthing = ferthing.
farwe fr. OE fearh m.; NE farrow, *ferkele*.
fas = face.
fasoun AN façoun, NE fashion, appea-
rance, *Form, äußere Erscheinung*.
fast fr. the vb.; NE fasting, *Fasten*. —
faste OE fæste, NE fast, *faste*. — fasting
NE; *Fasten*.
fast OE fæst, NE firm, *fest*. — faste OE
fæste adv., NE firmly, quickly, closely,
earnestly, highly, *fest, schnell, nahe, in-
ständig, in hohem Grade*. — fast(e) by

OE fæste + bî, NE close by, *nahe bei*.
— fastne OE fæstnige, NE fasten, *mache
fest*. — fastshipe OE fæst + -scipe m.,
NE holding fast, parsimony, *Festhalten,
Kargheit*.
fat, fatt OE fæt(t), NE fat, *fett*. — fatte
OE fætige, NE make fat, grow fat, *mache
fett, werde fett*. — fattish NE fattish,
plump, *ein wenig fett, voll*.
fate OF fat(e), NE fate, *Schicksal*. — fatal
OF; NE; *verhängnisvoll*.
fatte = fette s. fe(c)che.
faucon OF; NE falcon, *Falke*. — fauconer
OF fau(l)connier, NE falconer, *Falkenier*.
faun L faunum, NE Faun, *Faun*.
faune OE fæg(e)nige, fahnige, NE (fawn),
rejoice, flatter, *freue mich, schmeichele*.
faunt fr. AN enfaunt; NE child, *Kind*.
faute OF; NE default, fault, *Mangel,
Schuld*.
favo(u)r AN; NE favour, *Gunst*. — favor-
able OF; NE favourable, *günstig*.
fawcht = faught(e) s. fighte.
fawe(n) OE fagen, cf. ON fagna; = fain.
fax OE feax n., NE hair, *Haar*.
fe, feo OE feoh n., NE cattle, property, mo-
ney, fee, *Vieh, Vermögen, Geld, Lohn, Lehen*.
— fe simple NE fee s., *Allodialgut*.
feaute OF -té; NE fealty, *Lehnseid*.
feble, febel AN feble, OF faible, NE feeble,
poor, shameful, *schwach, ärmlich, schänd-
lich*. — feblenesse, feblenesse NE
feebleness, *Schwäche*. — feblesse AN
feblesce, NE weakness, *Schwäche*. —
febly, -liche, -leche, NE miserably,
shamefully, *jämmerlich, schändlich*. —
feblore comp. of feble.
fecche OF veche, NE vetch, *Wicke*.
fe(c)che, p. fette, pp. ¹-fet OE fecce, fetige,
NE fetch, hole, *bringe*. — fecching NE
fetching, rape, *Holen, Entführung*.
fede OE fêde, NE feed, *nähre (mich)*.
feder, feader = fader.
feffe OF; NE enfeoff, endow, *belehne,
statte aus, beschenke*.
feftein = fiftene. | feghte = fighte. |
feh = fe. | fey = feith.
fe¹(gh)e, fie OE fêge, NE join together,
adapt, fit, write, *füge zusammen, passe
(an), schreibe*.
fei(e) OE fâge cf. ON feigr, NE doomed to
death, dead, *zum Tode bestimmt, tot*.
feier = fair. — feierlec cf. ON fagrleikr;
NE beauty, *Schönheit*.
feigne = feine. | feild = feld. | feill(e)
= fele. | fein = fain. | feind = fend.
feine OF feigne sbj., NE feign, invent,
verstelle mich, gebe vor, erfinde. — feining
NE pretending, *Heuchelei*. — feint OF;
NE feigned, faint, *erdichtet, schwach*. —
feinte NE faint, *ermatte*. — feinting NE
fainting, failing, *Schwäche*. — feintise
NE dissimulation, faint-heartedness, *Heu-
chelei, Verzagtheit*. — feintly, -liche NE
deceitfully, faintly, *trügerisch, schwächlich*.

feir = fair. | feird = ᵃ-ferd s. fere,
NE fear. | feire = faire. | feiror comp.
of feir = fair. | feirs = fers, NE fierce.
feith OF fei(d), NE faith, *Treue, Glaube.* —
feithful NE faithful, *treu.*
feitt = fet, pl. of fot.
fel OE fel(l) n., NE skin, *Fell, Haut.*
fel, fell OF fel, NE fell, cruel, dreadful,
valiant, *grausam, furchtbar, tüchtig.* —
felle, felly, felliche NE cruelly, *grau-
sam.* — felnesse NE cruelty, astuteness,
Grausamkeit, Schlauheit.
fel = ful. | fel s. falle.
felaȝe, felaw(e), feola(w) ON fēlagi, NE
fellow, companion, *Gefährte, -tin, Be-
gleiter(in).* — felawlich NE brotherly,
brüderlich. — felawrede NE company,
Gesellschaft. — felaw(e)ship(e), -shepe
NE fellowship, *Genossenschaft, Gesell-
schaft*; associate with, *geselle mich.*
feld OE m.; NE field, *Feld.*
feld p. and pp. of felle. | felde = folde.
feldefare OE felofor m., NE fieldfare,
Krammetsvogel.
felden s. ᵃ-falle.
fele, feole OE fela, NE much, many,
viel(e). — felefolde OE felafeald, NE
manifold, *vielfältig.*
ⁱ-fele OE fēle, NE feel, *fühle.* — felinge,
-unge NE feeling, *Gefühl.* — felingly
NE feelingly, sensibly, *mit Gefühl, ver-
ständig.*
felet(te) = filet.
felicitee OF -té; NE felicity, *Glück
(-seligkeit).*
fell ON fjall, fell, NE fell, hill, *Hügel.*
fel(le) s. ᵃ-falle.
ᵃ-felle OE (ā)fielle, NE fell, *fälle.*
felle = fille. | fellely = felly s. fel, NE
cruel. | felou = felaw(e).
felo(u)n AN; NE cruel, *grausam*; felon,
Bösewicht, Verräter. — feloni(e) OF -ie;
NE felony, *Bosheit, Arglist.* — felonly
adv. — felonous AN; NE cruel, wicked,
grausam, ruchlos.
felow = felawe(e).
felt OE m.; NE; *Filz.* — felte NE felt,
füttere (mit Filz).
felthe = filthe. | feltre = filtre.
femele OF; NE female, *weiblich.*
femenie OF; NE womankind, *weibliches
Geschlecht, Frauen.* — femininitee OF
-té; NE feminine form, *weibliche Gestalt.*
— feminine OF feminin, NE feminine,
weiblich.
fen OE fen(n) n. m., NE fen, bog, dirt,
Moor, Sumpf, Schmutz. — fenlich NE
marshy, *sumpfig.*
fen Arab. fann, NE section of Avicenna's
Canon, *Abschnitt von Avicenna's Canon.*
fend, feond OE fêond m., NE enemy,
fiend, *Feind, Teufel.* — fendly, -lic,
feondlich OE fêondlīc, NE hostile, devil-
ish, excessive, *feindlich, teuflisch, über-
mäßig.*

ⁱ-fend pp. of fene = feine. | fende = de-
fende. | fene = feine.
fenel OE finol m., NE fennel, *Fenchel.*
feng OE m.; NE grasp, booty, *Griff,
Beute.*
fenisse OF fenisse sbj., = finishe.
fenix OE m.; NE phœnix, *Phönix.*
fente OF; NE slit in a garment, *Schlitz
in einem Kleidungsstück.*
feole p. sbj. of ᵃ-falle. | feolohluk =
felawlich. | feont = fend. | feouwer =
foure. | feowertene = fourtene.
fer, feor, fear, ferre OE feor(r), NE far, *fern,
entfernt, weit.* — ferforth OE feor(r) +
forþ, NE far, *weit.* — ferforthly OE
feor(r) + forþlīc, NE thoroughly, *gründ-
lich.* — ferre, ferrer OE fierra, NE
farther, further, *ferner, weiter.* — ferren
OE feorran, NE from afar, distant, *von
fern her, entfernt.* — ferreste OE fierrest,
NE farthest, *entferntest.* — ferrom =
ferren.
fer, fere OE fǽr m., NE fear, *Furcht.* —
ᵃ-fere OE (ā)fǽre, NE frighten, *setze in
Schrecken.* — ferful NE fear-causing,
timid, *furchtbar, furchtsam.* — ferlak,
fearlac NE terror, *Furcht.* — ferly,
ferlik(e), ferlick OE fǽrlīc, NE dreadful,
dangerous, sudden, strange, *furchtbar, ge-
fährlich, plötzlich, seltsam*; wonder, *Wun-
der, Verwunderung.* — ferly, -liche, fer-
lily OE fǽrlīce, NE suddenly, extremely,
plötzlich, außerordentlich.
fer = fir.
ferke OE fercige, NE carry, proceed,
schaffe fort, setze mich in Bewegung.
ferd cf. MHG (ge)værde; NE fear, *Furcht.*
ᵃ-ferd pp. of ᵃ-fere s. fer, NE fear. | ferd(e)
s. fare.
ferd(e) OE fierd f., NE military expedition,
army, *Kriegszug, Heer.*
fere OE gefêra m., NE companion, com-
pany, *Gefährte, Gesellschaft.*— fer(r)ede(n)
OE gefêr-ræden(n) f., NE company, *Schar.*
fere ON fœri, NE ability, power, *Vermögen,
Können.*
fere, feare OE fêre, NE go, travel, act,
behave, *gehe, reise, handele, benehme
mich.*
fere = fer(i)e. | fery = firy.
fer(i)e OE ferige, NE lead, carry, *führe,
trage.*
ferie OF; NE holiday, *Festtag.*
ferlak s. fer, NE fear.
ferling OE fêorþling m., = ferthing.
fermacie OF farmacie, NE remedy, *Heil-
mittel.*
ferme OF; NE firm, *fest.* — ferme OF;
NE make firm, *festige.* — ferme OF; NE
rent, *Rente, Pacht.* — fermly NE firmly,
fest. — fermour AN fermer; NE col-
lector of taxes, steward, *Steuereinneh-
mer, Verwalter.*
fermentacioun L -ationem; NE fermen-
tation, *Gärung.*

fermerere,cf. AN fermerie; NE infirmary-officer, *Krankenhausaufseher.*

fermour s. ferme.

fern OE fearn n., NE fern, *Farnkraut.* — fernashen OE fearn + ascan f. pl., NE fern-ashes, *Asche von verbranntem Farnkraut.*

fern OE fyrn, NE past, *vergangen.*

ferre s. fer, NE far. | ferrede(n) s. fere, NE companion.

fers OF fierce, NE queen at chess, *Königin im Schachspiel.*

fers OF; NE fierce, brave, *wild, tapfer.* — fersly adv.

fers OE = vers. | ferst(e) = first(e). | a-fert pp. of a-fere s. fer, NE fear.

ferthe, feorthe OE fêorþa, NE fourth, *viert.*

ferther cf. OE fier(r) *and* furþor; NE farther, *entfernter.* — ferthermore NE moreover, *überdies.* — fertherover NE moreover, *überdies.*

ferther = forther.

ferthing, -theng OE fêorþung m., NE farthing, *Farthing.* — ferthingworth OE fêorþung + weorþ n., NE farthing-worth, *Wert eines Farthing.*

fervent OF; NE; *heiß.* — fervo(u)r AN; NE fervour, *Hitze, Eifer.*

fesaunt AN; NE pheasant, *Fasan.*

fese fr. the vb.; NE gush of wind, *Windstoß.* — fese OE fêsige, NE drive, *treibe.*

fest = fist. | fest = faste.

fest(e) OF feste, NE feast, festival, *Fest(mahl)*; feast, *bewirte festlich, schmause.* — festeie AN; NE feast, *schmause, bewirte festlich.* — festeiinge NE festivity, *Fest.* — festich NE festive, fond of feasts, *festlich, festliebend.* — festival OF; NE festive, gay, *festlich, fröhlich.*

festne = fastne.

fet AN; OF fait; NE feat, deed, *Tat.*

1-fet s. fe(c)che, NE fetch. | fet 3 sg. of fede. | fet s. fot. | fetere = fet(t)er.

fether OE feþer f., NE feather, pen, *Feder.* — fetherbed OE feþerbed(d) n., NE feather-bed, *Federbett.* — feth(e)r(i)e cf. OE (ge)fiþerige; NE feather, despatch quickly, *befiedere, tue rasch ab.*

fetis AN; OF faitis, NE skilful(ly made), neat, *geschickt (gemacht), nett.* — fetisly adv.

fetous = fetis. | fette OE fetige, = fe(c)che.

fet(t)er OE feter f., NE fetter, *Fessel.* — fettere NE fetter, *fessele.*

feture AN; OF faiture, NE feature, *Form, Gestalt, Zug.*

feuter OF feutre, NE rest for the spear, *Lanzenschuh.* — feutred NE resting in the 'feuter', *im Lanzenschuh ruhend.*

fevere AN fevre, NE fever, *Fieber.*

fewe OE fêawe, NE few, *wenige.*

fewell AN fewaile, NE fuel, *Brennstoff.*

fewning = foining. | fewtred = feutred. | fexit = fighte.

fi OF; NE fie, *pfui.*

fiaunce AN; NE confidence, *Vertrauen.*

fic(c)he OF fiche, NE fix, *befestige.*

fike cf. OE beficige; NE flatter, *schmeichele.* — fikel, -il OE ficol, NE deceitful, *trügerisch.* — fikel(i)e NE deceive, flatter, *trüge, schmeichele.* — fikelnesse NE fickleness, *Unbeständigkeit.*

fie = fel(gh)e, NE join together. | fieble = feble. | fieblesse = feblesse. | fiele = fithele. | fier = fir, NE fire. | fiers = fers. | fif = five.

fift(e) OE fîfta, NE fifth, *fünft.* — fiftene OE fîftîene, NE fifteen, *fünfzehn.* — fiftenday ME fiftene or fiftend(e) + OE dæg m., NE fifteenth day, *fünfzehnter Tag.* — fiftend(e) cf. ON fimtánde; NE fifteenth, *fünfzehnt.*

fige OF figue, OE fíc m., NE fig (-tree), *Feige(nbaum).* — figelef OF figue + OE lêaf n., cf. OE fíclêaf n.; NE figleaf, *Feigenblatt.* — figer AN; NE figtree, *Feigenbaum.* — figer-tre AN figer + OE trêow n., = figer.

fize = fishe. | fize = fel(gh)e.

fight OE feoht n., -e f., NE fighting, battle, *Gefecht, Kampf.* — fighte, p. fa(u)ght(e), foughte(n), pp. i-foughte(n) OE (ge)feohte, NE fight, *fechte.* — fighting OE feohtung f., NE fighting, battle, *Kampf.*

fizs = fish.

figure OF; NE figure, shape, *Figur, Gestalt.* — figure OF; NE make, gestalte. — figuringe NE form(ation), *Gestalt(ung).*

fi(l) s. fallen. | fild pp. of fille.

fildor OF fil d'or, NE thread of gold, *Goldfaden.*

file OE fíl f., NE file, *Feile.* — file OE fêolige, NE file, *feile.*

file ON fýla, NE worthless person, *Nichtswürdige.*

filet OF; NE head-band, fillet, loins, *Stirnbinde, Lenden(stück).*

filiole OF filloele, NE tower, cupola, *Türmchen, Kuppel (?).*

fille OE fyllo f., NE fill, full measure, *volles Maß.* — fille OE fylle, NE fill, perform, *fülle, führe aus.*

fille = a-felle.

filst OE fylst f., NE help, *Hilfe.* — filste OE fylste, NE help, *helfe.*

filthe OE fýlþ f., NE filth, foulness, *Unrat, Unreinheit.*

filtre, -ere, feltre OF feiltre cf. filtre, NE felt, entangle, join, contend, *verfilze, verwickele, füge (mich), streite.*

fin OF; NE end, fine, *Ende, Buße.* — fine OF; NE finish, die, *endige, sterbe.* — final OF; NE; *schließlich.* — finally, finaliche adv. — fining NE end, *Ende.* — finishe OF finisse sbj., = fine. — finisment NE end, *Ende.*

fin OF; NE fine, *fein.* — fine NE refine, *verfeinere.*

finch OE finc m., NE finch, *Fink.*

ᶦ-finde, 3 sg. fint, p. fond, funde, founde(n), fonde, pp. ᶦ-f(o)unde(n), fonde OE (ge)finde, NE find, think, provide, *finde, denke, verschaffe, gewähre.* — ᵃ-finde OE onfinde, afinde, = ᶦ-finde. — finder NE; *Finder.* — finding NE finding, invention, *Auffinden, Erfindung.* — findle OE fyndele f., NE invention, *Erfindung.*

finger OE m.; NE; *Finger.* — fingeringe NE fingering, *Fingern, Zeichenmachen.*

finis- s. fin, NE end.

finne OE fin(n) m., NE fin, *Flosse.*

fint s. finde.

fir, fire OE fȳr n., NE fire, *Feuer.* — firbrand OE fȳr + brand m., NE firebrand, *Feuerbrand.* — fire OE fȳrige, NE set on fire, *setze in Brand.* — firy NE fiery, *feurig.* — firmaking(e) OE fȳr + macung f., NE making of the fire, *Feueranmachen.* — firred OE fȳr + rêad, NE red as fire, *feuerrot.*

firmament OF; NE; *Firmament.*

firme = forme, NE *first.*

firre ODan. fyr, NE fir-tree, *Föhre, Kiefer.*

firre = ferre.

firt 141, 54 OE (ge)fyrht, NE frightened, *geängstigt.*

first OE fyr(e)st(a), NE first, (zu)*erst.* — first(e)bor(u)n OE fyr(e)st(a) + (ge)-boren, NE first-born, *erstgeboren.*

firther = ferther. | fis = fish. | fische = fiche.

fish, fisc OE fisc m., NE fish, *Fisch.* — fishday OE fisc + dæg m., NE fast-day, *Fasttag.* — fishe OE fiscige, NE fish, *fische.* — fisher(e) OE fiscere m., NE fisherman, *Fischer;* fishing NE; *Fischfang.*

fisicien, -sien = phisicien. | fiss = fish.

fist, fest OE fȳst f., NE fist, *Faust.*

fit OE fit(t) f., NE 'fyt', portion of a song, *Abschnitt eines Liedes.*

fithele, fiele OE fiþele f., OF viole, viele, NE fiddle, *Fiedel.*

fit(t) OE; NE fight, *Kampf.*

five OE fîf, NE five, *fünf.*

fixe L fixum, NE fixed, *fest.*

flake Sw.; Norw. flak, NE flake, *Flocke.*

flæsh = flesh. | fla(g)h s. fle, NE flee.

flaght OE *fleaht (Arch. 123, 243), NE turf, *Rasen.*

flaie = fleᶦ(gh)e. | flain s. fle, NE flay. | flambe = flaumbe.

flank(e) OF flanc, NE flank, *Weiche, Seite.*

flashe imit.; NE dash, *schlage plötzlich.*

flat ON flatr, NE flat, *flach;* ground, *Erdboden.*

flatere fr. OF flater; NE flatter, *schmeichele.* — flaterie OF; NE flattery, *Schmeichelei.* — flatering NE flattering, *schmeichlerisch.* — flateringe NE flat-tery, *Schmeichelei.* — flatour AN; NE flatterer, *Schmeichler.*

flaumbe AN; NE flame, *Flamme; flamme, strahle.*

flavor AN flaour, NE flavour, *Geruch.*

fle OE flêa f., NE flea, *Floh.*

fle, fleo, p. fleᶦgh, fleᶦȝ, fley, fleu, fla(g)h, fledde, flowe, fluȝe(n), pp. fled OE flêo, NE flee, escape, (ent)*fliehe.*

fle, p. flough, flowe(n), pp. flain OE flêa, NE flay, *schinde, ziehe die Haut ab.*

flekked cf. ON flekkr 'spot'; NE spotted, *gefleckt.*

flecche AN; NE bend, waver, *beuge mich, schwanke.*

flede cf. Sw. flydde; prt. of fle(e).

fleᶦ(gh)e, fli(gh)e, fle(o), p. fleᶦgh, fley, fla(u)gh, flough, flie(n), flowe(n), pp. ᶦ-flowe(n), flown OE flêoge, NE fly, *fliege.* — fleiinge NE flight, *Flug.*

fleᶦ(gh)e cf. OE âflîege; NE scare, frighten, *verscheuche, schrecke.* — fleinge NE scared, *erschreckt.*

fleis(h) = flesh.

flem OE flêam m., NE flight, *Flucht.* — fleme OE flîema m., NE fugitive, outlaw, *Flüchtling, Verbannter.* — fleme OE flîeme, NE put to flight, *schlage in die Flucht.* — flemer NE banisher, *Vertreiber.* — fleminge NE banishment, flight, *Verbannung, Flucht.*

fleo = flo. | fles = flesh.

fles(e) OE flîes, flêos n., NE fleece, *Vlies.*

flese 3 sg. of fle, NE flee.

flesh, fleasch OE flǣsc n., NE flesh, meat, *Fleisch.* — fleshhok OE flǣsc + hôc m., NE flesh-hook, *Fleischhaken.* — fleshy NE fleshy, *fleischig.* — fleshly, fleschelik OE flǣsclîc, NE fleshy, carnal, *fleischig, fleischlich.*

fless = flesh.

flet OE flet(t) n., NE floor, hall, *Fußboden, Haus, Halle.*

flet(e) OE flêot m., NE fleet, *Flotte.*

flete, p. flet, flot, flote(n), fleted OE flêote, NE float, flow, *schwimme, fließe.*

flex OE fleax, flex n., NE flax, *Flachs.*

flikere OE flicerige, NE flutter, *flattere.*

fli(gh)e OE flêoge f., NE fly, *Fliege.*

fli(ȝ)e = fleᶦ(gh)e.

flight OE flyht m., NE flight, *Flucht, Flug.*

flinge, p. flang cf. ON flengja; NE fling, *eile, stürme, schleudere.*

flint OE m.; NE; *Kiesel(stein).*

flite, p. flot, fliten, pp. ᶦ-flite(n) OE flîte, NE contend, quarrel, *streite, zanke.*

flith 3 sg. pr. of fle, NE flee.

flitte ON flytja, NE carry, go, live, *trage, gehe, nähre mich.*

flo OE flâ f., NE arrow, *Pfeil.*

flok OE floc(c) m., NE flock, *Schar, Herde.* — flokmele OE floc(c)mǣlum, NE in flocks, *in Scharen.*

flod OE flôd m. n., NE flood(tide), *Flut.*

floite = floute.
flough s. fle¹(gh)e, NE fly. | **flom** = flum.
flor, flore OE flôr f. m., NE floor, domain, *Fußboden, Bereich.*
flor = flour.
florein, florin OF florin, NE; *Florin.*
florishe OF florisse sbj., NE flourish, *blühe.* — **florishinge** NE florid ornament, *reicher architekt. Schmuck.* — **floroun** AN; NE flower-ornament, *Blumenverzierung.*
flot cf. OE flotian; NE floating, *Schwimmen.* — **floty** NE watery, *bewässert.*
flot s. flete.
flotere OE floterige, NE flutter, fluctuate, *flattere, schwanke.* — **flotery** NE fluttering, flying, *flatternd, fliegend.*
flough s. fle¹(gh)e, NE flay.
flour(e), flowr, flur OF flour, NE flower, flour, *Blume, Blüte, feines Mehl.* — **flo(u)r-de-lis** OF; NE fleur-de-lis, lily, *Lilie.* — **floure** fr. the sb.; NE flower, flourish, *blühe.* — **flourette** AN; NE floweret, *Blümchen.* — **floury** AN flouri, NE flowery, *blumig.* — **fl(o)uring** NE flourishing, *Blühen, Blüte.*
floute, flowte OF flaüte, NE flute, *Flöte;* flute, whistle, *flöte, pfeife.* — **floutour** OF flaüteur, NE flute-player, *Flötenbläser.*
flowe, p. flew, flowed OE flôwe, NE flow, *fließe.*
flowe(n) s. fle and fle¹(gh)e. | **fluzen** s. fle, NE flee.
flum, flun OF; NE river, *Fluß.*
flurted OF fleureté, NE flowered, *mit Blumen bedeckt, blühend.*
fluse cf. LG flüsen; NE fly, *fliege.*
flüt(t)e = flitte.
fnese OE fnêose, NE snort, sneeze, *schnarche, niese.*
fo OE fâ adj., NE hostile, *feindlich;* foe, *Feind.* — **foman** OE fâ adj. + man(n), NE foeman, *Feind.*
fo, fone ON fâ-r, NE few, *wenige.*
a-fo, a-fonge, foange, p. feng, pp. i-fonge, fon, fonged OE onfô, pp. onfangen, ON fanga, NE seize, receive, begin, *ergreife, empfange, fange an.*
foke cf. OE fâc(e)n n.; NE deceive, *betrüge.* — **fokel** cf. OE fêcne, fâcne; NE fickle, *trügerisch, unbeständig.*
fodder OE fôd(d)er n., NE food, fodder, *Futter.*
fode OE fôda m., NE food, child, person, *Nahrung, Kind, Mensch.*
fodme cf. fode; NE product, *Erzeugnis* (?).
i-foughte(n) s. fighte. | **foide** = fode.
foine cf. OF foine 'fish-spear'; NE thrust, *Stoß.* — **foine** NE thrust with a weapon, *stoße mit einer Waffe.*
foine = fo, fone NE few.
foisoun AN; NE plenty, abundance, *Menge, Überfluß.*
foitt = fot.

fol, fole OF fol, NE foolish, *töricht;* fool, *Tor.* — **foleie** AN; = **folie** vb. — **folhardy** OF; NE fool-hardy, *tollkühn.* — **folhardinesse** fr. OF folhardi; NE fool-hardiness, *Tollkühnheit.* — **folhaste** OF fole haste, NE rashness, *Übereiltheit.* — **foli(e)** OF folie, NE folly, *Torheit;* act foolishly, *handele töricht.* — **folily** NE foolishly, *töricht.* — **folish** NE foolish, *töricht.* — **follarge** OF; NE foolishly liberal, *töricht freigebig.* — **follargesse** AN -esce; NE foolish liberality, *törichte Freigebigkeit.* — **follich** NE foolish, *töricht.* — **folliche** NE foolishly *törichter Weise.*
fol = ful.
fol(c)k OE folc n., NE people, *Volk, Menschen.*
fold(e) OE feald m., NE (sheep)fold, *(Schaf-)Hürde.*
folde OE f.; NE ground, land, *Erdboden, Land.*
folde, pp. folden OE fealde, NE wrap up, fold, throw down, accord, bend, falter, *umhülle, umfasse, falte, werfe nieder, gewähre, stimme überein, krümme mich, wanke.*
fole OE fola m., NE foal, horse, *Füllen, Roß.* — **foled** NE foaled, born, *geworfen, geboren.*
folewe = folwe. | **folfulle** = fulfille. | **folg(h)e, folhe** = folwe. | **folloht** = fulluht. | **folu** 134, 10 = folle. | **folvelle** = fulfille.
folwe, folowe OE folgige, NE follow, *folge.* — **folzande** NE suitable, *angemessen, entsprechend.*
fom OE fâm n., NE foam, *Schaum.* — **fome** OE fâmgige, NE foam, *schäume.* — **fomy** OE fâmig, NE foaming, covered with foam, *schäumend, schaumbedeckt.*
fon pl. of fo, NE foe. | **fond, fonde** s. finde. | **fond(e)** s. fonne.
fonde OE fandige, fondige, NE seek, try, tempt, prove, *(ver)suche, bemühe mich, prüfe.* — **fondung** OE fandung f., NE temptation, *Versuchung.*
fone inf. of **a-fo**. | **a-fonge** s. **a-fo**.
fonne orig. uncert.; NE foolish, *töricht;* fool, *Tor;* am foolish, act foolishly, *bin töricht, handle töricht.* — **fonned**, fond(e) pp. NE fond, insipid, *töricht.*
font OE m.; NE; *Taufstein.* — **fontful** NE; *einen Taufstein voll.* — **fontston** OE font + stân m., NE font, *Taufstein.*
fonte = fond s. finde.
for OE, NE before, for, *vor, für, aus, wegen, um, nach, denn, weil.* — **for-asmuche** OE for + eal(l)swâ + mycel, NE forasmuch, *insofern, weil.* — **forby** OE for + bî, NE by, past, *vorbei, über etwas hinaus.* — **forte** = forto. — **forthen** = forthon. — **for(e)thy** OE for þŷ, NE therefore, *deshalb.* — **forthon** OE for þâm, for þon, NE therefore, for, because.

deshalb, denn, weil. — **forthui** = forthy.
— **forto**, fort(e) OE for tô, NE in order
to, until, *um zu, bis.* — **forwhy** OE for
+ hwî, NE for which reason, because,
for, *weshalb, weil, denn.*

forage OF forrage, NE forage, *Futter.*

forbanne OE for + banne, NE banish,
verbanne.

forbede, forbeode OE forbêode, NE forbid,
prevent, *verbiete, verhindere.*

forbere OE forbere, NE forbear, *enthalte
mich, habe Nachsicht, verschone.* — **for-
beringe** NE forbearance, *Enthaltung,
Nachsicht.*

forberne, forbearne = forbrenne. | **forby**
s. for.

forbisen, -bisne OE for(e)bisen f., NE
example, *Beispiel.* — **forbisne** cf. OE
(ge)bisnige; NE exemplify, *stelle als Bei-
spiel auf.*

forblak OE for + blæc, NE very black,
sehr schwarz.

forblede OE for + blêde, NE bleed to
death, *verblute.*

forblende OE for + blende, NE blind,
verblende.

forbod(e) OE forbod n., NE prohibition,
Verbot.

forbonne = forbanne. | **forbott** = for-
bode.

forbreke OE forbrece, NE break to pieces,
interrupt, *zerbreche, unterbreche.*

forbrenne OE forbærne, NE burn up,
verbrenne.

forbruse cf. OE for + brìese, OF bruise;
NE bruise badly, *zerschlage.*

forbude p. sbj. of forbede.

forbuwe OE forbûge, NE avoid, *meide.*

force = fors.

forked cf. OE forca m.; NE forked, *ge-
gabelt.*

forkerve OE forceorfe, NE cut, *durch-
schneide, schneide ab.*

forknowinge OE fore + cnâwende, NE
foreknowing, *vorwegwissend.* — **forknow-
inge** NE foreknowledge, *vorherige
Kenntnis.*

forc(o)uth OE forcûþ, NE wicked, hostile,
schlecht, feindlich.

forcracche OE for + MDu. cratse, NE
scratch excessively, *kratze heftig.*

forcutte OE for + ME cutte, NE cut to
pieces, *zerschneide.*

forcwiddare cf. OE fore + cwiddige;
NE foreteller, *Weissager.*

ford OE m.; NE; *Furt.*

ford = forth.

fordel(e) OE fore + dælm., cf. MDu. vore-
deel, voordeel; NE advantage, *Vorteil.*

fordeme OE fordême, NE condemn,
verurteile.

fordo OE fordô, NE destroy, *vernichte.*

fordolked cf. OE for + dolg n.; NE
wounded, *verwundet.*

fordrede OE for + -drêde, NE terrify,
setze in Schrecken.

fordrie cf. OE for + drŷge; NE dry up,
vertrockene. — **fordrie** OE for + drŷge,
NE very dry, *sehr trocken.*

fordrive OE fordrîfe, NE drive away,
vertreibe.

fordronken, -druncen OE fordruncen,
NE extremely drunk, *sehr betrunken.*

fordwine OE fordwîne, NE dwindle away,
schwinde hin.

fore OE fôr f., NE expedition, track, pro-
ceeding, procedure, *Zug, Fährte, Vorgang,
Verfahren.*

fore = for. | **fore** p. of fare.

foreine AN forein, NE foreign, strange,
fremd(artig); foreigner, *Fremder.* — **fo-
reine** AN chaumbre foreine, NE outer
chamber, privy, *draußen gelegenes Ge-
mach, Abort.*

foren OE foran, NE before, for, forward,
before, *vor, für, voran, vorher.*

forest(e) OF -te; NE forest, *Forst, Wald.*
— **forestere** AN forester, NE; *Förster,
Waldhüter.* — **forestside** OF foreste
+ OE sîde f., NE edge of a wood, *Wald-
rand.*

foreward = forward. | **forfaite** = for-
fete.

forfare OE; NE perish, destroy, *gehe zu
Grunde, vernichte.*

forfere OE for + fære, NE terrify, *setze
in Schrecken.*

forfet AN; OF forfait, NE forfeit, *Vergehen,
Buße.* — **forfete** NE forfeit, *vergehe
mich, verwirke.* — **forfeture** AN; =
forfet.

forgange OE; = forgo.

forgare OE for + ON gerva, OSw. gera,
NE forfeit, destroy, *verwirke, zerstöre.*

forgat p. of forgete.

forge OF; NE; *Schmiede; schmiede, schaffe.*

forgete = for-yete. | **forghe** = foruh. |
forgift = for-yift. | **forgiff-**, -giv- =
foryev-.

forgnawe OE for + gnage, NE gnaw to
pieces, *zernage.*

forgo OE forgâ, NE for(e)go, *gebe auf,
unterlasse, verliere.*

forgo OE for + gegân, NE exhausted with
walking, *erschöpft vom Gehen.*

forh = forth.

forhed OE foranhêafod, for(e)h. n., NE
forhead, *Stirn.*

forhele OE forhele, NE conceal, *verhehle.*

forheved = forhed.

forhewe OE forhêawe, NE cut down,
schlage nieder.

forhoᴣie = forhow(i)e.

forhor OE for + hâr, NE very hoary,
sehr grau.

forhow(i)e OE forhogige, NE despise,
verachte.

forlese OE forlêose, NE lose, *verliere.*

forlete, -lette OE forlǣte, NE give up, abandon, *gebe auf, verlasse.

forleve OE for + lǣfe, NE abandon, *verlasse.*

forligge OE forlicge, NE commit fornication, *treibe Hurerei.*

forlive OE for + lifige, NE degenerate, *degeneriere.*

forloin fr. the vb.; NE note of recall, *Hornruf zur Rückkehr.* — forloine OF for(s)loigne, NE leave behind, *lasse zurück.*

forlonge = furlong. | forlore(n), -lost s. forlese.

forme OF; NE form, *Form; forme, gestalte.* — formal L -lem; NE formal, *formal.* — formely fr. OF forme; NE formally, *in förmlicher Weise.* — former NE creator, *Schöpfer.*

forme OE forma, NE first, *erst*; beginning, *Anfang.* — former NE; *früher.* — formest, -most cf. OE fyrmest, formest, NE foremost, *vorderst, erst.*

formel OF; NE female (of birds of prey), *Weibchen (von Raubvögeln).*

formelte, -mealte OE formelte, NE melt away, *zerschmelze.*

forncast fr. OE foran + ON kasta; NE forecast, *vorher entworfen.*

forne OE foran, NE before, for, *vor, für, vorher.*

forneis = fourneis.

fornicacioun AN; NE fornication, *Hurerei.*

forold OE for + eald, NE very old, *sehr alt.*

forout(en), -owtin OE forûtan, NE without, *ohne.*

forouth cf. Dan. forud, Swed. förut; NE before, *vor(her).*

forpaine OE for + OF paine, NE pain violently, *quäle heftig.*

forpampre cf. OE for + MLG pampe; NE pamper, *überfüttere.*

forpinche OE for + NF pinche, NE pinch to pieces, *zwicke in Stücke.*

forpine OE for + pînige, NE torture, pine away, *quäle, sieche dahin.*

forquy = forwhy s. for.

forrakid OE for + racod, NE tired with running, *durch Laufen ermüdet.*

forridel OE for(e)rîdel m., NE outrider, *Vorreiter.*

forrotie OE forrotige, NE rot away, *verfaule.*

forrouth = forouth.

fors OF; NE force, importance, *Gewalt, Wichtigkeit, Bedeutung.* — forser AN; NE chest, *Kiste.*

forsake, p. forsok, forsoke(n), pp. forsake(n) OE forsace, NE forsake, decline, deny, *verlasse, lehne ab, leugne ab.*

forsaid, -seid OE foresǣgd, NE aforesaid, *vorgenannt.*

forsape = forshape.

forseinge NE foreseeing, prevision, *Voraussicht.*

forser s. fors.

forshape cf. OE forscieppe, pp. forsceapen; NE transform, *verwandele.*

forshright cf. OE for + scrîc 'shrike'; NE exhausted with shrieking, *ermüdet vom Schreien.*

forsight OE fore + (ge)sihþ, -siht f., NE foresight, *Voraussicht.*

forsitte OE; NE neglect, *versäume.*

forsleuthe fr. OE for + slǣwþ f.; NE neglect through sloth, *vernachlässige aus Schlaffheit.*

forslewe OE forslêawige, = forsleuthe.

forslugge OE for + Sw. dial. slogga, NE neglect, *vernachlässige.*

forsinge OE for + singe, NE tire out with singing, *erschöpfe mich durch Singen.*

forsoth(e) OE for + sôþ, NE forsooth, truly, *fürwahr.*

forspeke OE forsprece, NE promise, enchant, *verspreche, verhexe.*

forst = frost.

forstalle cf. OE for + steal(l) m.; NE forestall, intercept, *kaufe vorweg, nehme weg.*

forster = forestere. | forstere = fostre.

forstraught OE for + streaht, NE distracted, *zerstreut.*

forswele, -sweale OE forswêle, NE burn up, *verbrenne.*

forswelwe, -swalʒe OE forswelge, NE swallow up, *verschlinge.*

forswer(i)e OE forswerige, NE forswear, perjure myself, *schwöre ab, werde meineidig.* — forsweringe NE perjury, *Meineid.* — forswore(n) OE forsworen, NE perjured, *meineidig.*

forswolʒe, -swolhe = forswelwe.

forswunke(n) OE for + swuncen, NE wearied with labour, *ermüdet durch Arbeit.*

fort = forto s. for. | fort = forth.

fortaxe OE for + OF taxe, NE tax heavily, *besteure schwer.*

forte, -teo OE fortêo, NE mislead, *führe irre.*

forte = forto s. for. | fortene = fourtene.

forth, forthe OE forþ, NE forth, forward, away, late, continuously, *hervor, vorwärts, fort, spät, fortdauernd.* — forthdaies, -eʒ, OE forþdæges, NE late in the day, *spät am Tage.* — forthright OE forþrihte, NE straightway, *stracks, sofort.* — forthrightsum OE forþrihte + OSw., ODan. sum, NE as soon as, *sobald als.* — forthward OE forþweard, NE forward, *vorwärts.* — forthwith OE forþ + wiþ, NE, forthwith, *alsbald.*

forthan = forthon s. for. | forth(e) = ford. | forthe = forth.

ᵗ-forthe OE geforþige, NE further, accomplish, *fördere, führe aus.* — forth(e)re cf. OE fyrþrige *and* forþor; NE further, *fördere.* — forthering cf. OE fyrþrung f. + forþor; NE furthering, *Förderung.*

forthenken = forthinken.

forther OE furþor, forþor, NE further, *fürder, weiter.* — forthermor, -mar, forthirmare OE furþor, forþor + mâra, NE moreover, *überdies.*

forther OE furþra, NE fore, *vorder.*

forthfare fr. the vb.; NE death, *Tod.* — forthfare OE forþfare, NE go forth, journey, die, *gehe weg, reise, sterbe.* — forthfarinde OE forþfarende, NE dying, *sterbend.*

forthgon, -gan OE forþ + (ge)gân, NE advanced, *vorgerückt.*

forthinke, -kke OE forþynce and forþence, NE displease, repent, *mißfalle, bereue.*

forthon s. for.

forthorin 139,₂₃₂; 140,₂₃₆ OE for + (ge)toren, NE fortorn, *zerrissen.*

forthwit 102, c 10752, = forwith.

fortrede OE fortrede, NE tread down, *trete nieder.*

fortruste cf. OE for + ON traust; NE deceive, *betrüge.*

fortuit OF; NE fortuitous, *zufällig.*

fortune, fortwne OF fortune, NE; *Schicksal, Glück.* — fortunat L fortunatum, NE fortunate, *glücklich.* — fortunel OF; NE accidental, *zufällig.* — fortunen OF fortuner, NE endow with fortune, happen, *mit Glück begaben, sich ereignen.* — fortunous NE fortuitous, *zufällig.*

foruh OE furh f., NE furrow, *Furche.*

forvare = forfare. | forw = foruh.

forwaked OE for + wacod, NE tired out with watching, *erschöpft vom Wachen.*

forwalle OE for + wealle, NE boil away, *verkoche.*

forwandred OE for + (ge)wandrod, NE tired with wandering, *ermüdet durch Wandern.*

forward OE forweard, NE foremost, *zuvörderst.*

forward OE foreweard f., NE agreement, *Übereinkommen.*

forwe = foruh.

forwelke, OE for + MDu welke; NE wither, *verwelke.*

forweped cf. OE for + wêpan; NE exhausted through weeping, *verweint.*

forwere OE forwerige, NE wear out, *nutze ab, verbrauche.*

forwery OE for + wêrig, NE very tired, *sehr müde.*

forwerpe OE forweorpe, NE reject, *verwerfe.*

forwirche OE forwyrce, NE sin, destroy, *sündige, zerstöre;* pp. forworght, forwroᵘght NE wicked, *böse.*

forwit = forwith, NE before, *vorher.*

forwite fr. OE fore + witan; NE foreknow, *weiß vorher.* — forwiter NE foreknower, *Vorherwisser.* — forwiting OE forewitung f., NE foreknowledge, *Vorherwissen.*

forwith OE for + wiþ. NE before, *vorher.*

forworght s. forwirche.

forworthe OE forweorþe, NE perish, *gehe zu Grunde, verkomme.*

forw(o)unde, -wonde OE forwundige, NE wound, *verwunde.*

forwrappe cf. OE for + ME wlappe; NE wrap up, *umhülle.*

forwroᵘght s. forwirche.

forwundre, -wondre OE for + wundrige, NE astonish, *verwundere.*

forwurthe = forworthe.

foryede OE for + ge-êode, NE gave up, *gab auf* (p. of forgo).

foryelde OE forgielde, NE requite, *vergelte.*

foryeme OE forgîeme, NE neglect, *vernachlässige.*

foryete OE forgiete, NE forget, *vergesse.* — foryetelnesse OE forgietolnes f., NE forgetfulness, *Vergeßlichkeit.* — foryetful NE forgetful, *vergeßlich.* — foryetinge OE forgieting f., NE forgetfulness, *Vergeßlichkeit.*

foryeve, -yive, -yife OE forgiefe, NE forgive, *vergebe.* — foryevenesse = foryifnesse. — foryifing OE forgiefung f., NE forgiving, *Vergeben.* — foryifnesse OE forgiefen(n)es f., NE forgiveness, *Vergebung.* — foryift OE for + gift f., NE forgiveness, *Vergebung.*

foster OE fôstor n., NE nursing, fosterchild, *Pflege, Pflegekind.* — fostering OE fôstorung m., NE foster-child, *Pflegling.* — fostre NE foster, nurse, *nähre, pflege.* — fostring NE fostering, *Ernährung, Pflege.*

fot(e), pl. fet OE fôt n., NE foot, *Fuß.* — fotbrede OE fôt + brêdo f., NE footbreadth, *Fußbreite.* — fot-hot OE fôt + hât, NE instantly, *sogleich.* — fot(e)lame OE fôt + lama, NE lame in the foot, *fußlahm.* — fotmantel OE fôt + OF mantel, NE foot cloth, *Fußbedeckung, -schützer.*

foth 3 sg. of ᵃ-fo.

fother OE fôþor n., NE load, *Fuder, Wagenladung.*

fott p. of fette = fecche. | fotte = fot(e).

foudre OF; NE thunderbolt, *Blitz.*

foul, fowl OE fugol m., NE fowl, bird, *Vogel.* — fouler OE fuglere m., NE fowler, *Vogeljäger.*

foul, fowl(l) OE fûl, NE foul, vile, *faul, garstig.* — foule adv. — foule, fule cf. OE fŷle; NE defile, *besudele.* — foulitowen, fulitogen, -tohe(n) OE fûl + getogen, NE badly educated, *schlecht er-zogen.* — foulliche, fulliche OE fûl(l)īce, NE foully, *schändlich.*

foun OF faon; NE fawn, *Rehkalb.*

founce, founs AN founz, NE bottom, *Boden.*

founde OE fundige, NE seek after, try, go, *strebe, suche, versuche, gehe.*

founde AN; NE found, *gründe.* — f(o)un-dacioun AN; L fundationem, NE foun-dation, *Grund(lage).* — f(o)undement AN; NE foundation, *Grundlage, Gesäß.*

l-founde(n) s. finde.

foundre AN; NE founder, *stürze.*

foure OE fêower, NE four, *vier.*

fourme = forme.

fourneis OF forneise, NE furnace, *Ofen.*

fourtene OE fêowertîene, NE fourteen, *vierzehn.* — fourtenight OE fêowertîene niht, NE a fortnight, *vierzehn Tage.* — fourth(e) OE fêo(we)rþa, NE fourth, *viert.* — fourty OE fêowertig, NE forty, *vierzig.* — fourtithe, fowertigthe OE fêowertigoþa, NE fourtieth, *vierzigst.*

fous OE fûs, NE ready, eager, *bereit, eifrig.*

fowchtin = fo^ughte(n) s. fighte. | fowel = foul, NE bird. | fowertiʒ = fourty. | fownd- = found-. | fowre p. of fare. | fowre = foure.

fox OE m.; NE; *Fuchs.* — foxwhelp OE fox + hwelp m., NE fox-cub, *Junges eines Fuchses.*

fra s. fro.

fraccion OF; NE fraction, *Bruchteil.*

frakel cf. OE fracoþ, fracod; NE wicked, evil, *schlecht.*

frakne Norw. dial. fraknor pl., Sw. fräknar, NE freckle, *Fleck, Sommersprosse.*

fra^ughte fr. MDu., MLG vracht; NE freight, *(be)frachte.*

fraine = freine.

fraiste ON freista, NE examine, try, inquire, ask, seek, *prüfe, versuche, frage, verlange, suche.*

fraitrie = freit(o)ur. | fram = from.

frame cf. frame vb. *and* ON frami; NE benefit, *Vorteil.* — frame OE framige, NE am profitable, frame, *nütze, baue.*

frank OF franc, NE; *Frank (Münze).*

frankelein AN fraunkelayn, NE franklin, *Freisasse.* — frankis(h), franc(h)e = frenchis.

frap(p)e cf. OF frap; NE troop, *Schar.*

fraternitee OF -té; NE fraternity, *Brüder-schaft.*

fraude, frawde OF fraude, NE fraud, *Betrug.*

fra(u)nchise AN; NE franchise, liberality, *Freiheit, Großmut.*

fraward = froward.

fre, freo OE frêo, NE free, *frei, edel.* — fredom, -dam OE frêodōm m., NE free-

dom, liberality, *Freiheit, Freigebigkeit.* — frely, fre(o)lich OE frêolic, NE noble, excellent, *edel, herrlich.* — frely OE frêolīce, NE freely, *frei.* — freman OE frêoman(n) m., NE free man, *freier Mann.*

frek OE frec, NE bold, *kühn.* — freke OE freca m., NE (bold) man, person, *(kühner) Mann, Mensch.* — frekly OE freclīce, NE greedily, boldly, *gierig, frech.*

frech = fresh. | frech = frek.

l-frede OE gefrêde, NE feel, *fühle.*

freike = freke. | freind = frend.

freine cf. OE frigne, ON fregna; NE ask, question, *frage, erkunde.*

freise = frese. | freish = fresh.

freit(o)ur AN; NE refectory, *Refektorium.*

frele AN; OF fraile, NE frail, *gebrechlich, schwach.* — freleness NE frailness, *Gebrechlichkeit, Schwachheit.* — freletee OF -té; = freleness.

freme OE fremu f., NE advantage, *Vorteil.* — fremie, fremme OE; NE further, perform, *fördere, vollbringe.*

fremede, fremid OE frem(e)de, NE for-eign, *fremd.*

frenchis, frenkis(h) Late OE Frencisc, NE Frankish, French, polite, *fränkisch, französisch, artig.* — frenchise = fra(u)nchise.

frend, freond OE frêond m., ·NE friend, *Freund.* — frendly, -lich OE frêondlīc, NE friendly, *freundlich.* — frendship, -(s)chip(e) OE frêondscipe m., NE friend-ship, *Freundschaft.*

frenesie OF; NE frenzy, madness, *Wahn-sinn.* — frenetik OF -ique; NE frantic, *wahnsinnig.*

frenge OF; NE fringe, *Franse.*

frentik = frenetik. | freour comp. of fre.

frere OF; NE friar, *Bettelmönch.*

frese fr. the vb.; NE frost, *Frost.* — fresen, p. fres, pp. froren OE frêosan, NE freeze, *frieren.*

fresh OE fersc, NE fresh, *frisch.* — freshe NE refresh, *erfrische.* — freshly, freschelike NE freshly, quickly, *frisch, rasch.*

frest ON; NE delay, *Aufschub.*

fret OF frete, NE ornament, *Verzierung.* — frette OE frætwige, NE adorn, *ver-ziere.*

frete, freote, p. fret, frat, frete(n), frate(n), pp. l-fret(t)e(n) OE frete, NE eat, devour, *fresse.*

freth = frith. | fri = fre.

friday OE Frig(e)dæg m., NE Friday, *Freitag.*

frie fr. OF frire inf.; NE fry, *brate.*

frimthe OE frymþ(u) f., NE beginning, *Anfang.*

frit(e) = fruit.

frith, frit OE friþ m. n., NE peace, enclosed land, wood, *Friede, eingefrie-digtes Land, Gehölz.*

fro ON frā, NE from, *von*; since, *seitdem*; s.
to. — fro-this-forth NE henceforward,
von jetzt ab. — froward ON frā + OE
weard, NE away from, obstinate, bad,
weg von, widerstrebend, schlecht.

frode OE *froda, cf. ON frauðr; NE frog,
Frosch.

frofre OE frôfor f. m., NE comfort, *Trost.*
— frofre OE frôfrige, NE console,
tröste.

frogge OE frogga m., NE frog, *Frosch.*

from OE from, fram, NE from, since,
von, sobald als. — fromward, from-
mard OE framweard, NE away from,
turned away, *von weg, abgewendet.*

frond = frend. | froren s. frese.

frost OE forst m., NE frost, *Frost.* —
frosty OE forstig, NE frosty, *frostig.*

frote OF; NE rub, *reibe.*

frothe ON froða, NE froth, *schäume.*

frounce AN; NE wrinkle, *Falte: lege in
Falten.* — frounceles NE unwrinkled,
faltenlos.

frount AN; NE front, *Stirn, Vorderseite.*

frov(e)r(e), frowere = frofre. | froward
s. fro.

frowne OF frongne, NE frown, *runzele
die Stirn.*

fructefie OF; NE fructify, *bringe Früchte.*
— fructuous NE fruitful, *fruchtbar.*

fruit, frut(e) OF fruit, NE fruit, offspring,
Frucht, Nachkommenschaft. — fruites-
tere NE (female) fruit-seller, *Frucht-
händlerin.*

frümthe = frimthe. | fuel, fugel, fugel
= foul, NE fowl.

fugitif OF; NE fugitive, *flüchtig, Flücht-
ling.*

fuhten = foughten s. fighte. | fuisoun =
foisoun.

ful OE ful(l), NE full, sated, *voll, satt*;
fully, very, *völlig, sehr.* — fulfille, -fülle
OE ful(l)fylle, NE fulfil, finish, (er)*fülle,
vollende.* — fully, -liche, OE fullîce, NE
fully, *völlig, ganz und gar.* — fulnesse
NE fulness, *Fülle.* — fulsomnesse NE
copiousness, *Fülle.*

ful = fel s. ᵃ-falle. | ful = foul, NE
foul.

fülie OE fylige, = folwe.

fulle = ful. | fülle = fille.

fulluht OE fulluht, fulwiht m., NE bap-
tism, *Taufe.* — fullhtne cf. OE ful-
luhtige; NE baptize, *taufe.*

fulst = filst. | fulthe = filthe.

fultum OE m.; NE help, *Hilfe.*

fulust superl. of ful = foul.

fume OF; NE fume, vapour, *Rauch,
Dampf.* — fumetere OF -terre; NE
fumitory, *Erdrauch.* — fumigacioun
AN; NE fumigation, *Räucherung.* —
fumositee OF -té; NE flatulent or
heady quality, *blähende oder berauschende
Eigenschaft.*

fun, i-funde, fundin = i-founde(n) s.
finde. | funde = founde, NE seek after.
| fundement = found-. | fündle =
findle.

funeral OF; NE; *die Leiche betreffend.*

fur = for. | für = fir. | fur 139,214 ? |
fure = furre.

furie OF; NE fury, rage, *Wut, Raserei.* —
furial OF; NE furious, *rasend.* —
furious AN; NE furious, *rasend.*

furlong OE furlang n., NE furlong, *Achtel-
meile.*

fürmest = formest.

furre fr. the vb.; NE fur, *Futter, Pelz.*
— furre AN; NE fur, *füttere, pelze.*
— furringe NE furring, *Pelzwerk.*

fürst = first. | furth = forth. | furth
= ferth.

füse OE fŷse, NE hasten, impel, *eile,
treibe.*

fusible OF; NE; *schmelzbar.*

fustian AN -ne; NE fustian, *Barchent.*

futur OF; NE future, *zukünftig.* —
futures NE future events, *zukünftige
Ereignisse.*

G.

a-ga = a-go.

gabbe ON gabba, NE prate, lie, deceive,
mock, *schwatze, lüge, betrüge, spotte.* —
gabber(e) NE liar, *Lügner.*

gable OF; NE; *Giebel.*

gad ON gaddr, NE goad, *Stachelstock.*

gadeling OE gædeling m., NE companion,
fellow, *Geselle, Kerl.* — gadere OE
gadrige, gæd(e)rige, NE gather, *sammle,
geselle mich.* — gaderinge OE gadrung
f., NE gathering, *Versammlung, Samm-
lung.*

gaf p. of give = yeve.

gay OF gai, NE gay, *fröhlich.* — gail(l)ard
OF gaillard, NE merry, *lustig.*

gail AN gaiole, NE gaol, jail, *Kerker.* —
gailer AN gaiolere, NE gaoler, jailer,
Kerkermeister.

gain ON gagn, NE profit, *Nutzen.*

gain, gein ON gegn, NE straight, swift,
fit, *gerade, schnell, angemessen.* — gaine,
geine ON gegna, NE am profitable, *nütze.*

gait = got, NE goat.

gay-tre, -try cf. OE gate-trêow; NE gaiter-
tree, dogwood, *Hartriegel, Judenkirsche.*

gaitt, gaittdore s. gat(e).

gala(u)ntine, galentine OF galentine, NE
a kind of sauce, *Art Sauce.*

galaxie OF; NE galaxy, *Milchstraße.*

gale OE gale, NE sing, cry out, *singe,
schreie.*

galeie OF galie, NE galley, *Galeere.*

galewe = galwe.

galiane fr. Galenus; NE medicine, *Me-
dizin.*

galingale OF -al; NE a kind of spice, *ein
Gewürz*.

gall(e) OE gealla m., NE gail, *Galle*.

galle OF galle, OE gealla m., NE sore
place, *wunde Stelle*.

galoche OF; NE shoe, *Schuh*.

galoun, -un AN, NE gallon, *Gallone*.

galpe cf. MDu. galpe 'bark, howl'; NE
gape, yawn, *gähne*.

galwe OE gealga m., NE gallows, *Galgen*.

game(n), gam OE gamen n., NE game,
sport, *Spiel, Vergnügen*. — gamenly,
-liche OE gamenlīc, -līce, NE gay(ly),
fröhlich. — game(nie) OE gamenige,
NE play, amuse myself, *spiele, ergötze
mich*.

gan s. a-ginne and go. | gane = gone.

gange OE; NE go, *gehe*. — ganninde =
gangende.

gape cf. Sw. gapa; NE gape, stare, desire,
sperre den Mund auf, gaffe, begehre. —
gapinge NE gaping, desire, *Öffnen des
Mundes, Begier*. — gappe cf. Sw. gap;
NE gap, *weite Öffnung, Kluft*.

gar OE gâr m., NE spear, *Speer*. — garlek
OE gârlêac n., NE garlic, *Knoblauch*.

gar(c)k(i)e = yarkie.

gardbrace OF garde-bras, NE armour for
the arm, *Armschiene der Rüstung*.

gardin AN; NE garden, *Garten*. — gardin-
wal AN gardin + OE weal(l) m., NE
gardenwall, *Gartenmauer*. — to the gar-
dinward fr. AN gardin + OE weard;
NE towards the garden, *nach dem
Garten zu*.

gare ON gerva, OSw. gera, NE prepare,
cause, *mache bereit, verursache, mache*.

gargat OF -te; NE throat, *Gurgel*.

garisoun AN; NE cure, *Heilung*.

garite OF; NE watch-tower, *Wartturm*.

garland, -lond = gerland. | garlek s. gar.
| garn = yerne.

garnement OF; NE garment, *Gewand*.

garnere = gerner.

garnisoun AN; NE garrison, *Wehr, Be-
satzung*.

garre = gare.

garrey fr. OF guerreier (?); NE troop,
band, commotion, *Truppe, Bande, Auf-
ruhr*.

gas = goth s. go. | gast(e) = gost.

gastely cf. agast; NE ghastly, *furcht-
bar*. — gastnes(se) NE terror, *Schrecken*.

gast(e)lich, gastly, -liȝ = gostly. | gat
s. gete.

gate OE (geat s. yat) pl. gatu n., NE gate,
Tor. — gateward cf. OE geatweard m.;
NE gate-keeper, *Torhüter*.

gat(e) ON gata, NE way, manner, *Weg,
Art und Weise*. — gaittdore NE street-
door, *Tür nach der Straße*.

gat-tothed cf. OE gât f. + tôþ m.; NE
having teeth like a goat, *mit ziegenbock-
ähnlichen Zähnen*, 'lascivious'.

gaude L gaudium, NE gaud, finery, trick,
Scherz, Putz, Kniff.

gaude, gauded fr. OF gaude; NE dyed
with weld, *mit Wau gefärbt*.

gaudi, gaudee, pl. gaudez OF gaudee fr.
L gaudete; NE precious stone, precious
bead in a rosary, *Edelstein, kostbares
Rosenkranzkügelchen*. — gaudid NE
furnished with 'gaudi's', *versehen mit
gaudi's*.

gaume = game.

gaure cf. ON gaurr 'a rough, uneducated
fellow'; NE stare, *starre hin*.

gavel OE gafol n., NE tribute, usury,
Tribut, Wucher.

gawd- = gaud-.

gaze cf. Sw. dial. gasa; NE gaze, *starre,
gaffe*.

geaunt AN; NE giant, *Riese*.

gebet OF; NE gibbet, *Galgen*.

gede = yede s. a-go. | gedeling = gade-
ling. | gedere, -ire = gadere. | gedring
= gaderinge. | gef p. and inf. of gife =
yeve. | gein = gain. | geld- = yeld-.

gelde cf. ON gelda; NE geld, castrate,
verschneide, kastriere. — gelding cf. ON
geldr; NE gelding, *Verschnittener*.

gelus = jalous.

gemme OF; NE gem, *Edelstein*.

gen = go(n) s. a-go.

gendre OF; NE gender, kind, *Geschlecht,
Art*. — gendringe NE engendering,
Zeugung.

generacioun AN; NE generation, *Zeu-
gung, Generation*.

general OF; NE; *allgemein*. — generally
NE; *im allgemeinen, überhaupt*. — gene-
ralte NE office of general, *Amt eines
Generals*.

genge OE; NE current, *gangbar*.

gent OF; NE gentle, refined, *edel, fein*.
— gentelery = gentlery. — gent(e)rie
NE gentry, nobility, gentleness, *Adel,
edles Wesen*. — gentil(l) OF -il; NE
gentle, noble, pleasant, compassionate,
edel, angenehm, mitleidig; nobleman, *Edel-
mann*. — gentillesse OF; NE noble-
ness, *edles Wesen*. — gentilman OF
gentil + OE man(n), NE nobleman,
Edelmann. — gentilnesse = gentillesse.
— gentilwom(m)an OF gentil + OE
wifman(n) m., NE nobly-born woman,
Edelfrau. — gentlerie, gentilerie fr.
gentil; NE nobleness, nobility, *Adel (der
Gesinnung)*. — gentlery-men ME gent-
lerie + OE men(n) pl., NE noblemen,
Adelsleute. — gentry = gent(e)rie. —
—gentrise OF genterise, = genterie.

geomancie OF; NE divination by figures
made on the earth, *Sandwahrsagerei*. —
geometrie OF; NE geometry, *Geo-
metrie*. — geometrien OF; NE geo-
metrician, *Geometer*.

gepoun = gipo(u)n. | ger = yer. | gerde
= girde, NE gird. | gerdo(u)n =
guerdon.

gere cf. MDu. gere 'passion'; NE (change-
ful) manner, *(wechselndes) Benehmen.* —
ger(e)ful NE changeable, *veränderlich.*
— gery NE changeable, *veränderlich.*

gere ON gervi, NE gear, armour, cloth-
ing, *Gerät, Rüstung, Kleidung.*

gere = gare.

gerl OE *gyrele f., cf. LG gör(e); NE boy,
girl, *Knabe, Mädchen.*

gerland OF gerlaunde, garlande, NE gar-
land, *Kranz.*

gern = yerne.

gerner OF; NE garner, *Kornspeicher.*

gert pp. of gere = gare.

gerth ON gjǫrð, gerð, NE girth, *Gurt.*

ges s. gos.

ᵃ-gesse, -sce cf. MDu. gisse, gesse; NE
guess, suppose, try, *vermute, versuche.* —
gessinge cf. MDu. gissinge; NE sup-
position, opinion, *Mutmaßung, Meinung.*

gest(e) ON gestr, NE guest, *Gast.* — gest-
ninge cf. Sw. gästning; NE banquet,
feast, *Gastmahl, Fest.*

gest(e) OF geste, NE achievement, story,
chronicle, *Tat, Erzählung, Chronik.* —
— gest(i)our NE story-teller, *einer der
Dichtungen vorträgt.*

ᵃ-geste = a-gaste.

get OF; NE contrivance, fashion, *Kunst-
griff, Mode.*

get s. got. | get = jet. | get(e) = yet.

gete, p. gat, gete(n), gate(n), pp. ⁱ-gete ON
geta, OE giete, NE get, obtain, *erlange,
erzeuge, gelange.*

geth = goth s. go. | geve = yeve.

gevelength OE *ge-efen-lengþ f., NE
equinox, *Tag- und Nachtgleiche.*

geven s. yeve. | ghe = he(o), NE she
s. he. | giaunt = geaunt.

gide OF; NE guide, *Führer; führe.* — gi-
deresse AN guideresse, NE conductress,
Führerin. — giding NE guidance, *Füh-
rung.*

gidy OE gydig, NE giddy, foolish, *töricht.*
— gidiliche, gideliche NE giddily,
töricht.

gie OF guie, NE guide, *führe.*

gife = yeve. | gif(f) = yif. | gift = yift.

gigge orig. uncert.; NE frivolous woman,
Buhldirne. — giggeleihtre ME gigge +
OE hleahtor m., NE laughing of a
'gigge', *Lächeln einer Buhldirne.*

gigge onomat.; NE sound, *Ton (?).*

gigge fr. OF guige sb.; NE fit the strap
to (a shield), *befestige den Tragriemen
(am Schild).*

gilde OE gylde, NE gild, *vergolde.* — gilden
OE gylden, NE golden, *golden.*

gilde = gelde, NE geld.

gilder ON gildra, NE snare, *Schlinge.*

gile OF; NE guile, *Betrug.* — giler OF
guiler, = gilour. — gilour AN guilour,
NE deceiver. *Betrüger.*

gilofre OF; NE gilly-flower, *Würznelke.*

gilt OE gylt m., NE guilt, *Schuld.* —
ᵃ-gilte OE (ā)gylte, NE trespass, *fehle,
sündige.* — gilt(e)les NE guiltless,
schuldlos. — gilty OE gyltig, NE guilty,
schuldig. — giltif = gilty.

gilt(e) pp. of gilde.

gin, ginne OF engin, NE contrivance,
snare, *Kunstgriff, Maschine, Fallstrick.*
— ginne NE contrive, adorn, *stelle
künstlich her, schmücke.*

gingere, gingure OF gingimbre, NE ginger,
Ingwer. — gingebred ML gingibretum,
NE preserved ginger, *eingemachter
Ingwer.*

gingle onomat.; NE jingle, *kling(l)e.*

ᵃ-ginne, p. gan, con, gon, gun, gonne(n),
gunne(n), pp. ⁱ-gunne(n) OE (on)ginne,
NE begin, do, *beginne, tue.* — ginninge
NE beginning, *Anfang.*

ginne s. gin.

gipo(u)n AN; NE short cassock, *kurzer
Rock.*

gipser(e) OF gibeciere, NE pouch, *Tasche.*

girde cf. Sw. gird, OE gierd f. (= *Gerte*);
NE strike, *schlage.*

girde OE gyrde, NE gird, *(um)gürte.* —
girdel, -il OE gyrdel m., NE girdle,
belt, *Gürtel.* — girdilstede OE gyrdel
+ stede m., NE waist, *Gürtelstelle.*

girgoun OF jarg(o)un, gergon, NE jargon,
chatter, *Gezwitscher, Geschwätz.*

girl(e) = gerl. | girt 3 sg. of girde.

gisarme, wisarme OF; NE battleaxe,
Streitaxt.

gise OF guise, NE; *Weise, Sitte.*

giser OF gezier, NE gizzard, *Magen.*

gissare = yissare.

giste OF; NE lodging, couch, *Lagerstatt.*

gistninge = gestninge.

gite orig. obsc.; NE dress, *Gewand.*

giterne OF guiterne, NE cithern, *Zither.*
— giternere NE citharist, *Zitherspieler.*
— git(t)erninge NE playing on the
cithern, *Zitherspiel.*

give = yeve.

gives AN; NE gyves, fetters, *Fesseln.*

Giwe = Jewe.

glace OF; NE gleam, glide, *strahle, gleite*

glad OE glæd, NE glad, *froh.* — glad(d)e
OE gladige, NE make glad, am glad,
erfreue, freue mich. — glader(e) NE glad-
dener, *Erfreuer.* — gladinge, -unge =
gladnes. — gladly, -liche, comp. glad-
loker OE glædlīce, NE gladly, *freudig,
gern.* — gladnes(se) OE glædnes f., NE
gladness, *Fröhlichkeit.* — gladshipe OE
glædscipe m., NE joy, *Freude.* — glad-
som NE gladsome, *fröhlich.*

glaire = gleire. | glally = gladly.

glare cf. MDu. glare *and* OE glær m.
'amber'; NE glare, shine, *glänze.*

glas, glass, glaz OE glæs n., NE glass,
Glas. — glase NE glaze, polish, *verglase,
poliere.* — glasing NE glasswork, polish-
ing, *Glaswerk, Polierung.*

glase fr. OF glacer inf.; NE swift blow,
schneller Schlag.

gle, gleo OE glêo(w) n., NE joy, music,
Freude, Musik. — gleman OE glêo-
man(n) m., NE glee-man, *Spielmann.* —
glewe OE glêowige, NE rejoice, play
(on a musical instr.), *vergnüge mich, spiele
(auf einem Musikinstr.).*

gled(d), glead = glad.

gled(e) OE glêd f., NE burning coal, *Glut.*
— gledy NE glowing, *glühend.* — gled-
read OE glêd + rêad, NE red like
burning coal, *glutrot.* — gled(d)-i-cherit
cf. chere.

gleire OF glaire, NE white of an egg,
Eiweiß.

glem OE glêm m., NE gleam, *Glanz.* —
gleme NE gleam, *glänze.*

glene OF; NE glean, *lese Ähren.*

glente fr. the vb.; NE glance, gleam,
Blick, Glanz. — glente cf. Swed. dial.
glänta; NE shine, look, move quickly,
glänze, blicke, bewege mich rasch fort.

gleu OE glêaw, NE wise, *klug.*

glewe OF glue, NE; *klebe.*

gleuman = gleman. | glew = gle.

glide, p. glod, glide(n), pp. i-glide(n) OE
glîde, NE glide, *gleite.*

glize orig. obsc.; NE shimmer, look, *schim-
mere, blicke.* — a-glize NE slip away,
vanish, *entschlüpfe, entschwinde.*

glimsing cf. OE gleomu (glimu) f.; NE
glimpse, glimmer, *Schimmer.*

glisne OE glisnige, NE glitter, *glänze.*

glit(e)re cf. OE glitenige; NE glitter,
glänze.

glod s. glide.

glode cf. ON glōŏ, OFries. glōd 'flame,
burning coal' (?); NE flash of light,
Lichtstrahl (?).

glop(pi)ne cf. ON glūpna; NE am terrified,
terrify, *erschrecke, setze in Schrecken.*

glory, glorie AN glorie, NE glory, *Ruhm,
Herrlichkeit.* — glorifie OF; NE glo-
rify, *verherrliche (mich).* — glorious
AN; NE; *ruhmreich, herrlich.*

glose OF; NE gloss, flattery, falsehood,
Glosse, Schmeichelei, Falschheit; gloss, ex-
plain, deceive, flatter, *erkläre, täusche,
schmeichle.* — glosinge NE explanation,
deceit, flattery, *Erklärung, glatte Worte,
Schmeichelei.*

glotoun AN; NE glutton, *Fresser, Schwel-
ger.* — glotonie OF; NE gluttony,
Fresserei, Schwelgerei. — glotonous NE
gluttonous, greedy, *gierig.*

glove OE glôf f., NE glove, *Handschuh.*

glowe OE glôwe, NE glow, *glühe.*

glowmbe cf. OE glôm; NE frown, *blicke
finster.*

glutun = glotoun. | glutunie=glotonie.

gnaistinge cf. ON gnastan sb.; NE gnash-
ing, *Knirschen.*

gnat OE gnæt(t) m., NE gnat, *Mücke.*

gnawe, p. gnough, gnowe(n), pp. i-gnawe(n)
OE gnage, NE gnaw, *nage.* — gnawinge
NE gnawing, *Nagen, Zernagung.*

gnedeliche cf. OE gnîeþelîce, NE spar-
ingly, *kärglich.*

gnide, p. gnad, gnide(n) OE gnîde, NE
rub (to pieces), crumble, (zer)reibe, *zer-
bröckele.*

gnodde cf. ON nudda (< gnudda?), OE
gnîde; NE rub, crush, *reibe, drücke.*

gnof Hebr. ganāv, NE churl, *Kerl.*

gnow s. gnawe.

go, 3 sg. goth(e), geth, gas, p. ede, yede,
pp. i-go(n), gen OE gâ, p. (ge)êode, NE
go, *gehe.* — a-go OE āgâ, NE go away,
gehe weg; pp. ago, NE ago, *vorher.* —
going NE; *Gang, Gehen.* — going in NE
entrance, *Eingang.*

gobet OF; NE morsel, *Stück.*

god, gand OE god m., NE god, *Gott.* —
godchild OE god + cild n., NE god-
child, *Patenkind.* — goddesse NE god-
dess, *Göttin.* — godfulhed = godhede.
— godhede, godhoth cf. OE godhæd
m.; NE godhead, divinity, *Gottheit, Gött-
lichkeit.* — godsib OE godsib(b) m., NE
(gossip), sponsor, *Gevatter(in).* — god(d)-
spell, gospel, -il OE godspel(l) n., NE
gospel, *Evangelium.* — godspelboc OE
godspel(l)bôc f., NE the Gospels, *Evan-
gelienbuch.* — gospelle OE godspellige,
NE preach the gospel, *predige (das Evan-
gelium).* — godspelwrihte OE god-
spel(l) + wyrhta, wryhta m., NE evan-
gelist, *Evangelist.* —

god OE gôd (n)., NE good, *gut; Gut.* —
goddede OE gôd-dǣd f., NE good deed,
gute Tat. — gode-friday OE gôd +
Frig(e)dæg m., NE Good Friday, *Kar-
freitag.* — goderhele OE gôdre hâle, NE
prosperity, *Glück, Wohlergehen.* — to
goderhele NE fortunately, *glücklich,
zum Glück.* — godleic, godlezc, god-
lec ON gôŏleikr, NE goodness, *Güte.* —
god(e)ly, -lich, -lik OE gôdlîc, NE goodly,
herrlich, gütig, stattlich. — godlihed(e)
NE goodness, *Güte.* — god(e)man OE
gôd + man(n), NE master of a house-
hold, husband, *Hausherr, Gemahl.* —
godnes(se) OE gôdnes f., NE goodness,
Güte. — god(e)wif OE gôd + wîf n.,
NE mistress of a household, wife, *Haus-
frau, Gattin.*

goddot = god wot. | goed = god. | goy
= go.

gold OE n.; NE; *Gold; aus Gold.* — gold(e)-
begon, -bigane OE gold + begân,
NE trimmed with gold, *goldbesetzt.* —

goldbete OE gold + bêaten pp., NE adorned with beaten gold, *mit getriebenem Golde verziert.* — goldentressed = goldtressed. — goldfinch OE goldfinc m., NE goldfinch, *Distelfink.* — goldhewen OE gold + hêawen pp., NE cut out of gold, *aus Gold geschnitzt.* — goldles NE moneyless, *ohne Geld.* — goldsmith OE goldsmiþ m., NE goldsmith, *Goldschmied.* — goldsmithri(e) NE goldsmith's work, *Goldschmiedearbeit.* — goldthred OE goldþrǣd m., NE gold thread, *Goldfaden.* — goldtressed OE gold + OF tressé, NE goldentressed, *goldgelockt.*

gold NE marigold, *Ringelblume.*

golee OF goulee, NE mouthful (of words), gabble, *Geschwätz.* — golet OF goulet, NE gullet, throat, *Kehle.*

golfinc(h) = goldfinch.

goliardeis OF -dois; NE buffoon, *Possenreißer.*

golnesse OE gâlnes f., NE lustfulness, *Wollust.*

gome OE guma m., NE man, *Mann.*

gome(n) = gamen.

gomme OF; NE gum, *Gummi.*

gomne = gamen. | gon s. ᵃ-ginne and go. | gond = gon s. ᵃ-ginne.

gone OE gânige, NE yawn, *gähne.*

gonfa(i)noun, -fenoun AN gonfanon, gunfanun, NE gonfanon, gonfalon, *Banner.*

gonge OE gang m., NE privy, *Abtritt.*

gonge = gange.

gonne fr. Gunilda; NE gun, *Wurfgeschütz.*

gonne(n) s. ᵃ-ginne.

gore OE gâra m., NE triangular piece of a garment, garment, *keilförmiges Stück eines Kleides, Kleid.*

gorge OF; NE throat, *Kehle.* — gorgere OF; NE covering for the throat, *Halsbedeckung.*

gos, pl. ges OE gôs, pl. gês f., NE goose, *Gans.* — goshauk OE gôshafoc m., NE goshawk, *(Gänse-)Habicht.* — gosewing OE gôs + ON vǣngr, NE goose wing, *Gänseflügel.* — gosish NE gooselike, foolish, *töricht.* — gossomer OE gôs + sumor m., NE gossamer, *Altweibersommer.*

gose 3 sg. of go. | gospel, -il = god(d)spell. | gossib, gossipp = godsib s. god, NE God. | gossomer s. gos.

gost(e) OE gâst m., NE spirit, ghost, *Geist.* — gostly, -lich OE gâstlîc, NE spiritual, *geistlich, geistig.*

got, pl. get OE gât f., NE goat, *Geiß.*

goter AN guttere, NE gutter, *Gosse.*

goth s. go. | goud = god.

goune W gwn, NE gown, *langes, loses Gewand.* — gounecloth W gwn + OE clâþ m., NE cloth to make a gown, *Tuch für ein Gewand.*

gounfanoun = gonfa(i)noun. | gounnen = gunne(n) s. ᵃ-ginne.

gourd OF -de; NE gourd, *Kürbis.*

goute OF; NE gout, *Gicht.*

gouthlich ON gôðligr, = godlich.

governe OF; NE govern, *regiere.* — governa(u)nce AN; NE government, behaviour, *Regierung, Benehmen.* — governement OF; NE government, *Regierung.* — governeresse OF; NE mistress, *Herrin.* — governail(l)e OF -aille; NE rudder, management, *Steuer, Leitung.* — governing NE control, *Leitung.* — governour AN; NE steersman, governor, *Steuermann, Leiter.*

grace OF; NE; *Gnade:* harde g., sory g. NE misfortune, *Mißgeschick;* for his g. NE to please him, *zu seinen Gunsten.* — graceles NE void of grace, *unglücklich.* — gracio(u)s, -ius AN -ious; NE gracious, favourable, graceful, *gnädig, günstig, anmutig.* — graciously adv. — graciousnesse NE kindness, *Güte.*

l-grad, gradde s. grede. | grading = greding.

gray OE grǣg, NE gray, *grau.* — graie NE become gray, *werde grau.* — grehound OE grǣg + hund m., NE greyhound, *Windhund.*

graid pp. of graithe. | grain OF; = grein. | graith = greith.

grame OE grama m., NE anger, grief, *Zorn, Gram.*

grammere AN; NE grammar, *Grammatik.*

grange OF; NE grange, granary, *Kornspeicher.*

gran(i)e = grone. | grant = graunt. | granunge = groninge. | grap = grop s. gripe. | grape = grope.

grape AN; NE; *Traube.*

grapenel from OF grapin; NE grapnel, *Enterhaken.*

gras OE gærs, græs n., NE grass, *Gras.* — grastime OE græs + tîma m., NE time of eating grass, time of youth, *Jugendzeit.*

gras = grace.

graspe cf. LG grapse; NE grasp, grope, *greife, taste.*

grat = gret, NE great. | grate = grete, NE weep. | graunge = grange.

graunt AN; NE grant, *Einwilligung.* — graunt(t)e AN graunte, NE grant, *sichere zu, gewähre.* — graunting = graunt. — grauntise NE grant, *Gewährung.*

gra(u)nt mercy AN; NE gramercy, best thanks, *vielen Dank.*

gravail(e) = gravel.

grave OE græf n., NE grave, *Grab.* — grave, p. grof, grove(n), pp. l-grave(n) OE grafe, NE dig, bury, engrave, *grabe (ein), graviere ein.*

gravel OF gravele, NE gravel, *Kies.*

gre OF gré, NE favour, *Gunst.*

gre OF gré, NE degree, prize, victory, pre-emin nce, *Grad, (Ehren-)Preis, Sieg, Vorrang.* — in gre NE favourably, *gnädig, günstig.*

grece AN gresse, NE grease, *Fett.*

grede, p. gredde, gradde, pp. ¹-grad OE grǣde, NE cry out, proclaim, *schreie, verkünde.* — greding NE crying, *Geschrei.*

ᵃ-grede, ᵃgredi(e) = greithe.

gredy OE grǣdig, NE greedy, *gierig.*

gref OF; NE grief, *Kummer.* — grefhed NE harmfulness, *Harm.*

grefe = greve. | greffe = gref. | grehound s. gray. | grey = gray. | greid pp. of greide = greithe.

grein AN; NE grain, corn, *Korn.*

greith ON greiðr, NE ready, fit, *bereit, geeignet.* — greithe ON greiða, NE prepare, start, *rüste (mich), mache (mich) bereit, mache mich auf.* — greithly ON greiðligr, NE willing, *willig.* — greith(e)ly ON greiðliga, NE readily, without delay, *bereitwillig, ohne Zögern.*

grene OE grêne, NE green, *grün; Rasen.* — grenehede NE greenness, wantonness, *Grün, Unreife.* — grenish NE greenish, *grünlich.*

grenne OE grennige, NE grin, *grinse, fletsche.* — grennunge OE grennung f., NE grinning, *Grinsen.*

gres(s)e = grece. | gres(se) = gras.

gret, great(te) OE grêat, NE great, *groß; sum, Summe, Ganzes.* — gret(e)ly, -liche NE highly, very, *höchlich, sehr.* — gretnesse OE grêatnes f., NE size, greatness, *Größe.*

gret OE grêot n., NE gravel, sand-corn, *Kies, Sandkorn.*

gret s. grete, NE weep.

grete OE grête, NE greet, *grüße.* — greting(e, -unge OE grêting f., NE greeting, salutation, *Gruß.*

grete, p. gret(e), pp. ¹-grate(n), ¹-grote(n) OE grêote, grête, grête, NE weep, *weine.* — greting NE weeping, *Weinen.*

greth, grette = gret. | gretter comp. of gret. | greu = grew s. growe.

greve fr. OF grever inf.; NE make heavy, grieve, injure, *beschwere, kränke, schädige.* — grevaunce AN; NE grievance, *Beschwer.* — grevous AN; NE grievous, *beschwerlich, schmerzlich.* — grevously adv.

greve OE grêfa m., NE thicket, garden, *Dickicht, Garten.*

greven = ¹-grave(n) s. grave. | grew, greow s. growe.

griffon, grifphon OF griffon, NE griffin, *Greif.*

gril cf. OE grille; NE fierce, *rauh.* — ᵃ-grille OE grille, NE irritate, tremble, *erzürne, schaudere.*

grim OE grim(m), NE fierce, terrible, *wild, schrecklich.* — grimful NE savage, dreadful, *grimmig, schrecklich.* — grimliche OE grim(m)lîce, NE terribly, *schrecklich.* — grimnesse OE grim(m)nes f., NE fierceness, *Wildheit.*

grinde, 3 sg. grint, p. grond, pp. ¹-grounde(n) OE grinde, NE grind, *reibe.* — grinding(e) NE grinding, *Mahlen, Knirschen.*

grine OE grîn f. n., NE trap, snare, *Falle, Schlinge.*

grint- = grunt- | grinte = grente p. of grenne.

¹-gripe, p. grop, griped, gripe(n), pp. ¹-gripe(n) OE gegrîpe, NE seize, *greife.*

gripe L grypem, NE griffin, *Greif.*

gris ON griss, NE little pig, *junges Schwein.*

gris OF; NE gray, *grau;* gray fur, *Grauwerk.* — grisel OF; NE old man with gray hair, *alter Mann mit grauem Haar.*

ᵃ-grise, p. gros, grisen, pp. ¹-grise(n) OE âgrîse, NE shudder, *schaudere, gerate in Schrecken.* — grisle NE horror, *Grausen.* — grisly, -lich, comp. grislicker, -luker, -loker OE grîslîc, NE horrible, *schrecklich.*

grith, grit OE grið n., ON grið, NE peace, *Friede.*

grobbe cf. MDu. grobbe; NE grub, dig, *grabe.*

gro(c)che = grucche. | groff = gruf.

groin OF; NE a swine's snout, *Rüssel.* — groin OF; NE murmur, *Gemurr, Gemurmel.* — groine OF groigne, NE grunt, *grunze.* — groining NE murmur, *Gemurr, Gemurmel.*

grom(e) cf. AN gromet; NE boy, groom, *Knabe, Dienstmann.*

grome = grame.

gromilioun OF gromil, gremillon, NE gromwell, *Ackerhirse.*

grond = ground. | grond s. grinde.

grone OE grânige, NE groan, *seufze.* — groninge OE grânung f., NE groaning, *Gestöhn.*

gronte = grinte.

grop(i)e OE grâpige, NE grope, test, *taste, prüfe.* — gropunge OE grâpung f., NE groping, *Betastung.*

ᵃ-gros s. ᵃ-grise.

grot OE n.; NE particle, *Stückchen.*

grote MDu. groot, NE groat, *Groschen.*

ground OE grund m., NE ground, bottom, *Grund, Erdboden, unteres Ende.* — grounde NE found, *gründe.* — groundstalw(o)rth OE grund + stælwierþe, NE extremely strong, *außerordentlich stark.*

¹-grounde(n) s. grinde.

grove OE grâf m. n., NE grove, *Gehölz, Hain.*

growe, grouwe, p. grew, grewe(n), sbj. gre(o)we, pp. growe(n) OE grôwe, NE grow, originate, *wachse, entspringe.*

grucche OF grouche, NE grudge, murmur, *murre, widerstrebe.* — grucching, -unge NE grumbling, *Gemurr.*

gruel = gruwel.

gruf fr. ON ā grūfu; NE on the face, *mit dem Gesicht auf der Erde.*

a-grülle = a-grille. | grün = grin. | grund = ground.

grunte OE grunnette, NE grunt, murmur, groan, *grunze, murre, stöhne.* — grunting NE grunting, gnashing, *Grunzen, Knirschen.*

grüre OE gryre m., NE horror, *Grausen.* — grüreful NE terrible, *schrecklich.*

gruwel OF gruel, NE; *Haferschleim.*

gud = god, NE good.

guerdon OF; NE guerdon, recompense, *Belohnung.* — guerdone OF; NE reward, *belohne.* — guerdoning NE reward(-giving), *Belohnung.*

guide = gide. | guildehalle = yeldhalle. | guise = gise.

gulche ut onomat.; NE vomit, *speie aus.* — gulchecuppe cf. OE cuppe f.; NE drunkard, *Säufer.*

gülden = gilden. | gult = gilt. | a-gülte = a-gilte. | gun s. a-ginne. | gund = yond. | gunne(n) s. a-ginne. | guo = go. | guod = god, NE good. | gürth(h) = gerth.

guttes OE guttas m. pl., NE entrails, *Gedärm.*

H.

ha! NE ha! *ha!*

ha = he, he(o). | hab(be), habe = have. | habbe(o)th 3 pl. ind. and 2 pl. imp. of habbe = have.

haberdasher cf. AN hapertas; NE haberdasher, *Krämer.*

habergeoun AN; NE habergeon, *Halsberge.*

ha-bide = a-bide.

habit OF; NE dress, habit, *Kleid(ung), Gewohnheit.*

habite OF; NE inhabit, (be)wohne. — habitacioun AN; NE habitation, *Wohnung.* — habitacle OF; NE dwelling. *Wohnung.*

hab(o)unde AN; NE abound, *bin im Überfluß vorhanden.* — hab(o)undaunce AN; NE abundance, *Überfluß.* — habounda(u)nt AN; NE abundant, *reichlich.*

hak(k)e OE haccige, NE hack, *hacke, stümpere.*

hacche OE hæcc f., NE hatch, wicketgate, *Luke, Gatter.*

hakeney AN; NE hackney, *Klepper.*

hachet OF hachet(te), NE hatchet, *kleine Axt.*

hachte = aghte. | had s. have.

had OE hâd m., NE condition, character, *Zustand, Charakter.*

hadde s. have. | haddestow = haddest thou. | hade = had(de). | hæfde = hafde s. have. | hæfed = hed, NE head. | hælde = helde s. helde. | hælend = helend s. hele, NE health.

hæleth OE hæleþ m., NE man, hero, *Mann, Held.*

hærm = harm. | hæte = hatte s. hote.

hætheliз ON hǣðiligr, NE contemptuous, *verächlich.*

haf p. of heve. | haf(e) = have. | hafd = hed, NE head. | hafde s. have.

haft OE hæft n., NE handle, *Heft, Griff.*

hafter = after. | hafved = hed. | hafveth = hath s. have. | haзthorn(e) = hawethorn.

hay OE hege m., NE hedge, *Hecke.*

hail OE hægl m., NE hail, *Hagel.*

hail(e)!, haill! ON heill! NE hail! *heil!* — haile NE hail, salute, *grüße.* — hailse ON heilsa, NE greet, *grüße.*

haill = hol, NE whole.

hainselin OF; NE short jacket, *kurze Jacke.*

haire = heire.

hait! cf. HG hott! NE come up! *hott!*

haite ON heitask, NE threaten, abuse, *drohe, spotte.*

haite = eіghte. | haitt = hot. | haiward = heiward.

halke OE healoc, NE corner, *Ecke.*

halche cf. halse; NE fasten, embrace, *knüpfe, schlinge, umarme.*

hald OE heald, NE bent down, humble, *niedergebeugt, demütig.*

halde = holde, l-holde(n).

hale OE gehalige, NE hale, haul, drag, go, *ziehe (dahin), gehe.*

hale = halle. | halewe = halwe.

halewel з OE hâl + wæg m., NE balsam, *Balsam.*

half OE healf, NE half, *halb.* — half OE healf f., NE half, part, side, *Hälfte, Teil, Seite;* a goddes halfe(e) NE in god's name, *in Gottes Namen.* — half(en)del OE healf + dæl m., NE half part, *Hälfte.* — halfgod OE healf + god m., NE demigod, *Halbgott.* — of halfyer age fr. OE healf geâr + OF age; NE of the age of half a year, *ein halbes Jahr alt.* — halfpeny OE healfpenig m., NE halfpenny, *halber Pfennig.*

halз(h)e, halhe = halwe. | haly = holy. | haliar = holier. | halich, haliз = holy.

haliday OE hâligdæg m., NE holiday, *Feiertag.*

halle OE heal(l) f., NE hall, *Halle.*

hally = hol(l)y s. hol.

halowe OF halloe, NE halloo, *schreie halloh, hetze mit Hallohgeschrei.*

halp s. helpe.

hals OE heals m., NE neck, *Hals.* — halse OE healsige, NE ĕmbrace, conjure, *umarme, beschwöre.*

halt 3 sg. of halde = holde *and* of halte.

halte OE healtige, NE limp, *hinke.*

haluwe = halwe. | halvendel = half(en)-del.

halwe OE hâlga m. NE saint, *Heiliger.* — halwe OE hâlgige, NE hallow, consecrate, *heilige, weihe.*

ham = am. | ham = he(o)m s. he. | ham =. hom.

hame cf. hamele; NE hinder, lame, *hemme, lähme.* — hamele OE hamelige, NE mutilate, *verstümmele.*

hame = hom.

hamer, -ur OE hamor m., NE hammer, *Hammer.*

hampre cf. G hemme; NE hamper, *hemme.*

han = have(n). | hand = hond. | hand = and. | hange = honge.

hang(i)e OE hangige, NE hang, *hange, hänge.*

hansel ON handsal, NE han(d)sel, *Handgeld, Anzahlung.*

hanseline = hainselin.

hap ON happ, NE chance, fortune, *Zufall, Glück.* — happe(n) NE succeed, happen, *Erfolg haben, sich ereignen.* — happy NE; *glücklich*

hap(pe) cf. (w)lap, wrap; NE wrap up, *hülle ein.*

har = her, NE hair. | har = hor. | har = he(o)re s. he. | harbar = herberw(e) sb. | harke = herk(i)e. | hark(n)e = herkne.

hard OE heard, NE hard, *hart, fest;* distress, *Ungemach, Not.* — harde, hard(e)ne cf. ON harðna; NE harden, *härte.* — hardherted cf. OE heardheort; NE hard-hearted, *hartherzig.* — harding NE hardening, *Härtung.* — hard(e)liche OE heardlīce, NE vigorously, *kräftig.* — hardnesse OE heardnes f., NE hardness, *Härte.*

hardely = hardily. | hardement = hardiment.

hardy OF hardi, NE bold, *kühn.* — hardily, hardely NE boldly, *kühn.* — hardiment OF hardement, NE boldness, *Kühnheit.* — hardinesse NE hardiness, *Kühnheit.*

hard p., harde pp. of here, NE hear.

hare OE hara m., NE hare, *Hase.*

hare = he(o)re s. he. | harem = harm.

harie OF; NE drag, *ziehe, schleppe.*

harie = harwe.

harle OF; NE drag, *ziehe, zerre.*

harlot OF; NE beggar, vagabond, *Bettler, Herumtreiber.* — harlotrie NE ribaldry, tale-telling, *gemeines Wesen, Geschwätzigkeit.* — herlotswain OF harlot + ON sveinn, NE rascal, *Lumpenkerl.*

harm OE hearm m., NE harm, grief, *Schaden, Leid.* — harm(i)e OE hearmige, NE harm, *schädige.* — harmful NE; *schädlich.* — harming NE; *Schädigung.*

harm = arm.

harnais, -eis AN; NE harness, armour, gear, *Harnisch, Pferdegeschirr, Rüstung, Gerät.* — harneise NE harness, equip, *harnische, rüste.*

harnes = hernes.

haro! OF; NE help! *Hilfe!*

harpe OE hearpe f., NE harp, *Harfe.* — harpe OE hearpige, NE play on the harp, *spiele auf der Harfe.* — harpestring OE hearpestreng m., NE harpstring, *Harfensaite.* — harping OE hearpung f., NE playing on the harp, *Harfenspiel.* — harpour AN cf. OE hearpere m.; NE harper, *Harfner.*

harre = herre, NE hinge. | harrou! harrow! = haro! | hart = art s. am. | hart(e) = hert(e). | hartu = art thou. | harvest = hervest.

harwe OE hergige, NE harry, lay waste, *verheere.*

has = hast, hath, han s. have.

hasard OF; NE game of hazard, *Glücksspiel.* — hasardour AN; NE gambler, *Glücksspieler.* — hasard(e)rie NE gambling, *Glücksspiel.*

hase = hath s. have.

hasel OE hæsel m., NE hazeltree, *Haselstrauch.* — haselwode OE hæsel + wudu m., NE hazel-wood, *Haselgebüsch.*

haspe OE hæpse, hæsp f., NE hasp, *Haspe, Klammer.* — haspe OE hæpsige, NE clasp, clothe, *befestige, umfasse, kleide.*

hast(e) OF haste, NE haste, *Hast, Eile.* — i·haste OF haste, NE hasten, act in haste, *beschleunige, beeile mich, eile, handle übereilt.* — hasty = hastif. — hastif OF; NE hasty, *hastig.* — hastifnesse NE hastiness, *Hastigkeit.* — hastily NE; *hastig, rasch.*

hastow, hastu = hast thou.

hat OE hæt(t) m., NE hat, *Hut.*

hat = hath s. have.

hate cf. OE hete m.; NE hatred, malice, *Haß, Feindseligkeit.* — hate OE hatige, NE hate, *hasse.* — hateful NE; *verhaßt.* — haterede NE hatred, *Haß.* — hatung(e) OE hatung f., NE hatred, *Haß.*

ʒe·haten, i·haten = i·hote(n) s. hote. | hath(e) s. have. | hathel = hæleth. | hat(e) = hote. | hatter = hotter, comp. of hot.

hatʒ = hath, hast s. have.

hatters! cf. OE hæteru pl.; NE (Christ's) clothes! an oath, *ein Fluch.*

hauberk OF -rc; NE hauberk, *Halsberge, Ringelpanzer.*

haubergeon = habergeo(u)n. | hauʒt = oughte s. owe.

hauk OE hafoc m., NE hawk, *Habicht, Falke.* — hauke NE hawk, beize, *jage mit Falken.* — hauking(e) NE hawking, *Beize, Falkenjagd.*

haunche AN; NE haunch, *Hüfte*. —
haunchebon AN haunche + OE bân
n., NE hipbone, *Hüftbein*.

haunt AN; NE usage, haunt, *Brauch,
Aufenthalt*. — haunte AN; NE prac-
tise, haunt, frequent, *betreibe etw., suche
(häufig) auf*.

hautein AN; NE proud. haughty, *stolz,
hochmütig*.

have, hafe, 2 sg. hast 3 sg. hafeth, hath(e),
pl. han, p. hafde, havede, hevede, hewede,
had(de), hedde, pp. i-haved, i-had OE
habbe, NE have, hold, take, *habe, halte,
bringe*. — havinge NE possession, be-
haviour, *Besitz, Benehmen*.

haven OE hæfen f., NE haven, harbour,
Hafen. — havenside OE hæfen +
sîde f., NE side of a haven, *Seite eines
Hafens*.

havoire OF avoir, NE property, *Eigentum*.

haves = hath s. have. | hawk = hauk.

hawe OE haga m., NE haw, enclosure,
Hag, Umfriedigung.

hawe OE haga m., NE haw (fruit of dog-
rose), *Hagebutte*. — hawebake fr. OE
haga + bace vb.; NE baked haws, plain
fare, *gebackene Hagebutten, einfaches Ge-
richt*(?). — hawethorn OE haguþorn
m., NE hawthorn, *Hagedorn*. — hawe-
thornlef OE haguþorn + lêaf n., NE
hawthornleaf, *Hagedornblatt*.

hawe cf. OE hêwen; NF dark gray,
dunkelgrau.

hawe = have. | hawe = awe s. owe. |
hawy = have I. | hawta(i)n = hautein.
| hax = ax. | haxst = hei(gh)est, superl.
of hei(gh).

he, heo, gen. his(e), dat. him(e), acc. hin(e)
OE hê, NE he, *er*; f. he(o) hoe, hi(e),
gen. dat. acc. hir(e), her(e), hoe OE hêo,
NE she, *sie*; n. hit gen. his, dat. him
OE hit, NE it, *es*; pl. he(o), hi(e), gen.
he(o)re, hire, dat. acc. he(o)m, him OE
hîe, NE they, *sie*.

he! NE exclamation of discontent, *Ausruf
des Unwillens*.

he = hei(gh). | healde = holde. | heard,
heart = hard. | hearm = harm. | he-
at(e)e = hate vb. | heaved = hed. |
hebbe = heve.

hek OE (fodder)hec, NE grating, gate,
Gatter, Pforte.

heke = ek(e). | hech = hei(gh), NE high.
tothes hechelunge cf. OE haccian;
NE chattering of teeth, *Zähneklappern*.

hed, heved OE hêafod n., NE head, *Haupt,
Kopf*. — hede OE (ge)hêafdige, NE be-
head, provide with a head, *enthaupte,
versehe mit einem Haupt*. — hedmas-
penny OE hêafod + mæsse f. + pen-
ing m., NE payment for masses for the
dead, *Totenmessegeld*. — hafedpening
OE hêafod + pening m., NE poll tax,
Kopfsteuer. — heavedsünne OE hêa-

fodsyn(n) f., NE deadly sin, *Todsünde*.
— he(a)vedtheaw OE hêafod + þeaw
m., NE cardinal virtue, *Kardinaltugend*.
— hedtoun OE hêafod + tûn m., NE
capital town, *Hauptstadt*.

hed s. hide. | hedde s. have. | heddre =
eddre.

hede MD = hethen.

hede OE hêde, NE heed, *achte auf etw*. —
hede NE heed, attention, *Acht, Obacht*.

hede = hedde s. have. | hede = ede. |
heder = hider. | hednesse = ednesse.
| hef s. heve. | hefd = hed, NE head. |
hefde s. have. | heffen = heven. | he-
gehe = ei(gh)e.

hegge OE *hecg f., NE hedge, *Hecke*.

hei(gh), heiiz, hi(gh) OE hêah, NE high,
proud, loud, *hoch, hochmütig, stolz, laut*.
hei(gh)e OE hêa, NE exalt, raise, rise,
erhöhe, erhebe, steige. — hei(gh)ly, -like,
-liche OE hêalîce, NE highly, *höchlich, in
hohem Grade*. — heiman OE hêah +
man(n), NE nobleman, *Edelmann*. —
hei(ʒe)nesse OE hêa(h)nes f., NE high-
ness, dignity, *Höhe, Würde*. — hei*ght(e)
OE hîehþo, hêahþo, NE height, *Höhe*. —
hei(gh)wey OE hêah + weg m., NE
highway, *Landstraße*.

hegh(t) = hei(gh), NE high. | heghte =
highte s. hote.

heghting cf. OE hyhting f.; NE promise,
Verheißung.

hey OE hîeg n., NE hay, grass, *Heu, Gras*.

heisugge OE hegesugge f., NE hedge-
sparrow, *Grasmücke*.

hey! NE; *ein Ausruf*.

hey = hay. | hey = hei(gh). | hei =
hi(e) s. he. | heid = hed. | heie = eie
s. ei(gh)e. | heighte = highte s. hote. |
heiʒeing = hiinge s. hy. | heiʒtte =
heighte, highte s. hote. | heill = hele,
NE health. | heinde = hende. | hein(e)
NE wretch(ed) = hene.

heinous OF haînos, NE heinous, *hassens-
wert*.

heir = i-here. | heir = her, NE here.

heir(e) OF heir, NE; *Erbe*.

heire OF haire, NE hair-shirt, *härenes
Hemd*. — heire cf. OE (ge)hære, NE
hairy, made of hair, *hären, aus Haar*.

heiroun = heroun. | heise = ese. | heit!
= hait! | heite = highte s. hote.
heithen = hethen.

heiward OE hægweard m., NE keeper of
cattle in a common field, *Feldhüter*.

helas! OF; NE alas!, *ach*!

held cf. vb.; NE slope, hillside, *Halde, Ab-
hang*. — helde OE hielde, NE incline,
fall, pour, *neige (mich), stürze, gieße*.

held, heold s. holde. | helde = holde.
| helde = elde. | helder = elder
s. old.

hele, 2 sg. hilest, p. hol, hele(n), pp. i-hole(n)
OE hele, NE conceal, *verberge*.

hele OE helige, NE conceal, protect, *verberge, schütze.*

hele, heale OE hǣlo f., NE health, prosperity, *Heil, Gesundheit, Glück.* — hele OE hǣle, NE heal, save, *heile, rette.* — heleles NE out of health, *krank.* — helend OE hǣlend m., NE Saviour, *Heiland.*

hele OE hêla m., NE heel, *Ferse.* — helewou OE hêla + wâg m., NE end wall, *End-, Quermauer.*

hely = holy. | hely = hel(gh)ly, NE highly.

helle OE hel(l) f., NE hell, *Hölle.* — hellenight OE hel(l) + niht f., NE night of hell, *Höllennacht.* — hellepine cf. OE hel(l) + pînnes f.; NE hell-torment, *Höllenpein.* — hellesihthe OE hel(l) + gesihþ f., NE sight of hell, *Anblick der Hölle.* — hellesweord OE hel(l) + sweord n., NE sword of hell, *Höllenschwert.* — hellewa OE hel(l) + wâ, NE hell-torment, *Höllenweh.* — hellewürm OE hel(l) + wyrm m., NE worm of hell, *Höllenschlange.*

helm, healm OE helm m., NE helmet, *Helm.* — helmed OE helmod, NE helmeted, *behelmt.* — helmet OF he(a)lmet, NE helmet, *Sturmhaube, Helm.*

help OE f. m.; NE; *Hilfe.* — helpe, healpe, p. halp, help, he(o)lpe(n), holpe(n), pp. i-holpe(n) OE helpe, NE help, *helfe.* — helpe NE helper, *Helfer.* — helping NE help, *Hilfe.* — helples NE helpless, *hilflos.* — helply NE helpful, *hilfreich, nützlich.*

helthe OE hǣlþ f., NE health, salvation, *Gesundheit, Heil.*

hem OE hem(m) m., NE hem, border, *Saum, Rand.*

hem, heom s. he.

heme (cf. OE hâm m. ?); NE man, head of a family, *Mann, Familienhaupt.*

hemisper(i)e L hemispherium, NE hemisphere, *Halbkugel.*

hemme = hem.

hemp OE henep m., NE hemp, *Hanf.* — hempen NE; *von Hanf.*

nen OE hen(n) f., NE hen, *Henne.*

hence = henne(s).

hende OE gehende, NE near at hand, handy, polite, graceful, kind, *nahe zur Hand, behende, höflich, anmutig, gütig.* — hendely NE gracious(ly), *anmutig.* — hendy cf. OE listhendig; NE noble, *edel.*

hende = en(e)de. | hende = ende.

hene OE hêan, NE wretch(ed), *elend; Elender.*

hene = hin(e) s. he. | heng s. hange.

henge cf. ON hengja; NE hang, suspend, *henke, hänge.*

henne = hen.

henne(s), heonne(s), hens OE heonon (+ s), NE hence, *von hier.* — hennesforth cf.

OE heonon forþ; NE henceforth, *von jetzt ab.* — hennesforthward = hennesforth.

hente OE; NE catch, seize, receive, get, *fange, ergreife, erhalte, bekomme.* — hentere NE thief, *Dieb.*

heofen = heven(e) | heou = how.

hep, heap OE hêap m. f., NE heap, *Haufe.* — hepe OE hêapige, NE heap, *häufe.*

hepe OE hêope, NE hip, *Hagebutte.*

hepe = hipe.

her OE hêr n., NE hair, *Haar.* — hermele OE hêr + mêl n., NE a hair's breadth, *Haarbreite.*

her, here OE hêr, NE here, *hier.* — herafter (-ward) OE hêræfter (+ weard). NE hereafter, *hierauf.* — heragains OE hêr + ongegn + s, NE against this, *hiergegen.* — herby OE hêr + bî, NE hereby, *hierbei.* — herbiforn, -before OE hêr beforan, NE before this time, *vor dieser Zeit.* — herfore OE hêr + fore, NE therfore, *daher.* — herforth OE hêr + forþ, NE in this direction, *in dieser Richtung.* — herin(ne) OE hêr + innan, NE in(to) this, *hierin, hier hinein.* — herof OE hêr + of, NE hereof, *hiervon.* — herthoru, -thorw OE hêr + þur(u)h, NE trough this, *hierdurch.* — hertil OE hêr + til, NE hereto, *hierzu.* — herto OE hêr + tô, NE hereto, *hierzu.* — hertofore OE hêr + tôforan, NE hitherto, *bisher.* — herupon OE hêr + up-on, NE here(up)on, *hierauf.* — herwith OE hêr + wiþ, NE herewith, *hiermit.*

her = ere. | her = hir(e) s. he. | herand = erand.

heraud OF herau(l)t, NE herald, *Herold.* — heraude NE herald, *verkündige.*

herbar = herberwe.

herbe OF; NE herb, *Gras, Kraut.* — herbage OF; NE; *Gras, Rasen.* — herber AN; NE arbour, garden, *(Lust-) Garten.* — herbe ive OF herbe + OE îfig n., NE ground ivy, *Gundelrebe.*

herbejour = herbergeour.

herber, -bherg, herber(o), OE here + beorg f., NE harbour, inn, lodging, *Hafen, Herberge.* — herberwe, -bergwe, -ber(i)e OE here + beorgige, NE harbour, lodge, (be)*herberge, nehme auf.* — herberwing NE lodging, *Beherbergung.*

herbergage OF; NE lodging, abode, *Herberge.* — herbergeour AN; NE harbinger, provider of lodgings, *Vorbote, Besorger einer Herberge.* — herbergerie OF; = herbergage.

herbore = herberwe. | herbor(o)we, -burhe = herberwe.

herk(i)e cf. herkn(i)e; NE hark, *horche.* — herkn(i)e, herkene OE heorcnige, NE. hearken, *horche.*

herd = hard. | herd = hired.

herde OE hierde m., NE shepherd, *Hirt, Schäfer.* — hirdefloce OE hierde + floc(c) m., NE flock of shepherds, *Hirtenschar.* — herdegrome OE hierde + ME grome, NE herdsman, *Hirt.* — herdeman OE hierdeman(n) m., NE shepherd, *Hirt.* — herdesse NE shepherdess, *Hirtin.*

herdes, -is pl. OE heordan pl., NE hards, *Werg, Hede.*

herdherted = hard-herted.

here OE here m., NE army, *Heer.* — herekempe OE here + cempa m., NE warrior, *Krieger.* — heregong OE heregang m., NE invasion, *Heereseinfall.* — heremarke OE here + mearc f., NE military signal, *Feldzeichen.*

1-here OE hîere, NE hear, *höre.* — heringe, -unge OE hîering f., NE hearing, *Gehör.* — hersum OE (ge)hiersum, NE obedient, devout, *gehorsam, fromm.*

here OE hîere, NE pleasant, *vornehm* (? Troilus IV 210).

here = er. | here = ere. | here = her, NE hair. | here, he(o)re s. he. | hered = hired. | herede = herde.

heresie OF; NE heresy, *Ketzerei.*

hereword OE n.; NE praise, glory, *Lob, Ruhm.* — herie OE herige, NE praise, *preise.* — heri(i)nge OE her(i)ung, -ing f., NE praising, *Verehrung.*

hergong = heregong s. here.

herie = harwe. — heriung OE hergung f., NE harrying, *Verheerung.*

heritage OF; NE; *Erbe.*

herl = erl.

herle cf. MLG herle, harle; NE filament, hair, fillet, *Fädchen, Haar, Haarnetz* (?).

herliche = erliche. | herlot = harlot. | herm, hearm = harm. | hermite OF; = ermite. | hernde = erand.

herne OE hyrne f., NE corner, *Ecke.*

herneis = harneis.

hernes Late OE hærnes, cf. ON hjarni, NE brains, *Gehirn.*

hernest = ernest.

hero(u)n OF hairon, NE heron, *Reiher.* — heroner(e) AN; NE falcon for herons, *Reiherfalke.* — heronsew OF heronceau, heroncel, NE young heron, *junger Reiher.*

herre OE hearra m., NE lord, *Herr.* — herrure NE masterful, *herrisch.*

herre OE heor(r) m., NE hinge, *Türangel.*

hers = ers.

herse OF herce, NE hearse, *Totenbahre.*

herston s. herth. | hersum s. 1-here.

hert OE heor(o)t m., NE hart, *Hirsch.* — herthunting OE heor(o)t + huntung f., NE hunting of the hart, *Hirschjagd.*

hert(e), heorte OE heorte f., NE heart, *Herz.* — herteblod OE heorte + blôd n., NE heart's blood, *Herzblut.* — 1-he(o)rted NE -hearted, *beherzt, -herzig.*

— heortegrucchunge fr. OE heorte + OF grouchier inf.; NE grudging in the heart, *Murren im Herzen.* — herteles OE heortlēas, NE heartless, *herzlos.* — hert(e)ly, -ily, -like NE heartily, *herzlich.* — herterote OE heorte + ON rôt, NE bottom of the heart, *Herzensgrund.* — hertespon OE heorte + spôn m. f., NE breastbone, *Brustbein.* — hertthought OE heorte + (ge)þoht m., NE heart's thought, *Herzensgedanke.*

herte p. of hurte.

herth OE heorþ m., NE hearth, *Herd.* — herston, herthstan OE heorþ + stân m., NE hearthstone, *Herdstein.*

herth = erthe. | herth 3 sg. of here. | hertou = art thou.

hervest OE hærfest m., NE autumn, *Herbst.*

hes = his s. he. | hes = hest(e). | hest = hast s. have. | hest = est. | hest = hei(gh)est, NE highest.

hest(e) OE hǣs f., NE behest, command, *Geheiß.*

het = he it. | het = het(t)e s. hote.

hete, heate OE hǣto f., NE heat, *Hitze.* — hete OE hǣte, NE heat, *erhitze.*

hete = hote. | hete = ete.

hetel, heatel OE hetol, NE full of hate, hostile, terrible, *haßerfüllt, feindselig, schrecklich.* — hetilich OE hetelic, NE hateful, fierce, *haßerfüllt, grimmig.*

heterly cf. MLG hetter; NE fiercely, *grimmig.*

heth = hath s. have.

heth OE hǣþ n. m., NE heath, heather, *Heide(kraut).* | heþeli = hæþeliʒ.

hetheling = atheling.

hethen ON heðan, NE hence, *von hier.*

hethen, heathen OE hǣþen, NE heathen, *heidnisch.* — hethenesse OE hǣþennes f., NE heathendom, heathens, *Heidentum, Heiden.*

hething ON hǣðing, NE scorn, *Hohn.*

heting cf. hete = hote; NE promise, *Versprechen.*

hett p. of hete, NE heat. | hett(e) p. of hete = hote. | heure = youre.

heve, p. hof, haf, hef, hevede, hofe(n) hefe(n), heve(n), pp. 1-hove(n), i-heve(n), heved OE hebbe, NE heave, lift, exalt, offer up, *(er)hebe, bringe dar.*

heve = even. | heved = hed. | hevede = havede s. have.

heven(e), heoven, hevun, -in OE heofon m., NE heaven, *Himmel.* — heveneblis OE heofon + blis(s) f., NE heavenly bliss, *Himmelsseligkeit.* — heven(e)king OE heofoncyning m., NE king of heaven, *Himmelskönig.* — hevenegise OE heofon + OF guise, NE manner of heaven, *Himmelsart.* — hevenish OE heofonisc, NE heavenly, *himmlisch.* — hevenishly adv. — hevenly, he(o)ven-

lich, -like OE heofonlīc, NE celestial,
himmlisch. — hevenequene OE heofon
+cwên f., NE queen of heaven, *Himmels-
königin.* — hevenrof OE heofonhrôf m.,
NE (roof of) heaven, *Himmel(sdach).* —
hevenespeche OE heofon + sp(r)æc f.,
NE speach of heaven, *Himmelssprache.*
— heveneriche OE heofonrîce n., NE
kingdom of heaven, *Himmelreich.*

hever(e) = ever. | hevere-üchon =
everichon.

hevy OE hefig, NE heavy, *schwer.* — he-
vinesse OE hefignes f., NE heaviness,
grief, *Schwere, Kummer.* — hevie OE
hefigige, NE make heavy, grow tired,
mache schwer, werde müde.

hevid = hed.

hewe OE hîw, hêow n., NE form, hue,
Gestalt, Farbe. — hewe OE hîwige, NE
colour, *färbe.*

hewe, p. hew, hewe(n), pp. i-hewe(n) OE
hêawe, NE hew, cut, *haue, schlage.*

hewe OE hîwa m., NE domestic, *Diener.*

hewere = ever. | hewin = heven(e). |
hewit = hed. | hex(s)t = hel(gh)est,
superl. of hel(gh).

hy fr. the vb., NE haste, *Eile.* — hie OE
hîgige, NE hasten, hie, *eile, beschleunige.*
— hiinge NE haste, *Eile.*

hi- = i- OE ge- (prefix). | hi, hic, hich
= I. | hi s. he, NE he. | hid = hit. |
hidde p. of hide.

hide OE hŷd f., NE hide, skin, *Haut.*

hide, pp. hed, hid OE hŷde, NE hide, *ver-
berge (mich).* — hider NE one who con-
ceals, *Verberger.* — hidinge NE hiding-
place, *Versteck.*

hider OE; NE hither, *hierher.* — hiderto
OE hider + tô, NE hitherto, *bisher.* —
hide(r)ward, -wart OE hiderweard,
NE hither, *hierher.*

hid(o)us AN; NE hideous, *häßlich.*

hi(e) s. he, NE he. | hiede = hede, NE
heed. | hiegt = highte s. hote. | hielde
= helde. | hierdesse = herdesse. | hiere
= hire, NE hire. | hier(e) = here, NE
here. | hiere = here, NE hear. | hif =
if. | hiʒ(e), high = hel(gh). | hiʒe =
hie.

hight fr. OE heht, p. of hâtan; NE vow,
Gelübde. — highte NE promise, vow,
verspreche, gelobe.

hight OE hyht m. f., NE joy, *Freude.* —
highte NE adorn, *schmücke.*

hight(e) s. hote. | highte = helght(e) s.
hel(gh). | hiis, hijs = is s. am.

hil(le) OE hyl(l) m. f., NE hill, *Hügel,
kleiner Berg.*

hilke = ilke. | hild p. of hilde = helde. |
hilde s. holde. | hile = hele, NE con-
ceal. | hille = ille adv. of ill.

hilt(e); pl. hiltes (with sg. meaning) OE hilt
m. n., hilte f., NE hilt, *(Schwert-)Griff,
Hilze.*

him(e) s. he. — to himward OE tô + him
+ weard, NE towards him, *auf ihn zu.*

hinde OE hind f., NE hind, *Hindin.*

hindre OE hindrige, NE hinder, *hindere.*
— hindrere NE hinderer, *Hinderer.*

hindre cf. OE hinder; NE hinder, *hinter(e,
-es).* — hindreste NE hindmost,
hinterst.

hine OE hîna man(n) 'man of the domestics',
NE hind, servant, thing of little value,
Diener, Gegenstand von geringem Werte.

hinesse, heiʒenesse s. hel(gh). | hinge =
honge. | hinne = henne. | hinne =
hin(e) s. he. | hy-nowe = i-nough.

hip(p)e OE hype m., NE hip, *Hüfte.*

hird = hired. | hird(e) = herde.

hire OE hŷr f., NE hire, wages, *Lohn.* —
hire OE hŷr(ig)e, NE hire, *heuere, miete.*

hir(e) s. he. | hire = here, NE hear. | hire
= here, NE here.

hired OE hîred m., NE family, retinue,
Familie, Gefolgschaft; in hirde NE in the
world, *auf der Welt.* — hiredman OE
hîredman(n) m., NE retainer, *Gefolgs-
mann.*

hirish = iriss.

hirn(e) = herne.

hirnia L hernia, NE; *(Eingeweide-)Bruch.*

hirte = hurte. | hirth = hired.

his OE his, gen. of he (s. he), NE his,
sein.

his = is. | his(e) s. he. | his(e) = es, NE
them.

historial L historialem, NE historical,
historisch.

hit s. he. | hit 3 sg. of hide. | hit = ho
it. | hith = highte s. hote.

hitte ON hitta, NE hit, arrive, *schlage,
treffe (ein).*

hive OE hŷf f., NE hive, *Bienenstock.*

hiwe = hewe, NE domestic.

ho! NE hold! stop! *halt!*

ho = o = on. | ho s. honge. | a-ho = anho.
| ho = he(o) s. he. | ho = who.

hoblur AN hobelour, NE light horseman,
leichter Reiter.

hok OE hôc m., NE hook, *Haken.* —
hoked OE hôcede, NE hooked, *ge-
krümmt.*

hoker OE hôcor n., NE scorn, *Spott.* —
hokerful NE scornful, *spöttisch.* —
hokerly, -irlich(e) NE scornfully, *spöt-
tisch.*

hochepot OF; NE hotchpot(ch), *Misch-
masch.*

hod OE hôd m., NE hood, *Kapuze.* —
hodles(s) NE without a hood, *ohne
Kapuze.*

hod(i)e OE hâdige, NE ordain, *weihe,
ordiniere.*

hoe s. he. | hoeld = held s. holde. | hoere
= he(o)re s. he. | hof = of. | hof s.
heve. | hofthürst = ofthürst.

hog OE hog(g), NE hog, pig, young sheep, *Schwein, junges Schaf.*

hoge, hoʒe = huge.

hol OE hol n., NE hole, cave, *Loch, Höhle;* hollow, *hohl.*

hol OE hâl, NE sound, whole, *heil, gesund, ganz.* — -hol(l)y adv. — holnesse NE soundness, *Unversehrtheit.* — holsom NE wholesome, *heilsam.* — holsomnesse NE wholesomness, *Heilsamkeit.*

hold OE (ge)heald n., NE support, dominion, custody, stronghold, *Halt, Macht (-bereich), Gewahrsam, Festung.* — holde, halde, p. he(o)ld, huld, he(o)lde(n), pp. ¹-holde(n), ¹-helde, hilde OE healde, NE hold, go, *halte, gehe;* what halt it? NE what does it avail? *was nützt es?* — holdere NE holder, *Inhaber.* — holdere up NE upholder, *Halter, Stütze(r).* — holdinge NE holding, *Festhalten.*

hold OE; NE loyal, *treu.*

hold = old. | holʒ = holow.

holy OE hâlig, NE holy, *heilig.* — holinesse OE hâlignes f., NE holiness, *Heiligkeit.*

hol(l)y s. hol.

holin OE hole(g)n n., NE holly, *Stechpalme.* | holle s. helde.

holm fr. ME holin; NE holly, holm-oak, *Stechpalme, Steineiche.*

holour AN holer, NE lecher, *liederlicher Geselle.*

holow, pl. holwe cf. OE holh n.; NE hollow, *hohl.* — holownesse NE hollowness, *Höhlung.*

holpe(n) s. helpe.

holt OE n. m.; NE wood, *Gehölz.* — holtewode OE holtwudu n., NE wood, *Wald.*

holt 3 sg. of holde. | holwe s. holow.

hom, home OE hâm, NE home(wards), *heim(wärts).* — homcominge fr. OE hâm + cuman; NE return, *Heimkehr.* — homcome cf. OE hâmcyme m.; NE return, *Heimkehr.* — homly, -lich NE homely, secret, *häuslich, heimlich.* — homlinesse NE homeliness, familiarity, *Vertraulichkeit.* — homward OE hâmweard, NE homeward, *heimwärts.*

hom = he(o)m s. he.

homage OF; NE; *Huldigung.* — homager NE one who owes homage, *Vasall.*

homicide OF; NE; *Mord, Mörder.*

hommage = homage. | hon = on.

hond OE hand, hond f., NE hand, *Hand.* — handebrede OE handbred n., NE palm, hand's breadth, *Handfläche, Handbreite.* — handidandy NE forfeit, bribe, *Pfand, Bestechungsgeld.* — handlangwhile cf. OE handhwîl f.; NE moment, *Augenblick.* — handle OE handlige, NE handle, touch, *handhabe, berühre.* — hand(e)maiden OE hand + mægden n., NE handmaid, *Magd.* — handtame(d), -id OE handtam, NE tame,

humble, *zahm, demütig.* — handwerk OE hand(ge)weorc n., NE handiwork, things worked with the hand, *Kunstwerk, Schöpfung, mit der Hand Gearbeitetes.*

honder = under. | hondre(d) = hundred. | hondul = handle s. hond.

hone OE hân f., NE whetstone, *Wetzestein.*

honerous = onerous.

honest OF honeste, NE creditable, *ehrenvoll.* — honestee OF -té; NE honesty, *Ehre.* — honestete(e) OF -té; NE honourableness, *Redlichkeit.* — honestly NE honourably, *auf ehrenvolle Art.*

honge, ho, p. heng, pp. ¹-hange(n) OE hô, pp. (ge)hangen, NE hang, *hange, hänge.*

hong(i)e = hang(i)e. | honger = hunger.

hony OE hunig n., NE honey, *Honig.* — hony NE sweet, *süß.* — honycomb OE hunigcamb f., NE honeycomb, *Honigscheibe.* — honie NE sweeten with honey, *versüße mit Honig.* — honyswete OE hunigswête, NE sweet as honey, *honigsüß.*

honne = hone.

honour, hon(n)oure AN honour, NE; *Ehre.* — honorable OF; NE honourable, *ehrenwert.* — hon(o)ure AN; NE honour, *ehre.*

honte = hunte.

hope Late OE hôp m., NE hoop, ring, *Ring, Reif.*

hope OE hopa m., NE hope, *Hoffnung.* — hop(i)e OE hopige, NE hope, suppose, *hoffe, glaube.*

hoppe OE hoppige, NE hop, dance, *hüpfe, tanze.* — hop(p)er cf. OE gehop(p) n.; NE hopper (of a mill), seed-basket, *Mühltrichter, Samenkorb.* — hoppestere OE hoppestre f., NE female dancer, *Tänzerin.*

hor OE hâr, NE hoary, *grau.*

hor = he(o)re s. he.

hord OE n. m.; NE hoard, treasure, *Hort, Schatz.*

hi-horde = ¹-herde p. of ¹-here.

hore OE hôre f., NE whore, *Hure.* — hordom NE whoredom, *Hurerei.* — hor(e)ling cf. OE hôring m.; NE fornicator, *Hurer.*

hore = he(o)re s. he.

horel OE orgal, cf. OF orguel, NE pride, *Stolz.*

hory OE hor(w)ig, NE dirty, *schmutzig.*

horin = horn.

horn OE m.; NE; *Horn.* — horned cf. OE hyrned; NE provided with horns, *gehörnt.* — hornespone OE horn + spôn m. f., NE horn-spoon, *Hornlöffel.*

horow = hory.

horrible OF; NE; *schrecklich.* — horribly adv. — horrour AN; OF horror, NE; *Schrecken.*

hors OE n.; NE horse, *Roß, Pferd.* — horsknave OE hors + cnafa m., NE groom, *Pferdeknecht.* — horse OE horsige, NE provide with horses, *mache* beritten. — horsly NE horselike, *einem Pferde gleich.*

hors(e) OE hâs, NE hoarse, *heiser.*

horte = herte. | horwe = hory. | hos(e) = hors(e), NE hoarse.

hose OE hosa m., hose, -u f., NE hose, *Hose.* — hose NE put on hose, *(be)hose.*

hose = whoso. | hos(e)bond- = hous(se)-bonde. | hosewif = hous(se)wif s. hous. hoso = whoso.

hospital OF; NE; *Hospital.* — hospi-tal(i)er, -eler AN hospitaler, NE knight hospitaller, *Johanniter-Ritter.*

hossebonde = hous(se)bonde. s. hous.

host OF; NE army, *Heer.*

hoste OF; NE host, *Wirt.* — hostage OF; NE hostage, bail, *Geisel, Bürge, Bürgschaft.* — hostel OF; NE ho(s)tel, *Herberge.* — hostelrie, -ellerie OF hostellerie, NE hostelry, *Gasthaus, Her-berge.* — hostesse OF; NE hostess, *Wirtin.* — hostiler OF hostelier, NE innkeeper, *Gastwirt.*

hot OE hât (n), NE hot, *heiß;* heat, *Hitze.*

hote, hoate, p. highte, hatte, het(t)e, pp. i-hote(n), hight OE hâte, NE am called, command, promise, vow, name, *heiße, (ver)heiße, befehle, gelobe, nenne.*

hoth = oth.

hotte OF; NE basket carried on the back, *Tragkorb.*

hou = how. | houle = howle. | houn = owen. | houn- = un-.

hound OE hund m., NE dog, *Hund.* — houndfish OE hund + fisc m., NE dogfish, *Stachelroche.*

hounder = under. | ho(u)nger = hunger. | hounlawe = unlawe. | houn-sel = unsel. | hounte = hunte. | houp = up.

houpe OF; NE whoop, *schreie.*

houre AN; NE hour, *Stunde.*

hour(e) = oure.

hous, hus(e) OE hûs n., NE house, *Haus.* — hous(se)bonde, husband(e) ON hûs-bōndi, OE hûsbonda, hûsbunda m., NE husband, small farmer, *Hausherr, Gatte, Landmann.* — housbondrie NE hus-bandry, *Haushaltung.* — house OE hûsige, NE dwell, *hause.* — housful(l) OE hûs + ful(l), NE houseful, *Haus-voll.* — houshire OE hûs + hŷr f., NE rent of a house, *Hausmiete.* — householde OE hûs + geheald n., NE household, *Haushalt.* — housholdere fr. OE hûs + healde; NE householder, *Hausherr.* — housholding NE keep-ing of a household, *Haushaltung.* — housinge fr. OE hûsige; NE dwelling, *Wohnung.* — huselaverd OE hûs-hlâford m., NE master of the house, *Hausherr.* — houssong 118, 270 OE hûs + sang, NE habitual song, *gewohnter Gesang* (or corrupted fr. OE ûhtsang m.,

NE matins, *Frühmesse ?).* — hous(se)-wif, -wiff OE hûs n. + wîf n., NE housewife (hussy), *Hausfrau.*

hous = us s. we.

housel, husel OE hûsl n., NE eucharist, *hl. Abendmahl.* — hous(e)le OE hûslige, NE administer Eucharist, *versehe mit dem Abendmahl.*

houte = oute.

hove cf. heve; NE hover, dwell, *schwebe, weile.*

how, howe OE hû, NE how, *wie.* — howso OE hû + swâ, NE howsoever, *wie auch immer.*

howie OE hogige, NE think about, am sad, *denke, bin bekümmert.*

howle onomat.; NE howl, *heule.*

howne OE Hûn(as), NE savage, *wild* (? Troil. IV 210).

hows = hous.

howve OE hûfe f., NE hood, *Haube.*

hu- = wh-. | hu = how. | huanne(s) = whenne(s).

hucche OF huche, NE box, *Kiste, Truhe.*

hüde = hide. | hue = he(o), huem = heom, huere = he(o)re s. he. | huer(-) = wher(-). | huerte = hert(e). | huet = what.

huge OF ahuge, NE huge, *groß.*

huing fr. OF huer; NE clamour, *Geschrei.*

huire = hûre. | huis = hous. | hül, huil = hil. | hül,ke = ilke. | huld = held s. holde. | hule = oule, NE owl | hüll = hil.

hulstre cf. OE heolstor m.; NE conceal, *verberge.*

humanitee OF -té; NE humanity, *Menschlichkeit.*

humble OF; NE; *demütig, bescheiden.* — humblehede NE humble position, *Niedrigkeit.* — humb(l)ely NE humbly, *demütig.* — humblesse OF; NE humi-lity, *Demut.*

humbling onomat., cf. humme; NE rum-bling, *Brummen.*

humiliacio(u)n AN; NE humiliation, *Demütigung.* — humilitee OF -té; NE humility, *Demut.*

humme onomat., cf. humbling; NE hum, *summe.*

humour AN; NE; *Feuchtigkeit, Saft.*

hund = hound. | hunder = under.

hundred OE (m.); NE hundred, hundred district, *hundert, Hundertschaft.*

hundret(h) = hundred.

hung(g)er OE hungor m., NE hunger, fa-mine, *Hunger(snot).* — hungre cf. OE hyngre; NE hunger, *hungere.* — hungry OE hungrig, NE hungry, *hungrig.*

hunselthe = unselthe.

hunte OE hunta m., NE hunter, *Jäger.* — hunte OE huntige, NE hunt, *jage.* — hunter cf. OE hunta; NE hunter, *Jäger.* — hunteresse NE female hunter,

Jägerin. — hunting OE huntung f.,
NE hunting, *Jagen.*

huntseventy, -sevinty OE hundseofontig,
NE seventy, *siebzig.*

huo = who. | hup = up. | hur = hir(e)
s. he. | ɪ-hürd pp. of hüre = ɪ-here. |
hürde = herde.

hure OF; NE hood, *Kapuze.*

hure OE hûru, NE at least, besides,
wenigstens, noch dazu.

hure = hir(e) s. he. | hure = here acc. sg.
f. of he. | hure = ure. | hüre, huire
= hire, NE hire. | ɪ-hure, huire = ɪ-here,
NE hear.

hurle onomat; NE hurl, *schleudere, stürze.*
hürne = herne.

hurt OF; NE; *Streich, Stoß, Verletzung.* —
hurte OF; NE hurt (myself), *stoße
(mich), verletze (mich).* — hurtele NE
dash against, *stoße, pralle gegen.*

hus = hous. | hus = us. | hüs = his
s. he. | huse = whoso. | husel = housel.

hushe, pp. hus(h)t cf. G husch!; NE hush,
mache still.

hüt 3 sg. of hüde = hide. | hüvel = ivel.
| hvonne = whan(ne). | hw = how. |
hwa = who. | hwamse, -so = whomso.
| hwan(ne) = whan(ne). | hwar =
wher. | hwarse = wherso. | hwat =
what. | hwe = hewe. | hwed = hewed
pp. of hewe, NE colour. | hwen(ne) =
whan(ne). | hweolp = whelp. | hwe(o)-
nene = whenne(s). | hwerseeaver =
whersoever. | hwetse = whatso. | hwy
= why- | hwich = which. | hwider
= whider. | hwil = while. | hwippe
= wippe. | hwit = whit. | hwo =
who. | hwon(ne) = whan(ne). | hwor
= wher. | hws = hous. | hwu = how.
| hwüch(se) = which(so). | hwule =
whil.

hyene OF; NE hyæna, *Hyäne.*

I.

I, Y OE ic, NE I, *ich.*

i = in. | ɪ-birst, ɪ-bürst s. birste. | ik = I.

icche OE gicce, NE itch, *jucke.*

ich = I. | ich = ech. | ich(e) = ilk(e). |
ichil, icholle = I wol. | ichot = I wot.
| ichon = ech on. | ichul(le) = I wol.

idel, -il OE îdel, NE idle, empty, vain,
eitel, leer, vergeblich. — idelhed NE vani-
ty, *Eitelkeit.* — idelnes(se) OE îdelnes
f., NE idleness, vanity, *Trägheit, Eitel-
keit.* — idelship(e) NE idleness, *Müßig-
gang.*

idiot OF; NE uneducated person, *unge-
bildeter Mensch.*

idle AN; = ile.

idole OF; NE idol, *Götzenbild.* — idolastre
OF; NE idolater, *Götzenanbeter.*

idre F hydre, NE hydra, *Wasserschlange,
Hydra.*

idus pl. L; NE ides, *Iden.*

ie, pl. ien = eˡ(gh)e. | if = yif.

i-faie cf. OE gefægn; NE readily, *gern.*

i-fere OE gefêra m., NE companion,
company, *Gefährte, -in, Gesellschaft.* —
i-fere = in-fere, NE together, *zusammen.*

i-ferre cf. OE feor(r); NE afar, *fern.*

i-fo, i-foa OE gefâ m., NE foe, *Feind.*

i-furn OE gefirn, NE of old, *von alten
Zeiten her.*

iӡe = eˡ(gh)e.

ignoraunce AN; NE ignorance, *Unwissen-
heit.* — ignoraunt AN; NE ignorant,
unwissend.

i-greting cf. OE grêting f.; NE greeting,
salutation, *Gruß.*

i-hal = i-hol. | ihc = I. | ihe = eˡ(gh)e.
| i-hende = hende.

i-heorted cf. OE -heort; NE -hearted,
-herzig.

i-herd cf. OE gehære; NE covered with
hair, *behaart.*

i-hol OE gehâl, NE whole, uninjured, *heil,
ganz, unversehrt.*

i-hwat OE gehwæt, NE everything, *ein
jedes.*

il s. il(le). | ilk, ilch = ech.

ilk(e) OE ilca, NE same, *derselbige;* ilka
= ech a; ilkadel = ech a del, NE in
every respect, *in jeder Beziehung;* ilkan
= echon; ilk other, NE each other,
selbander, einander.

ilchere dat. sg. f. of ilch = ech. | ilcon
= echon. | ilde = ile. | ildre gen. pl. of
eldren.

ile, isle OF isle, ille, NE isle, *Insel.*

i-lef, i-leof, pl. i-le(o)ve OE geleóf, NE dear
to one another, *einander teuer.*

i-lik, i-lich OE gelîc, NE like, equal,
gleich, ebenbürtig. — i-like, i-l(l)iche OE
gelîce, NE alike, in the same way, *auf
gleiche Weise.*

il(le) ON illr, NE ill, evil, *übel, schlimm.* —
il-hail ON illr + heill, NE bad luck,
Unglück, Pech. — il-spon ON illr + OE
(ge)spunnen, NE spun badly, *schlecht ge-
sponnen.*

illumine OF; NE; *erleuchte.*

illusioun AN; NE illusion, *Täuschung.*

illwmine = illumine.

i-lome OE gelôme, NE often, *oft.*

i-love = i-le(o)ve. | i-mæn = i-mene.

image OF; NE; *Bild.* — imagerie OF;
NE imagery, carved work, *Bildwerk,
Schnitzwerk.* — imagine OF; NE; *stelle
mir vor, ersinne.* — imaginable OF; NE;
erdenklich. — imaginacioun AN; NE
imagination, *Einbildung, Vorstellung.* —
imaginatif OF; NE imaginative, *voll
Einbildungskraft.* — imagining NE; *Er-
sinnung.*

ime 118, 264 = him (?) s. he.

i-mel Dan. imellem, NE among, *unter.*

i-mene; i-meane OE gemǽne, NE mean, common, *gemein(sam).*

immortal L -alem; NE immortal, *unsterblich.*

i-mone cf. OE gemǽne n.; NE communication, participation, *Gemeinschaft, Anteil.*

impacience OF; NE impatience, *Ungeduld.* — **impacient** OF; NE impatient, *ungeduldig.*

impe OE impa m. f., NE graft, shoot, *Pfropfreis, Schößling.*

imperfeccio(u)n AN; NE imperfection, *Unvollkommenheit.*

imperie OF emperie, L imperium, NE government, *Regierung.* — **imperial** OF; NE; *kaiserlich.* — **impertinent** OF; NE impertinent, irrelevant, *nicht zur Sache gehörig, belanglos.*

impetre OF; NE impetrate, ask, *erlange durch Bitten, bitte.*

implie OF emplie, NE imply, enwrap, *schließe ein, hülle ein.* — **impressioun** AN; NE impression, *Eindruck, Gepräge.*

impne ML (h)ympnum, NE hymn, *Lied.*

importable OF; NE insufferable, *unerträglich.*

importune OF -un; NE importunate, *zudringlich, lästig.*

imposicioun AN; NE imposition, tax, *Auferlegung, Steuer.*

impossible OF; NE; *unmöglich;* impossibility, *Unmöglichkeit.*

impresse fr. L impressum; NE impress, *präge ein.* — **impressioun** AN; NE impression, *Eindruck, Gepräge.*

impudence OF; NE; *Unverschämtheit.* — **impudent** OF; NE; *schamlos.*

in(n) OE in(n) n., NE house, inn, *(Wirts-) Haus.* — inne OE innige, NE lodge in an inn, get in (a harvest), *herberge, bringe ein (die Ernte).* — inles NE without lodging, *ohne Wohnung.*

in, ine OE; NE in, on, *in, an;* in(e) adv. cf. in(ne).

in = in(ne).

incarnacio(u)n AN; NE incarnation, *Fleischwerdung (Christi).*

inke OF enque, NE ink, *Tinte.*

inker, incker OE incer, NE of you two, *von euch beiden.*

incest OF inceste, NE incest. *Blutschande.*

inch(e) OE ynce, NE inch, *Zoll.*

incline OF; NE; *neige mich.*

inknitte, -knette OE in + cnytte, NE knit up, *schnüre zusammen.*

incombrous = encomb(e)rous.

incominge fr. OE in + cuman; NE incoming, entrance, *Eintritt, Eingang.*

inconsta(u)nce AN; NE inconstancy, *Unbeständigkeit.*

inconvenient OF; NE; *unbequem, unangemessen;* inconvenience, *Unbequemlichkeit, Unangemessenheit.*

incubus L; NE; *Kobold, Alp.*

incurable OF; NE; *unheilbar.*

inde OF; NE indigo, *Indigo (blaue Farbe).*

indeterminat L -atum; NE indeterminate, *unbestimmt.*

indifferent OF; NE indifferent, impartial, *gleichgiltig, unparteiisch.* — indifferently NE; *ohne Unterschied.*

indignacio(u)n AN; NE indignation, *Unwille.*

indulgence OF; NE; *Nachsicht.*

induracioun AN; NE induration, *Hartwerden, Verhärtung.*

ine = inne. | ine = ien pl. of ie = eᵗ(gh)e.

inequal L inaequalem, NE unequal, *ungleich.*

inestimable OF; NE; *unschätzbar.*

infaunce AN enfaunce, NE infancy, *Kindheit.*

infect OF; NE ineffectual, *unwirksam.*

infecte fr. L infectum; NE infect, *stecke an, verpeste.*

in-fere OE in gefêre, NE together, *zusammen.*

infermetee, -mite OF enfirmeté, NE infirmity, *Krankheit, Schwachheit.*

infernal OF; NE; *zur Unterwelt gehörig, höllisch.*

infinit L -itum; NE infinite, *unendlich.* — infinitee OF -té; NE infinity, *Unendlichkeit.*

infirme L -mum; NE weak, *schwach.*

influence OF; NE; *Einfluß.*

informacio(u)n AN; NE information, *Belehrung, Kunde.*

infortune OF; NE misfortune, *Unglück.* — **infortunat** L -atum; NE unfortunate, *unglücklich.* — infortuned NE illstarred, *unglücklich.* — infortuning NE unlucky condition, *unglücklicher Zustand.*

ingang OE m.; NE entrance, *Eintritt.*

inglis(h), ingles OE englisc cf. AN engleis, NE English, *englisch.*

ingong OE ingang, *also* ingoinge, ingonde fr. OE in + gâ; NE entrance, *Eintritt.*

ingot cf. OE in + goten pp. of OE gêotan; NE ingot, mould for pouring metal into, *Form zum Guß.*

inguoinge = ingoinge. | **inhabite** = enhabite.

inhelde, -hielde OE in + hielde, NE pour in, *gieße ein.*

iniquitee OF -té; NE iniquity, *Ungerechtigkeit.*

injure OF; NE injury, *Unrecht, Ungerechtigkeit.*

inly OE inlice, NE inly, wholly, sincerely, *innerlich, völlig, aufrichtig.*

inmid(des, -e ʒ) OE in + (tô) middes, NE amid, *inmitten.*

inmoeveable OF in + movable, NE immovable, *unbeweglich, ruhig.* — inmoeveabletee OF in + movableté, NE immobility, *Unbeweglichkeit.*

inmortal = immortal. | inn = in, NE inn.

in(ne) OE innan, inne, NE in, inside, *in, drinnen, hinein, innerhalb.* — innermore OE innor + mâre, NE more to the interior, *mehr nach innen.* — inner, innerest OE innera, innemest, NE inner, inmost, *inner, innerst.*

innocence OF; NE; *Unschuld.* — innocent OF; NE; *unschuldig.*

innoʒe, inno(g)he, innowe = i-no(u)gh.

innumerable OF; NE; *unzählbar.*

inobedience OF; NE disobedience, *Ungehorsam.* — inobedient OF; NE disobedient, *ungehorsam.*

i-noch, i-noʒe = i-nough.

inordinate L -tum; NE inordinate, *ungeordnet.*

i-nough, i-no(u)ʒ, i-no(u)h(we), i-nowʒ, OE genôh, NE enough, enow, *genug.*

inpacien- = impacien-.

inparfit, -perfit OF in + parfit, NE imperfect, *unvollkommen.*

inplitable fr. OF in + plite; NE intricate, impracticable, *verwickelt.*

inportable = importable. | inpossible = impossible. | inprente = emprente.

inquisitif OF; NE inquisitive, *neugierig.*

inseil, inseʒel OE insegel n., NE seal, *Siegel.*

insette OE; NE place in, *setze hinein.*

insighte OE in + (ge)sihþ, -siht f.; NE insight, intelligence, *Einsicht, Verstand.*

insolence OF; NE; *Übermut, Ungebühr.* — insolent OF; NE; *übermütig.*

inspire L -ro; NE inspire, *hauche ein, begeistere.*

instable = unstable.

insta(u)nce AN; NE presence, urgent request, *Gegenwart, Verlangen.*

institut L -utum; NE instituted, *eingesetzt in ein Amt.*

instrument OF; NE; *(Musik-)Instrument.*

insufficient L -tem; NE insufficient, *unzureichend.*

intel = intil(l).

intellect L -tum; NE understanding, *Verstand.* — intelligence OF; NE; *Verstand, Kunde.*

intende OF entende sbj., NE intend, *bin gesonnen, gedenke.*

intendestow = intendest thou.

intercept L -tum; NE intercepted, *aufgefangen.*

interminable OF; NE; *endlos.*

interrogacioun AN; NE question, *Frage.*

intervalle OF; NE interval, *Zwischenraum.*

intil(l) ON intil, NE in, into, unto, *in, nach.*

into OE intô NE into, unto, *in hinein, nach.*

intoward OE, NE toward(s), *hin zu.*

intresse L interesse, NE interest, *Vorteil.*

introductorie AN; NE introduction, *Einleitung, Einführung.*

invisible OF; NE; *unsichtbar.*

invocacioun AN; NE invocation, *Anrufung.*

inward OE in(nan)weard, NE interior, *Innere;* inward, within, *innerlich, innen.* — inwardly, -liche, -like, -liʒ OE inweardlice, NE inwardly, earnestly, *innerlich, innig.*

inwerd = inward.

inwit OE in + wit(t) n., cf. ingewitnes f.; NE conscience, *Gewissen.*

inwith OE in + wiþ, NE within, in, *inwendig, in(nerhalb).*

i-pleinted fr. AN pleinte; NE plaintive, *klagend, kläglich.*

ipocras OF; NE hipocras, *ein Würzwein.*

ipocrisie OF; NE hypocrisy, *Scheinheiligkeit.* — ipocrite OF; NE hypocrite, *Heuchler.*

i-queme OE gecwême, NE agreeable, *angenehm.*

ire OF; NE anger, *Zorn.* — irous AN; NE angry, *zornig.*

ire = ere, *Ohr.*

iren OE îren (n.), NE iron, *Eisen;* of iron, *eisern.*

iriss, cf. OE Îras, Îrlond, NE Irish, *irisch.*

irn = iren. | irnen = iren adj. | irous s. ire.

irre OE ierre n. cf. OF ire, NE anger, *Zorn.*

irreguler AN; NE irregular, *gesetzwidrig.*

irreverence OF; NE; *Unehrerbietigkeit.*

is OE îs n., NE ice, *Eis.*

is = his. | is s. am.

i-same(n) OE ge- + ON saman, NE together, *zusammen.*

ischal = I shal.

i-selilich OE gesǽliglîc, NE happy, *glücklich.*

i-sene OE gesîene, NE visible, apparent, *sichtbar, offenbar.*

i-setnesse OE (ge)setnes, NE law, institution, *Gesetz, Bestimmung, Einrichtung.*

i-some = i-same(n).

i-s(o)und OE gesund, NE sound, *gesund.*

isse fr. OF issir inf.; NE issue, *gehe (her-) aus.* — issue OF; NE; *Ausgang, Nachkommenschaft.*

i-stirret cf. OE steorra m.; NE starred, *besternt.*

i-stren, i-streon = stren. | it = hit s. he.

i-teiled fr. OE tægl m.; NE having a tail, *geschwänzt.*

ith = hit s. he.

iththle orig. obsc.; NE hear, *höre.*

i-thoncked fr. OE þanc, þonc m.; NE -thoughted, -minded, *gesinnt.*

itt = hit s. he. | ive = ivy.

ivel, -il OE yfel (n.), NE evil, *schlimm; Übel;* — ivele OE yfele adv.

i-vere = in-fere. | i-vere = i-fere. i-verre = i-ferre.

ivy OE ĩfig n., NE ivy, *Efeu.* — ivylef
OE ĩfiglêaf n., NE ivy-leaf, *Efeublatt.*
i-vo = i-fo.
ivo(i)re OF, ivorie AN, NE ivory, *Elfen-
bein.*
i-war OE gewær, NE aware, *gewahr, vor-
sichtig.* — i-warnesse OE ge- + wærnes
f., NE wariness, *Vorsicht.*
i-wepen OE ge- + wâepen n., NE weapon,
Waffe.
i-whilc OE gehwylc, NE each, *jeder.*
iwil = ivel.
i-wis OE gewis(s) (n.), NE certain, *gewiß,
sicherlich;* certainty, *Gewißheit, Bestimmt-
heit.* — i-wis(s)e adv.
i-wit OE gewit(t) n., NE understanding,
reason, wit, *Verstand, Vernunft, Sinn.*

J.

Jack (fol), OF Jaques; NE (foolish) fellow,
Hans(Narr).
jade orig. obsc.; NE jade, *Kracke, elendes
Pferd.*
jagounce AN; NE garnet, *Granat.*
jay OF; NE jay, magpie, *Häher, Elster.*
jalous OF; NE jealous, *eifersüchtig.* —
jalousie OF; NE jealousy, *Eifersucht.*
jambeu fr. F jambe; NE leg-armour,
Beinschiene.
Jane fr. OF Janne(s), Janeweis, Genoveis;
NE a small silver coin of Genoa, *kleine
genuesische Silbermünze.*
jangle OF; NE idle prating, *Geschwätz.* —
jangle OF; NE chatter, jangle, *schwatze,
zanke.* — janglere AN jangler, NE
babbler, *Schwätzer.* — jangleresse NE
female chatterbox, *Schwätzerin.* — jang-
lerie OF; NE gossip, talkativeness, *Ge-
schwätz, Schwatzhaftigkeit.* — jangling(e)
NE idle talking, *Geschwätz.*
jape OF; NE jest, trick, *Scherz, Streich;*
joke, play tricks, *scherze, spiele Streiche.*
— japere NE jester, *Spaßmacher.* —
japerie NE buffoonery, *Spaßmacherei.*
— japeworthy NE ridiculous, *lächer-
lich.*
jargon OF; NE talk, *Geschwätz.* — jar-
goning NE chattering, *Geschwätz.*
jaspre OF; NE jasper, *Jaspis.*
jaunice OF jaunisse, NE jaundice, *Gelb-
sucht.*
jelous(-) = jalous(-). | jentil = gentil. |
jeopardie = jupartie.
jesseraunt OF jaserant, NE coat of
mail, *Panzerhemd.*
jet OF j(a)et, NE jet, *Pechkohle.*
jet = get. | jeupardie = jupartie.
Jewe OF Jeu, Geu, NE Jew, *Jude.* —
jewerie OF juerie, NE jewry, Jews'
quarter, *Judenschaft, Judenviertel.*
jewel = juwel.
jo OE joer, NE to happen, *geschehen.*

jocounde OF jocond, NE jocund, *froh,
heiter.*
joe = joie.
jogge orig. obsc.; NE jog, *rüttle auf, trotte.*
— jogelour, juglur AN; NE juggler,
Gaukler, Spielmann. — jogelrie OF
joglerie, NE jugglery, *Gaukelei.*
joi(e) OF joie, NE joy, *Freude.* — joie OF
jois, NE rejoice, am glad, *freue mich, bin
froh.* — joiful, -fol NE joyful, *froh, freu-
dig.* — joiles, NE joyless, *freudlos.* —
joious AN; NE joyous, *froh, freudig.*
joigne, joine OF joigne sbj., NE join,
charge, command, *verbinde (mich), komme
zusammen, trage auf, heiße.* — jointly NE
conjointly, *zusammen.* — jointure OF;
NE union, joint, *Verbindung, Gelenk.*
jolely = jolily.
jolif, joli OF jolif, joli(s), NE jolly, beau-
tiful, *fröhlich, lieblich.* — jolily NE
merrily, *fröhlich.* — jolinesse NE festi-
vity, *Festlichkeit.* — jolitee OF joliveté,
AN jolieté, NE jollity, *Fröhlichkeit.*
jompre orig. obsc.; NE jumble, *menge.*
jopoun = jupoun.
jordan orig. obsc.; NE chamber-pot,
Nachtgeschirr.
jorneie s. journe(i)e.
jossa OF jos ça = ça jus, NE down here,
hier unten.
jouke OF jouque, NE rest, slumber, *ruhe,
schlummere.*
journe(i)e OF journée, AN journeie, NE
a day's work, day's march, *Tagewerk,
Tagereise.* — jorneie AN; NE travel,
reise.
jowe OF joue, NE jaw, *Kinnbacken.*
jubbe orig. obsc.; NE vessel for holding
ale or wine, *Krug, Gefäß für Bier oder
Wein.*
jubilee OF -lé; NE jubilee, *Freudenfest.*
judicial OF; NE judicial, prophetic, *kri-
tisch, weissagend.*
judisken cf. OE Jûdêisc; NE Jewish,
jüdisch.
juel = juwel.
juge OF; NE judge, *Richter.* — jug(g)e
AN; NE judge, richte, *(be)urteile.* —
jugement OF; NE judgment, *Urteil.*
juglur = jogelour.
juil OF; NE July, *Juli.*
juise OF; NE judgment, *Urteil.*
juparti(e) AN; NE jeopardy, hazard, *Ge-
fahr, Wagnis.* — juparte NE jeopard,
endanger, *setze aufs Spiel, gefährde.*
jupo(u)n AN; NE short coat, *kurzer Rock.*
jurisdiccioun L juris dictionem, AN
jurediccioun, NE jurisdiction, *Gerichts-
barkeit.*
just OF juste, NE just, correct, *gerecht,
richtig.* — justise, -ice OF; NE justice,
Gerechtigkeit, Richter.
juste OF jouste, NE joust, tourney, *tur-
niere.* — juste OF; NE joust, touma-

ment, *Turnier*. — justing NE jousting,
Turnieren.
juwel OF jo(u)el, juel, NE jewel, *Juwel*. —
juwelere OF joelier, NE jeweller,
Juwelier.

K.

k = c.

L.

labbe onomat.; NE blab, *Schwätzer*;
schwatze.
label OF; NE; *Streifen, Zettel*.
labour AN; NE; *Arbeit*. — laboure OF;
NE labour, *arbeite*. — labo(u)rer AN
labourer, NE; *Arbeiter*. — laborous AN;
NE laborious, *fleißig*.
lak cf. MDu. lac; NE lack, defect, *Mangel,
Makel*. — lakke cf. MDu. lake; NE lack,
blame, *mangele, (ver)misse, bemängele,
tadele*. — lakking NE lack, stint, *Mangel,
Aufhören*.
lak OE lâc m., NE offering, gift, play, *Opfer,
Gabe, Spiel*. — lakan, lakin cf. OSw.
lekan; NE plaything, *Spielzeug*, — lake
OE lâce, NE make offerings, worship,
dance, play, *opfere, verehre, tanze, spiele*.
lacche, p. la(u)ghte, pp. ¹·la(u)ght OE læcce,
NE catch, obtain, *fange, erlange*. —
lacche fr. the vb.; NE snare, *Schlinge* (?).
lake MDu. lake(n), NE linen cloth, *Leinen,
Laken*.
lake OE lacu f. (= stream), OF lac, NE
lake, pond, *See, Teich*.
lace OF; NE lace (up), *schnüre (fest)*. —
lacinge NE lacing, *Anschnüren*.
lace = las.
lacerte OF; NE muscle, *Muskel*.
lache OF; NE lax, lazy, *schlaff, faul*. —
lachesse OF; NE laziness, *Trägheit*.
lache = lacche. | ¹·lad(de) s. lede.
lad(de) orig. obsc.; NE lad, *Bursche*.
laddre OE hlæd(d)er f., NE ladder, *Leiter*.
lade, p. loden OE hlade, NE load, cover,
(be)lade.
lade = leide p. of leie, NE lay.
ladel OE hlædel m., NE ladle, *Löffel*.
lady OE hlæfdige f., NE lady, *Herrin,
Dame*. — ladyship NE, *Frauenschaft*.
læc = lek s. louke. | læfe = leve, *Glaube*.
| læi = lay s. lie vb. | læn = len, NE re-
ward. | lære = lere, NE teach. | læte
= lete. | læwed = lewed. | lafdiჳ =
lady. | laferd = lord. | lafful = lawe-
ful. | ¹·laft, laft(e) s. leve. | lage, laჳe
= lawe. | lagelic(h) = lawelich. | lagh
= lowe.
laghe, la(u)ჳe, p. lough, low, le¹gh, laghed,
lowe(n), laghed(en), pp. la(u)ghen OE
hliehhe, NE laugh, *lache*. — la(u)ghter
OE hleahtor m., NE laughter, *Gelächter*.

laghe, lahe = law(e). | ¹·la(u)ght s. lacche.
| laghwe = laghe. | lah = lowe NE
low, *niedrig*.
lay OF lai, NE song, lay, *Gesang. Lied*.
lay AN lei, NE law, belief, faith, *Gesetz,
Glaube*.
lay = ley s. le¹(gh)e vb.
laik(e) = leik. | laike = lake, NE make
offerings. | laie = leie, NE lay. | lain,
laine = lein, leine.
lainere OF laniere, NE strap, thong,
schmaler Riemen.
laiser = leiser.
laite ON leita, NE seek, *suche*.
laith = loth.
lamb, pl. lambren OE lamb n., NE;
Lamm. — lambeskin OE lamb + ON
skinn, NE lambskin, *Lammfell*. — lamb-
ish NE gentle as lambs, *lammfromm*.
lambik = alambyk.
lam(e) OE lama, NE lame, weak, *lahm,
schwach*. — lame NE; *lähme, mache
lahm*.
lamentacioun AN; NE lamentation,
Wehklage.
lampe OF; NE lamp, *Lampe*.
lampe for *lampne fr. L laminam(?);
NE thin plate, *dünne Platte*.
lan s. linne. | lan = lon. | lance = launce.
| land = lond.
lane OE lane, -u f., NE lane, *Gasse*.
lang = long.
lange OE langue, = langage. — langage
OF; NE language, *Sprache*.
langour AN; NE languor, *Leid*. — lan-
guesse, languishe OF languisse sbj.,
NE languish, *werde schwach, schmachte*.
— languishing NE; *Qual, Krankheit*.
— langure = languishe.
lanterne OF; NE lantern, *Laterne*.
lapidaire OF; NE treatise on precious
stones, *Abhandlung über Edelsteine*.
lappe OE læppa m., NE border, fold of
garment, lap, *Saum, (Rock-)Schoß*.
lappe cf. ME wlappe *and* wrappe; NE wrap
up, embrace, *wickele ein, umfange*.
lapwing OE hlêapewince f., NE lapwing,
Kiebitz.
larke OE lâwerce f., NE lark, *Lerche*.
lar(e) = lore.
large OF; NE large, liberal, *ausgedehnt,
groß, freigebig*. — at large NE; *in Frei-
heit*. — largely adv. NE; *im weiten Sinne*.
— largenesse NE extent, liberality,
Ausdehnung, Freigebigkeit. — larges(se)
OF -esse; NE liberality, *Freigebigkeit*.
las OF; NE lace, snare, *Schnur, Schlinge*.
las = lasse. | laser = leiser.
lashe onomat; NE lash, *Schlag*.
lasse OE lǽssa adj., lǽs adv., NE less
weniger, geringer. — lasse NE lessen,
verringere, nehme ab. — lassing NE di-
minution, *Verringerung, Minderung*. —
last = lest(e), NE least.

last OE hlæst n., NE burden, *Last*.
last ON lostr, NE fault, *Fehl(er)*. — laste-
les NE faultless, *tadellos*. — lastunge
NE blame, *Tadel*.
last superl. of late, NE last, *letzt*.
¹-laste OE læste, NE last, endure, live,
dauere, ertrage, lebe.
lat s. lete.
late OE læt, NE slow, late, *langsam, spät*.
— lately OE lætlīce adv. — later(e)
= latter. — latrede OE lætrǣde, NE
tardy, dawdling, *langsam, träge*. — latter
OE lætra, NE later, more slowly, *später,
langsamer*.
late = lote. | lat(e) = lete. | lath = loth.
lathe ON hlaða, NE barn, *Scheuer*.
latin OF; NE Latin, *Latein. lateinisch*.
latis OF lattis, NE lattice, *Gitter*.
latitude OF; NE; *Breite*.
latoun AN; NE latten, *Messing*.
latrede s. late. | latte = lette. | latte
= lete. | laud = lew(ed).
laude OF; NE praise, *Lob*; laudes, -is,
pl. NE the service said between midnight
and 6 A. M., *der Gottesdienst zwischen
Mitternacht und 6 Uhr morgens*.
lauelich = lawelich. | lauȝhwe, lauh(w)e
= laghe. | laumpe AN; = lampe.
launce, launche AN; NE lance, spear,
Lanze, Speer; shoot, leap, *schieße, springe*.
— launcegay OF lancegaye, NE a kind
of spear, *Art Speer*.
launche AN; = launce.
launde AN; NE lawn, grassy clearing,
Lichtung.
launprey AN lampreie, NE lamprey,
Neunauge.
launterne = lanterne.
laure, laurer AN; NE laurel(-tree), *Lor-
beer(baum)*. — laureat L -tum; NE
laureate, crowned with laurel, *mit Lorbeer
bekränzt*. — laurer-crouned AN laurer
+ corouné, NE laurel-crowned, *lorbeer-
bekränzt*. — lauriol F laureole, NE
spurge-laurel, *Lorbeer-Seidelbast*.
laus = los, NE loose. | laute = lealte.
lave fr. OF lave (?); NE draw (water),
schöpfe.
lave = leve. | lavedy = lady.
lavender OF lavandiere, NE laundress,
Wäscherin.
laver(e)d, laverth = lord. | laverokke
= larke.
lavour AN; NE laver, basin, *Waschgefäß*.
lawd- = laud-.
law(e) ON log (< *lagu), OE lagu f.,
NE law, custom, *Gesetz, Gewohnheit*. —
law(e)ful NE lawful, *gesetzlich*. — lawe-
lich OE lahlîc, = laweful. — laweliche
OE lahlîce adv.
lawe OE hlǣw, hlâw m., NE mound, hill,
Hügel.
law(e) = lowe. | law(gh)e = lauᵍhe. |
lawght = lauᵍht s. lacche.

lax OE leax m., NE salmon, *Lachs*.
laxatif OF; NE laxative, *abführend, Ab-
führmittel*.
lazar L Lazarum, NE lazar, leper, *Aus-
sätziger*.
le OE hlêo(w) n., NE protection, shelter,
peace, *Schutz, Obdach, Frieden*.
le = leᶦ(gh), li(gh)e.
leal OF; = lel(e). — lealte, leaute OF;
NE loyalty, *Treue*.
leatere comp. of late. | lebard = lepard.
| lebbe = live.
lek OE lêac n., NE leek, *Lauch*.
lech OE lêc m., NE look, *Blick*.
leke = leche.
leche OE lǣce m., NE physician, *Arzt*. —
leche fr. ᴗhe sb.; NE cure, *heile*. —
lechecraft OE lǣcecræft m., NE art
of medecine, *Heilkunde*. — lecher NE
healer, *Heiler*. — leching NE healing,
Heilung.
lecherie OF; NE lechery, *Fleischeslust*. —
lecherous AN; NE; *unzüchtig, schwel-
gerisch*. — lech(o)ur AN; NE lecher,
Wollüstling.
lecoun = lesso(u)n.
lectorn ML lectrinum, NE lectern, *Lese-,
Singepult*.
led OE lêad n., NE lead, *Blei*. — leden
OE lêaden, NE leaden, *bleiern*.
led OE lêod m. f., NE man of the same
nation, nation, country, *Landsmann,
Nation, Land*; pl. NE people, *Leute*.
led = leth, NE song.
led(d) 101, ₁₀ 683 = leden. — ledde =
leide s. leie.
lede, leade, p. ladde, ledde, pp. ¹-lad,
¹-led, ledde OE lǣde, NE lead, *leite, führe*.
— ledere NE leader, *Führer*. — ledinge
NE leadership, leading, *Führerschaft, Lei-
tung*.
leden OE læden, leden n., NE language,
Sprache.
ledh = lede. | ledy = lady. | ledir =
lither. | lee = le.
lef, leaf OE lêaf n., NE leaf, *Blatt*. —
lefsel OE lêaf + sele m. (?), NE bower
of leaves, *Laube*.
lef, leof, superl. lefest, leofvest OE lêof,
NE lief, dear, inclined, *lieb, teuer, geneigt*.
— leflich OE lêoflîc, NE beloved, lovely,
geliebt, lieblich. — lefliche, leofl. OE
lêoflîce, NE lovingly, gladly, *mit Liebe,
gern*.
¹-lef imp. sg. of ¹-leve. | lefdy = lady. |
lefe = leve. | lefful = leveful. | lef-
mon = lemman. | lefsel s. lef, NE leaf.
| left, leoft = lift. | left(e) s. leve, ver-
lasse. | leful = leveful.
leg ON leggr, NE leg, *Bein*.
¹-leȝd, lezde = ¹-leid, leide s. leie. |
leȝ(g)e, leghe = lig(g)e.
le(gh), lei(gh) OE lêah f., NE fallow land,
Brachland. — lei(gh)e NE fallow, *brach*. —

lei(gh)land OE lêah + land n., NE fallow land, *Bruchland.*

ꝗel(gh), li(ʒ)e OE lîeg m. n., NE flame, *Lohe, Flamme.* — lel(gh)e NE inflame, *entflamme.*

lel(gh)e, li(ʒ)e, p. leꞮgh, ley, lied, lowe(n), pp. i-lowe(n) OE lêoge, NE tell lies, *lüge.* — lel(gh)er OE lêogere m., NE liar, *Lügner.*

leghe = laghe. | leghtre = laghter.

legioun AN; NE legion, *Legion.*

ley p. of lie. | ley = lel(gh).

leikON leikr, OE lâc m., NE gift, play, *Gabe, Spiel.* — leike ON leika, NE play, *spiele.*

leie, p. leide, pp. i-leid OE lecge, NE lay, wager, *lege, erlege, setze ein (als Pfand), wette;* leie upon NE lay upon, *setze jem. zu.*

i-leie(n) s. lel(gh)e. | leif = lef, NE leaf. | leife, leiff = leve. | leigh s. legh. | leighe = laghe.

lein fr. the vb.; NE concealment, lie, *Hehl, Lüge.* — leine OE lîegnige, ON leyna, NE deny, hide, *verleugne, verberge.*

leine = lene. | leinte(n) = lente. | leinthe = lenghte. | leise = lasse. | leiste = leste, NE least.

leiser AN leisir, NE leisure, *Muße.*

leit OE lîegetu f., liget m., NE lightning, *Blitz.*

leite = lighte. | leive = leve, NE believe.

lel(e), lell OF leel, NE loyal, faithful, *treu.* — lel(l)y adv.

lemaille = limaille.

leme 144, 3.8 ON lemja, NE beat, drive away with blows, *schlage, vertreibe mit Schlägen(?).*

leme OE lêoma m., NE light, brightness, *Licht, Glanz.* — leme OE lêomige, NE shine, *glänze.* — lemer NE beamer, *Lichtverbreiter.*

leme = lim.

lem(ᵐ)an, lemmone OE lêof + man(n), N⸗ one beloved, *Geliebte(r).*

len OE lǽn f., NE loan, *Darlehen.* — lene, leane, lende OE lǽne, NE lend, give, *(ver)leihe.*

len OE lêan n., NE reward, *Lohn.*

lende OE lendenu pl. n., NE loin, *Lende.*

lende, p. lende, lent OE lende, NE land, arrive, dwell, *lande, komme an, bleibe.*

lende = lene s. len.

lene OE hlinige, hleonige, NE lean, incline, *lehne, stütze mich.*

lene, leane OE hlǽne, NE lean, thin, *mager.* — lenesse OE hlǽnness f., NE leanness, *Magerkeit.*

leng OE adv.; NE longer, *länger.* — lenge OE; NE prolong, stay, *verlängere, bleibe.* — leng(e)r(e), -o(u)r(e), -ur(e) OE lengra adj., NE longer, *länger.* — leng-est, lengust OE lengest, NE longest, *längst.* — lenghe OE leng(o) f., NE

length, *Länge.* — lengthe OE lengþ(o) f., NE length, *Länge.* — lengthe NE lengthen, *verlängere.*

lenge = longe, NE belong.

lente(n), lentoun OE lencten m., NE spring, Lent, *Lenz, Fastenzeit.* - lenten-tide OE lenctentîd f., = lente(n)

lenvoy OF l'envoi, NE; *Geleit, Schlußstrophe.*

leo, le(o)un OE lêo m. f., AN leoun, NE lion, *Löwe.* — leonesse OF lionnesse, NE lioness, *Löwin.* — leonin L -num; NE lionlike, *löwenartig.*

leopard = lepart.

leos Gr. λεώς, NE people, *Volk.*

i-leosed s. lose. | leoth = leth, NE song. | le(o)un s. leo. | leove pl. of lef, NE dear.

lepart, -rd OF lebard, leupard, NE leopard, *Leopard.*

lepe, p. lep, loup, lop, lepe(n), lopen, sbj. lope, pp. i-lope(n) OE hlêape, NE leap, run, *springe, laufe.* — lep(e) fr. the vb.; NE leap, *Sprung.*

lere, leor OE hlêor n., NE face, *Angesicht.*

lere, leare OE lǽre, NE teach, learn, *lehre, lerne.*

lere = lire, NE loss.

lereleke 142, 210 OE hlêor + ON lykkja, NE lock of face, *Wangenlocke.*

lerne, leorn(i)e OE leornige, NE learn, teach, *lerne, erfahre, lehre.* — lerning-knight OE leornungcniht m., NE disciple, *Schüler, Jünger.* — lerninge OE leornung f., NE learning, instruction, *Lernen, Lehre.*

les OF lesse, NE leash, *Leitriemen, Koppel.*

les OE lêas n., NE falsehood, lie, *Falschheit, Lüge.* — les OE lêas, NE false, *falsch.* — lesing OE lêasung f., NE falsehood, lie, *Falschheit, Lüge.*

les = lest 2 sg. of lete. | les = lasse, NE less.

lese OE lǽs, dat. lǽswe f., NE pasture, *Weide.*

lese, p. les, loste, lore(n), pp. i-lore(n), lorn OE (for)lêose, NE lose, *verliere.* — lesing(e) NE losing, loss, *Verlieren, Verlust.*

a-lese OE (â)lîese, NE release, *erlöse.* — a-lesnesse OE (â) lîesnes f., NE redemption, *Erlösung.*

lese OE; NE glean, *sammele (Ähren).* — lesing NE gleaning, *Ährenlesen.*

lesse, lesser = lasse, NE less. | less(en)e, lessie = lasse, NE lessen. | lessing = lassing s. lasse. | lessing = lesing s. les, *Lüge.*

lesso(u)n AN leçoun, NE lesson, *Vorlesung, Aufgabe, Unterweisung.*

lest = list. | lest 2 sg. of lete.

lest(e) fr. OE þӯ lǽs þe; NE lest, *aus Furcht, daß, damit nicht.*

lest(e), least OE lǽst, NE least, (am) ge-ringste(n), (am) wenigst(en).

leste = loste s. lese, NE lose. | ¹-leste =
laste. | lesten = listen. | lestin 152 432
= lestinde = lasting. | let 3 sg. of lede.
lete, leote, p. let(te), lat OE lǣte, NE
let, forsake, leave off, cause, judge, think,
esteem, *lasse (zu), verlasse, breche ab, ver-
ursache, urteile, denke, schätze.*
lete = lette. | letet = lete it.
leth, leoth OE lêoþ n., NE song, *Lied.*
lethebey OE leoþobiege, NE pliant,
unstable, *biegsam, wankelmütig.*
lether OE leþer n., NE leather, *Leder.*
lether = lither. | letre = letter.
lette OE; NE hinder, tarry, take care,
hindere, zögere, achte auf. — lette fr. the
vb.; NE hindrance, *Hemmung.* — lette-
game ME lette + OE gamen n., NE
one who hinders sport, *Spielverderber.* —
letting, -ung OE letting f., NE hin-
drance, *Hinderung.*
letter, -re, leattre OF lettre, NE letter,
Buchstabe, Schrift, Brief. — lettred NE
lettered, *gebildet, gelehrt.* — lettrure
OF lettreure, NE literature, learning,
Literatur, Bücherkunde.
letuarie AN; NE electuary, *Latwerge.*
leude = led, NE man. | leumon =
lem(m)an. | leute AN; = lealte.
leve OE lêaf f., NE leave, permission, *Er-
laubnis, Urlaub, Abschied.* — leve OE
lîefe, NE allow, *erlaube.* — leveful
NE permissible, *zulässig.*
leve OE (ge)lêafe m., NE belief, *Glaube.*
— ¹-leve OE gelîefe, NE believe, trust,
glaube, vertraue. — levunge NE believ-
ing, *Glauben.*
leve, p. left(e), lafte, pp. ¹-laft OE lǣfe,
NE leave, cease, remain, stay, *(ver)lasse,
höre auf, bleibe.* — leve of NE leave
off, *höre auf.*
leve fr. lef, OE lêaf n.; NE leaf, *bekomme
Laub.*
leve = live. | leve, leove = lef, NE dear.
| levedy = lady.
level OF livel, NE level, *Libelle (Wasser-
wage).*
levemon = lem(m)an.
levene, levin orig. obsc.; NE flash of
lightning, *Blitz.*
lever comp. of lef, NE dear. | leverd
= lord. | leves pl. of lef, NE leaf. |
levesel = lefsel s. lef, NE leaf. | lev-
ing = livinge. | lewe = lef, NE dear.
lew(ed), lewd OE lǣwed, NE like a lay-
man, ignorant, *laienhaft, unwissend.* —
lewednesse NE ignorance, *Unwissen-
heit.*
lewte = lealte. | lheste = liste. |
lho(ave)rd = lord.
liard OF; NE grey, *grau;* grey horse,
Grauschimmel.
libard = lepart. | lib(b)e OE libbe, = live.
libel OF; NE little book, *kleines Buch.*
libertee OF -té; NE liberty, *Freiheit.*

librarie OF librairie, NE library, *Bücher-
sammlung.*
licame OE lîc-hama m., NE body, *Körper,
Leib.* — licomlich OE lîc-hamlîc, NE
bodily, *körperlich.*
lik(e) cf. OE gelîc; NE like, likely, *gleich,
ähnlich, wahrscheinlich.* — likne fr. like
adj.; NE am alike, liken, *ähnele, mache
ähnlich, vergleiche.* — liknesse OE (ge)-
lîcnes f., NE likeness, parable, *Ähnlich-
keit, Ebenbild, Gleichnis.*
likkerwis = licorous.
like OE lîcige, NE please, thrive, like,
gefalle, gedeihe, habe gern. — liking,
-unge OE lîcung f., NE pleasure, *Lust.* —
liking NE pleasing, *angenehm.*
licence OF; NE; *Erlaubnis.* — licentiat
L -tum; NE licentiate, *Lizentiat.*
likerous = licorous. | liket = lik it.
lich OE lîc n., NE body, corpse, *Körper,
Leichnam.* — licham = licame. — liche-
blod OE lîc + blôd n., NE blood of the
body, *Blut des Körpers.* — lichewake
OE lîc + (niht)wacu f., NE watch over
a corpse, *Leichenwache.*
liche = like.
likly OE lîclîc, NE likely, *wahrscheinlich.*
— liklihed NE likelihood, *Wahrschein-
lichkeit, Vergleichung.* — liklinesse NE
likeliness, *Wahrscheinlichkeit.*
licom = licam.
licorice, licoris AN lycorys, NE liquo-
rice, *Süßholz.*
licorous AN *likerous, NE pleasant, lustful,
angenehm, lüstern. — licourousnesse
NE lecherousness, *Üppigkeit, Wollust.*
licour AN; NE liquor, moisture, *Flüssig-
keit, Feuchtigkeit.*
licwurthe OE lîcwierþe, NE agreeable,
angenehm.
lide OE hlŷda m., NE March, *März.*
lidy = lede.
li(e) OE lyge m., NE lie, falsehood, *Lüge.*
— liinge NE lying, lie, *Lüge(n).*
lie, ligge, 3 sg. lith, p. lay, laie(n), leie(n),
leg(h)e(n), pp. ¹-leie(n), lin OE licge, NE
lie, *liege.*
lie OF; NE lees, dregs, *Hefe.*
lie = lei(gh)e. | lief = lef, NE dear. |
liege = lige.
lien = len, *Lohn.* | liest 139, 213 = lighte,
Kommen.
lif OE lîf n., NE life, creature, *Leben, leben-
diges Wesen.* — lifday, -daz OE lifdæg m.,
NE (day of) life, *Leben(stag).* — lifly OE
lîflîc, NE lively, vivid, *lebendig.* — liflode
OE lîflâd f., NE way of life, means of
living, *Lebensweise, Lebensunterhalt.* —
lifsith OE lîf + sîþ m., NE lifetime,
Lebenszeit. — lifw(h)ile OE lîf + hwîl f.,
NE life-time, *Lebenszeit.*
lif(e), liffe = live. | liff = life.
lift OE lyft f. n. m., NE air, upper region,
sky, *Luft, Höhe, Himmel.*

lift OE; NE left, *link*.
lifte ON lypta, NE lift, *hebe empor.* — lift(inge) NE lifting, *Emporheben*.
lifve obl. of lif.
lige OF; NE liege, *verpflichtet, Lehnsmann, Untertan.* — ligea(u)nce AN; NE allegiance, *Lehnspflicht.* — ligelord OF lige + OE hlâford m., NE free lord, *Freiherr, Lehnsherr.* — ligeman OF lige + OE man(n), NE vassal, *Lehensmann*.
liȝe, lig(g)e = lie, *liege.* — lig(g)inge NE lying down, *Niederlegen*.
liȝe = leȝ(gh)e. | liggus = 3 sg. of ligge = *liege.* | lighame = licame.
light OE leoht, NE easy, joyous, nimble, *leicht, fröhlich, behend.* — lighte OE liehte, NE alleviate, feel light, descend, go, come, *erleichtere, fühle mich leicht, steige herab, falle herab, gehe, komme.* — a-lighte OE (a)liehte, NE alight, *steige ab.* — lightnesse NE lightness, agility, *Leichtigkeit, Gewandtheit.* — lightlich OE leohtlíc, NE easy, *leicht.* — light(e)ly, -liche, -like OE leohtlíce, NE lightly, quickly, slight(ing)ly, *leicht(lich), rasch, gering(schätzig).* — lihtshipe NE lightness, *Leichtigkeit, Schnelligkeit*.
light OE lêoht n., NE light, *Licht.* — light OE lêoht, NE bright, *glänzend, hell.* — lighte OE lêohte adv. = lighte OE liehte, NE shine, *leuchte.* — lightful(l) NE bright, *glänzend.* — lightles OE lêohtlêas, NE deprived of light, *lichtlos.* — lightne NE enlighten, *erleuchte.* — lightnesse OE liehtnes f., NE brightness, *Licht.* — lightning NE; *Blitz.* — lightsom NE lightsome, bright, *licht*.
liginge = liinge s. li(e), *Lüge*.
ligne OF; NE line, *Linie*.
liht = lith s. lie, *liege*.
lilie OE f.; NE lily, *Lilie.* — lili(e)-flour(e) OE lilie f. + OF flour, NE lily-flower, *Lilie*.
lilte orig. obsc.; NE lilt, *singe lustig*.
lim OE lim n., NE limb, *Glied*.
lim OE lim m., NE (bird) lime, mortar, (*Vogel-*)*Leim, Mörtel.* — lime OE limige, NE lime, cover with birdlime, catch, *leime, bestreiche mit Vogelleim, fange.* — limrod OE lim + rôd f., NE lime-twig, *Leimrute*.
limaille OF; NE filings, *Feilspäne*.
limere AN; NE hound held in leash, *am Band geführter Hund*.
limitacioun L -ationem; NE limitation, *Begrenzung.* — limitour cf. L limitatorem; NE friar licensed to beg for alms within a certain limit, *Bettelmönch*.
¹-limpen, p. ¹-lomp OE gelimpan, NE concern, happen, *betreffen, geschehen*.
lin 3 pl., inf., pp. of lie, *liege*.
linage OF; NE lineage, *Geschlecht*.
lind(e) OE f.; NE lime-tree, *Linde*.

line OE lin n., NE flax, linen cloth, *Flachs, Leinwand.* — line NE line, *füttere (urspr. mit Leinwand).* — lin(n)en OE linen, NE of linen, *leinen*; linen, *Leinwand*.
line OE line f., OF ligne, NE line, *Leine, Linie.* — lineright ME line + OE riht, NE in an exact line, *genau in einer Linie*.
line = lene, NE incline. | linger = lenger.
linne, p. lan OE linne, NE cease, desist, lose, *höre auf, lasse ab, verliere.* — linnunge NE cessation, *Aufhören*.
linx L; NE lynx, *Luchs*.
lio(u)n = le(o)un.
lippe OE lippa m., NE lip, *Lippe*.
lipse OE wlispige, NE lisp, *lispele*.
lire OE lyre m., NE loss, injury, *Verlust, Schaden*.
lire OE lira m., NE flesh, muscle, *Fleisch, Muskel*.
lire = lere, NE cheek, face. | lis = lith s. lie, *liege*.
lisse OE liss f., NE tranquillity, *Ruhe.* — lisse OE lissige, NE alleviate, soothe, *lindere, beruhige*.
list, lust OE hlyst m. f., NE sense of hearing, ear, *Gehör, Ohr.* — list(n)e, listene OE hlyste, hlysne, NE listen, *lausche, höre*.
list 2 sg. of lie.
liste OE list m. f., NE cunning, *List.* — listeliche OE listelíce, NE cunningly, *listig*.
liste OE líste f., NE hem, border, *Saum, Rand, Grenze*; listes pl. NE (place of) tournament, *Turnier(platz)*.
listen OE lystan, NE please, be pleased, desire, *gefallen, belieben, gelüsten, begehren*.
listow = liest (2 sg. of lie, *liege*) thou.
litarge OF; NE litharge, *Glätte*.
litargie OF; NE lethargy, *Schlafsucht*.
lite OE lȳt, NE small, little, few, *klein, gering, wenige.* — litel(l) OE lȳtel, NE little, *klein.* — litl(i)e OE lȳtlige, NE diminish, *nehme ab*.
literature OF; NE; *Literatur*.
litestere fr. ON litr 'colour'; NE dyer, *Färber*.
lith OE liþ n., NE limb, *Glied*.
lith ON lið, NE help, relief, *Hilfe, Linderung*.
lith = light. | lith s. lie.
lithe OE líþe, NE soft, gracious, *lind, sanft, gnädig.* — lithe OE líþige, NE alleviate, *lindere.* — litheliche OE líþelíce, NE gently, *in freundlicher Weise*.
lithe, p. lath, lithen, pp. lithen OE líþe, NE go, travel, *gehe, fahre, reise*.
¹-lithe ON hlȳða, NE listen, *lausche*.
lither OE lȳþre, NE bad, wicked, *schlecht, böse.* — litherly OE lȳþerlíce, NE wickedly, *auf böse Weise.* — lithernes OE lȳþernes f., NE wickedness, *Schlechtigkeit*.

litht = light. | litil(l), littel = litel. |
liun = le(o)un. | live obl. of lif.
live OE libbe, lifige, NE live, *lebe.*
livere NE one who lives, *Lebender, lebendes
Wesen.* — livinge NE (way of) life,
Leben(sweise).
lives OE lifes gen., NE in life, living,
lebendig. — lively = lifly.
livere OE lifer f., NE liver, *Leber.*
liveree AN liveré, NE allowance, livery,
Gewährung, (gelieferte Dienst-)Kleidung.
livi(h)e = live. | lixt = liest 2 sg. of
lie, *liege.*
lo! OE lâ (cf. also lôcian), NE lo! o! *siehe!*
lok fr. the vb.; NE look, *Blick.* — lok(i)e
OE lôcige, NE look, watch, observe,
pay heed to, take care, assign, *sehe,
blicke, bewache, beobachte, achte auf, hüte
mich, erkenne zu.* — loking NE look,
gaze, *Sehen, Blicken.*
lokk OE loc(c) m., NE lock of hair, *Locke.*
loke = louke. | i-loken pp. of louke.
lokes cf. OE loc n. 'conclusion'; NE
Whitsuntide, *Pfingsten.* — loksunday
OE loc + sunnandæg m., NE Whit-
sunday, *Pfingstsonntag.*
lode OE lâd f., NE act of leading, load,
Leitung, Last. — lodemenage OE lâd
+ OF menage, NE pilotage, *Führung.* —
lodesman cf. OE lâdman(n) m.; NE
pilot, *Führer.* — lodesterre OE lâd +
steorra m., NE lodestar, polar star,
Leitstern, Polarstern.
lodlich = lothly.
lof OE lof n., NE praise, *Lob.* — lofe OE
lofige, NE praise, *lobe.* — lof(t)song OE
lofsang m., NE song of praise, *Lob-
gesang.* — loufeword OE lof + word
n., NE word of praise, *Lobeswort.*
loft ON lopt, NE height, upper room, *Höhe,
oberes Zimmer;* on loft(e), NE on high,
in der (die) Höhe.
loftsong s. lof.
loʒ OE luh, Gæl. loch, NE loch, lake, pool,
See, Pfuhl.
loʒe = lowe, NE low, below. | logeð
= leʒed = lewed.
logge OF loge, NE lodge, dwelling-place,
Laube, Wohnstätte. — logge AN; NE lodge,
bringe unter. — logging NE lodging,
Behausung.
ogh OE lôg n., NE place, *Ort, Stelle.*
ogik OF logique, NE logic, *Logik.*
oht = loth.
loigne OF; NE tether, *Spannseil (für
weidendes Vieh).*
lolich = lothly. | lolley = lullay.
loller(e) fr. MD lollen '*singen*'; NE lollard,
loller, *Lollard, Landstreicher, Faullenzer.*
lomb = lamb.
lome OE (ge)lôma m., NE tool, vessel,
Werkzeug, Gefäß.
lome = ilome. | i-lomp s. i-limpen.

lon, lone OE lân f., NE loan, reward,
Lehen, Darlehen, Lohn.
lonk = long.
lond, l(o)and OE land, lond n., NE land,
Land. — londfolc OE landfolc n., NE
people of the country, *Landleute.* —
londiss NE native, *einheimisch.*
long, lang OE lang, long, NE long, *lang.* —
long(e), lang(e) OE lange, NE long,
lange; while, *während.* — long, lang
(up)on OE gelang, NE belonging to, due
to, dependent on, *anlangend, liegend an,
abhängig von.* — longe, lange OE langige,
NE long for, desire, grow long, reach
forth, belong, *sehne mich nach, wünsche,
werde lang, lange hervor, gehöre.* —
long(e)ing OE langung f., NE longing,
Sehnsucht.
longe OE lungen f., NE lung(s), *Lunge,*
longitude OF; NE; *Länge.*
lont = lond. | lop, lope, lopen s. lepe.
loppe OE lobbe f., NE spider, *Spinne.* —
loppewebbe OE lobbe + web(b) n.,
NE cobweb, *Spinngewebe.*
lord OE hlâford m., NE lord, *Herr.* —
lorde NE rule, *herrsche.* — lordehed =
lord(e)ship(e). — lordeles OE hlâford-
lêas, NE without a lord, *herrenlos.* —
lord-fest NE bound to a lord. —
lording OE hlâfording n., NE lord, *Herr.*
— lord(e)ship(e), -chip OE hlâfordscipe
m., NE lordship, the lords, *Herrschaft,
die Lords.* — lordswike OE hlâford-
swica m., NE traitor to his lord, *Hoch-
verräter.*
lore, loar OE lâr f., NE teaching, *Lehre.* —
larspell OE lârspel(l) m., NE sermon,
Predigt. — lortheu Laʒe OE lârþêow cf.
OE lârêow m.; NE teacher, *Lehrer.*
lorein OF; NE bridle-rein, *Zügel.*
lorel fr. loren pp. of lese, NE lose; NE
wretch, *verlorner, elender Mensch.*
i-lore(n), lorn(e) pp. of lese, NE lose.
lorer = laurer. | lort = lord. | lortheu
s. lore.
los OE n.; NE loss, *Verlust.*
los OF; NE praise, renown, *Lob, Ruhm.*
los ON lauss, NE loose, *lose.*
lose, p. losed. i-leosed, lost(e), pp. losed,
i-lost(e) OE losige, NE lose, *verliere.*
losenge OF; NE lozenge, *Rhombus, Ge-
bäck.*
losengere OF; NE flatterer, *Schmeichler.*
— losengerie OF; NE flattery, *Schmei-
chelei.*
losie = losed, lost pp. of lose. | losse
= los, NE loss. | lossom = lufsom s. love.
lost orig. pp. of losie; NE loss, *Verlust,*
lost = lust. | i-lost(e) s. lose.
lot OE hlot n., NE lot, *Los.*
lote ON lât, NE behaviour, gesture, sound,
word, *Benehmen, Gebärde, Laut, Wort.*
loth OE lâþ n., NE annoyance, injury,
Leid, Schaden. — loth OE lâþ, NE odious,

hostile, loath, *widerwärtig, verhaßt, feindlich, abgeneigt.* — ᵃ-loth(i)e OE (ā)lāþige, NE am hateful, detest, *bin verhaßt, hasse.* — lothly OE lāþlīc, NE hideous, *abscheulich.*

lotie cf. OE lûtige; NE lurk, *lauere.*

lott = lot. | lou s. laghe.

louke, p. lek, leac, luke(n), pp. i-loke(n), luken OE lûce, NE lock, (en)close, pull, (ver)schließe, umschließe, ziehe, reiße. — louking NE locking, closing, *Einschließung.*

louke orig. obsc.; NE accomplice, *Mithelfer.*

loud OE hlûd, NE loud, *laut.* — loude adv.

louf(e) = lof. | lough p. of laghe. | louly = low(e)ly. | lounge = longe. | loup = lep s. lepe.

loupe cf. MDu. lupen 'lurk'; NE loop-hole, *Öffnung, Schießscharte.*

lour fr. loure; NE frown, *finsterer Blick.* — loure cf. MLG lūre; NE frown, *blicke finster.*

lous = los.

lous, pl. lis OE lûs f., NE louse, *Laus.* — lousy NE full of lice, miserable, *voller Läuse, elend.*

lout fr. loute vb.; NE lout, *Tölpel, Lümmel.* — loute, p. let, loutede, lute(n), lutede(n) OE lûte, NE bow, adore, descend, *beuge mich, verehre, steige herunter.*

louwe = lowe.

love, luf OE lufu f., NE love, lover, *Liebe, Geliebte(r), Amor.* — love OE lufige, NE love, *liebe.* — loveknotte OE lufu + cnotta m., NE loveknot, *Liebesknoten.* — loveday OE lufu + dæg m., NE days for settling disputes by arbitration, *zu freundschaftlicher Ausgleichung von Zwistigkeiten bestimmter Tag.* — lovedaunger OE lufu + AN daunger, NE power of love, *Liebesmacht.* — lovedrinke OE lufu + drinca m., NE love-potion, *Liebestrank.* — lovedrury OE lufu + OF dru(e)rie, NE affection, *Minnedienst.* — lovelich OE luf(e)līc, NE lovely, loving, *lieblich, mit Liebe.* — loveliche OE luflīce, NE lovingly, *mit Liebe.* — lovelikinge OE lufu + līcung f., NE love, *Liebe.* — loveloker comp. of lovelich. — lovelonginge OE lufu + langung f., NE love-longing, *Liebessehnsucht.* — lovere NE lover, *Liebende(r).* — lovinge NE loving, *Lieben.* — lufsom, -sum OE lufsum, NE lovely, lovable, *lieblich, liebenswert.* — luvespeche OE lufu + sp(r)ǣc f., NE love-speech, *Liebesrede.* — luftalking OE lufu + ME talking, NE pleasant conversation, *angenehme Unterhaltung.* — lovewerk OE lufu + weorc n., NE work of love, *Liebeswerk.*

lovedy = lady.

lovely OE loflīc, NE praiseworthy, *lobenswert.*

loverd, -ird = lord. | loves pl. of lof. | loviere = lovere s. love.

loving OE lofung f., NE praise, *Lob, Preis.*

low OE hlâw m., NE hill, *Hügel.*

lowke = louke. | lowd = loud.

lowe ON logi sb., OSw. logha, NE flame, *flamme.* — lowande NE flaming, shining, excellent, *flammend, glänzend, hervorragend.*

lowe OE lâh, ON lāgr, NE low, *niedrig; below, unten.* — lowe NE make low, *mache niedrig, erniedrige.* — low(e)nesse NE low(li)ness, *Niedrigkeit.* — low(e)ly NE lowly, *demütig.*

lowe OE hlôwe, NE low, *brülle.*

lowe s. laghe. | lowie = love vb. | lowure = lower, *niedriger.*

luce OF lus, NE luce, pike, *Hecht.*

luke = loke.

lucre OF; NE; *Gewinn.*

lud = loud.

lüd(e) OE (ge)hlŷd n., NE sound, noise, *Laut, Geräusch.*

lüef = lef. | lufe = love. | luft = lift.

lüft cf. lift 'left'; NE worthless fellow, *nichtswürdiger Mensch.*

luite(l) = lite(l).

lullay, -ey cf. lulle; NE lullaby, *heiopopeio.* — lulle imit.; NE lull, *lulle ein.*

lüme = leme.

luna L; NE moon, silver, *Mond, Silber.* — lunarie AN; NE lunary, moonwort, *Mondraute.*

lurke cf. LG lurke, Norw., Sw. dial. lurka; NE lurk, lie hid, *lauere, verstecke mich.*

lure OF loerre, loirre, NE lure, *Köder.* — lure OF loirre, NE lure, *ködere.*

lure = loure. | lüre = lere. | lüre = lire.

lusheburgh fr. Luxemburg; NE spurious coin, *geringwertige Münze.*

lüsne = listne. | lussom, -um = lufsom s. love.

lust OE m.; NE desire, pleasure, lust, *Verlangen, Freude, Lust.* — lusty NE pleasant, gay, *Wohlgefallen erregend, lustig.* — lustihede NE cheerfulness, *Lustigkeit.* — lustinesse NE jollity, *Munterkeit.* — lustlike OE lustlīce, NE gladly, eagerly, *gern, eifrig.*

lust(en) = list(en). | lüt = lite.

lute OF lut, NE lute, *Laute.*

lüte = lite. | lütel, -il = litel. | lüther = lither. | lutl(i)e = litl(i)e s. lite. | luve = love. | luven = love sb. | luvie = love vb.

luxur(i)e OF luxurie, NE luxury, *Üppigkeit, Wollust.* — luxurious AN; NE luxurious, desirous, wanton, *üppig, begierig, mutwillig.*

M.

ma = make. | ma = man. | ma = mo.
macche OE gemæcca m., NE equal, consort, *Gleicher, Gatte.*
mace OF; NE mace, club, *Keule, Kolben.*
make, makie, makeʒe, p. makede, makked, mad(e), pp. ¹-maked, ⁻ʒad(e) OE macige, NE make, *mache.* — maker NE maker, author, *Schöpfer, Urheber.* — making OE macung f. NE making, poetry, *Machen, Dichtung.,*
make ON maki, = macche. — makeles NE matchless, *unvergleichlich.*
makiere = maker s. make, NE make.
mad, madde OE (ge)mæd(e)d, NE mad, *wahnsinnig.* — madde fr. the adj., NE make mad, become mad, *mache toll, werde toll.*
¹-mad pp. of make.
madame OF; NE madam, *ehrende Anrede einer Frau.*
madem, pl. madmes OE mâþm, mâdm m., NE treasure, *Schatz.*
mader OE mædere f., NE madder, *Färberröte.*
madin = maiden. | mae = mo.
mæi OE mæg m., NE kinsman, *Verwandter.*
mære = mere, NE famous. | mæst = mest. | mæte = mete, NE paint, dream.
ma fei! OF; NE my faith!, *meiner Treu!*
maʒ = may.
mageste(e) OF majesté, NE majesty, *Majestät.*
maght OE meaht f., NE might, *Macht.*
magik OF magique, NE magic, *Zauberkunst.* — magicien OF; NE magician, *Zauberer.*
magistrat L magistratum, NE magistracy, *Magistratswürde.*
magnanimitee OF -té; NE magnanimity, *Edelmut.*
magnesia ML; NE; *Magnesia.*
magnificence OF; NE; *Pracht, edle Denkungsart.*
magnifie OF; NE magnify, *vergrößere, verherrliche.* — magnifiing NE magnifying, *Vergrößern, Preisen.*
maheim AN mahaym, NE maim, maiming, *Verstümmelung.*
mahen, mahte s. may.
may, 2 sg. mai(e)st, mai(ʒ)t, maght, pl. mahen, mowen, muwen, sbj. mowe, muwe, p. mahte, mighte, mou(gh)t(e) OE mæg, NE may, am able, (ver)mag.
may cf. maiden; NE maiden, *Mädchen.*
may = my. | maid(e) = mad(e) s. make.
maide(n), -in OE mægden n., NE maiden, *Mädchen.* — maidenhed, -hod OE mægdenhâd m., NE maidenhood, *Jungfräulichkeit.* — meidelüre OE mægden + lyre n., NE loss of virginity, *Verlust der Jungfräulichkeit.* — maiden-

song OE mægden + sang, NE maidensong, *Mädchengesang.*
maigné = meine(e). | maiʒt = s. may.
maille, maile OF maille, NE mail, ringed armour, *Ring(el)panzer.*
maill-easse = malese.
maime OF mehaigne cf. maheim; NE maim, *verstümmele.*
main OE mægen n., NE strength, might, *Stärke, Macht.* — maindrink OE mægen + drinca m., NE strong drink, *kräftiger Trank.*
maine = mon, mone, NE moan. | mainé = meine(e).
maintene, -tei(g)ne fr. OF maintenir inf.; NE maintain, *erhalte, behaupte, unterstütze.* — maintena(u)nce AN; NE maintenance, *Unterstützung, Haltung.*
mair = more.
mair(e) OF maire, NE mayor, *Bürgermeister.* — mairaltee OF mairalté, NE mayoralty, *Bürgermeisteramt.*
mais = makes 3 sg. of make. | maist s. may.
maisondew OF maison Dieu, NE hospital, *Krankenhaus.*
maister, -ir, maistre OE mægester m., OF maistre, NE master, *Meister, Lehrer, Herr.* — maisterful NE masterful, *herrisch.* — maisterhunte maister + OE hunta m., NE chief huntsman, *Hauptjäger.* — masterman maister + OE man(n) m., NE master, *Herr.* — maisterstrete maister + OE strêt f., NE chief street, *Hauptstraße.* — maistertemple maister + temple, NE chief temple, *Haupttempel.* — maistertoun maister + OE tûn m., NE chief town, capital, *Hauptstadt.* — maistertour maister + OF tour, NE chief tower, *Hauptturm.* — maistre OF; NE master, lead, *meistere, führe.* — maistresse OF; NE mistress, *Lehrerin, Herrin.* — maistri(e) OF -ie; NE mastery, superiority, great skill, *Überlegenheit, Kunst.*
maistow = maist thou s. may. | majestee = mageste(e).
maladie OF; NE malady, *Krankheit.*
malapert OF; NE forward, *keck.*
male OF; NE mail, bag, wallet, *Sack, Tasche, Felleisen.*
male OF; NE; *männlich.*
malefice OF; NE evil contrivance, *Übeltat, Zauberei.*
malencolie AN; NE melancholy, *Schwermut.* — malencolik OF melancolique, cf. AN malencolious; NE melancholy, *schwermütig.*
malese AN; OF malaise, NE discomfort, sickness, *Ungemach, Leid.*
malgre = maugre.
malice OF; NE; *Bosheit.* — malicious AN; NE; *boshaft.*

malignitee OF -té; NE malignity, *Bos-heit.*

maliso(u)n AN; NE malediction, *Fluch.*

mall L malleum, OF mail, NE mall, hammer, *Schlägel, Hammer.* — malle fr. OF mailler, L malleare; NE strike with a mall, *hämmere.* — malliable OF malleable, NE; *hämmerbar.*

malone = me alone. | malt s. melte.

malt OE mealt n., NE malt, *Malz.*

maltalent OF; NE ill-will, ill-humour, *Übelwollen, schlechte Laune.*

malte = melte.

malvesie F malvoisie, NE malmsey, *Malvasier.*

mamele onomat.; NE chatter, *schwatze.*

man, pl. men OE man(n) mon(n), NE man, *Mann, Mensch;* man, me(n) with sg. of the vb., NE one, *man.* — mankin OE man(n)cyn(n) n., NE mankind, people, *Menschengeschlecht, Volk.* — mankinde, -kende OE man(n) + (ge)cynde f. n., NE mankind, *Menschheit, menschliche Natur.* — manferde OE man(n) + fierd f., NE army, people, *Heer, Volk.* — manhede, -hod, -hoth NE manhood, manliness, *Menschentum, Männlichkeit.* — manly OE man(n)līce, NE manly, *männlich.* — manliched(e), = manhede. — manlovinge OE man(n) + lofung f., NE praise of man, *Menschenlob.* — mannish cf. OE mennisc; NE human, *menschlich.* — manslaught(re), mon-sleiht OE mansleaht, -slieht m., cf. ON slāttr; NE manslaughter, murder, *Totschlag, Mord.* — montheu, -thew OE man(n)þeaw m., NE custom, *Sitte.* — monweored OE man(n)werod n., NE troop, *Schar.*

manace OF; NE menace, *Drohung.* — manace, -asce OF manace, NE menace, (be)*drohe.* — manasinge NE menacing, *Drohen.*

manciple = maunciple.

mankle cf. manicle; NE manacle, *lege Handfesseln an.*

mandement OF; NE command, *Befehl.*

mane = man.

maner OF manoir, NE manor, *Landsitz.*

maner(e) AN manere, NE manner, *Art und Weise, Manier.* — manerly NE well mannered, *manierlich, artig, fein.*

manferde s. man.

manger OF mangeure, NE manger, *Krippe, Trog.*

mangonel OF; NE machine for throwing stones, *Wurfmaschine.*

manhoth = manhede s. man.

many, -ie, manig OE manig, NE many, *manch, viel.* — manifold OE manig-feald, NE manifold, *mannigfalt.*

manicle OF; NE manacle, *Handfessel.*

manie OF; NE mania, *Tollheit.*

mani(e)re OF maniere, = manere.

manifest OF -te; NE manifest, *hand-greiflich, unzweifelhaft.* — manifeste OF; NE display, *zeige.*

manjour = manger.

a-manse OE āmānsumige, NE excom-municate, *banne.*

mansioun AN; NE dwelling, *Wohnung, Aufenthalt.*

mansuete OF mansuet, NE gentle, *sanft.* — mansuetude OF; NE gentleness, *Sanftmut.*

manteine = maintene.

mantel OF; NE mantle, cloak, *Mantel.* — mantelet OF: NE little mantle, *Män-telchen.*

mantena(u)nce = maintena(u)nce. | mantile = mantel. | manyour = manger.

mappemounde AN; NE map of the world. *Weltkarte.*

mapul OE mapultrêo n., NE mapletree, *Ahorn.*

mar = more.

marbel, -boll OF marbre, NE marble, *Marmor.* — marbleston OF marbre + OE stān m., NE marble-stone, *Mar-morstein.*

mark OE mearc f., NE mark, fixed spot, boundary, *Zeichen, bestimmter Fleck, Grenze.* — marke OE mearcige, NE mark, note, go, *bezeichne, (be)merke, gehe.* — merkscot fr. OE mearc + scêo-tan; NE distance between archery butts, *Scheibenschußweite.*

mark OE marc n., NE mark (coin), *Mark (Münze).*

market OE n.; NE *Markt.* — market-beter OE market + OF bateres, NE swaggerer in a market, *Marktbummler.* — marketplace OE market + OF place, NE market-place, *Marktplatz.*

marchal = marshal.

marcha(u)ndise AN; NE merchandise, barter, *Ware, Handel.* — marcha(u)nt, -aund, pl. auns AN marchaunt, NE merchant, *Kaufmann.*

marche OF; NE march, boundary, *Mark, Grenzland.*

marcial F martial, NE; *kriegerisch.* — marcien fr. L Martius; NE warlike, *kriegerisch.*

markis OF; NE marquis, *Markgraf.* — markisesse NE marchioness, *Mark-gräfin.*

mare = more, NE more. | mare = marre.

mare OE mearh m., NE mare, *Mähre, Pferd.*

mareis OF; NE marsh, *Sumpf(land).*

marescal = marshal.

margarete OF margarite, NE pearl, *Perle.*

marzen = morwe(n) cf. OE on marne.

margari(e) margerie OF margerie, = margarete.

margin OF -ine; NE margin, *Rand.*

22*

mary, marie OE mearg n. m., NE marrow,
Mark (medulla). — maribon OE mearg
+ bân n., NE marrow-bone, *Mark-*
knochen.

marie OF; NE marry, *vermähle (mich)*. —
mariage OF; NE marriage, *Vermählung.*
— mariing NE marriage, *Vermählung.*

1-marid pp. of mar(r)e.

mari(e)! NE marry! i. e. by St. Mary!
fürwahr!

mariner AN; NE; *Seemann.*

marjory = margerie.

marlepit OF marle + OE pyt(t) m., NE
marl-pit, *Mergelgrube.*

maro orig. obsc.; NE companion, *Ge-*
fährte.

mar(r)e OE mierre, NE hinder, injure,
hemme, (be)schädige, verletze.

marshal(e) OF mareschal, NE marshal,
Pferdeknecht,, Marschall.

martir OE martyr m., NE martyr,
Märtyrer. — martirdom OE martyrdōm
m., NE martyrdom, *Märtyrertum.* —
martire OF; NE martyrdom, *Märty-*
rertum. — martire OE martyrige, NE
martyr, *martere.*

marvaile = mervele. | mas = mace. |
mas(e) 3 sg. and 3 pl. of make.

maske OE max, NE mesh, *Masche.* —
mashe NE (en)mesh, *umgarne, umstricke.*

masculin OF; NE male, *männlich.*

mase fr. the vb; NE maze, error, labyrinth,
Verwirrung, Irrtum, Labyrinth. — a-mase
OE āmasige, NE amaze, *verwirre.* —
mased OE āmasod, NE bewildered, *ver-*
wirrt. — masednesse NE amaze, *Ver-*
wirrung.

maselin OF; NE maple-bowl, *Maser-*
becher.

masonrie OF maçonnerie, NE masonry,
Maurerei.

masse OE mæsse f., OF messe, NE mass
(eucharistic service), *Messe.* — messeboc
OE mæssebôc f., NE missal, *Meßbuch.* —
masseday OE mæssedæg m., NE mass-
day, *Festtag.* — massegere OE mæsse +
ON gervi, NE mass apparel, *Meßgerät.*
— mas(se)pen(n)y OE mæsse + pen-
ing m., NE penny for a mass, *Meß-*
pfennig. — messequile OE mæsse
+ hwîl f., NE time of the mass, *Messe-*
zeit.

mast OE mæst m., NE mast (of a ship),
(*Schiffs-*)*Mast.*

mast OE mæst m., NE mast (of beech),
Mast, Futter. — masty NE fattened,
wohlgenährt.

mast = most. | master = maister. |
masterte = me asterte. | mastry =
maistrie.

mat OF; NE weary, dejected, *matt, nieder-*
geschlagen.

mate! OF mat! NE checkmate!, *matt!*

mater(e) AN matere, NE matter, *Stoff,*

Gegenstand. — material OF -iel; NE
material (adj. and sb.), *stofflich, Stoff-*
liches.

mathe OE maþa m., maþu f., NE maggot,
Made.

mathek ON maðkr, = mathe.

mathelie OE maþelige, NE speak, talk,
spreche, schwatze.

mathinketh = me athinketh s. athinken.
| matiere = mater(e).

matin(e)s pl. OF; NE mat(t)ins, morning-
prayers, *Frühmesse.*

matrimoine OF; NE matrimony, *Ehe.*

maugre(e) OF; NE ill-will, ill reward,
böser Wille, übler Lohn. — at my maugre
NE in spite of me, *mir zum Trotz.*

maumet fr. Mahomet; NE idol, *Götze.* —
maumetrie NE Mohammedanism, ido-
latry, *Muhamedanismus, Götzendienst.*

maunciple AN; NE manciple, *Haushälter,*
Schaffner.

maundement = mandement. | maut =
mou(gh)te s. may.

mavis OF mauvis, NE song-thrush, *Sing-*
drossel.

mavise = me avise.

maw(e) OE maga m., NE maw, stomach,
Magen.

mawe = mowen s. may. | mawgrey =
maugre(e). | mazelin = maselin.

me OE mê, NE me, *mir, mich.* — to me-
ward OE tô mê + weard, NE towards
me, *nach mir hin.*

me = man (with sg.). | meay = mæi. |
meall = mall. | meathe = mathe.

mek, meok ON mjūkr, NE meek, tame,
sanft, zahm. — meke, meoke NE make
meek, *demütige.* — mekely, -lich NE
meekly, *sanft.* — mek(e)nes(se) NE
meekness, mildness, *Sanftmut, Güte.*

meche(l), mekill = mich(el).

med(e) OE mêd f., NE meed, reward,
bribery, *Miete, Lohn, Bestechung.* — mede
NE recompense, bribe, *belohne, besteche.*
— meding NE reward, *Lohn.*

mede OE medu m. n., NE mead (drink),
Met.

mede OE mêd f., NE mead, meadow,
Mahd, Wiese.

medele = medle. | meden = maide(n).

medewe OE mêdwe dat. of mêd f., NE
meadow, *Wiese.*

mediacio(u)n AN; NE mediation, *Ver-*
mittelung. — mediatour AN; NE me-
diator, *Vermittler.*

medicine OF; NE; *Medizin.*

medil = middel. | meding s. med.

medle OF; NE mix, meddle, fight, *mische*
(*mich ein*), *kämpfe.* — medle(e) OF
medlee, NE mingled, *gemischt*; medley,
mixture, fight, *Mischung, Handgemenge.*
— med(e)ling NE meddling, mixture,
Mischung. Einmischung.

medler OF; NE medlar, *Mispel(strauch).*

medwe = medewe. | mezelmas = Michel-
messe.

megre AN; OF maigre, NE meager, thin,
mager, dünn.

mey = may. | meide(n) = maide(n). |
meigne = maime. | meignee = mei-
ne(e). | 1-meind s. menge. | meine =
mene, NE mean adj. and vb.

meine(e) OF maisnee, meyné, NE house-
hold, family, retinue, *Hausgenossenschaft,
Familie, Gefolge.*

meinetene = maintene.

meinpernour AN; NE bail, security,
Bürge. — meinprise OF; NE security,
Bürgschaft. — meinprise fr. the sb.;
NE stand security, free by standing
security. *bürge, befreie durch Bürgschaft.*

meint- = maint-. | 1-meint s. menge. |
meire = mair(e). | meister = mister.
| meister, -tre = maister.

mel, mele OE mǣl n., NE meal, repast,
Mahl(zeit). — meltid OE mǣl + tîd
f., NE meal-time, *Essenszeit.*

melancolie OF; = malencolie. — melan-
colious cf. AN malencolious; NE me-
lancholy, *melancholisch.*

melk = milk. | meld pp. of melle = medle.

mele OE melu n., NE meal, flour, *Mehl.*

mele OE mǣle, NE speak, *spreche.*

melle = mille. | melle = medle.

melodi(e) OF -ie; NE melody, *Melodie.*
— melodious AN; NE; *melodisch.*

melte, p. malt, milte, molted, pp. 1-molte(n)
OE melte, NE melt, *schmelze.*

membre OF; NE member, limb, *Glied.*

memorie, -oire AN -orie; OF -oire; NE
memory, *Gedächtnis, Erinnerung.* — me-
morial L -alem; NE memorial, *zum
Andenken dienend.*

me(n) s. man.

mencioun AN; NE mention, *Erwähnung.*

mende vb. = amende. — mende, pl. (with
sg. meaning) mendes OF (a)mende, NE
amends, *Buße, Genugtuung.*

1-mende = 1-minde.

mendience OF; NE mendicancy, *Bettel-
stand.* — mendinant AN; NE mendicant
friar, *Bettelmönch.*

mendite = me endite.

mene OE gemǣne, NE mean, common,
gemein(sam). — mennesse OE gemǣnnes
f., NE communion, *Gemeinschaft.*

mene AN meen, meien, OE mean, middle,
mittel. — mene NE means, way, mezzo-
soprano, *Mittel, Mittelstimme.* — mene-
liche NE moderate, *mäßig.* — mene-
while AN meen + OE hwîl f., NE
meantime, *Zwischenzeit.*

mene fr. the vb.; NE complaint, *Klage.* —
mene OE mǣne, NE mean, say, moan,
meine, sage beabsichtige, (be)klage. —
meninge NE meaning, intention, me-
mory, knowledge, *Meinung, Absicht, Er-
innerung, Kenntnis.*

mene me OF (je) me mene, NE behave,
benehme mich.

mene = men pl. of man. | meneie =
meine(e). | menepernour = meinper-
nour. | mener (cf. OF meniere) =
manerli.

menes orig. pl. of mene; NE means, *Mittel.*

menge, pp. 1-meind, 1-meint OE menge,
NE mingle, mix, trouble (myself), *menge,
mische (mich ein), (be)trübe (mich).*

meny = many. | menie = meine(e). |
menis pl. of mene, NE complaint.

menivere AN meniver, OF menu ver, NE
miniver, *buntes Pelzwerk.*

mennesse ᴜ. mene, NE mean, common. |
mennis gen. pl. of man.

mennisk cf. OE mennisc, ON menska;
NE human, *menschlich.*

mensk(e) ON menska, NE kindness,
dignity, honour, *Güte, Würde, Ehre.* —
menske NE honour, secure honour, *ehre,
verschaffe Ehre.* — menske = menskful.
— menskful NE honourable, *anständig,
würdig.*

menstral = minstral. | 1-ment pp.,
ment(e) p. of mene.

mente OE minte f., L mentham, NE mint,
Minze.

menteine = maintene. | menuse OF; =
amenuse. | merk = mark, NE mark,
boundary. | merke = marke. | merke
= mirke. | mercement = amerciment.

mercenarie L -arium; NE mercenary,
Mietling.

mercerie OF; NE mercery, guild of the
mercers, *Krämerware, Krämergilde.*

merket = market.

mercy OF merci, NE mercy, thanks,
Gnade, Dank. — merciable OF; NE
merciful, *gnädig, barmherzig.* — merci-
ful(l) = merciable.

merciment OF; = amerciment. | merk-
nes = mirknesse. | merkscot s. mark,
NE boundary.

mercurie AN; NE mercury, quicksilver,
Quecksilber.

mere OE m.; NE lake, sea, sheet of
water, *See, Meer, Wasserfläche.* — mer-
maide OE mere + mægden n., NE
mermaid, *Meerweib.*

mere L merum, NE pure, simple, fine, *rein,
einfach, fein.*

mere OE miere f., NE mare, *Stute.*

mere OE mǣre n., NE boundary, *Grenze.*

mere OE mǣre, NE famous, glorious, *be-
rühmt.*

mery, merie, merinesse = miri(e), miri-
nesse.

meridian fr. the adj.; NE meridian,
Meridian, Mittagslinie. — meridian OF;
NE meridional, exact southern, *genau
südlich.* — meridie L meridiem, NE
midday, *Mittag.* — meridional OF;
NE; *genau südlich.*

merite OF; NE recompense, merit, *Lohn,
Verdienst.* — meritorie AN; NE meritorious, *verdienstlich.*

merlion AN merilun, NE merlin, small
hawk, *Zwergfalke.*

mermaide s. mere, NE lake. | merre =
marre. | merre = mirre.

mershy fr. OE mersc m.; NE marshy,
sumpfig.

mersorie 98,563 = mercerie L merceria,
NE place for merchants, *Kaufmannsviertel.*

merthe = mirthe.

merveil(l)e, -ail(l)e, -el(l) OF -eille; NE
marvel, *Wunder.* — merve(i)le OF merveille, NE marvel, *wundere mich.* —
merveil(l)ous, -aillous AN; NE marvellous, *wunderbar.* — merveillouse
adv.

mes AN; NE proper distance for shooting,
richtige Entfernung zum Schießen.

mes, messe OF mes, NE meal, dish, *Gericht, Schüssel.*

mesage = message. | mesaventer =
misaventure.

meschaunce AN; NE misfortune, *Mißgeschick.*

mesch(i)ef OF; NE misfortune, *Unglück.*
— meschevously cf. AN meschevous;
NE unfortunately, *unglücklicherweisc.*

mesel OF; NE leper, *Aussätziger.* —
meselrie OF meselerie, NE leprosy,
Aussatz.

message OF; NE message, messenger,
Botschaft, Bote. — messag(i)er, -ir OF
messag(i)er, NE messenger, *Bote.* —
messagerie OF; NE sending of messages, *Botendienst, Botschaft.*

messaile = me asaille. | messanger =
messager. | messe = masse. | messingere = messager.

messuage AN mesuage, NE messuage,
Vorwerk, Meierei.

mest(e), meast OE mæst, = most(e), NE
most.

mester, meoster = mister, NE service,
office. | mesuage = messuage.

mesure, meosure OF mesure, NE measure,
moderation, *Maß, Mäßigkeit.* —a mesure
F à mesure, NE to measure, *nach Maß,
passend.* — mesure OF; NE measure,
messe. — mesurable F; NE appropriate, moderate, *angemessen, mäßig.* —
mesuring NE measuring, *Messen, Maß.*

met, mete OE gemet n., NE measure (of
capacity), *Gemäß, Maß.* — mete, p.
mat, met, mete(n), pp. 1-mete(n) OE
mete, NE measure, *messe.* — meting
NE measuring, *Messen.*

metal OF; NE; *Metall.*

metamorphoseos = metamorphoseos
liber, NE the book of metamorphosis,
Metamorphosenbuch.

mete OE m., NE meat, food, *Nahrung,
Speise.*

mete OE gemæte, NE meet, befitting,
equal, *passend, gleich(stehend).* — metely
NE befitting, *passend.*

mete OE mæte, NE paint, dream, *male.
träume.* — meting OE mæting f., NE
dream, *Traum.*

1-mete OE (ge)mête, NE meet, *treffe, begegne.* — meting OE (ge)mêting f., NE
meeting, *Begegnung.*

meth, meath OE mæþ f., NE measure,
moderation, mercy, *Maß, Mäßigung,
Gnade.* — methful, meathful OE mæþful(l), NE moderate, modest, *maßvoll,
bescheiden.*

meth = mede, NE mead (drink).

metre, metir OF metre, NE; *Metrum.*

mette = mete, NE meat. | mette p. of
mete, NE meet.

meve, moeve OF mueve sbj., NE move,
bewege. — mevere NE mover, *Beweger.*
— meveresse NE female instigator, *Anstifterin.* — meving NE moving, motion,
Bewegen, Bewegung.

mevit = meve it. | to meward s. me.

mew(e) OF mue, NE mew (coop wherin
fowls were fattened), prison, (*Mast-)Stall
Gefängnis.*

mewet OF muet, NE mute, *stumm.*

mexcuse = me excuse.

my, min(e), dat. sg. f. minre, mire OE
mîn, NE my, mine, *mein.*

micche OF miche, NE small loaf, *kleines
Brot.*

miche(l), mik(el) OE micel, NE much,
great, *viel, groß.* — muchede(a)l(e) OE
micelne dæl, NE a great deal, *sehr viel.*

Michelmesse Michael + OE mæsse f.,
NE Michaelmas, *Michaeli.*

micher OF muchere, NE thief, *Dieb.*

mict = might.

mid, mide OE mid, NE with, *mit.* — midalle OE mid ealle, NE entirely, withal,
ganz und gar, dazu, daneben.

mid OE midde, NE middle. — midday OE middæg m., NE midday, *Mittag.*
— midde OE f.; NE middle, *Mitte.* —
midmorwe, -morn OE mid + morgen,
NE middle of the morning, *Mitte des
Vormittags.* — midnight OE midniht
f., NE midnight, *Mitternacht.* — midsomer, missomer OE midsumor m., NE
midsummer, *Sommersonnenwende.* — midsomernight OE midsumor + niht f.,
NE midsummernight, *Johannisnacht.* —
midwinter OE m.; NE midwinter,
Christmas, *Wintersonnenwende, Weihnacht.* — midwinternight OE midwinter + niht f., NE night before midwinter, Christmas, *Nacht vor der Wintersonnenwende, Weihnacht.*

mid(d)el, midel, -il OE middel m., NE
middle, waist *Mitte, Leibesmitte*; middle,

mittel. — middelerd, -ærd, -ert, -yerd, middulert OE middangeard, middaneard m., NE earth, world, *Erde, Welt.* — middelwey OE middel + weg m., NE middle way, *Mittelweg.* — middelworld OE middel + weorold m., NE world, *Welt.*
middesworld = middelworld s. middel.
| mieknesse = mekenesse s. mek. | mierthe = mirthe.
might, mict OE miht f., NE might, power, *Macht.* — mightful, -vol NE mighty, powerful, *mächtig, kraftvoll.* — mighty OE mihtig, NE mighty, *mächtig.*
mighte, mighth s. may. | mizte 112, 214 = mid te = mid the.
milk OE meolc f., NE milk, *Milch.* — milksop OE meolc + sopa, NE milksop, *Milchbissen, Weichling.* — milkewhit OE meolc-hwît, NE milkwhite, *milchweiß.* — milky wey cf. OE meolc + weg m.; NE the milky way, *Milchstraße.*
milce = mildse.
mild(e), milde OE; NE mild, gracious, *mild, gnädig, sanft.* — mildhertnesse OE mildheortnes f., NE mercy, *Gnade.* — mildse, milse OE milts, milds f., NE kindness, mercy, *Milde, Erbarmen.*
mile OE mîl f., NE mile, *Meile.* — milewey OE mîl + weg m., NE the average time for walking a mile, *Zeit, die man durchschnittlich für eine Meile braucht.*
mille OE mylen m., NE mill, *Mühle.* — millere NE miller, *Müller.* — mülnepost OE mylen + post m., NE millpost, *Pfosten, der die Mühle trägt.* — milneston OE mylen + stân m., NE mill-stone, *Mühlstein.*
millioun AN; NE million, *Million.*
milne = mille. | milse = mildse. | milte = melte. | min = my, minne.
minde OE gemynd f. n., NE mind, memory, *Sinn, Erinnerung, Gedächtnis.* — minde OE gemynde, NE mindful, *eingedenk.* — 1-minde OE gemynde, NE bear in mind, mention, *erinnere mich, bemerke.*
mine OF; NE a game with dice, *ein Würfelspiel.*
mine OF; NE dig a mine, *grabe eine Mine.* — minour AN; NE miner, *Bergmann.*
mine = my.
minie OE myn(dg)ige, NE remember, remind, *erinnere (mich), ermahne.* — minegunge OE myndgung, mynegung f., NE remembrance, *Erinnerung, Mahnung.*
ministral = minstral.
ministre OF; NE servant, minister, *Diener, Beamter, Geistlicher.* — ministre OF; NE minister, *diene, wirke.*
minne OE mynne, ON minna, NE intend, call to mind, remember, *beabsichtige, erinnere (mich).*

minstral, -el OF menestrel, NE minstrel, *Spielmann.* — minstralcie OF; NE minstrelsy, *Musik, Gesang.*
minte OE mynte, NE think, intend, point, *denke, beabsichtige, zeige.*
minute F; NE; *Minute.*
miracle OF; NE; *Wunder.*
mirke OE mirce, ON myrkr, NE dark, *dunkel.* — mirknesse NE darkness, *Dunkelheit.*
mire ON mýrr, NE mire, *Schlamm.*
mire = minre s. my.
miri(e) OE myrige, NE merry, *fröhlich.* — mirie OE myrge, NE rejoice, *freue mich.* — mirily adv. — mirinesse OE myrignes f., NE mirth, *Fröhlichkeit.*
mirour AN; NE mirror, *Spiegel.*
mirre OE myrre f., NE myrrh, *Myrrhe.*
mirthe OE myrgþ f., NE mirth, *Fröhlichkeit.* — mirthe NE give joy, *erfreue.* — mirtheles NE without mirth, *freudlos.*
a-mirthre OE (ā)myrþre, NE murder, *morde.*
mis cf. OE *mis(s) n. 'loss', ON missir m. f. 'loss'; NE wrong, evil, fail, *Unrecht, Übel, Fehl*; wrong, bad, *unrecht, schlecht.* — miss(e) OE; NE fail, lack, *verfehle, ermangele.*
mis = a-mis. | mis pl. of mous.
misacounte OE mis- + AN acounte, NE miscount, *berechne falsch.*
misa(u)nter, -tre = misaventure.
misaventure OF mesaventure, NE misadventure, *Unfall.*
misavise OE mis- + OF avise, NE advise amiss, act unadvisedly, *berate schlecht, handele unüberlegt.*
misbede OE misbêode, NE offend, *beleidige.*
misbere OE mis- + bere, NE misbehave, *betrage mich falsch.*
misbifalle, -bivealle OE mis- + befealle, NE happen unfortunately, *geschehe zum Unglück.*
misbileve cf. OE mis- + belîefe vb.; NE misbelief, suspicion, *Ungläubigkeit, Argwohn.* — misbileved OE mis- + belîefed, NE infidel, *ungläubig.*
miscarie OE mis- + OF carier, NE go amiss, *gehe übel.*
mischaunce = meschaunce. | mischef, -chief = meschief.
mischese OE mis- + OE cêose, NE choose ill, *wähle falsch.*
misknowinge fr. OE mis- + gecnâwan; NE ignorance, *Unwissenheit*; ignorant, *unwissend.*
misconceive OE mis- + OF conceive sbj., NE misunderstand, *verstehe falsch.*
misconstrue OE mis- + L construo, NE misconstrue, *mißdeute.*
miscounting fr. OE mis- + AN counter; NE fraudulent reckoning, *betrügerische Rechnung.*

misdede OE misdǣd f., NE misdeed,
Missetat.

misdeme OE mis- + dême, NE misjudge,
(be)*urteile falsch.* — misdeming NE
misjudgment, *falsches Urteil.*

misdeparte OE mis- + OF departe sbj.,
NE divide amiss, *teile falsch.*

misdo OE misdô, NE do amiss, sin,
handele, unrecht, sündige. — misdoere
OE mis- + dôere m., NE misdoer, *Misse-
täter.*

misdrawe OE mis- + drage, NE draw
aside, *ziehe auf die Seite.*

misericorde OF; NE mercy, *Barmherzig-
keit.*

miserie OF; NE misery, *Elend.*

misese AN mesese, OF mesaise, NE dis-
comfort, *Unbehagen.* — misese NE
trouble, *falle beschwerlich.*

misetente fr. OE mis- + OF atende; NE
attend ill, *besorge schlecht.*

misfalle OE mis- + fealle, NE suffer
misfortune, turn out ill, *habe Unglück,
gehe schlimm aus.*

misfare OE mis- + faru f., cf. misfaran;
NE misfortune, *Unglück.*

misfere OE misfêre, NE go astray, trans-
gress, *gehe in die Irre, frevle.*

misforyive OE mis- + forgiefe, NE mis-
give, *erfülle mit Zweifel.*

misgang, -geng OE mis- + gang m., NE
trespass, wrong way, *Verfehlung, falscher
Weg.*

misgie OF mesguie, NE misguide, *leite
falsch.*

misgilt OE mis- + gylt m., NE crime,
guilt, *Verbrechen, Schuld.*

misgo OE mis- + gâ, NE go astray, *gehe
in die Irre.*

misgovernaunce OE mis- + AN gover-
naunce, NE misconduct, *schlechtes Be-
tragen.*

mishap OE mis- + ON happ, NE mishap,
Mißgeschick. — mishappen NE meet
with misfortune, happen ill, *Unglück
haben, sich unglücklich treffen.* — mis-
happy NE unhappy, *unglücklich.*

misy cf. OE mêos m. 'moss'; NE quagmire,
Sumpf.

misiteotheged = mistithed pp.

mislede OE mislǣde, NE mislead, *führe
irre.* — misledinge NE misdirection,
Irreführung.

mislike OE mislîcige, NE displease, *miß-
falle.* — misliking OE mis- + lîcung
f., NE misliking, *Mißfallen.*

mislich OE mis(sen)lîc, NE various, *ver-
schieden.*

mislie OE mis- + licge, NE lie uncomfor-
tably, *liege schlecht.*

mislived OE mislîfd, NE of ill life, *von
schlechter Lebensführung.*

mismetre OE mis- + OF metre, NE scan
amiss, *skandiere falsch.*

mispaie OF mespaie, NE dissatisfy, *be-
friedige nicht.*

misproud OE mis- + prût, NE unwisely
proud, *unklugerweise stolz.*

misrede OE misrǣde, NE miscounsel,
berate schlecht.

miss(e) s. mis. | missedede = misdede.

misseie OE mis- + secge, NE speak evil,
rede Schlechtes.

mis-set OE mis- + (ge)set(t), NE mis-
placed, *unangebracht.*

misspeke OE missprece, NE speak
wrongly, *rede die Unwahrheit.*

mis(se)yeme OE misgîeme, NE neglect,
vernachlässige.

missitte OE mis- + sitte, NE am un-
becoming, inconvenient, *bin ungehörig,
unbequem.*

missomer = midsomer.

mist OE m.; NE; *Nebel.* — misty OE
mistig, NE misty, *neblig.* — mistihede
NE mystery, *Geheimnis.*

mist = might. | mist pp. of miss(e).

mistake ON mistaka, NE mistake, *begehe
ein Versehen.*

miste = mighte s. may.

mister, -ier OF; NE service, office, trade,
Dienst, Amt, Beschäftigung, Gewerbe. —
am mister NE am needful, *bin nötig.*
— have mister NE want, *habe nötig.*
— misterie ML mi(ni)sterium, NE
ministry, profession, *Dienst, Beruf.* —
mister men NE sort of men, *Art
Leute.*

mistide OE mistîde, NE turn out badly,
gehe übel aus.

mistithe OE mis- + têoþige, NE tithe
wrongly, *nehme unrechtmäßigerweise den
Zehnten.*

mistorne OE mis- + turnige, NE turn
aside, mislead, *lenke ab, führe irre.*

mistrust OE mis- + ON traust, NE
mistrust, *Mißtrauen.* — mistruste NE
mistrust, *mißtraue.*

misuse OF mesuse, NE misuse, *mißbrauche.*

miswanderinge OE mis- + wandriende,
NE erring, *irrend.*

miswey OE mis- + weg m., NE wrong
road, *falscher Weg.* — go miswey NE
go astray, *gehe falsch.*

miswende OE; NE go amiss, *gehe falsch.*

miswite cf. OE mis- + bewitige; NE
neglect, *vernachlässige.*

miswrite OE miswrîte, NE miswrite,
schreibe falsch.

mit = mid. | mit = mighte s. may.

mite OE mîte f., NE mite (insect), *Milbe.*

mite MDu. mite, NE mite (coin), morsel,
Heller, Bißchen.

mitein OF mitaine, NE mitten, glove,
(*Faust-)Handschuh.*

mithe OE mîþe, NE avoid, conceal, *ver-
meide, verberge.*

mithe = might. | mithe = mighte s. may.

mitre OF; NE; *Mitra, Bischofsmütze.* —
mitred NE; *mit der Mitra geschmückt.*
mitte 111,71 = mighte s. may.
mix OE meox, mix n., NE dung, *Dünger.*
mixen OE mixen(n), meoxen(n) f., = mix.
mo OE mâ (adv.), NE more, *mehr.*
moch(el) = michel. — mochel cf. OE
micelo f.; NE size, *Größe.*
mocioun AN; NE motion, *Bewegung.*
mokre cf. Sw. dial. mokka, Dan. dial.
mokke; NE heap up, *häufe auf.* — mo-
k(e)rere NE heaper up, *Aufhäufer.*
mod OE môd n., NE anger, mood, mind,
courage, *Zorn, Laune, Sinn, Mut.* —
mody OE môdig, NE highspirited, angry,
stolz, trotzig, zornig, mutig. — modilich
OE môdiglîce adv. — modinesse, mo-
dizness OE môdignes f., NE passion,
pride, *Leidenschaft, Stolz.*
moder, -ir OE môdor f., NE mother,
Mutter. — moderhede NE motherhood,
Mutterschaft.
moderation OF; NE; *Mäßigung.*
modifie OF; NE modify, *ändere.*
moeble OF; NE moveable, *beweglich*;
moveable goods, furniture, *Möbel.*
moede L modum, NE mood, strain (of
music), *Tonart.*
moeve = meve.
moevable OF movable, NE; *beweglich.* —
moevabletee OF movableté, NE mobi-
lity, *Beweglichkeit.*
moze = mowe s. may. | mou(gh)t(e) s.
may. | moin = mone, NE moon.
moisoun AN; NE measure, *Maß.*
moiste OF; NE moist, *feucht*; moisture,
Feuchtigkeit. — moisty NE new (applied
to ale), *jung (vom Bier).* — moisture
AN; NE; *Feuchtigkeit.*
mol, moal OE mâl n., NE speech, tri-
bute, *Sprache, Tribut.*
molde OE molde f., NE earth, dust, *Erde,
Staub.*
moleste F; NE molest, vex, *belästige.* —
molestie NE trouble, *Unannehmlichkeit.*
mollificacioun AN; NE mollification,
Erweichung.
molte = melte and i-molte(n) s. melte.
mome MLG; NE aunt, *Muhme.*
moment OF; NE; *Augenblick.*
mon OE man, mon, NE remember, intend,
think, will (fut.), *erinnere mich, beab-
sichtige, denke, werde (futurisch).*
mon = man. | mon = mone.
monk OE munuc m., NE monk, *Mönch.*
monche onomat.; NE munch, *kaue.*
moncün = mankin s. man.
mon(e) cf. OE mǽne; NE moan, complaint,
Klage. — mone fr. the sb.; NE moan,
complain, *klage.*
mone OE gemâna m., NE communion,
participation, *Gemeinschaft, Anteil.*
mone OE môna m., NE moon, *Mond.* —
mone(n)day, mounday OE môn(an)-

dæg m., NE Monday, *Montag.* — mone-
light OE môna + lêoht n., NE moon-
light, *Mondschein.*
monek = monk.
monege OE manige, NE mention, remind,
erwähne, erinnere.
moneie OF; NE money, *Geld.* — moniour
OF mon(n)ier, -oier, NE moneyer, mo-
ney-changer, *Münzer, Geldwechsler.*
moneste OF; NE admonish, *ermahne.*
monet = moneth.
moneth OE mônaþ m., NE month,
Monat.
mong OE gemang, gemong n., NE mixture,
crowd, *Gemisch, Schar.* — monge OE
mangige, NE trade, *handele.*
moni(e) = many. | moniour s. moneie. |
monsleiht = manslaught(re) s. man.
monstre F; NE monster, *Wunder, Un-
geheuer.* — monstrous AN; NE; *unge-
heuer.*
montaigne = mo(u)ntaigne. | mon-
ta(u)nce = mo(u)nta(u)nce. | month =
moneth. ¦ montheu, pl. monthewes s.
man. | monthus pl. of month. | mon-
weored s. man.
mop orig. obsc.; NE baby, *Kind.*
mor OE môr m., NE moor, heath, *Moor-
(land), Heideland.*
moral OF; NE; *moralisch.* — moralitee
OF -té; NE morality, *Moral.*
morder, -dre OE morþor n. m., NE mur-
der, *Mord.* — mordre, mourdre OE
myrþre, cf. morþor; NE murder, *ermorde.*
— mordrer NE murderer, *Mörder.* —
mordring OE myrþrung f., cf. morþor;
NE murdering, *Morden.*
mor(e) moare OE mâra, -e, NE more,
greater, *mehr, größer.* — moreover OE
mâre + ofer, NE moreover, *überdies.*
more OE f.; NE root, carrot, *Wurzel,
Möhre.*
moren, morge(n)- = morwe(n)-.
mormal cf. OF mal mort; NE sore, gan-
grene, *wunde Stelle, Brand.*
morne OE murne, NE mourn, *trauere.* —
morning NE mourning, *Trauer(n).*
morne = morwe(n). | morning = mor-
weninge. | morow = morwe(n).
morsel OF; NE; *Bissen.*
mortal OF mortel, -al; L -alem; NE
mortal, deadly, *sterblich, tödlich.*
morter OE mortere m., OF mortier,
NE mortar (vessel), night-lamp, *Mörser,
Nachtlampe.*
morth OE morþ n., NE murder, *Mord.*
morther, morthre = mordre. | mortiel
AN; = mortal.
mortifie OF; NE mortify, *ertöte.* —
mortificacion F -ation; L -ationem;
NE mortification, *Ertötung.*
mortrer = mordrer.
mortreux OF; NE thickened soups or
pottages, *dicke Suppen.*

morwe(n) OE morgen, NE morning,
morrow, *Morgen, morgiger Tag.* — mor-
weninge, morueninge NE morning,
Morgen. — morgesclep OE morgen +
slêp m., NE morningsleep, *Morgenschlaf.*
— morwesong OE morgen + song, NE
morning-song, *Morgenlied.* — morwe-
tid(e) OE morgentîd f., NE morningtime,
Morgenzeit.

mos OE n.; NE moss, *Moos.*

mosel OF musel, NE muzzle, *Schnauze.*

mossel = morsel.

most(e) OE mêst, dial. mâst; NE most
(adj. and adv.), highest in rank, greatest,
(am) *meist(en), höchst, größt.*

most(e) s. mot, NE must.

mot F; NE bugle-note, *Hornstoß.*

mot, mote, p. most(e), must(e) OE môt,
NE must, may, *darf, muß, mag.*

mote OE mot n., NE mote, atom, *Sonnen-
stäubchen, Atom.*

mote L motum, NE motion, *Bewegung.*

mote OF; NE moat, castle, *Wallgraben,
Schloß.*

mote OE môtige, NE speak, dispute, plead,
spreche, streite, verteidige. — moting OE
môtung f., NE dispute, pleading, *Streit,
Verteidigung.*

mot(e)halle OE gemôt n. + heal(l) f., NE
hall of meeting, *Versammlungshalle.*

mothe = moᵘ(gh)te s. may.

motif OF; NE motive, idea, notion, *Motiv,
Meinung, Ansicht.*

mot(o)un AN; NE mutton, *Hammel.*

motre = muttre. | mott(e) = mot, NE
must.

mottelee, -eie orig. obsc.; NE motley adj.
and sb., *bunt; buntes Narrenkleid.*

motthe OE moþþe f., NE moth, insect,
Motte, Insekt.

moue = mowe s. may. | moul (for mould)
= molde.

moule fr. ON *mugla; NE mould, *werde
schimmelig.*

mounday = mone(n)day. | mouns pl. of
mount.

mount AN; NE mount(ain), *Berg.* —
mounte AN; NE mount, *steige.* —
mo(u)ntaigne, mountain, -ein AN;
NE mountain, *Berg.* — mo(u)nta(u)nce
AN; NE amount, value, *Betrag, Wert.*

mourdaunt AN; NE chape, or metal
tag. at the end of a girdle, *Schnallen-
haken.*

mourdre = mordre. | mourn- = morn-.
| mourthere = mordre.

mous, pl. mis OE mûs f., NE mouse,
Maus. — mouse NE catch mice, *fange
Mäuse.*

moustre OF; NE pattern, *Muster.*

moute = moᵘ(ght)e s. may.

mouth OE mûþ m., NE mouth, *Mund.* —
mouthe NE speak, *spreche.*

mouth, mout(h)e = moᵘ(gh)te s. may. |
mouwe = mowe. | move cf. OF movoir
inf. = meve. | movit pp. of move. |
mow(e) = mowen s. may.

mowe OE mâwe, NE mow, *mähe.*

mowe OF moue, NE grimace, *Grimasse.*

mowinge cf. OE we magon, mugon; NE
ability, *Vermögen, Fähigkeit.*

mownt = mount. | mowrn- = morn-.
| mowth = mouth.

moxist = moᵘghte it s. may.

mucel, muche(l), -ele, -il = michel. | mud
= mouth.

mue OF; NE moult, *Mauser;* change, *ver-
ändere.* — muable OF; NE mutable,
changeable, *veränderlich.*

muffe = move. | muge, muʒe, mughe =
muwe s. may. | mugh(t)e = moᵘ(gh)t(e)
s. may. | muinde = minde. | muis =
mous.

mullok cf. moul; NE refuse, *Abfall, Müll.*

mülne = mille. | ¹-multe OE mielte,
= melte.

multiplie OF; NE multiply, *vervielfältige.*
— multiplicacioun AN; NE multipli-
cation, *Vervielfältigung.* — multipliing
NE multiplying, *Vervielfältigung.* —
multitude OF; NE; *Menge.*

mund OE f.; NE hand, protection, *Hand,
Schutz.*

münde = minde.

münechene OE mynecen(u) f., NE nun,
Nonne.

mune = minie. | munenday = monenday.
| munie = minie. | munegunge =
minegunge. | münne = minno. | ¹-munt
= ¹-ment. | münte = minte. | mur =
mor. | mürgest superl. of miri(e). |
mürhthe = mirthe. | müri- = miri-.

murmure OF; NE murmur (sb. and vb.).
Murmeln, murmele. — murmuracioun
AN; NE murmuring, *Gemurmel.*

murne = morne.

murre, murreie OF moré, NE murrey-
coloured, purple, *maulbeerfarbig, purpurn.*

mürthe = mirthe. | murthre = morder.
| ª-murthre = ª-mirthre or mordre.

mus, muis = mous. | musard(e) s. muse
vb.

muscle OE mûs(c)le f., NE mussel,
(*Mies-)Muschel.*

muse F; NE muse, poetic faculty, *Muse,
dichterische Fähigkeit.*

muse OF; NE muse, consider, gaze, *be-
trachte, blicke.* — musard(e) OF -ard;
NE dreamer, *Träumer.*

musike, -ice F musique, NE music,
Musik. — musicien OF; NE musician,
Musiker.

mustard(e), -art OF moustarde, NE
mustard, *Senf.*

must(e) s. mot. | mut = mot.

mutable L mutabilem, NE mutable, *ver-
änderlich.* — mutabilitee F- -té; NE;

changefulness, *Veränderlichkeit.* — mu-
tacioun AN; NE transformation, change,
Veränderung.
muth = mouth.
muttre onomat. cf. L muttire; NE mutter,
murmele.
muwe = mue. | muwe = mewe. | muwe,
-en, -un s. may. | muwet = mewet. |
mwd = mod.

N.

na = ne. | na = no. | nabbe = ne habbe
= ne have.
nake fr. naked; NE make naked, *entblöße.*
— naked, -id OE nacod, NE naked,
nackt. — nakednesse OE nacodnes f.,
NE nakedness, *Nacktheit.*
naker OF nacaire, NE sort of drum, *Art
Trommel.*
nacheveth = ne acheveth.
nacioun AN; NE nation, *Nation.*
nacoleth = ne a-coleth 3 sg. of a-cole. |
| nadde, nad(e) = ne hadde, NE had
not, *hatte nicht.*
naddre OE nǣd(d)re f., NE adder, *Natter.*
nadir F; NE; *Nadir.*
nadistou, nadstow = ne hadst thou. |
n æ z (z) l e d (d) = nazled. | n æ s = nas =
ne was. | n æ v e r e = never. | n a f = ne
have. | n a g h t = naught. | n a z l e = naile.
nai ON nei, NE no, not, *nein, nicht;* with-
outen nay OE wiþûtan + ON nei, NE
without contradiction, *ohne Widerrede.*
nail OE nægel m., NE nail, *Nagel.* — naile
OE næglige, NE nail, *nagele.*
naime = name.
nait ON neytr, NE useful, vigorous, *nütz-
lich, kräftig.* — naitly NE cleverly,
quickly, *geschickt, schnell.*
naite ON neita, NE deny, *leugne ab.*
nalde = ne walde.
atte nale OE æt þǣm ealoþ, NE at the
ale-house, *im Bierhause.*
nam = nom s. nime. | nam = ne am.
name OE nama, noma m., NE name, *Name.*
— name OE namige, NE name, *nenne.*
— nameles NE nameless, without re-
nown, *namenlos, ruhmlos.* — namely,
nameliche NE namely, especially, *nament-
lich.*
namen = nome(n) s. nime. | namo(re)
= no mo(re). | nan = non, NE none.
| nanne acc. sg. m. of nan = non.
nappe fr. the vb.; NE nap, *Schläfchen.* —
nappe OE hnappige, NE nap, slumber,
schlummere.
nar = ner.
narcotik OF narcotique, NE narcotic, *Be-
täubungsmittel.*
nard = ne art. | narette = ne arette.
naro(we) OE nearo, adv. nearwe, NE
narrow(ly), close, *eng.* — narruliche OE

nearolīce, NE narrowly, niggardly, *eng,
knauserig.*
nart = ne art. | narwe = naro(we). | nas
OE; = ne was. | nase = nose. | nassai-
eth = ne assaieth. | nasse = ne was.
| nastu = ne hast thou. | nat = ne at. |
nat = nought. | nat = ne wot.
natal L -alem; NE of birth, *Geburts-.*
nately = naitly. | nath = ne hath. | na-
theles = notheles s. no. | nathing =
nothing.
natif OF; NE native, *angeboren.* — na-
tivite(e) OF -té; NE nativity, birth,
Geburt.
nature OF; NE; *Natur.* — naturel OF;
NE natural, *natürlich.*
naught = nought. | nauther = nother.
nave OE nafu f., NE nave (of a wheel),
Nabe. — navele OE nafela m., NE navel,
Nabel.
naver = never. | naveth, navid =. ne
haveth.
navie OF; NE navy, *Flotte.*
nawght, nawiht, nawt OE nâwiht, nâ(u)ht,
NE naught, worthless, *Null, unnütz.*
nawre = nowher. | nawther = nother.
| naxe = ne axe.
ne OE; NE not, nor, *nicht, noch, auch.*
neavele = navele.
neb OE neb(b) n., NE beak, face, *Schnabel,
Angesicht.* — nebshaft, nebsseft OE
neb(b) + sceaft f. n., NE face, *Antlitz.*
nek(ke) OE hnecca m., NE neck, *Nacken.*
— nekkebon OE hnecca + bân n., NE
neck-bone, *Halswirbel.*
neked ON nekkvat, NE little or nothing,
wenig oder nichts.
nece AN; NE niece, *Nichte.*
necesse L -sso; NE compel, *nötige.* —
necessarie AN; NE necessary, *not-
wendig.* — necessitee OF -té; NE ne-
cessity, *Notwendigkeit.*
necligence = negligence. | necligent =
negligent.
nedde = nadde. | nedde, neodde p. of
neden, NE compel. | neddi = ne had I. |
neddre = naddre.
ned(e), neod(e) OE nîed f., NE need, ex-
tremity, *Not.* — nede OE nîede, NE
necessarily, *notwendigerweise.* — ned(e)-
ful NE needful, needy, *notwendig, dürftig.*
— ned(e)les NE needlessly, *unnötig.* —
nedely OE nîedlīce, NE of necessity, *not-
wendigerweise.* — neden OE nîedan, NE
compel, be necessary, *nötigen, nötig sein.*
— nedes, -is OE nîedes, NE needs, *not-
wendigerweise.* — nedescost OE nîedes
+ ON kostr, = nedes. — nedewais OE
nîedes + weges, = nedes. — nedful,
neodful = ned(e)ful. — nedy NE needy,
bedürftig. — nedings OE nîedinga + s,
= nedes. — nedly = nedely.
nedle, nedill OE nǣdl f., NE needle, *Nadel.*
nefere = never.

neforthie OE ne + forþ$\hat{y}$, NE never-
theless, *nichtsdestoweniger.*

negardie = nigardie.

nei^l(gh), nei^{l}z, neh, ni(gh) OE nêah, NE
nigh, nearly, almost, *nahe, fast.* —
nei^l(gh)e OE genêhwige, NE draw nigh,
nähere mich. — nei^l(gh)ebour, -bor,
-bur, nei^{l}ghtbo(u)r, -bur OE nêah(ge)bûr
m., NE neighbour, *Nachbar.*

negligence OF; NE; *Nachlässigkeit.* —
negligent OF; NE; *nachlässig.*

neid = nede. | neie = nei^l(gh)e.

neither OE ne + æg(hwæ)þer, NE neither,
keiner von beiden. — neither .. ne (nor)
NE neither .. nor, *weder .. noch.*

nel(e) = nil. | neltou = nilt (2 sg. of nil)
thou. | neme, neome = nime. | neme
= nem(p)ne. | nemly = nimly s. nimel.

nem(p)ne, nemme OE nemne, NE name,
tell, *nenne, erzähle.*

nen = non, NE no.

at the nende OE æt þæm ende, NE at the
end, *am Ende.*

nenforce = ne enforce. | nenne s. non,
NE none, no. | nentendement = ne
entendement.

nenvie! = ne envie!, NE envy not! *beneide
nicht!*

neoucin = noucin.

nep OE hnæp(p) m., NE cup, bowl, *Schale,
Napf.*

ner OE nêar, NE near, nearer, *nahe, näher.*
— nerehande, -handis OE nêar +
hand f.; NE almost, *beinahe.*

ner = never. | ner = nor. | nerkotik =
narcotik. | nere, neore = ne we(o)re s.
am. | nere = never. | nere = ner, NE
near.

nerf OF; NE nerve, sinew, *Nerv, Sehne.*

nerre comp. of ner, NE near. | nes = nas. |
nescapest = ne escapest.

nese, nease, neose OE næs- = nose. —
nesegristle OE næsgristle f., NE nose-
gristle, *Nasenknorpel.*

nesh(e) OE hnesce, NE soft, tender, *weich,
zart.* — neshhed, nesshede NE softness,
Weichheit.

nest OE n.; NE; *Nest.* — neste OE nist-
(ig)e, NE build a nest, nest, *baue ein
Nest, niste.*

nest = nexte. | neste = ne wiste. | nes-
tes = nestest 2 sg. of neste.

net OE net(t) n., NE net, *Netz.*

net, neth OE nêat n., NE neat, cattle, *Vieh.*
— net-herde OE nêat + hierde m.,
NE neat-herd, *Rinderhirt.*

netel = netle. | netheles = notheles s. no.

nether OE niþerra, neoþerra, NE lower,
nieder. — netherest NE lowest, *niederst.*

netle OE net(e)le f., NE nettle, *Nessel.*

neu(e) = new(e). | neuly, -lic, -liche =
neweliche.

neve ON hnefi, NE fist, *Faust.*

nevede = ne hevede = ne had.

nevene ON nefna, NE name, tell, *nenne,
erzähle.* — nevene fr. the vb.; NE name,
Name.

never, nev(e)r(e) neaver, nevir OE næfre,
NE never, *nie.* — neveradel OE
næfre + ânne dæl, NE not a bit, *nicht
ein bißchen.* — nevermo(re) ,-mare OE
næfre + mâ(re), NE never again, not at
all, *niemals wieder, durchaus nicht.* —
nevertheles OE næfre + þ$\hat{y}$ læs, NE
nevertheless, *nichtsdestoweniger.*

nevew OF neveu, NE nephew, *Neffe.*

nevin = nevene. | nevir = never.

new(e), neow(e) OE nêowe, nîwe, NE new,
neu. — newe OE nîwe adv. — newe OE
nîwige, NE renew, *erneue(r)e.* — newe-
fangel OE nîwe + fangol fr. fangen
pp. of fôn; NE fond of novelty, *neuerungs-
liebend.* — newfangelnesse NE fond-
ness for novelty, *Neuerungssucht.* —
neweliche OE nîwelîce, NE newly, re-
cently, soon, *neuerdings, bald.* — newe-
thought OE nîwe + geþoht m., NE
inconstancy, *Unbeständigkeit.* — newe-
yer OE nîwe + gêr n., NE new-year,
Neujahr. — neweyersday OE nîwe +
gêres + dæg m., NE new-year's day, *Neu-
jahrstag.*

newede = ne hevede = ne had. | newer,
newir = never. | newffe = neve. |
newin = nevene.

nexte OE nîehsta (cf. nei^{l}gh), NE next,
last, nearest, *nächst, letzt.*

ny = ne. | ny = nei^l(gh). | ny = ne I.

nice OF; NE foolish, *töricht.* — nicetee
OF -té; NE folly, *Torheit.*

nicke = nekke. | nichbowr = nei^l(gh)e-
bour. | nie, niez = nei^l(gh).

nifle OF; NE trifle, *Kleinigkeit, Lappalie.*

niz = nei^l(gh).

nigard cf. ON hnoggr; NE niggard(ly),
Geizhals, geizig. — nigardie NE miser-
liness, *Geiz.*

nigethe = ninthe. | nigh = nei^l(gh).

night OE niht f., NE night, *Nacht.* —
nightcappe OE niht + cæppe f., NE
nightcap, *Nachtmütze.* — nightegale =
nightingale. — nighten NE become
night, *Nacht werden.* — by nightertale
cf. ON nättartal; NE by night, *nachts.*
— nightingale OE nihtegale f., NE
nightingale, *Nachtigall.* — nightspel
OE niht + spel(l) n., NE night-spell,
night-incantation, *Nachtsegen.*

nigne = nine.

nigromancien OF; NE necromancer,
Schwarzkünstler.

nizth = night. | nih = nei^l(gh). | nihe =
nine.

nil, 3 pl. nolleth, p. nolde, nulde OE nylle
= ne wille, NE will not, *will nicht.* —
nilling OE ne + gewillung f., NE refus-
ing, *Nichtwollen, Verweigern.*

nime, p. nom, nome(n), neme(n), pp.
¹-nome(n) OE nime, NE take, go, *nehme,
gehe*. — nimel fr. OE niman cf. numol;
NE nimble, *gewandt*. — nimly adv. —
niminge OE niming f., NE taking, *Neh-
men*.

nin = ne in.

nine OE nigon, NE nine, *neun*. — nintene
nigontîene, NE nineteen, *neunzehn*. —
ninthe ME nine + -the cf. OE nigoþa;
NE ninth, *neunt*.

nipe OE hnipige, NE nap, slumber, *schlum-
mere*.

nip(e) cf. MDu. nipe; NE nip, *kneife ab,
nehme weg*.

nis = ne is. | nise = nice. | niste NE
knew not s. not.

nith OE nîþ m., NE contention, envy,
hate, *Streit, Neid, Haß*. — nithful OE
nîþful(l), NE malicious, *boshaft*.

nith = night.

nivele orig. obsc.; NE look downcast,
snivel, *sehe niedergeschlagen aus*.

niwe = new(e). | ny-wrthe = ne ¹-wor-
the. | nixt = next.

no OE nâ, NE not, no, *nicht*. — notheles
OE nâ + þŷ (or þê) lǽs, NE nevertheless,
nichtsdestoweniger. — nowher, -whare
OE nâhwǽr, NE nowhere, not at all,
nirgends, durchaus nicht.

no = ne. | no s. non.

noble, nobil(l) OF noble, NE noble, *edel*;
gold coin (6 s. 8 d.), *Goldmünze*. — noble
NE ennoble, *adele*. — noblei(e) AN
nobleie, NE nobility, *Adel*. — noblesse
OF; NE nobleness, *Adel, Edelmut*. — nob-
ly, -liche NE nobly, *in edler Weise, edel*.

nok orig. obsc.; NE nook, corner, *Ecke,
Winkel*.

nokke cf. MDu. nocke; NE notch, *Kerbe*.
— nokked NE notched, *gekerbt*.

noch(t) = nought.

nodde orig. obsc.; NE nod, *nicke*.

noe = no. | noen = non, NE noon. | nof
= ne of.

nought, nouȝth, nohut OE nô(wi)ht, NE
nought, not, *Nichts, nicht*. — nought
forthy OE nô(wi)ht + forþŷ, NE
notwithstanding, *nichtsdestoweniger*. —
noughtwithstanding, -stonding OE
nôwiht + wiþstandende cf. OF nonob-
stant; NE notwithstanding, *nichtsdesto-
weniger*.

nohwer = nowher s. no. | noy, noie,
noious = anoy, anoie, anoious. | noine
= non, NE noon.

nois(e) OF noise, NE; *Lärm, Gezänk, Ruf*.
— noise OF; NE make a noise, *mache
Lärm*.

noise = nose. | noither = nother. |
nolde, nolleth s. nil. | nom s. nime.
| nombre = numbre. | nome = name. |
nome(n), ¹-nome(n) s. nime. | nomo(re)
= no mo(re).

non, noan, acc. sg., pl. nenne OE nân, NE
none, no, not, *kein, nicht*. — nonesweis
OE nânes weges, NE on no account,
keineswegs.

non(e) OE nôn n., NE noon, mid-day,
Mittag.

for the nones OE for þǽm + ânes, NE
for the nonce, *für den Augenblick, für
diesen Zweck*.

nonne = nunne.

nor OE nâhwæþer, NE nor, *noch*.

nores = norice.

nory OF n(o)uri, nori, NE foster child,
Pflegekind. — norice OF; NE nurse,
Amme. — norishe, -ice OF norisse sbj.,
NE nourish, nurse, *nähre, pflege*. —
norishing, norissing NE nutriment,
nursing, *Nahrung, Nähren*. — noriture
OF; NE nourishment, nurture, *Nahrung,
Ernährung, feine Lebensart*. — nortelrie
NE education, *Erziehung*. — norter =
noriture.

north(e) OE norþ, NE north, *Norden,
nördlich*. — northhalf OE norþhealf f.,
NE north side, north, *Nordseite, Norden*. —
north-north-west OE; NE *nordnord-
west*. — northren, -ern(e) OE norþerne,
NE northern, *nördlich*. — northward
OE norþweard, NE northward, *nord-
wärts*.

norture AN; = noriture.

nose OE nosu f., NE nose, *Nase*. — nose-
thirl OE nosþŷr(e)l n., NE nostril,
Nasenloch.

noskinnes OE nânes cynnes, NE of no
kind, *keiner Art*.

nost s. not.

not OE hnot, NE close-cropped, *kurzge-
schoren*. — not-hed OE hnot + hêafod
n., NE close-cropped head, *kurzgescho-
rener Kopf*.

not, 2 sg. nost, pl. nüten, p. niste, nuste
OE nât = ne wât, NE know not, *weiß
nicht*.

not = nought.

notable OF; NE notable, remarkable,
bemerkenswert. — notabilitee OF -té;
NE notable fact, *Denkwürdigkeit*.

notary L -arium; NE notary, scribe,
Notar, Schreiber.

note, not OE notu f., NE use, enjoyment,
occupation, *Nutzen, Genuß, Beschäfti-
gung*. — noteful NE useful, *nützlich*.

note OF; NE; (*Musik-*)*Note*.

note OE hnutu f., NE nut, *Nuß*. — note-
kernel OE hnutucyrnel n., NE nut-
kernel, *Nußkern*. — notemuge OE
hnutu + OF mugue, NE nutmeg, *Muskat-
nuß*.

note = not, NE know not. | noth =
nought.

nother OE nâ(hwæ)þer, nâþor, NE neither,
keiner von beiden, auch nicht. — nothir

gat OE nâþor + ON gata, NE neither
way, *auf keine von beiden Arten.* —
nother .. ne OE nâ(hwæ)þer ne .. ne,
NE neither .. nor, *weder .. noch.* — no
nother = non other.

nothing, -think OE nân þing, nâþine,
NE not at all, *durchaus nicht.*

notht = noᵘght.

notifie OF notefie, NE notify, *mache
bekannt.* — notificacion OF -ation;
L -ationem; NE notification, *Anzeige,
Wink.*

nott = noᵘght. | nou = now.

nouche OF; NE (an) ouch, clasp, jewel,
Spange, Juwel.

nouc(h)t = noᵘght.

noucin ON nauðsyn, NE necessity, distress,
Notwendigkeit, Not.

nouiᴣt = noᵘght. | noumber, -bre =
numbre.

nouncertein AN; NE uncertainty, *Un-
gewißheit.*

nounpower AN nonpoair, NE impotence,
Ohnmacht.

nouri(she) = nori(she). | nout = nought.

nouthe OE nû þâ, NE now (then), *nun.*

nouthe = note. | nouth(e) = noᵘght. |
nouther, -ir = nother.

novelrie OF novelerie, NE novelty, *Neu-
heit.* — noveltee OF noveleté, NE
novelty, *Neuheit.*

novembre OF; NE November, *Novem-
ber.*

novis OF novice, NE; *Neuling, Novize.*

now OE nû, NE now, *nun, jetzt.* — now-
on-daies OE nû + on + dæge + s, NE
nowadays, *heutzutage.*

nowar(e) = nowher s. no. | nowche =
nouche. | nowcht = noᵘght. | nowcin
= noucin. | nowe = new(e). | nowe =
now.

nowel OF noël, NE Christmas, *Weihnach-
ten.*

nower(e) = nowher s. no. | nowgt =
noᵘght. | nowhare, -wher s. no. |
nowiht, now(i)t = noᵘght. | nowthe
= nouthe. | nowther, -ir = nother. |
nu = now. | nül- = nil-. | nülli(ch)
= nil I.

numbre OF nombre, NE number, *Zahl,
zähle.*

ᴵ-nume s. nime.

nunne OE f.; NE nun, *Nonne.* — nunne-
rie OF; NE nunnery, *Nonnenkloster.*

nury = nory. | nurice = norice. | nur-
ture = noriture. —

nurth, nurhth orig. obsc.; NE noise,
Lärm.

nuste, nüte s. not, NE know not. | nuthe
= nouthe, NE now. | nwe = new(e). |
nwyer = neweyer.

nymphe OF; NE nymph, *Nymphe.*

O.

o OE â, NE ever, always, *immer.*

o = of. | o = on. | o = o(n), NE one.

o-bak = a-bak.

obedience OF; NE; *Gehorsam.* — obe-
dient OF; NE; *gehorsam.*

obeie fr. OF obeïr; NE obey, *gehorche.* —
obeisant OF obeïssant, NE obedient,
gehorsam. — obeis(s)a(u)nce AN; NE
obedience, *Gehorsam.* — obeishing,
-ssing NE obedient, *gehorsam;* obedience,
Gehorsam.

object L -tum; NE placed in the way, *in
den Weg gestellt.*

oblige OF; NE oblige, pledge, *nötige, ver-
pflichte.* — obligacioun AN; NE obli-
gation, *Verpflichtung.* — oblishe =
oblige.

o-bout = a-bout(en).

obscure OF -ur; NE obscure, *dunkel.*

obsequies AN; NE; *Trauerfeierlichkeiten.*

observe OF; NE favour, take heed, *be-
günstige, nehme mich in acht.* — observ-
aunce AN; NE observance, respect,
Befolgung, Ehrerbietung.

obstacle OF; NE; *Hindernis.*

obstinat L -tum; NE obstinate, *hart-
näckig.*

ok OE âc f., NE oak, *Eiche.*

ok ON auk, ok NE also, *auch.*

oc = oᵘh s. owe.

occasioun AN; NE occasion, cause, *Ver-
anlassung.*

occian OF occean, NE ocean, *Ozean.*

occident OF; NE west, *Westen.* — occi-
dental F; NE western, *westlich.*

occupie OF; NE make use of, occupy,
mache Gebrauch von, besetze.

oker ON okr, NE usury, *Wucher.*

oche OF; NE notch, cut (into), *kerbe,
schneide (ein).*

octobre OF; NE October, *Oktober.*

octogamie L octo + OF -gamie, NE mar-
rying eight times, *achtmalige Heirat.*

oder = other.

odious AN; NE; *verhaßt.*

odour AN; NE; *Geruch.*

o-drat = a-drad. | odre = others.

odwit cf. OE ōþwïte; = edwit.

of, off OE of, NE of, in, off, *von, an, in,
weg.* — of that OE of + þæt, NE be-
cause, *weil.*

ofcaste OE of + ON kasta, NE cast off,
werfe weg.

ofdrede, pp. ofdred, -drad, -dret OE of +
drǽde, NE terrify, *setze in Schrecken.*

ofearne OE of + earnige, NE earn, *ver-
diene.*

ofer = over.

oferhowe OE oferhogige, NE disregard,
despise, *beachte nicht, verachte.*

o-ferrum OE on + feorran, = a-fer.

offence, -se OF; NE offence, injury, *Beleidigung, Verletzung.* — offencioun AN; NE offence, damage, *Beleidigung, Beschädigung.* — offende OF sbj.; NE offend, injure, *beleidige, verletze.*

offere, -feare OE of + fǣre, NE frighten (off), *schrecke (weg).*

offertorie AN; NE offertory, *Darbringung.*

office, -is OF office, NE; *Amt, Beschäftigung.* — officere AN officer, NE; *Beamter.* — official OF; NE; *Beamter.*

offre, offer, -ir OE offrige, NE offer, *bringe dar, opfere.* — offring OE offrung, -ing f., NE offering, *Darbringen, Opfer.*

offrighte, -frühte OE of + fyrhte, NE frighten, *setze in Schrecken.*

ofhingred OE ofhyngred, NE hungry, *hungrig.*

ofice = office. | ofmis OE of + miss n., = a-mis.

of-newe OE of + nîewe, NE anew, newly, *von neuem, neulich.*

ofreche OE of + rǣce, NE obtain, *erlange.*

ofrede OE of + rǣde, NE surpass in counsel, *übertreffe im Ratgeben.*

ofride OE ofrîde, NE overtake by riding, *überhole im Reiten.*

ofscape OE of + ONF escape, = escape.

ofse OE ofsêo, NE see, *sehe.*

ofsende OE; NE send for, *sende nach jem.*

ofshamed OE ofsc(e)amod, NE ashamed, *beschämt.*

ofshowve OE of + scûfe, NE repel, *dränge zurück.*

ofsle OE ofslêa, NE kill, *töte.*

ofsmite OE of + smîte, NE strike off, *schlage ab.*

ofspring OE m.; NE offspring, *Nachkommenschaft.*

oftake OE of + ON taka, Late OE tace, NE take off, overtake, *nehme fort, hole ein.*

ofte, often(e) OE oft, NE oft(en), *oft.* — oftesithe(s) CE oftsîþas, NE oftentimes, *oftmals.* — oft(e)time(s) fr. OE oft + tîma m.; NE ofttimes, *oft.*

oftherst = ofthirst.

ofthinke, -thinche OE ofþynce, NE displease, repent, *mißfalle, (be)reue.* — ofthinchung(e) NE displeasure, *Mißfallen.*

ofthirst OE ofþyrst(ed), NE thirsty, *durstig.*

ofthowen OE of + þâwigan, NE thaw away, *wegtauen.*

ofthünch- = ofthinch-. | ofthurst = ofthirst. | og = ow(eth). | o-gain = a-ye(i)n. | og(e), oᵘh, p. oᵘghte s. owe. | oʒen, oghen = owen.

oᵘght OE âht-, NE worthy, brave, *tüchtig, tapfer.*

oᵘght OE ô(wi)ht, NE ought, *Null, nichts.*

oht = oth. | oᵘghtestow = oᵘghtest thou s. owe. | ohw- = owh-.

oile AN; NE oil, *Öl.*

oinement OF oignement, NE ointment, *Salbe.*

oino(u)n AN; NE onion, *Zwiebel.*

oise = use.

oistre AN; NE oyster, *Auster.*

oither = other, NE either.

old OE eald, NE old, *alt.*

olde = holde. | o-liche = a-like.

olifaunt AN; NE elephant, *Elefant.*

olive OF; NE olive(-tree), *Olive, Ölbaum.* — oliver OF; NE olive-tree, *Ölbaum.*

olloft = a-loft. | omager = homager. o-mang = a-mong.

omelie OF; NE homily, *Homilie.*

omnipotent OF; NE; *allmächtig.*

on OE; NE on, in, *auf, in.*

on, we unnen OE an(n), on(n), NE grant, grudge not, *gewähre, gönne.*

on- = un-.

o(n) OF ân, NE a, one, alone, *ein, allein,* [cf. a(n)]. — one cf. OE geâned; NE unite, *vereinige.* — onhede NE unity, *Einheit.* — oninge NE uniting, *Vereinigen.* — onlepy OE ânlîepig, ǣlpig, NE single, *einzig.* — only, onely, onlich(e) OE ânlîc, NE solitary, only, *einsam, nur.* — onwil OE ânwille, NE obstinate, *eigenwillig.*

onane = anon. | onbore = unbore(n). | onkende = unkind(e).

ond(e) OE anda, NE breath, envy, *Atem, Mißgunst.* — ontful OE anda + ful(l), NE envious, *neidisch.*

onder = under. | ondervonge = underfonge. | ondo = undo. | on-driʒe = on dreⁱgh s. dreⁱgh. | ondsware, -swere = answere. | one = on, NE on. | one, oned s. o(n). | one- = un-. | oneconnende = unconninge. | onely = only. | onende = anent.

onerous AN; NE; *lästig.*

ones, onis OE ânes, NE once, *einmal.*

onfast, -fest OE on + fæst, NE close by, *nahe bei.*

onfo OE onfô, NE receive, *empfange.*

onyæn = a-ye(i)n. | onginne = a-ginne. | onhede s. o(n), NE one, alone. | onho = anho. | ony = any. | onimete = unimete. | onleake p. of onlouke. | onlepy, only s. o(n).

on-live OE on lîfe, NE alive, *lebendig.*

on-lofte OE on + ON lopt, NE aloft, *in der (die) Höhe.*

onlosty = unlusty.

onlouke OE onlûce, NE unlock, *schließe auf.*

onne = on. | onnethe, -eathe = unethe. | onon(e) = anon. | onont = anent. | onour = honour. | onright = unright. | onskill = unskil.

onsighthe OE on + (ge)sihþ f., NE appearance, *Anblick, Aussehen.*

onslide OE on + slîde, NE unfold, *entfalte mich.*

onspekinde = unspeking. | onsped = unspede. | on-sunder = a-sonder. onswere OE ondswarige, = answere. | ontende, -tent = entende. | ontful s. ond(e). | ontholiinde s. untholelich. | ontil(l) = until. | ontodelinde = untodelinge. | ontswere = answere.

onward OE on + weard, NE onward, *vorwärts.*

onwil s. o(n). | onwis = unwis.

onwolde OE an + wealde cf. anweald m. n.; NE govern, *regiere.*

onwrest = unwrest.

onwrong OE on + ON (v)rangr, OE wrang n., NE very wrongly, *sehr verkehrt.*

onziginde = unseiing. | op = up. | opan = upon. | ope = uppe s. up.

open(e), ope OE open, NE open, *offen.* — opene OE openige, NE open, *öffne.* — open-ers OE open-ears m., NE fruit of the medlar, *Frucht des Mispelstrauches.* — open-heded OE open + hêafdod, NE bare-headed, *barhaupt.* — opening OE openung f., NE opening, *Öffnung.* — openly, -lich(e), -liʒ OE openlîce, NE openly, *öffentlich.*

operacioun AN; NE operation, *Wirken, Wirkung.*

opie OF; NE opium, *Opium.*

opinioun AN; NE opinion, *Meinung.*

opne = opene. | o-point = a-point. | op(p)on = upon.

oppose OF; NE; *stelle (mich) entgegen.* — opposicioun AN; NE opposition, *Opposition.* — opposit OF; NE opposite (point), *gegenüberliegend(er Punkt).*

oppresse OF; NE interfere with, suppress, *mische mich ein, unterdrücke.* — oppressio(u)n AN; NE oppression, *Bedrückung.*

opspurne(n) = upspurnen. | opthrowe(n) = upthrowe(n).

or OE âwþer (< â-hwæþer), NE or, *oder.*

or ON âr 'olim', OE êr, = er(e), (be)vor.

oracle OF; NE; *Orakel.*

oratour AN; NE orator, *Redner.* — oratorie AN; NE oratory, closet for prayers, *Betzimmer.*

ord OE m.; NE point, beginning, *Spitze, Anfang.*

ordal OE ordâl n., NE ordeal, *Gottesurteil, Unschuldsprobe.*

orde i(g)ne, -da(i)ne, -dene AN orde(i)ne, NE ordain, appoint, *ordne, bestimme.* — ordene, -ine cf. OF ordené, NE well-ordered, *geordnet, ordentlich.* — ordeinly adv. — ordena(u)nce, ordinaunce AN; NE ordinance, *Verordnung.* — ordenour AN ordinour, NE ordainer, arranger, *Ordner.* — ordinat L -atum; NE ordinate, *wohlgeordnet.*

ordre, ordir OF ordre, NE order, *Ordnung, Orden.* — ordre NE ordain, *ordne.* — ordred-hous NE house belonging to a religious order, *Ordenshaus.*

ordure OF; NE; *Schmutz.*

ore OE âr f., NE honour, grace, compassion, *Ehre, Gunst, Gnade, Mitleid.*

ore OE âr f., NE oar, *Ruder.*

or(e) OE ôra m., NE ore (of metal), *Erz.*

ore OF; = houre, NE hour.

orf, ôref OE orf n., NE cattle, *Vieh.*

orfrais AN orfreis, NE gold fringe, *Goldfranse.*

organ, -on, orgel OF organe, L organum, OE orgel, NE organ, instrument of music, *Orgel, Musikinstrument.*

orgulprüde OF orguil + OE prŷto, prŷdo f., NE arrogance, *Anmaßung.*

orient OF; NE east, eastern, *Ost, östlich.* — oriental OF; NE; *östlich.*

orisonte OF orizonte, NE horizon, *Horizont.*

orisoun, oresoun AN orisoun, NE prayer, orison, *Gebet.*

orloge OF horloge, NE clock, *Uhr.*

Ormulum fr. Orm; NE book written by Orm, *von Orm geschriebenes Buch.*

ornament L -tum; OF ornement, NE ornament, *Verzierung.*

orne = renne.

orphelin OF; NE orphan(ed), *Waise, verwaist.*

orpiment OF; NE; *Auripigment, Rauschgelb.*

osanne Gr. ὡσαννά, NE Hosannah, *Hosianna.*

ost OF (h)ost, NE host, army, *Heer.*

ostage OF; NE hostage, *Geisel, Bürge.*

ostel(e)ment(e)s pl. OF ostillement, NE furniture, household goods, *Hausgerät.*

ostesse = hostesse. | o-sunder = a-sonder.

otes, oten OE âte, pl. âten f., NE oats, *Hafer.*

oth OE âþ m., NE oath, *Eid.*

other, -ir, -ur OE ôþer, NE other, *ander.* — othergain OE ôþer + gegn, NE other side, *andere Seite, gegenüber.* — othergate OE ôþer + ON gata, NE otherwise, *anders.* — otherhuil, -h(w)üle(s) = otherwhile(s). — othersithe OE ôþer + sîþ m., NE once more, *noch einmal.* — otherweis OE ôþer + weg m. + s, NE diversely, otherwise, *anders, auf andere Weise.* — otherwhile(s), -wile OE ôþer + hwîl f. (+ es), NE sometimes, occasionally, once, *bisweilen, gelegentlich, einmal.* — otherwise OE ôþer + wîse f., NE otherwise, *anders.*

other, othder OE â(hwæ)þer, NE either, or, *einer von beiden, entweder-oder.*

ou = how. | ou = yow. | ouche = nouche. | ouen = owen. | ouʒ = ow(g)h = ow(e). | ought = oᵘght.

oule, aule OE âwel m. f., NE awl, pricker, *Ahle, Hakenmesser.*

oule OE ûle f., NE owl, *Eule.*

oultrage = outrage. | oun- = un-.

ounce AN; NE ounce, *Unze.*

ounded, oundy F ondé, NE undulate, wavy, *wellig.* — oundinge NE adornment with waved lines, *Verzierung mit Wellenlinien.*

ounder = under. | oundred = hundred. oune = owe(n). | oup = up. | our(e) = over.

our(e) OE ûre, NE our, *unser.*

ouregod = overgoth. | our(e) = houre. | ourethinne = overthinne. | ous = us.

out, oute, outt OE ût, NE out, *(her)aus, (dr)außen.* — oute OE ûte, NE outside, away, *draußen, weg.* — oute OE ûtige, NE put out, utter, expel, *stecke heraus, bringe hervor, treibe aus.* — outer OE ûtor, NE outer, *äußer.* — out(t)erly, -liche NE utterly, *völlig.* — out(te)reste NE outermost, ultimate, *äußerst, letzt.*

out = aught. | outake = outtake.

outbreke OE ût + brece, NE break out, *breche aus.*

outbreste OE ût + berste, NE burst out, *breche aus.*

outbringe OE ût + bringe, NE utter, *bringe hervor.*

outcast pp. fr. OE ût + ON kasta; NE cast out, abject, *ausgeworfen, verworfen.*

outen OE ûtan, NE without, *ohne.*

outfle[1](gh)inge fr. OE ût + flêoge; NE flying out, *Ausfliegen.*

outh = oᵘght.

out-hes OE ût + hæs f., NE outcry, hue and cry, *Geschrei.*

outher = other.

out-idle OE ût + OF i(s)le, NE foreign island, *auswärtige Insel.*

outlandish, -deis cf. OE ûtlendisc; NE foreign, *ausländisch.*

outlawe OE ûtlaga m., ON ûtlagi, NE outlaw, *Geächtete(r).* — outlawe OE ûtlagie, NE outlaw, *ächte.*

outrage OF; NE outrage, excess, *Gewalttätigkeit, Ausschreitung.* — outrageous AN; NE outrageous, excessive, *gewalttätig, übermäßig.*

outraie OF outree, NE am outrageous, *überschreite die Grenzen.*

outrance OF oultrance, NE excess, extremity, *Ausschreitung, Äußerste.*

outrely, outreste s. out.

outride OE ût + rîde, NE ride out, *reite aus.* — outridere OE ût + rîdere m., NE rider abroad, *einer, der draußen herum reitet.*

outringe OE ût + hringe, NE ring out, *töne hervor.*

outslinge OE ût + slinge, NE fling out, *werfe heraus.*

outspringe OE ût + springe, NE come to light, *komme ans Licht.*

outsterte OE ût + cf. steartlige; NE start out, *stürze heraus.*

outstrecche OE ût + strecce, NE stretch out, *strecke aus.*

outtake OE ût + ON taka, OE tace, NE take out, except, *nehme (her)aus.* — outtake pp. NE except, *ausgen^mmen.*

outter = outer.

outtwine cf. OE ût + twîn m.; NE twist out, *presse heraus.*

outward OE ûtweard, NE outward, *außerhalb.*

outwende OE ût + wende, NE come out, *komme heraus.*

oven OE ofen m., NE oven, *Ofen.*

over(e), ower OE ofer, NE over, ober, über.

over OE ôfer m., NE shore, *Ufer.*

overal, overe- OE ofer + eal(l), NE everywhere, *überall.*

overbide OE oferbîde, NE survive, get over, *überlebe, überstehe.*

overblowe pp. OE ofer + blâwen, NE biown over, past, *vorübergeblasen, vorüber.*

overcaste OE ofer + ON kasta, NE overcast, sadden, *bedecke, verdüstere.*

overkerve OE ofer + ceorfe, NE cut across, *schneide, kreuze.*

overking OE ofer + cyning, cing m., NE superior king, *Oberkönig.*

overcome, -cume OE ofercume, NE overcome, defeat, perform, *besiege, führe aus.* — overcomer NE conqueror, *Besieger.*

overdo OE oferdô, NE overdo, *treibe zu weit.*

overga = overgo.

overgange OE ofergange, NE transgress, *übertrete.*

overgart OE ofer + ON gert, gort, NE immoderate, presumptuous, *ungezügelt, anmaßend.*

overgeth = overgoth s. overgo.

overgilde OE ofergylde, NE adorn with gold, *verziere mit Gold.*

overgo, p. overyede OE ofergâ, p. oferêode, NE pass away, overspread, exceed, surpass, vanquish, *vergehe, überziehe, überschreite, übertreffe, besiege.*

overgret OE ofer + grêat, NE too great, *übergroß.*

overhand OE ofer + hand f., NE superiority, *Oberhand.*

overhardy OE ofer + OF hardi, NE too daring, *allzu kühn.*

overhaste OE ofer + OF haste, NE too much haste, *zu große Eile.*

overhede = overyede.

overhe[1](gh), -hey OE ofer + hêah, NE overhigh, *allzu hoch.*

overhippe cf. OE ofer + hoppige; NE leap over, omit, *überspringe, lasse aus.*

overhot OE ofer + hât, NE too hot, *überheiß.*

overlad OE oferlǣded, NE overborne, *überwältigt.*

overlade OE ofer + hlade, NE overload, *überlade.*

overlie OE ofer + licge, NE overlie, lie upon, *liege auf etwas.*

overlight OE ofer + leoht, NE too light, *zu leicht.*

overloke OE ofer + lôcige, NE look over, peruse, *sehe durch, lese durch.*

overlonge OE ofer + lange, NE too long, *überlang.*

overlowe OE ofer + OE lâh, ON lāgr, NE too low, *zu tief.*

overmacche cf. OE ofer + gemǣc(c); NE overmatch, conquer, *besiege.*

overmaistre fr. OE ofer + OE mægester m., OF maistre; NE overmaster, *überwältige.*

overmany OE ofer + manig, NE too many *zu viele.*

overmiche(l), -moche, -mukil OE ofermicel, NE excessive, *übermäßig.*

overnime OE ofernime, NE apprehend, *ergreife.*

overolde OE ofereald, NE out of date, *veraltet.*

overpasse OE ofer + OF passe, NE surpass, exceed, *übertreffe, überschreite.*

overpoure OE ofer + OF povre, NE too poor, *zu arm.*

overpride, -prute OE ofer + prŷto, prŷdo f., NE excessive pride, *übermäßiger Stolz.*

overreche, p. overraughte OE ofer + rǣce, NE overreach, urge on, *greife über, treibe an.*

override OE oferrîde, NE ride over, *überreite.*

overse OE ofersêo, NE oversee, survey, *übersehe.*

overshake OE ofer + sc(e)ace, NE flee, deport, *fliehe, gehe weg.*

overshete OE ofer + scêote, NE over-run, *schieße über das Ziel hinaus.*

overskippe cf. OE ofer + MSw. skuppa; NE skip over, omit (in reading), *überschlage, lasse aus (beim Lesen).*

overslop(p)e OE oferslop n., NE uppergarment, *Übergewand.*

oversone OE ofer + sôna, NE too quickly, *zu rasch.*

oversprede OE ofersprǣde, NE spread over, cover, *breite über, bedecke.*

overspringe OE ofer + springe, NE overpass, *überspringe.*

overstrecche OE ofer + strecce, NE overstretch, cover, *dehne übermäßig aus, bedecke.*

overswift OE ofer + swift, NE overswift, *überschnell.*

overswimme OE oferswimme, NE swim across, fly through, *schwimme über, fliege durch.*

overtake OE ofer + tace, ON taka, NE overtake, *hole ein.*

overte OF overt, NE open, *offen.* — **overture** OF; NE opening, *Öffnung.*

overthinke OE ofer + þence, cf. þyncan; NE reflect, *überdenke.*

overthinne OE ofer + þynne, NE very thin, very weak, *sehr dünn, sehr schwach.*

overthrowe OE ofer + þrâwe, NE overthrow, am overthrown, *stürze um, werde umgeworfen.* — **overthrowinge** NE falling down, *Sturz;* overwhelming, *überwältigend.*

overthwart, -thwert OE ofer + ON þvert, NE across, *quer über.*

overtimeliche OE ofer + tîmelîce, NE untimely, *zur Unzeit.*

overture s. overte.

overwarde OE ofer + weard, NE across, on the other side, *quer hinüber, jenseits.*

overwhelve OE ofer + (be)hwielfe, NE turn over, *stürze um.*

overwhelme cf. OE ofer + MSw. hwalma; NE roll over, *stürze vornüber.*

overwhere OE ofer + (ge)hwǣr, NE everywhere, *überall.*

overyede s. overgo.

ovet OE ofet n., NE fruit, *Frucht.*

ovir = over. | **ow** = you. | **o-way** = a-wey(e).

ow(e) 3 sg. oweth, p. oᵘghte OE âh, p. âhte, NE own, possess, *habe, besitze;* **ow(e) to** NE owe to, am under obligation to, *schulde an* (p. ought to, *sollte*). — **owe(n)** OE âgen, NE own, *eigen.* — **owne** OE âgnie, NE make my own, *erwerbe.*

ower = over. | **ower** = our(e), NE our. | **ower** = youre.

ow(g)h! cf. G ach! NE alas! *ach!*

owhider OE âhwider, NE anywhither, *irgendwohin.*

owher OE âwhǣr, NE anywhere, *irgendwo.*

own = owe(n). | **owndinge** = oundinge. | **owre** = our(e), NE our. | **ows** = us. **owt(e)** = out. | **owtraie, -eie** = outraie. | **owtt(e)** = out. | **owun** = owe(n). | **oxe** = axe, NE ask.

oxe OE oxa m., NE ox, *Ochse.* — **oxestalle** OE oxa + steal(l) m., NE ox-stall, *Ochsenstall.*

o-yaine(s), o-yenes = a-ye(i)n, a-yeins(t).

P.

pak MDu pac, NE pack, *Pack, Bande.*

pace = passe.

pacience OF; NE patience, *Geduld.* — **pacient** OF; NE patient, *geduldig, Patient.*

pae = po.

page OF; NE; *Page.*

pay OF paie, NE satisfaction, pleasure, *Zufriedenheit, Vergnügen.* — paie, paize OF paie, NE pay, satisfy, (be)zahle, befriedige. — paiement OF; NE payment, *Bezahlung.*

paien OF; NE pagan, *heidnisch, Heide.* — painime, -nimm OF paienisme, NE paganism, country of the pagans, pagan, *Heidentum, Heidenland, Heide.*

paigne = peine.

paillet OF; NE pallet, *Strohsack, Matratze.*

paiment = paiement.

paindemain OF pain demaine, NE finest bread, *feinstes Brot.*

paine = peine. | painime s. paien. painte = peinte.

paire OF; NE pair, *Paar.*

paire = empeire. | pais(ible) = pes(ible). | palais = paleis.

palasie OF paralysie *and* OF palazin, NE palsy, *Schlagfluß, Lähmung.*

palasin OF; NE belonging to the palace, *zum Palast gehörig.*

pale F pal, NE pale, perpendicular (heraldic) stripe, *senkrechter (heraldischer) Streifen.* — palinge NE making of perpendicular (heraldic) stripes, *Herstellen senkrechter (heraldischer) Streifen.*

pale OF; NE; *bleich.* — pale fr. OF palir; NE render pale, *mache bleich.*

paleis AN; NE palace, *Palast.* — paleischaumbre AN paleis + chaumbre, NE palace-chamber, *Palastgemach.* — paleisgardin AN paleis + gardin, NE palace-garden, *Schloßgarten.* — paleisward AN paleis + OE weard, NE toward the palace, *nach dem Schlosse zu.* — paleisyate AN paleis + OE geat n., NE gate of the palace, *Schloßtor.*

palestral fr. L palæstra; NE pertaining to wrestling, *die Ringkunst betreffend.*

palet OF; NE head-piece, *Helm.*

palfrey, -fray OF palefrei, NE palfrey, horse, *Zelter, Pferd.*

palinge s. pale. | palis = paleis.

palis OF; NE palisade, stockade, *Palissade.*

pall OE pæl m., NE pall, *kostbares Gewand.*

palle fr. OF pallir; NE grow pale. grow discouraged, *erbleiche, verliere den Mut.*

palm OE m.; NE palm-tree, -branch, *Palmbaum, -zweig.* — palmer(e) AN palmer, NE; *Pilger.*

palude OF; NE marsh, *Sumpf.*

palpable OF; NE; *fühlbar.*

pament = pavement. | pan = panne. | pan = peny.

panade cf. ML penardum; NE kind of knife, *Art Messer.*

pane OF; NE (glass-)pane, patch, garment, *(Glas)-Scheibe, Flicken, Kleidungsstück.*

panier OF; NE pannier, basket (for bread), *(Brot-)Korb.*

panne OE f.; NE pan, skull, *Pfanne, Schädel.*

panter OF pantiere, NE net, snare, *Netz, Schlinge.* — pantrebande OF pantiere + ON band, NE snare, *Schlinge.*

papejay AN; NE popinjay, *Papagei.*

papelard OF; NE hypocrite, deceiver, *Scheinheiliger, Betrüger.* — papelardie NE hypocrisy, *Scheinheiligkeit.*

paper OE; NE; *Papier.* — paperwhit OE paper + hwît, NE white as paper, *weiß wie Papier.*

paper = peper. | papingay = papejay. | papur = paper, NE paper.

parable OF parab(o)le, NE parable, *Parabel.*

paradis(e) OF paradis, NE paradise, *Paradies.*

parage OF; NE kindred, birth, rank, *Verwandtschaft, Geburt, Rang.*

parament OF; NE mantle, splendid clothing, *Mantel, prächtige Kleidung.*

paramour(s) OF par amour, NE for love, *aus Liebe;* lover, *Geliebte(r).*

paraunter OF par aventure, NE peradventure, *zufällig.*

park OE pearroc m., NE park, *Park.* — parkeside OE pearroc + sîde f., NE parkside, *Parkseite.*

parcel OF parcelle, NE (small) part, *(kleiner) Teil.*

parchaunce = perchaunce.

parchemin OF; NE parchment, *Pergament.*

parcuere OF par cuer, NE by heart, *auswendig.*

parde(e)! OF par dé! NE by God! *bei Gott!*

pardoun AN; NE pardon, *Verzeihung.* — pardoner AN -ere; NE pardoner, seller of indulgences, *Ablaßhändler.*

pare OF; NE pare, prepare, *schneide, richte zu.*

paregal OF; NE fully equal, *völlig gleich.*

parement = parament.

parentel OF; NE kinship, *Verwandtschaft.*

parfey AN par fei, NE by my faith, in faith, *fürwahr.*

parfit OF; NE perfect, *vollkommen.*

parfourne OF inf. parfournir; NE perform, *führe aus.* — parfourninge NE performance, *Ausführung.*

parishe OF paroisse, NE parish, *Parochie, Gemeinde.* — parishchirche OF paroisse + OE cyrice f., NE parish-church, *Pfarrkirche.* — parishclerk OF paroisse + OE cleric m., NE parish-clerk, *Küster.* — parishen OF paroissien, NE parishioner, *Pfarrkind, Gemeindemitglied.* — parisheprest OF paroisse + OE prêost m., NE parish-priest, *Ortspfarrer.*

paritorie AN; NE parietary, *Wandkraut.*

parlement OF; NE deliberation, parliament, *Beratung, Parlament.*

parlour OF parloir, NE parlour, conversation-room, *Unterhaltungszimmer.*

paroche OF; NE parish, *Parochie.* — parocheprest OF paroche + OE prêost m., NE parish-priest, *Ortspfarrer.* — parochial OF; NE belonging to the parish, *zur Parochie gehörig.*

parodie F période, NE period, *Periode.*

paroshian = parishen.

parsoner, -sener, AN parsoner, OF parcener, NE partner, *Genosse.*

part OF; NE part, side, *Teil, Seite.* — parte OF subj.; NE share, separate, *teile, trenne.* — partener = parsoner. — participacioun AN; NE participation, *Teilnahme.* — parti(e) OF; NE part, party, *Teil, Partei.* — particuler AN; NE particular, *besonder.* — partingfelawe fr. OF partir + ON fēlagi; NE fellow-partaker, *Mitteilnehmer.* — partles NE having no share, *ohne Anteil.*

partrich OF pertris, NE partridge, *Rebhuhn.*

parvenke, -vink, -uenke, -uink OE perwincke, -vince f., NE periwinkle, *Immergrün.*

parvis OF; NE; *Vorhalle einer Kirche.*

pas(e) OF pas, NE pace, step. *Schritt.* — passe, pas(sie) OF passe, NE go, pass, surpass, exceed, *gehe (vorüber, weg), übertreffe, überschreite, überstehe.* — passage OF; NE; *Weg, Stadium.* — passant OF; NE surpassing, *übertreffend.* — passing NE surpassing, excellent, *hervorragend.* — past pp. of passe; NE past, *vergangen, vorbei.*

passio(u)n AN; NE passion, suffering, *Passion, Leiden.*

past s. passe.

pastee OF -té; NE pasty, *Pastete.*

pasture OF; NE; *Weide.*

pate orig. obsc.; NE; *Schädel.*

patente OF; NE patent, *Patent, Privileg.*

path OE pæþ m., NE path, *Pfad.*

pathere, for pothere ? cf. NE pother; NE poke about, *durchstöbere.*

patre fr. L pater noster; NE recite the paternoster, chatter, *sage das Paternoster auf, schwätze.*

patriark, -arch AN -arc; NE patriarch, *Patriarch.*

patrimoine OF; NE patrimony, *Erbteil.*

patro(u)n AN; NE patron, protector, pattern, *Patron, Beschützer, Muster.*

paume OF; NE palm (of the hand), *Handfläche.*

paunche ONF panche, AN paunce, NE paunch, belly, *Bauch, Wanst.*

paunter = panter.

pautener OF pautonniere, NE purse, *Börse.*

pave OF; NE; *pflastere.* — pavement OF; NE; *Pflaster.*

paviloun AN; NE tent, *Zelt.*

pawe orig. obsc.; NE paw, *Pfote, Tatze.*

pawme = paume.

pax L; NE crucifix, *Kruzifix.*

peasse = pes.

pekke OF pek, NE peck (quarter of a bushel), *Viertelscheffel.*

pekke cf. picke; NE peck, pick, *picke.*

pece AN; NE piece, *Stück.*

peche OF pesche, NE peach, *Pfirsich.*

pecok OE pêa m. + coc(c) m., NE peacock, *Pfau.* — pecok-arwe OE pêa + coc(c) + earh f., NE arrow with peacocks' feathers, *Pfeil mit Pfauenfedern.*

pecunial L -alem; NE pecuniary, *pekuniär.*

peie = paie.

peine OF; NE pain, *Schmerz, Strafe, Mühe.* — peine OF; NE cause pain, take pains, *verursache Schmerz, bemühe mich.*

peinte, pp. peinted, ¹-peint fr. OF peint pp.; NE paint, *(be)male.* — peinting NE painting, *Malerei, Gemälde.* — peintour AN; NE painter, *Maler.* — peinture OF; NE painting, *Gemälde.*

peire = compeire, empeire. | peisible = pesible.

peitrel AN; NE poitrel, *Bruststück einer Pferderüstung.* — peitrele NE provide with a poitrel, *versehe mit einem 'peitrel'.*

pel OF; NE peel, small castle, *kleine Burg.*

pelery = pilory.

pelet OF pelote, NE pellet, (stone-)ball, *(Stein-)Kugel.*

pellour = pelure.

pelrin OF pelerin, NE pilgrim, *Pilger.*

pelure OF; NE fur, *Pelz.*

pena(u)nce AN; NE penance, *Buße.* — penaunt AN; NE penitent, *Büßender.*

pence = pens s. peny.

pencel OF pincel, NE pencil, brush, *Stift, Pinsel.*

pencel OF penoncel, cf. penoun; NE small banner, *Fähnchen.*

pende, cf. OE pynde 'enclose,' NE pond, *Teich.*

pendize = pentice. | penes = pens s. peny.

peny, pening, pl. peni(ʒ)es, pens, pans, OE peni(n)g m., NE penny, *Pfennig.*

penible OF; NE painstaking, *sorgsam.*

penitauncer OF penitencier, NE confessor who assigns a penance, *Beichtvater, der eine Buße auferlegt.* — penitence OF; NE; *Buße, Reue.* — penitent OF; NE; *reuig, Büßer(in).*

pening = peny. | pennance = pena(u)nce.

penne OF; NE pen, quill, *Feder(kiel).* — penner ML pennarium, NE pen-case, *Federkasten.*

penoun AN; NE pennon, *Fähnchen.*

pens s. peny. | pensell = pencel.

pensif OF; NE pensive, *nachdenklich.*

pentice, -tiz OF apentis, NE penthouse, *Vordach.*

pepe orig. obsc.; NE peep, *spähe, sehe, blicke hin.*

peper, -ir OE pipor m., NE pepper, *Pfeffer.*

peple, people, pepull AN pe(o)ple, NE people, *Volk*. — poeplish NE popular, vulgar, *volkstümlich, gemein*.

per, pere OF pe(e)r, NE equal, peer, *Gleicher, Pair*.

perauntre, peraventure = paraunter.

percas OF par cas, NE perchance, *zufällig, vielleicht*.

perĉe OF; NE pierce, *durchbohre*. — percinge NE piercing, *Durchbohren*.

perceive OF sbj.; NE; *bemerke*.

percely = persly.

perchaunce, -chans AN par chaunce, NE perchance, probably, *zufällig, wahrscheinlich*.

perche OF; NE perch (for birds to rest on). *(Ruhe-)Stange (für Vögel)*; perch, *sitze*.

perchemin = parchemin.

percher AN percher, cf. perche; NE tall candle, *große Kerze*.

perde, perdou = parde(e).

perdurable OF; NE imperishable, everlasting, *immerdauernd*. — perdurabletee OF -té; NE immortality, *immerwährende Dauer*.

pere OE f.; NE pear, *Birne*. — perejonette OE pere + F Jeannet, NE a kind of early-ripe pear, *frühreife Birne*.

peregrin OF; NE peregrine, foreign, *ausländisch*.

perfeccioun AN; NE perfection, *Vollkommenheit*.

perfet, -fit = parfit. | perfourne = parfourne.

peril OF; NE; *Gefahr*. — perilous AN; NE; *gefährlich*.

perisse OF sbj.; NE perish, *gehe zu Grunde*.

perle OF; NE pearl, *Perle*. — perled NE pearled, *mit Perlen besetzt*.

permutacioun AN; NE change, *Wechsel*.

perpendiculer AN -ere; NE perpendicular, *senkrecht*.

perpetuel OF; NE perpetual, *beständig*.

perree, perrie AN perrie, OF pierr(er)ie, NE jewellery, *Juwelen*.

pers OF; NE of Persian dye, blue, *von persischer Farbe, blau*; blue stuff, *blauer Stoff*.

persaid = perced pp. of perce. | persaife = perceive.

perse = perce. — persaunt F perçant, NE piercing, sharp, *durchbohrend, scharf*.

persecucion OF; NE persecution, *Verfolgung*.

persevere OF; NE; *beharre*. — perseveraunce AN; NE perseverance, *Beharrlichkeit*. — perseveringe = perseveraunce.

persly F persil, NE parsley, *Petersilie*.

persone, persoun OF persone, NE person, parson, *Person, Pfarrer*.

persuasioun AN -acioun; NE persuasion, belief, *Überzeugung, Glaube*.

pert = apert, NE open, forward, *offen, keck*.

pert = part.

pertinacie L -aciam; NE pertinaciousness, *Hartnäckigkeit*.

pertinent F; NE; *passend*.

pertlez = partles.

pertourbe OF perturbe, NE perturb, *verwirre*. — perturbacioun AN; NE trouble, *Verwirrung*. — perturbinge = perturbacioun.

peruenke, -venke, -vinke = parvenke.

pervers OF; L -sum; NE perverse, selfwilled, *verderbt, eigensinnig*. — perverte fr. OF pervertir; NE pervert, *verderbe*.

pes AN; OF pais, NE peace, *Friede(n)*. — pese NE appease, *besänftige*. — pesible AN; OF paisible, NE peaceable, calm, *friedlich, ruhig*.

pese OE pi(o)se f., NE pea, *Bohne*.

pese = pece.

pestilence OF; NE; *Pest*.

peticioun, petition AN -cioun, OF -tion; NE petition, *Gesuch*.

phese = fese sb.

philosophie OF; NE philosophy, *Philosophie*. — philosophical cf. F philosophique; NE fond of philosophy, *philosophieliebend*. — philosophre OF; NE philosopher, *Philosoph*.

phisik OF phisique, NE physic, *Medizin*. — phisicien OF; NE physician, *Arzt*.

phitoness fr. Gr. πυϑά 'Delphi'; NE pythoness, witch, *Pythia, Zaub(r)erin*.

pik OE pîc m., NE pike, *Hecht*. — pikerel NE young pike, *junger Hecht*.

picche, p. pighte cf. pike; NE fix (in the earth), pitch, fall, *befestige (im Boden), schlage auf, fasse ein, stürze*.

pike OE pîc m., NE pike, *Pike*. — pike OE pîcige, OF pique, NE peep, pick, steal, adorn, furnish with (s)pikes, *spähe, picke, stehle, schmücke, versehe mit Spitzen oder Stacheln*. — pikepurs ME pike + OE purs, L bursam, NE pickpocket, *Taschendieb*.

pich OE pic n., NE pitch, *Pech*.

pie OF; NE magpie, *Elster*.

pie OF; NE; *Pastete*.

piece = pece. | pier = pere. | piete(e), pietous = pite(e), pitous.

pigge cf. OE pecg; NE pig, *Schwein*. — piggesnie ME pigge's + OE ân êage n., NE pig's eye, darling, *Schweinsauge (Kosewort)*.

pighte s. picche.

pilche OE pil(e)ce f., NE fur garment, *Pelzkleid*. — pilcheclut OE pil(e)ce + clût m., NE cloth, *Tuch*.

pile AN; OF pille, cf. OE pilige 'schälẹ'; NE pillage, plunder, *plündere*. — pilour AN; NE robber, pillager, *Räuber*.

pile OE pilige, NE peel, bare, *schäle, streife ab, entblöße*. — piled NE peeled, bald, *geschält, kahl*.

pilegrim = pilgrim.

piler OF; NE pillar, *Pfeiler*.

pilerinage OF pelerinage, = pilgrimage.

pilgrim It. pellegrino, NE pilgrim, *Pilger*.
— pilgrimage cf. OF pelrimage, peli-
grinage; NE pilgrimage, *Wallfahrt*.

pillar = pilour s. pile, NE pillage. | pille
= pile, NE pillage.

pilory OF -ri; NE pillory, *Pranger*.

pilt fr. the vb.; NE knock, push, *Schlag,
Stoß*. — pilte L pulto, OE *pylte, NE
pelt, thrust, *stoße*.

pilwe cf. OE pyle (L pulvinus) m., NE
pillow, *Pfühl, Kopfkissen*. — pilweber
OE pyle + ME bere (cf. LG bere '*Bühre*'),
NE pillow-case, *Kopfkissenüberzug*.

piment OF; NE spiced wine, *Würzwein*.

pin OE pin(n), NE pin, peg, *Stecknadel.
Pflock*. — pin(n)e NE fasten with a pin,
enclose, *befestige mit einem Pflock, schließe
ein*.

pin OE pîntrêow n., NE pine-tree, *Fichte*.

pinacle OF; NE pinnacle, *Zinne*. — pi-
nacle NE pinnacle, *versehe mit Zinnen*.

pinche ONF; NE pinch, find fault (with),
zwicke, habe etwas auszusetzen.

pin(e) OE pîn, NE pain, torment, *Schmerz,
Qual*. — pine OE pînige, NE torture,
foltere, quäle.

pine = pin(n)e s. pin, NE pin.

pinnuc orig. obsc.; NE hedge-sparrow,
·*Braunelle* (?).

pione, piony OF pione, NE peony, *Pfingst-
rose*.

pipe OE pîpe f., NE pipe, *Pfeife*. — pipe
NE pipe, play on the pipe, *pfeife, piepe,
spiele auf der Hirtenpfeife (Flöte)*. —
piper OE pîpere, NE piper, *Pfeifer,
Flötenspieler*.

pirie, pirry OE pirige f., NE pear-tree,
Birnbaum.

pise = pece.

pisse fr. the vb.; NE piss, *Urin*. — pisse
OF; NE piss, *pisse*. — pissemire OF
pisse + OE mire, NE pismire, ant,
Ameise.

pistel, pistill OE pistol m., NE epistle,
Brief.

pit OE pyt(t) m., NE pit, *Grube*. — pit
(Cant. T. A 4088) fr. the sb., = put in the
stable, *bringe unter*.

pitail(l)e AN; NE infantry, *Fußvolk*.

pitaunce AN; NE pittance, allowance,
Liebesgabe, ausgesetzte Summe.

pite(e) OF pité, NE pity, *Mitleid*; hit is
pite(e) NE it is a pity, *es ist ein Jammer*.
— pitous AN; NE piteous, *Mitleid er-
regend, Mitleid empfindend*. — pito(u)s-
ly -lich adv.

pith(e) OE piþa m., NE pith, *Mark, Kraft*.

place OF; NE; *Platz*.

placebo L; NE; *Kirchengesang* (after
Ps. 116,9).

plage OF; NE region, *Gegend*.

plage OF plag(u)e, NE plague, *Pest*.

play, plaie = pley, pleie.

plaid, plait OF; NE plea, *Rechtshandel*.

plain = plein.

plane OF; NE plane-tree, *Platane*.

plane OF; NE; *eben, glatt*. — plane OF;
NE plane, make smooth, *ebne, glätte*.

planete OF; NE planet, *Planet*.

plantain OF; NE; *Wegerich*.

plante = plaunte. | plas = place.

plastre OE plaster n., NE pla(i)ster,
Pflaster.

plat OF; NE flat, *flach, glatt*. — plate
OF; NE plate (-armour), *Platte(npanze-
rung)*. — plated NE; *mit Metallplatten
bedeckt*. — plater AN; NE platter, *flache
Schüssel*.

plaunte AN; cf. OE plante f.; NE plant,
shoot, *Pflanze, Schößling*; plant, *pflanze*.

plawe ON plag, NE manner, *Anstand*.

ple, plee AN plee, NE plea, *Rechtsstreit,
Prozeß*. — plede AN plaide, NE plead,
argue, *rechte, verteidige*. — pleding NE
pleading, *Verteidigung*. — pledour AN
plaidour, pledour, NE pleader, *Vertei-
diger*.

plegge AN; NE pledge, *Pfand*.

pley OE plega m., NE play, sport, fighting,
device, *Spiel, Kampf, Plan, Erfindung*. —
pleie, pleize OE pleg(ig)e, NE play,
amuse myself, *spiele, vergnüge mich*. —
plei(i)ng(e) NE amusement, sport, fight-
ing, arguing, *Vergnügen, Spiel, Kampf,
Wortstreit*; cheery, playful, *munter, spiele-
risch*.

pleigne = pleine, NE complain.

plein OF; NE full, *voll*; fully, entirely,
völlig.

plein OF plain, NE flat, even, clear, *flach,
eben, klar*. — plein(e) OF plaine, NE
plain, *Ebene*. — pleinnesse NE flatness,
ebene Fläche.

pleine OF pleigne subj., NE complain,
lament, *klage*. — pleinte OF plainte,
NE plaint, complaint, *Klage*.

plenere AN -er; NE plenary, full, *völlig,
voll*. — plente(e), plenteth OF plenté,
NE plenty, fulness, *Fülle, Menge*. —
plente(v)ous AN; NE plenteous, *reich-
lich, ergiebig*.

plese AN sbj.; OF plaise sbj., NE please,
gefalle. — pleasaunce, plesans AN ple-
saunce, OF plaisance, NE pleasure, *Ver-
gnügen*. — plesaunt AN; OF plaisant,
NE pleasant, *angenehm*. — plesure OF
plaisir, NE pleasure, *Vergnügen*.

plete, pleting = plede, pleding.

plicche, p. plighte OE plicge, NE pluck,
draw, *zupfe, ziehe*.

plie OF; NE bend, *biege*. — pliaunt AN;
NE pliant, submissive, *biegsam, unter-
würfig*.

plight OE pliht m., NE danger, plight,
Gefahr, feierliche Verpflichtung. — plighte

OE plihte, NE plight, pledge, *verpfände, verpflichte, schwöre.*

plighte s. plicche.

plit AN; NE fold, state, condition, *Falte, Zustand.* — plite cf. AN plit sb.; NE fold, *falte.*

plogh = plou(g)h.

plomet OF plommet, NE plummet, *Senkblei.* — plomrewle OF plom + reule, NE plumb-rule, *Setzwage.*

plontte = plaunte.

plou(g)h, plou Late OE plôh, ON plŏgr, NE plough, *Pflug.* — plowland OE plôh + land n., NE ploughland, *Ackerland.* — plowman OE plôh + man(n), NE ploughman, *Pflüger.*

ploume OE plûme f., NE plum, *Pflaume.*

plounge AN plunge, NE; *tauche.* — ploungy NE stormy, rainy, *stürmisch, regnerisch.*

plukke OE pluccige, NE pluck, pull, *pflücke, ziehe.*

plow = plough. | plühte = plighte, NE plight.

plumage OF; NE; *Gefieder.*

po ON pāi, pā, OE pâwa, pêa m., NE peacock, *Pfau.* — pocock ME po + OE coc(c) m., NE peacock, *Pfau.*

pobble OE papolstân, popelstan m., NE pebble, *Kiesel(stein).*

pokke OE poc(c) m., NE pock, pustule, *Pocke.*

poke cf. MDu., MLG poke; NE poke, thrust, *taste, stoße.*

poke ONF puque; NE bag, *Sack, Tasche.* — poket AN poquette, NE little bag, pocket, *Säckchen, Tasche.*

pocock s. po. | poepl- = pepl-. | poer = pouer, povre.

poesie OF; NE poetry, *Poesie.*

poeste OF -té; = poustee.

poet OF poete, NE poet, *Dichter.* — poetical cf. L poeticum; NE poetical, *poetisch.* — poetrie OF; NE poetry, *Poesie.*

poine OF sbj.; NE prick, pierce, *steche, durchbohre.* — poi(g)na(u)nt AN; NE poignant, *beißend.* — poined NE pierced, *durchbrochen.*

point OF; NE point, condition, *Spitze, Punkt, Zustand.* — in point to NE on the point to, *im Begriff zu.* — at point-devis OF *à point devis, NE exactly, *genau.* — pointe OF; NE describe, point, punctuate, *beschreibe, spitze, interpungiere.* — pointel OF; NE stylus, *(Schreib-) Griffel.*

poison OF; NE; *Gift.*

pol OE pâl m., NE pole, long stick, *Pfahl, Stange.*

pol OF; NE pole (of the heavens), *Pol.*

pol cf. MDu. pol, MLG poll; NE poll, head, *Kopf.* — polax MDu. pol(l)aex, NE pole-ax, *Streitaxt.* — polle NE poll, shave the head, *schneide das Haupthaar ab.*

polcat F poule + OE cat(t) m., NE polecat, *Iltis.*

pol(e) OE pôl m., NE pool, *Pfuhl, kleiner Teich.*

pole NE put a guard on (a horse's) head, *versehe (ein Pferd) mit einem Kopfschutz (?).*

policie OF; NE policy, *Politik.*

polishe OF polisse sbj., NE polish, *putze.*

polive cf. OF poulie; NE pulley, *Flaschenzug.*

polle s. pol, NE head.

pollucioun L -utionem; NE pollution, *Befleckung.* — polut OF pollut, L pollutum, NE polluted, *beschmutzt.*

pomel OF; NE pommel, *Knopf, Knauf.*

pomely F pommelé, NE dappled, *gesprenkelt.* — pomgarnette OF pome grenate, NE pomegranate, *Granatapfel.*

pompe OF; NE pomp, *Pomp.* — pompous AN; NE; *prunkhaft.*

pond cf. OE pyndan 'enclose'; NE pond, *Teich.*

ponder OF pondere, NE ponder, *erwäge.*

ponne = panne. | pons = pens s. peny.

pontifical L -alem; NE ecclesiastical dignitary, *kirchlicher Würdenträger.*

pope OE pâpa m., NE pope, *Papst.* — popeholy OE pâpa + hâlig, or cf. MDu. popelaer; NE hypocritical, *scheinheilig.*

popelote cf. OF poupelet; NE poppet, darling, *Liebchen.* — popet OF poupette, NE poppet, puppet, doll, *Puppe.*

popinjay = papejay. | pople = peple.

popler AN; NE poplar-tree, *Pappel.*

poplexie OF apoplexie, NE apoplexy, *Lähmung.*

poppe cf. OF po(u)pine; NE paint (my face), *schminke (mich).*

popper orig. obsc.; NE small dagger, *kleiner Dolch.*

poraille OF; NE poor people, *arme Leute.*

porche OF; NE porch, *Halle.*

porcio(u)n AN; NE portion, *Teil.*

pore = povre. | porfil = purfil.

porisme L porisma, NE corollary, *Folgesatz.*

porphurie OF *porphyrie, NE porphyry, *Porphyr.*

porpos(e) = purpos. | pors = purs.

port OF; NE deportment, carriage, behaviour, *Betragen, Haltung.* — portatif OF; NE portable, *leicht zu tragen.* — porthors OF; NE portesse, breviary, *Brevier.*

port OE m. n.; NE; *Hafen.*

porteculis OF porte coulisse, NE portcullis, *Fallgatter.* — porter AN; NE; *Pförtner.*

porthors s. port, NE deportment. | portion = porcio(u)n.

portreie OF po(u)rtraie sbj., NE po(u)r-
tray, depict, *male ab, schildere.* — por-
treiing NE picture, *Bild.* — portrei-
tour AN; NE draughtsman, *Zeichner.* —
portreiture AN; NE drawing, picture,
Bild.

porveie = purveie.

pos(e) OE (ge)pos n., NE cold in the head,
Schnupfen.

pose OF; NE put the case, suppose, *setze
den Fall, nehme an.* — positioun AN
-icioun; NE supposition, hypothesis, *An-
nahme.*

posse OF pousse, NE push, *stoße, schiebe.*

possessioun AN; NE possession, *Besitz.*
— possessioner AN; NE man who is
endowed, *dotierter Mann.*

possible OF; NE; *möglich.* — possibi-
litee OF -té; NE possibility, *Möglichkeit.*

post OE m.; NE post, support, *Pfosten,
Stütze.*

postel (pl. postles) = apostle.

postum OF apostume, NE imposthume.
abscess, *Geschwür.*

pot = putte.

potage OF; NE pottage, *Suppe.*

potente ML potentiam, NE crutch,
staff, *Krücke, Stab.*

potestat AN; L -tatem; NE potentate,
Potentat.

pothecarie = apotecarie.

pott OE pot(t) m., NE pot, *Topf.*

pouche OF; NE pouch, pocket, *Tasche.*

poudre OF; NE powder, dust, *Pulver,
Staub*; NE grind to powder, powder,
zerreibe zu Pulver, bestäube. — poudre-
marchaunt OF poudre + AN mar-
chaunt, NE flavouring powder, *wohl-
riechendes Pulver.*

pouer, pouir AN po(u)air, po(u)er, NE
power, *Macht.*

pounage AN panage, NE pannage,
Schweinefutter.

pound OE pund n., NE pound, *Pfund.* —
poundesworth OE pundes weorþ n.,
NE pound('s)-worth, *Pfundwert.*

poune OF peon, NE pawn at chess,
Bauer im Schachspiel.

pounsone F poinçonne, NE stamp.
pierce, *stemple, durchbohre.*

poupe onomat.; NE blow, *blase.*

pouraille = poraille. | pourchase =
purchace.

poure orig. obsc.; NE pore, look closely,
schaue genau.

poure L puro, NE pour, *gieße aus.*

poure = povre. | pourpos = purpos.

pous OF; NE pulse, *Puls.*

poustee AN -té; NE power, *Macht.*

pouwer, power = pouer.

povre, pover(e), por(e) OF povre, NE poor,
arm. — povert OF poverte, = po-
verte(e). — poverte(e) OF -té, NE po-

verty, *Armut.* — povrely, -liche NE
poorly, *arm.*

powdere = poudre. | power = pouer AN.
| powste = poustee.

practik OF practique, NE practice, *Ver-
fahren.* — practisour AN; NE prac-
titioner, *Praktiker, erfahrener Mann.*

praie = preie.

praiere OF praërie, NE meadow, *Wiese.*

praiere = preiere. | praise = preise.

pratty OE p(r)ættig, p(r)ettig, NE cunn-
ing, pretty, *schlau, hübsch.*

praunce orig. obsc.; NE prance about,
stolziere einher.

preamble F preambule, NE preamble.
Einleitung. — preambulacioun AN;
NE preambling, *Einleiten.*

prece = presse s. pres.

precedent OF; NE preceding, *voran-
gehend.*

precept OF; NE instruction, *Anweisung.*

preche OF; NE preach, *predige.* — pre-
chour AN; NE preacher, *Prediger.*

precio(u)s AN; NE precious, scrupulous.
kostbar, peinlich. — preciousnesse NE
preciousness, *Kostbarkeit.*

prede = pride.

predestinat L -tum; NE foreordain-
ed, *vorherbestimmt.*

predicacioun, -atioun AN; NE preach-
ing, *Predigt.*

pref = preve.

prefect OF; NE; *Präfekt.*

preferre OF prefere, NE take precedence.
gehe voran.

preze = preie, NE pray.

preie AN; NE prey, crowd, *Beute, Menge.*

preie AN; NE beseech, pray, *bitte, bete.* —
preiere AN; NE prayer, *Gebet.*

preignant AN; NE pregnant, *fruchtbar
gewichtig.*

preis OF; NE praise, *Preis, Lob.* —
preise OF; NE praise, value, *preise.
schätze.* — preiser NE praiser, *Lo-
bende(r).* — preisinge NE glory, *Preis,
Ehre.*

prelat OF; NE prelate, *Prälat.* — pre-
lacie OF; NE prelacy, *Prälatur.*

premisse OF; NE premiss, statement.
Feststellung.

prenostik ML praenosticum, NE prog-
nostic, *Voraussagung.*

prente OF empreinte, NE print, *Druck,
Abdruck*; imprint, *drücke ein.*

prentis = apprentice. — prentishod
NE apprenticeship, *Lehrzeit.*

pres, prees OF presse, NE press, cupboard,
crowd, *Presse, Schrank, Gedränge, Menge.*
— pres(s)e OF; NE press, *drücke, dränge.* — pres(s)ing NE urging,
Drängen. — pressure OF pressour, NE
wine-press, *Weinpresse.*

presande = present.

prescience OF; NE; *Vorherwissen.*

presence OF; NE; *Gegenwart.* — present OF; NE; *gegenwärtig*; gift, present time, *Gabe, Gegenwart.* — presentarie L praesentarium, NE ever-present, *immer gegenwärtig.* — presente OF; NE present, *biete dar.* — presenting NE offering, *Darbietung.* — presently NE at the present moment, *gegenwärtig.*

preserve OF; NE; *bewahre.*

presoun = priso(u)n. | press(e) = pres.

prest OF; NE ready, prompt, *bereit, schnell bei der Hand.* — prest(ly) NE readily, immediately, *rasch, sofort.*

prest, preost OE prêost m., NE priest, *Priester, Geistlicher.* — presthode OE prêosthâd m., NE priesthood, *Priesterwürde.*

presume OF; NE; *nehme an.* — presum(p)ci(o)un AN; NE presumption, supposition, *Annahme.*

pretende OF subj.; NE endeavour, *versuche.*

preterit OF; NE past time, *Vergangenheit.*

pretorie OF; NE the Pretorian cohort, *die Prätorianer.*

preve AN preove, OF preuve, NE proof. *Probe, Beweis.* — preve OF proeve, NE prove, find, *prüfe, beweise, finde, erprobe mich.*

preve, prevy = prive(e). | prevely = prively. | prevetee = privete(e).

pricasour cf. prik(k)e; NE hard rider, *scharfer Reiter.*

prik(k)e OE prica m., NE point, sting, *Punkt, Stich.* — prik(k)e, p. prighte OE pricige, NE prick, incite, *steche, stachele an, sprenge einher.* — prikere, prikiare NE horseman, *Reiter.* — priking OE pricung, NE pricking, hard riding, *scharfes Reiten.*

pride OE prŷto, prŷdo f., NE pride, splendour, *Stolz, Pracht.* — pride cf. ON prŷða; NE am proud, pride myself, *bin stolz, brüste mich.* — prideles NE without pride, *ohne Stolz.*

prie orig. obsc.; NE pry, peer, *spähe.*

prighte p. of prik(k)e.

prime OF; NE; *Prime (erste Betstunde).* — at prime face F de prime face, NE at first sight, *auf den ersten Blick.* — primer OF; NE; *Elementarbuch.* — primerole OF; NE primrose, *Himmelschlüssel.*

prince OF; NE; *Fürst, Prinz.* — princesse OF; NE princess, *Fürstin.* — principal OF; NE; *hauptsächlich.* — principle OF principe, NE principle, natural disposition, *Prinzip, natürliche Anlage.*

prins = prince.

priour AN; NE prior, *Prior.* — prioresse OF; NE prioress, *Priorin.* — priorie OF; NE priory, *Priorei.*

pris OF; NE price, value, glory, *Preis,*

Wert, *Ruhm*; worthy of price, excellent, *preiswürdig, ausgezeichnet.* — prise OF; NE praise, value, *preise, schätze.*

priso(u)n AN; NE prison, *Gefängnis.* — prisoner, prisuner AN; NE prisoner, *Gefangener.*

prisse = pris. | prist = prest. | prisund = priso(u)n.

prive OF prive, NE deprive, *beraube.* — prive(e), privey AN; NE privy, secret, own, *geheim, eigen*; intimate friend, *vertrauter Freund.* — privee NE privy, *Abort.* — prively, -ily NE secretly, *heimlich.* — privete(e), -ite OF -eté; NE privacy, *Verborgenheit.* — privy = privee. — privileg(i)e OF privilege, NE; *Privileg.*

probleme OF; NE problem, *Aufgabe.*

proke cf. prik(k)e and LG proke; NE incite, *reize an.*

procede OF; NE proceed, *gehe vor(wärts).* — proces OF; NE process, narrative, *Vorgehen, Erzählung.* — processioun AN; NE procession, *Prozession.*

proche AN prosche, = approche.

proclame OF; NE proclaim, *proklamiere, mache (öffentlich) bekannt, verkünde.* — proclamacion OF -ation; NE; *Proklamation, öffentliche Bekanntmachung.*

procreacioun AN; NE procreation, *Zeugung.*

procu(ra)tour, procurature AN procuratour, NE proc(ura)tor, *Prokurator.*

proef = preve. | proeve = preve. | profer(e) = profre vb.

professio(u)n, -escioun AN professioun, NE profession (of religion), *Bekenntnis, Aussage, Erklärung.*

profet = prophet(e).

profit OF; NE; *Vorteil, Nutzen.* — profitable OF; NE; *vorteilhaft, nützlich.*

profre fr. the vb.; NE offer, *Anerbieten.* — profre OF profere, NE offer, *biete an.*

progenie OF; NE progeny, *Nachkommenschaft.*

progressioun AN; NE progression, *Fortgang, Fortschreiten.*

proheme OF proeme, NE proem, *Vorrede.*

proine OF proigne, NE preen, *putze (das Gefieder).*

prolacioun L -ationem; NE utterance, *Hervorbringung von Tönen, Äußerung.*

prolixitee F -té; NE prolixity, *Weitschweifigkeit.*

prolle orig. obsc.; NE prowl about, *streife umher.*

prologe F prologue, NE; *Prolog.*

pronounce, -nowns AN pronounce, NE pronounce, *spreche aus.* — pronouncere NE pronouncer, speaker, *Sprecher.*

proper(-) = propre(-).

prophet(e), pl. -tes, -tus OF prophete, NE prophet, *Prophet.* — propheci(e), -sie, -icie OF prophecie, NE prophecy

Prophezeiung. — prophecie OF; NE
prophesy, *prophezeie.*
propinquitee OF -té; NE propinquity,
Nähe.
propirte = propretee.
proporcioun AN; NE proportion, *Ver-
hältnis.* — proporcionable OF -ion-
nable; NE proportionable, *verhältnis-
mäßig.* — proportionel L -nalem; NE
proportional, *verhältnismäßig.*
proposicioun F proposition, NE; *Be-
hauptung.*
propre OF; NE proper, distinct, hand-
some, *eigen, getrennt, hübsch.* — pro-
prely NE fitly, *in passender Weise.* —
propretee OF -té; NE property, pecu-
liarity, *Eigentum, Eigentümlichkeit.*
proscripcioun L -iptionem; NE pros-
cription, interdiction, *Achtung, Verbot.*
prose OF; NE; *Prosa.* — prose NE
write in prose, *schreibe in Prosa.*
prospective OF; NE perspective-glass,
Fernglas.
prospre OF; NE prosperous, *glücklich.* —
prosperite(e) OF -té; NE prosperity,
Gedeihen.
proteccioun AN; NE protection, *Schutz.*
protestacioun AN; NE protestation,
Beteuerung.
prou = prow.
proud, prowd(e), prout OE prût, OF
prud, NE proud, *stolz.* — proude-
herted fr. proude + OE -heort, NE
proud-hearted, *stolz.*
proues(se) = prowes(se).
prove cf. OF prover inf. = preve. — pro-
vable OF; NE; *beweisbar.*
provende OF; NE provender, prebend,
stipend, *Proviant, Pfründe, Stipendium.*
proverbe OF; NE proverb, *Sprichwort.* —
proverbe fr. the sb.; NE speak in
proverbs, *rede in Sprichwörtern.*
provisour AN; NE provisor, *für eine
Pfründe (vom Papst) Bestimmter.*
provost OF; NE; *Vorsteher.* — pro-
vostrie NE praetorship, *Prätoramt.*
prow OF prou, NE profit, advantage,
Nutzen, Vorteil. — prowes(se) OF
prouesse, NE prowess, *Tapferkeit.*
prud = proud. | prude, prüde = pride.
prudent OF; NE; *klug.*
prut = proud.
psalm L -mum; NE psalm, *Psalm.* —
psauter AN; NE psalter, *Psalter.*
publican L -anum; NE publican, *Zöllner.*
publice, -she OF publie, NE proclaim,
publish, *erkläre, veröffentliche.*
puffe onomat.; NE blow, *blase.*
pugde 35,01117 = puhte, puked p. of poke,
stoße. | pugnaunt = poi(g)na(u)nt.
pullaile AN pullail, NE poultry, *Geflügel.*
pulle fr. the vb.; NE pull, trick, *Zug,
Kniff.* — pulle OE pullige, NE pull,
ziehe.

pulpet OF pulpite, NE pulpit, *Kanzel.*
pult = pilt.
pultrie AN; NE poultry, *Geflügel.*
pund = pound.
punice, -nishe OF punisse subj., NE pun-
ish, *bestrafe.* — punishinge = punisse-
ment. — punissement OF; NE punish-
ment, *Bestrafung.*
puple = peple. — puplishe OF puplie,
NE publish, people, *veröffentliche, be-
völkere.*
purchas AN; NE gain, purchase, *Gewinn,
Erwerb.* — purchace NE purchase,
acquire, *erwerbe.* — purchasinge NE
acquiring, *Erwerben.* — purchasour
AN; NE conveyancer, *Käufer.*
pure OF pur, NE pure, complete, *rein,
vollständig.* — pure NE purify, *reinige,
läutere.* — purely NE wholly, *völlig.*
pure = poure, NE pore.
purfil fr. the vb.; NE ornamented edge,
verzierter Rand. — purfile OF porfile,
NE purfle, ornament at the edge, *ver-
ziere am Rande.*
purge OF; NE; *reinige.* — purgacioun
AN; NE purification, *Reinigung.* —
purgatorie AN; NE purgatory, *Fege-
feuer.*
purpos OF pourpos, NE purpose, *Absicht.*
— purpose NE; *beabsichtige.*
purpre AN; NE purple, *Purpur, purpurn.*
purprise OF pourprise, NE enclosure,
Park.
purs OE; NE purse, *Börse.*
pursue, -sewe OF poursuis, NE pursue,
persevere, *verfolge, harre aus.* — purse-
vaunt OF -ant; NE pursuivant, *Be-
gleiter, Unterherold.* — pursewing NE
proportionate, *proportioniert, ebenmäßig.*
— pursuit OF porsuit, NE persever-
ance, *Beharrlichkeit.*
purtrei- = portrei-.
purveie, -vaie AN -veie; NE purvey,
provide, *versorge, sorge vor.* — purveieable
NE provident, *vorsorglich.* — purve(i)-
a(u)nce, -viance AN purveaunce, NE
providence, provision, *Vorsorge.* — pur-
veiinge NE providence, *Vorsorge.*
pusse = posse.
put fr. putte; NE throw, *Wurf.* — put(t)e,
p. put OE potige fr. Gael. pwt, NE throw,
push, put, lay, *werfe, stoße, setze, lege.* —
puttingge NE throwing, *Werfen.*
püt = pit.
putour AN; OF putier, NE pimp, procurer,
Kuppler. — puterie OF; NE prostitu-
tion, *Prostitution.*

Q.

qua = who.
quakke imit.; NE hoarseness, *Heiserkeit.*

quak(i)e, p. quaked, quok OE cwacige,
NE quake, tremble, *bebe, zittere.*
quad MDu. quaet, NE evil, *schlimm.*
quad = quod s. quethe. | quaer = where.
quail(l)e OF quaille, NE quail, *Wachtel.* —
quailepipe OF quaille + OE pîpe f.,
NE quail-pipe, *Wachtelpfeife.*
quaim = whom s. who. | quaint =
queint. | ᵃ-qualde s. ᵃ-quelle.
qualitee OF -té; NE quality, *Eigenschaft.*
qualm OE cwealm m., NE pestilence,
plague, death,· *Pest, Tod.*
quam = whom s. who. | quan(ne) =
when. | quant(t) = queint. | quantise =
queintise.
quantite OF -té; NE quantity, *Menge.*
quappe imit.; NE tremble, *zittere.*
quarel OF quarrel, NE quarrel, square-
headed crossbow-bolt or arrow, *Arm-
brustbolzen oder Pfeil mit vierkantiger
Spitze.*
quarel(e) = querele.
quart OF; NE; *Quart(maß).* — quar-
teine OF -taine; NE quartan, *alle
4 Tage eintretend.* — quarter OF; NE;
Viertel. — quarternight OF quarter +
OE niht f., NE fourth part of the night,
Viertel Nacht.
quas = whos, quasa = whoso s. who. |
quat = what. | quat(h) = quod s.
quethe.
quathrigan pl. L quadrigae, NE quadriga,
Viergespann.
quatsoever = whatsoever. | queasse =
whese.
quek! onomat.; NE quack! (of ducks).
quak! quak! (von Enten).
qued, kuead cf. OE cwêad n. 'dung';
NE bad, villain, evil, (object of) scorn,
*schlecht, Bösewicht, Übel, (Gegenstand
des) Spott(es).*
quede = quide.
queint AN queinte, OF cointe, NE quaint,
strange, artful, graceful, *seltsam, listig, an-
mutig*; sb. pudendum, *weibliche Scham.*
— queintise AN queintise, OF cointise,
NE cunning, elegance, ornament, *List,
Zierlichkeit, Schmuck.*
queint(e) s. quenche. | queir = quer. |
quel = which.
queldepointe OF cuilte pointe, NE
counterpane, *Bettdecke.*
quele OE cwele, NE die, *sterbe.* — ᵃ-quelle,
p. ᵃ-quelde, ᵃ-qualde OE ācwelle, NE
kill, *töte.*
queme fr. the adj.; NE satisfaction,
Befriedigung. — queme, cweme OE
(ge)cwême, NE agreeable, *angenehm.* —
ⁱ-queme, ⁱ-cweme OE (ge)cwême, NE
please, *befriedige.* — quemed, cwemed
NE beloved, *wohlgefällig, geliebt.*
quen, quene = when.
ᵃ-quenche, p. queinte, pp. queint OE
ācwence, NE quench, *lösche, stille.*

quen(e) OE cwên f., NE queen, *Königin.*
quene OE cwene f., NE quean, *Weib,
Dirne.*
quer OF cuer, NE choir, *Chor.*
quere = wher.
querele OF; NE quarrel, *Zank, Streit.*
quern(e) OE cweorn f., NE hand-mill,
Handmühle.
querrour AN quarreour, NE quarry-man,
Steinbrecher.
quert cf. Norw. kverr 'quiet', ON kyrð
'quietness', NE healthy, health, *gesund,
Gesundheit.*
questemongere OF queste + OE man-
gere m., NE inquest-holder, *Untersu-
chungsrichter.*
questioun AN; NE question, dispute,
Frage, Streit.
quet = qued.
quethe, p. quoth, quod, quethe(n), pp.
quethen ÐE cweþe, NE speak, say,
appoint, *spreche, sage, weise an.*
quethe, cwethe = quide. | quether =
whether. | quham = whom s. who. |
quhar(e) = wher. | quhasa = whose s.
who. | quhat = what. | quhen = when.
| quhy = why. | quhill(e) = while(e). |
quhu = how. | quy = why.
quik, cwic OE cwic, NE alive, quick,
lebendig, schnell. — quikke lime OE
cwic + lîm m., NE quick-lime, *unge-
löschter Kalk.* — ᵃ-quik(i)e, ᵃ-cwikie
OE (ā)cwicige, NE quicken, revive,
belebe, werde lebendig. — quiknesse NE
liveliness, life, *Lebendigkeit, Leben.* —
quiksilver OE cwicseolfor n., NE
quicksilver, *Quecksilber.*
quide, cwide OE cwide m., NE saying.
promise, testament, *Ausspruch, Rede,
Versprechen, Testament.* — quidde,
cwidde OE cwiddige, NE say, *sage.*
quiet OF quiete, NE quiet, repose, *Ruhe.*
quilk = which. | quil(l)e(s) = while(e). |
quine = when. | quine = quen(e), NE
quean.
quinible fr. L quin(que); NE fivefold, *fünf-
fältig*; one octave above the treble, *eine
Oktave (im Mittelalter von fünf Tönen)
über dem Diskant.*
quirboilly OF cuir boilli, NE boiled
leather, *gekochtes Leder.*
quishin, -on OF cuissin, NE cushion,
Kissen.
quistroun AN; NE scullion, vagabond,
Küchenjunge, Herumtreiber.
quit = whit(e).
quite, qwit(t) OF quite, NE quit, *quitt,
frei*; quite, *ganz.* — quite, quitte OF
quite, NE quit, requite, *bezahle, befreie.* —
quitly, quitelich NE freely, wholly,
quite, *frei, ganz.*
quithe = quide. | quok s. quake. | quod,
quoth s. quethe. | quonyam L quoniam
= queint sb. | quu-, qw- = qu.

R.

ra = ro, NE roe.

raby L rabbi, NE Rabbi, *Rabbi.*

rake OE racige, NE go, *gehe.*

rake OE raca m., racu f., NE rake, *Rechen.* — rakestele OE raca + stela m., NE rake-handle, *Rechenstiel.*

race = arace.

rakel cf. OE racige; NE hasty, rash, *eilig, übereilt.* — rak(e)le NE am rash, *bin übereilt.* — rakelnesse NE rashness, *Übereilung.*

raket OF raquette, NE game of rackets, *Schlagballspiel.*

raketeie, raketehe OE race(n)-têag f., NE chain, *Kette.*

racine OF; NE root, *Wurzel.*

rakle = rak(e)le.

rad OE hræd, NE quick, *schnell.*

rad ON hræddr, NE afraid, *bang.* — radnes NE terror, *Schreck.*

rad(de) s. rede. | radder = redder comp. of red. | rade = rod s. ride.

radevore OF *ras de Vor (= Vaur in Languedoc ?), NE sort of tapestry, *Art Teppich.*

rædesman = redesman s. red, NE counsel.

rafle OF; NE raffle, *Art Würfelspiel.*

raft(e) s. reve.

rafter OE ræfter m., NE rafter, *(Dach-) Sparren.*

rage OF; NE passion, *Leidenschaft*; toy wantonly, *spiele ausgelassen.* — ragerie OF; NE wantonness, *Ausgelassenheit.*

ragge ON rogg, NE rag, *Fetzen.* — rag(g)ed cf. OE raggig; NE ragged, shaggy, *zerlumpt, zottig, stachlig.*

raghte s. reche and ᵃ-recche.

ray OF; NE; *Strahl.*

raike ON reik, NE course, path, *Lauf, Weg.* — raike ON reika, NE wander, rush, *wandere, eile.*

rai(e) F raie, NE stripe, streak, *Streifen.* — raied cf. F rayé; NE striped, *gestreift.*

raie = araie.

rail OE hræg(e)l n., NE dress, *Kleidung.* — raile NE clothe, *(be)kleide.*

raile OF reille, NE arrange in a row, *setze in eine Reihe.*

raime fr. OF raim- (inf. raimbre); NE ransom, arrange, govern, *kaufe los, richte ein, herrsche.*

rain(en) = rein(en). | ᵃ-raise = ᵃ-reise. | raiso(un) = reso(u)n. | raiß = ros s. rise.

ram OE ram(m) m., NE ram, *Widder.* — ram(m)e NE ram, *ramme, stoße.* — rammish NE ramlike, *bockig.*

ramage OF; NE wild, *wild.*

rampe OF; NE creep, rage, *krieche, wüte.*

ran s. renne. | ran = rein, NE rain.

rank OE ranc, NE proud, strong, beautiful, *stolz, stark, schön.*

rancour AN; NE; *Groll, Haß.*

ranczake = ransake.

rand OE rand, rond m., NE margin, border, *Rand, Ufer.*

rang = rong s. ringe. | ranne = ran s. renne.

ransake ON rannsaka, NE search, ransack, *durchsuche, plündere.*

rap = rop.

rape AN; L rapio, NE rob, *raube.*

rap(e) ON hrap, NE haste, *Hast.* — rape NE quickly, *rasch.* — rap(p)e ON hrapa, NE haste, *eile.*

rarunge s. rore. | ras = ros s. rise.

ras ON räs = res OE ræs.

rascaille OF; NE mob, *Pöbel.*

rase ON rasa, NE rush, *renne.*

rase = arace, NE eradicate, *reiße heraus.*

rasour AN; NE razor, *Rasiermesser.*

rat s. rede.

rate, ᵃ-rate Sw rata, NE rate, scold, *schelte.*

ratele cf. MD, LG ratele; NE rattle, *rassele.*

rath OE hræþ, NE prompt, quick, *bereit, schnell.* — rathe OE hraþe, NE soon, early, *bald, früh.* — rather OE hraþor, NE sooner, rather, *früher, eher, lieber.* — rathly, -liche OE hræþlīce, NE quickly, *schnell.*

ratile = ratele.

ratte OE ræt(t) m., NE rat, *Ratte.*

raughte = raghte. | raunczoun = raunson.

ra(u)ndo(u)n AN; NE impetuosity, *Ungestüm.*

raunsake = ransake.

raunso(u)n AN; NE ransom, *Lösegeld.* — raunso(u)ne AN; NE ransom, *kaufe los.*

rave OF; NE; *rase.* — raving NE; *Raserei.*

raven OE hræfn m., NE raven, *Rabe.*

ravine OF; NE rapine, *Raub.* — raviner, -our AN; NE plunderer, *Plünderer.*

ravis(h)e OF ravisse subj., NE ravish, *raube.* — ravisable NE ravenous, *raubgierig.*

raw = rowe, NE row, *Reike.*

rawe OE hrǣw, NE raw, *roh.*

rawe = rowe, NE row, *Reihe.* | rawnsone = raunso(u)ne.

real OF; NE royal, *königlich.* — realme AN; NE realm, *Königreich.* — realtee OF -té; NE royalty, *Königtum, Königswürde.*

reame = realme. | reath = rath OE hræþ. | reawme = realme.

rebate OF rabat, NE abate, *vermindere.*

rebawd = ribaud.

rebekke Hebr. Rebekah, NE old woman, *altes Weib.*

rebel OF rebelle, NE rebel(lious), *Rebell, rebellisch.* — rebelle OF; NE rebel, rebelliere. — rebelling NE rebellion, *Widerspenstigkeit.*

rebounde AN; NE rebound, *springe zurück.*

rebuk(k)e AN rebuke, NE; *tadele.*

rek OE rêc m., NE reek, vapour, smoke, *Dampf, Rauch.* — reke OE rêce, NE reek, steam, *dampfe.* — rekefille OE rêc + (winter)fylleþ, NE vapour y month, April, *Dunstmonat, April.*

rek(ke) = re(c)che, NE reck.

ᵃ-recche, reke p. raughte, reighte, pp. ⁱ-raught OE ārecce, NE stretch extend, tell, direct, expound, *reiche, berichte, lenke, lange mit dem Arm, erkläre.*

re(c)che, rek(k)e p. roᵘghte OE rêce, cf. ON rōkja NE reck, care, *(geruhe), bekümmere mich.* — re(c)cheles OE rec(c)elêas, NE careless, reckless, *(ruchlos), unbekümmert.* — recchelesnesse OE rêcelêasnes f., NE recklessness, *Unbekümmertheit.*

reccne = rekene. | rekefille s. rek, *Rauch.*

receit AN receite, NE receipt, recipe, *Rezept.*

receive AN subj.; NE; *empfange.*

rekelnesse = rakelnesse.

reken OE recen, NE prompt, lively, fresh, *schnell, lebhaft, frisch.*

rekene OE (ge)recenige, NE reckon, *rechne.* — rekenere NE reckoner, *Rechner.*

recet OF; NE refuge, *Zufluchtsort.*

rekevere AN, = recovere. | rech = recche.

rechase OF rechace, NE chase back, *jage zurück.*

reche, p. raughte, reighte, pp. raught OE rǣce, NE reach, *reiche, lange mit dem Arm.* — ᵃ-reche, ᵃ-reache OE ā-rǣce, NE get at, *erreiche.*

reches = riches(e).

rechles OE rêcels n., NE incense, *Weihrauch.*

reclaime OF; NE reclaim (as a hawk by a lure), *ködere.* — reclaiming NE enticement, *Anlockung.*

rekles = re(c)cheles.

reclus OF; NE recluse, *eingeschlossen, Einsiedler.* — recluse NE shut up, *schließe ein.*

rekne = rekene.

recoma(u)nde AN; NE (re)commend, *empfehle, lobe.*

recomende ML -do; NE commit, *befehle an.*

recomforte = reconforte.

recompensacioun AN; NE recompense, *Belohnung.*

reconciliacioun = reconsiliacio(u)n.

reconforte OF; NE comfort, *tröste.*

reconissaunce AN; NE recognisance, *schriftliche Verpflichtung.*

reconsile OF reconcile, NE; *versöhne.* — reconsiliacio(u)n AN; NE reconciliation, *Versöhnung.*

record OF; NE; *Zeugnis.* — recorde OF; NE call to mind, report, *erinnere (mich), berichte.*

recours OF; NE recourse, *Zuflucht.*

recovere OF; NE recover, regain, *gewinne wieder.* — recoverer OF; NE recovery, *Wiedererlangung.*

recrea(u)nt(e) AN -aunt; NE recreant, *feig, abtrünnig.* — recreaundise AN; NE cowardice, *Feigheit.*

recth = right. | recure = recovere.

red, read OE rǣd m., NE counsel, advice, *Rat.* — ᵃ-rede, reade, 3 sg. redeth, ret, rat, p. radde, redde, pp. rad, red OE (ā)rǣde, NE advise, divine, interpret, read, receive as advice, *rate, errate, erkläre, lese, nehme als Rat an.* — redeles OE rǣdlêas, NE without advice, *ratlos.* — reder(e) OE rǣdere, NE reader, *Leser.* — redesman OE rǣdesman(n) m., NE councillor, *Ratsmann, Berater.*

red, read, reod OE rêad, NE red, redness, *rot, Röte.* — rednesse OE rêadnes f., NE redness, *Röte.*

ᵃ-redde OE (ā)hredde, NE save, *rette.*

reddour OF reidur, NE stiffness, violence, *Starrheit, Gewalt.*

rede OE hrêod n., NE reed, reed-pipe, *Ried, Rohrpfeife;* made of reed, *aus Riedgras.*

rede OE gerǣde, NE prepare, set out, *rüste (mich), breche auf.* — redely, -liche = redily. — redy fr. OE gerǣde adj.; NE ready, *bereit.* — redie, readie NE prepare, discourse, *bereite vor, erörtere.* — redily, -liche NE readily, soon, *bereit, sogleich.*

redel, pl. redelis = ridel.

redempcioun AN; NE redemption, *Loskauf.*

redliche, readliche = redily s. rede, NE prepare.

redoute, -owte OF redoute, NE fear, *fürchte.* — redoutable OF; NE terrible, renowned, *furchtbar, berühmt.* — redoutinge NE reverence, glorifying, *Verehrung, Verherrlichung.*

redresse fr. the vb.; NE redress, *Abhilfe.* — redresse OF; NE redress, *bringe wieder in Ordnung.*

reduce L reduco, NE bring back, *führe zurück.*

refe = reve, NE (be)reave.

refect pp. L -tum; NE refreshed, restored, *erfrischt, wiederhergestellt.*

refer(r)e OF refere, NE reduce, refer, *bringe zurück, schreibe zu.*

refete OF; NE recreate, refresh, *schaffe neu, erfrische.*

refigure OF; NE reproduce, *erzeuge wieder.*

reflac OE rêaflâc m. n., NE rapine, *Raub.*

reflair OF *reflair, NE fragrance, *Duft.*

reflexion F; ML -ionem; NE reflection, *Wiederschein, Nachdenken.*

refreide OF; NE grow cold, *werde kalt.*

refrein AN; NE refrain, *Kehrreim.* —

refreininge NE singing of a refrain or burden, *Singen eines Kehrreims.*

refreine AN; NE bridle, curb, *zügele, beuge.*

refreshe fr. OF refreschir; NE refresh, *erfrische.* — **refreshinge** NE refreshing, *Erfrischung.*

reft = rift, NE rift. | **reft(e)** s. reve.

refuge OF; NE; *Zufluchtsort.*

refus OF refuz, NE refused, *zurückgewiesen.* — **refuse** OF; NE; *weise ab.*

refut, refuit AN refute, NE refuge, *Zufluchtsort.*

regal OF; NE royal, *königlich;* royal attribute, royal privilege, *königliches Attribut, königliches Vorrecht.* — **regalie** OF; NE rule, authority, majesty, *Regel, Autorität, Majestät.*

regard OF; NE; *Beziehung, Vergleich.*

rei[i]**(gh), righ** OE hrêoh, NE fierce, passionate, *wild, leidenschaftlich.*

reghelboc OE regolbôc f., NE book of canons, *Regelbuch.*

reghte p. of recche, reche.

regio(u)n AN; NE region, realm, *Gegend, Reich.*

registre OF; NE book, register, *Buch, Liste.*

regne OF; NE reign, *Königtum, Herrschaft.* — **regne, reine** OF regne, NE reign, *herrsche.*

regrate, regrette OF regrate, regrete, NE regret, lament, *beklage.*

rez**se** = ᵃ-reise.

rehaite OF; NE refresh, cheer, *erfrische, muntere auf.*

reherce, -se OF; NE rehearse, *wiederhole.* — **rehersaille** NE rehearsal, *Wiederholung.* — **rehersing** = rehersaille.

rehete = rehaite. | **rei** = rei[i](gh). | **reiche** 182, 133 (note) = re(c)che, NE care. | **reid** = red, NE advice.

reie MDu.; NE round dance, *Reihen, Reigen.*

reie = rie. | **reighte** — reghte. | **reigne** = regne. | **reille** = raile.

rein OE reg(e)n m., NE rain, *Regen.* — **reinen** fr. the sub., cf. OE rignan; NE rain, *regnen.*

reine OF; NE rein, *Zügel.*

reine = regne.

reines OF reins, NE; *Nieren.*

reise cf. MHG reise 'Kriegszug'; NE go on a military expedition, *unternehme einen Kriegszug.*

ᵃ-**reise** ON reisa, NE raise, *hebe auf, errege.*

reisin AN; NE bunch of grapes, *Traube.*

reisun = reso(u)n.

rejoie fr. OF re(s)joïr; NE rejoice, *freue mich.* — **rejoiinge** NE rejoicing, *Freude.* — **rejois(s)e** OF re(s)joïsse sbj., NE rejoice, *freue mich.* — **rejoisinge** NE rejoicing, *Freude.*

rel OE hrêol, NE reel (for thread), *(Garn-) Winde.* — **rele** NE turn quickly, stagger, *drehe (mich) schnell, taumele.*

relay OF relais, NE relay, *Wechselpferde, frische Jagdhunde.*

releif = releve.

relente fr. OF ralentir; NE relent, melt, *werde weich, schmelze.*

reles AN; OF relais, NE release, ceasing, *Erlaß, Befreiung, Aufhören.* — **relesing** = reles. — **relesse** AN; OF relaisse, NE release, forgive, *befreie, vergebe.*

releve OF; NE relieve, *hebe auf, erleichtere, helfe.* — **relevinge** NE remedy, *Heilmittel.*

relik AN; NE relic, *Reliquie.*

relie OF; NE rally, *vereinige (mich).*

religi(o)un AN; NE religion, *Religion.* — **religious, -eous** AN; NE religious, *religiös;* monk, *Mönch.*

relusaunt AN; NE resplendent, *glänzend.*

rem OE hrêam m., NE cry, *Geschrei.* — **reme** OE hrîeme, NE cry, *schreie.* — **remunge** NE crying, *Schreien.*

reme = realme. | **reme** = rime, NE clear.

remed(i)e AN remedie, OF remede, NE remedy, *Heilmittel.*

remembre OF; NE remember, *erinnere.* — **remembraunce** AN; NE remembrance, *Erinnerung.*

remenant OF; NE remnant, rest, *Rest.*

remeve, -mewe OF remueve sbj., NE remove, *entferne, beseitige.*

remorde OF sbj.; NE cause remorse, *bereite Gewissensbisse.* — **remors** OF; NE remorse, *Gewissensbiß.*

remounte AN; NE lift up again, replace on horseback, *hebe wieder auf, setze wieder in den Sattel.*

remue OF; NE stir, move, *rühre, bewege.* — **remuable** OF; NE capable of motion, *beweglich.*

remuy = remue. | **remunge** s. rem.

ren fr. the vb.; NE run, *Lauf.* — **renne, ren,** 3 sg. orneth 110.58, p. ran, rende, arnde, ronne(n), pp. i-ronne(n), i-runne(n), i-orne OE rinne, ierne, ON renna, NE run, *renne, laufe.* — **renner** NE runner, *Läufer.*

ren OE regn > rên = rein.

renable AN resnable, OF raisnable, NE reasonable, eloquent, *vernünftig, beredt.* — **renably** adv.

renaie = reneie.

renke = rink, cf. ON rekkr.

rende OE; NE rend, tear, *zerreiße.*

rende p. of renne s. ren.

renegat OF; NE renegade, *Renegat.*

reneie OF; NE deny, *leugne.* — **reneied** NE renegade, *abtrünnig.* — **reneiinge** NE denying, *Leugnen.*

renewe L re- + OE nîwige, NE renew, *erneuere.*

reng(e) OF reng, NE rank, *Reihe.* — renge
OF; NE range, *stelle in Reihen auf.*

renne s. ren.

renomed OF renomé, NE renowned, *be-
rühmt.* — renome(e) OF; renoun AN;
NE renown, *Ruf, Ruhm.*

renovelle OF; NE renew, *erneuere.* —
renovelance OF; NE renewal, *Er-
neuerung.*

rent(e), rentte OF rente, NE rent, tribute,
Rente, Tribut.

rent(e) = rende. | rente p. of rendc. |
reouth = rewth(e). | reowe = rewe,
NE rue. | reowe = rowe, NE row, *rudere.*
| reowthful = rewthful.

repair OF repaire, NE repair, resort, *Zu-
fluchtsort.* — repaire OF; NE repair,
kehre heim.

reparacioun AN; NE reparation, *Wieder-
herstellung, Genugtuung.*

repe OE rīepe, NE rob, *raffe, raube.*

repe, NE reap, *ernte* = ripe. | repeire
= repaire.

repele OF; NE repeal, *widerrufe.*

repente OF sbj.; NE repent, *bereue.* —
repentaunce, -ans AN -aunce; NE
repentance, penitance, *Reue, Buße.* —
repentaunt AN; NE repentant, peni-
tent, *reuig, bußfertig.* — repenting
NE repentance, *Reue.*

replet OF; NE replete, *angefüllt.* — re-
pleccioun AN replecioun, NE repletion,
Überladung.

replenisse OF sbj.; NE replenish, *fülle
wieder.*

replie OF; NE reply, *erwidere.* — repli-
cacioun AN; NE reply, *Antwort.*

report OF; NE rumour, *Gerücht.* —
reporte OF; NE report, relate, *berichte.*
— reportour AN; NE reporter, *Be-
richterstatter.*

repref(e) = repreve.

repre(he)nde L -do; NE reprehend,
reproach, *werfe vor.* — reprehencioun
L -ensionem; NE reprehension, reproof,
Tadel.

represente OF; NE represent, *stelle vor.*

represse fr. L repressum pp.; NE repress,
dränge zurück, unterdrücke. — repres-
sioun NE repression, *Unterdrückung,
Zurückhaltung.*

repreve cf. prevē; NE reproof, *Tadel.* —
repreve NE reprove, *tadele.* — repre-
vable NE reprehensible, *tadelnswert.*

reprove cf. prove = repreve.

repugne OF; NE fight against, *kämpfe
gegen.*

reputacioun L -ationem; NE reputation,
Ruf.

requere OF requiere, NE require, *suche,
bitte.* — requerable OF; NE desirable,
wünschenswert. — requeste OF; NE
request, *Gesuch, Bitte.*

require cf. L requīro = requere.

rerde, reorde, rearde OE reord f., NE
voice, *Stimme.*

a-rere OE (ā)rǣre, NE rear, raise, *hebe
empor, richte auf.*

a-rere OE (on)hrēre, NE stir, agitate, *er-
rege.*

re-rere (MS. also rerer-) = a-rere, NE rear.

res, rease OE rǣs m., NE rush, attack,
course, while, *Rennen, Angriff, Lauf,
Weile.*

res MDu. rese, NE expedition, *(Kriegs-)
Zug.*

resaiwe, resave = receive.

resalgar OF; NE rat's-bane, *arsenige
Säure.*

resc(o)us OF rescousse, NE rescue, *Hilfe.*
— rescowe fr. OF resco(u)rre inf.; NE
rescue, *rette.*

rese OE hrisige, NE shake, *schüttele.*

resemble OF; NE; *ähnele.* — resem-
blable OF; NE alike, *ähnlich.*

reserve OF; NE; *behalte vor.*

residue OF residu, NE residue, *Überrest.*

resigne OF; NE resign, *gebe auf.*

resistence OF; NE resistance, *Wider-
stand.*

resolve L -vo; NE melt, *schmelze.*

reson = reso(u)n.

resort OF; NE; *Zuflucht.*

reso(u)n, resun AN; OF raison, NE
reason, opinion, *Vernunft, Ansicht.* —
resonable AN; NE reasonable, *ver-
nünftig.* — resoninge NE reasoning,
Beweisführung, Schluß.

resoune AN; NE resound, *töne wieder.*

respect OF; NE respect, comparison,
Rücksicht, Vergleich.

respit OF; NE respite, *Verzögerung.* —
respite OF; NE; *zögere.*

resport OF; NE regard, *Rücksicht.*

resseive = receive.

rest(e) OE rest f., NE; *Ruhe.* — reste OE;
NE rest, *ruhe.* — resteles OE restlēas,
NE restless, *ruhelos.* — resting-place
fr. OE reste + OF place; NE resting-
place, *Ruheplatz.* — resting-while fr.
OE reste + hwīl f.; NE leisure, *Ruhezeit.*

restore OF; NE; *gebe zurück.*

restreine OF restreigne sbj., NE restrain,
hemme.

resurreccioun AN; NE resurrection, *Auf-
erstehung.*

ret s. a-rede. | retenewe = retenue.

retentif OF; NE retentive, *festhaltend.* —
retenue OF; NE retinue, *Gefolge.*

rether, reother cf. OE hrīþer, hrȳþer; NE
ox, *Rind.*

rethor L rhetor, NE orator, *Redner.* —
rethorien OF; NE orator, *Redner;
rhetorical, rednerisch.* — rethorike OF
rhetorique, NE rhetoric, *Redekunst.*

retourne, retorne OF; NE return, *kehre
zurück.* — retourninge NE return,
Rückkehr.

retraccioun AN; NE retraction, *Zurück-nahme.*

retrete AN; OF retraite, NE treat again, reconsider, reproduce, *erwäge nochmals, gebe wieder.*

retrograd L -dum; NE retrograde, *rück-läufig.*

a-rette OF ret(t)e, NE repute, account, *rechne vor, beschuldige.*

reu = rewe, NE rue. | reule = rewle. | reuly, reuliche = rewliche s. rewe, NE sorrow. | reuth(e) = rewth(e) s. rewe, NE sorrow.

reve OE gerêfa m., NE reeve, *Vogt.*

reve, p. reft(e), raft(e) OE rêafige, NE (be)reave, *(be)raube.*

revel OF; NE revel(ry), *Trinkgelage.* — revelour NE reveller, *Zecher.* — reve-lous AN; NE fond of revelry, *zechlustig.*

revelacioun AN; NE revelation, *Ent-hüllung.*

revenge OF; NE; *räche.*

reverberacioun AN; NE reverberation, *Widerhallen.*

reverdie OF; NE rejoicing, *Freude.*

rever(e) = river(e).

reverence OF; NE; *Ehrfurcht.* — rever-ent OF -end; L -endum; NE reverend, *verehrungswürdig.*

revers OF; NE reverse, *Gegenteil.* — re-verse OF; NE; *stürze um.*

reverte OF sbj.; NE revert, *kehre um, komme zurück.*

reveste OF sbj.; NE clothe (again), *kleide (wieder).*

revile AN; NE; *schmähe.*

revoke OF revoque, L revoco, NE recall, *widerrufe.*

revolucioun AN; NE revolution (of celestial bodies), *Umlauf (von Gestirnen).*

rew = rewe, NE rue.

reward OF regnard, NE reward, regard, *Rücksicht.*

rewde OF rude, NE rude, *ungebildet, einfach.*

rewe, reawe OE rêw f., NE row, *Reihe.*

rewe OE hrêow f., NE sorrow, *Kummer.* — rewe, reowe, p. rew(e), rewede OE hrêowe, NE rue, pity, repent, grieve, *habe Mitleid, bereue, schmerze.* — rewful NE rueful, *jämmerlich.* — rewliche OE hrêowlīc, NE pitiable, *beklagenswert, jämmerlich.* — rewth(e) cf. OE hrêow f. and ON hrygð; NE ruth, *Mitleid;* caus-ing pity, *mitleiderregend.* — rewthful, reowthful NE ruthful, *jammervoll.* — rewtheles NE ruthless, *erbarmungslos.*

rewelbon cf. AN roal + OE bân n.; NE ivory of the narwhal, *Elfenbein vom Narwal(?).*

rewely = rewle vb.

rewle OF reule, NE rule, *Winkelmaß, Regel.* — rewle OF reule, NE rule, reign, *regiere.*

rewme = realme. | rewth(e) s. rewe, NE sorrow. | rial(l) = real. | rialte, riawte = realtee.

riban OF; NE ribbon, *Band.* — ribane NE adorn with ribbons, *schmücke mit Bändern.* — ribaninge NE ribanding, ribbons, *Bandwerk.*

ribaud OF; NE ribald, rascal, *Wüstling, Schuft.* — ribaudie OF; NE ribaldry, *wüstes Wesen.*

ribbe OE rib(b) n., NE rib, *Rippe.*

ribib(l)e, rub- OF rubebe, rebebe, NE kind of fiddle, old woman, *Fiedel, altes Weib.*

rikenare = rekenere. | rikene = rekene.

riche OE rīce, NE rich, *reich.* — riche OE rīce n., NE realm, *Reich.* — richly OE rīcelīce, NE richly, *reich, in reichem Maße, prächtig.*

richeis, riches(se) OF richesse, NE riches, *Reichtum.*

rikne = rekene.

ride fr. the vb.; NE; *Ritt.* — ride, 3 sg. rit(e), rideth, p. rod, pl. rid(d)en, pp. rid(d)en OE rīde, NE ride, reite.

ridelOF; NE curtain, *Vorhang.* — rid(e)led OF ridelé, NE plaited, gathered, *geflochten, zusammengerafft.*

rie OE ryge m., NE rye, *Roggen.*

riet L rete, NE net, *Netz.*

rif(e) OE rīf, NE frequent, abundant, generally known, *häufig, reichlich, all-gemein bekannt.* — rifly NE greatly, frequently, *in großem Maße, häufig.*

rif(e) = rive.

rifle OF; NE; *plündere.*

rift OE n.; NE garment, veil, *Kleidungs-stück, Schleier.*

rift ON ript, NE rift, *Riß, Spalte.*

rigge, rig OE hrycg m., NE back, *Rücken.*

right, rizçt, rizth OE riht (adj. and sb. n.), NE right, straight, *gerade, recht;* justice, *Recht.* — righte OE rihte, NE straighten, set right, direct, *mache gerade, mache rich-tig, lenke.* — rightful, -fol OE rihtful(l), NE right, just, *richtig, (ge)recht.* — right-fulliche, -foliche adv. — rightfulnesse NE rightfulness, righteousness, *Gerechtig-keit, Rechtlichkeit.* — rightnesse OE rihtnes f., NE justice, *Gerechtigkeit.* — rightwis(e), -wes OE rihtwīs, NE right-eous, *gerecht.* — rightwis(s)nesse OE rihtwīsnes f., NE righteousness, *Gerech-tigkeit.*

rigour OF; NE; *Strenge.*

rim OE rîm n. 'number', NE rhyme, *Vers-maß, Reim.* — rime OE rīme, NE rhyme, *reime.* — rime couwee AN; NE tail-rhyme, *Schweifreim.* — rimeie AN; NE rhyme, *reime.*

rim OE hrîm m., NE rime, hoarfrost, *Reif.*

rime OE rŷme, NE clear, yield, depart, *räume, weiche, gehe weg.*

rimple cf. OE hrympel-; NE wrinkle, *runzele.*

rin = renne. | rin = ⁱ-ronne(n) s. renne.

rink OE rinc m., NE man, warrior, *Mann, Kämpe.*

rind(e) OE rind f., NE bark, rind, *Rinde.*

rine OE ryne m., NE running, course, *Lauf(en).*

rine, p. ron OE rigne > rîne, NE rain, *regne.*

ring OE hring m., NE ring, *Ring.*

ringe, p. rong, rung, ronge(n), rungen. pp. ⁱ-ronge(n), ⁱ-rungen, OE hringe, NE ring, *töne, läute.*

rinne = renne ON renna.

riot OF riote, NE riot, *Lärm, Schwelgerei.* — riote OF; NE make a riot, *lärme, schwelge.* — riotour AN; NE rioter, *Schwelger, (Nacht-)Schwärmer.* — riotous AN; NE riotous, *lärmend, schwelgerisch.*

ripe Sw. ripa, NE rip, examine, *reiße (auf), durchsuche.*

ripe, repe, p. rep, repe(n), rope(n), pp. rope(n) OE rîpe, cf. rêepe NE reap, *ernte.*

ripe OE rîpe, NE ripe, *reif.* — ripe OE rîpige, NE ripen, *reife.*

rire OE hryre m., NE ruin, fall, *Fall, Sturz.*

ris OE hrîs n., NE twig, *Reis, Zweig.*

ᵃ-rise, 3 sg. rist, p. ros, rise(n), pp. ⁱ-rise(n) OE (ā)rîse, NE rise, *erhebe (mich), stehe auf, erstehe.* — Cf. ariser, arising.

rise 53,₄₄ orig. obsc., cf. OE (ge)rîs 'rabies' or G, *reisig.*

rishe OE rysc(e), risc(e) f., NE rush, *Binse.*

riste = rest(e). | riste(wis) = right(wis). | rit(e) s. ride. | rith(t) = right.

rite L ritum, NE rite, *Ritus.*

rive, p. rof, pp. rive(n) ON rîfa, NE rive, tear, break, pierce, *(zer)reiße, breche, durchbohre.*

rive = arive. | rive = rif(e).

rivele cf. OE rifelede adj.; NE wrinkle, *runzele.*

river(e) AN rivere, NE river, *Fluß.*

riwely = rifly s. rif(e). | riwle = rewle.

rixie OE rîcsige, NE rule, *herrsche.*

ᵃ-rixlie = rixie.

ro OE râ(h) m., NE roe, *Reh.* — ro-venisoun OE râ(h) + AN veneisoun, NE venison of the roe, *Rehwildpret.*

ro ON; NE quiet, rest, *Ruhe.*

rob(be) OF robe, NE rob, *(be)raube.* — robbery OF roberie, NE robbery, *Räuberei.* — robbour, robbeour, robber AN robeour, NE robber, *Räuber.*

robe OF; NE; *Kleid.*

roc OE hrôc m., NE rook, *Saatkrähe.*

rocke, rok MDu. rocke, NE distaff, *Rocken.*

rok(k)e, roche OF; NE rock, *Fels.*

rok(k)e OE roccige, NE rock, quiver, *schüttele, zittere.*

roket, rochet(te) OF roquet, rochet m., NE rochet, linen garment, *leinenes Gewand, Tunika.*

rod OE râd f., NE journey, road, *Reise, Straße.*

rod s. ride.

rodde OE rôd f., NE rod, pole, *Stange.*

rode OE rudu f., NE (red) complexion, *(rote) Gesichtsfarbe.* — rody OE rudig, NE ruddy, *rot, frisch.*

rode, roed OE rôd f., NE rood, cross, *Kreuz.* — rodebem OE rôd + bêam m., NE rood-beam, *Kreuz(stütz)balken.* — rodetre OE rôd + trêo(w) n., NE cross, *Kreuz.*

rof OE hrôf m., NE roof, *Dach.*

rof s. rive. | roffe p. pl. of rive.

rogge ON rugga, NE rock, *schüttele.*

roȝ, rogh = rough. | roᵘght(e) s. re(c)che.

roi(e) OF roi, NE king, *König.* — roial OF; NE royal, *königlich.* — roialy, -liche adv. — roia(l)me OF roialme, NE realm, *Königreich.*

roignous = roinous.

roile OF roele, NE roll, wander, *wandere.*

roine OF roigne, NE roughness, scabbedness, *Rauheit, Räudigkeit.* — roinous AN roignous, NE rough, scabby, rotten, *rauh, räudig, faul.*

roise 206,₆₉ ON hrôsa, NE praise, boast, *rühme, rühme mich.*

rolle OF; NE roll, *Rolle.* — rolle OF; NE roll, *rolle.*

roman L -anum; NE Roman, *römisch.* — romanish OE Rômânisc, NE Roman, *römisch.*

romare OF romier, NE pilgrim to Rome, *Wallfahrer nach Rom.*

roma(u)nce AN; NE romance, *Romanze.* — romanz-reding OF romanz (pl. of romant) + OE rêding f., NE reading of romances, *Roman(zen)lesen.*

rombel, romble = rumbel.

rome, rame cf. ON reim-'haunt', *'spuke'*; NE roam, *streife umher.*

Rome-rennere cf. OE Rôm f., OF Rome + ON renna, to roam = romare.

rommer comp. of roum.

ron cf. Norw. dial. rune; NE rose-bush, thicket, *Rosenstrauch, Dickicht.*

ron s. rinen. | ronk = rank. | roncle = ro(u)nkle. | rond = round. | rong s. ringe.

ronge OE hrung f., NE rung (of a ladder), *Sprosse.*

ⁱ-ronge(n) s. ringe. | ⁱ-ronne(n) s. renne.

rop OE râp m., NE rope, *Seil.*

ropen s. ripe, NE reap. | rorde = rerde.

rore MDu. roer, NE uproar, *Tumult.*

rore OE rârige, NE roar, *brülle.* — rarunge OE rârung f., NE roaring, *Gebrüll.*

ᵃ-ros s. ᵃ-rise.

rose OE f.; NE; *Rose.* — rosegarlond OE rose + OF garlande, NE garland

of roses, *Rosengirlande.* — roselef OE
rose + lêaf n., NE rose-leaf, *Rosen-
blatt.* — rosen OE; NE made of roses,
rosy, *aus Rosen, rosig.* — roser AN; NE
rose-bush, *Rosenstrauch.* — rosered
OE rose + rêad, NE red as a rose,
rosenrot. — rosin = rosen.
rost OF; NE roasting, roast meat, *Rösten,
Braten.* — roste fr. OF rostir inf.; NE
roast, *röste.*
rot fr. the vb.; NE; *Vermoderung.* — rotie
OE rotige, NE rot, render rotten, *ver-
faule, bringe zur Fäulnis.*
roten ON rotinn, NE rotten, *faul.* —
rotenherted cf. ON rotinn + OE heort;
NE rotten-hearted, *verdorbenen Herzens.*
rote ON rōt, NE root, *Wurzel.* — roteles
NE rootless, *wurzellos.*
rote OF; NE; *Saiteninstrument.* — by rote
NE *auswendig.*
rouke cf. ruke; NE cower, crouch, *kauere.*
roud = rode.
rough OE rûh, NE rough, *rauh.*
roule OF; NE gad, *schweife umher.*
roum OE rûm m., NE room, *Raum.* —
roum OE rûm, NE roomy, *geräumig.*
rouncy OF roncin, NE hackney, *Mähre.*
ro(u)nkle cf. ON hrukka sb., OE wrinclige;
NE wrinkle, *runzele.*
round AN; NE; *rund.* — rounde NE make
round, *mache rund..* — roundel AN; NE
roundel, roundelay, circlet, *Ringelgedicht,
kleiner Kreis.* — roundnesse NE
roundness, *Rund.*
roun(e) OE rûn f., NE whispering, conver-
sation, counsel, language, message, *Ge-
flüster, Unterhaltung, Rat, Sprache, Nach-
richt.* — roune OE rûnige, NE whisper,
raune. — rouninge OE rûnung f., NE
whispering, *Geflüster.*
rourde = rorde.
route OE hrûte, NE snore, roar, *schnarche,
brülle.* — routing NE snoring, rumbling,
Schnarchen, Gerumpel.
route OF; NE route, way, *Weg, Straße.*
route OF; NE rout, troop, assembly,
Rotte, Versammlung. — routen NE
assemble in a rout, *sich zusammenrotten.*
route = ro\u{}ghte s. re(c)che. | routh(e)
= rewth(e). | rove dat. of rof. | roverte
= reverte.
rowe OE râw f., NE row, *Reihe.*
rowe, p. rewe(n) OE rôwe, NE row, *rudere.*
— rowere NE rower, *Ruderer.*
rowe = rough. | row(e)bible = ribible.
| rowelbon = rewelbon. | rowȝ =
rough. | rownd = round. | rowne =
roune. | rowte = route. | rowt(t)e =
route, NE rout.
rubbe cf. LG rubbe; NE rub, *reibe.*
rubible = ribib(l)e.
rubi(e), rubee OF rubi, NE ruby, *Rubin.*
— rubifie OF; NE make red, *mache rot.*
rubriche OF; NE rubric, *Rubrik.*

ruke cf. Norw. dial., Sw. ruka; NE heap,
Haufen. — rukele cf. ON hroka; NE
heap up, *häufe auf.*
a-rüdde = a-redde.
ruddok OE rudduc m., NE robin, *Rot-
kehlchen.*
rude OF; NE; *rauh.* — rudeliche adv. —
rudenesse NE rudeness, *Rauheit, Ro-
heit.*
rudel = ridel. | rueth 230, 115 = re(o)·
weth. | ruffe = rof. | rüge = rie, NE
rye. | rügge = rigge.
rugged cf. OSw. ruggoter, Sw. dial.
rugga vb.; NE rugged, *rauh, zottig.* —
ruggy Sw. ruggig, NE rough, unkempt,
rauh, ungekämmt.
rugh = rough.
ruine OF; NE ruin, *Ruine.*
rule = rewle.
ruls 135,68 cf. OE hrŷsel, NE dung, *Dung.*
rumbel cf. MDu. rommel, rombele; NE
rumbling noise, *Gerassel.* — rumble NE;
rumpele, rassele. — rumblinge =
rumbel.
rüme = rime, *räume.*
rumour AN; NE; *Ruhm, Gerücht.*
rüne = rine, NE running. | rune = roune.
| rung, ¹-runge(n) s. ringe. | ¹-runne(n)
s. renne. | rüre = rire.
ruse Sw. rusa, Dan. ruse, NE rouse myself,
erhebe mich.
rushe OE rysc(e), risc(e) f., NE rush, *Binse.*
rushe cf. MHG rüsche, MDu. ruusche, OE
hrysce; NE rush, *stürme dahin.*
rust OE rûst m., NE rust, *Rost.* — ruste
NE rust, *roste.* — rusty OE rûstig, NE
rusty, *rostig.*

S.

sa = so. | sa = sawe, NE saw, saying.
sable OF; NE; *Zobel, schwarz.*
sak OE sac(c) m., NE sack, bag, *Sack.* —
sakke NE put into a sack, *sacke ein.* —
sakked frere cf. OE sac(c) + OF frere;
NE friar of the sack, *mit Sack aus-
gerüsteter Bettelmönch.*
sake OE sacu f., NE sake, litigation, wrong,
Streit(sache), Unrecht. — for.. sake
NE; *um.. willen.* — sakles, -læs OE
saclēas, NE innocent, *unschuldig.*
sachel OF; NE satchel, *Säckchen.*
sacrement, sacrament OF sacrement f.,
NE sacrament, *Sakrament.* — sacrifie
OF; NE sacrifice, *opfere.* — sacrifiinge
NE sacrifice, *Opfer.* — sacrifise AN;
NE sacrifice, *Opfer.* — sacrilege, -lage
OF sacrilege, NE; *Entheiligung.*
sad, sade OE sæd, NE calm, firm, sad, *ruhig,
ernst, traurig.* — sade OE sadige, NE
confirm, am serious, *befestige, bin ernst.* —
a-sade cf. OE gesadige; NE satiate,
sättige. — sadly adv. of sad. — sadnesse
OE sædnes f., NE steadiness, *Festigkeit.*

sad = shad pp. of shede.

sadel, sadill OE sadol m., NE saddle, *Sattel.* — sadelbowe OE sadolboga m., NE saddle-bow, *Sattelbogen.*

sæ = se, NE sea. | ¹-sæh, sæzhen = sei(en) s. ¹-se. | ¹-sæid pp., sæide p. of seie. | særze, særy = sory, særinæsse = sorinesse. | ¹-sæt = ¹-set pp. of sette. | sæt = sat s. sitte.

saf AN; NE safe, *sicher.* — saf-cundwit AN saf conduit, NE safe-conduct, *sicheres Geleit.* — saffing NE salvation, *Rettung.*

saff = save. | saffer = saphir.

saffroun OF safran, NE saffron, *Safran.* — saffrone NE colour with saffron, *färbe mit Safran.*

safte = shafte. | saz, sagh s. ¹-se.

sage OF; NE; *Weiser; wise, weise.*

sage OF sauge, NE sage, *Salbei.*

saze = seie. | sage, saze, sagh(e), sahe = sawe, NE saw, saying. | saze, ¹-sah(e) = saw s. ¹-se. | saght p. pl. of ¹-se.

saght Late OE sæht, ON sättr (< *sahtr), NE reconciled, at peace, *versöhnt, beruhigt.* — saght(e) ON sätt, NE reconciliation, *Versöhnung.* — saghtene, sa(u)ght(n)e NE reconcile, make peace, *versöhne, mache Frieden.* — sa(u)ghtnesse Late OE sahtnis f., NE reconciliation, *Versöhnung.*

say s. ¹-se. | say = seie. | saict = saght. | said(e) p. of saie = seie. | saie = assaie. saie = seie. | saien p. pl. of ¹-se. | saiff = save. | ¹-saiz p. of ¹-se. | saize = seie.

sail OE segl n. m., NE sail, *Segel, Windmühlenflügel.* — sail(l)e OE seglige, NE sail, *segle.* — sailand NE flowing, *fließend.*

saile = assail(l)e.

sail(l)our AN saillour, NE dancer, *Tänzer.*

sain = seint. | sain = sein s. ¹-se. | sain, sai(i)ng s. seie. | saine = seine 'sign'.

saint Ch. Rose ₇₄₀₆ OF ceint, NE girdled, *umgürtet.* Or = faint = feint, NE pale(?).

saint = seint. | saise = sese. | sais(t) 2 sg., sait 3 sg., ¹-sait pp. of seie. | saistu = seist thou. | saith = saih, s. ¹-se. | saitz 2 sg. of seie.

sal OE sæl n., NE hall, *Halle.*

sal = shal.

sal armoniak L sal armeniacum, NE sal ammoniac, *Ammoniaksalz.* — sal peter OF salpetre, NE saltpetre, *Salpeter.* — sal preparat L sal praeparatum, NE prepared salt, *präpariertes Salz.* — sal tartre L sal + OF tartre, NE salt of tartar, *weinsteinsaures Salz.*

sald = sholde s. shal. | sale = soule. | sale = shal. | salewe = salue. | salhe = salwe. | salit = salt. | sall(e) = shal.

salm OE sealm m., NE psalm, *Psalm.*

salt OE sealt n., NE salt, *Salz.* — salt NE salt(ed), *gesalzen, salzig.*

saltu = shalt thou.

salue OF; NE salute, *begrüße.* — saluing NE salutation, *Begrüßung.* — salutacioun AN; NE salutation, *Begrüßung.*

saluwe = salue. | salvacio(u)n = savacioun.

salve OE sealf f., NE salve, ointment, *Salbe.*

salvre Span. salva, NE salver, *Schüssel, Teller.*

salwe OE sealh m., NE sallow, willow, *Salweide.*

same = shame.

same ON samr, cf. OE swâ same; NE same, *(der)selbe.* — sam(en) ON saman, NE together, *zusammen.* — in same NE in common, together, *zusammen.*

samit OF; NE samite, *kostbarer Seidenstoff.*

sammin = sam(en).

samne OE samnige, NE collect, *sammle.*

samon OF saumon, NE salmon, *Salm, Lachs.*

sample OF essample, NE example, sample, *Beispiel, Muster.*

san = seint.

sanap, sauvenap fr. sa(u)ve + nap ML nappa cf. nap-kin, [a n]ap-ron; NE cloth intended to preserve the table-cloth from being soiled, *Tischtuchschützer.*

sand = sond. | sang(e) = song.

sangreal OF saint greal, NE the Holy Grail, *der hl. Gral.*

sangwin OF sanguin, NE stuff of a blood-red colour, *blutroter Stoff; sanguine, blutrot.*

sans, sanz = sauns. | sant = seint.

saphir(e) OF saphir, NE sapphire, *Saphir.*

sapience OF; NE wisdom, *Weisheit.*

sar(e) = sore.

sarge OF; NE serge, *Serge (Seidenstoff).*

sary = sory. | sarlic = sorlich.

sarp(u)ler AN sarpler, NE bag, *grober Sack.*

sarsineshe, -nishe OF sar(r)asinesche f., NE Saracenic, *sarazenisch.*

sarwn 114, ₅ mistake for sallen s. shal.

sat s. sitte.

saterday OE Sæter(nes)dæg m., NE Saturday, *Sonnabend.*

sathe = sah s. ¹-se.

satin OF; NE; *Satin.*

satisfaccio(u)n AN; NE satisfaction, *Genugtuung.*

sauce OF; NE; *Sauce, Tunke.*

sauf OF; NE safe, *sicher; save, except, ausgenommen.*

saufe = save. | saul(e), saull(e) = soule. | saugth(e) = saght(e).

sauns, saun(tz) AN; NE without, *ohne.*

sause = sauce. | saut(e) = saughte.

sauter(e) AN sauter, NE psalter, *Psalter.* — sautrie AN; NE psaltery, *Psalter (harfenartiges Saiteninstrument).*

sauv- fr. salv- OF; = sav-.

save OF sauge, cf. L salviam and save vb., NE sage, *Salbei, Heiltrank.*

24*

save AN; NE save, except, *ausgenommen.* —
save AN; NE save, *rette, bewahre.* —
savacioun AN; NE salvation, *Rettung.*
— save-garde AN; NE safe-conduct,
sicheres Geleit. — saveour, -iour AN
saveour, NE saviour, *Erlöser.* — savetee
AN -té; NE safety, *Sicherheit.* — savinge
NE except, *ausgenommen.*
saver - = savour-.
savour AN; NE; *Geschmack.* — savo(u)re
AN; NE savour, enjoy, season, *schmecke,
genieße, würze.* — savory NE savoury,
schmackhaft, angenehm. — savoringe
NE taste, *Geschmack.* — savourly NE
sweet; with savour, *süß, mit Genuß.* —
savorous AN; NE; *schmackhaft, lieblich.*
saw s. ¹-se.
sawceflem OF sausefleme, NE scab,*Grind;*
pimpled, *mit Blattern bedeckt.*
sawe OE sagu f., NE saw, saying, *Rede.*
sawes s. ¹-se. | sawe = saᵹe s. seie. | sawin
= ¹-sowe(n) s. sowe. | sawle = soule.
scabbe OE sc(e)ab(b) m., NE scab, *Räude.*
scaffold, skaffaut OF escafaut, NE scaffold,
Gerüst.
scaft = shaft. | scal = shal.
scalde OF eschaude (< *escalde), NE
scald, *verbrühe.*
scale OF escale, NE scale, bowl, *Wage,
Schale.*
scale OF escale, NE scale (of fish), *(Fisch-)
Schuppe.*
scalle ON skalli 'bald head', NE scab,
Grind. — scalled NE scabby, *grindig.*
scam = shame. | scane = shene cf. ON
skeina, NE break.
scant ON skam(m)t, NE scant(y), *knapp.* —
scantite = scantnesse. — scantnesse
NE scant(i)ness, *Kargheit.*
scantilone OF escantillon, NE pattern,
Muster.
scape = esc(h)ape. — scapinge NE escap-
ing, *Entschlüpfen.*
skard s. skerre vb. | skare = skerre.
scarlet OF escarlate, NE scarlet, *Schar-
lach, scharlachfarben.* — scarletred OF
escarlate + OE rêad, NE scarlet-red,
scharlachrot.
scarmiche, scarmuch F escarmouche, NE
skirmish, *Scharmützel.* — scarmishing
cf. OF eskermisse sbj.; NE skirmish,
Scharmützel.
scarne OF escharne, NE deride, *verspotte.*
scars AN; NE scarce, *knapp, sparsam.* —
scarsetee AN -té; NE scarcity, *Knapp-
heit.*
scatere OE scaterige, NE scatter, *zerstreue.*
scathe OE scaþa m., cf. ON skaði, NE in-
jury, loss, *Schaden, Verlust.* — scatheles
NE harmless, *unschädlich.*
scau = shewe.
scauberke OF *esc., NE scabbard,
Scheide.
skawde = scolde. | sckil = skil(e). |

scede = shede. | sceld = sheld. | skele
= skil(e).
skente ON skemta, NE delight, *entzücke.*
sceone = shene. | sceort = short. | sceo-
ven = shove(n) s. shouve.
skere cf. ON skₑrr 'bright'; NE purify.
reinige.
scerp = sharp.
skerre ON skjarr, NE timid, *furchtsam.* —
skerre, pp. skard NE scare, *setze in
Schrecken.*
sceving = shewinge. | sch- = sh-. | schir
= sir(e). | schore = score sb. | schorn-
unge = scornunge.
skie ON skȳ, NE cloud, sky, *Wolke, Him-
mel.*
science OF; NE science, knowledge, wis-
dom, *Wissen(schaft), Weisheit.*
skier = squier. | skift = shifte. | skila-
toun = ciclatoun.
skil(e) ON skil n. pl., NE skill, reason,
reasoning, distinction, *Grund, Unter-
scheidungsvermögen, Vernunft, Überlegen,
Geschick(lichkeit).* — skilful NE reason-
able, skilful, *vernünftig, geschickt.* —
skilinge NE reason, *Vernunft.*
skin ON skinn, NE skin, *Haut.*
skinke ON skenkja, OE scence, cf. MDu.
schinke, NE pour out, *schenke ein.*
no skinnes thing OE nânes cynnes þing,
NE nothing of any kind, *nichts irgend-
welcher Art, ganz und gar nichts.*
scip = ship.
skippe orig. obsc.; NE skip, *hüpfe.*
skirme fr. OF eskermir, MHG schirmen:
NE fence, *fechte.*
skirt ON skyrta, NE skirt, *Rockschoß,
Frauenrock.*
sclandre = sclaundre.
sclat OF esclat, NE slate, *Schiefer.*
sclaundre, -dir AN esclaundre, NE slan-
der, *Verleumdung.* — sclaundre AN
esclaundre, NE slander, *verleumde.*
sclave OF esclave, NE slave, *Sklave.* —
sclavein, sclavin(e) OF esclavine, NE
pilgrim's cloak, *Pilgermantel.*
sclea = sle.
sclendre OF esclendre, NE slender, *schlank.*
sclepe = slepe. | sco = sho s. she. |
scoale = scale.
scochoun AN escuchoun, NE (e)scutcheon,
Wappenschild.
scoier = squier.
scold(e) ON scâld, NE scold, blamer, *Zän-
ker(in).*
scolde = sholde s. shal.
scole OE scôl and scolu f., cf. OF escole.
NE school, *Schule.* — scoleie AN es-
coleie, NE attend school, study, *besuche
die Schule, studiere.* — scoler OE scol(i)ere
m., AN escoler, NE scholar, *Schüler.* —
scolematere OE scôl + AN matere, NE
subject for disputation at school, *Dispu-
tationsgegenstand in der Schule.* — scole-

ring for -in, NE female scholar, *Schüle-*
rin. — scoleterme OE scôl + OF terme,
NE school-term, *Schulzeit.* — to scole-
ward NE toward school, *nach der Schule*
zu.

scom(e) OSw. skūm, NE scum, foam,
Schaum.

scorche OF escorche, NE scorch, *versenge.*
— scorkle NE scorch, *versenge.*

score ON skor, NE notch, crack, number
(of twenty), *Einschnitt, Riß, Anzahl (von*
20). — score ON skora, NE score,
schneide ein, verzeichne.

scorn OF escarn cf. scorche, NE scorn,
Hohn. — scorne fr. OF escarnir; NE
scorn, *verhöhne.* — scorner NE scorner,
Spötter. — scornunge NE scorning,
derision, *Verspottung, Spott.*

scorpio(u)n, -iun AN escorpioun, NE
scorpion, *Skorpion.*

scort = short.

scot OF escot, NE tribute, payment, *Tri-*
but, Löhnung.

1-scote(n) = 1-shote(n) s. shete.

scoure MDu., MLG schūre, OF escure,
NE cleanse, scour, *reinige, scheure.*

scourge AN escourge, NE scourge, *Geißel.*
— scourge AN escourge, NE scourge,
geißele.

scrape ON skrapa, NE scrape, *kratze.*

scribe OF; NE; *Schriftgelehrter.*

skrike = shrike.

scrippe OE scrip(p) m., NE scrip, *Tasche,*
Ränzel.

scripture OF escripture, NE scripture,
writing, *Geschriebenes.*

scrit OF escrit, NE writing, *Geschriebenes.*

scrithe OE scrîþe, NE glide, *gleite.*

scrivein AN escrivein, NE scrivener.
scribe, *Schreiber.* — scrivenish, scri-
ven(ish)ly NE like a scrivener, *in der*
Art eines Schreibers.

'crog orig. obsc.; NE shrub, *Strauch.*

sculde = shulde, sculen = shullen s. shal.

skulle Swed. dial.; NE scull, *Schädel.*

(as) scumes 151, A 334 for (as) cuenes, NE
(as) queans, *(wie) Weiber.*

scullen = shullen s. shal. | skurne =
scorne. | scw- = squ-.

se, sea, seo OE sǽ f. m., NE sea, *See.* —
sedingle OE sǽ + dingle, orig. obsc.;
NE sea-bottom, *Meeresgrund.* — seflod
OE sǽflôd m. n., NE flood of the sea,
Seeflut. — seside OE sǽ + sîde f., NE
seaside, *Meeresküste.* — sestrond OE
sǽstrand m., NE sea-shore, *Meeresstrand.*

se OF se(d), NE see, seat of a bishop,
Bischofssitz.

1-se, 1-seo, p. sagh, segh, say, sey, saw, sy,
sawe(n), sowe(n), seye(n), sie(n), pp. sewen,
sezhen, 1-sehen, sein, seie, sien, sen(e) OE
sêo, NE see, protect, *sehe, schütze.* — sene
OE gesîene, NE visible, apparent, *sicht-*
bar, offenbar.

seOE swǽ = so OE swâ. | seat = sat s. site.

sek(e), seok, seak OE sêoc, NE sick, *siech,*
krank. — sekenes, sekliche cf. sik(e).

seke, p. soughte, pp. 1-sought OE sêce, NE
seek, *suche.*

seker-, sekir- = siker-. | seche = seke. |
sechestu = sechest thou.

seconde OF; NE second, *Sekunde.*

secounde AN; NE second, *zweite.*

secree AN secré(e), secret, NE secret, *ge-*
heim, Geheimnis. — secrely adv. —
secreenesse NE secrecy, *Heimlichkeit.*
— secrete OF; NE secret, private prayer,
Geheimnis, geheimes Gebet.

secte OF; NE sect, *Sekte, Gesellschaft.*

secul(e)er OF; NE secular, a secular man,
weltlich, Weltlicher, Laie.

secunde = secounde.

sed OE sǽd n., NE seed, *Saat.* — sede
NE bear seed, *trage Samen.* — sedfoul
OE sǽd + fugol m., NE bird living on
seeds, *Vogel, der sich von Samen nährt.*

1-sed(e), 1-sede(n), sedgeing-tale s. seie. |
sef(f)en(e) = seven(e), sefnde = seven-
the. | sez = seh s. 1-se.

sege AN; NE seat, siege, *Sitz, Belagerung.*
— sege NE besiege, *belagere.*

sege = seie, sezd(e) = 1-seid(e) s. seie. |
1-sezethe 238,39 = 1-sehest thou s. 1-se.

segge OE secg m., NE man, warrior, *Mann,*
Krieger.

segge, segger s. seie. | segh, 1-seh(e), 1-sey
p., sezhen, 1-sehen pp. of 1-se. | sehid
= seid pp. of seie.

seie, p. se(i)de, pp. 1-se(i)d OE secge, p.
sægde, sǽde, NE say, *sage.* — segger fr. OE
secge; NE 'sayer', reciter, *Vortragender,*
Erzähler. — seiing NE (manner of) saying,
(*Art des) Sagen(s), Erzählen(s).* — sed-
geing-tale OE *secgung + talu f.,
NE tale for reciting, *Erzählung zum Sagen*
(nicht Singen).

seignori(e) OF -ie; NE seign(i)ory, lord-
ship, *Herrschaft.*

seiid = seide s. seie. | seil = sail. | sein
s. 1-se. | sein gerund. of seie. | sein 3 pl.
of seie. | sein = seint. | seind s. senge.

seine OE segnige, NE sign, bless, cross,
bezeichne, segne, bekreuze.

seint AN; NE holy, saint, *heilig.* — sein-
tuarie AN; NE sanctuary, *Heiligtum.*

seir = ser(e). | seis 3 sg. of seie. | seis =
sest 2 sg. of 1-se. | seise = sese. | seisine
= sesine. | seisoun = seso(u)n. | seisse
= ces(s)e. | seist 2 sg. of seie. | seistow,
seistu = seist thou. | seit = sey (imp.
of seie) it. | seithin = sithen.

sel OE sǽl m. f., NE bliss, *Glück.* — sely
OE sǽlig, NE happy, simple, silly, *selig,*
glücklich, einfach, einfältig. — selilich
OE gesǽliglic,. NE happy, *glücklich.* —
selinesse OE sǽlignes f., NE happiness,
Glückseligkeit.

sel OE sêl, NE well, *gut.*

sel OF sŏel, NE seal, *Siegel.* — sele OF sĕele, NE seal, *siegele.*

selc = swich.

selkouth, -kuth, -keth OE sel(d)cûþ, NE strange, wonderful, *seltsam, wunderbar; wonder, Wunder.*

selde(n), seld, seldom OE seldan, seldum, NE rare, seldom, *selten.*

self, sel(f)fe, seolf OE se(o)lf(a), NE self, same, *selbst, (der)selbe.*

selfene obl. of self. | selfre = silver. | sely s. sel, NE bliss. | sely = sellily.

selle, p. solde, pp. ¹-sold OE selle, NE give, sell, *gebe, verkaufe.* — seller(e) NE seller, dealer, *Händler.*

selle = sille.

selly, sel(l)ich OE sellîc, NE wonderful, *seltsam, wunderbar.* — sellily adv.

selre comp. of sel, NE well.

selthe OE (ge)sǣlþ f., NE success, happiness, *Erfolg, Seligkeit.*

selue, selve(ne), selwe = self. | selver, seolver, selvre = silver.

sem OE sêam m., NE (horse) load, *(Pferde-) Last.*

semblable OF; NE similar, *ähnlich.* — sembland = sembla(u)nt. — semblaunce AN; NE likeness, appearance, *Ähnlichkeit, Erscheinung.* — sembla(u)nt AN; NE appearance, look, *Erscheinung, Miene.*

semble(e) = assemblee. | semblen = assemblen. | sembling = assemblinge.

seme ON sǣmr, NE befitting, modest, *passend, bescheiden.* — seme ON sǣma 'honour', 'bear with', cf. OE sême 'arbitrate', 'satisfy'; NE befit, seem, *passe, scheine.* — sem(e)ly, semlich ON sǣmiligr, NE seemly, beautiful, *wohlanständig, schön.* — semelihede NE seemliness, *Anstand, Schicklichkeit.* — sem(e)linesse NE seemliness, *Anstand.* — to my seminge NE as it appears to me, *wie es mir scheint.* — semlant = semblaunt.

semicope L semi- + ML capam, NE half-cope, short cope, *kurzer Mantel.*

semisoun L semi- + AN soun, NE half sound, suppressed sound, *unterdrückter Ton.*

sen = sin NE since. | sen inf., 3 pl., and pp. of ¹-se.

senatour AN; NE senator, *Senator.* — senatorie ML -orium; NE senatorial rank, *Rang eines Senators.*

sence OF encense, NE offer incense, *beweihräuchere.* — sencer OF senser, NE censer, *Weihrauchfaß.*

sendal OF; NE; *kostbarer dünner Seidenstoff.*

sende, 3 sg. sent, p. sende, sente, pp. ¹-sent OE sende, NE send, *sende.*

senden = sind(en) s. am. | sene s. se.

senge, pp. seind OE senge, NE singe, *versenge.*

sengle AN; NE single, *einzeln.* — sengeley, senglely adv.

senith OF cenith, NE zenith, *Zenith.*

senne = sinne.

sensible OF; NE perceptible by the senses, *wahrnehmbar.* — sensibilitee OF -té; NE perception, *Empfindungsvermögen.*

sensualitee OF -té; NE bodily nature, *Körperlichkeit.*

sent, ¹-sent s. sende.

sentement OF; NE feeling, *Gefühl.*

sentence, -ens OF -ence; NE meaning, *Bedeutung.*

seodthen = sith(en). | seouwe = sowe. | sep = shep, NE sheep.

septemtrio(u)n AN; NE north, *Norden.* — septentrional OF; NE northern, *nördlich.*

sepulcre OF; NE sepulchre, *Grabmal.* — sepulture OF; NE; *Begräbnis.*

sequar = siquar. | ser = sir(e).

ser OE sêar, NE sear, dry, *trocken, dürr.*

serche AN; NE search, *suche.*

serkill = cercle.

ser(e) ON sēr, NE different, several, *verschiedene.* — serlepes ON sēr + OE -lîepes, NE separately, *verschieden.* — serelepy cf. ON sēr + OE -lîepe; NE separate, *getrennt, verschieden.* — serely NE differently, *verschieden.*

serein OF sereine, NE siren, *Sirene.*

serenous fr. L serenum + AN -ous; NE serene, *heiter, gnädig.*

sereve, serewe, seorewe = sorwe.

sergea(u)nt AN; NE officer, *Beamter.* — s. of the lawe, NE sergeant-at-law, *Rechtsgelehrter vom ersten Rang.*

serie L seriem, NE series, *Serie.*

serjaunt = sergea(u)nt. | serlepes s. ser(e).

sermo(u)n AN; NE sermon, discourse, *Rede.* — sermone OF; NE preach, *predige.* — sermoning NE preaching, talking, *Predigen, Schwatzen.*

serpent OF; NE; *Schlange.*

sers pl. of ser(e). | sertes, -is = certes. | seruȝe, seoruwe = sorwe.

serve, servie fr. OF servir inf.; NE serve, *diene.* — servage OF; NE servitude, *Knechtschaft.* — serva(u)nt, -and AN servaunt, NE servant, lover, *Diener, Liebhaber.* — serviable OF; NE obedient, *gehorsam.* — service, -is(e), -iß, -isse OF service, NE; *Dienst.* — servisable OF serviçable, NE serviceable, *nützlich.* — servisequile OF service + OE hwîl f., NE time of divine service, *Gottesdienstzeit.* — servitour AN; NE servant, *Diener.* — servitute OF; NE servitude, *Knechtschaft.*

serve = deserve. | serwe = sorwe. | serwis = service.

sese AN; NE seize, *ergreife, setze in Besitz von.* — sesine AN; NE seizin, *Besitzergreifung.* — sesing = sesine.

seso(u)n AN; NE season, *Jahreszeit.* — sesoune NE season, *würze.*

ses(s)e = ces(s)e.

sessioun AN; NE session, *Sitzung.*

sestow = sest (2 sg. of ¹-se) thou. | ¹-set pp. of sette. | set(e) = sat s. sitte.

sete ON sǣti, NE seat, *Sitz.*; proper, *passend.*

sete(n) s. sitte. | setewale = cetewale. | seth 3 sg., and pl. of ¹-se.

sethe, p. seth, sode(n), pp. -sode(n), sothen OE sêoþe, NE seethe, boil, cook, *siede.*

sethenes, seth(th)e(n), seoth(th)e(n) = sith(en). | setin = sete(n) s. sitte.

sette, p. set(t)e, pp. ¹-set(te) OE sette, NE set, appoint, place, bring, subside, value, *setze, besetze, schmücke, bestimme, richte, stelle, bringe, höre auf, schätze.*

settel OE setl n., NE siege, *Sitz, Sessel.*

seur = sure. | seurtee = suretee.

sevene, seve(n), sevin, seove(n) OE seofon, NE seven, *sieben.* — sevend = seventhe. — sevend ay or sevend day NE seventh day, *siebenter Tag.* — sevenfold, seovenfald, seovevald OE seofonfeald, NE sevenfold, *siebenfältig.* — seventene OE seofon-tîene, NE seventeen, *siebzehn.* — seventhe OE seofon + -þa, NE seventh, *siebent.* — seventy OE seofontig, NE seventy, *siebzig.* — sevethe, seovethe OE seofoþa, = seventhe.

sewe OE sêaw n., NE juice, gravy, *Sauce, Saft.*

sewe AN suie sbj., NE follow, *folge.* — sewing NE conformable, *passend.*

ex, sexte s. six.

sextein AN secrestein, NE sexton, sacristan, *Küster.*

sextenthe, sexty s. six-. | shabreide = she ª-breide.

shake, p. shok, pp. ¹-shake(n) OE sc(e)ace, NE shake, go, ride, *schüttele, zittere, gehe, reite.*

shakle OE scacul m., NE shackle, *Fessel.*

shad OE gesc(e)âd n., NE discrimination, *Unterscheidungsvermögen.*

shad(d)e s. shede.

shad(e)we OE sceadu f., NE shadow, *Schatten.* — shad(o)we OE sceadwige, NE shade, *beschatte.* — shadewy NE shadowy, *schattig.* — shadowing NE shadow, shady place, *Schatten, schattiger Ort.*

shǣwe = shewe.

shaft OE sceaft m., NE shaft, *Schaft.* — shaftmonde OE sceafta mund, NE palm, *Handfläche.*

shafte OE gesceaft f. m., NE creation, creature, *Schöpfung, Geschöpf.*

shal, 2 sg. shalt, pl. shullen, p. sholde, shulde OE sceal, NE shall, *soll, werde.*

shalk OE scealc, NE servant, man, warrior, *Diener, Mann, Streiter.*

shale OE scealu f., NE shell, *Schale*

shalighte = she ª-lighte.

shalmie OF chalemie, NE shawm, *Schalmei.*

shalt s. shal. | shaltow, -tu = shalt thou.

shame OE sc(e)amu, sc(e)omu f., NE shame, *(Scham), Schande.* — shame OE sc(e)amige, NE put to shame, am ashamed, *beschäme, schäme mich.* — shamfast OE sc(e)amfæst, NE ashamed, modest, *verschämt.* — shamfastnesse NE modesty, *Verschämtheit.* — shamful OE sc(e)amful(l), NE shameful, *schamhaft.* — sham(e)ly, -lich OE sc(e)amlîc, NE shameful, *schändlich.*

shank(e) OE sc(e)anca, sc(e)onca m., NE shank, leg, *Schenkel, Bein.*

shap(e) OE gesceap n., NE shape, *Gestalt.* — shape, p. shop, shope(n), pp. ¹-shape(n), ¹-shaped cf. OE gesceap *and* gesceapen pp. of scieppe; NE shape, devise, *gestalte, (er)sinne, trachte.* — shaply OE gesceaplîce, NE shapely, fit, *passend.*

shar(e) OE scear n., NE plough-share, *Pflugschar.*

sharp OE scearp, NE sharp, *scharf.* — sharpe cf. OE scierpe; NE sharpen, *schärfe.* — sharpely OE scearplîce, NE sharply, *scharf.*

shave, p. shof, pp. ¹-shave(n) OE sc(e)afe, NE shave, scrape, *schabe, schere, kratze.* — shaving NE shaving, slice, *Abschabsel, dünne Scheibe.*

shawe OE sc(e)aga m., NE wood, *Gehölz.*

shawe- = shewe-. | shcire = shire.

she, sheo OE hêo, Late OE scæ̂, NE she, *sie.* — she-ape s. + OE apa m., NE she-ape, *Äffin.* — she-wolf s. + OE wulf m., NE she-wolf, *Wölfin.*

sheau imp. of sheauwe = shewe. | sheke = shake. | shekil = shakle.

shede, p. shedde, shadde, pp. shad cf. OE sc(e)âde, NE divide, shed, drop, *scheide, schütte (weg), vergieße, falle.*

shef OE scêaf m., NE sheaf, *Garbe.*

shel = shal.

sheld OE scield m., NE shield, French crown (coin), *Schild, französ. Gulden.* — shelde OE scielde, NE shield, *schütze, verteidige.*

shelf, pl. shelves OE scielfe f., NE shelf, *Regal, Gestell.* | shelle = shal.

shel(le)fish OE scielfisc m., NE shellfish, *Schalentier (Krebs usw.).*

shemere = shimere. | shen = shene.

shenche OE scence, NE pour out, *schenke ein.*

shenchipe = shendshipe.

shende OE scende, NE put to shame, confound, *schände, entehre, mache zu Schanden, verderbe.* — shendful cf. OE sc(e)andful(l); NE infamous, *schändlich.* — shendlac NE ignominy, *Schande.* — shendshipe NE shame, *Schande.*

shene OE scîene, scêone, NE beautiful, bright, *schön, glänzend.*

shenful = shendful.

shene Late OE scêne cf. ON skeina, NE break, *breche.*

shenhe = shenche. | shenre comp. of shene. | shent(e) pp. of shende. | shenthlac = shendlac. | sheome = shame.

shep OE sceâp, scêp n., NE sheep, *Schaf.* — shep(e)herde, -hirde, shepard OE sc. + hierde m. NE shepherd, *Schäfer.* — shep(e)met OE sc. + mete m., NE mutton, *Schaffleisch.*

shepe = shipe. | shepe, pp. shepe (199, C 430), ¹-sheped, ¹-sheaped OE scieppe s. shape. | shepne = shipen.

shepthe cf. OE scieppe; NE creature, *Geschöpf.*

shere OE sceâr f., cf. the vb.; NE pair of shears, *Schere.* — shere, p. shar, pp. shorn OE sciere, NE shear, cut, run swiftly, *schere, schneide, laufe schnell.* — shering-hook cf. OE sciere + hôc m.; NE shearing-hook, *Haken zum Zerschneiden von Seilen in einer Seeschlacht.*

shereive = shir(r)eve. | sherp = sharp. | shert, sheort = short. | sherte = shirte.

shet s. shette.

shete OE scîete f., NE sheet, *Stück Leinwand.*

shete, sheote, p. shet, shot, shote(n), sbj. shute, pp. ¹-shote(n) OE scêote, NE shoot, *schieße.* — sheter NE shooter, *Schütze;* fit for shooting, *jagdbar.*

shethe OE sceâþ f., NE sheath, *Scheide.*

shette = shitte. | sheue = shewe.

shewe, sheawe OE (ge)scêawige, NE shew, show, point out, *zeige (mich).* — shewer(e) OE scêawere m., NE pointer out, mirror, *Aufzeiger, Spiegel.* — shewing(e) OE scêawung f., NE (outward) appearance, vision, (äußere) Erscheinung, Vision. — shewinge NE evident, *augenscheinlich.*

shift fr. the vb.; NE trick, *Kunstgriff.* — shifte OE scifte, NE (shift), divide, appoint, *teile (zu), bestimme.*

shil OE scyl(l), NE shrill, *scharf schallend.*

shilde = shelde. | shildere pp. of shulder.

shildy OE scyldig, NE guilty, *schuldig.*

shil(l)ing OE scilling m., NE shilling, *Schilling.*

shimere OE scimrige, NE shimmer, shine, *schimmere.* — shimering NE brightness, *Schimmer.* — shimme cf. OE scîmige; NE shimmer, *schimmere.*

shinde = shin(e)de s. shine, NE shine.

shine OE scinu f., NE shin, *Schienbein.*

shine, p. shon, shin(e)de, shinen, pp. shined OE scîne, NE shine, *scheine.* — shininge NE splendour, *Glanz.*

ship OE scip n., NE ship, *Schiff.* — shipe OE scipige, NE embark, *schiffe mich ein.* — shipman OE scipman(n) m.,

NE sailor, *Seemann.* — to ship(þ)e-ward NE towards the ship, *nach dem Schiffe zu.*

shipe OE scipe m., NE reward, *Lohn.*

shipen, -ne OE scyppen f., NE shippen, shed, *Schuppen.*

shippe = ship.

shir OE scîr, NE bright, clear, *glänzend, klar, hell.* — shire OE scîre adv.

shire OE scîr f., NE shire, *Grafschaft.* — shir(r)eve, shirive OE scîrgerêfa m., NE sheriff, *Sheriff.*

shirte, sherte OE scyrte f., NE shirt, *Hemd, Untergewand.* — shert(e)lappe OE scyrte + læppa m., NE fold of shirt, *Zipfel des Untergewandes.*

shite OE scîte, NE shit, defile, *scheiße, beschmutze.*

shitte OE scytte, NE shut, *schließe.*

shivere cf. OE scifte 'divide' OHG scivaro; NE shiver, splinter, *Schiefer, Splitter.* — shivere NE shiver, splinter, *breche in Schiefer.*

sho OE sc(e)ô(h) m., NE shoe, *Schuh.* — sho, pp. shod OE sc(e)ô(g)e, NE shoe, *beschuhe.*

sho = she. | shok(e) s. shake.

shode OE sc(e)âda m., NE parting of the hair, crown of the head, *Scheitel, Wirbel.*

shodire = shudere. | shof s. shouve. | sholde s. shal. | sholder = shulder. | sholen, sholle = shullen s. shal. | shome = shame. | shonke = shanke.

shonde OE sc(e)and, sc(e)ond f., NE disgrace, *Schande.*

shon(e) = shune. | shoþ(e) = shon s. shine. | shoþ(e) pl. of sho, NE shoe. | shonte = shunte. | shop s. shape.

shoppe OE sc(e)oppa m., NE shop, *Laden.*

shore cf. OE scoren clif n.; NE shore, *Ufer.*

shorn s. shere.

short OE sc(e)ort, NE short, *kurz.* — shorte OE sc(e)ortige, NE shorten, *verkürze.* — shortlasting OE sc(e)ort + lêstende, NE short-lived, *von kurzer Dauer.* — shortly, -liche OE sc(e)ortlîce, NE shortly, briefly, *bald, kurz.* — shortsholdred fr. OE sc(e)ort + sculdor m.; NE having a short upper arm, *mit kurzem Oberarm.*

shot OE sc(e)ot n., NE missile, *Geschoß.* — shotwindowe OE (ge)sc(e)ot + ON vindauga, NE window with a bolt, *Riegelfenster.*

shot, ¹-shote(n) s. shete.

shotte cf. OE gesc(e)ot n.; NE pay scot, participate, associate (with), *zahle Zeche, nehme teil, bin zusammen (mit).*

shour OE scûr m., NE shower, assault (*Regen-)Schauer, Angriff.*

shoute orig. obsc.; NE shout, *Geschrei.* — shoute NE shout, *schreie.* — shouting NE shouting, *Geschrei.*

shouve, shove p. shef, shof, shove(n), pp. shove(n) OE sc(e)ûfe, NE push, *schiebe.* — shouving NE shoving, *Geschiebe.*

showe = shewe. | showre = shour.

shragge cf. Sw. dial. skragg sb.; NE trim, *beschneide, verziere.*

shrede OE screâd(e) f. ,NE shred, cutting, *Schnitzel, Ausschnitt.* — shrede OE screâdige, NE shred, cut, (*zerschrote*), *zerschnitzele.*

shrenke = shrinke.

shrewe cf. OE screâwa m. *Spitzmaus*; NE shrew, villain, *böse Sieben, Bösewicht.* — shrewe NE wicked, *böse.* — shrewe NE beshrew, *verfluche.* — shreward NE wicked man, *Bösewicht.* — shrewed(e)(liche) NE wicked(ly), *schlimm.* — shrewednesse NE wickedness, *Schlechtigkeit.* — shrewedom = shrewednesse.

shrike, shriche, p. shrighte cf. OSw. skrīka; NE screech, shriek, *kreische.* — shriking NE shrieking, *Gekreisch.*

shride OE scrȳde, NE shroud, *bekleide.*

shrift OE scrift m., NE shrift, *Beichte.* — shriftefader OE scrift + fæder m., NE father-confessor, *Beichtvater.*

shrighte s. shriche.

shril cf. OE scrallette; NE shrill, intense, *schrill, durchdringend.* — shrille adv.

shrimp cf. MHG schrimpfe 'shrink'; NE dwarf, *Zwerg.*

shrinke, p. shrank, shronk, pp. shrunke(n) OE scrince, NE shrink (back), contract, *schrumpfe zusammen, schwinde dahin, schrecke zurück, fahre zusammen.*

shrine OE scrîn n., NE shrine, *Schrein.* — shrine NE enshrine, *schließe in einen Schrein.*

shrive, p. shrof, pp. ¹-shrive(n) OE scrîfe, NE shrive, confess, *schreibe Buße vor, nehme die Beichte ab, beichte.* | shrog = scrog.

shroud OE scrûd n., NE shroud, robe, *Kleidung.* — shr(o)ude NE shroud, *bekleide.*

shudere cf. MDu. schudere; NE shudder, *schaudere, zittere.*

shueles cf. OE sceôh *'scheu'*; NE scarecrow, *Vogelscheuche.*

shul, shu(l)len, shuld(e) s. shal.

shulder, -ir OE sculdor, sceoldor, scylder m., NE shoulder, *Schulter.* — shulderbon OE sculdor + bân n., NE shoulderbone, *Schulterbein.* — shuldre NE shoulder, *stoße mit der Schulter an, dränge.*

shüldy = shildy.

shüle OE bescîele (fr. sceolh), NE squint, *schiele.*

shultow = sholdest thou.

shun(i)e OE scunige, NE shun, avoid, *vermeide, weiche aus.* — shunte NE avoid, shrink back, *vermeide, schrecke zurück.*

shüp = ship. | shüpene = shipen.

shürte = shirte. | shute p. sbj. of shete. | shutte fr. OE scytte = shitte. | shwede = shewed. | sy s. am. | sy s. ¹-se.

sib OE sib(b), NE related, *verwandt.* — sib OE sib(b) f., NE relationship, *Verwandtschaft.* — sibby NE related, *verwandt.*

sik(e), sek(e) OE sêoc, NE sick, *siech, krank.* — sikliche NE sickly, *kränklich.* — siknesse OE sêocnes f., NE sickness, *Krankheit.*

sik(e) OE sice m., NE sigh, *Seufzer.* — sike, p. sight(e) OE sîce, NE sigh, *seufze.* — siking NE sighing, *Seufzen.*

sic = swich.

sicamour L sycomorum, NE sycamore, *Sykomore.*

sikel OE sicol m., NE sickle, *Sichel.*

siker OE sicor, NE sure, faithful, *sicher, treu.* — sikere NE make sure, *mache sicher.* — sikerhede NE security, *Sicherheit.* — sikerly, -liche NE securely, surely, *in Sicherheit, sicherlich.* — sikernesse = sikerhede.

sicer L siceram, NE strong drink, *starkes Getränk.*

sich(e) = swich.

sich(e) OE sîc n., NE watercourse, *Wasserlauf.*

side OE sîde f., NE side, *Seite.* — sidewall OE sîde + weal(l) m., NE side-wall, *Seitenmauer.*

side OE sîd, NE wide, long, *weit, lang.*

sie OE sîge, NE sink down, *sinke nieder.*

sie, sie(n) s. ¹-se. | sielde = selde(n).

sifle OF; NE whistle, *pfeife, säusele.*

sifte OE; NE sift, *siebe.*

sigaldre fr. ON seiðgaldr m.; NE enchant, *zaubere.*

sig(g)e, sige = seie. | sizen, sigh s. ¹-se. | sigh = sik, NE sigh. | sighe = sike cf. OE sicette, vb., NE sigh.

sight(e), sighthe OE gesiht, gesihþ f., NE (power of) sight, *Gesicht, Anblick.*

signal OF; NE signal, sign, *Zeichen.* — signe OF; NE sign, *Zeichen.* — signet OF; NE signet-ring, *Siegelring.* — signifie OF; NE signify, *bezeichne, bedeute.* — signifiaunce AN; NE significance, signification, *Bedeutung.*

sih = sigh s. ¹-se. | sihthe = sight(e).

silk OE seol(o)c m., NE silk, *Seide.* — silkewerk OE seol(o)c + weorc n., NE embroidery of silk, *Seidenstickerei.*

silc = swich. | silde = shilde.

sile cf. OE sîge 'fall' and seglige 'segle'; NE glide (down), go, *gleite herunter, gehe.*

silf OE silf = self.

sillable OF; NE syllable, *Silbe.*

sille OE syll(e) f., NE sill, flooring, *Fußboden.*

sille = sile.

silogisme OF sillogisme, NE syllogism, *Syllogismus.*

silver, -ir OE silofr, seolfor n., NE silver, *Silber.* — silver NE silvery, *silbern.* — silverbrighte OE seolfor + beorht, NE bright as silver, *silberglänzend.* — silveren OE seolfren, NE made of silver, *silbern.* — silverles NE without silver, *ohne Silber.*

similacioun AN simulacioun, NE dissimulation, *Heuchelei.*

similitude OF; NE similitude, comparison, likeness, *Vergleich, Ähnlichkeit.*

simonie OF; NE simony, *Simonie.* — simonial OF; NE simoniac, *Simonist.*

simphonie OF; NE a kind of tabor, *Art Handtrommel.*

simple, simpill OF simple, NE; *einfach, bescheiden.* — simplely, -liche, simpilly NE simply, *einfach.* — simplesse, -esce OF; NE simplicity, *Einfachheit.* — simplicitee OF -té; NE simplicity, *Einfachheit.*

sin = sinne. | sin = sith(en).

sinke, p. sank, sunke(n), pp. 1-sunke(n) OE since, NE sink, *sinke.*

sinke = singe. | sinden s. am. | sine = sith(en).

sinewe OE sinu f., NE sinew, *Sehne.*

sinfull s. sinne sb. | singe = sinne vb.

singe, singge, p. song, songe(n), sunge(n), pp. 1-songe(n), 1-sunge(n) OE singe, NE sing, *singe.* — singing NE singing, song, *Gesang.*

singuler, singlure AN singuler, NE separate, apart, *getrennt, besonder.* — singularitee OF -té; NE singularity, *Besonderheit.*

sinne OE syn(n) f., NE sin, *Sünde.* — sinne OE syngige, NE sin, *sündige.* — sinful(l) OE synful(l), NE sinful, *sündig.* — sinfulhed NE sinfulness, *Sündhaftigkeit.* — sinfullike OE synfullīce, NE sinfully, *sündig.*

sint = seint. | sint = sithen. | sinwe = sinewe. | sip = ship.

sippe OE sypige, NE sip, *schlürfe.*

siquar orig. obsc.; NE time, *Zeit.*

sir(e), sirre OF sire, NE sir, sire, father, *Herr, Vater.*

sis-as OF; NE six and ace, *Sechs und As.* — sis-cink OF; NE six-five (at dice), *sechs fünf (Wurf im Würfelspiel).*

sise = assise. | siser = ciser. | sisoure = assisour.

sisoures OF cisoires, NE scissors, *Schere.*

siß = sithes, NE times.

sister, -ir (cf. suster) ON systir, NE sister, *Schwester.* — sistirson(e) ON systir + OE sunu m., NE son of one's sister, nephew, *Schwestersohn.*

site OF; NE site, situation, *Lage.*

site fr. the vb.; NE sorrow, pain, *Kummer, Schmerz.* — site ON sȳta, NE grieve, *gräme mich.*

sité = citee.

sith(e) OE sîþ m., NE journey, **time**, *Reise, Zeit, Mal.*

sithe OE sîþe m., NE scythe, *Sense.*

sithe = sight(e).

sith(en), -ene, -in, sithe, siththen, -in OE siþþan, NE since, afterwards, then, *seit(dem), da, später, darauf.*

sithir = cider. | sitole = citole.

sitte, p. sat, sete(n), pp. seten OE sitte, NE sit, *sitze.* — sittinge NE fitting, *passend.*

sitthe(n) = sith(en).

sive OE sife n., NE sieve, *Sieb.*

siwe = sewe, NE follow.

six, sixe OE siex, NE six, *sechs.* — sixt(e) OE siexta, NE sixth, *sechst.* — sixtenthe OE siex + ME tenthe, cf. OE siextêoþa; NE sixteenth, *sechzehnt.* — sixty OE siextig, NE sixty, *sechzig.*

sixst = sihst 2 sg. of 1-se. | sla = a-sle.

slak(k)e OE slæc, NE slack, *träge.* — slake OE slacige, NE slake, slacken, *lasse nach.* — a-slake OE (ā)slacige, NE become slack, diminish, *erschlaffe, nehme ab.*

slade OE slæd n., NE valley, *Tal.*

slæ = sle, a-slæze, 1-slaze(n) pp. of a-sle.

slaghtre, slaugthre ON slátr (< *slaht-), NE slaughter, *Schlachten, Morden.*

slaie, 1-slain s. a-sle. | slate = sclat. | slaundre = sclaundre. | slaw = slow(e).

a-sle, slea, slaie (fr. pp.), sla, slo, p. slough, slow, slew, slowe(n), pp. 1-slæge(n), 1-slage(n), 1-slawe(n), 1-slaie, slain, OE (ā)slêa, ONorth. and ON slā, NE slay, (er)schlage. — sleere NE slayer, *Totschläger, Mörder.*

sle, slech = sle1(gh).

sled(e) MDu. sled(d)e, NE sled(ge), *Schlitten, Gefährt.*

slefe = sleve.

sle1(gh), sli(gh) ON slœgr, NE sly, *schlau.* — sle1(gh)ely adv. — sle1(gh)te, slezt(h)e ON slœgð, NE prudence, sleight, *Klugheit, List, Geschicklichkeit, Kunststück.*

1-sleie(n) = 1-slaie(n) s. sle. | slendre = sclendre.

slente fr. the vb.; NE slope, *Abhang.* — slente Norw. dial.; NE glide, slope, *gleite, falle.*

slep OE slæp m., NE sleep, sleeper, *Schlaf, Schläfer.* — slepe, p. slep, slepte, pp. slepe(n), sleped, slept OE slæpe, NE sleep, *schlafe.* — slepy OE slæpig, NE sleepy, *schläfrig.* — sleping NE sleep, *Schlaf.* — slepingslaght fr. OE slæpe + sleaht m.; NE stroke of sleep, *Schlafanfall.* — slepingtime fr. OE slæpe + tîma m.; NE sleeping-time, *Schlafenszeit.*

slete OE slæte, NE incite, hunt, *hetze, jage.*

slet cf. ON sletta 'spot'; NE sleet, *Schloße.*

sleve OE slîefe f., NE sleeve, *Ärmel.*

slewe s. sle. | slewthe = slouthe.

sly = sle¹(gh).

slik, sli ON slīkr, NE such, *solch*.

slik(e) ON slīkr, NE sleek, slick, *glatt*.

slide, p. slode OE slīde, NE slide, *gleite*. — slider OE slidor, NE slippery, *schlüpferig*.

sligh, sligh = sle¹(gh). | slight(e) = sle¹(gh)te.

slight ON slēttr (< sleht-), NE slight, smooth, (*schlecht*), *schwach, glatt*.

sliliker comp. adv. of sli-like cf. ON slōgliga, NE slily, *schlauer Weise*.

slinke OE slince, NE slink, *krieche*.

sling(e) fr. the vb.; NE sling, *Schleuder*. — slinge, p. slong, slunge(n), slonge(n), pp. ¹-slunge(n), ¹-slonge(n) ON slyngva, NE throw, *werfe*. — slingeston ON slyngva + OE stān m., NE stone for a sling, *Schleuderstein*.

slippe cf. OE slipor adj.; NE slip, *schlüpfe, gleite*.

slit 3 sg. of slide.

slite OE slīte, NE slit, *schleiße, schlitze auf*. — slitte OE slite m., NE slit, pocket, *Schlitz, Tasche*. — slitte NE slit, *schlitze*.

slithe = slide.

slive OE (tō)slīfe, NE split, *spalte*. — slivere NE sliver, *abgespaltetes Stück*.

slo OE slā(h) f., NE sloe, *Schlehe*.

slo = sle, NE slay.

slokne, slokin ON slokna, NE quench, extinguish, *lösche (aus.)*

slode s. slide.

sloggy cf. Sw. dial. slogga; NE sluggish, *träge*. — slog(g)ard(r)ie NE sluggishness, *Trägheit*.

slogh- = slough- s. slow-. | slog(h), sloh = slough s. ᵃ-sle.

slomber(stow) = slumber(est thow). | slong s. slinge.

sloppe OE (ofer)slop n., NE slop, *loses Gewand*.

slou = slough s. ᵃ-sle.

slough OE slôh n. m., NE slough, *Pfütze, Sumpf*.

slough cf. MHG slūch; NE slough, skin, (*Schlangen-)Haut*.

slow(e), slou(g)h, slouwe OE slâw, NE slow, slothful, *langsam, träge*; vagabond, *Bummler*. — slouthe fr. slow cf. OE slêwþ f.; NE sloth, *Trägheit*.

slow(h) = slough s. ᵃ-sle. | sluggy = sloggy.

slumber cf. OE slûma m.; NE slumber, *Schlummer*. — slombere NE slumber, *schlummere*. — slombry NE sleepy, *schläfrig*. — slomeringe NE slumber, *Schlummer*.

slutte orig. obsc.; NE slut, *schlampiges Weib*. — sluttish NE; *schlampig*.

smak OE smæc(c) m., NE taste, *Geschmack*.

— sma(c)ke OE smæcce (fr. sub.), NE taste, *schmecke*.

smæt = smot s. smite.

smal OE smæl, NE small, *klein*. — smalish NE smallish, *winzig*.

smal = smel.

smaragde OF; NE smaragdus, emerald, *Smaragd*.

smart = smert.

smatre cf. OE smittige; NE defile, *beschmutze*.

smeal = smal (adj.). | smech = smak (fr. vb.).

smeche, p. smeighte, smaughte, pp. ¹-smaught OE smæcce (cf. smak) NE taste, *schmecke*. — smecchunge NE tasting, *Geschmack, Schmecken*.

smel orig. obsc. (cf. smal); NE smell, *Geruch*. — smelle NE smell, *rieche*. — smellinge, smeallunge NE smelling. *Geruch*.

smere cf. OE gâlsmǣre; NE scornfully, merrily, *höhnisch, fröhlich*.

smert(e) fr. the adj.; NE smart, *Schmerz*. smert(e) OE smeaxt cf. smeorte, NE smart, *schmerzvoll, beißend, lebhaft*. — smerte, smeorte OE smeorte, NE smart, *schmerze*.

¹-smete = ¹-smite(n) s. smite. | smhite = smite.

smile cf. Swed. smila; NE smile, *lächele*. — smiler NE smiler, flatterer, *einer, der lächelt, schmeichelt*.

smite, p. smot(e), smite(n), pp. ¹-smite(n) OE smîte, NE smite, throw, *schlage, werfe*.

smith OE smiþ m., NE smith, *Schmied*. — smithe OE smiþige, NE forge, *schmiede*.

smitte OE smittige, NE pollute, smear, *beschmutze*.

smok OE smoc(c) m., NE smock, (*Frauen-)Hemd*. — smokles NE without a smock, *ohne Hemd*.

smoke OE smoca m., NE smoke, *Rauch*. — smoke OE smocige, NE smoke, *schmauche, rauche*. — smoky NE; *rauchig*.

smorthre cf. OE smorige; NE smother, choke, *ersticke*.

smot(e) s. smite.

smoterliche cf. OE smitta m. 'blot'; NE dirty, *schmutzig*.

smothe OE smôþ, NE smooth, *glatt*.

snake OE snaca m., NE snake, *Schnecke*.

snare, snarre OE sneare f., NE snare, *Schlinge*.

snaw = snow.

snek orig. obsc.; NE latch, (*Tür-)Drücker, Klinke*.

snel OE snel(l), NE quick, strong, *schnell, stark*.

snese OE snêose, NE sneeze, *niese*.

ᵃ-snese OE (ā)snǣse, NE butt, *stoße*.

snewen OE snîwan 'snow', NE abound, *im Überfluß vorhanden sein*.

snibbe Dan. snibbe, NE reprove, *tadele.*

snike OE snîce, NE creep, *krieche.*

snogh = snow.

snore, snorte cf. LG snurte; NE snort, *schnarche.*

snoute cf. MDu. snute; NE snout, face, *Schnauze, Nase, Gesicht.*

snow OE snâ(w) m., NE snow, *Schnee.* — snowen NE snow, *schneien.* — snowy OE snâwig, NE snowy, *schneeig.* — snowish NE snowy, *schneeig.* — snow-whit OE snâw + hwît, NE snowwhite, *schneeweiß.*

snowte, snute = snoute. | snuw = snow.

so OE swâ, NE so, as, *so, als, wie.*

ᶦ-go = ᶦ-se.

sobbe orig. obsc.; NE sob, *Seufzer.* — sobbe NE sob, *seufze.*

sobre OF; NE sober, *nüchtern, gesetzt.* — soberly, sobreliche adv. — sobrenesse NE sobriety, *Nüchternheit, Gesetztheit.* — sobrete AN -té; NE sobriety, *Nüchternheit, Mäßigkeit.*

sock OE soc(c) m., NE sock, *Socke.*

soke OE socige, NE soak, *sauge ein.* — sokingly NE gradually, *allmählich.*

soken OE sôcn, NE enquiry, toll, *Nachforschung, Zoll.*

socour(s) AN; NE succour, *Hilfe.* — socoure AN; NE succour, *helfe.*

soda(i)n, sodein AN; NE sudden, *plötzlich.* — sode(i)nly, sodeineliche adv.

soden pp. of sethc. | soeth = soth.

soffid 139, 209 NE thrown down, (*vom Pferde) geworfen.*

soffre = suffre.

soft(e) OE sêfte adj., sôfte adv., NE soft(ly), *sanft, weich.* — softeli(e), -liche adv. NE softly, *sanft.* — soft(e)ne NE soften, *besänftige, mache weich.* — softhede = softnesse. — softnesse OE sôftnes f., NE softness, *Weichheit.*

ᶦ-soᵹe pp. of ᶦ-se. | soᵘght(e), soᵘte s. seke. | soht = soth. | soile = assoile. ǀ soine = son(e).

sojour AN; NE sojourn, dwelling(-place), *Aufenthalt(sort).* — sojourne AN; NE sojourn, *halte mich auf.*

sol L; NE sun, *Sonne.*

solace, -as OF solaz, -as, NE solace, *Trost.* — solace OF; NE; *tröste.*

ᶦ-sold, solde s. selle. | solde = sholde s. shal.

sole OE solige, cf. OF soille, NE soil (myself), *beschmutze (mich).*

solein AN; NE solitary, *einsam.*

solempne OF; NE solemn, *festlich.* — solempn(e)ly adv. — solempnite(e) OF -té; NE solemnity, *Festlichkeit.*

solen = solein.

solide OF; NE solid, *fest.*

solitarie AN; NE solitary, *einsam.* — solitude OF; NE; *Einsamkeit.*

solle = shullen s. shal. ǀ solowe = sole.

solsecle L solsequium, NE marigold, *Dotterblume.*

solstice OF; NE; *Sonnenwende.* — solsticioun AN; NE solstice, *Solstitium, Sonnenwende.*

som OE sum, NE some, *irgend ein, irgend welch, einige(s).* — somkin OE sum cyn(n), NE some sort, *irgend welche Art.* — somdel OE sumne dǣl, NE somewhat, *etwas, ein wenig.* —summesweis OE sumes weges, NE something. *etwas.* — somthing OE sum þing, NE something, *etwas.* — som(e)time OE sum + tîma f., NE sometimes, once, *bisweilen, einmal.* — som(e)what, -wat, -whet, -hwet. OE sum + hwæt, NE somewhat, *etwas.*

somed OE samod, somod, NE together, *zusammen.*

somer, -ir OE sumor m., NE summer, *Sommer.* — somerblome OE sumor + ON blōm(i), NE summerflower, *Sommerblume.* — somersday fr. OE sumor + dæg m.; NE summerday, *Sommertag.* — somersesoun OE sumor + AN sesoun, NE summer-time, *Sommerszeit.* — somersonne OE sumor + sunne f., NE summer sun, *Sommersonne.*

somer AN; NE sumpter, *Packpferd, Packesel.* — somerdriven AN somer + OE drifen pp., NE driven on a sumpter (as a punishment), *auf einem Lastpferde getrieben (als Strafe).*

somet = somed.

somme OF; NE sum, *Summe.*

somne = samne.

som(ou)ne, sompne AN somone, NE summon, *lade vor.* — somonce, somons, somnes AN somonce NE summons, *Vorladung.* — som(o)nour AN somenour, NE summoner, *Büttel.* — sompninge = somonce.

sompnolence OF somnolence, NE; *Schläfrigkeit.*

son = sone. | sonk(en) s. sinke.

sond OE sand, sond n., NE sand, land, *Sand, Land.* — sonde NE cover with sand, *bestreue mit Sand.*

sond(e), sound OE sand, sond f., NE message, messenger, *Botschaft, Bote.*

sonder, -ir OE sundor, NE separate, several, *getrennt, verschieden.* — sondirwise OE sundor + wîse f., NE separately, *besonders.* — sunderlepes OE sunderlîepes, NE separately, especially, *besonders.* — sunderliche cf. OE synderlîce; NE apart, *gesondert.* — sondry cf. OE syndrig, NE sundry, various, *verschieden.*

sone OE sunu m., NE son, *Sohn.* — sone-in-lawe NE son-in-law, *Schwiegersohn.*

son(e) OE sôna, NE soon, *bald.*

song OE sang, song, NE song, *Gesang.*

song, ¹-songe(n) s. singe. | songge obl. of
song sb. | sonnd = sond(e), NE message.
| sonne = sone, NE son. | sonne =
son(e), NE soon.

sonne OE sunne f., NE sun, *Sonne.* — son-
nebem OE sunbêam m., NE sunbeam,
Sonnenstrahl. — sunnegleam OE sunne
+ glǣm m., NE sunshine, *Sonnen-
schein.* — son(n)e(n)day OE sunnan-
dæg m., NE Sunday, *Sonntag.* — son-
nenight OE sunnanniht f., NE Satur-
day night, *Nacht zum Sonntag.* — sonnish
NE sun-like, *sonnenartig.*

sop(e) OE sopa m., NE sop, *eingetauchter
Bissen.*

soper OF; NE supper, *Abendessen.*

sophime OF soffime, NE sophism, *Sophis-
mus.* — sophistrie OF; NE sophistry,
Sophisterei.

sor, sore OE sâr n., NE sore, grief,
Wunde, Kummer. — sor(e) OE sâr, NE
grievous, *wund, schmerzlich.* — sore OE
sâre adv. — sory OE sârig, NE sorry,
miserable, *betrübt, jämmerlich.* — sori-
mod OE sârigmôd, NE sad, *traurig.* —
sorinesse, -nisse OE sârignes f., NE
sadness, *Traurigkeit.* — sorlich OE
sârlīc, NE sorrowful, *betrübt.*

sorceresse OF; NE sorceress, *Zauberin.*
— sorcerie OF; NE sorcery, *Zauberei.*

sore OF essore, NE soar, *erhebe mich in
die Lüfte.*

sor(e)z, sorgh, sorh, sorie, sorew-, sorow,
sorowz = sorow-.

sormounte AN surmounte, NE surmount,
surpass, *übertreffe.*

sorquidri(z)e OF surquiderie, NE pre-
sumption, *Anmaßung.*

sort OF; NE lot, *Los, Geschick.* — sorte
OF sbj.; NE allot, *weise zu.*

sort = short.

sorte OF; NE company, *Schar.*

sorthfol = sorw(e)ful. | sorthwe =
sorwe.

sorwe OE sorg f., NE sorrow, *Sorge.* —
sorwe OE sorgige, NE sorrow, *gräme
mich.* — sorw(e)ful(l) OE sorgful, NE
sorrowful, *traurig.* — sor(e)wenesse NE
sorrowfulness, *Kummer.* — sorwing OE
sorgung f., NE sorrowing, *Gram.*

soster = suster. | sostnaunce = sustena-
(u)nce.

sot OE sot(t) m., OF sot, NE foolish, fool,
töricht, Tor, Narr. — sotted cf. OE sot(t);
NE besotted, *töricht.*

sot OE sôt n., NE soot, *Ruß.* — soty OE
(ge)sôtig, NE sooty, grimy, *rußig.*

sote = swote. | sotel = sotil.

soth OE sôþ, NE true. *wahr.* — soth(e)
OE sôþ n., NE truth, *Wahrheit.* —
sothly = sothly. — ¹-sothie OE
(ge)sôþige, NE prove true, *beweise als
richtig.* — sothfast, sothfest OE sôþ-
fæst, NE truthful, *wahrhaftig.* — soth-

fastnesse OE sôþfæstnes f., NE truth,
Wahrheit. — sothly, -liche OE sôþlīce,
NE truly, faithfully, *wahrhaftig, treulich.*
— sothnesse OE sôþnes f., NE truth,
Wahrheit. — sothsawe, sothe-saugh
OE sôþsagu f., NE truth, *Wahrsagung,
Wahrheit.*

so that OE swâ + þæt, NE until, when,
bis, als.

sothen s. sethe. | sothren = southren. |
soththe OE seoþþan, = sithen. | soth-
there OE sôþra gen. pl. of soth.

sotil OF; NE subtle, *gewandt.* — sote-
liche, NE cleverly, *geschickt.* — sotiltee
OF sotilleté, NE subtlety, *Gewandtheit.*

souke, suke, p. sek, soke(n), pp. ¹-soke(n)
OE sûce, NE suck, soak, *sauge, dringe
durch.*

soudan OF; NE sultan, *Sultan.* — souda-
nesse NE sultaness, *Sultanin.*

soud(e) OF soude, NE wages, *Sold.* —
souded OF soudé, NE attached, *ergeben.*
— soudeour, -iour, souder OF soudoier,
NE soldier, *Soldat.*

soue = sowe, *säe.*

soughe OE sugu f., NE sow, *Sau.*

soul AN; NE sole, *einsam.*

soule OE sâw(o)l f., NE soul, *Seele.* —
sawleberhles OE sâw(o)l + *beorgels
m., NE salvation, *Seelenrettung.* —
souleenül OE sâwol + cnyl(l) m., NE
soul-bell, *Totenglocke.* — souled OE
gesâwlod, NE possessing a soul, *beseelt.*
— sawleheal OE sâwol + hǣl(o) f.,
NE salvation, *Seelenheil.* — sawleselthe
OE sâw(o)l + (ge)sǣlþ f., NE happiness
of the soul, *Seelenglück.*

soulfre AN; NE sulphur, *Schwefel.*

soum = som.

soun AN; NE sound, *Ton.* — soune AN;
NE sound, signify, tend, *töne, lasse er-
tönen, (be)deute.* | sound s. sond(e).

sound OE sund, NE sound in health, *ge-
sund.* — sounde NE make sound,
mache gesund.

sounge p. sbj. of singe.

soupe, p. sop, pp. ¹-sope(n) OE sûpe, NE
sup, drink up, *trinke (aus).*

soupe OF sope, supe, NE sup, *esse zu
Abend.*

souple OF; NE supple, *biegsam.* — souple
OF; NE make supple, bend, *mache bieg-
sam, beuge.*

sourde OF sbj.; NE arise, *gehe hervor.*

soure, sore OF sore, NE sorrel, *junger
Bock.*

soure OE sûr, NE sour, *sauer.* — soure-
loten fr. OE sûr + wlâtige; NE sour-
looking, *sauer dreinschauend.*

sourmounte = sormounte.

sours OF source, NE source, rising, *Quelle,
Erhebung.*

sout = sought s. seke.

souter OE sûtere m., NE bootmaker, *Schuster*.

south = soth(e).

south(e) OE sûþ, NE south, *Süden, südwärts*. — southalf OE sûþhealf f., NE south side, *Südseite*. — southerwest ON sûðr + west, NE southwest, *Südwest*. — southren OE sûþerne, NE southern, *südlich*. — southward OE sûþweard, NE southward, *südwärts*.

southbaily OF subaillif, NE subbailiff, *Unteramtmann*.

southe = soᵘghte s. seke. | soutil = sotil. | soutiltee = sotiltee.

souvenance OF; NE remembrance, *Gedächtnis*.

souzand = thousand.

sovera(i)n, -ein AN; NE sovereign, *Souverän; souverän, höchst*. — sovereinetee AN -té; NE sovereignty, *Souveränität*.

sowke = souke. | sowd- = soud-.

sowe OE sugu, sû f., NE sow, *Sau*.

sowe, p. sew, pp. ¹-sowe(n) OE sâwe, NE sow, *säe*.

sowe OE sêowige, NE sew, *nähe*.

sowel, sovel OE suf(o)l n., NE victuals, *Lebensmittel*.

sowe(n) s.¹-se. | sowle = soule. | sown(e) = soun. | sownde = sound, NE sound in health. | sowne = swoune. | sowre = soure, NE sour. | sowth = south(e). | sowt = ¹-soᵘght s. seke. | spak(e), spake(n) s. speke.

space OF espace, NE space, *Raum*.

spade OE f.; NE; *Spaten*.

spæche = speche sb.

spainel OF espagneul, NE spaniel, *Stöberhund*.

span, spanne fr. the vb.; NE span, *Spanne*. — spanne OE; NE span, *spanne*.

span s. spinne.

spannewe ON spännȳr cf. OE nîwe; NE span-new, *nagelneu*.

sparke OE spearca m., NE spark, *Funke*. — sparkle NE small spark, *Fünkchen*. — sparkle cf. OE spearcige; NE sparkle, *sprühe Funken*.

spar(e) OE spær, NE sparing, *sparsam, karg*. — spare OE sparie, NE spare, *spare, (ver)schone, enthalte mich*. — sparinge NE moderation, *Mäßigung*.

sparhauk = sperhauk. | sparow s. sparwe.

sparre fr. the vb.; NE spar, *Sparren*. — sparre OE gespearrige, NE close, bar, *schließe, (ver)sperre*.

sparth(e) ON sparða, NE halberd, *Hellebarde*.

sparwe OE spearwa m., NE sparrow, *Sperling*.

spaß = space.

spa(u)nishing fr. OF espanissant; NE blooming, *Aufblühen*.

spealie = spelle.

speke, speoke, p. spak(e), spek, speke(n), spake(n), pp ¹-speke(n), ¹-spoke(n) OE sp(r)ece, NE speak, *spreche*. — speking NE speaking, oratory, *Reden, Redekunst*.

spece OF espece, NE species, person, *Art, Sorte, Person*. — special OF especial, NE special, *besonder*; in special OF en especial, NE especially, *besonders*. — special(l)y, specialich adv. — specifie OF; NE specify, *gebe genau an*.

speche OE sprǣc f., NE speech, *Rede*. — specheles OE sprǣclēas, NE speechless, *sprachlos*.

spectacle OF; NE spectacles, *Brille*.

speculacioun AN; NE contemplation, *Betrachtung*.

sped OE spêd f., NE speed, success, *Erfolg, Gedeihen, Glück*. — spede, p. spedde, pp. ¹-sped OE spêde, NE speed, hasten, prosper, fare, *eile, habe Erfolg, begünstige, fahre (gut oder schlecht)*. — spedful NE efficacious, speedy, *erfolgreich, eilig*. — spedily OE gespêdiglice, NE speedily, *eilig*.

speir = despeir. | speir = spere.

spel OE spel(l) n., NE narrative, tidings, *Erzählung, Nachricht*. — spelle OE spellige, NE speak, narrate, preach, *spreche, erzähle, predige*.

spele OE spelige, NE spare, *schone*.

spence = spense.

spende OE; NE spend, *wende auf*. — spending NE; *Ausgabe(-geld)*. | spending-silver fr. OE spende + seolfor n.; NE silver to spend, *bares Silber*.

spene = spende.

spenne cf. OE spennels; NE stretch out, embrace, *strecke aus, umarme*.

spenne cf. OE spanne 'span'; NE space, interval, *Zwischenzeit*.

spense OF dispense, NE expense, provision-room, *Ausgabe, Vorratskammer*.

sperd pp. of sperre.

spere OE spere n., NE spear, *Speer*.

spere OF espere, NE sphere, *Sphäre, Erdkugel*.

sperhauk OE spearwe m. + hafoc m., NE sparrow-hawk, *Sperber*.

sperid pp. of sperre. | sperit = spirit.

sperme OF; NE sperm, *Same(n)*.

sperre ON sperra, = sparre.

spete OE spâte, NE spit, *spucke*.

spewe, speowe OE spîwe, spêowe, NE spew, *speie*. — spewing OE spêowung f., NE vomiting, *Gespienes*.

spice OF espice, NE spice, *Gewürz*. — spice OF espice, NE spice, *würze*. — spicerie OF espicerie, NE spices, *Spezereien, Gewürze*.

spie fr. the vb.; NE spy, *Spion*. — spie vb. = espie.

spile OE spilige, NE play, *spiele*.

ᵃ-spille OE spille, NE spill, drop, destroy, perish, *verschütte, vernichte, gehe zu*

Grunde. — spilling OE f.; NE; *Vergießen.*

spinne, p. span, sponne, pp. i-sponne(n) OE spinne, NE spin, spring (of plants), *spinne, sprieße empor.*

spir OE spîr, NE shoot, *Schößling.*

spirit AN espirit, NE spirit, *Geist.*

spir(r)e OE spyrige, NE investigate, *spüre nach.*

spise = spice. | spise 3 sg. of spie = espie. | spiserie = spicerie. | spit(e) = despit(e). | spitel = hospital. | spitous, spitus = despitous.

spitte ÔE gespitte, gespitti(g)e, gespytte, spytti(g)e, NE spit, *spucke.*

splen **L**; NE spleen, *Milzdrüse.*

spoke OE spâca m., NE spoke, *Speiche.*

spoke(n) s. speke.

spon OE spôn m. f., NE spoon, *Löffel.*

spore OE spura, spora m., NE spur, *Sporn.* — sporeles NE without a spur, *ohne Sporen.* — sporne OE spurne, NE spurn, *trete mit den Füßen.*

spot cf. OE splot(t) m.; NE spot, *Fleck.* — spotte cf. OE gesplottod; NE spot, *beflecke.*

spouse OF espouse, NE spouse, *Gemahl(in).* — spouse, spowse OF espouse, NE espouse, wed, *heirate.* — spousaille OF espousaille, NE spousal, *Hochzeit.* — spousbrüche OF espouse + OE bryce m., NE adultery, *Ehebruch.* — spoushod NE marriage, *Heirat.* — spousing, spouseing NE wedding, *Hochzeit.*

spoute cf. ME spitte; NE spout, *speie.*

spows- = spous-. | sprad(de) p. of sprede.

spray OE spræc n. cf. Dan. sprag, NE spray, *Zweig.*

spray 67, A₆ 7882 cf. LG sprei; NE spray, water flying in small drops, *Tropfenregen.*

sprained s. sprenge. | sprang(e)s. springe.

sprede OE sprǣde, NE spread, *spreite, breite aus.*

sprenge cf. the vb. and ON sprengja 'make spring'; NE springe, *Sprenkel.* — sprenge, springe p. sprengde, spreind(e), sprent(e) OE sprenge, NE spring, sprinkle, burst, *sprenge.*

spring OE spring m., NE spring, dawn, *Quelle, Frühling, Morgengrauen.* — a-springe, p. sprang(e), sprong, pp. i-spronge(n), i-sprunge(n) OE (ā)springe, NE spring (up), break on (of day), grow, *(auf)springen, anbrechen (vom Tage), wachsen.* — springer NE origin, *Ursprung.* — springflod fr. OE springe + flôd n.; NE spring-tide, *Springflut.* — springing NE beginning, *Anfang.*

springolde OF espringal(l)e, AN springalde, NE engine for casting stones, *Wurfmaschine.*

sprong, i-spronge(n) s. a-springe.

sprote OE sprota m., NE sprout, twig, *Sproß, Zweig.*

sproute OE (ā)sprûte, NE sprout, *sprieße.*

i-sprunge(n) s. a-springe. | sprute = sproute. | spürie = spir(r)e. | spurne = sporne. | spus- = spous-.

squaimous AN escoymous, NE squeamish, *ekel, wählerisch.*

squames L squamas, NE scales, *Schalen.*

squar(e) OF esquarre, NE square, *Viereck, viereckig.* — square fr. OF esquarir; NE cut square, *behaue viereckig.*

squerel = squirel.

squier AN esquier, NE squire, esquire, *Schildknappe, niederer Adliger.* — squiere NE attend, *begleite.* — squierie AN esquierie, NE gentry, *niederer Adel.* — squierly NE like a squire, *wie ein Schildknappe.*

squire OF esquire, NE squire, square, *Winkelmaß.*

squirel OF escurel, NE squirrel, *Eichkätzchen.*

sride = shride. | srift = shrift. | srive = shrive. | sr(o)ud = shroud. | srud = shrouded. | ss- = sh-. | sseawi = shewe. | ssede = shadwe. | ssel = shal. | sselt = shalt s. shal.

stabilite F -té; NE stability, *Beständigkeit, Festigkeit.*

stable OF estable, NE stable, firm, *stabil, fest, beständig.* — stable, stablisse AN estable, establisse sbj., NE establish, *errichte.* — stablenesse NE stability, *Festigkeit.*

stable OF estable, NE stable, *Stall.* — stab(e)le OF estable, NE put in stable, *bringe in den Stall.*

stak s. steke.

stake OE staca m., NE stake, (*Staken*), *Pfahl.*

stakere ON stakra, NE stagger, *taumele.*

stad s. stede vb.

stadie L stadium, NE race-course, *Rennbahn.*

staf OE stæf m., NE staff, *Stab.* — stafful OE stæf + ful(l), NE quite full, *ganz voll.* — stafslinge OE stæf + ON slyngva, NE staff-sling, *Stockschleuder.*

stage OF estage, NE stage, place, *Ort.*

stah s. stie. | staire = steire.

stal OE steal(l) m., NE stall, station, place, *Stall, Aufenthaltsort, Stelle.*

stal s. stele.

stalke cf. OE stal '*Pflock*' and ON stilkr '*stalk*'; NE stake, stalk, *Pflock, Stiel.*

stalke OE stealcige, NE stalk, *schreite.*

stale OE gestalu f., NE theft, *Diebstahl.* — by stale, NE by stealth, *verstohlen.*

stale OE stal f. '*Pflock*', NE stalk of a plant, side-piece of a ladder, *Stiel.*

stalle Late OE gestælle cf. OE stæl m. '*place*'; NE arrest, *stelle, bringe zum Stillstand.*

stalworth, -worthy OE stælwierþe, NE strong, *stark*.

stame = stamin.

stamere OE stamarige, stomrige, NE stammer, *stammle*.

stamin OF estamine, NE linsey-woolsey, *halbwollener Stoff*.

stampe OE stempe cf. ON stappa (< *stampa); NE stamp, pound, *stampfe*.

stan(e) = ston.

stank OF estanc, NE stank, pool, *Teich*.

stanks. stinke. | stande, stants. a-stonde. | standing s. a-stonde.

stape, p. stop, stope(n), stepe(n), pp. stape(n) OE steppe, pp. stapen, NE step, proceed, *gehe*.

star = sterre.

stark OE stearc, NE strong, severe, *stark, streng*. — starkeded OE stearc + dêad, NE quite dead, *ganz tot*. — stark-naked OE stearc + nacod, NE stark-naked, *splitternackt*.

stare OE stær m., NE starling, *Star*.

stare OE starige, NE stare, *starre (an)*.

starf s. a-sterve. | starne = sterne, NE star.

startle OE steartlige, NE startle, *bewege mich rasch*.

stat(e) = estat.

stathe OE stæþ n. m., NE bank, shore, *Ufer, Gestade*.

statly fr. OF estat; NE stately, *stattlich*.

statue OF; NE; *Statue*. — stature OF; NE; *Statur, Wuchs*. — statut OF; NE statute, *Gesetz*.

staunche AN estaunche, NE sta(u)nch, *stille (Wunde, Durst)*.

stave obl., staves pl. of staf. | steal = stal.

steke, p. stak, steke(n), pp. i-steke(n), i-stoke(n) cf. OE staca m. and ON stjaka; NE fix, *steche ein, befestige*.

stek(i)e = stik(i)e.

sted(e) OE stede m., NE stead, *Statt, Stelle*. — stede (fr. sb.), pp. sted, stad NE stand, place, support, *stehe, stelle (an), stütze*. — stedfast, stedefæst OE stede-fæst, NE steadfast, *fest, standhaft*. — stedfastnesse OE stedefæstnes f., NE steadfastness, *Standhaftigkeit*.

stede OE stêda m., NE steed, horse, *Roß, Pferd*.

stef cf. OFries. stêf; NE stiff, strong, *steif, stark*. — stefhede NE strength, rigour, *Stärke, Strenge*.

stefne = steven(e). | steʒe, steie = stie. | steill = stel. | steill = stele, NE steal.

steire OE stæger f., NE stair(-case), *Treppe*.

stel OE stîele n., NE steel, *Stahl*. — stele OE stîele, NE steel, provide with steel, *stähle, versehe mit Stahl*.

stele, p. stal, stole(n), pp. i-stole(n) OE stele, NE steal, *stehle*.

stele OE stela m., NE handle, end, *Stiel, Ende*.

stellifie cf. L stellam; NE make into a constellation, *verwandele in einen Stern*.

steme OE stîeme, NE shine, *glänze*.

stem(m)e ON stemma, NE stop, *halte an, höre auf*.

stemme obl. of stem = steven(e). | stemne = steven(e).

stench OE stenc m., NE stench, *Geruch*.

stene OE stâne, NE stone, *steinige*.

stente = stinte. | step = stape.

step(e) OE stêap, NE steep, bright, *steil, glänzend*.

stepmoder OE stêopmôdor f., NE step-mother, *Stiefmutter*.

steppe OE stæpe, stepe m. (cf. steppe vb.), NE step, track, *Schritt, Fußspur*.

steppe = stape.

ster OE stêor m., NE steer, *Stier*.

stere OE stêor f., NE rudder, helm(sman), governor, *Steuerruder, Steuermann, Lenker*. — stere OE stêore, NE steer, control, *steuere, beherrsche*. — stereles OE stêorlêas, NE rudderless, *steuerlos*. — ster(es)man, steor- OE stêor(es)man(n) m., NE steersman, *Steuermann*.

stere = stire.

sterling AN esterling, NE sterling, *Sterling*.

sterne, steorne OE stierne, NE stern, cruel, *ernst, streng, grausam*. — sternely OE stiernlîce adv.

sterne ON stjarna, NE star, *Stern*.

sterre, steorre OE steorra m., NE star, *Stern*. — sterrelight OE steorra + lêoht n., NE starlight, *Sternenglanz*. — sterry NE starry, *sternig, sternhell*.

stert fr. the vb.; NE start, *plötzliche Bewegung*. — sterte orig. obsc., cf. OE steartlige 'kick', NE start, *bewege mich plötzlich*.

stertle = startle cf. sterte.

a-sterve, p. starf, storve(n), pp. i-storve(n) OE (â)steorfe, NE die, *sterbe*.

steven(e), stevin OE stefn, stemn f., NE voice, appointment, preeminence, *Stimme, Übereinkunft, Vorrang*. — at steven NE by speaking, *durch Sprechen*. — wituten stemme NE without debating, *ohne Streit, ohne Zweifel*.

steward = stiward.

stewe, stu(w)e OF estuve, NE stew(s), brothels, fish-pond, *Badestube, Bordell, Fischteich*. — stewedore st. + OE dor n., NE closet-door, *Kammertür*.

sty OE stigu n., NE sty, *Schweinestall*.

sty OE stîg f., NE path, way, *Steig, Weg*.

stiborn fr. OE styb(b) m. 'stump of tree'; NE stubborn, *hartnäckig*.

stik(k)e OE sticca m., NE stick, twig, *Stock*. — stik(i)e OE sticige, NE prick, stab, stick, *steche, durchbohre, stecke*.

stidefast = stedfast.

stie, p. stah, ste¹gh, stige(n), pp. ¹-stige(n) OE stîge, NE mount up, *steige empor.*

stiel = stel. | stiere = stere, NE rudder. | stierne = sterne, NE stern.

stif OE stîf 'rigid' (cf. stîþ 'stiff'), NE stiff, strong, bold, *steif, stark, kühn.*

stize = stie.

stile OE stigol f., NE stile, *Tritt, um über einen Zaun zu steigen.*

stile OF; NE; *Stil.*

stillatorie fr. L stillare; NE still, *Destillierapparat.*

still(e) OE stille, NE still, *still.* — stille OE; NE silence, *bringe zum Schweigen.*

stink (OE stenc = stench) fr. the vb.; NE stench, *Geruch.* — stinke, p. stank, stonk, stunke(n), pp. ¹-stonke(n) OE stince, NE stink, *stinke.*

stinge, p. stong, pp. ¹-stonge(n), ¹-stunge(n) OE stinge, NE sting, *steche.*

stinst = stintest.

stinte OE stynte, NE stint, stop, *höre auf, halte an.* — stintinge NE ceasing, *Aufhören.*

stire OE styrige, NE stir, excite, move, hurry, *störe auf, errege, bewege (mich), eile.*

stirop OE stigrâp, stîrâp m., NE stirrup, *Steigbügel.*

stirre = stire. | stirte = sterte (cf. OE styrie, styrme).

stith OE stîþ, NE strong, brave, *stark, tapfer.*

stithe, stethe ON steði, NE anvil, *Amboß.*

stive obl. of stif. | stive = stewe.

stiward OE stîweard m., NE steward, *Verwalter.*

stok OE stoc(c) m., NE stock, trunk, *Holzblock, Baumstamm.* — stokke fr. the sb.; NE put in the stocks, *setze in den Stock.*

stoke fr. OF estoquer; NE stab, *durchbohre.*

stoken = ¹-stoke(n) s. steke.

stod OE stôd n., NE stud, stable, *Gestüt.*

stod, stode(n) s. ª-stonde.

stol(e) OE stôl m., NE stool, chair, *Stuhl.*

stole L stolam, NE stole, *Stola.*

¹-stole(n), stollin s. stele.

stomak OF estomac, NE stomach, *Magen.*

stomble cf. ON stumra, MDu. stommele; NE stumble, *stolpere.*

ston OE stân m., NE stone, *Stein.* — stony OE stânig, NE stony, *steinig.* — stonstill OE stân + stille, NE stonestill, *mäuschenstill.* — stonwal OE stân + weal(l) m., NE stonewall, *Steinwand.*

stonaie = stonie. | stonk s. stinke. | stond = stont s. ª-stonde. | stonde = stounde.

ª-stonde, 3 sg. stont, stant, stondeth, p. stod, stode(n), pp. ¹-stonden OE (ā)stande, (ā)stonde, NE stand, *stehe.* — standing NE staying, *Bleiben, Verweilen.*

stong, ¹-stonge(n) s. stinge. | stony s. ston.

stonie OE stunige, NE stun, astonish, *betäube, setze in Verwirrung.*

stont s. ª-stonde. | stope(n) s. stape.

stoppe OE (for)stoppige, NE stop, *verstopfe, halte an.*

stor OE stôr m., NE incense, *Weihrauch.*

stor ON storr, NE great, strong, bold, *groß, stark, kühn.*

stor OF estor, NE store, *Vorrat.* — store OF estore, NE store, *staple auf, versorge.*

stork OE storc m., NE stork, *Storch.*

stori(e) AN; NE story, *Erzählung.* — storial NE historical, *historisch.*

storie (by some analogy) = stire.

storm OE m.; NE; *Sturm.* — stormed fr. the sb., cf. OE styrmie; NE oppressed by stormy weather, *vom Sturm bedrängt.* — stormy NE; *stürmisch.*

¹-storve(n) s. ª-sterve.

stot cf. OE stôd n., ON stôd, MDu. stutte; NE horse, *Pferd.*

stote, 3 sg. stotais, cf. MDu. stote; NE hesitate, become disconcerted, *zögere, werde verwirrt.*

stounde OE stund f., NE hour, time, *Stunde, Zeit.* — stoundemele OE stund-mælum, NE from time to time, *bisweilen.*

¹-stounge, ¹-stunge(n) s. stinge.

stoupe OE stûpige, NE stoop, *bücke mich.*

stouple, stoppel cf. stoppe; NE stopple, *Stöpsel, Pfropfen.*

stour AN estour, NE combat, *Kampf.*

stour = stor, NE great. | stourdy = sturdy.

stout OF estout, NE stout, proud, *stark, stolz.* — stoutly adv. — stoutnesse NE pride, obstinacy, *Stolz, Hartnäckigkeit.*

stownde = stounde. | stowr = stour, NE combat.

strake OE strâcige, NE stroke, run, *streiche(le), laufe.*

straghte s. strecche. | stray = a-stray. | straight s. stre(i)ght. | straine = streine. | straite s. streit. | strankthe = strengthe. | strang = strong. | strange = straunge. | strat = streit.

straunge AN estraunge, NE strange, difficult, *fremd, seltsam, schwierig.* — strangenesse NE strangeness, *Seltsamkeit, Fremdheit.* — straunger AN estraunger, NE stranger, *Fremdling.* — strangere AN estrangere, NE a kind of rhyme, *eine Art von Reim.*

straw OE strêaw n., ON strâ, NE straw, *Stroh.* — strawe OE strêowige, ON strâ, NE strew, *streue.*

strawhte = stra(u)ghte s. strecche. | stre OE strêa(w) = straw.

strecche, p. stre(i)ghte, stra(u)ghte OE strecce, NE stretch, extend, *strecke aus.*

— streight OE pp. stre(a)ht, NE
straight, stretched out, *gestreckt, gerade,
sofort.*

streke cf. strecche, stroke; NE stretch,
extend, *strecke aus.*

streighte s. strecche.

streine AN estreine sbj., NE strain,
spanne straff, drücke zusammen.

streinthe = strengthe.

streit AN estreit, NE strait, *eng, streng,
Enge, Bedrängnis, Verlegenheit.* — streit-
nes NE straitness, *Enge.*

strem, stream OE strêam m., NE stream,
Strom. — streme fr. tne sb., NE stream,
ströme. — stremande NE streaming,
radiant, *strömend, strahlend.*

stren, streon OE gestrêon n., NE acqui-
sition, strain, descent, lineage, progeny,
Erwerb, Abkunft, Nachkommenschaft. —
strene, streone OE strîene, strêone, NE
beget, *erzeuge.*

strencth = strengthe.

streng OE m.; NE string, *Strang, Saite,
Sehne.*

strenger, strengest s. strong.

strengestfeithed cf. OE strengest + OF
fai(d); NE strongest in faith, *am stärksten
in der Treue.*

strengthe, -ghthe, -gde, -gh(e), strencthe
OE strengþ f., NE strength, *Stärke,
Kraft.* — strengthe tr. the sb., NE
strengthen, *stärke.*

strenth(e) = strengthe.

strepe OE bestrîepe, NE strip, *streife ab.*

stresse = distresse.

strete OE strêt f., NE street, *Straße.*

strethe orig. obsc.; NE crib, *Krippe.*

strik OE strica m., NE streak, line, *Strich.*
— strike fr. the vb.; NE hank (of flax),
strickle, *Strähne (vom Flachs), Ab-
streichholz.* — strike, p. strok(e), strak,
striked, strike(n), pp. strike(n) OE strîce,
NE strike, run, stroke, *schlage, streiche,
laufe, streichle.*

stride OE stride m., NE stride (î fr. OE
strîde vb.), step, *Schritt.*

strif OF estrif, NE strife (î fr. the vb.),
Streit.

stright = streght. | string = streng. |
strinth = strengthe.

strith(th)e cf. ON strîðr 'hard'; NE
position of legs when placed firmly,
fester Reitsitz.

strive, p. strivede, strof OF estrive, NE
strive, *kämpfe.* — strivinge NE striving,
strife, *Kampf.*

strok fr. the vb.; NE stroke, *Streich.* —
stroke OE strâcige, NE stroke, *strei-
che(le).*

strok(e) s. strike. | strof s. strive. |
strogele = strugle. | stroie = de-
stroie.

strompet orig. obsc.; NE strumpet,
Dirne.

strond OE strand, strond n.. NE strand,
shore, *Strand.*

strong, comp. strenger, superl. streng-
est OE strang, strong, NE strong.
severe, *stark, heftig.*

strot = strout.

strothe ON storð, NE young wood, *Jung-
wald.* — stroþemen 141, 115 ON stor-
ðarmen, *Halsband der Erde,* NE men
of the earth, *Erdenmenschen.*

strout cf. MHG strûz; NE contention,
Strauß, Streit. — stroute cf. ON strûtr
'hood jutting out like a horn'; NE swell
out (of hair: Cant. Tal. A 3315), strut,
strotze, brüste mich.

strowe OE strêowie = strawe, streue.

strugle orig. obsc.; NE struggle, *kämpfe.*

strumpet = strompet. | strut = strout.

stub cf. OE styb(b) m.; NE stub, (*Baum-*)
Stumpf.

stuble AN estuble, NE stubble, *Stoppel.* —
stubbelgos AN estuble + OE gôs f.,
NE stubble-goose, *Stoppelgans.*

stüde OE styde m., = sted(e).

studie OF estudie, NE study, *Nachdenken.*
— studie OF estudie, NE study, *denke
nach, studiere.* — studiing NE thinking,
studying, *Nachdenken, Studieren.*

stuffe OF estouffe, NE stuff, *stopfe voll.*

stumbill = stomble. | stunch = stench
cf. pp. of stinke. | stund(e) = stounde.

stunt OE; NE foolish, *töricht.* — stuntise
NE folly, *Torheit.*

stünte = stinte.

sturdy OF estourdi, NE rash, bold,
sturdy, *unbedacht, kühn, hart.* — stur-
dily, -ely adv. — sturdinesse NE
sternness, sturdiness, *Härte, Festigkeit.*

stürie = stire. | stürne = sterne. | stürn-
liche = sternely. | stuwe = stewe. |
sua = so. | suart = swart.

suasioun AN; NE persuasiveness, *über-
zeugende Kraft.*

suathebend = swathebend.

subdekne L sub + AN deacne, OE dê-
acon-, NE subdeacon, *Unterdechant.*

subdit L -tum; NE subject, *unterworfen.*

subgit, -get OF subjet, NE subject, *Unter-
gebener, unterworfen.* — subject cf. L
-tum; NE subject, untertan, *Subjekt,
Wesen.* — subjeccio(u)n AN; NE sub-
jection, obedience, *Unterwerfung, Ab-
hängigkeit.*

sublime L -mo; NE sublimate, *subli-
miere.* — sublimatorie AN; NE vessel
for sublimation, *Sublimationsgefäß.* —
subliming NE sublimation, *Subli-
mation.*

submitte L -tto; NE submit, *unterwerfe
(mich).*

substa(u)nce AN; NE substance, *Sub-
stanz, das Wesentliche.*

subtil(le) (cf. sotil) L subtilem, NE subtil, *geschickt, fein.* — subtil(i)tee F -té; NE subtlety, *Gewandtheit.*

suburb AN suburbe, NE suburb, *Vorstadt.*

subverte L -to; NE subvert, *kehre um.*

succede OF; NE succeed, *folge nach.* — succedent L -tem; NE follower, *Folgender.* — successioun AN; NE succession, *Nachfolge.* — successour AN; NE successor, *Nachfolger.*

sukkenie OF souquenille, NE tunic, gabardine, *kurzes Oberkleid.*

succident = succedent. | suke = souke; suket 3 sg. of suke. | such(e) = swich.

sucre OF; NE sugar, *Zucker.* — sucred NE sugared, *bezuckert, versüßt.*

sude(i)nly = sode(i)nly. | sue = sewe, NE follow. | suedele = swathele. | suerd = swerd. | suere = swire. | suet = suite. | suet- = swet-. | suffera(i)n(e) = soverein. | suffering s. suffre.

suffise OF sbj.; NE suffice, *genüge.* — suffisaunce AN; NE sufficiency, *genügender Unterhalt.* — suffisaunt AN; NE sufficient, *genügend.* — sufficiand cf. L sufficientem, = suffisaunt.

suffre AN; NE suffer, *leide.* — suffrable AN; NE patient, *geduldig.* — suffraunce AN; NE longsuffering, patience, *Langmut, Geduld.* — suffraunt AN; NE patient, *geduldig.* — suff(e)ring NE; *Schmerz.*

süg = swich. | suget(t) = subgit. | süg(g)e = sig(g)e, seie.

suggestio(u)n AN; NE suggestion, criminal charge, *Wink, Beschuldigung.*

suʒhe, 3 sg. suʒh OE sûge, NE suck, soak, *sauge, netze durch.*

sugre = sucre. | suike = swike. | suich = swich. | suie = sewe, NE follow. | suilc = swich; suilkin = swich + kin, NE such kind, *solche Art.* | suinch = swink. | suire = swire. | suit = swete.

suite OF; NE retinue, colour, suit, *Gefolge, Farbe, Anzug.*

suith(e) = swete. | suithe = swith(e). | sulc = swich. | suld(e) = sholde s. shal; sul(en) = shulle(n) s. shal. | sülf OE sylf, = self.

sülie OE sylige, NE soil (myself), *beschmutze (mich).*

sulin = shullen s. shal. | sülle = selle. | sülve obl. of sülf. | sülver = silver.

sum OSw., ODan.; NE as, . . soever, *wie, . . auch immer.*

sum(me) = som(e). | summitte = submitte. | sumne = sompne. | sumne acc. sg. m. of sum = som. | sun = sone, NE son. | sun = son(e), NE soon. | sun = sonne, NE sun. | ¹-sunke(n) s. sinke. | sünden = sind(en) s. am. | sunder, sundir = sonder. | sune = sone. | sünege = sinne. | sune(n)day = sonnenday. |

sunge 2 sg. p., sunge(n), ¹-sunge(n), sungge pp. of singe. | sunne = sonne. | sünne = sinne. | suo = so. | suor = swor. | ¹-suore, suoren s. swere.

superfice OF; NE surface, immediate neighbourhood, *Oberfläche, unmittelbare Nähe.*

superfluitee OF -té; NE superfluity, *Überfluß, Überflüssigkeit.*

superlatif OF; NE superlative, *superlativisch.*

supersticious AN; NE superstitious, *abergläubisch.*

supplie OF; NE supplicate, *bitte inständig.* — supplicacioun AN; NE supplication, *Bittgesuch.*

supportacioun AN; NE support, *Unterstützung.*

suppose OF; NE suppose, *nehme an.* — supposinge NE supposition, *Annahme.*

supprise fr. OF surpris pp.; NE surprise, *überrasche.*

sur = soure. | sur = sure.

surcote OF; NE surcoat, *Überrock.*

sure, seur OF seür, sur, NE sure, *sicher, gewiß.* — seurli, suerli adv. — surement OF seurement, NE assurance, pledge, *Pfand.* — suretee OF seureté, NE security, careless confidence, *(sorglose) Sicherheit.*

surfet AN; NE surfeit, *Zuviel.*

surgerie OF cirurgerie, NE surgery, *Chirurgie.* — surgien, surgine OF; NE surgeon, *Chirurg, Wundarzt.*

surjurn AN = sojour. | surmounte = sormounte.

surname OF sur + OE nama m., NE surname, *Beiname.*

surplis OF; NE surplice, *Stola.*

surplus OF; NE; *Überschuß.*

surquid(e)rie OF; NE presumption, *Anmaßung, Einbildung.*

sursanure OF soursan(e)ure, NE a wound healed outwardly, but not inwardly (Skeat), *nur äußerlich geheilte Wunde.*

surveiaunce AN; NE inspection, *Überwachung.*

suspecioun AN; NE suspicion, *Verdacht.* — suspecious AN; NE suspicious, *verdächtig.* — suspect OF; NE suspicion, suspicious, *Verdacht, verdächtig.* — suspowse cf. OF suppose; NE suspicion, *Argwohn.*

suste(i)ne, -tine AN sustene, NE sustain, *ertrage, stütze, unterhalte.* — sustena(u)nce AN; NE sustenance, support, *Lebensunterhalt, Stütze.* — susteninge = sustena(u)nce.

suster, soster (cf. sister) OE sweoster, suster, NE sister, *Schwester.*

sute = suite.

sutel OE s(w)utol, NE clear, *klar.*

suth = soth. | suth = south(e), NE south. | suthfastnes = sothfastnesse.

25*

suthe = swithe. | suththe = sithen. |
suven = shove(n) s. shouve. | suwe =
sow. | suwe = sewe, NE follow. | swa
= so. | sway = swey.

swain ON sveinn, NE swain, young man,
junger Mensch.

swal s. swelle. | swalowe s. swelwe. |
swalt s. a-swelte.

swalwe OE swealwe f., NE swallow,
Schwalbe.

swan OE m.; NE; *Schwan.*

swane OE swân m., = swain.

swange, pr. p. swangeande cf. OE swinge,
p. swang; NE beat, *schlage.*

swap, swappe cf. OE swâpe 'sweep'; NE
stroke, swoop, *Schlag, Sturz des Raub-
vogels auf seine Beute.* — swap(p)e NE
swap, move quickly, *schlage, bewege mich
rasch.*

swar = swor s. swere.

swarde OE sweard f., NE sward, *Schwarte,
Haut (von Tieren), Rasen.*

sware cf. OE andswérie and ándswarige,
ON svara; NE answer, *antworte.*

swarm OE swearm m., NE swarm,
Schwarm. — swarme NE swarm, *schwär-
me, dränge mich.*

swart OE sweart, NE swart, black,
schwarz. — swartish NE darkish,
schwärzlich.

swarthe OE swearþ f., = swarde.

swasum OE swâ + OSw., ODan. sum,
NE so as, *so wie.*

swathe cf. OE sweþel m. 'bandage', NE
enclose in wraps, *wickle ein.* — swathe-
bend sw. + OE bend m. f. n., NE
swaddlingband, *Windel.* — swathele,
NE swaddle, *wickele in Windeln.*

swatte s. swete, *schwitze.* | swedele, swe-
dill = swathele. | swefne = sweven. |
swefte = swift(e). | swey s. swough.

sweigh ON sveigr, NE sway, motion, *Be-
wegung.* — swei(gh)e ON sveigja, NE
move, bend, *bewege, beuge (mich).*

swein = swain. | sweinte pp. of swenche.

swelle, p. swal, pp. swolle(n) OE swelle,
NE swell, *schwelle.* — sweller NE in-
flater, *einer, der aufbläht.*

a-swelte, 3 sg. swelt, p. swalt, swelte,
swulte(n) OE (â)swelte, NE die, *sterbe.*

swelwe OE swelge, NE swallow, *ver-
schlinge.*

swemme = swimme.

swenche OE swence, NE torment, fatigue,
quäle, ermüde.

sweng OE m.; NE stroke, blow, *Streich,
Schlag.*

swenne 139,171 OE swā + hwænne, cf. MLG
swenne, swanne; NE as often as, whenever,
so oft als, jedesmal wenn, wann irgend.

swepe cf. OE swâpe and geswæpa pl.
'rubbish'; NE sweep, *fege, gleite vorbei.*

swerd, sweor(e)d OE sweord n., NE
sword, *Schwert.* — swerdehand OE

sweord + hand f., NE hand which holds
the sword, *Schwerthand.*

swere, swerie, p. swor, swore(n), pp.
i-swore(n) OE swerie, NE swear, *schwöre,
fluche,* — swerere NE swearer, *jemand,
der gewohnheitsmäßig flucht.* — swering
NE swearing, *Fluchen.*

swere = swire.

swerve OE sweorfe, NE swerve, *irre ab.*

swete OE swête, NE sweet, *süß.* —
swete OE swête n., NE sweetness,
Süßigkeit. — sweteherte OE swête +
heorte f., NE sweetheart, *Liebchen, Schatz.*
— sweteloking OE swête + lôcigende,
NE sweet-looking, *hold aussehend.* —
sweting NE darling, *Liebchen.* — swetly
adv. OE swôte, NE pleasant, *angenehm.* —
swetnesse OE swêtnes f., NE sweetness,
Süßigkeit.

swet(t)e, p. swette, swatte OE swête, NE
sweat, *schwitze.* — swety NE sweaty,
schweißig.

sweve OE swebbe, NE sleep, swoon,
schlafe, werde ohnmächtig. — a-sweve
OE (â)swebbe, NE put to sleep, *schläfere
ein.* — sweven, -in OE swefn n., NE
sleep, dream, *Schlaf, Traum.* — sweve-
ning NE dream, *Traum.*

swike OE swica m., NE deceiver, *Be-
trüger.* — swikedom OE swîcdōm m.,
NE deceit, treachery, *Betrug, Ver-
räterei.* — swikel OE swicol, NE deceit-
ful, *trügerisch.*

swich OE swilc, swelc, NE such, *solch;* like
as, as if, *gleichwie, als ob.*

swide = swith(e). | swier = squier.

swift(e) OE swift, NE swift, *schnell.*

swilk = swich.

swim OE swîma m., NE giddiness, *Schwin-
del, Ohnmacht.* — swimbul cf. swim; NE
giddy movement, *taumelnde, zitternde
Bewegung.*

swimme, p. swam, swom, swomme(n)
OE swimme, NE swim, *schwimme.*

swin OE swîn n., NE swine, pig, *Schwein.* —
swineshed OE swînes hêafod n., NE
pig's head, *Schweinskopf (Schimpfwort).*

swink OE geswinc n., NE labour, *Arbeit,
Mühe.* — swinke, p. swank, swonk,
swonke(n), swunke(n), pp. i-swunke(n)
OE swince, NE labour, *arbeite, quäle
mich.* — swinker NE labourer, toiler,
jemand, der arbeitet, sich abmüht.

a-swinde, pp. a-swunde OE (â)swinde,
NE disappear, decrease, *(ver)schwinde,
nehme ab.*

swing(e) OE swinge f., NE swing, stroke,
Streich, Schlag. — swinge, p. swong,
pp. i-swonge(n), i-swunge(n) OE swinge,
NE beat, *schlage.*

swippe OE swipe f., NE stroke, *Schlag.*

swire OE swîra m., NE neck, *Hals.*

swith(e), comp. swithere OE swiþe, NE
quickly, very, *schnell, sehr.*

swive OE swîfe NE lie with, *schlafe bei.* — swiving NE sexual intercourse, *geschlechtlicher Verkehr.*

swo = so. | swolle(n) s. swelle.

swolow cf. OE (ge)swelgend f. n. m., swelg(end)nes f.; NE gulf, whirlpool, *Abgrund, Strudel.*

swolwe = swelwe. | swonken s. swinke. | swone = swoune. | ¹-swonge s. swinge.

swope, p. swep, swepe(n), pp. ¹-swope(n) OE swâpe, NE sweep, *fege, kehre.*

swor(en), ¹-swore(n) s. swere. | swore = swire.

swot OE swât n., NE sweat, blood, *Schweiß, Blut.* — swoty OE swâtig, NE sweaty, *schweißig.*

swote OE swôte adv. cf. swête, NE sweet, *süß.* — swotnesse OE swôtnes f., NE sweetness, *Süßigkeit.*

swough, swow cf. OE swôge; NE sough(ing), *leises Geräusch (vom Wind und von der Seele), Ohnmacht.* — swowe, p. swei(gh), pp. ¹-swowe(n) OE swôge, NE sough, swound, *wehe, werde ohnmächtig.* — swowne, swoune cf. OE (in)swôgen(ness) 'invasio'; NE swoon, *Ohnmacht.* — swowne, swoun(n)e fr. the sb.; NE swoon, *werde ohnmächtig.* — swowning NE swooning, *Ohnmachtsanfall.*

swücch, swülc = swich. | ª-swunde s. ª-swinde. | swüthe = swithe.

T.

t' = to. | ta = take. | ta = tho.

tabard OF; NE tabard, loose frock, *Heroldsrock, Kittel.*

tabernacle OF; NE; *Hütte, Zelt.*

tabide = to ª-bide.

table, tabil(l)e OF table, NE table, picture, *Tisch, Bild*; corbel, *Kragstein* (60, 789); tables pl. NE backgammon, *Puffspiel.*

tabour AN; NE tabor, *kleine Trommel.* — taboure NE drum, *trommele.* — tabour(u)n = tabour.

tabregge = to abregge. | tabreide = to ª-breide.

takke cf. Gael. tacaid 'peg' sb.; NE fasten together, *befestige, hefte zusammen.*

take, p. tok, toke(n), pp. ¹-take(n), tan(e) ON taka, NE take, catch, give, begin, *nehme, fange, gebe, beginne.* — ª-take OE â + ON taka, NE overtake, *überhole.*

takel OSw.; NE (shooting-)tackle, (*Schieß-) Gerät.*

taken = token. | tak(e)ni(i)ng(e) = tok(e)ning(e). | tache = teche. | taking 101, 10708 mist. for takning. | tacne = tokne. | tacheve = to acheve. | tacoie = to acoie. | tacompte = to acompte.

tadde OE tâdige, tadde f., NE toad, *Kröte.*

tæche = teche. | tæle = tele. | tær = ther(e).

taffata ML; NE taffeta, *Taffet.*

taffraie = to affraie. | tah = thah. | taht(e), ta(i)ht(e), ta(u)hte, ¹-ta(u)ht s. teche.

tail(e) OE tægl m., NE tail, *Schwanz.*

tail(l)e OF taille, NE tally, fashion, *Stock, auf dem die Rechnung eingekerbt wurde, Rechnung, Schnitt, Mode.* — taille OF; NE cut (down), mark on a tally, *schneide, haue nieder, merke an auf dem Kerbholz.* — tail(l)age AN; NE tallage, tax, *Steuer.* — tailagier NE tax-gatherer, *Steuereinnehmer.* — tailour AN; NE tailor, *Schneider.*

tais = takes.

tait ON teitr adj., teiti sb., NE lively, *lebhaft; liveliness, Lebhaftigkeit.*

taite = ta(u)ghte s. teche.

talke cf. OE talige; NE talk, *spreche, schwatze.* — talking NE; *Unterhaltung.*

tald(e) = tolde s. telle.

tale OE talu f., NE number, account, tale, *Zahl, Rechnung, Erzählung.* — tale OE talige, NE talk, speak, *schwatze, spreche.* — taling NE tale-telling, *Geschichtenerzählen.*

talent OF; NE desire, appetite, *Wunsch, Appetit.*

talevas OF; NE buckler, *Schild.*

talighte = to ª-lighte.

talle cf. OE getæl pl. getale 'swift'; NE docile, *folgsam.*

tallege = to allege.

tame OE tam, NE tame, *zahm.* — tame vb. s. teme.

tamende = to amende. | tan 3 pl. of take. | tan(e) = ¹-take(n). | the tane = thet ane = that on. | tanende = to an ende. | tanoie = to anoie. | tanswere = to answere.

tape OE tæppe f., NE tape, *Band.*

taper OE tapor m., NE taper, *Wachskerze.*

tapere = to apere.

tapicer AN; NE upholsterer, maker of carpets, *Tapezierer, Teppichmacher.* — tapit OF; NE tapestry, *Teppich.* — tapite NE cover with tapestry, *bedecke mit Teppichen.*

tapinage OF; NE concealment, *Verbergen.*

tappe OE tæppa m., NE tap, *Zapfen.* — tappestere OE tæppestre f., NE female tapster, *Schankmädchen.*

tapper = taper.

tare orig. obsc.; NE tare, *Wicke.*

tarede = to ª-rede. | tareste = to areste.

targe OF; NE small shield, *Tartsche, kleiner Schild.*

tariand = tariing part. pres. of tarie.

tarie OE tierge, terge, NE tarry, (*ver-) zögere.* — tariinge, tarieng NE tarrying, *Verzögerung.*

tarraie = to arraie.

tart OE teart, NE tart, sharp, *scharf, beißend.*

tarte OF; NE tart, pie, *Torte, Pastete.*

tartre OF; NE tartar, *Weinstein.*

tas OF; NE heap, *Haufen.*

tas = takes. | tassaie = to assaie. | tassaile = to assaile.

tassel OF; NE; *Quaste.* — tassele OF; NE provide with tassels, *versehe mit Quasten.*

tassemble = to assemble. | tassoile = to assoile. | tassure = to assure.

tast OF; NE taste, *Geschmack.* — taste OF; NE try, feel, *versuche, betaste.*

tatarwagge cf. ON toṭurr (< *taturr); NE tatter, *Fetzen.*

tath = taketh. | tatt = that. | tauh = thauh.

taune cf. MLG, MDu. tōne; NE point out, *zeige, erkläre.*

taute = tauht s. teche.

taverne OF; NE tavern, *Wirtshaus.* — taverner AN; NE innkeeper, *Gastwirt.*

tavise = to avise. | ţawaite = to awaite. | tawht = ị-tauht s. teche.

tax OF taxe, NE tax, *Steuer.* — taxacio(u)n AN; NE taxation, *Steuer.*

te, teo, p. teị(h), tih, tuwe(n), pp. ị-toge(n), ị-towe(n) OE tēo, NE draw, lead, go, *ziehe, führe, gehe.*

te = to. | te = the, NE the. | te = the. NE thee.

teken OE tô êacan, NE besides, *außerdem, dazu.*

tecche OF teche, NE (bad) quality, *(schlechte) Eigenschaft.* — teccheles NE blameless, *untadelig.*

teche, teache, p. te(i)ht(e), ta(u)ht(e), pp. ị-ta(u)ht, teched OE tǽce, NE teach, *lehre.* — techer NE teacher, *Lehrer.* — teching NE teaching, *Unterweisung.*

teჳ = they, NE they.

teịghe, teị(ჳ)e, tiჳe, ti(gh)e, pp. ị-teị(ghe)d, tighed OE tîege, NE tie, *binde.*

tehee! imit.; NE hee-hee! *haha!*

tey = teịh s. te.

teile = taile.

tein(e) ON teinn, NE thin plate of metal, *dünne Metallplatte.*

tein(e) = tene. | teld pp. of telle.

telde OE teldige, NE set up, *errichte.*

tele OE tǽle, NE blame, *tadele.*

tel(l)e, p. tolde, telde, pp. ị-told, teld NE tell, count, account, *erzähle, berichte, zähle, rechne.*

tembrace = to embrace.

teme OE temige, NE tame, *zähme.*

teme OE tîeme, NE lead, *führe, ziehe.*

teme = theme.

temper fr. the vb.; NE temper, mood, *Stimmung.* — tempre L tempero, OE temprige, NE temper, regulate, mix, *temperiere, regle, mische.* — temperaunce AN; NE temperance, *Mäßigung.* —

temprure AN; NE tempering, moderation, *Mäßigung, Maß.*

tempest(e) OF; NE tempest, *Sturm.* — tempeste NE distress, perturb, *bekümmere, verstöre.* — tempestuous AN; NE; *stürmisch.*

temple, tempill OF temple, NE; *Tempel.* — templedore OF temple + OE duru f., NE temple-door, *Tempeltür.* — templer AN; NE Knight-Templar, *Tempelritter.*

temporel OF; NE temporal, *weltlich.*

tempr- s. temper-.

temps OF; NE tense, *Zeit.*

tempte AN; NE tempt, *versuche, verlocke.* — temptour AN; NE tempter, *Versucher.*

ten, tene OE tîen, NE ten, *zehn.* — tendel OE tîen + dǽl m., NE tenth part, *Zehntel.*

ten = then s. the. | ten = then, NE than. | tenbrace = to enbrace. | tencrese = to encrese.

tende OF sbj.; NE tend, aim, *ziele ab.*

tendite = to endite.

tendre, tendir OF tendre, NE tender, *zart.* — tendirly adv. — tendreherted cf. OE tendre + OE -heort; NE tenderhearted, *weichherzig.* — tendernesse NE tenderness, *Zärtlichkeit.*

tendure = to endure.

tene OE têona m., têone f., NE suffering, trouble, *Schmerz, Mühe.* — tene OE têonige, tîene, NE harm, vex, irritate, calumniate, *schädige, quäle, erzürne, verleumde.* — tenefull OE têonful(l), NE grievous, *schmerzvoll.*

tenetz, tenis AN tenetz, NE tennis, *Tennis.*

tenne = ten. | tenne = thanne.

tenory Ital. tenore, NE tenor, *Tenor.*

tenour AN; NE tenor, contents, *Inhaltsangabe.*

tenquere = to enquere. | tent(e) = entente.

tente OF; NE tent, *Zelt.*

tenthe OE tîen + -þa, NE tenth, *zehnt.*

tentify = attentify. | teo = te, NE draw. | teo = to, NE toe. | teolunge = tili(i)nge. | teorne = torne. | tepet = tipet. | ter = ther(e).

tercel AN; NE male (said of the eagle), *männlich (vom Adler gebraucht).* — tercelet AN; NE male bird of prey, *männlicher Raubvogel.*

terciane OF tertiane, NE tertian, *jeden dritten Tag wiederkehrend.*

tere, p. tar, tere(n), pp. tore(n), torn OE tere, NE tear, *zerreiße.*

ter(e), teare OE têar m., NE tear, *Zähre, Träne.* — tery OE têarig, NE tearful, *tränenvoll.*

terin OF tarin, terin, NE tarin, *Zeisig.*

terme OF; NE term, end, *Zeitpunkt, Zeitraum, (fester) Ausdruck, Ende.* — termeday OF terme + OE dæg m., NE appointed day, *festgesetzter Tag*. — termine OF; NE determine, *bestimme*.

terrestre OF; NE earthly, *irdisch*.

terslet = tercelet.

terve orig. obsc.; NE flay, *schinde, ziehe die Haut ab.*

tescape = to esc(h)ape. | **tespie** = to espie.

testament OF; NE; *Testament*.

teste OF test, NE; *Probiertiegel.* — **tester(e)** AN; NE tester, head-piece, *(offener) Helm.* — **testif** cf. OF testu; NE testy, headstrong, *eigenwillig*.

tet = that.

tete OF; NE teat, *Brustwarze, Zitze*.

tewel = tuwel. | **texpounden** = to expounden.

text(e) OF texte, NE text, quotation, *Text, Zitat.* — **textual, -el** F textuel, NE literal, versed in texts, *am Texte klebend, textgelehrt*.

th' = the (def. art.). | **tha** s. the (def. art.). | **tha** = the (rel. pron.). | **tha** = the, NE or. | **tha** = tho. | **thabbey** = the abbey. | **thabbot** = the abbot. | **thabsence** = the absence.

thakke OE þaccige, NE pat, stroke, *streichele*.

thachieving = the achieving. | **thad** = that. | **thadversitee** = the adversitee. | **thæ** = tho, NE when. | **thaem** 137, 26 (obl. for nom.; or = þa me) s. they. | **thær** = ther(e). | **thære** = there s. the (def. art.). | **thæt** = that.

thaȝ, tha(ig)h, tha(ug)h OE þeah, ONorth. þæh, NE though, *doch, obwohl*; cf. thouʰgh. — **thaȝles** OE þeah + lǣs, NE nevertheless *nichtsdestoweniger.* — **thaȝles yef** OE þeah + lǣs + gief, NE unless, *wenn nicht*.

thay, thaim s. they. | **thain** = thein. | **thair** = ther(e). | **thair(e)** = NE their s. they. | **thalighte** = the (NE thee) a-lighte. | **thalmighty** = the almighty. | **tham(e)** s. they. | **thamendes** = the amendes. | **thamorouse** = the amorouse. | **than(e)** s. they. | **than(e)** = then.

thank OE þanc, þonc m., NE thought, thanks, *Gedanke, Dank*; his thankes NE of his free will, *freiwillig.* — **thanke, thancke** OE þancige, NE thank, *danke.* — **thanking** OE þancung f., NE thanks, *Dank*.

thangel = the angel.

than(ne), thon(ne), then(ne) OE þanne, þonne, þænne, NE than (after the comp.), then, when, *als (nach Komp. und zeitlich), dann, damals.* — **thanne(s)**, thennes, thens OE þanon + gen.-es, NE thence, *von da, seitdem, deshalb, weshalb (relativisch).* — **thennesforth** OE þanon- forþ, NE thenceforth, *seitdem*.

thanswere = the answere. | **thapocalips** = the apocalips. | **thapostle** = the apostle. | **thaqueintaunce** = the aqueintaunce.

thar, tharf, thurve(n), thurn, p. thur(f)t(e) (often impers.) OE þearf cf. dear(r) NE need, require, *habe nötig*.

thar(e) = ther(e) cf. OE þâr(a). | **thare** s. the. | **thare** s. they. | **thare** 107,110 = thir. | **tharf** s. thar. | **tharivaile** = the arrivaile.

tharm OE þearm m., NE bowel, child, *Darm, Kind*.

tharmes = the armes.

tharne ON þar(f)na, NE lack, *ermangele*.

tharray = the array. | **thas** s. this; **thas the bet** = this t(h)e bet(tre). | **thascry** = the ascry. | **thassay** = the assay. | **thassege** = the assege. | **thassemblee** = the assemblee. | **thassemblinge** = the assemblinge.

that OE þæt s. þe (art.), NE that (as pron. and conj.; until, when), *das, daß; (bis, als).* — **thatow** = that thou.

thau(o), thau(h), thaw = thaȝ; cf. thouʰgh. | **thaune** = taune. | **thauter** = the auter. | **thaventaile** — the aventail(l)e. | **thavis** = the avis. | **thavisio(u)n** = the avisio(u)n. | **thaw** = thagh.

the (def. art.), theo, tha, f. theo, tha, thæ, n. that, thæt, gen. m. n. thas, thes, theos, f. there, dat. m. n. than, then, f. thar(e), there, acc. m. then(e); than(e), n. that, thæt, thet, f. tha, pl. nom. acc., thae, thæ, theo, tho, thaie, gen. thare, dat. than, OE sē, sēo, þæt, NE the, *der, die, das*.

the OE þē, NE relative particle, *Relativ*.

the OE þē, NE (whether —) or, *oder*.

the OE þē, NE the (in phrases like: the better), *desto*.

the dat. acc. of thou, OE þê NE thee, *dir.* — **theward** OE þê + weard, NE towards thee, *nach dir hin*.

¹-**the**, p. thegh, pp. ¹-thowe(n) OE (ge)þêo, NE prosper, *gedeihe.* — **thedom** NE prosperity, *Gedeihen*.

the = they, *sie*. | **the** = thel(gh), NE thigh.

theatre OF; NE; *Theater, Turnierplatz*.

theau, theaw, pl. thea(u)wes = thew. | **thech** = thah OE þeah, NE though. | **thed** = that.

thed(e), theod OE þêod f., NE nation, country, *Nation, Volk, Land*.

theder, -ir = thider, cf. whether. | **thedom** s. ¹-the, NE thrive. | **theek**, theech = ¹-the ik, NE thrive I.

thef(e), theof, theffe, gen. theves OE þêof m., NE thief, *Dieb.* — **thefly** NE like a thief, *wie ein Dieb.* — **theft(e)**, theoft(h)e OE þêofþ, þiefþ f., NE theft, *Diebstahl*.

theffect = the effect. | **theȝ** = they.

thel(gh), theȝ, thi(h) OE þêoh n., NE thigh, *Schenkel*.

thegle = the egle. | **theȝm** s. they. | **theȝre** = their(e). | **theih** = thaih OE þeah, NE though.

they, theʒ, theih OE þå cf. ON þeir; gen.
thair(e), their(e), thare, ther ON þeirra,
OE þâra, þǽra; dat. acc. thaim, theim,
theʒm, tham(e), them(e) ON þeim, OE
þåm, NE they, *sie*.

thein OE þeg(e)n m.; NE thane, *Lehens-
mann.* — **theine** OE þegnige, NE serve,
diene.

their = the eir. | their(e) s. they.

theis s. this. | thellich = thillich. |
thembassadour = the embassadour.

theme OF; NE; *Thema*.

them(e) s. they. | themperour = the
emperour. | themprise = the emprise.
| then = than(ne).

thenk(k)e, thenche, thinke (cf. thinke),
p. thoughte, thoute OE þence cf. þanc,
NE think, intend (to go), *denke, beab-
sichtige (zu gehn)*.

thencens = the encens. | thenchaunte-
ment = the ench-. | tencheson = the
ench-. | thencres = the encres. | thende
= the ende. | thene = than(ne). | thene
s. the (def. art.). | thenge = thenke. |
thengendring = the eng-. | thengin
= the engin. | thenne = thinne. |
thenn = thanne(s), thens. | thenten-
cioun = the ent-. | thentente = the
entente. | thentree = the entree. |
thenvious = the envious. | theo s. the
(def. art.).

theologie OF; NE theology, *Theologie*.
theon(n)e = thanne.

theorik OF -ique; NE theory, *Theorie*.

theos s. this. | ther s. they. | ther =
thir. | therbage = the herbage. | therbe
= the erbe.

ther(e), thear, thar(e) OE þǽr, NE there
where, *dort(hin), wo*. — therab(o)ute(n)
OE þǽr + onbûtan, NE about it, *darüber,
darum.* — therabove(n), -buven OE
þǽr + onbufan, NE above it, *darüber.* —
therafter OE þǽr + æfter, NE after-
wards, *danach.* — theragains = ther-
ayeins. | theramidde OE þǽr + on
middan, NE in the middle of it, *mitten
darin.* — theran = ther(e)on(ne). —
theras OE þǽr + eal(l) swâ, NE there
where, wheresoever, *da wo, wo auch
immer.* — therat OE þǽr + æt, NE
thereat, *dazu, darüber.* — therayeins.
-ayen OE þǽr + ongegn + -es, NE in
comparison with it, *dagegen.* — therbi-
forn, -fore OE þǽr + beforan, NE
before that time, *zuvor.* — therby, -bie
OE þǽr + bî, NE by it, beside it, *da-
durch, dabei.* — therefter = therafter.
— therfor(e), -forne OE þǽr + fore,
foran, NE therfore, for it, *deshalb, dafür.*
— therfro, tharfra OE þǽr + ON frâ,
NE therefrom, *davon weg.* — therfrom-
ward OE þǽr + framweard, NE away
from it, *weg davon.* — thergein OE
þǽr + gegn, = therayein. — therin

(-ne) OE þǽrinne, NE therein, inside,
d(a)rinnen, hinein. — thermid(e) OE
þǽr + mid, NE therewith, *damit.* —
therof, -off(e) OE þǽr + of, NE with
respect to it, therof, *mit Bezug darauf,
davon.* — ther(e)on(ne), -one OE þǽr
+ on, NE thereupon, thereof, *darauf,
davon.* — theropon = therupon. —
therout(e), -owt OE þǽrûte, NE
thereout, outside, *daraus, draußen.* —
thereover OE þǽr + ofer, NE over it,
darüber. — theroyeines = therayeins.
— thorquile(s) = therwhile(s). —
therthoru, -thorw OE þǽr + þur(u)h,
NE through that, *dadurch.* — thertil(le)
OE þǽr + OE, ON til, NE thereto, *dazu.* —
therto OE þǽr + tô, NE to it, besides,
dazu, außerdem. — thertoward, -wart
OE þǽr + tôweard, NE against it, there-
with, thereto, *dagegen, damit, dazu.* —
thertoyeines OE þǽr + tôgegnes, NE
in comparison with it, *im Vergleich da-
zu.* — therunder OE þǽr + under,
NE beneath it, *darunter.* — therup(pe),
-upe, therupon OE þǽr + uppe (upp-
on), NE thereupon, *darauf.* — thervore
= therfore. — thervrommard =
therfromward. — therwhile(s) OE þǽr
+ hwîle + -s, NE whilst for that time,
während, während jener Zeit. — ther-
with, -wit OE þǽr + wiþ, NE there-
with, *dabei, damit.* — therwit(h)all
OE þǽr + wiþ ealle, NE therewith(al),
damit, zugleich.

there = thir. | therf = tharf s. thar. |
therl = the erl. | therthe = the erthe.
| thes s. the; thes t(h)e bet(tre) OE
þæs þē bet(tre), NE all the better, *desto
besser.* | thes = this. | theschaunge
= the eschaunge. | theschewing = the
eschewing. | thesne s. this. | thestat
= the estat.

thestre OE þīestro f., NE darkness,
Finsternis. — thestre, theoster OE
þīestre, NE dark, *finster.* — thester-
nesse, theosternesse OE þēosternes f.,
NE darkness, *Finsternis.*

thet = that. | thet 148, B121 = the it.

thethen(e) ON þaðan (cf. theder, thenne),
NE thence, *von dort.*

thew, theu, thea(u)w OE þēaw m., NE
habit, virtue, good service, *Gewohr-
heit, (gute) Eigenschaft, guter Dienst.* —
thewed OE geþêawod, NE mannered,
gesittet.

thewte (?) OE þēote, þûte, NE howl, *heule.*

thexcellent = the excellent. | thexcuse
= the (NE thee) excuse. | thexecucion
= the execucio(u)n. | thexperience =
the experience.

thy, thin(e), gen. dat. f. thire OE þîn,
NE thy, thine, *dein.* — thyselfen NE
thyself, *du selbst.*

thy = theigh, **thigh**, NE thigh. | thy s. thou.

thik(ke), thike OE þicce, NE thick, *dick*; thickly, frequently, *dicht, oft.* — thik(ke)fold, -fald OE þicfeald, NE dense, *dicht.* — thikkeherd cf. OE þicce + hær n.; NE thick-haired, *dicht behaart.* — thikkesterred cf. OE þicce + steorra m.; NE thickly covered with stars, *engbesternt.*

thiddir = thider.

thider, theder OE þider, NE thither, *dorthin.* — thide(r)ward OE þiderweard, NE thither, *dorthin.*

thief, infl. thieve, = thef.

thier = thir. | thiestre, thiester = thestre. | thigh = theigh, NE thigh.

thight ON þēttr, NE tight, taut, *dicht, fest.*

thilk(e) = the ilke, NE the same, *derselbe.*

thimage = the image. | thin = thinne. | thin s. thy, thou. | think = thing. | thinke = thenke.

thinke(n), p. thoughte OE þyncan, NE seem, *dünken, scheinen.*

thing, thhing, thinh OE þing n., NE thing, *Ding.*

thinge = thinke. | thingot = the ingot. | thinne OE þynne, NE thin, *dünn.*

thir ON þeir, NE these, *diese.*

third = thrid(de). | thire s. thy, NE thy.

thirle OE þyrlige, þirlige, NE pierce, *durchbohre.*

thirst, thrist OE þurst m. (cf. the vb.), NE thirst, *Durst.* — thirste(n), thriste(n) OE þyrstan, NE thirst, *dürsten*; cf. thurste(n).

this, thise, thes, gen. m. n. thisses, dat. m. n. thisse(n), f. thissere, acc. m. thisne, pl. nom. acc. thas, the(o)se, theis, this(e), thos(e) OE þes, þêos, þis, NE this, *dieser.*

this = this is.

thistel, thistill OE þistel m., NE thistle, *Distel.*

thisterness, thhister- = thesternesse.

tho OE þâ, NE then, when, *da(mals), als.*

tho s. the (def. art.). | tho, thocke, thoch, thof = thoᵘgh. | thoccident = the occident. | thof all = althoᵘgh. | thoffice = the office.

thoᵘ(gh), thoᶎ, thoh ON þō (< *þoh), NE (al)though, that, *obgleich, gleichwohl, daß*; cf. thah. — thohhwethre ON þō + OE hwæþ(e)re, NE though, *obwohl.*

thoᵘght OE (ge)þoht, NE thought, mind, sadness, *Gedanke, Sinn, Traurigkeit.* — thoᵘghtful NE thoughtful, moody, *nachdenklich, launenhaft.*

thoᵘght(e), thohut(e) s. thenche. | tholde = the olde.

thole, ¹-tholie, tholl OE þolige, NE suffer, *dulde.* — tholemod OE þolemôd, NE patient, *geduldig.* — tholemod(e)-ness(e) OE þolemôdnes f., NE patience, *Geduld.*

thombe = thumbe s. þoumbe, *Daumen.* | thon = than. | thonk(k) = thank. | thonche = thanke (cf. thenche).

thonder OE þunor m., NE thunder, *Donner.* — thonderclap cf. OE þunor + clæppettan; NE thunder-clap, *Donnerschlag.* — thonderdint, -dent OE þunor + dynt m., NE stroke of lightning, thunder-clap, *Blitzschlag, Donnerschlag.* — thonderleit OE þunor + līegetu f., NE thunder-bolt, *Blitzstrahl.* — thonderer NE thunderer, *Donnerer.* — thondre OE þunrige, NE thunder, *donnere.* — thondringe OE þunring f., NE thunder(ing), *Donner(n).*

thonour = the honour. | thor(e) OE þær, Late OE þâr cf. þâ = ther(e). | thoresday = thursday. | thor(g)h, thorᶎ(e) = thurgh. | thorient = the orient. | thoriginal = the original. | thorisonte = the orisonte. | thorisoun = the orisoun.

thorn OE þorn m., NE thorn(-bush), *Dorn(busch).*

thorouᶎ, thor(o)u(gh), thorow(e) = thurgh.

thorp OE þorp m., NE village, *Dorf.*

thorrible = the horrible. | ¹-thorsse = ¹-throshe(n) s. threshe. | thoru, thoru(g)h, thorw = thurgh. | thoruth = thurghout. | thos = thus. | thos(e) s. this. | thosternesse = thesternesse. | thoth = thoᵘgh. | thothe = thoᵘght(e). | thothre = the oth(e)re.

thou, gen. thin, dat. acc. the, thy OE þû, NE thou, *du.*

thou, thouche = thoᵘgh. | thoue = thou, NE thou. | thouᶎth s. thinke.

thoumbe OE þûma m., NE thumb, *Daumen.*

thourᶎe, thour(g)h = thurgh.

th(o)usand, -anth, -end, -ent, -int, -unt, thouzand OE þûsend n. f., NE thousand, *tausend.* — thousandfold(e) OE þûsendfeald, NE thousandfold, *tausendfällig, tausendmal.*

thoute, thouth(te), thowght = thoᵘght(e). thoves gen. of thof = thef(e). | thow = thoᵘgh. | thow(e) = thou, NE thou.

thral ON þræll, NE thrall, *Sklave, Diener*; enthralled, *hörig.* — thraldom ON þrældōmr, NE servitude, *Knechtschaft.* — thralle fr. the sb.; NE enthral, *unterjoche.*

thrange ON þrøngr, NE close, constantly, *dicht, beständig.*

thrange = throng. | thrange s. thringe.

thrast cf. OE þræste; NE crowd, *Menge, Gedränge.*

¹-thraste s. threste. | thrat s. threte. | thrawe = throwe, NE space of time.

thre, threo, thhre OE þrêo, NE three, *drei.* — thre(o)had NE trinity, *Dreieinigkeit.*

thred OE þrǣd m., NE thread, *Faden.* —
thredbar OE þrǣd + bær, NE thread-
bare, *fadenscheinig.* — threde NE thread,
fädele ein.

thred = thrid(de). | threow s. throwe.

threpe OE þrêapige, NE contradict, call,
struggle, *widerspreche, nenne, kämpfe.*

threshe, pp. i-throshe(n) OE þersce, NE
thresh, thrash, *dresche, schlage.* — thresh-
fold, -wold OE þerscwald, þerscold
m., NE threshold, *Türschwelle.*

threst(en) = thirst(en).

i-threste, i-thraste, threaste, p. thraste,
threste OE þrǣste (cf. *dreist*), NE thrust,
press, *stoße, drücke.*

thret OE þrêat m., NE threat, *Drohung.* —
threte, threate, p. thrat OE þrêatige,
NE threaten, *drohe.* — threting OE
þrêatung f., NE threatening, *Drohung.* —
thretne OE þrêatnige = threte.

thretty = thritty. | threu s. throwe.

thriche OE þrycce, NE thrust, push,
stoße, drücke.

thrid(de) OE þridda, NE third, *dritte.*

thrie(s) OE þriwa (+s), NE thrice, *drei-
mal.*

thrife = thrive. — thrift ON þrift,
NE thrift, prosperity, *Wohlergehen.* —
thrifty NE prosperous, *gedeihend.*

thriis cf. OE þrî = thrie(s). | thrille =
thirle.

thrin, thrinne = therin(ne).

thringe, p. thrang(e), throng, thrunge(n),
pp. i-thrunge(n) OE þringe, NE thrust,
(dringe), stoße.

thrinnesse OE þrînes, þrinnes f., NE
trinity, *Dreieinigkeit.*

thrise = thrie(s).

a-thris(e)me OE (ā)þrys(e)me, NE suffo-
cate, *ersticke.*

thriste ON þrŷsta, NE thrust, *dränge,
stoße.*

thritten(e) OE þrêot(t)îene cf. þrî, NE
thirteen, *dreizehn.* — thrittethe OE
þrittêoþa, NE thirtieth, *dreißigst.*—thrit-
ty OE þrîtig, þrittig, NE thirty, *dreißig.*

thrive, p. throf, pp. thrive(n) ON þrîfa,
NE thrive, *gedeihe.* — thrivand, thri-
vinge NE thriving, vigorous, *gedeihend,
kräftig.* — thrivandely NE vigorously,
very much, *kräftig, sehr.*

thro OE þrâ, NE struggle, victory, *Kampf,
Sieg.* — thro ON þrâr, NE bold, strong,
impatient, quick, *kühn, stark, ungeduldig,
rasch.* — throly ON þrâligr, NE bold(ly),
vehement(ly), quick(ly), *kühn, heftig,
rasch.*

throf = therof. | throf s. thrive. | throʒe
= throwe.

throng OE geþrang, geþrong n., NE throng,
Gedränge, Menge.

throng(e), i-thronge(n) s. thringe. |
throp(e) = thorp. | i-throshe(n) s.
threshe.

throsing cf. OE þrosm m.; NE vapour,
Dampf.

throstel = thrustel.

throte OE þrote, þrotu f., NE throat,
Kehle. — throtebolle OE þrotbolla m.
NE Adam's apple, *Adamsapfel.*

throu(gh), throwe, thru(gh) = thurgh.

throwe OE þrâg f., NE space of time,
Zeitraum.

throwe, p. thre(o)w(e), threwe(n), pp.
i-throwe(n) OE þrâwe, NE throw, turn
round, *werfe, drehe (mich).*

throwe cf. OE þrôwian 'suffer'. ON þrâ;
NE throe, *Schmerz.*

thrum cf. OE þrym(m) m.; NE strength,
troop, *Stärke, Schar.* — thrumme NE
compress, *dränge zusammen.*

thrünnesse = thrinnesse. | thruppe =
therup(pe). | thrüsme = thrisme. |
thruste(n) = thurste(n).

thrustel OE þrostle f. and þrysce f., NE
throstle, thrush, *Drossel.* — thrustelcok
OE þrostle f. + coc(c) m., NE throstle-
cock, *Drosselmännchen.*

thrute(n) = therout(e). | thu = thou,
NE thou. | thüder = thider. | thuht(e)
= thoᵘghte. | thülk(e) = thilk(e). |
thülly, thüllich = thillich. | thünchen
= thinken. | thunder, -ir = thonder. |
thurfte s. thar.

thurgh, thurg(ht), thurʒ, thur(c)h OE þurh,
NE through, by, *durch, bei.* — thurgh-
darted cf. OE þurh + OF dart; NE
transfixed with a dart, *von einem Pfeil
durchbohrt.* — thurghfare OE þurh +
faru f., NE thoroughfare, *Durchgang.* —
thurghgirt cf. OE þurh +gierd f.; NE
pierced through, *durchbohrt.* — thurh-
laste, -leaste OE þurh + lǣste, NE last
on, *dauere fort.* — thurghloke OE þurh
+ lôcige, NE look through, *sehe durch.* —
thurghout(e), -ut OE þurh-ût, NE
throughout, quite through, *ganz durch.* —
thurghpasse OE þurh + OF passe,
NE penetrate, *dringe durch.* — thurgh-
perced OE þurh + OF percé, NE
pierced through, *durchbohrt.* — thurgh-
seke OE þurh-sêce, NE seek out, *durch-
suche.* — thurghshoten OE þurh +
scoten pp., NE shot through, *durch-
schossen.*

thurn s. thar.

thurrok OE þurruc m., NE bottom of a
ship, *Boden eines Schiffes.*

thursday OE þunresdæg, þûresdæg m. cf.
ON þôrr, NE Thursday, *Donnerstag.*

thurst OE þurst m., NE thirst, *Durst.* —
thurste(n) OE þyrstan (cf. the sb.),
NE thirst, *dürsten.*

thurt(e), thurve s. thar. | thuru(ch),
thurw = thurgh.

thus OE þus, NE thus, *so.* — thusgates
OE þus + ON gata + gen. s, NE in this
way, *in dieser Weise.*

thusend = th(o)usand. | thüstre = thestre. | thut = that. | thut = thou it. | thw = thou, NE thou.

thwange cf. OE þwang, þwong m. f. 'thong'; NE am flogged, *werde geprügelt.*

thwertut ON þvert + OE ût, NE completely, *vollständig.*

thwite OE þwîte, NE (thwite), whittle, cut, *schneide.* — thwitel NE whittle, short knife, *kurzes Messer.*

ty = thy.

tike ON tîk, NE dog, *Hund.*

tikele cf. Du., Norw. tikke; NE tickle, *kitzele.* — tikel NE ticklish, fickle, *kitzlig, wankelmütig.* — tikelnesse NE fickleness, *Unbeständigkeit.*

tid OE tîd f., NE tide, time, hour, *Zeit, Stunde, Mal.* — ¹-tiden OE tîdan, NE happen, *geschehen.* — tiding(e), -ingg Late OE tîdung f. fr. ON tîþindi, NE tidings, *Nachricht;* cf. tidand, tithende, tithing.

tid(e)re OE tŷdre, NE bring forth, *bringe hervor.*

tidif orig. obsc.; NE small bird, *kleiner Vogel.*

tid(ly) = tit(ly). | tiene = tene, NE suffering. | tiere = ter(e), NE tear, *Träne.*

tige OE tyge m., NE pull, draught, *Zug.* — tight OE tyht m., NE training, usage, *Erziehung, Brauch.* — tighte OE tyhte, NE draw, persuade, teach, *ziehe, überrede, lehre.*

tight = thight cf. teˡghe.

tigre OF; NE tiger, *Tiger.*

til OE, ON; NE to, till, as long as, *zu, nach, bis, solange wie.* — til and fra ON til + OE and + ON frā, NE to and fro, *hin und her.*

til = telle. | til = tille, *locke.*

tile OE tigele f., NE tile, *Ziegel.*

tilie OE tilige, NE till, *pflüge, bestelle Land.* — tilier(e) NE tiller, *Landmann.* — tili(i)nge OE tilung, teolung f., NE tilling, labour, employment, medical treatment, *Feldbau, Arbeit, Beschäftigung, ärztliche Behandlung.* — tilthe OE tilþ f., NE employment, agriculture, produce, *Arbeit, Ackerbau, Ernte.*

tille cf. OE fortylle 'seduce'; NE draw, entice, *ziehe, locke.*

till(e) = til *'bis'.* | tilthe s. tilie.

timber OE n.; NE; *(Bau-)Material.* — timbr(i)e OE timbr(ig)e, NE build, construct, achieve, *baue, verfertige, bringe zustande.*

timbre OF; NE timbrel, *Tamburin.* — timbestere OE timpestre f., NE female timbrel-player, *Tamburinspielerin.*

tim(e) OE tîma m., NE time, *Zeit, Mal.* — timely OE tîmlîce, NE timely, soon, *zeitig, bald.* — timen OE getîman, NE happen, *geschehen.* — timinge NE accident, event, *Zufall, Gelegenheit.*

tin OE n.; NE; *Zinn.* — tinne NE cover with tin, *bedecke mit Zinn.*

tin fr. the vb.; NE loss, *Verlust.* — tine ON tŷna, NE lose, destroy, *verliere, vernichte.* — tinsell NE loss, *Verlust.*

tin = thin s. thy.

tind OE m.; NE tine, tooth, branch, *Zinke, Zahn, Zweig.*

tine OE tŷne, NE (en)close, *(um)schließe.*

tine OF; NE large cask, *großes Faß.*

tine OF tantinet, NE tiny, *winzig.*

tinsell s. tin 'loss'. | ¹-tint pp. of tine, NE lose.

tintr(e)ohe, -treo OE tintreg n., tintrega m., NE torment, *Qual.*

tipet cf. OE tæppet n. *and* ON typpa; NE tippet, cape, hood, *großer Kragen, Kapuze.*

tippe cf. ON typpa; NE tip, furnish with a tip, *versehe mit einer Spitze, beschlage.* — tipto cf. ON typpa + OE tâ f.; NE tiptoe, *Zehenspitze.*

tirannie OF; NE tyranny, *Tyrannei.* — tiraunt AN; NE tyrant, *Tyrann.*

tire OF; NE tear, *reiße.*

tis = this.

tissu, tissew OF; NE tissue, *Gewebe.*

tit 3 sg. of tiden.

tit(e), superl. tittest ON titt, NE quickly, *rasch.* — titly ON tîðliga, = tit(e).

titering cf. ON titra; NE hesitation, *Zögern.*

tithande OSw. tîþande, = tithend.

tithe OE têoþa, NE tithe, *Zehnte.* — tithere NE tither, *Zehntabgabe.*

tithend ON tîðindi, NE tidings, *Nachricht.*

tithing = tiding.

title OF; NE title, pretext, *Titel, Anspruch, Vorwand.* — title OF; NE devote, *widme.* — titleles NE without a title, *ohne Rechtstitel.*

titly s. tit(e).

tiwesday OE Tîwesdæg m., NE Tuesday, *Dienstag.* — tiwesnight, -nigth OE Tîwesniht f., NE Tuesday night, *Dienstagnacht.*

tixted fr. L textum, OF texte; NE versed in texts, *in den Texten bewandert.*

to OE tô, NE to, too, till, *(all)zu, auch, zu, bis.* — to and fro OE tô + and + ON frā, NE to and fro, *hin und her.*

to, pl. ton OE tâ f., NE toe, *Zehe.*

the to = that o = that on(e). | to = two.

to-ayein OE tô + ongegn, NE against, *gegen.*

toberste = tobreste.

tobete OE tô-bêate, NE beat severely, *schlage heftig.*

tobreke OE tô-brece, NE break to pieces, *zerbreche.*

tobreste OE tô-berste, NE burst asunder, *zerberste.*

tobune orig. obsc.; NE beat severely, *schlage heftig.*

tocaste OE tô + ON kasta, kesta, NE cast to pieces, *zertrümmere durch Werfen.*

tock = tok s. take.

tokene, tokin OE tâc(e)n n., NE token, *Zeichen.* — **tok(e)ning(e)**, tokonninge OE tâcnung f., NE token, proof, *Zeichen, Beweis.* — **tokne** OE tâcnige, NE mark, *bezeichne.*

tokeste = tocaste.

tochewe, -cheowe OE tô-cêowe, NF chew to pieces, *zerkaue.*

tocleve OE tô-clêofe, NE cleave asunder, *zerspalte.*

to-day, -daʒ, -dæi OE tô dæge, NE to-day, *heute.*

todashe OE tô+ cf. Dan. daske, Sw. daska; NE dash violently about, dash to pieces, *werfe heftig herum, schlage in Stücke.*

tode OE tâdige f., NE toad, *Kröte.*

tode(a)le OE tô-dæle, NE separate, *trenne.*

toder = tother.

todinge OE tô + ODan. dinge, NE dash to pieces, *schlage in Stücke.*

todrawe, todraʒe, todra(g)he OE tô-drage, NE draw (asunder), tear to pieces, *ziehe auseinander, zerreiße in Stücke.*

todreve OE tô-drǣfe, NE disperse, *zerstreue.*

todrive OE tô-drîfe, NE drive asunder, *treibe auseinander.*

toforn, tofor(e) OE tô-foran, NE before, beforehand, *vor, vorher.*

tofrete OE tô + frete, NE corrode, *zerfresse.*

toft = tuft.

togader(es), togeder(s), -gedire, -gid(de)re(s) OE tô-gædere (+ s), NE together, *zusammen.*

togge, p. **togged** cf. MDu., MLG tocke; NE tug, pull, *ziehe, zerre.*

tought = tight, NE taut, *fest, straff.*

togid(d)er = togader.

togo OE tô-gâ, NE go asunder, *gehe auseinander.*

togreve OE tô + AN grever inf.; NE grieve extremely, *gräme (mich) sehr.*

togrinde OE tô + grinde, NE grind in pieces, *zermalme.*

toh = though. | **toh** = tou(g)h.

tohange OE tô + hô pp. gehangen, NE kill by hanging, *töte durch Hängen.*

tohauwe pp. of tohewe.

tohene OE tô + hêne, NE stone, *steinige.*

to-hepe OE tô hêape, NE together, *zusammen.*

tohewe OE tô-hêawe, NE hew to pieces, *haue in Stücke.*

tohh = though. | **tohundred** = two h.

toile OF toille, NE pull about, labour, *zerre herum, mühe mich ab.*

toin = tune, NE tune.

tol OE tôl n., NE tool, *Werkzeug.*

tol = dul.

tola(u)ghe OE tô + hliehhe pp. hlagen. NE laugh excessively, *lache stark.*

tolk = tulk.

tolle ON tolla, NE take or pay toll, *nehme oder bezahle Zoll.*

tolle cf. OE fortylle 'draw away, seduce'; NE draw, entice, *ziehe, locke.* — **tollunge** NE inciting, *Anreizen.*

tolletane L Toletanum, NE of Toledo, *toledanisch.*

tom ON tôm, NE ease, leisure, *Ruhe, Zeit.* — **tom** OE tôm, NE empty, unoccupied, *leer, unbeschäftigt.*

to-mærʒe, tomarʒen (cf. OE mergen, margen) = to-morwe.

tombe OF; NE tomb, *Grab.*

tombe OE tumbige, NE jump, dance, *springe, tanze.* — **tombestere** OE tumbestere f., NE dancing girl, *Tänzerin.*

tomble cf. OE tumbige and MLG tumele; NE tumble, dance, *stürze, tanze.* — **tomblinge** NE unstable, *nicht fest.*

to-medes OE tô mêdes, NE as reward. *als Lohn.*

tomelte OE tô + melte, NE melt wholly, *schmelze völlig.*

to-morwe, -morewe, -moreuin OE tô morge(n)ne, NE to-morrow, *morgen.*

ton = toun. | the **ton(e)** = thet on(e) = that on(e).

tong(e) OE tunge f., NE tongue, *Zunge.* — **tonged** NE provided with a tongue, *mit einer Zunge versehen.*

tonge OE tange, tonge f., NE tongs, *Zange.*

to-night OE tô niht, NE to-night, *heut nacht.*

tonne OE tunne f., NE tun, cask, *Tonne.* — **tonne-gret** OE tunne f. + grêat, NE great as a tun, *groß wie eine Tonne.*

top, tope OE toppe m., NE top, *Spitze, Scheitel.*

toparte OE tô + OF parte sbj., NE separate, *trenne, scheide.*

to-point OE tô + OF point, NE exactly, *genau.*

toquake OE tô + cwacige, NE quake violently, *zittere heftig.*

to-quil(i)s = to-whils.

torace OE tô + AN race, NE tear to pieces, *zerreiße in Stücke.*

torche OF; NE torch, *Fackel.*

tord(e) OE tord n., NE piece of dung, *Stück Mist.*

torende, pp. torent, toronde OE tô-rende, NE rend in pieces, *zerreiße in Stücke.*

toret fr. OF tourette; NE turreted, *getürmt.*

toret = touret. | **torf** = turf.

torfere ON tor-fœra 'difficult road', NE trouble, *Leid.*

tormens pl. of torment.

torment OF; NE; *Qual.* — **tormente** OF; NE torment, *quäle.* — **tormentinge** NE tormenting, *Folter.* — **tormentise** NE torture, *Folter.* — **tor-**

mento(u)r AN -ter; NE tormentor, *Folterknecht.* — tormentrie NE torture, *Folter.*

torn- = turn-. | torney- = turney-. | | toronde s. torende.

tortuo(u)s AN; NE tortuous, oblique, *gewunden, schräg.*

toru = thoro(u)gh.

tosamen OE tô-samne, NE together, *zusammen.*

toscatere OE tô + scaterige, NE disperse, *zerstreue.*

toshake OE tô-sc(e)ace, NE shake to pieces, shake violently, *zerschüttele, schüttele heftig.*

toshere OE tô-scierige, NE cut in twain, *schneide entzwei.*

toshende OE tô + scende, NE ruin, *vernichte.*

toshene, -sheine OE tô-scǣne, NE break to pieces, *zerbreche.*

toshivere OE tô + ME shivere; NE break to shivers, *breche in Stücke.*

toshrede OE tô + screâdige, NE cut into shreds, *zerschnitzele.*

toslitere cf. OE tô-slîte; NE slit much, *zerschlitze sehr.*

tosnæde, p. tosnadde, tosnathde OE tô-snæde, NE cut in two, *zerschneide.*

tosomne = tosamen.

tosqwatte fr. OE tô + OF esquatir inf.; NE crush, *zerdrücke.*

tosterte OE tô + cf. steartlige; NE start asunder, *breche auseinander.*

tostoupe OE tô + stûpige, NE stoop forwards, *beuge mich nach vorn.*

tosumne = tosomne.

toswinke OE tô + swince, NE work hard, *arbeite tüchtig.*

total OF; NE; *vollständig.*

totar s. totere.

tote, -teo OE tô-têo, NE pull to pieces, *zerzerre.*

totelere = tutelere.

totere OE tô-tere, NE tear to pieces, *reiße in Stücke.*

toth(e), pl. teth OE tôþ, pl. têþ m., NE tooth, *Zahn.* — toth-ake OE tôþ-ece m. cf. acan '*schmerzen*'; NE toothache, *Zahnschmerz.*

the tother, tothir = thet (= that) other, NE the other, *der andere.*

toty cf. NE totter '*wackele*'; NE dizzy, *schwindelig.*

totoille, -tolle OE tô + OF toille, NE tear to pieces, *zerreiße in Stücke.*

totorve OE tô-torfige, NE throw to pieces, *zerschmeiße.*

totraie OE tô + tregige, NE torment, *quäle.*

totrede OE tô-trede, NE tread to pieces, *zertrete.*

totwicche, pp. totwight OE tô + twiccige, NE twitch to pieces, *zwacke in Stücke.*

touke = tukke.

touche fr. the vb.; NE touch, *Berührung* — touche OF; NE touch, *berühre.* — touchinge NE touch, *Berührung.*

tou(g)h, tou, tought OE tôh, NE tough, tenacious, *zäh, hartnäckig.*

toumbe = tombe. | toumbling = tomblinge.

toun, tounne OE tûn m., NE enclosure, farm, town, *Zaun, Gehöft, Stadt.*

toup OE tô + uppan, NE above, *über.*

toupe OF taupe, NE mole, *Maulwurf.*

tour OF; NE tower, *(fester) Turm.* — touret OF tourette, NE turret, *kleiner Turm.* — tourette OF touret, NE ring on a dog's collar, *Ring am Hundehalsband.*

tourne, tourney- s. turn-.

toute cf. OE tôtian 'protrude'; NE buttocks, *Hinterer.*

touth = tough. | touther = tother. | touward = toward. | toverbide = to overbide. | tovore = tofor(e). | tovrete = tofrete.

tow OE tow-; NE; *Werg.*

tow = tough.

towail(l)e AN; NE towel, *(Hand-)Tuch.*

toward(e), towart, touward, towardes, OE tô-weard (+ es), NE toward(s), *gegen.*

towche = touche. | towen s. te, NE draw, go. | towh = tough.

to-whils OE tô-hwîle + s, NE while, whilst, *während, solange als.*

towinde OE tô + winde, NE go to pieces, *gehe entzwei.*

to-wisse OE tô-wisse, NE certainly, *sicherlich.*

towme = toumbe. | town = toun. | towres pl. of tour.

towringe OE tô + wringe, NE distort, *verdrehe, verrenke.*

towrithe OE tô-wrîþe, NE distort, *zerreiße.*

towt = tought.

¹-towun OE getogen, NE disciplined, *gezogen.*

toye(i)n(es), tozeanes OE tô-gegnes, NE against, *gegen.*

to-yere OE tô-geâre, NE this year, *dies Jahr, heuer.*

tprot! NE ejaculation of contempt, *Ausruf der Verachtung.*

trace OF; NE trace, procession, *Fußspur, Schar.* — trace OF; NE trace, walk, *spüre auf, folge, gehe.*

trad s. trede.

tragedie OF; NE tragedy, *Tragödie, tragische Erzählung.* — tragedien OF; NE writer of tragedies, *Verfasser von Tragödien.*

traie fr. OF traïr inf. = trais(s)e.

trais OF traiz pl. of trait, NE traces, *Stränge.*

trais = trace.

trais(s)e OF traïsse sbj., NE betray, *ver-rate*. — traisoun = treso(u)n(e). — traito(u)r(e) AN; NE traitor, *Verräter*. — traitouresse, traiteresse OF traitresse, NE traitress, *Verräterin*. — traitorie, -erie NE treachery, *Verrat*. — traitoursly NE treacherously, *verräterisch*.

traiste ON treysta, NE trust, confide, *vertraue (an)*. — traistely cf. OSw. trestelika; NE surely, *sicherlich*.

transferre L -fero; NE transfer, *übertrage*.

transfigure OF; NE transfigure, *verwandele*.

transforme OF; NE transform, *verwandele*.

transitorie AN; NE transitory, *vorübergehend*.

translate OF; NE translate, transfer, *übersetze, übergebe*. — translacioun AN; NE translation, *Übersetzung*.

transmutacioun AN; NE transmutation, *Verwandlung*.

transmuwe OF -mue; NE transform, *verwandele*.

transporte OF; NE transport, *übertrage*.

trappe OE træppe f., NE trap, *Falle*. — trappe cf. OE betreppe; NE entrap, *fange*. — trappedore OE træppe f. + dor n., NE trap-door, *Falltür*.

trappe cf. F drap 'cloth'; NE trappings, *Pferdeschmuck*. — trappe NE provide with trappings, *versehe mit Pferdeschmuck*. — trappure OF drapure, cf. ML trappatura; NE trappings, *Pferdeschmuck*.

tras, trasce = trace sb. | trashe = traise. | tratour = traito(u)r(e).

trattor Ital. trattore, NE go between, *Vermittler, Kuppler*.

traunce AN; NE trance, *Verzückung*. — traunce NE tramp about, *wandere umher*.

travail(l)e, -veile, trawaill AN travaile, NE travail, distress, labour, *Anstrengung, Not, Arbeit*. — travail(l)e, -vale, -vele AN travaile, NE labour, afflict, travel, travail, *arbeite, betrübe, reise, kreiße*.

trave OF traf, NE frame for securing unruly horses, *Gestell, um unbändige Rosse zu sichern*.

travers OF; NE obstacle, curtain, *Hindernis, Vorhang*.

trawe = trewe. | trawthe = trewth(e).

tre, treo OE trêo(w) m., NE tree, wood, *Baum, Holz*.

tre = trewe.

treble OF; NE; *dreifach*. — treble OF; NE; *Diskant, Sopran*.

trecheri(e) OF trecherie, NE treachery, *Betrug, Verräterei*. — trechour AN tricheour, NE traitor, *Verräter*.

trede, 3 sg. tret, p. trad, trede(n), trade(n), trode(n), pp. i-trede(n), i-trode(n) OE trede, NE tread, *trete*. — tredefoul,

-fowel OE trede + fugol m., NE treader of fowls, fornicator, *Hurer*.

tregedie = tragedie.

treget AN; NE deceit, *Betrug*. — trejeted OF tregeté, NE adorned, variegated, *verziert, bunt*. — tregetur AN; NE juggler, *Taschenspieler*. — treget(t)ri(e) NE trickery, *Betrügerei*.

treie OE trega m., NE grief, affliction, *Kummer, Schmerz*.

treie OF trei(s), NE trey, three (at dice), *drei (im Würfelspiel)*.

treitour = traito(u)r(e) s. trais(s)e. | trejeted s. treget.

tremble OF; NE; *zittere*.

tremour AN; NE tremor, *Zittern*.

trench(e) OF trenche, NE trench, hollow walk, *Laufgraben, Hohlweg*. — trenchant OF; NE cutting, sharp, *schneidend, scharf*. — trench(o)ur AN; NE trencher, *hölzerner Teller*.

trende(le) OE (ā)trendlige, NE roll, *rolle*.

trental OF; NE thirty masses for the dead, *dreißig Totenmessen*.

treow- = trew. | trepas = trespas. | trepase = trespace.

trep(e)get OF trebuchet, NE military engine, *Kriegsmaschine*.

tresoun(e) AN; NE treason, *Verrat*.

tresour, tre(o)s(e)or AN tresour, NE treasure, value, *Schatz, Wert*. — treso-rer(e), tresure 234,292 AN tresorer, NE treasurer, *Schatzmeister*. — tresorie AN; NE treasury, *Schatzkammer*.

tresour = tressour.

trespas OF; NE trespass, *Überschreitung (eines Verbotes)*. — trespasse, -pace, OF trespasse, NE trespass, *überschreite (ein Verbot)*. — trespassour AN; NE trespasser, *Übeltäter*.

tresse OF; NE tress, *Haarflechte, Zopf*. — tresse OF; NE plait my hair, *flechte mein Haar*. — tressour AN; NE head-dress, *Kopfputz*.

trest = trist. | treste = triste. | treste = trestel.

trestel OF; NE trestle, *Gestell*.

tresure = tresorer(e). | tret s. trede.

trete, treate AN trete, OF traite, NE treat, *behandele, handele von*. — tret-able AN; NE tractable, *lenksam*. — trete(e) AN -té; NE treaty, *Vertrag*. — tretis, -ice AN tretis, NE treatise, treaty, *Abhandlung, Verhandlung*. — tretis AN; NE well-made, *schön gestaltet*.

treuthe = trewth(e).

trewage AN trëuage, truage, NE tribute, *Tribut*.

trewe OE trêow f., NE truce, *Waffenstillstand*. — trew(e), treowe OE trîewe, NE true, faithful, *wahr, treu*. — trewe, tro(u)we, troue OE trêowie, trîewe, cf. trûwige, NE trust, *traue, glaube*. — treweliche, treoweliche, treowliliche OE trêow-

hce, NE faithfully, *getreulich.* — trewe-
love OE trêowe lufu f., NE true-love,
Treuliebchen. — trew(e)th(e), treowthe,
trouthe OE trêowþ f., NE truth, faith,
Wahrheit, Treue. — trouthe-plight
fr. OE trêowþ + plihtan; NE engaged,
verpflichtet.

triacle OF; NE (lit. treacle), sovereign
remedy, *Heilmittel für alles.*

trible = treble.

tribs L tribus, NE tribe, *Stamm.*

tribulacio(u)n AN; NE tribulation, *Trüb-
sal.*

tribute OF tribut, NE tribute, *Tribut,
Steuer.* — tributari(e) AN; NE tribu-
tary, *tributpflichtig.*

tri(c)che OF triche, NE deceive, *betrüge.*
— trichard OF trichart, NE deceiver,
Betrüger. — tricherie OF; NE trea-
chery, trickery, *Verrat, Betrug.*

trice MDu. trise, NE trice, hoist up, pull,
winde empor, ziehe.

trikle = strikele fr. OE stríca, *schlage,
fließe;* NE trickle, *rinne herab.*

trie OF; NE try, select, *prüfe, wähle aus.* —
trie OF trié, NE choice, excellent, *er-
probt, trefflich.*

trifle OF trufle, NE trifle, nonsense,
Kleinigkeit, Unsinn.

trigg ON tryggr, NE faithful, *treu.* —
triȝe NE trust, believe, *vertraue, glaube.*

trille cf. Swed. trilla; NE (trill), twirl,
turn, *wirble herum, drehe.*

trine OF; NE threefold, *dreifach;* —
trine compas OF; NE threefold world:
earth, sea, heaven; *die dreigeteilte Welt:
Erde, Meer, Himmel.* — trinite(e) OF
-té; NE trinity, *Dreifaltigkeit.*

trinne = therin(ne).

trip cf. OE treppe; NE trip, blow, *Tritt,
Beinstellen, Stoß.* — trippe cf. OE treppe;
NE trip, dance, *trippele, tanze.*

trip(e) OF tripe, NE tripe, morsel, *Ein-
geweide, Bissen.*

trise = trice.

trist cf. ON treysta vb.; NE trust, *Ver-
trauen, Zuversicht.* — triste NE trust,
vertraue.

triste OF; NE tryst, *Zusammenkunftsort.*

triumphe OF; NE triumph, *Triumph.*

tro = tre. | troke = trukie.

troched, -et OF troché 'branched', NE
ornamented, *verziert (?).*

troden s. trede. | trof = therof. | trofel
= trifle.

trough OE trog m., NE trough, *Trog.*

trome = trume.

trompe OF; NE trump(et), trumpeter,
Trompete(r). — trompe NE trump,
trompete. — trompour AN; NE trum-
peter, *Trompeter.*

tronchoun AN; NE truncheon, shaft,
Stumpf, Schaft.

trone, tronne OF trone, NE throne, *Thron.*

tropik Gk. τροπικόν sc. ζῶον, NE sol-
stitial point, *Solstitialpunkt.*

tropos Gk. τρόπος, NE turning, *Wendung.*

troste = truste s. triste, cf. trewe.

trot OF; NE; *Trott, Trab.* — trotte OF
trote, NE trot, *trotte.*

trotevale orig. obs.; NE idle talk, *Ge-
schwätz.*

trou-, tro(u)w- = trew-; troustu =
trewest thou. | troubl- = trubl-. | tro-
wandise = truaundise. | trowbl- =
trubl-. | trowse = trowes, 3 sg. of
trowe. | truage = trewage.

trua(u)nt, truan AN truaunt, NE truant,
Müßiggänger. — truaunde, -te AN
truaunde, NE play the truant, *umgehe
die Arbeit.* — truaunding NE shirking,
Umgehen der Arbeit. — truaundise AN;
NE shirking, *Umgehen der Arbeit.*

truble OF; NE trouble, *beunruhige,
trübe.* — tr(o)uble OF; NE turbid.
getrübt. — tr(o)ublable NE troubling,
störend, beunruhigend. — tr(o)ubly NE
obscure, *trüb.*

trukie OE trúcige, NE am lacking, *er-
mangele.*

tru(e) = trew(e). | trufle = trifle.

trume OE truma m., NE troop, army,
Schar, Heer.

trump, trump(p)e = trompe.

trusse OF; NE truss, pack, *schnüre, packe.*

trust- = trist-. | tr(u)we = trewe. | tu
= thu. | tua = two.

tubbe MDu.; NE tub, *Zuber.*

tübrügge OE tyge m. + brycg f., NE
draw-bridge, *Zugbrücke.*

tuk = tok p. of take.

tukke MDu.; NE tuck up, *raffe zusammen,
schürze auf.*

tüd(e)re = tid(e)re.

tuel OF; NE pipe, *Röhre.*

tuenty = twenty.

tuft OF tuffe, NE tuft, *Büschel.*

tüht = tight s. tige. | tuie = twie(s).
| tuix = bitwix(en).

tulk ON tulkr 'interpreter', NE man,
Mann.

tuly OF tieulé, NE of the colour of a tile,
ziegelrot.

tulle = tolle, NE draw. | tumb =
tombe. | tumbestere = tombestere. |
tumble = tomble. | tun = toun. |
tunke = tong(e). | tunderstanden =
to understanden.

tune AN tun, NE tune, *Melodie.*

tüne, tuine = tine, NE (en)close. | tunge
= tong(e), NE tongue. | tunne = tonne.
| tuo = two. | tur = tour. | turet =
toret. | turment = torment.

turf OE f.; NE; *Rasen(-stück).*

turn OF t(o)urn, NE turn, trick, *Drehung,
Handreichung, Gang, Streich.* — a-turne
OE turnige, cf. OF torne, turne, NE
turn, *drehe, wende, übersetze.* — turney

AN; NE tourney, *Turnier.* — turneie AN; NE turn, joust, *drehe(mich)*, *turniere.* — turneiinge NE tournament, *Turnieren.* — turneiment AN; NE tournament, *Turnier.* — turning NE turning round, *Drehung.*

turtel OE turtle f., NE turtle-dove, *Turteltaube.*

tus = thus.

tusk OE tûsc, tux m., NE tusk, *Stoßzahn, Hauer.* — tusked NE; *mit Hauern versehen.*

tutel orig. obsc.; NE beak, *Schnabel.* — tutele NE whisper, *flüstere.* — totelere NE tattler, *Plauderer.*

tuwel = tuel. | tviis = twie(s). | tvo, twa = two. | twaine = tweine. | twe = two.

twei(en), twe(i)zen OE twêgen, ON tveir, NE two, *zwei.* — tweie = twie(s). — tweifold OE twêgen + feald, NE twofold, *zwiefältig, doppelt.* — tweine OE twêgen, NE twain, *zwei.* — tweine NE separate, *trenne.*

twelf, twel(ve), tweolve OE twelf, NE twelve, *zwölf.* — twelfeday OE twelf + dæg m., NE Twelfthnight, *Hl. dreiKönige.* — twelfmon(e)th, twelve-, twelmothe OE twelf + mônaþ m., NE twelvemonth, year, *Jahr.* — twelfte OE twelfta, NE twelfth, *zwölft.*

tweme, tweame OE twæme, NE separate, *trenne.*

twenge OE; NE pinch, squeeze, *zwicke, drücke.*

twenty OE twentig, NE twenty, *zwanzig.*

twicche, p. twighte OE twiccige, NE draw, twitch, *(zwicke), ziehe.*

twie(s), twizes, twiis OE twiga, twiges, twiwa, NE twice, *zweimal.*

twig OE n.; NE; *Zweig.*

twighte s. twicche.

twin OE twin(n), NE double, two, *doppelt, zwei.* — twinne NE twin, separate, *trenne, scheide.* — twinninge NE separation, *Trennung.*

twin OE twîn n., NE twine, cord, *Strick.* — twine NE twine, twist, *drehe.*

twinkle OE twinclige, NE twinkle, *blinke.* — twink(e)ling NE twinkling, moment, *Blinken, Augenblick.*

twinne, twinninge s. twin, NE double. | twise = twie(s).

twiste cf. OE twisled 'forked'; NE twist, branch, *Reis, Zweig.* — twiste NE strip boughs, twist, wring, *entblättere, drehe, quäle.*

twitere onomat., cf. G. *zwitschere*; NE twitter, *zwitschere.*

twix = bitwix(en).

two OE twâ, NE two, *zwei*; in two NE in twain, *entzwei.* — twofoted OE twâ + -fôtod, NE two-footed, *zweifüßig.* —

twothird OE twâ + þridda. NE twothird, *zwei Drittel.*

U.

üch(e), uich = ech; üchone = ech on. | uele = wel. | uexinde pres. part. of wexe = waxe. | üfel = ivel.

ugly ON uggligr, NE ugly, *schrecklich, häßlich.*

ülke = ilke. | ule = oule, NE owl.

umbe(n) OE ymbe, ON umb, NE (a)round, about, after, at, *herum, um, nach, zu.*

umbefolde OE ymbe + fealde, NE embrace, enclose, *umarme, umschließe.*

umbego OE ymb-gâ, NE go round, surround, *gehe herum, umgebe.*

umbepighte OE ymbe + pîcod, NE adorned round about, *ringsum geschmückt.*

umbe-te, p. umbeteze OE ymbe + têo, NE surround, *umgebe.*

umbilegge OE ymbe + lecge, NE surround, *umgebe, schließe ein.*

umbithenke OE ymbe + þence, NE reflect, *bedenke.*

umble OF humble, NE; *niedrig, gering.*

umbreide OE ymbe + bregde, NE upbraid, *tadele.*

umsette OE ymb-sette, NE surround, besiege, *umgebe, belagere.*

umthenke, p. umthoght = umbithenke.

unable OE un- + OF able, NE unable, *unfähig.*

unagreable OE un- + OF agreable, NE unagreeable, *unangenehm.*

unapt OE un- + OF apt, NE unapt, *untauglich, nicht geneigt.*

unaraced OE un- + AN aracé, NE untorn, *unzerrissen.*

unassaied OE un- + OF assayé, NE unexperienced, *unerprobt.*

unavised OE un- + OF avisé, NE unadvised, *unbedacht, ohne Ahnung von.*

unbald = unbold.

unbeten OE ungebêaten, NE not beaten, *nicht geschlagen.*

unbicomelich fr. OE un- + becume; NE uncomely, *unschön.*

unbiheve, comp. unbihefre OE unbehêfe, NE inconvenient, *unpassend.*

unbinde OE; NE unbind, *binde los.*

unbishoped OE unbiscopod, NE unconfirmed by the bishop, *nicht vom Bischof eingesegnet.*

unbitiden OE un- + be- + tîdan, NE fail to happen, *nicht geschehen.*

unblithe OE unbliþe, NE sad, *traurig.*

unbok(e)le fr. OE un- + OF b(o)ucle sb.; NE unbuckle, *schnalle auf.*

unbodie fr. OE un- + bodig n.; NE leave the body, *verlasse den Körper.*

unbold OE unbeald, NE timid, *furchtsam.*

unbore(n) OE unboren, NE unborn, *ungeboren.*

unbotelich fr. OE un- + bôt f.; NE irremediable, *unheilbar.*

unbowed fr. OE un-+bûge; NE unbowed, *ungebeugt.*

unbrent fr. OE un- + ON brenna; NE unburnt, *nicht verbrannt.*

unbridled OE un- + brîdlod, NE unbridled, *ungezügelt.*

unbroiden OE un- + brogden, NE unbraided, *nicht geflochten.*

unbuhsum = unbuxum.

unburied OE unbyrged, NE unburied, *unbegraben.*

unbuxum fr. OE un- + bûge; NE disobedient, *ungehorsam.* — unbuxumnesse NE disobedience, *Ungehorsam.*

unc (gen. unker) OE unc, NE us two, *uns beide(n).*

unce = ounce. | uncely = unsely. | unkende = unkind(e).

uncertein OE un- + AN certein, NE uncertain, *ungewiß.*

unketh = uncouth cf. OE cŷþe 'announce'.

unkind(e) OE un(ge)cynde, NE unkind, unnatural, not noble, *unnatürlich, lieblos, unedel.* — unkindely, -lich OE un(ge)-cyndelīc, = unkinde. — unkindenesse NE unkindness, *Lieblosigkeit.*

uncircumscript OE un- + L circumscriptum, NE without limits, *unbegrenzt.*

unkist OE un- + (ge)cyst, NE unkissed, *ungeküßt.*

uncle AN; NE; *Onkel.*

unclose fr. OE un- + OF clos pp.; NE unclose, *öffne.* — unclosed, -id NE opened, not enclosed, *geöffnet, nicht verschlossen.*

unclothe OE un- + clâþige, NE unclothe, *entkleide.*

unknaw- = unknow-.

unknitte OE un- + cnytte, NE unknit, *knüpfe auf.*

unknowe(n) OE un(ge)cnâwen, NE unknown, *unbekannt.* — unknowable NE not to be known, *nicht zu erkennen.* — unknowing NE; *unwissend;* ignorance, *Unwissenheit.*

uncommitted fr. OE un- + L committo; NE uncommitted, *nicht anvertraut, nicht übertragen.*

unconning(e) OE un- + cunnung f., NE ignorance, *Unwissenheit.* — unconninge cf. OE un- + cunnan; NE ignorant, *unwissend.*

unconstreined OE un- + AN constreint pp., NE unconstrained, *ungezwungen.*

unco(n)venable OE un- + OF co(n)-venable, NE unseemly, *unpassend.*

uncortais, -tois = uncurteis.

unkorven OE un- + (ge)corfen, NE uncut, *unbeschnitten.*

uncounceiled OE un- + AN counseilé, NE uncounselled, *unberaten.*

unco(u)ple OE un- + OF co(u)ple, NE un-couple, rush upon, *kopple los, stürze mich auf.* — uncoupling NE; *Loskoppeln.*

uncouth, -cowth OE uncûþ, NE unknown, uncouth, *unbekannt, fremd, seltsam.*

uncovere fr. OE un- + OF covrir inf.; NE uncover, *decke auf.*

uncovenable = unco(n)venable.

unkunand = unconninge adj. | unkündelich = unkindely. | uncunning- = unconning-.

uncurteis, -taise OE un- + AN curteis, NE uncourteous, *unhöflich.* — uncurtesie OE un- + AN curteisie, NE discourtesy, *Unhöflichkeit.*

undefouled OE un- + OF defoulé, NE not trodden down, *nicht mit Füßen getreten.*

undefouled cf. OE un- + L de + OE fŷle; NE undefiled, *nicht beschmutzt.*

undepartable OE un- + OF departable, NE inseparable, *unzertrennlich.*

under, -ir(e), -ur OE under, NE under, among, *unter, zwischen.*

underfo, underfonge, p. -feng, pp. -fonge(n), -fon OE underfô, NE seize, receive, undertake, *ergreife, empfange.*

undergo OE undergâ, NE undergo, receive, *erleide, empfange.*

undergrowe OE under + grôwen, NE undergrown, of short stature, *nicht ausgewachsen, kurz.*

underling OE m.; NE; *Untertan.*

underloute OE underlûte, NE submit, *unterwerfe mich.* — underlut(t)e pp. NE subject, *Untertan.*

undern OE m.; NE the time from nine to twelve o'clock in the morning, *die Zeit von 9—12 Uhr vormittags.* — undermel OE undernmêl n., NE morning meal, *Morgenmahlzeit.*

undernethe(n) OE undernerneoþan, NE underneath, *unter.*

undernime OE; NE seize, undertake, perceive, blame, *ergreife, unternehme, nehme wahr, tadele.*

underpiche, p. underpighte OE under + pîcige, NE stuff, *stopfe, fülle.*

underputte OE under + potige, NE subjugate, *unterwerfe.*

underspore cf. OE under + sporette; NE push beneath, *stoße unter.*

understonde, -stande OE understande, NE understand, know, receive, *verstehe, lerne kennen, nehme an, empfange.* — understonding, -standing OE understanding f., NE understanding, *Verstand, Kenntnis.*

undertake, pp. undirtane OE under + ON taka, NE undertake, affirm, *unternehme, versichere.*

underveng, -ving = underfeng s. underfo. | undervo = underfo.

underwite, p. underwat OE under + wîte, NE perceive, *bemerke.*

underyede p. of undergo.

underyite, p. -yat, -yete(n), -yite(n) OE under-giete, NE understand, perceive, *verstehe, bemerke.*

undeserved fr. OE un- + OF deservir inf.; NE undeserved, *unverdient.*

undevocioun OE un- + AN devocioun, NE lack of devotion, *Mangel an Frömmigkeit.*

undigne OE un- + OF. digne, NE unworthy, *unwürdig.*

undir = under.

undiscomfited OE un- + OF disconfit, NE unperturbed, *unbeunruhigt.*

undiscret OE un- + OF discret, NE indiscreet, *unbesonnen.*

undo OE un- + dô, NE undo, explain, destroy, *öffne, erkläre, vernichte.*

undo(n) OE un- + (ge)dôn, NE not done, *ungetan.*

undoutous OE un- + AN doutous, NE undoubting, *nicht zweifelnd.*

undren = undern.

undrunken, -in OE undruncen, NE sober, *nicht trunken.*

undur = under.

uneschewable, -schuable OE un- + OF eschivable, NE inevitable, *unvermeidlich.* — uneschewably adv.

unese, -ease OE un- + AN ese, OF aise, NE uneasiness, trouble, *Unbehagen, Kummer.*

unespied OE un- + OF espié, NE undiscovered, *unerspäht.*

unethe OE unêaþe, NE difficult, with difficulty, scarcely, grievous, *schwierig, mit Mühe, kaum, schmerzlich.* — unethes OE unêaþe + s, NE with difficulty, *mit Mühe.*

uneven OE unefn, NE unequal, *ungleich.* — unevenlich OE unefnlic, NE incomparable, *unvergleichlich.*

unfain OE un- + fægen, NE with reluctance, *ungern.*

unfamous OE un- + AN famous, NE without fame, *ruhmlos.*

unfeined OE un- + OF feint, NE unfeigned, *ungeheuchelt.*

unfeling OE unfêlende, NE unfeeling, *gefühllos.* — unfelingly adv.

unfestlich fr. OE un- + OF feste sb.; NE unfestive, *unfestlich.*

unfettre fr. OE un- + feter f.; NE unfetter, *entfessele.*

unfolde OE un- + fealde, NE unfold, *entfalte.*

unfolde 155, 618 = umbefolde.

unforged OE un- + OF forgé, NE not yet forged, *noch nicht geschmiedet.*

ungentel OE un- + OF gentil, NE ignoble, *unedel.*

ungiltif cf. OE ungyltig + OF -if; NE guiltless, *schuldlos.*

unglosed OE un- + OF glosé, NE not glossed, *unkommentiert.*

ungodly OE un- + gôdlïc, NE unkind, rough, *ungütig, rauh.*

ungracious OE un- + AN gracious, NE unfortunate, *unglücklich.*

ungrave OE un- + (ge)grafen, NE not engraved, *ungeprägt.*

ungrene OE un- + grêne, NE not green, *nicht grün.*

ungrobbed cf. OE un- + MDu. grobbe; NE not dug, *nicht gegraben.*

unhap(p), -happe OE un- + ON happ, NE misfortune, *Unglück.* — unhappy NE; *unglücklich.* — unhappily adv.

unhardy OE un- + OF hardi, NE not bold, *nicht kühn.*

unhele OE unhælo f., NE bad health, misfortune, *Krankheit, Unglück.* — unhelthe OE unhælþ f., = unhele.

unhende OE un(ge)hende, NE improper, *ungehörig.*

unhide OE un- + hŷde, NE reveal, *enthülle.*

unholsom cf. OE unhâl; NE unwholesome, unsound, *ungesund.*

unhorse OE un- + horsige, NE unhorse, *werfe vom Pferde.*

unhope OE un- + hopa m., NE despair, *Verzweiflung.*

unhwate = unwhate.

unicorn(e) OF -ne; NE unicorn, *Einhorn.*

unihoded OE un(ge)hâdod, NE not in holy orders, *ungeweiht.*

unilimpe OE ungelimp n., NE misfortune, *Unglück.*

unimete OE ungemête, NE excessive, immense, innumerable, *übermäßig, unermeßlich, unzählig.*

uniqueme OE ungecwême, NE unpleasing, *unlieb.*

unirüde = unride.

unisely OE ungesælig, NE unhappy, *unglücklich.*

unite(e) OF -té; NE unity, *Einigkeit, Einheit.*

in universe L in universum, NE universally, *(im) allgemein(en).* — universalitee OF -té; NE universality, *Allgemeinheit.* — universel OF; NE universal, *allgemein;* universality, *Allgemeinheit.* — universitee OF -té; NE universality, *Allgemeinheit.*

unjoiful fr. OE un- + OF joie; NE unjoyful, *freudlos.*

unjoi(g)ne OE un- + OF joigne sbj., NE disjoin, *trenne.*

unlaced OE un- + OF lacé, NE unlaced, *aufgelöst.*

unlahfulliche s. unlawe.

unlapped fr. OE un- + læppa m.; NE uncovered, *unbedeckt.*

unlawe Late OE unlagu f., NE illegality, wrong, *Ungesetzlichkeit, Unrecht(mäßigkeit).* — unlahfulliche NE unlawfully, *unrechtmäßig.*

unle(ve)ful cf. OE un(ge)liefed, NE not permissible, *unerlaubt.* — unleffullich adv.

unlik OE un(ge)líc 'incredible', NE unlike, *unähnlich.* — unlikly OE ungelíclíc, NE different, improper, *verschieden, unpassend.* — unliklinesse NE fastidiousness, *schwer zu befriedigendes Wesen.*

unlide OE un- + hlýd n., NE disagreable noise, *unangenehmes Geräusch.*

unlight OE un- + leoht, NE heavy, *schwer.*

unlove OE un- + lufige, NE cease to love, *höre auf zu lieben.*

unlüde = unlide.

unlust OE m.; NE disinclination, *Unlust.* — unlusty NE idle, *träge.*

unmanhod fr. OE unman(n) m.; NE unmanly act, *unmännliche Handlung.*

unmeke fr. OE un- + ON mjūkr; NE not meek, proud, *nicht demütig, stolz.*

unmerie = unmirie.

unmesurable OE un- + OF mesurable, NE immoderate, *unmäßig.*

unmete OE unmǣte, NE not meet, unfit, immoderate, *nicht passend, unmäßig.*

unmeth ,-meath OE unmǣþ f., NE immoderation, *Unmäßigkeit.*

unmighty OE unmihtig, NE impotent, *ohnmächtig.*

unmilde OE; NE ungentle, *unfreundlich.*

unmindlunge OE unmyndlinga, -lunga, NE unexpectedly, *unerwartet.*

unmirie OE unmyrge, NE not merry, sad, *traurig.*

unmoevable OE un- + OF movable, NE immovable, *unbeweglich.* — unmoevabletee OE un- + OF movableté, NE immobility, *Unbeweglichkeit.*

unmündlunge, -munidlinge = unmindlunge.

unnedeful OE un- + níed f. + ful(l), NE unnecessary, *unnötig.*

unneile OE un- + næglige, NE unnail, *befreie von den Nägeln.*

unnen s. on, NE grant. | unnese = unese.

unneste fr. OE un- + nest n.; NE leave the nest, *verlasse das Nest.*

unnethe = unethe.

unnitt OE unnyt(t), NE useless, *unnütz.*

unordred fr. OE un- + OF ordre; NE not belonging to an order, *nicht einem Orden angehörend.*

unpacience OE un- + OF pacience, NE impatience, *Ungeduld.*

unparfit OE un- + OF parfit, NE imperfect, *unvollkommen.*

unparigal OE un- + AN parigal, NE unequal, *ungleich.*

unpeised OE un- + AN peisé, NE unpoised, *unabgewogen.*

unpi(e)tous OE un- + AN pitous, NE impious, *gottlos.*

unpinne fr. OE un- + pin(n) sb.; NE unpin, undo, *hefte los, öffne.*

unpleite fr. OE un- + OF pleite sb.; NE unplait, unfold, explain, *entfalte, erkläre.*

unplitable fr. OE un- + OF plit sb.; NE perilous, *gefährlich.*

unplite = unpleite.

unpreied OE un- + AN preié, NE unasked, *ungebeten.*

unprenable for unprevable 248, 31 fr. OE un- + AN preove; NE not provable, *unbeweisbar.*

unpunished fr. OE un- + OF punisse sbj.; NE unpunished, *ungestraft.*

unpurveied OE un- + AN purveié, NE unprovided, *unversorgt.*

unraced = unaraced.

unrelesed OE un- + AN relesé, NE unrelieved, *nicht erleichtert.*

unremeved fr. OE un- + OF remueve sbj.; NE unremoved, *nicht beseitigt.*

unreprovable OE un- + OF reprovable, NE irreproachable, *untadelig.*

unresonable OE un- + AN resonable, NE unreasonable, *unvernünftig.*

unreste OE un- + rest f., NE unrest, restlessness, *Unruhe.* — unresty NE restless, *ruhelos.*

unreverently fr. OE un- + L reverentem; NE irreverently, *unehrerbietig.*

unride OE un(ge)ryde, NE enormous, cruel, *ungeheuer, grausam.*

unright(e) OE unriht n., NE wrong, *Unrecht.* — unright OE unriht, NE wrong, *unrecht.* — unright(e) OE unrihte adv. — unrightful OE unriht + ful(l), NE unjust, *ungerecht.* — unrightfully adv.

unrüde = unride.

unsad OE unsæd, NE unsteady, *wankelmütig.*

unsavory OE un- + AN savouré, NE unsavoury, *geschmacklos, unangenehm.*

unscience OE un- + OF science, NE unreal knowledge, *nicht wirkliche Kenntnis.*

unskil OE un- + ON skil, NE indiscretion, *Unbesonnenheit, Rücksichtslosigkeit.* — unskilful NE unreasonable, *unvernünftig.* — unskilfully adv. — unskilwis = unskilful.

unsehelich OE ungesewenlíc cf. pp. gesegen, NE invisible, *unsichtbar.*

unseiing OE un- + tô secgenne cf. sægde, NE unspeakable, *unsäglich.*

unsel(l) OE unsǽl m., NE unhappiness, *Unglück.* — unsely OE unsǽlig, NE unhappy, *unglücklich.* — unselinesse OE ungesǽlignes f., NE unhappiness, *Elend.* — unselthe OE unsǽlþ f., NE misfortune, *Unglück.*

unset OE un- + set(t), NE unappointed, *nicht festgesetzt.*

unshathignesse OE unsceþþignes f. cf. pp. gesc(e)aþen, NE innocence, *Unschuld.*

unshethe fr. OE un- + scêaþ f. 'sheath', NE unsheathe, *ziehe aus der Scheide.*

unshette = unshitte.

26*

unshewed OE un- + scêawod, NE unshown, *nicht gezeigt.*

unshitte OE un- + scytte, NE unlock, *schließe auf.*

unsith OE unsîþ m., NE misfortune, *Unglück.*

unsittinge for unfittende OE un- + ON fitja 'knit', NE unfit, *unpassend.*

unslekked fr. OE un- + slecce cf. slæc; NE unslaked, *ungelöscht.*

unsofte OE unsôfte adv., NE hard, *hart.*

unsought OE un- + (ge)sôht, NE unsought, *ungesucht.*

unsol(l)empne OE un- + OF solempne, NE uncelebrated, *ungefeiert.*

unsound(e), -sownd(e) OE un- + sund, NE not sound, sick, *nicht gesund, krank.*

unsowe OE unsâwen, NE unsown, *nicht besäet.*

unsowe OE un- + seôwige, NE unsew, *trenne auf.*

unsparely OE un- + spærlîce, NE unsparingly, *reichlich.*

unspeking OE un + tô sprecenne, NE unspeakable, *unaussprechlich.*

unspede OE unspêd f., NE misfortune, *Unglück.* — unspedful NE unsuccessful, *erfolglos.*

unsper(r)e OE un- + (ge)spearrige, NE unbolt, *sperre auf.*

unspired OE un- + (ge)spyred, NE unasked, *ungefragt.*

unspoused OE un- + OF espousé, NE unmarried, *unvermählt.*

unspurd = unspired.

unspurne OE un- + sporne, spurne, NE push open, *stoße auf.*

unstable OE un- + OF estable, NE unstable, *schwankend, schwach.* — unstabelnes fr. OE un- + OF estable; NE unsteadfastness, *Unbeständigkeit.*

unstathelevest OE unstaþolfæst, NE not steadfast, *wankend.*

unstaunched OE un- + AN estaunché, NE unstanched, insatiate, *unersättlich.* — unstaunchable fr. OE un- + AN estaunche; NE inexhaustible, *unerschöpflich.*

unsted(e)fast OE un- + stedefæst, NE unsteadfast, *wankend.* — unstedfastnesse OE un- + stedefæstnes f., NE unsteadfastness, *Unbeständigkeit.*

unstrained OE un- + AN estreint, NE unmolested, *unbelästigt.*

unstraunge OE un- + AN estraunge, NE well known, *wohlbekannt.*

unswelle OE un- + swelle, NE become less full, *nehme ab an Umfang.*

unswete OE unswête, NE bitter, *bitter.*

untalelich cf. OE un- + getæl n. 'reckoning'; NE innumerable, unspeakable, *unzählbar, unsäglich.*

untei(gh)e OE un- + tîege, NE untie, *löse auf.*

unthank, -thonk OE unþanc m., NE ingratitude, displeasure, bad thanks, *Undank, Verdruß, schlechter Dank;* his unthankes, -thonkes OE his unþances, NE against his will, *wider seinen Willen.*

untheu, unthe(a)w OE unþêaw m., NE vice, *Laster.*

untholelich cf. OE unþoligendlîc; NE intolerable, *unerträglich.* — ontholiinde OE un- + tô þoligenne, NE intolerable, *unerträglich.*

unthonc = unthank.

unthrift OE un- + ON þrift, NE unthriftiness, folly, *Verschwendung, Torheit.* — unthrifty NE unthrifty, poorly, *nutzlos, ärmlich.* — unthriftily adv.

untightel cf. OE un- + tyht m.; NE want of discipline, *Mangel an Zucht.*

until, -till OFries., OS und + OE, ON til; NE until, *zu, bis.*

untime OE untîma m., NE wrong time, *Unzeit.*

unto OFries. und + OE tô; NE unto, until, *zu, bis.*

untodeled, -dealet OE untôdæled, NE undivided, *ungeteilt.* — untodelinge cf. OE untôdælendlîc; NE indivisible, *unteilbar.*

untohe, untowen OE ungetogen, NE uneducated, *unerzogen.* — untoheliche NE rudely, *unerzogen.*

untold OE unteald, NE uncounted, *ungezählt.*

untormented OE un- + OF tormenté, NE untormented, *nicht (mehr) gequält.*

untowen = untohe.

untressed OE un- + OF tressé, NE not tressed, *nicht geflochten.*

untretable OE un- + AN tretable, NE inexorable, *unerbittlich.*

untrewe OE untrîewe, untrêowe, NE untrue, *ungetreu.* — untrewe adv. — untrewly OE untrîewlîce, NE not faithfully, *unwahrhaftig.*

untriste s. untrust.

untrouthe OE untrêowþ f., NE untruth, faithlessness, *Unwahrheit, Treulosigkeit.*

untrust OE un- + ON traust cf. trûa 'traue', NE distrust, *Mißtrauen.* — untriste NE distrust, *mißtraue.*

unusage OE un- + OF usage, NE want of use, *Mangel an Gewohnheit.*

unwar OE unwær, NE unaware, unexpected, *unachtsam, unerwartet.* — unwar(ly) OE unwær(lîce), NE unawares, unexpectedly, *unerwartet.*

unwarned, -wearned OE unwarnod, NE unwarned, *ungewarnt.*

unwate = unwhate.

unwelde OE un- + wielde 'strong', NE impotent, *ohnmächtig.* — unweldy cf. OE un- + gewielde 'gefügig'; NE unwieldy, *schwerfällig, plump.*

unwemmed OE; NE unspotted, *unbefleckt.*

unwened OE unwêned, NE unexpected, *unerwartet.*

unweo(te)nesse = unwit(e)nesse.

unwepned OE ungewæpnod, NE unarmed, *unbewaffnet.*

unwerzed, -werget, -werched OE ungewêrigod, NE unwearied, *unermüdlich.* — unwerilich cf. OE unwêrig; NE indefatigable, *unermüdlich.*

unwerthy = unworthy.

unwhate OE un- + hwata f. pl., NE evil omens, *böse Vorzeichen.*

unwiht, -whiht OE un- + wiht f. n., NE monster, *Ungeheuer.*

unwine OE m.; NE enemy, *Feind.*

unwin(ne) OE un- + wyn(n) f., NE sadness, *Traurigkeit.* — unwinly OE un- +wynlîce, NE sadly, *traurig.*

unwis OE unwîs, NE unwise, foolish, *töricht.*

unwist OE un- + cf. wiste p. of wât; NE unknown, ignorant, *unbekannt, unwissend.*

unwit OE un(ge)wit(t) n., NE folly, *Torheit.* — unwit(e)nesse OE un- + (ge)wit(t)nes f., NE ignorance, *Unwissenheit.* — unwiting OE unwitende, NE not knowing, unknown, *nicht kennend, unbekannt.* — unwitingly NE unknowingly, *unwissentlich.*

unworshipful fr. OE unweorþscipe m.; NE unhonoured, *ungeehrt.*

unworth OE unweorþ, NE worthless, *wertlos.* — unworthy OE un- + wierþig, NE unworthy, *unwürdig.*

unwot 3 sg. OE un- + wât, NE does not know, *weiß nicht.*

unwrappe OE un- + ME wrappe (origin obs.), NE unwrap, *wickele auf, öffne.*

unwrast = unwrest. | unwrd = unworth.

unwre, -wreo OE onwrêo 'uncover,' NE reveal, *enthülle.*

unwrest, -wreast OE unwrǽst, NE weak, bad, *schwach, schlecht.*

unwrie OE un- + wrêo cf. pp. wrigen, = unwre. | unwurth(e) = unworth.

unyolden OE un- + golden pp. of gielde, NE without having yielded, *ohne nachgegeben zu haben.*

up, uppe adv. OE up(p), NE on high, up, open, *oben, auf, hinauf, empor.*

upbere OE up + bere, NE upbear, support, value, *stütze, schätze.* — upberer NE upholder, partisan, *Anhänger.*

upbounde OE up- + bunden, NE bound up, *fest verknüpft.*

upbreide OE up + bregde, NE upbraid, open, *tadele, öffne.* — upbrüd OE up + brygd, brŷd, NE upbraiding, *Tadeln.*

upcaste OE up + ON kasta, NE cast up, *werfe, hebe empor.*

updrawe OE up + drage, NE draw up, *ziehe empor.*

updresse OE up + OF dresse, NE prepare, *bereite.*

upe = up.

upenbossed fr. OE up + OF en + boce sb.; NE embossed, *erhaben, getrieben.*

upfrete OE up + frete, NE eat up, *fresse auf.*

uphaf p. of upheve. | uphelde = upholde.

uphepinge OE up + hêapung f., NE heaping up, *Aufhäufen.*

upheve OE up + hebbe, NE lift up, *hebe empor.*

upholde OE up + healde, NE sustain, *erhalte aufrecht.*

uplifte OE up + ON lipta, NE lift up, rise, *hebe empor, steige empor.*

upon NE open, cf. up; NE upon prep., *auf,* cf. ON uppā. — upp = up. — upper NE higher, *höher.* — uppereste NE uppermost, *oberst.*

upplight OE up + (ge)pliht pp. of plicge, NE pulled up, *aufgerissen.*

uppo cf. ON uppā, NE upon prep., *auf.*

up(p)on, uppen OE uppan, uppon, prep., NE over, *über, auf.*

upreise OE up + ON reisa, NE raise up, *hebe empor.*

upright(e) OE upriht, NE upright, *aufrecht, gerade.*

uprise OE up + rîse, NE rise up, *erhebe mich, gehe auf.* — uprist OE up + -rist f., NE up-rising, *Aufstehen, (Sonnen-) Aufgang.*

uprinne OE up + rinne, NE ascend, *steige empor.*

up-so-doun OE up + swâ + dûne, NE upside down, *auf dem Kopfe stehend, verkehrt.*

upspringe OE up + springe, NE spring up, rise, *breche hervor.*

upspurnen OE uppe + spornan, spurnan, NE thrust open, undo, *aufstoßen, öffnen.*

upsterte OE up + cf. OE steartlige, NE arise, *erhebe mich.*

upswelle OE up + swelle, NE swell up, *schwelle an.*

upthrowe(n) OE up + þrâwan, NE throw up, *empor-, heraufwerfen.*

upward OE upweard, NE up(wards), *empor.*

upwinde OE up + winde, NE wind up, *winde in die Höhe.*

upyelde OE up + gielde, NE yield up, *gebe auf.*

upyeve OE up + giefe, NE yield up, *gebe von mir.*

ur = our(e).

urchoun OF ireçon, NE hedgehog, *Igel.*

ure = our(e). | uretu 151, B 289 = hüre (= here, NE hear) thou.

urin(e) OF urine, NE; *Urin.* — urinal OF; NE; *Harnglas.*

urne OF; NE urn, *Urne.*

ürre = irre. | urthely = erth(e)ly.

us, ous OE ûs, NE us, *uns.* — usselve OE ûs + self, NE ourselves, *wir selbst.* — to

usward OE tô + ûs + weard, NE to-
wards us, *nach uns zu.*
us(e) OF us, NE use, *Gebrauch.* — use OF
use, NE use, *gebrauche, pflege, betreibe.* —
usage OF; NE; *Brauch.* — usaunce
AN; NE habit, *Gewohnheit.* — usaunt
AN; NE accustomed, *gewöhnt.* — using
NE use, *Gebrauch.*
usher AN uss(h)er, NE usher, *Türhüter,
Gerichtsdiener.*
usun 3 pl. of use.
usure OF; NE usury, *Wucher.* — usurer(e)
AN usurer, NE; *Wucherer.*
usurpe OF; NE usurp, *usurpiere, reiße mit
Gewalt an mich.*
ut(e), uth = out. | uten = outen. | uth
= oth.
üthe OE ȳþ f., NE wave, *Woge.*
utilite OF -té; NE utility, *Nutzen.*
utter OE ûttra, NE outer, *äußer.* — utter-
este NE outermost, *äußerst.* — utterly,
-liche NE utterly, *völlig.*
utward = outward.
utwerpe OE ût + weorpe, NE throw out,
werfe hinaus.
uus = us. | üvel = ivel.
uvenan OE ufenan, NE above, on, *über,
auf.*

V.

v- s. f-. | va = wo.
vacacioun AN; NE vacation, *Freizeit.*
vache OF; NE cow, *Kuh.*
vache = fe(c)ohe. | vachet = wachet. |
vader = fader. | væie = fey. | væir =
fair. | vaȝt, va(u)ht = fa(u)ght s. fighte.
| vay = wey. | vaile = veil. | vaile OF
vaille sbj., = availe. | vain = vein. |
vaine = waine. | vair = fair.
in vaires OF en voire, NE in truth, *in
Wahrheit.*
valance OF fallance cf. avalance 'Fall,'
NE failure, *Fehlen, Ausbleiben.*
vale OF val, NE vale, *Tal.*
vale = fele.
valey AN valeie, NE valley, *Tal.*
valerian OF -iane; NE valerian, *Baldrian.*
valewe = value. | valle = falle. | ᵃ-valle
= ᵃ-felle.
valour AN; NE; *Tüchtig it.*
vals = fals.
value OF; NE; *Wert.*
vane OE fana m., NE vane, *Wetterfahne.*
vanishe AN evanisse sbj., NE vanish, *ver-
schwinde.* — vanishinge NE vanishing,
Verschwinden.
vanite(e), pl. -tese OF -té; NE vanity,
Eitelkeit, Torheit.
vapour AN; NE; *Dunst, Dampf.*
vare = fare.
varie OF; NE vary, *verändere mich.* —
variable OF; NE; *veränderlich.* — va-

riacioun AN; NE variation, *Abweichung.*
— variaunce AN; NE variance, diffe-
rence, *Abweichung.* — variaunt AN; NE
varying, *wechselnd.*
vassalage, vasselage OF; NE prowess,
Tapferkeit.
vaste = faste. | vat = what.
vauntour AN; NE vaunter, *Prahler.*
vavas(s)our AN; NE vavasor, subvassal,
Untervasall.
vawe = fawe. | veage = viage.
vekke orig. obsc.; NE hag, *altes Weib.*
vede = fede.
veel OF; NE veal, *Kalbfleisch.*
veil OF veile, NE veil, *Schleier.*
vein AN; NE vain, *eitel, töricht.* — in vein
AN en vein, NE in vain, *vergeblich.* —
veinglorie AN veine glorie, NE vain-
glory, *eitler Ruhm.*
veine OF; NE vein, *Ader.* — veineblod
OF veine + OE blôd n., NE bleeding at
a vein, *Aderlaß.*
vel, veol = fel(l)e s. ᵃ-falle. | velaȝ =
felaw(e). | velaȝrede = felawrede. |
veld = feld. | vele = wel. | vele =
fele. | ᴵ-vele = ᴵ-fele. | velle = felle(n)
s. ᵃ-falle. | velle = fille.
veluët AN; NE velvet, *Sammet.*
vencows, vencus = venquisse.
vendable OF; NE vendible, *verkäuflich.*
vende = wende.
Venerian OF venerien, NE follower of
Venus, *Anhänger der Venus.*
venerie OF; NE hunting, *Jagd.*
ᵃ-veng, ᴵ-veng s. ᵃ-fo.
venge OF; NE revenge, *räche.* — ven-
g(e)a(u)nce AN; NE vengeance, *Rache.*
— vengea(u)nce-taking fr. AN ven-
geaunce + ON taka; NE taking of
vengeance, *Rachenahme.* — vengeresse
OF; NE avengeress, *Rächerin.*
venial OF; NE; *entschuldbar.*
venim AN; NE venom, *Gift.* — ᴣeni-
mous AN; NE venomous, *giftig.*
venisoun AN veneisoun, NE venison,
Wildbret.
venjaunce = veng(e)a(u)nce.
venliche OE fenlîc s. fen, NE marshy,
dirty, *sumpfig, schlammig.*
venquisse, venquishe AN venquisse sbj.,
NE vanquish, *besiege.*
vent = went.
ventouse OF; NE cup, *setze Schröpfköpfe.*
— ventousinge NE cupping, *Schröpfen.*
Venus L; NE venereal pleasure, *Liebes-
genuß.*
veoh = fe. | veond = fend, NE fiend.
| veorthe = fourth(e).
ver L; NE spring, *Frühling.*
ver = fer, NE far. | ver = fir, NE fire. |
ver = wer, NE man. | veray = verray.
| verde = ferde.
verdegres OF verd de gris, AN vert de
Grece, NE verdigris, *Grünspan.*

verdit OF; NE verdict, (*Wahr-*)*Spruch*, *Urteil*.

vere OF vire, NE turn, *drehe, wende*.

vere = fere, NE companion. | vere = fer(i)e. | verely = verraily.

verger AN; NE orchard, *Obstgarten*.

verie OE werie, NE defend, *schütze*.

verily = verraily.

veritrot fr. OF ver(r)ai + trot; NE quick trot, *schneller Trab* (?).

verliche ⪮ ferliche s. fer, NE fear.

vermaile AN; NE vermilion, *scharlach-farben*.

vermine OF; NE vermin, *Ungeziefer, Gewürm*.

vernage OF; NE Italian white wine, *ein ital. Weißwein*.

vernel 67,7860 cf. MDu. verniele; NE destroy, *vernichte* (?).

vernicle ML veroniculam, NE St. Veronica's cloth, *Tuch der hl. Veronika*.

vernish OF vernis, NE varnish, *Firnis*. — vernishe OF -isse sbj.; NE varnish, *überfirnisse, putze auf*.

verray, -ey AN; NE very, true, *wahr, wirklich*. — verraily NE verily, truly, *wirklich*. — verraiment AN; NE verily, *wahrhaftig*.

verre OF; NE glass, *Glas*.

verrede = ferrede(n) s. fere, NE companion. | verry = verray.

vers OF, cf. OE fers 'sentence'; NE verse, *Vers*. — versifie OF; NE versify, *bringe in Verse*. — versifiour AN; NE versifier, poet, *Versemacher, Dichter*.

verst = first.

vertu(e) OF vertu, NE virtue, valour, *Kraft*. — vertules OF vertu + OE lêas, NE without virtue, *ohne* (*Wunder-*)*Kraft*. — vertuous AN; NE virtuous, (*heil-*)*kräftig*.

veruwe = farwe. | ves = was s. am. | vese = fese.

vessel OF; NE; *Gefäß*.

vesselage = vassalage.

vestiment OF; NE vestment, *Kleidung*.

vestschipe = fastshipe.

vesture OF; NE; *Kleidung*.

vet = fet s. fot. | l-veththre = fethr(i)e. | vewe = fewe. | veze = fese.

viage OF; NE voyage, journey, *Reise*.

vicaire OF; NE vicar, deputy, *Vikar, Vertreter*.

vice OF; NE vice, defect, error, *Fehler, Laster, Irrtum*. — vicious AN; NE; *verderbt*.

vikele = fikel(i)e. | viker = vicaire.

victor L; NE victor, victorious, *Sieger, siegreich*. — victorie AN; NE victory, *Sieg*.

viend = fend. | vif = wif(e). | vif = five. | vifte = fifte. | vight = fight.

vigile OF; NE vigil, *Nacht-, Totenwache*. — vigilie NE vigil, eve before a festival, *Abend vor einem Feste*.

vigour AN; NE; *Kraft*.

vigur = figure.

vil OF; NE vile, *schlecht, nichtswürdig*. — villiche adv. — vilte OF -té; NE meanness, *Gemeinheit*.

vilein, -ain(e) AN vilein, NE peasant, villain, *Bauer, Elender*. — vileins, -ains AN; NE villainous, *gemein*. — vileinie, -eny, vilani(e) AN vile(i)nie, vilanie, NE villainy, *Gemeinheit*. — vileinous AN; NE villainous, *gemein*.

vill = wil s. wol.

village OF; NE; *Dorf*.

vimman, vimmon = wom(m)an. | vinde = finde.

vine AN; NE; *Weinstock*. — vinegre AN; NE vinegar, *Weinessig*. — vinolent L -tum; NE full of wine, *weintrunken*.

vintir = winter.

viole OF fiole, NE vial, phial, *Phiole*.

violence OF; NE; *Gewalt*. — violent OF; NE; *heftig*.

violete OF; NE violet, *Veilchen*.

virago L; NE; *böse Sieben*.

virelay OF; NE ballad with a return of rhyme, *Ballade mit Kehrreim*.

virgin(e) OF virgine, NE virgin, *Jungfrau*. — virginitee OF -té; NE virginity, *Jungfräulichkeit*.

viritot fr. OF vire + tot (< tost); NE early movement, *frühe Bewegung* (?).

viritrate fr. L virago + ME trate 'trott'(?); NE hag, *Hexe, häßliches altes Weib*.

virtue cf. L virtus = vertu(e).

vis OF; NE face, *Gesicht*. — visage, -aige OF visage, NE; *Gesicht*. — visage NE deny, *leugne ab*. — visible OF; NE; *sichtbar*. — visioun AN; NE vision, *Vision*.

visite OF; NE visit, *besuche*. — visitacioun AN; NE visit, *Besuch*. — visitinge NE paying visits, *Besuchemachen*.

viß = wise, NE manner. | viste = wiste s. wot. | vit = wit.

vitaille OF; NE victuals, *Lebensmittel*. — vitaille OF; NE provide with victuals, *versehe mit Lebensmitteln*. — vitailler AN; NE victualler, *Lieferant von Lebensmitteln*. — vital OF; NE; *das Leben betreffend*.

vit(o)uten = withouten s. with.

vitremite L vitream mitram, NE glass head-dress, woman's cap, *gläserne Kopfbedeckung, Frauenhaube*.

vitriole OF vitriol, NE; *Vitriol*.

vle = fle, NE flee. | vle¹ʒ = fle¹ʒ s. fle, NE flee. | vleshliche = fleshly. | vlod = flod. | l-vo = l-fo. | voice = vois.

voide OF; NE void, *leer*. — voide OF; NE make void, remove, *mache leer, beseitige*. — voidé OF; NE light dessert, *leichter Nachtisch*.

vois, voiz OF; NE voice, *Stimme*.

vol = ful, NE full.

volage OF; NE volatile, giddy, *flüchtig, wankend.* — volatil AN; NE fowl, *Geflügel.*

volk = fol(c)k. | volliche = fully s. ful.

voltor OF; NE vulture, *Geier.*

volume OF; NE; *Band.*

voluntee AN -té; NE will, desire, *Wille, Wunsch.* — voluntarie AN; NE voluntary, *freiwillig.*

voluper AN; NE woman's cap, *Frauenhaube.*

voluptuous AN; NE; *wollüstig.*

volvelle = fulfille.

vom = fom.

vomit OF; NE; *Brechmittel.*

vonde = fonde. | vone = wone, NE dwell. | vonge = fonge s. fo. | vor = for. | vord = word. | vordonne infl. inf. of fordo. | vordrie = forth(e)re s. forthe. | vore = fore. | vorme = forme. | vormest = formest. | vorship = worship. | vorsuelge, -swoluwe = forswelwe. | vorte = forto s. for. | vorth = forth. | vorthæn = forthon s. for. | ¹-vorthe = ¹-forthe. | vorthy = forthy s. for. | vorthy = worthy. | voryite = foryete. | vorzuelge = forswelwe. | vot = fot.

vou OF; NE vow, *Gelübde.* — voue OF; NE vow, *gelobe.* — vouing NE vow, *Gelübde.*

vouche OF; NE vouch, *bürge.* — vouche sauf, saf(f)e, save OF vouche + sauf, NE vouchsafe, *gewährleiste, gewähre, geruhe.*

voul = foul. | vound Ch. Rose 7063 = ¹-founde(n) s. ¹-finde (?). | vounden = founde(n) s. ¹-finde. | vour = four. | vow = vou. | vowche = vouche. | vox = fox. | vrakel = frakel. | vram = from. | vrechliche = frekly. | vrom = from. | vrommard = fromward. | vrover = frofre.

vulgar F vulgaire, NE vulgar, *gewöhnlich.*

vuolf = wolf.

vürst = first. | vuwe = vouc.

W.

wa = wo. | wa = who. | wak = wok, NE weak. | wakkene = wakene.

wa(c)che OE wæcce f., NE watch, lying awake, *Wache, Wachen.*

wace = was.

wake, p. wok, woke(n), pp. wake(n), waked OE wæcne, NE am awake, watch, *bin wach, wache.* — ªwake, p. ªwok OE āwæcne, NE awake, *erwache.* — wakeman OE wæcne + man(n) m., NE watchman, *Wächter.* — ªwak(e)ne OE (ā)wæcnige, (ā)wacnige, NE am awakened (born), awaken, *werde aufgeweckt (geboren), wecke.* — wakepleies OE wæcne + plega m.,

NE funeral games, *Leichenspiele.* — waker OE wacor, NE vigilant, *wachsam.* — ªwakie OE āwacige, NE awake, *erwache.* — waking NE waking, watch, *Wachen;* vigilant, *wachsam.*

wakese = waxe.

wachet OF; NE sort of blue cloth, *blaues Tuch.*

wakie = woke, NE glow weak. | wakins 3 sg. of ªwakene. | wad = what.

wade, p. wod OE wade, NE wade, go, *wate, gehe.*

wæ, wæi = we, *Weh.* | wære = we(o)re, wæs = was s. am. | wæt = what. | waf s. weve.

wafre AN; NE wafer, *Waffel.* — waf(e)rere NE maker of wafer-cakes, confectioner, *Waffelbäcker, -händler.*

wafull = woful. | wag = was s. am.

wage AN; NE wage(s), *Pfand, Lohn.* — wage AN; NE wage, engage, *wette, unternehme, miete, bürge.*

waget = wachet. | waget pp. of wage.

wagge OSw. wagga, cf. OE wagige, ON vagga 'Wiege'; NE wag, shake, move, *wackele, schüttele, bewege.* — wagging cf. OE wagung f.; NE shaking, *Wackeln, Schütteln.*

waʒʒn(e) = wain(e). | wah = wow, NE wall. | wahswa = whoso s. who. | way = wey. | way = a-wei(e). | way s. weie. | way = wo. | waiage = viage.

waik ON veikr, NE weak, *schwach.* — waike NE grow weak, enfeeble, *werde schwach, schwäche.* — waikely NE weakly, *schwächlich.*

waiferere = waf(e)rere. | wailaway, waileauy = weilaway.

wail(l)e Sw. veila, NE wail, lament, *klage.* — wailing NE; *Klagen.*

waiment- = weiment-.

wain OE wægn m., NE car, *Wagen.* — waine OE wægn m., NE carry (in a waggon), bring, get, *befördere (in einem Wagen), bringe, verschaffe.*

waite OF; NE watchman, spy, *Wächter, Späher.* — waite OF; NE watch, wait, *passe auf, warte auf.* - waiting NE watching, *Aufpassen.*

waite, waitt = wot.

wajour OF wageure, NE wager, *Wette.*

wal, walle OE weal(l) m., NE wall, *Mauer, Wand.* — walle NE wall in, construct a wall, *umgebe mit einer Mauer, errichte eine Mauer.*

walaway = weilawey.

walk OE (ge)weal⸗c n., NE walk, *Gehen.* — walke, p. welk(e), pp. walked OE wealce, NE walk, roll, *wandere, rolle.* — go walked NE go a-walking, *gehe.* — walking NE; *Gehen.*

walk(e)ne = welken. | wald, walde = wold 'power', wolde. | wald(e) = wolde s. wol. | wale = wel.

wale ON val, NE choice, *Wahl*; choice, noble, *ausgewählt, edel.*

walet orig. obsc.; NE wallet, *Felleisen.*

walle OE wealle, NE boil, *walle, siede.*

walle s. wal. | walnote = walshnote. | walowe = walwe.

walshnote OE wealh-hnutu f., NE walnut, *Walnuß.* — walshnoteshale OE wealh-hnutu + sc(e)alu f., NE shell of walnut, *Walnußschale.*

walspere OE wælspere n., NE spear, *Speer.*

waltere cf. OE wielte and unwealt 'not given to roll, steady'; NE welter, roll about, *wälze mich, rolle.*

walwe OE wealwige, NE wallow, *wälze mich.* — walud OE wealwod, NE rolled, withered, *aufgerollt, vertrocknet.*

wam = whom(e) s. who. | waman 220, 608 = wom(m)an.

wan OE wan(n), won(n), NE wan, colourless, pale, dark, *farblos, bleich, dunkel.*

wan = won, NE plenty. | wan s. winne. | wan = whan(ne). | wand s. winde. | wand(e) = wond. | wanderet = wandreth.

wandre, wander OE wandrige, NE wander, *wandere.* — wandring NE wandering, *Wandern.*

wandreth, -tht ON vandrǽði, NE distress, *Elend.*

wandri(e) = wandre.

wane ON vani cf. OE wuna, NE habit, habitation, *Gewohnheit, Wohnung.*

wane OE wana m., NE want, lack, *Mangel.* — am wane OE bêo wana, NE am wanting, *mangele.* — wan(i)e OE wanige, NE wane, *nehme ab.* — waniand sb., NE waning moon, unlucky time, *abnehmender Mond, Unglückszeit.*

wane = wain. | wane = whan(ne). | wane = won, NE resort. | wanene = whanne(s).

wang(e) OE wang, wong n., NE cheek, *Wange.* — wangtoth OE wangtôþ m., NE molar tooth, *Backzahn.*

wanhope OE wan + hopa m., NE despair, *Verzweiflung.*

waniand, wan(i)e s. wane. | wan(i)e = won(i)e, NE wail. | wanne pl. of wan, NE wan. | wanne = whan(ne).

want(e) ON vant, NE wanting, *mangelnd*; want, *Mangel.* — wante ON vanta, NE am wanting, lack, *fehle, ermangele.*

wantoun OE wantogen, NE wanton, *ausgelassen.* — wantownesse, wantonnesse NE wantonness, *Ausgelassenheit.*

wantrokie OE wan + trûcige, NE am lacking, *ermangele.* — wantrokiinge NE lack, *Mangel.*

wantrust OE wan + ON traust cf. trûa, NE distrust, *Mißtrauen.*

wantte = wante. | wanunge s. won(i)e, NE wail. | wapin = wepen.

wappe orig. obsc.; NE wrap up, lash, *umhülle, peitsche.*

war, ware, comp. warre, superl. warreste OE wær, NE cautious, aware, *vorsichtig, unterrichtet.* — am war(e) NE become aware, *werde gewahr.* — war(i)e OE warige, NE beware, *nehme mich in acht.* — warly, -liche OE wærlīce, NE warily, *vorsichtig.* — warnesse OE wærnes f., NE wariness, *Vorsicht.* — warshipe OE wærscipe m., NE caution, *Vorsicht.*

war = werre, NE worse. | war = were(n) s. am. | war = wher.

wara(u)nt AN; NE warrant, guarantee, *Schutzbrief, Bürgschaft.* — wara(u)nte fr. AN waerauntir; NE warrant, protect, *bürge, schütze.*

wark = werk.

ward, warde OE weard m., NE warden, keeper, guard(ian), *Wart, Wärter, Hüter.* — ward, warde OE weard f., NE keeping, protection, watch-tower, *Wache, Schutz, Wartturm.* — warde, wardi(e) OE weardige, NE guard, *hüte.* — wardere fr. OE weardere 'custos'; NE look out *bin Wächter, sehe mich um.*

wardane, -aine = wardein.

wardecors AN; NE body-guard, *Leibwache.* — wardein AN; NE warden, *Wächter, Aufseher.* — wardrobe AN warderobe, NE wardrobe, privy, *Kleiderablage, Abort.*

ware OE waru f., NE wares, *Ware.*

ware = war, NE cautious. | ware = were cf. ON vāru, s. am. | ware = wher cf. OE hwâr(a). | warente = wara(u)nte.

wary OE wearg m., NE felon, *Verräter.*

wariangle OE weargincel n., NE butcher-bird, *Würger.*

warice = warishe. | war(i)e s. war.

a-warie OE (ā)wierg(ig)e, NE curse, *verfluche.* — wariunge OE wiergung, wyriung f., NE cursing, *Verfluchen.*

waringe = werring.

warishe, -isse AN warisse sbj., NE protect, cure, recover, *schütze, heile, genese.* — warishinge NE healing, *Heilung.* — warisoun AN; NE protection, remedy reward, *Schutz, Heilung, Lohn.*

warld OE weor(o)ld = world(e).

warlo, warlowe OE wærloga m., NE liar, traitor, *Lügner, Verräter.*

warm OE wearm, NE warm, *warm.* — warme adv. — warme OE wearmige, NE warm, become warm, *wärme, werde warm.* — warmnesse OE wearmnes f., NE warmth, *Wärme.*

warne OE wearnige, NE warn, guard, *warne, benachrichtige, schütze.* — warning OE wearnung f., NE warning, *Warnung.*

warne = werne.

warnestore OF warnesture, NE garniture, garrison, *Zubehör, Besatzung*; garrison, provision, *versehe mit Verteidigungs-, Le-*

bensmitteln. — warnestoring NE forti-
fying, *Befestigen*.

warni(e) = warne. | waron = wheron s.
wher. | warp s. werpe. | warpe ON varpa,
= werpe. | warraie = werreie. | war-
rand = wara(u)nt. | warre comp. of war,
NE cautious.

warroke orig. obsc.; NE fasten with a
girth, *befestige mit einem Gurt*.

wars = wers(e). | warshipe s. war, NE
cautious. | warth s. ¹-worth(e), NE be-
come. | warto = wherto s. wher. | was
s. am.

washe, p. wosh, wesh, wish, woshe(n),
weshe(n), pp. ¹-washe(n), ¹-weshe(n) OE
wasce, NE wash, *wasche (mich)*.

waspe OE wæsp m., NE wasp, *Wespe*.

waß, wasse = was s. am. — wast 219,594
= was it, NE was it not, *nicht wahr?*

wast cf. OE wæstm m. n.; NE waist, sta-
ture, *Wuchs, Leib*.

wast OF; NE waste, desert, *Verwüstung,
Verschwendung, Wüste*; wasted, *verwüstet*.
— waste OF; NE waste (away), destroy,
schwinde dahin, verschwende, verwüste. —
wastour AN; NE waster, *Verschwender*.

wastel AN; NE fine cake, *feiner Kuchen*. —
wastelbred AN wastel + OE brêad n.,
NE cake-bread, *Kuchenbrot*.

wasti(e) = waste. | wat = what. | wat =
wot´ | watche = wa(c)che.

wate OE hwatige, NE divine, augur, *pro-
phezeie, ahne*.

wate = wot. | wate = waite vb.

water, -ir OE wæter n., NE water, sea,
Wasser, Gewässer, Meer. — waterkin
OE wæter + cyn(n) n., NE watry race,
Wassergeschlecht. — watere OE wæt(e)r-
ige, NE water, *wässere, träne*. — water-
foul OE wæter + fugol m., NE water-
fowl, *Wasservogel*. — watering OE wæter-
ung f., NE watering-place, *Wasserstelle*. —
waterles OE wæterlêas, NE without
water, *wasserlos*. — waterside OE wæter
+ sîde f., NE edge of the water, *Rand
des Wassers*. — waterpot OE wæter +
pot(t) m., NE water-pot, *Wassertopf*.

wather = whether. | watȝ = was s. am. |
watso = whatso s. what. | watte = wot.

wavere ON vafra, cf. OE wæfre adj.; NE
waver, *(sch)wanke, weiche ab*.

waw = wow, NE wall.

wawe cf. OE wagige; NE wave, *Woge*.

wawe = wowe, NE woe. | wax = wex.

waxe, p. wex, wox(e), wexe(n), pp.
¹-waxe(n), ¹-woxe(n) OE weaxe, NE wax,
grow, become, *wachse, werde*.

we OE wê, NE we, *wir*.

we OE wêa m., wê!, = wo. | wealle =
walle, NE boil. | wearliche = warliche
s. war. | weatter = water.

webbe OE web(b) n., NE web, *Gewebe*. —
webbe OE webba m., NE weaver, *Weber*.

a-we(c)che, p. waghte, weighte, pp.

¹-waght, ¹-weght OE (ā)wecce, NE awa-
ken, excite, *wecke auf, errege*.

weke OE wicu, wucu f., NE week, *Woche*.

weke OE wêce (cf. wok), NE weaken,
enfeeble, *werde schwach*.

weke 104,11215 for wete; NE humidity,
Feuchtigkeit(?)

weks = wex s. waxe.

wed, wedde OE wed(d) n., NE pledge,
Pfand. — wedde, pp. wed(ded), wedde
OE weddige, NE wed, pledge, marry,
wette, verpfände, heirate. — wedding OE
weddung f., NE wedding, *Hochzeit*. —
weddingring OE weddung + hring m.,
NE wedding-ring, *Trauring*. — wedlake,
-lok OE wedlâc n., NE wedlock, *Ehe*. —
wedman = wedded man.

wede OE wêd f., gewêde n., NE weed,
garment, *Gewand*.

wede OE wêod n., NE weed, *Unkraut*.

wede OE wêde, NE rage, am in love, *rase,
bin verliebt*. — a-wede OE âwêde, NE
go mad, rage, *werde toll, rase*.

wede = wedde.

wedenisday, -nesday cf. OE Wôdnesdæg
m.; NE Wednesday, *Mittwoch*.

weder, -ir OE weder n., NE weather, bad
weather, *Wetter, Unwetter*. — wedercook
OE weder + coc(c) m., NE weathercock,
Wetterhahn. — wedering OE weder-
ung f., NE (bad) weather, *(schlechtes)
Wetter*.

weder = whider. | weder = wither. | we-
ding = wedding. | wedir = wether. |
wedlak(e), wedlok s. wedde. | wed-
owe = wid(e)we. | wefde p. of weve.

weft OE wefta m., weft f., NE weft, *Ge-
webe*.

wegge OE wecg m., NE wedge, *Keil*.

weh(e) onomat; NE whinnying noise,
wiehernder Ton.

wey OE weg m., NE way, *Weg, Art und
Weise*. — weiferinge OE weg-fêrende,
NE wayfaring, *wandernd, reisend*.

wey = a-wey(e). | weik = waik.

weie, p. way, weiede, pp. ¹-weie(n) OE wege,
NE weigh, *wiege, wäge*. — weiere NE
equator, *Gleicher*.

weif, gen. weives AN weif, NE waif,
heimatloser Mensch. — weive AN; NE
waive, abandon, *verlasse, gebe auf*.

weil(l) = wel.

weilaway OE weg-lâ-weg, wâ-lâ-wâ, NE
wellaway, welladay, *o weh!*

weimente OF; NE lament, *klage*. — wei-
mentinge NE lamenting, *Klagen*.

wein = wain. | wein = wen(e), NE doubt.|
wein(e) = wene, NE ween. | weir =
were, NE doubt. | weir = wer(r)e, NE
war. | weir = were(n) s. am. | weitt =
wet(e). | weive s. weif.

wel, wele, well OE wel cf. wela m. 'pro-
sperity', NE well, very, *wohl, gut, sehr*.
— welfare OE wel + faru f., NE wel-

fare, *Wohlergehen.* — welfaring OE wel
+farende, NE wellfaring, *gedeihend.*

wel 28, 0 6 = whil(e). | welawey = weil-
away.

welawinne cf. OE wel+wyn(līc); NE
very pleasant, *sehr lieblich.*

welk = which.

welke cf. MDu. welke; NE wither, *ver-
welke.*

welk(e) s. walke.

welken, -in, welkne, weolcen OE welcn,
wolcen n., NE welkin, heaven, sky,
Himmel.

welcom(e), -cum(e), comp. welcomore ON
velkominn, NE welcome, *willkommen.* —
welcome, -cume NE welcome, *bewill-
kommne.*

welde cf. LG wolde; NE weld, dyer's-weed,
(*Färber-*)*Wau.*

welde fr. the vb.; NE power, *Macht.* —
ᵃ-welde, p. welde, wolde, pp. welt, wold
OE wielde, NE wield, govern, control,
possess, enjoy, *walte, (be)herrsche, besitze,
genieße;* welde on the rode, NE crucify,
kreuzige. — weldy cf. OE wielde adj.;
NE active, powerful, *energisch, mächtig.*
— weldinge NE power, *Macht.*

welde = wold(e) s. wol.

wele, weole OE we(o)la m., NE prosperity,
joy, *Wohlergehen, Freude.* — weleful,
weoleful OE we(o)la+ful(l), NE pros-
perous, *glücklich.* — welefulnesse NE
happiness, *Glück.* — wely OE welig, NE
happy, *glücklich.*

wele = wel, NE well. | wele = wille. |
weleꝫ pl. of wele.| welethe = welth(e). |
well(e) = wel.

welle OE wiella m., NE well, source, *Quelle.*
— welle cf. OE āwielle; NE well up,
boil, melt, *quelle, koche, schmelze.* —
wellestrem OE wielle-strēam m., NE
fountain-stream, *Quellbach.*

welle = wille.

welme cf. OE wielm m.; NE well, *quelle,
fließe.*

welneⁱ(gh), -ney, -nigh, -niꝫ OE wel-nêah,
NE nearly, *beinahe.*

welp = whelp. | welt 3 sg. pr. of welde.

welth(e), weolthe cf. OE we(o)la m.; NE
wealth, pleasure, *Reichtum, Vergnügen.*

welthewed OE wel geþêawod, NE well
mannered, *wohlgesittet.*

welwilly cf. OE welwillende; NE bene-
volent, *wohlwollend.*

wem cf. OE wam(m) m.; NE blemish,
Makel. — wemme OE; NE stain, *be-
flecke.* — wemmeles NE stainless,
fleckenlos. — wemming OE f.; NE pol-
lution, *Befleckung.*

weman = wom(m)an. | wen = whan(ne).

wenche(l) OE wencel n., NE wenc̣n, child,
girl, young woman, *Kind, Mädchen, junge
Frau.*

wencusse = venquisse.

wend OE; NE path, passage, turn, *Pfad,
Gang, Wendung.* — ¹-wende, 3 sg. went,
p. went(e), wende, pp. ¹-went, wend OE
wende, NE turn, change, translate, go,
wende (mich). verändere. übersetze, gehe. —
wending OE wendung f., NE departure,
Abreise.

wend(e) p. of wene, NE ween, think.

wen(e) OE wên f., NE thought, hope, sup-
position, doubt, *Gedanke, Hoffnung, An-
nahme, Zweifel.* — wene OE wêne, NE
ween, think, suppose, hope, *denke, nehme
an, hoffe.* — wene cf. OE orwêne; NE
hopeful, beautiful, *hoffnungsvoll, schön.* —
wenlich OE wênlīc, NE hopeful, ex-
cellent, *hoffnungsvoll, vorzüglich.* — wen-
ing(e) OE wênung f., NE supposition,
idea, *Annahme, Gedanke.* — weninge NE
conjecturing, *mutmaßend.*

ᵃ-wene OE āhwêne, NE trouble, *beun-
ruhige.*

weniand = waniand.

weng ON vǣngr, NE wing, *Flügel.* — weng-
ed NE winged, *geflügelt.*

wenne = winne, NE joy. | wenne 153,
B 401 = wende. | wenne(s) = whan(nes). |
went p. of wende. | went = wened pp.
of wene, NE ween. | went(e) = wend,
NE path. | weorde = word. | weorre
= werreie.

wep fr. the vb., cf. OE wôp m.; NE weeping,
Weinen. — wepe, weope, p. we(o)p,
wepte, wepit, wepe(n), we(o)pte(n), pp.
wopen, wept OE wêpe, NE weep, *weine.*
— weping, weoping NE weeping, *Wei-
nen.* — weply cf. OE wôplīc; NE tearful,
tränenvoll.

wepen, wapin, pl. wepne OE wǣpen n.,
NE weapon, *Waffe.* — weppmann OE
wǣpman(n) m., NE man, *Mann.*

wer OE wer m., NE man, *Mann.*

wer = werre. | wer = whether. | wer =
w(e)ore(n). am. | wer- = wher-.

werbul, werble OF werble, NE warble,
tune, *Gezwitscher, Lied.*

werk, work OE weorc, worc n., NE work,
Werk, Arbeit. — werke cf. OE wyrce;
NE work, *arbeite.* — werker NE doer,
Täter. — werking cf. OE wyrcung f.; NE
deed, action, *Tat, Tun.* — werkman
OE weorc + man(n) m., NE workman,
Arbeiter.

werke ON verkja, Late OE wærce, NE ache,
schmerze.

¹-werche = ⁻·wirche.

werd, weord OE werod n., NE troop, army,
Schar, Heer.

werd cf. Dan. verden; = world(e). |
werd(e) p. of were, *trage.* | werde =
wi(e)rde. | werdl = world(e).

wer(e) OE wer m., NE weir, (*Wasser-*)*Wehr.*

were OE werie, NE wear, *trage.* — wer-
inge NE wearing, *Tragen.*

were OE werie, NE defend, *verteidige.*

were = werre, NE war. | were = wher. |
wereld, weoreld = world(e). | were(n) s.
am.
werende 153, A 438 ON verandi, NE being,
so wie er lebt.
wery OE wêrig, NE weary, *müde.* — werie
OE wêr(i)gige, NE weary, *ermüde.* —
werines(se) OE wêrignes f., NE weari-
ness, *Müdigkeit.*
werie = were, NE defend. | werie = were,
NE wear. | werie = wirie. | werld,
weorld = world(e).
werle 142, 209 cf. were NE wear; NE
headdress, *Kopfschmuck.*
werm = worm. | wern = we(o)ren s. am. |
wernch = wrench(e).
werne OE wierne, NE refuse, deny, prevent,
verweigere, leugne, hindere. — werning
NE refusal, *Verweigerung.*
werpe, p. warp, wurpen, pp. 1-wurpe(n)
OE weorpe, NE throw, twist, utter, *werfe,*
drehe, äußere.
werray = verray.
wer(r)e OF; NE war, *Krieg.* — werr(ei)e
AN; NE make war, persecute, *führe*
Krieg, verfolge. — werr(ei)ing NE mak-
ing of war, *Kriegführung.* — werreiour
AN; NE warrior, *Krieger.*
werre ON verri, NE worse, *schlechter.*
wers(e) OE wiersa adj., wiers adv., NE
worse, *schlechter.* — wers(i)e OE wiersige,
NE render worse, become worse, *ver-*
schlechtere (mich). — werste OE wier-
resta, NE worst, *schlechtest.*
werst = first.
werte cf. OE wearte f., NE wart, *Warze.*
werth = worth. | werth s. 1-worthe.
werwe 151, B 286 OE weorf n., NE beast,
horse, *Tier, Roß.*
wes = was s. am.
wesele OE wesole f., NE weasel, *Wiesel.*
wesh, weshe p. of washe.
wesseil ON *ves heill, NE wassail, health
(toast), *Trinkgelage, Gesundheitsspruch.*
west(e) OE west, NE west (sb. and adv.),
westwards, in the west, *West, westlich,*
im Westen. — weste NE turn to the
west, *wende mich nach Westen.* — west-
most cf. OE west(e)mēst; NE westerly,
westlich. — westre NE go to the west,
gehe nach Westen. — westren OE wes-
terne, NE western, *westlich.* — west-
ward OE westwearu, NE westward,
westwärts.
west⋅ = wist(e) s. wot.
westernais 143, 307 OF bestorneis, NE
perverted, *verdreht.*
wet = what. | wet = wite(n) s. wot.
wet(e), wat OE wǣt, wǣted, NE wet, *naß.* —
wetewe OE wǣte m., NE moisture, *Nässe.*
— wete OE wǣte, NE wet, *benetze.*
wete = wite. | wete(n) = wite(n) s. wot.
wether OE weþer m., NE wether, sheep,
Widder, Schaf.

wether, -ir = whether. | wett pp. of wete,
NE wet. | weudde = wedde.
weve, p. waf, weve(n), wove(n), pp. 1-wo-
ve(n) OE wefe, NE weave, *webe.*
weve OE wǣfe, NE wave, move, go, come,
schüttele, schwinge, bewege (mich), gehe,
fliege, komme.
weved OE wêofod n., NE altar, *Altar.*
wex OE weax n., NE wax, *Wachs.* — wexe
NE coat with wax, *bestreiche mit Wachs.*
wexe = waxe. | wha = who. | whær =
wher.
whale, whall OE hwæl m., NE whale, *Wal-*
fisch.
wham(e) = whom(e) s. who.
whan(ne), whonne, when(ne) OE hwanne,
hwonne, hwænne, NE when, *wann, wenn,*
als. — whanne(s), whenne(s) OE
hwanon + gen. -es, NE whence, *woher.*
whar(e) = wher(e) cf. OE hwâr(a). | whas
= was s. am. | whas = whos; whase,
whaswa = whoso s. who.
what, what(t)e, whæt OE hwæt, NE what,
somewhat, until, why! *was, welch, etwas,*
bis, was für, fürwahr! — whatever OE
hwæt + æfre, NE whatever, *was auch*
(immer). — whatso OE hwæt swâ, NE
whosoever, whatsoever, *wer (was) auch*
immer. — what..what NE; *teils..teils.*
what = wot. | whather = whether.
whaty 133, 11 *for* wlaty (?), cf. wlate.
whe! NE ejaculation of astonishment, *Aus-*
ruf des Erstaunens.
wheder = whider. | whedir, wheither =
whether.
whel, whele OE hwêol n., NE wheel, circle,
Rad, Kreis. — whele NE wheel, *drehe*
(mich).
whelke fr. whele 'Strieme'; NE weal,
pimple, *Pustel.*
whele cf. OE hwelige 'contubesco'; NE
weal, *Strieme.*
whelp, hweolp OE hwelp m., NE whelp,
cub, *Junges, Hündchen.* — whelpe,
hweolpie NE bring forth whelps, *gebäre*
Junge.
when(e), whenne = whan(ne). | whenne(s)
= whanne(s).
wher(e), whare OE hwǣr, NE where, *wo-*
(hin). — wheras(e) OE hwǣr + eal(l)swâ,
NE where(soever), *wo (auch immer).* —
wherby OE hwǣr + bî, NE whereby,
wodurch, woran. — wherever OE hwǣr
+ æfre, NE wherever, *wo(hin) auch*
(immer). — wherfore, -vore OE hwǣr
+ for(e), NE wherefore, NE *weshalb, wes-*
wegen. — wherin OE hwǣr + in, NE
wherein, *worin.* — whermid(e) OE
hwǣr + mid, NE wherewith, *womit.* —
wherof OE hwǣr + of, NE whence, in
what respect, wherefore, *wovon, mit Bezug*
worauf, warum. — wheron OE hwǣr
+ on, NE whereon, *worauf.* — wherso,
wherse OE hwǣr swâ, NE wheresoever,

wohin auch (immer). — whersoer.
hwerseeaver OE hwǽr swâ + ǽfre, NE
wheresoever, wo auch (immer). — whær-
sum OE hwǽr + OSw., ODan. sum NE
wheresoever, wo auch (immer). —wher-
thurgh, -thurg, -thourgh, -thuruh, -thorȝ
OE hwǽr + þur(u)h, NE by which, wo-
durch. — wherto OE hwǽr + tô, NE
whereto, wozu. — wherwith OE hwǽr
+ wiþ, NE wherewith, womit.

wher(e) = whether, NE whether.

whese OE hwǽse, NE wheeze, keuche,
röchele.

wheston = whetston. | whet = what. |
whet pp. of whette.

whete OE hwǽte m., NE wheat, Weizen. —
whetesed OE hwǽte + sǽd n., NE
seed of wheat, corn, Korn.

whethen ON hvaðan, cf. ME whether; NE
whence, woher.

whether, -ir OE hwæþer, NE which of
two, welcher von beiden; whether, ob. —
whether...the OE hwæþer...þe, NE
whether...or, ob...oder.

whette OE hwette, NE sharpen, wetze,
schleife. — whetston OE hwetstân m.,
NE whet-stone, Schleifstein.

whetse = whatso.

why OE hwŷ, NE why, warum, je nun,
aber.

why = weh(e). | whik = quik.

whicche OE hwicce f., NE box, Kiste,
Truhe.

which(e) OE hwilc, NE which, of what
kind, welcher, was für ein. — whichso
OE hwilc + swâ, NE whatsoever, was
auch (immer).

whider OE hwider, NE whither, wohin. —
whiderso, -se OE hwider swâ, NE
whithersoever, wohin auch (immer). —
whiderward(e) OE hwider + weard,
NE whither, wohin.

whiel(e) = whel(e). | whilk = which.

whil(e) OE hwîl f., NE time, Zeit. — whil(e)
OE hwîle, NE whilst, until, at times,
once on a time, während, bis, bisweilen,
einst. — the while OE þâ whîle, NE
whilst, während. — while(n) = whilom.
— whilende, hwilinde OE hwîl(w)ende,
NE temporary, vorübergehend. — whil-er
OE hwîle + ǽr, NE formerly, früher. —
whiles(t), whilis OE hwîle + s (+ t),
NE while, whilst, während, solange als. —
whilom OE hwîlum, NE whilom, for-
merly, sometimes, früher, einst, bisweilen.

whine OE hwîne, NE whine, winsele.

whippe cf. MDu. wippe 'swing, Schaukel';
NE whip, Peitsche. — whippe NE whip,
punish, peitsche, strafe.

whippeltre = wippeltre.

whirle ON hvirfla, NE whirl, go quickly,
wirble, gehe rasch. — whirling NE; Wir-
beln.

whispre OE hwisprige, NE whisper, wis-

pere. — whispringe OE hwisprung f.,
NE whispering, Gewisper.

whissine = cushin.

whist onomat.; NE silent, still.

whistle, whistill OE (h)wistle f., NE
whistle, Pfeife. — whistle, whistill OE
(h)wistlige, NE whistle, pfeife. — whistel-
inge OE (h)wistlung f., NE whistling
sound, pfeifender Ton.

whit = with.

whit(e) OE hwît, NE white, weiß; silver,
Silber. — white OE hwîtige, NE become
white, werde weiß. — whitnesse OE
hwîtnes f., NE whiteness, Weißheit. —
whitsunday OE hwît + sunnandæg m.,
NE Whitsunday, Pfingstsonntag.

white = wite.

who gen. whos, dât. acc. whom(e) OE hwâ,
NE who, any one, wer, welcher, irgend
jemand, jedermann. — whoso, -se OE
hwâ swâ, NE whosoever, wer auch immer.
— whosoever OE hwâ swâ ǽfre, NE
whosoever, wer auch immer.

whoch = which. | whoderward = whi-
derward. | whom(e) s. who. | whon(ne)
= whan(ne). | whor = whether.

whore OE hwâr(a), = wher(e), wo.

whos s. who. | whu = how. | whu(c)-
ch(e) = whiche. | whuchse = whichso.
| whule = while). | wy = why.| wi,
wy = wie.

wiax OE wîg n. + æx f., NE battle-axe,
Streitaxt.

wik, wikke(d), wikid cf. OE (ge)wicen pp.
of wîce 'give way'; NE wicked, evil, ver-
derbt, böse. — wickedlich adv. = wik(k)-
ednesse NE wickedness, Schlechtigkeit.

wi(c)che OE wiccige, NE use witchcraft,
zaubere. — wi(c)checraft, wichchecreft
OE wiccecræft m., NE witchcraft, Zau-
berei.

wike OE wice, wicu f., NE week, Woche.

wike(n) OE wîce f., NE office, Amt.

wiket AN; NE wicket, Pförtchen.

wich = which. | wic(h)t = wight. | wid
= wit. | wid 155, B 592 = wite, NE wise
man. | wid = with. | wid = wid(e). |
widale = withal(le). | widduten =
withoute.

wid(e) OE wîd, NE wide, weit. — wid(e)
OE wîde, NE widely, far, weit. — wide-
where OE wîde + hwǽr, NE widely,
weithin.

wider = whider.

wid(e)we, widow, pl. gen. widewene OE
wid(e)we f., wuduwe, NE widow, Witwe.
— widwehode OE widuwhâd m., NE
widowhood, Witwenschaft.

widinnen = within. | widt 153, B 408 =
wite, Königsratgeber. | widuten =
withoute.

wie OE wiga m., NE warrior, man, Krieger,
Mann.

wief(f)e = wif(e).

wiele OE wîgol 'weissagend'; NE deceit, sorcery, *Trug, Zauberei.*

wi(e)rde OE wyrd f., NE weird, fate, *Schicksal*; fated, *vom Schicksal bestimmt.*

wiesse = wise.

wif(e), wiff(e) OE wîf n., NE woman, wife, lady, *Weib, Frau, Herrin.* — wifhod OE wîfhâd m., NE womanhood, *Weiblichkeit.* — wifles OE wîflêas, NE wifeless, *ohne Frau.* — wifly OE wîflîc, NE womanly, *weiblich.*

wiz(e) = wie.

wigele cf. OE wicclige; NE stagger, *taumele.*

wight OE wiht f. n., NE thing, being, man, *Ding, Wesen, Mensch.*

wight, wizth cf. OE wiht n. 'weight'; NE active, valiant, *energisch, tapfer.* — wightly NE valiantly, nimbly, *tapfer, behende.*

wight(e) OE wiht n., NE weight, *Gewicht.*

wihele = wiele. | wiht- = with-. | wiinne = l-winne. | wiis = wis, NE wise, informed. | wiit = wit.

wil ON villr, NE uncertain, ignorant, *ungewiß, unwissend.*

wil OE gewil(l) n., NE will, desire, *Wille, Wunsch.* — wilcume OE wilcuma, NE welcome, *willkommen.* — wilful OE wil(l) + ful(l), NE wilful, willing, *eigenwillig, absichtlich, (frei)willig.* — wilfulhed NE wilfulness, *Eigensinn.* — wilfully, -lich OE wilfullîce, NE willfully, willingly, *absichtlich, gern.* — wilfulnesse NE wilfulness, wish, *Eigensinn, Wunsch.*

wil = whil. | wilk = which.

wilde OE; ON villr, NE wild, selfwilled, astray, *wild, eigenwillig, verirrt.* — wild(e)nesse, wildernesse OE wilde-dêornes(s) f., NE wilderness, *Wildnis.*

wile OE wîl n., NE wile, trick, *List, Kniff.* — wily NE wily, *listig.*

wil(e), wilen s. wil(le). | wilest = whiles(t).

wilgern cf. OE georn 'desirous', Sc. wilyard; NE wilful, obstinate, *eigensinnig.*

wil(le), wol(le), 2 sg. wolt, pl. wil(l)en, wole, woln, wolleth, sbj. wule, wele, p. wold(e), wulde OE wille, NE will, shall, am willing to, wish, intend, *will, pflege, werde, wünsche, beabsichtige.*

will(e) OE willa m., NE will, desire, *Wille, Wunsch.* — wille OE willige, NE desire, *wünsche.* — willes OE; NE willingly, *freiwillig.* — willesful, -vol OE willesful(l), NE wilful. — willing OE gewillung f., NE desire, *Wunsch.* — willingly OE willendlîce, NE spontaneously, *freiwillig.*

wille = welle. | wil(l)i = will I.

wilne OE wilnige, NE desire, *wünsche.* — wilninge, -gge OE (ge)wilnung f., NE desire, *Wunsch.*

wilow OE welig m., cf. ODu., LG wilge; NE willow, *Weide.*

wilte, wiltow = wilt thou s. wil(l)e. | wilugh, wilwe = wilow. | wim(m)an, wim(m)on = wom(m)an; wimmen pl.

wimpel, -ul OE wimpel m., NE wimple, *Schleier.* — wimple NE cover with a wimple, *verschleiere.*

win, wine OE wîn n., NE wine, *Wein.* — win-ape OE wîn + apa m., NE a degree of drunkenness, *Weinaffe (ein Grad der Trunkenheit).* — windrunke(n) OE wîndruncen, NE wine-drunk, *weintrunken.* — winyeving OE wîn + giefung f., NE giving of wine, *Geben des Weines.*

win = l-winne.

wink fr. the vb.; NE wink, instant, *Augenblick.* — winke OE wincige, NE shut the eyes, wink, sleep, *schließe die Augen, blinzele, schlafe.*

wincke = winke.

wind OE m.; NE; *Wind.* — windy OE windig, NE windy, *windig.* — windmille, -melle OE wind + mylen m., NE wind-mill, *Windmühle.*

windas MDu. winda(e)s, ON vindâss, NE windlass, *Winde.*

winde, p. wand, wond, wunde(n), wo(u)nde(n), pp. l-wunde(n), l-wo(u)nde(n), wonnden OE winde, NE wind, turn, roll, entwine, return, *winde (mich), drehe (mich), rolle, wickele ein, kehre zurück.* — windeclut OE winde- + clût m., NE winding cloth, *Windel.* — windinge NE winding, *Windung, Gewinde.*

windowe ON vindauga, NE window, *Fenster.*

windre cf. OF guignier; NE trim, *verziere.*

winge(d) = wenge(d). | wining = winning. | winly s. winne, NE joy.

winne OE wyn(n) f., NE joy, prosperity, *Freude, Glück*; joyful, *freudevoll.* — winly, winnelich OE wynlîc, NE pleasant, delicious, *angenehm, köstlich.*

l-winne, a-winne, p. wan, wunne(n), wonne(n), pp. l-wunne(n), l-wonne(n) OE (ge)winne, (â)winne. NE gain, succeed, go, get (to), bring, *gewinne, erreiche, gehe, gelange (zu), bringe.* — winning NE gain, *Gewinn.*

winse cf. F guinchir (fr. G wink); NE wince, kick out, *schlage aus.* — winsinge NE wincing, lively, *zusammenzuckend, lebendig.*

wint 3 sg. of winde.

winter, -ir OE m.; NE winter, year, *Winter, Jahr.* — winternight OE winter + niht f., NE winternight, *Winternacht.* — winterwage OE winter + AN wage, NE pledge, indication of winter, *Winterpfand, Wintervorzeichen.* — wintred OE gewintred, NE aged, *bejahrt.*

wintermite = vitremite. | wioute = withoute s. with.

wipe OE wîpige, NE wipe, *wische.*

wippe cf. MDu. wippe; NE tremble, flap, *zittere, schlage (mit den Flügeln).* — wippeltre cf. MDu. wippe + OE trêo(w) n.; NE cornel- tree, *Kornelkirschbaum.*

wir OE wîr m., NE wire, *Draht.*

wirk = werk, cf. wirche.

ᶦ-wirche, wirk(e), p. wroᵘght(e), wraghte, pp. ᶦ-wroᵘght, ᶦ-wraght OE (ge)wyrce, NE work (cf. werk), perform, procure, cause pain, *arbeite, bringe zustande, führe aus, verschaffe, verursache Schmerz.* — wircher NE worker, maker, *Macher.* — wirching NE working, doing, influence, *Tun, Tat, Einfluß.*

wirchipe = worshipe. | wirde = wi(e)rde.

ᵃ-wirie OE wierge, NE throttle, worry, *würge.*

wirm OE wyrm m., NE worm, *Wurm.*

wirship(p)e = worshipe.

wis OE wis(s), NE certain(ly), *sicher(lich).* — wisly, -like, -liche OE wi(s)slīce, NE certainly, *sicherlich.* — wiss(i)e OE wissige, NE instruct, teach, guide, *(be)lehre, lenke, leite.* — wissing(e), wissᵘnge OE (ge)wissung f., NE guidance, *Leitung.*

wis(e) OE wîs, NE wise, informed, *klug, kundig.* — wisdom(e), -dame OE wîsdōm m., NE wisdom, *Weisheit.* — wise NE wise man, sage, *Weiser.* — wislich OE wîslīc, NE wise, *klug.* — wisely, wisliche OE wîslīce adv.

wisarme OF; = gisarme.

wise OE wîse f., NE manner, way, *Art, Weise.*

wise = wiss(i)e OE wîsige, s. wis.

wish OE wûsc cf. the vb.; NE wish, *Wunsch.* — wishe OE wŷsce, NE wish, *wünsche.*

wish s. washe.

wisp, wips cf. wippe; NE wisp, *Bündel.*

wiss- = wis-. | ᶦ-wist, wist(e) s. wot. | wisure comp., wisuste superl. of wis, NE wise.

wit, witt(e) OE wit(t) n., NE understanding, reason, wit, *Verstand, Vernunft, Sinn.* — wity OE wit(t)ig, NE wise, *klug.* — witing NE understanding, knowledge, *Kenntnis.* — witingly NE knowingly, *wissend.*

wit OE wit, NE we two, *wir beide.*

wit- = with-. | witchecrafft = wi(c)checraft.

wite OE wita m., NE wise man, *Weiser, Königsratgeber.*

wite OE witige 'destine', NE preserve, keep, guard, take care, *bewahre, behüte, bekümmere mich.*

wite OE wîte, NE go, *gehe.*

wite OE wîte n., NE punishment, torment, blame, *Strafe, Qual, Tadel.* — wite, p. wot, wite(n), pp. ᶦ-wite(n) OE wîte, NE see, keep, reproach, *sehe, halte, werfe vor.*

ᶦ-wite, witen, inf., s. wot. | wite = whit, NE white.

witeᴣe OE witega m., NE wise man, prophet, *Weiser, Prophet.*

witer ON vitr, NE wise, evident, *klug, handgreiflich.* — witere ON vitra, NE make wise, *kläre auf.* — witering NE information, *Aufklärung.* — witerly, -liche, comp. witerlüker ON vitrliga, NE surely, plainly, *sicherlich, deutlich.*

with(e) OE wiþ 'contra', NE with, against, by, *mit, gegen, von.* — withal(le) OE wiþ ealle, NE with(al), *mit, zugleich.* — with than tha OE wiþ-þǣm þē, NE in exchange for, provided that, *als Entgelt für, vorausgesetzt daß.* — within, -inne(n), -innin OE wiþinnan, NE within, (dr)innen, *in.* — withinneforth OE wiþinnan forþ, NE within, *innen.* — withoute, -en, -out(t), -owttine, withthoute OE wiþûtan, NE outside, without, except, *außerhalb, ohne, ausgenommen.* — withouteforth OE wiþûtan + forþ, NE outwardly, from without, *(von) außen.* — with-that cf. OE wiþ-þǣm-þæt; NE provided that, *vorausgesetzt daß.* — withthy OE wiþ þŷ, NE in exchange for, *als Entgelt für.*

with = wit, inf. of wot. | with = wit, NE we two. | with = whit.

withdrawe, -draᴣe OE wiþ + drage, NE withdraw, *ziehe (mich) zurück.*

withe = with. | withe = wither. | withe = wight, NE active.

wither OE wiþre n., NE resistance, adversity, *Widerstand, Feindseligkeit.* — wither(e) OE wiþer, NE opposite, *entgegengesetzt.* — witherhalf OE wiþer + healf f., NE opposite side, *gegenüberliegende Seite.* — witherward OE wiþerweard, NE adverse, *feindlich.* — witherwine OE wiþerwinna m., NE adversary, *Gegner.*

withholde OE wiþ + healde, NE withhold, *halte zurück.*

withhoute(n) = withoute s. with.

withseie, -segge OE wiþ + secge, NE contradict, *widerspreche.*

withsette OE wiþsette, NE resist, bar, obstruct, *widerstehe, versperre.*

withsigge = withseie.

withstonde, -stand(e) OE wiþstande, NE resist, oppose, *widerstehe, widersetze mich.*

withut, -ute(n) = withoute s. with. | withzede = withseide p. of withseie. | witin = within s. with. | witing s. wit, NE understanding.

witnes(se) OE gewit(t)nes f., NE witness, *Zeugnis, Zeuge.* — witnesse NE witness, *bezeuge.* — witnesse-bering fr. OE gewit(t)nes + bere; NE giving evidence, *Zeugnisablegung.* — witnesfully NE publicly, *öffentlich.* — witnessinge NE witness, *Zeugnis.*

witouten = withoute s. with. | witt- = wit-. | witturly = witerly. | witutᴇn = withoute s. with.

wive obl. of wif. — ¹·wive OE gewîfige, NE take a wife, *nehme ein Weib.*

wivere OF wivre, NE (wivern), viper, *Viper.*

wiz = with. | wl ≟ whil(e). | wlanc = wlonk. | wlappe = lappe.

wlach OE wlæc, NE lukewarm, *lau(warm).*

wlate OE wlǣtta m., NE disgust, *Abscheu.* — wlateful NE disgusting, *ekelerregend.* — wlaty (MS. whaty 133, 11) = wlateful, *schlecht.* — wlatsom = wlateful.

wlaunke s. wlonk. | wld = wult, wilt s. wil(le). | wlech = wlach.

wlite OE m.; NE face, beauty, *Gesicht, Schönheit.*

wlonk OE wlanc, wlonc, NE proud, fair, *stolz, schön.* — wlaunke cf. OE wlenco f.; = wlaunknesse NE pride, *Stolz.*

wndo = undo.

wo, woa OE wâ!, NE woe, grief, *Weh, Kummer;* grieved, *kummervoll, traurig.* — wo-bigon OE wâ + begân, NE woebigone, *kummervoll.* — woful(l) NE woeful, *kummervoll.* — wæisith OE wâ + sîþ m., NE time of woe, misery, *Leidenszeit, Elend.*

wo = who. | woa = wo.

wok OE wâc, NE weak (cf. weke, OE wǣce), *schwach.* — woke OE wâcige, NE grow weak, soften, *werde schwach, mache weich.*

ᵃ·wok, ᵃ·woke(n) s. ᵃ·wake. | woke = weke. | woke(n) s. wake. | woch = which. | wod s. wade. | wod = wot.

wod OE wâd n., NE woad, *(Färber-)Waid.*

wod, wode OE wôd, NE mad, *toll.* — wode OE wôdige, NE rage, *rase.* — wodehed = wodnesse. — wodnesse OE wôdnes f., NE madness, *Tollheit.* — wodshipe OE wôdscipe m., NE madness, *Tollheit.*

wod(e) OE wudu m., NE wood, *Wald.* — wodebinde OE wudubinde f., NE woodbine, honey-suckle, *Geißblatt.* — wodeboȝ, -bouȝ, -bow OE wudu + bôh m., NE shade of the wood, *Waldesschatten.* — wodecraft OE wudu + cræft m., NE woodcraft, *Weidwerk.* — wodedowve OE wudu + dûfe, NE wooddove, *Holztaube.* — wodshawe OE wudu + sc(e)aga m., NE grove, *Hain.* — wod(e)side OE wudu + sîde f., NE edge of the wood, *Waldrand.* — wodewale OE wudu + wealh, '*Fremder*' (?), cf. MDu. wedewale; NE woodwale, *Specht.* — wodeward OE wuduweard m., NE forester, *Waldhüter.*

woȝ = wow, NE wall. | wol, woll(e) = wil(le).

wold OE geweald n., NE power, possession, *Gewalt, Besitz.* — wolde OE wealde, = welde. — woldend OE wealdend m., NE ruler, *Herrscher.*

wold OE weald m., NE wold, woodland, *Hügelland, Wald(land).*

wold(e), woldi p. of wil(le); woldeȝ = woldes(t) 2 sg. of wolde.

wolf OE wulf m., NE wolf, *Wolf.* — wolfeskin OE wulf + ON skinn, NE wolfskin, *Wolfsfell.*

wolle OE wull(e) f., NE wool, *Wolle.*

wolle, woln, wolt s. wil(le); woltow, woltu = wolt thou. | wom = whom(e) s. who.

wombe OE wamb, womb f., NE womb, belly, *Leib, Bauch.* — wombeside OE wamb + sîde f., NE front side, *Vorderseite.*

wom(m)an, -mon, pl. wom(m)en(e), wimmen, wemen OE wîfman(n) m., NE woman, *Frau.* — wom(m)an-avis OE wîfman(n) + OF avis, NE woman's advice, *Frauenrat.* — wom(m)anhede cf. OE wîfhâd m.; NE womanhood, *Weiblichkeit.* — wommonles cf. OE wîflēas; NE without woman, without midwife, *ohne Frau, ohne Hebamme.* — wom(m)anliche cf. OE wîflîc; NE womanly, *weiblich.* — wom(m)annishe NE womanish, *weibisch.*

won ON vǎn, cf. OE wên f.; NE hope, resource, resort, plenty, storage, *Hoffnung, Hilfsmittel, Zufluchtsort, Menge, Vorrat.* — ful god won NE very often, *sehr oft.*

won = wan. | won = won(e). | won inf. of wone, NE dwell. | won = ¹·wonne(n) s. ¹·winne.

wond ON vǫndr, NE wand, *Zweig, Rute.*

wond = fond s. finde. | wond(en) s. winde. | wond = woned p. of wone, NE dwell.

wonde, wounde OE wandige, wondige, NE hesitate, flinch, *zögere, weiche zurück, stehe ab.*

wonder = wunder.

wondred(e) = wandreth. | wondrie = wandre.

won(e) OE (ge)wuna m., NE wont, habit, habitation, *Gewohnheit, Wohnung.* — wone OE wunige, NE dwell, inhabit, remain in, am accustomed, *(be)wohne, bleibe, lebe in, weile, bin gewöhnt.* — wune me NE accustom myself, *gewöhne mich.* — woning, woniinge OE wunung f., NE dwelling, *Wohnung.* — woningplace OE wunung + OF place, NE dwellingplace, *Wohn(ungs)stätte.* — woning(e)stede OE wunung + stede m., = woningplace.

wone = wane, NE want, lack. | wone = wane, NE habit, habitation. | wone = won, NE plenty. | wonen = ¹·wonne(n) s. ¹·winne. | wonene = whenne(s). | woneȝ 140, 32 pl. of won, NE storage.

wonger OE wangere m., NE pillow, *(Kopf-)Kissen.*

won(i)e OE wânige, NE wail, *weine, klage.* — woninge OE wânung f., NE wailing, *Geklage.*

wonnd p. of wone, NE dwell. | wonnde = wonde, NE hesitate. | wonne = wone. | ¹·wonne(n) s. winne. | wont pp.

of wone, NE wont, *gewöhnt.* | wont
3 pl. of wonte = wante. | wontreathe
= wandreth.

wop(e) OE wôp m., NE weeping, *Weinen.*

wope s. wepe. | wor ON väri = were p.
sbj. of am. | work = werk. | worch-
= wirch-. | worchip = worship. |
workus pl. of work = werk.

word, -de OE word n., NE; *Wort.* —
wordie cf. OE wordlige; NE speak,
spreche. — wordwod OE word + wôd,
NE mad in speech, *toll im Reden.*

word = world(e). | word = werd, NE
troop. | word 155, 643 = worth, NE
worthy. | word (and ende) = ord 'An-
fang'. | wordle = world(e); wordly =
worldly. | wore ON väru = we(o)re(n)
s. am. | worhliche = worthly.

world(e) OE weorold, wor(u)ld f., NE
world, *Welt.* — world a buten ende NE
world without end, *ewiglich.* — world-
aihte OE woruldæht f., NE worldly pos-
session, *weltlicher Besitz.* — worldly,
-lich OE woruldlíc, NE worldly, *weltlich.*
— weorldmon OE woruldman(n) m., NE
man, *Mensch.* — worldthing, worlething
OE woruldþing n., NE earthly thing, *irdi-
sches Ding.*

worm cf. OE wyrm m.; NE worm, *Wurm.* —
wormfoul cf. OE wyrm + fugol m.; NE
worm-eating birds, *würmerfressende Vögel.*

worn ON väru = we(o)re(n) s. am. | worne
= werne. | worold = world(e).

worpe, pp. 1-worpe OE weorpe, NE throw,
werfe.

worroke = warroke. | wors(e) = wers(e).

worship OE weorþscipe m., NE worship,
glory, *Verehrung, Ruhm.* —worshipe,
-shippe, -shepe NE worship, *verehre.* —
worshipful NE; *verehrungswürdig.*

worsse = wers(e); worste = werste.

worsted fr. Worste(a)d (Norfolk); NE
worsted, *Wollgarn.*

wort cf. OE wyrt f.; NE wort, herb, *Kraut.*

wort cf. OE wyrt f.; NE wort, new beer un-
fermented, *Bierwürze, frisches ungegorenes
Bier.*

wort = word.

worth OE weorþ, worþ, wurþ n., NE worth,
honour, merit, dignity, *Wert, Ehre, Ver-
dienst, Würde.* — worth(e) OE weorþ,
wierþe, NE worth, worthy, *wert, würdig.*
— worthely = worthly. —worthy OE
weorþig, NE worth(y), *würdig, wert.* —
worthie OE weorþige, NE honour, adore,
distinguish, *(ver)ehre, zeichne aus.* —
worthily = worthly. — worthinesse
cf. OE weorþnes f.; NE worth(iness), *Wert,
Würdigkeit.* — worthinge OE weorþung
f., NE worship, glory, ornament, *Ver-
ehrung, Ruhm, Schmuck.* — worthing-
night, -niȝth OE weorþung + niht f., NE
feast of the adoration, *Fest der Anbetung.*
— worthly OE weorþlíc, NE worthy, be-

fitting, glorious, *würdig, geziemend, herr-
lich.* — worthly OE weorþlíce adv. —
wurthmint OE weorþmynd, -mynt f.
m. n., NE honour, *Ehre.* — worthnesse
OE weorþnes f. = worthinesse. — wor-
thssip = worship.

worth = wroth.

1-worth(e), p. warth, werth, wurth, wur-
de(n), pp. 1-wurthe(n), wurden OE ge-
weorþe, gewurþe, NE become, happen,
werde, geschehe. — lete him worthen NE
let him alone, *laß ihn in Ruhe.*

wos = was s. am. | wose = whoso s. who. |
wost(e) s. wot; wostow = wost(e) thou
s. wot.

wot, -te, 2 sg. wost(e), pl. wite(n), wute,
wate, imp. wit, inf. wit(en), wite(n), wu-
te(n), p. wist(e), wuste, pp. 1-wist OE
wât, NE know, observe, protect, guard,
weiß, beobachte, schütze, hüte. — to wite
OE tô witan, NE to wit, certainly, *das
heißt, nämlich, sicherlich.*

woth = wot; wottes = wost(e) 2 sg. of wot.

wothe ON väði, NE peril, *Gefahr.*

wou = vou. | wou = wou(gh). | wou =
wow.

wouke OE wicu, wucu f., NE week, *Woche.*

wou(gh), wouȝ, wouh OE wôh (n.), NE
crooked, bad, *krumm, schlecht;* error
wrong, *Irrtum, Unrecht.*

wouhinge, wouing = wowing.

wound(e) OE wund f., NE wound, *Wunde.*
— wounde OE wundige, NE wound,
verwunde. | wounde s. wonde.

woundir = wunder. | wous = fous. |
1-wove(n), wove(n) s. weve.

wow OE wâg m., NE wall, *Mauer.* —
wowles OE wâg + lêas, NE without
walls, *ohne Wände.*

wow = vou. | wow = wou(gh). | wowke
= wouke.

wowe OE wâwa m., NE woe, misery, *Weh,
Elend.*

wowe OE wôgige, NE woo, *werbe um, suche
zu gewinnen.* — wowing NE wooing,
Werbung.

wowe = voue s. vou. | wox = fox. | woxe
= waxe; 1-woxen, -in pp. of waxe.

wrak OE wræc n., NE wrack, *Wrack.*

wrake OE wracu f., NE vengeance, per-
secution, injury, *Rache, Verfolgung, Scha-
den.*

a-wrak(e) p. of a-wreke. | wraghte,
1-wraght s. 1-wirche. | wraier = wreiere.
| wrang = wrong. | wrang(e) = wrong
s. wringe.

wrangle cf. OE wrang p. of wringe; NE
wrest, dispute, *ringe, streite.* — wrang-
ling(e) NE disputing, *Streiten.*

wrappe orig. obsc., cf. wlappe, lappe;
NE wrap, *wickele ein.*

wrast(e)le OE wræstlige, NE wrestle,
ringe. — wrastling OE wræstlung f.,
NE wrestling, *Ringen.*

wrat(e) s. write. | wrath = wroth.
wra(t)the, wraththe OE wræþþo f., NE wrath, *Zorn.* — a-wrathe OE wrâþige, NE become wroth, make wroth, *werde zornig, mache zornig.* — wrath(th)e, wratthe, cf. OE wræþe, NE make angry, become angry, *erzürne (mich).* —
wraw cf. Swed. vrå 'corner'; NE angry, headstrong, *zornig, eigensinnig.* — wrawful NE fretful, *reizbar.* — wrawnesse NE fretfulness, *Reizbarkeit.*
i-wrche = i-wirche.
wre(c)che cf. OE wracu f., wræc n.; NE vengeance, punishment, misery, *Rache, Strafe, Elend.* — wre(c)che OE wræcca, wrecca m., NE wretch, *Vertriebener, Elender;* wretched, *vertrieben, elend.* — wre(c)ched NE wretched, *unglücklich, elend.* — wre(c)chede NE misery, *Unglück.* — wre(c)chednes(se) NE wretchedness, *Elend.* — wre(c)chedom NE misery, *Elend.* — wre(c)cheliz, wrechliche cf. OE wræclîce, NE miserably, *kläglich, elendiglich.*
a-wreke, p. wrak(e), wreke(n), pp. i-wreke(n), i-wroke(n) OE (ā)wrece, NE wreak, avenge, *räche.* — wreker(e) NE avenger, *Rächer.* — wreking NE avenging, *Rächen.*
wree, p. wreigh, wrie(n), pp. i-wrie(n), wreighe OE wrêo, p. wrâh, wrêah, wrigon, NE hide, *verberge.*
wrei(gh)e, p. wrei(gh)te OE wrêge, NE bewray, betray, accuse, *verrate, klage an.* — wreiere OE wrêgere m., NE accuser, *Ankläger.* — wreiing, -unge OE wrêgung f., NE betrayal, accusation, *Verrat, Anklage.*
wrench(e) OE wrenc m., NE wrench, trick, false notion, *Ruck, Kunstgriff, List, falscher Gedanke.* — a-wrenche OE wrence, NE wrench, *drehe (mich).*
wreste OE wræste, NE wrest, twist, force, *drehe, zwinge.*
wreten = i-write(n) s. write. | wreth = wra(t)the.
wrethe OE wræþ m., NE wreath, *Kranz.*
wreththe OE wræþþo f., NE wrath, *Zorn.* — a-wreth(th)e cf. OE gewræþe; NE make angry, *erzürne.* — wrethful NE wrathful, *zornig.*
wrie OE wrîgige, NE turn, twist, go, *drehe, gehe.*
wrie, i-wrie(n) = wree. | wrie = wrei(gh)e.
wright(e) OE gewyrht n. f., NE deed, merit, *Tat, Verdienst.* — wrighte OE wyrhta m., NE worker, maker, *Macher.*
wrim OE wyrm = worm. | wrine inf. of wrie = wree.
wringe, p. wrong, pp. i-wrunge(n), i-wronge(n) OE wringe, NE wring, wrest, twist, squeeze, *ringe, (w)ringe (Wäsche), (ver)-drehe, drücke.* — wringing NE; *Ringen (der Hände).*
writ OE (ge)writ n., NE Writ, writing, *Schrift, Schreiben.* — write, 3 sg. writ, p. wrat(e), wrot(e), write(n), pp. i-write(n), -on, -un OE wrîte, NE write, *schreibe.* — writing OE wrîting f., NE writing, *Schreiben.*
writhe, p. wroth, writhe(n), pp. writhe(n) OE wrîþe, NE writhe, turn, twist, bind, *drehe (mich), binde.* — writhing NE turning, *Umdrehung.*
writhe OE wrîde, wrîþ(ig)e, NE grow, flourish, *wachse, blühe.*
writte = write. | i-wroke(n), wrokin s. wreke. | wrocte = wrought(e) s. i-wirche | wrogge = frogge. | wrought(en) s. i-wirche. | wronk = wrong.
wrong ON *vrangr, NE wrong, pain, *Unrecht, Schmerz;* wrong, *falsch.* — wrongwis NE unjust, *ungerecht.*
wrong, i-wronge s. wringe. | wrot(e) s. write.
wrote OE wrôte, NE root up with the snout, *wühle (auf) mit dem Rüssel.*
wroth, i-wrouht, wrout(h), wrowt = i-wrought s. i-wirche. | wrsipe = worship. | wrt = wort. | i-wrthen = i-worthen. | wrthere = forther. | wrth(i)e = worthie s. worth. | wrthsipe = worship. | wu = how. | wucche = whicche. wuch = which. | wude = wode. | wudouten = withouten. | wulde s. wil(le).
wulder OE wuldor n., NE glory, *Ruhm.*
wüle = whil(e). | wül(l)e = wil(le). | wülle = welle. | wult = wilt s. wil(le).
wumme! OE wâ mê! NE woe to me! *weh mir!*
wummon = wom(m)an. | wun = i-wunne(n) s. i-winne. | wunde = wounde. | i-wunde(n) s. winde.
wunder, -ir OE wundor n., NE wonder, *Wunder;* wonderful, *wunderbar;* greatly, very, *sehr.* — wunder ane 16, A 298 OE wunder + âne, NE uniquely, quite uncommonly, *einzig, ganz ungewöhnlich.* — wonderful, -vol OE wundorful(l), NE wonderful, *wunderbar.* — wonderlich OE wundorlîc, NE wonderful, *wunderbar.* — wonderliche OE wundorlîce adv. — wondermost NE most wonderful, *höchst wunderbar.* — wonders OE wundres gen., NE wondrously, *wunderbar.* — wondre OE wundrige, NE wonder, *verwundere mich.* — wondring(e), wondering(e) OE wundrung f., NE wondering, *Verwunderung.*
wune = won(e), NE wont. | wun(i)e = wone, NE dwell. | wünlich = winly. | wünne = winne. | wunnie = wone vb. | wununge = woning. | würch- = wirch-. | wurde = word. | i-wurde =

ᵃ-worthe. | wurhliche = worthly. | ᵃ-würie = ᵃ-wirie. | wurm = worm. | wurne = werne. | wurse = wers(e). | wurship, -shup = worship. | wurs(i)e = wers(i)e. | wurt = wort, NE wort. | wurth = worth.

ᵃ-wurthe OE āweorþe, āwurþe, NE disappear, escape notice, remain untouched, *entschwinde, entgehe der Beachtung, bleibe unberührt.*

ⁱ-wurthe = ⁱ-worthen. | wurthy = worthy. | wurth(i)e = worthie s. worth. | wurthscipe, -sipe = worship. | wurthinge = worthinge. | wurthu = worth thou. | wush = wosh s. washe. | wuste = wiste s. wot. | wute(n) s. wot.

Y.

ya = ye, NE yea. | yæfe p. sbj. of yeve. | ȝæn = a- ye(i)n. | yaf(e) s. yeve. | yald p., yalt(e) 3 sg. of yelde. | yalu = yelow.

yarkie OE gearcige, NE prepare, *bereite, rüste (mich).*

yare, pl. yarowe, yar(e)we, OE gearo, NE ready, prompt, *fertig, bereit, schnell.* — yare cf. OE gearwige, NE make ready, *mache bereit.*

yare = yore. | yarne, p. yarnit = yerne. | yarre, yaru = yar(e)we s. yare adj. | yat = yet.

yat(e) OE geat n., pl. gatu, NE gate, *Tür, Tor.* — yateward OE geatweard m., NE doorkeeper, *Torwart.*

yate, yette OE geate, gete (cf. geâ), NE grant, *gebe zu, gewähre.* — yettunge NE consent, *Zustimmung.*

yave(n) s. yeve. | yavre = ever.

ye, gen. your, dat. yow OE gê, NE you, *ihr.*

ye OE geâ, NE yea, verily, *ja, fürwahr.*

yeath = geth s. go. | yechinge = yichinge.

yeddinge OE giedding f., NE song, saying, *Lied, Sprichwort.*

yede, yeode s. go. | yef = yif. | yef p. and imp. of yeve. | yeft = yift.

yeie cf. ON geyja; NE shout, *rufe, schreie* (?).

yeif = yif. | ȝeild = yeld. | yeir = yer. | yeit = yet(e), NE yet.

yeld OE gield n., NE compensation, tax, *Entgelt, Steuer.* — yelde, 3 sg. yeldeth, yelt, p. yald, yolde(n), pp. ⁱ-yolde(n) OE gielde, NE yield, pay, recompense, return (greeting), *liefere (aus), zahle, vergelte, erwidere (Gruß).* — yelding NE yielding, produce, *Ertrag.*

yelde OE gegield n., NE guild, *Gilde.* — yeldhalle OE gegieldheal(l) f., NE guild-hall, *Gildehaus.*

yelle OE gielle, NE yell, *gelle, schreie.*

yelow, yelw(e) OE geolo, NE yellow, *gelb.* — yelownesse NE yellowness, *Gelbheit, gelbe Farbe.*

yelp OE gielp m., NE boasting, *Prahlen.* —

yelpe OE gielpe, NE boast, *prahle.* — yelpinge OE gielping f., NE boasting, *Prahlen.*

yelw(e) = yelow.

yeman cf. OFries. ga-mann, OHG gewi-, gowi-, G *Gau-*; NE yeoman, man-servant, *Freisasse, Bediener.* — yemanly NE in the manner of a yeoman, *in der Art eines Freisassen.* — yemanrie NE yeomanry, *Klasse der Freisassen.*

yeme OE gîeme f., NE care, *Acht, Sorge.* — yeme OE gîeme, NE take care, *achte (auf), sorge.* — yemele(a)s OE gîemelēas, NE careless, *sorglos.* — yemeleaschipe NE negligence, *Nachlässigkeit.* — ȝemele(a)s(te) OE gîemelēast f., NE negligence, *Nachlässigkeit.* — yemsle, yemsell cf. ON geymsla, NE care, charge, *Hut, Sorge.*

yend, yeond = yond. | yeng = yong. | yent = yond. | yeo = he(o), NE she s. he. | yeom = he(o)m s. he. | yeong = yong. | yeorn- = yern-.

yep OE gêap, NE cunning, vigorous, *schlau, frisch, munter.*

yer, year OE gêar, gêr n., NE year, *Jahr.* — by yere NE every year, *jedes Jahr.*

yerd OE geard m., NE yard, garden, *Hof, Garten.*

yerde, yeorde OE gierd f., NE rod, *Gerte, Rute.*

yering = yerning.

yerne, yeorne OE georn, NE eager, *eifrig, gern.* — yern(e) OE georne, NE eagerly, *eifrig*; yerneliche, yeornliche OE geornlîce, NE eagerly, *eifrig.* — yerne OE gierne, NE yearn for, *sehne mich nach.* — yerning OE gierning f., NE desire, longing, yearning, *Begehr, Sehnsucht.*

yerne OE ge-ierne, gerinne, NE run, *eile.*

yes OE giese (cf. geâ), NE yes, *ja.*

yesterday OE giestrandæg(e), NE yesterday, *gestern.* — yestereven OE giestranæfen m., NE yesterday evening, *gestern abend.* — yesternight OE giestranniht, NE yesterday night, *gestern abend.*

yet, yete, yeot OE gîet(t), NE yet, *noch, doch.*

yet = ye it.

yete, yeote, p. yet, yote(n), pp. yete(n), yote(n) OE gêote, NE pour, *gieße.*

yete OE giete, = gete. | yete = yate. | yette, yettunge s. yate, NE grant.

yeve, yeove OE giefu, geofu f., NE gift, *Gabe.* — yeve, yeove, yive, gife, p. yaf(e), yef, gaf, gef, yeve(n), yave(n), yove(n), gæfen, pp. ⁱ-yeve(n), ⁱ-yive(n), ⁱ-yove(n), gifen OE giefe, 2 sg. gifest, ON gefa, NE give, *gebe.* — yevere NE giver, *Geber.* — yevethe OE gifeþe, NE given, *gegeben.* — yeving OE giefung f., NE giving, *Geben.*

yew = yow s. ye.

27*

yexe cf. OE giexa, gihsa m.; NE hiccup, sob, *habe den Schlucken, schluckse.*

yhe = ye. | yher = yer. | yhere = ere, NE ear, *Ohr.* | yhitte = yet. | yho = he(o) s. he. | yhot = he(o) s. he + it. | yhung = yong.

yichinge fr. OE *gyccan, giccan; NE itching, *Jucken.*

yif, yife, yiff OE gif, NE if, *wenn, ob.*

yif imp., yife sbj., of yeve.

yift(e) OE gift f., NE gift, *Gabe.*

yilde = yelde.

yim OE gim(m) m., NE gem (fr. OF gemme), *Edelstein.*

ying cf. OE comp. gingra; = yong. — yingthe NE youth, *Jugend.*

yirne = yerne, NE yearn for. | yirne = yerne, NE run.

yirre, p. pl. yurren OE gierre, NE rattle, *rausche.*

yis = yes.

yisce OE gîtsige, NE covet, (*geize*), *begehre.* — yiscare, yissare OE gîtsere m., NE covetous man, *Geizhals.* — yiscunge OE gîtsung f., NE covetousness, *Begehrlichkeit.*

yister- = yester-. | yit(e), yitt = yet. | yive, yiver = yeve, yevere.

yivre OE gîfre, NE greedy, *gierig.* — yivernesse OE gîfernes f., NE greediness, *Gier.*

yo = he(o) s. he, NE she.

yok OE geoc n., NE yoke (fr. pl.), *Joch.*

yod(e) = yede. | yoy = joi(e).

yol OE geôl n., NE Yule, Christmas, *Weihnachtsfest.*

yolde(n) s. yelde. | yolʒe = yelw(e).

yolle cf. ON gaula 'bellow', OE gielle; NE yell, *schreie laut.* — yolling NE yelling, *Geschrei.*

yoman = yeman.

yon OE geon, NE yon, *jener.* — yond OE geond, NE through, across, yonder, *durch, über, dort.* — yonder NE yonder, *jener, dort.* — yondhalf, yond(e)alf OE geond + healf f., NE on the other side, *jenseits.*

yong OE geong, dial. iung, NE young, *jung.* — yonghed NE youth, *Jugend.* — yongling OE geongling m., NE youth, *Jüngling.*

yonge = gange.

yore OE geâra fr. geâr, NE formerly, long ago, *früher, vor langem.* — yorefader OE geâra + fæder m., NE forefather, *Vorfahr.*

yot = yede. | you = yow OE êow (cf. nom. gê) s. ye. | youhthe = youthe. | youling = yolling. | young = yong.

your, yowre OE êower (cf. nom. gê), NE your, *euer(e).* — youres NE yours, *der (die, das) eurige.*

youre = yore.

youthe, yowthe OE geogoþ f., NE youth, *Jugend.* — youthhede OE geogoþhād m., NE youthhead, -hood, *Jugend.*

¹-yove(n), yovun s. yeve.

yo(w) = you(r). — to yowward OE tô + êow + weard, NE towards you, *nach euch hin.*

yoxe = yexe. | yülden = gilden. | yu(h)ethe = youthe. | ª-yülte = ª-gilte. | yung = yong. | yur = your. | yurren s. yirre. | yürstenday = yesterday | yüs = yes. | yut(e) = yit. | yuw = you. | yuwethe = youthe. | yve = yeve.

Z.

zaith = seith 3 sg. of seie. | zalm = salm. | zang = song. | zaule = soule. | ¹-ze = ¹-se. | ¹-zed = ¹-se(i)d, zede = se(i)de s. seie.

zeferus L zephyrus, NE zephyr, *Zephyr, Südwestwind.*

¹-zeʒ = selgh s. ¹-se.

zele OF; NE zeal, *Eifer.*

zel(l)ve = selve. | zen(ne) = sinne. | zent = sente s. sende. | zette = sette. | zevevald = sevenfold. | ¹-zi = ¹-se. | zik = sik, NE sick. | ziker = siker. | zienne infl. inf. of zie = ¹-se. | zigge = seie. ! ziʒthe = sighte. | zinge = singe. | zith = sith. | zitte = sitte. | zo = so.

zodia Gr. ζῴδια, NE beasts, *Tiere.*

zofte = softe. | ¹-zoge pp. of¹-se. | zom = som-. | zone = sone. | zonge = songe(n) s. singe. | zonne = sonne. | zorʒe = sorwe. | zoster = suster. | zoth = soth. | zuete = swete. | zuich = swich. | zuift = swift. | zuo = so. | zuord = swerd.

Vorwort.

Das Bedürfnis des Seminars hat es veranlaßt, daß den vielen und vielfach rühmenswerten Lese- und Übungsbüchern, die den me. Studien bereits dienen, hiemit ein neues hinzugefügt wird.

Die Reimkritik, als das Bemühen, den Sprachgebrauch eines Dichters aus seinen Reimen herauszulesen, so daß die Trübungen des ursprünglichen Wortlautes durch Willkür und Fehler der Abschreiber beseitigt werden, ist erfahrungsgemäß ein vorzügliches, vielleicht das beste Mittel, um die Sprachgeschichte einzuüben. Kein richtiges Anglistenseminar ohne regelmäßige Arbeiten in Reimkritik. Aber mit weniger als etwa 300 Reimen läßt sich selten ein halbwegs umfassendes Sprachbild eines Autors darstellen. Die kurzen Proben, wie sie gewöhnlich in den Übungsbüchern erscheinen, reichen dazu nicht aus. In Zupitza-Schippers Übungsbuch sind nur vier Stücke mit dieser Zahl Reime vorhanden: Poema Morale, Dame Sirith, Robert Manning, Towneley-Noah; da ist nicht viel Abwechselung möglich. Um mich bei den Übungen besser rühren zu können, habe ich hier eine Reihe Texte des angegebenen Umfanges zusammengestellt. Das Buch ist dabei ziemlich angeschwollen; dank dem Entgegenkommen der Verlagsbuchhandlung ist aber der Preis doch innerhalb der Grenzen studentischer Mittel geblieben.

Bei der Auslese schwebte das Ziel vor, für alle wichtigeren me. Sprachgebiete möglichst solche Denkmäler zu wählen, deren Entstehungsort und -zeit durch äußere Anhaltspunkte gesichert ist. Was sie an Anspielungen solcher Art enthalten, ist regelmäßig mit abgedruckt. Der Studierende soll vor allem die Grundlagen kennen lernen, auf denen unser vielfach theoretisches Gebäude der me. Grammatik errichtet ist.

Reimdenkmäler haben naturgemäß den Kern der Sammlung geliefert. Um aber auch die Schreibungen in gebührendem Grade studieren zu lassen, habe ich die Hss., wo deren mehrere vorhanden sind, oder wenigstens die wichtigeren dieser Hss. vollständig nebeneinander mitgeteilt. Mit Absicht wurden auch einige Gedichte geboten, die uns in minder schulgerechter Aufzeichnung vorliegen (Bannockburn-Weissagung, Ballade über die schottischen Kriege). Namentlich aber dient diesem Zwecke die Abteilung Prosa. Endlich sind die wenigen sicheren Originalhandschriften, die wir aus dieser Periode besitzen (Orrm, Dan Michel), ausgiebig mit berücksichtigt worden.

In literarhistorischer Hinsicht ist der Grundsatz durchgeführt, jedem Text die Quelle beizufügen, oder doch jene Vorstufe, die einer unmittelbaren Quelle möglichst nahe kommt. Manchmal (wie beim Tristrem oder Alisaunder) hat die Zugänglichkeit der Quelle geradezu es bedingt, welcher Teil einer größeren Dichtung aufgenommen wurde. Um jedoch darüber hinaus zu Beobachtungen über Stilgeschichte anzuregen, über den Einfluß des dichterischen Zweckes, der literarischen Gattung, des Versmaßes, auch örtlicher, zeitlicher und professioneller Verhältnisse auf die Darstellungsweise, habe ich wiederholt ein und

dasselbe Motiv (Tod Arthurs, Geburt Jesu) durch eine Reihe ver-
schiedenartiger Dichtungen verfolgt, durch Chroniken und Romanzen,
Homilien und Spiele, durch gelehrte, höfische und volkstümliche Sphäre,
durch rhetorische Mode von c. 1200 bis c. 1400. Wenn ein gramma-
tisches Übungsbuch zugleich dem Studium der höheren Form dienen
kann, soll man sich die Gelegenheit dazu nicht entgehen lassen.

Adelige und spielmännische Sitte, politische Fragen und bürger-
liche Bewegungen sind endlich nach Möglichkeit mit bedacht worden.
Vom Leben der me. Zeit einen Durchschnitt zu erhalten ist für den
Anglisten um so wichtiger, als sich gerade in jener Periode der eng-
lische Volkscharakter mit seiner Mischung von Puritanertum und
Gentlemansart herausbildete, wie er uns noch heute im wesentlichen
entgegentritt. Bei Langland erscheint zuerst der Puritaner, bei Chaucer
der Gentleman literarisch ausgeprägt. Schon der Anfänger soll es er-
fahren, daß zur Philologie auch ein Stück Seelengeschichte gehört.

Verantwortlich für diese Wahl der Texte und für ihre Anordnung
bin ich fast allein. Dagegen hat den Abdruck der Texte ausschließ-
lich Dr. Otto Zippel besorgt, der Assistent des Englischen Seminars
in Berlin, der hiezu durch seine historisch-kritische Ausgabe von
Thomson's Jahreszeiten (Palaestra 66) vorbereitet war. Nur bei einem
Teil der Texte hat sich Herr Zippel mit einer bloßen Wiedergabe der
schon vorhandenen Ausgaben begnügt, weil diese von Forschern mit
moderner Genauigkeit gemacht waren, nämlich bei King Horn, Horn
Childe, Tristrem, Barber, Alliterative Mort Arthur, Genesis & E.,
Metrical Homilies, Christmas Carol, Love Song, Proverbs of Alfred,
Piers Plowman, Gower, Towneley Plays, Proclamation, Translations
of Gospel, Wycliffe, Petition, Malory; auch bei Laʒamon B, weil diese
Hs. ohne künstliche Mittel und sehr viel Zeitaufgebot sehr schwer zu
entziffern ist. Alle übrigen Texte hat Zippel auf den englischen Biblio-
theken mit den Hss. verglichen. Für die Dichtung "Evil Times of
Edward II" hat Prof. Breul in Cambridge die Hs. C und Mr. Meikle[1])
von der Universität Edinburg die Hs. E freundlichst nachgesehen.
"Sawles Warde" wurde durch Herrn Rackwitz-Berlin und Mr. Black-
shaw-Manchester kollationiert. Die wichtigsten Stellen, die zu be-
richtigen waren, sind im folgenden zusammengestellt.

S. 9 A 160 to] him to *las* M(*adden*)   A 173 eorle M   11 A 196 muchelre M
16 A 294 lasten M   81 3416 Boteler] boleter B(*ruce*)   82 3454 both B   3473 good B
104 11229 thoru *Morris*   111 119 never K(*onrath*)   156 hadde K   115 75 þat on] þon on
Stengel   116 118 What *Mätzner*   161 all *Stengel*   118 268 When M(*ätzner*)   278 was M
125 1115 For *Gadow*   137 19 y] ye R(*itson-Hazlitt*)   138 122 ʒour sped] ʒ. spel R
139 140 When R   156 9018 calle H] calles F(*urnivall*)   9062 herde Fᵇ   157 9075 þarefore F
9088 hande F   9090 twelvemonþe F   9103 hand F   158 9143 felte] fette F   9154 Goddes F,
dyd F   9182 hade F   9186 graunted F   159 9231 hade F   9249 make *f.* H] *f.* F
160 2 witte M(*orris*)   9 Before M   20 god M   28 call M   34 *Beifügung von* at] *f.* M
42 is M   43, 64 *Stellung von* his] *f.* M   57 skill M   92 bothe M   161 97 til M
124 ryght M   129 wake M   136 And M   145 Wyth outen M   153 knawing M
164 gode M   162 191/192 whilk M   203 understands M   208 come M   163 313 some M
340 make M   187 E 60 top] cop W(*right*)   E 78 churche W   188 E 108 betir W
190 E 136 full W   E 142 gate W   191 E 172 stant W   195 C 314 fet] fat (*Hardwick*)
197 C 358 be] he H   199 C 418 lete] lote H   223 6 ihered M(*orton*)   12 Loquacitas M
19 is *f.*] *f.* M   226 168 þis M   190 tutel] lutel M   227 5 ne (*für* ant) RC] *f.*
W(*agner*)   228 34 loke C] *f.* W   41 hom C] hon W   37 þat is C] þe is W

¹) Der größere Teil von Mr. Meikle's Kollation kam erst nach dem Beginne des
Druckes an und konnte deshalb nur für die Berichtigungen benutzt werden.

61 rateketehe *C*] rakatehe *W* 229 72 widuten *R*] widuten *W* 5 hit *B*] *f. W*
76 ziveð *C*] giveð *W* 229 79 cunes *R*] *f. W* 100 hwer *R*] her *W* 230 108 schenlac *R*]
schendlac *W* 112 heates *C*] Neates *W* 114 grissen *R*] grislen *W* 121 hideward *R*]
hiderward *W* 231 143 ʒeveð *R*] geveð *W* 151 midel *B*] *f. W* 156 þat *R*] þe *W*
232 186 ha *R*] *f. W* 188 nu *R*] mi *W* 208 so *R*] for *W* 233 230 godd *C*] godd *W*
249 eaverma in a *C*] eaver in a in a *W* 234 277 hwerseeover *C*] huersoeaver *W*
279 makie *C*] make *W* 286 war *R*] þar *W* 235 307 þurh *R*] þet *W*.

Große und kleine Anfangsbuchstaben, Verbindungs- und Unter-
scheidungszeichen sind in den Texten geregelt.

Das Glossar ist für den Anfänger berechnet, der sich, ohne das
große me. Wörterbuch von Stratmann-Bradley zu besitzen, in die vor-
liegenden Probestücke und in Chaucer hineinlesen will. Jedes Wörter-
buch ist ein Kompromiß, dieses allerdings in besonderem Grade; denn
es soll, ohne ungefüge im Umfang und unerschwinglich im Preise zu
sein, den Anglistenjünger durch die verwirrende Buntheit der nach
Ort, Zeit und Bildung der Schreiber so schwankenden me. Schreibung
zu zwei Zielen hinführen: Kenntnis der Etymologie und der Haupt-
bedeutung für jedes Wort. Wie weit es gelungen ist, den ganzen
Wortvorrat, der in diesem Buche und bei Chaucer vorkommt, einzu-
heimsen, wird sich erst beim Gebrauche herausstellen. Herr Zippel
ist bei dieser Arbeit durch die Oberlehrerinnen Elisabeth (†) und Erna
Friedel emsig unterstützt worden. Jeder Besserungsvorschlag, der uns
zugeht, soll dankbar entgegengenommen und benutzt werden. Den
Professoren Förster, Heusler und Luick sind wir bereits für mancherlei
wertvolle Hilfe an den Korrekturbogen wärmstens verpflichtet.

Betreffs Anordnung des Glossars mußten wir uns entscheiden,
nach welcher Norm die Grundformen zu wählen seien. Geht man von
der frühme. Schreibung aus, wie dies Stratmann tat (z. B. lang, stan,
heah, uvel), im wesentlichen auch Mätzner im me. Wörterbuch, so muß
diese für viele Wörter, die erst im späteren Me. auftreten, theoretisch
erschlossen werden, und noch mehr bleibt die Aussprache, die jeder dieser
erschlossenen Schreiber vertreten wollte, unbestimmt. Kluge im Glossar
zu seinem me. Lesebuch hat betreffs Schreibnorm mehr ins Me.
hineingegriffen (long, stoon, heh, ivel, cussen); seine Ansatzformen sind
alle in Denkmälern des 14. Jahrhunderts irgendwo zu belegen; aller-
dings bald in London, bald in einem Provinzdenkmal; sie wirken da-
her etwas bunt und künstlich. In der neuesten Ausgabe von Zupitza-
Schippers Übungsbuch (11. Aufl. 1915) ist die Schwierigkeit in der Weise
umgangen, daß die me. Wörter heimischer Art alle auf die ae. Formen
zurückbezogen und nach diesen angeordnet sind. Das Verfahren ist
berechtigt in einem für ae. und me. Texte gemeinsam berechneten
Glossar, wie es jenes ist, ließ sich aber in einem ausschließlich me.
Buch, wie es das vorliegende ist, nicht wiederholen. Unter solchen
Umständen schien es angezeigt, die Chaucerische Schreibung in den
Mittelpunkt zu rücken. Sie stellt ein organisches, in der Wirklichkeit
vorhandenes und weitaus die meisten me. Wörter umfassendes Gewächs
dar. Sie spiegelt den Sprachgebrauch der höfisch-gelehrten Londoner
Kreise zu Ende des 14. Jahrhunderts und den des bedeutendsten Autors,
den die ganze Periode aufzuweisen hat. Sie erscheint in den ältesten
Hss. seiner Werke ziemlich einheitlich ausgeprägt und stimmt im
wesentlichen auch zur Aussprache, in der sich seine Reime bewegen.
Jeder Anglist muß sie kennen; mit Hilfe zahlreicher Verweise wird

es auch dem Anfänger nicht überschwer werden, sich in ihr zurecht-
zufinden. — Bei den Verben ist als Grundform nicht der Infinitiv
angesetzt, weil er in me. Zeit ein schwankendes *-n* hat, z. B. *lokien,
lokie.* Da überdies das *i*-Suffix gewisser schwacher Verben und das
End-*e* unsicher waren, drohte eine lästige Buntheit der Grundform.
Allerdings hat auch die 1. Person Sgl., die hier vorangestellt ist, ihre
Bedenken, namentlich bei unpersönlichen Verben. Möge uns die Un-
vollkommenheit des Erfolges nicht als Leichtfertigkeit des Entschlusses
gedeutet werden! — Besonders schwierig war es endlich, die Grund-
form für Wörter der Gruppe ae. *hêah, lêogan, dêgan* < altn. *deyja, tiegan*
zu wählen. Die Reime Chaucers sprechen da manchmal für *ei*, meist
für *î*, während ältere und nördliche Dichter mit Vorliebe sogar *e* fest-
hielten. Seine Schreiber bieten für solches *g* bald *ʒ* oder *h*, bald *gh*, bald
lassen sie es weg. Alle diese Schwankungen sollen durch *hei(gh),
hi(gh)* angedeutet werden, in denen das über die Zeile gestellte *i* als
ein ursprünglicher Gleitelaut zu verstehen ist, der später allein übrig
blieb. Also: *hei(gh), hi(gh)* stehen als Abkürzung für die möglichen
Schreibungen *hegh, he, heigh, hey, high, hy,* wobei zugleich die Spirans,
wenn erhalten, noch in drei anderen Weisen, nämlich durch *g, ʒ* oder *h,*
bezeichnet werden konnte. Diese Gruppe Wörter von solchen mit festem
ei = ai oder mit festem *î,* z. B. *wey < weg, day < dœg, by < bî,* aus-
einander zu halten, kann der Anfänger nicht pedantisch genug gewöhnt
werden. Ähnlich ist *ough,* wo ein *o* als Tonvokal mit schwankendem
dumpfem Gleitelaut und einer allmählich verstummenden Velarspirans
gemeint ist, unterschieden von *ough,* dessen Tonvokal in gut me. Zeit
fest als einfaches langes *u* lautete; also *boughte < bohte* 'kaufte',
though < Orrms *pohh* 'doch', aber *inough < genôh* 'genug', *drought <
drûgap* 'Trockenheit'. Durch solche graphische Trennung soll eine
gefährliche Unklarheit der modern englischen Aussprachebezeichnung
aufgehellt werden — das möge die Einführung einer ungewohnten
Zeichengruppe rechtfertigen.

Flexionsformen sind nur insofern in das Glossar aufgenommen, als
Chaucer und die Textproben dieses Buches sie enthalten. Die des Nomi-
nativ Singular mußten bei den Nomina, die der ersten Person Singular
bei den Verben im allgemeinen ausreichen. Um den Plural der starken
Praeterita vom Singular zu sondern, genügt wohl das hier gewählte *-(n).*
Das Wörterbuch hat die Grammatik zu ergänzen, aber nicht sie zu ersetzen.

Als Etymon konnte bei dem beschränkten Raum nur die unmittel-
bare Vorstufe der Wörter verzeichnet werden. Dabei empfal es sich,
für das Ae. die altwestsächsischen Formen einzusetzen, nicht bloß
weil in ihnen der vorhistorische Bestand am deutlichsten durch-
schimmert, weil sie aus Sweet's ae. Glossar bequem zu entnehmen und
weil ihr tatsächliches Vorkommen durch Cosijn's alt-ws. Grammatik
vollständig zu kontrollieren ist, sondern auch weil sie für die Sprache
des in Middlesex heimischen Chaucer als leidlich berechtigte Vorstufe
gelten dürfen. Es schadet nichts, wenn bereits der Anfänger durch
die Beobachtung, daß sie mit den Chaucerischen Formen nicht immer
übereinstimmen, auf die Mischelemente im Sprachgebrauch der spät-me.
Londoner aufmerksam wird.

Bei der Angabe der Bedeutung macht es sich am meisten fühl-
bar, wie rückständig unsere me. Forschung vielfach noch ist. Wo

Mätzner's Wörterbuch aufhört — dieser stattliche, leider seit langem ruhende Torso —, da hört auch die Bedeutungsgeschichte der me. Wörter so ziemlich auf. Ausdrücke wie *pas, play, plight, rewe, rich, roun, shrive, swogh(en), time, wit* und viele andere haben eine beträchtliche Sinnesentwicklung durchgemacht, die aber noch zu wenig aufgeklärt ist, als daß sie sich in einem knappen Übungsbuch vortragen ließe. Vivat sequens.

Als Geschäftssprache haben wir nach dem Vorgange von Bartsch auf dem altfranzösischen und vieler Forscher auf dem lateinischen Gebiete das Neuenglische gewählt, weil es auch den nichtdeutschen Studierenden, die nach einem solchen Buche greifen könnten, immer und unter allen Umständen geläufig sein muß. Daß unser Unternehmen aus dem deutschen Betriebe der englischen Philologie erwachsen ist und in erster Linie deutscher Forschungsmethode zu dienen hat, verrät sich ohnehin auf den ersten Blick. Aber wer immer daran teilnehmen will, muß offene Türen finden. Unseren eigenen Anglistenjüngern kann es nur nützen, wenn sie die ne. Fachausdrücke frühzeitig gebrauchen lernen.

Dies Vorwort zeichne ich allein, um desto kräftiger betonen zu können, daß die weitaus überwiegende Last der mehrjährigen Arbeit von Herrn Zippel getragen wurde, mit hingebungsvoller Emsigkeit und gewissenhaftester Treue.

Berlin, Weihnachten 1915.

Alois Brandl.

Vorwort zur zweiten Auflage.

Otto Zippel, der an der ersten Auflage hingebungsvoll mitarbeitete, hat ihr Erscheinen nicht erlebt. Im Mai 1917 fiel dieser friedliche Anglist bei Arras durch einen Gasangriff der Engländer. Am letzten Nachmittag, bevor er auszog, hatten wir noch zusammen die Revision des Glossars erledigt; beim Scheiden haftete er mit ahnungsvollem Zögern an der Schwelle; dann riß er sich los von den Büchern, die er liebte, und von der Wissenschaft, für die er lebte, um den deutschen Kindern den knappen Platz auf der Erde zu verteidigen. Wohl ihm, er hat den Zusammenbruch nicht mehr erlebt!

Geboren 1882 in Greiz als Sohn des Gymnasialdirektors und daselbst auch mit dem Zeugnis der Reife 1901 ausgestattet, studierte er zunächst ein Semester in Greifswald und eins in Leipzig, dann ein Jahr in Grenoble und versenkte sich schließlich mit voller Kraft ins Berliner Anglistenseminar. Er promovierte hier 1907 mit einer Dissertation über die Entstehungs- und Entwicklungsgeschichte von Thomsons 'Winter', die er 1908 zu einer kritischen Ausgabe und inneren Geschichte der 'Seasons' erweiterte (Palaestra 66). Man kann den Einfluß Thomsons auf Wordsworth und andere Landschaftsdichter jener naturfrohen Zeit nicht verläßlich beurteilen, ohne die tief eingreifenden Veränderungen zu beachten, die Thomson von Auflage zu Auflage anbrachte; Zippel hat diese lehrreichen Beobachtungen bedeutend erleichtert.

Durch einige Jahre versuchte er sich im praktischen Lehramt. Aber seine schwache Gesundheit und sein starker Forschungstrieb veranlaßten ihn, unter Verzicht auf alle Vorteile seiner Stelle ins Berliner Seminar zurückzukehren, um es als bescheidener Assistent zu betreuen. Die Ferien verbrachte er meist in England; er sammelte dort das Material für eine historisch-kritische Ausgabe von Landors 'Gebir', die zu vollenden ihm leider nicht vergönnt war, und um die Hss. für die vorliegenden Sprachproben zu vergleichen. Außerdem ging er dem mittelniederländischen Einfluß auf das me. Wörterbuch nach; ein großes Folio-Ms. darüber gab er mir noch kurz vor seinem Auszug in die Hand und wollte sich damit nach der Heimkehr habilitieren; es ist soeben von Dr. J. Toll ausgefeilt und pietätvoll veröffentlicht worden. Drei Bücher sind also die Denksteine, die er hinterließ. Freundlich und immer hilfsbereit, wie er war, hatte er keinen Feind; selbst der Gegner, der in unpersönlichem Kampf ihn umbrachte, wird den frühen Hingang dieses vielversprechenden Gelehrten bedauern und sein Gedächtnis ehren müssen.

Die Neuausgabe hatte, dank seiner exakten Arbeit, nur eine Anzahl Einzelverbesserungen aufzunehmen, veranlaßt hauptsächlich durch die eingehende Nachprüfung sachkundiger Rezensenten — Binz, Eichler, Holthausen, Jordan, Kaluza, Sundén —, denen allen durch möglichste Aufnahme ihrer Verbesserungsvorschläge ehrlich zu danken ich mich bemühte. Emsig hat dabei Frl. Stud.-Ass. Margarete Meyerfeldt geholfen. Im Ringen um die gewaltigen Fragen des Tages hat sich unsre Jugend von mittelalterlichen Studien merklich abgekehrt; sie fordern einen idealistischen Sinn, aber sie können ihn auch fördern; möge dies Lesebuch dazu im Stillen und Tiefen beitragen!

Berlin, Ostern 1927.

Alois Brandl.